Предисловие

Наверное, все-таки имеет смысл начать с благодарности. Спасибо тебе, дорогой читатель или читательница, что из моря посвященной Всемирной Сети литературы вы выудили именно эту книжку. Правда, собственно моих заслуг в этом пока что нет — благодарить надо издательство, которое и придало книге все подмеченные вами внешние достоинства. Автору же еще только предстоит убедить вас в том, что выбор вы сделали правильный и что книжка эта не обременит лишним грузом вашу многострадальную книжную полку и не полетит в корзину после прочтения первого же абзаца.

Наверное, как раз для этого и предназначены предисловия...

Эти несколько страничек можно было бы написать по-разному.

Можно было наговорить кучу общих слов о Сети и пользе общения с ней, обильно приправив рассказ удачными клише — «виртуальная реальность», «киберпространство», «информационная эпоха»... Но читать такое предисловие было бы скучно. Да и стоит ли повторяться? В конце концов, впереди у вас еще добрых полтысячи страниц, посвященных этим, да и многим другим темам.

Лучше поговорим о другом. О том, каким образом появилась на свет эта книга. О том, какую цель ставил перед собой ее автор. Наконец, о том, что именно вы можете извлечь полезного для себя после общения с ней. Просто поговорим, не ставя перед собой (пока что) никаких глобальных задач.

...Идея этой книги родилась на свет почти восемь лет назад — и крестным отцом ее, сам того не подозревая, стал безымянный мужичонка, промышлявший мелким предпринимательством у стен книжного магазина «Библиоглобус». Торговал он товаром по тем временам весьма экзотическим — купонами на несколько часов работы в сети Интернет. И нетрудно догадаться, что одним из его клиентов по неведению стал автор этих строк. По неведению — потому что сейчас же обнаружилось, что купоны эти совершенно бесплатно можно получить в офисе одного из крупнейших столичных провайдеров!

Впрочем, все это не слишком важно. А важно то, что в конечном итоге я остался один на один с пятью часами сетевого времени... и в полном незнании, как эти часы потратить! Не помог и «Библиоглобус» — книг

по работе в Сети тогда было немного, а уж отечественных не было вовсе. В итоге пара приобретенных томов изобиловали анахронизмами и сведениями, рассчитанными исключительно на американских пользователей, а также не слишком понятной и нужной для гуманитария технической информацией.

Пришлось разбираться самостоятельно. За первыми пятью часами последовали и другие, потом еще и еще... Провайдеры менялись, сменяли одна другую книги. Но и в том и в другом случае до идеала было далеко.

В конце 1997 года издательский дом «ОЛМА-ПРЕСС» предложил мне написать небольшую, но полезную книжку для начинающих пользователей. Однако в итоге на свет появился довольно толстый том под названием «Новейшая энциклопедия персонального компьютера», выдержавший на сегодня уже несколько переизданий. Одна из глав энциклопедии как раз и была посвящена Интернет. Сначала объем ее был невелик — от силы сто пятьдесят страниц, однако к следующему изданию он уже удвоился... Пополнению, а порой и кардинальной переработке материала, немало способствовали отзывы читателей — спасибо им в очередной раз!

В итоге разросшийся сверх всякой меры раздел было решено «сослать» в отдельную книжку, так что сегодня «Новейшая энциклопедия персонального компьютера» и «Новейшая энциклопедия Интернет» существуют уже вполне самостоятельно друг от друга, оставаясь в то же время в приятельских отношениях. Правда, в отличие от своего старшего брата, «Энциклопедия Интернет» только начинает свой жизненный путь — надеюсь, он будет долгим и удачным. Впереди у автора еще много работы, ведь круг не охваченных тем намного шире тех областей, что уже «увековечены» в Энциклопедии.

Хочу сразу отметить — Энциклопедия эта названа «Новейшей», а не «Полной». Не стоит надеяться, что она ответит сразу на все ваши вопросы. Да в этом и нет нужды, ибо ее задача состоит в другом: научить вас искать нужные ответы самостоятельно. Ведь нет в мире справочника лучше, чем сам Интернет! К тому же составить полную и исчерпывающую карту Сети, видимо, не сможет никто и никогда. Облик Интернет меняется каждый день, ежечасно, ежеминутно. Появляются новые ресурсы и услуги, уходят в небытие, рождаются и совершенствуются программы, каждая из которых сама по себе достойна целой книги. Меняется все — не исключая и нас, пользователей...

Как и многие другие величайшие открытия человечества, сеть Интернет возникла случайно, в качестве побочного продукта военных исследований. Сеть росла и развивалась в течение трех десятилетий — незаметно, скрытно, пока, наконец, не грянул Большой Взрыв 1998 года, когда Интернет в одночасье стала мировой сенсацией, событием. Той самой Великой Загадкой и тем Великим обещанием, что сулили человечеству самые радужные перспективы.

Сегодня уже полтора десятилетия отделяют нас от момента громкого дебюта Сети, а споров и дискуссий вокруг нее лишь прибавилось. Разве что маятник общественного мнения качнулся в другую сторону — сегодня модно говорить о кризисе Сети, а самые авторитетные мужи допус-

кают высказывания вроде: «Интернет — этот потеря времени. Интернет — это большая помойка, полная рекламного мусора и порнографии. Интернет — высокотехнологичный наркотик для умственно отсталых».

Да, сегодня уже видно, что многие надежды, связанные с рождением Сети, пока что не оправдались. Интернет так и не вошла в каждый дом, доступ к нему имеет не более 10 % человечества. Интернет так и не вытеснил традиционные средства массовой информации, не похоронил книги, газеты, журналы. Не стала событием и «электронная торговля» — а ведь еще два года назад предсказания о смерти обычных магазинов под натиском их «виртуальных» собратьев сыпались, как из рога изобилия...

Но считать Интернет «разочарованием эпохи», неудавшимся экспериментом, на мой взгляд, было бы преждевременно. Пусть виртуальный мир Сети и не способен конкурировать с миром реальным — но стоит ли вот так, сразу, объявлять их непримиримыми соперниками? Ведь Интернет выдумана не как альтернатива нашему «материальному» бытию — даром что именно в этом качестве Сеть до сих пор показывают модные «бестселлеры» и «блокбастеры». Наоборот, Сеть призвана помогать нам в обыденной жизни, служить отличным источником информации. Интернет — это инструмент, овладев которым, вы заложите основы своей удачной карьеры в будущем и заметно облегчите жизнь в настоящем. Сегодня мы с вами живем в «пограничном» периоде: модной игрушкой Сеть уже перестала быть, а в повседневность еще не превратилась. Несмотря ни на что, мы ждем от Сети новых чудес и новых возможностей. Нового, чудесного завтра...

Будучи гуманитарием, я старался сделать книгу максимально доступной для пользователей, незнакомых с миром информационных технологий — но при этом не создавать нечто подобное «компьютерной азбуке» для первоклассников. А главное — показать, насколько увлекательной и полезной может быть самостоятельная работа в Сети. Не случайно одними из «главных героев» моей книги стали современные поисковые механизмы, без которых сегодня работа в Интернет просто невозможна.

Эта книга — не техническое руководство, не сухой академический учебник. И уж тем более — не сборник инструкций и описаний к программам, не коллекция «полезных ссылок»: пусть спрос на такие издания сегодня весьма велик, однако век их так недолог...

Энциклопедия — лишь попытка очертить границы и наметить наш с вами маршрут по виртуальной стране Интернет. Небольшой путеводитель, указатель на перекрестке тысячи дорог, по каждой из которых вы можете пойти.

Но выбор вам придется делать уже самостоятельно...

Если же вы хотите указать автору на явные или скрытые ошибки, что-то посоветовать или просто подискутировать — добро пожаловать! Мой почтовый ящик по адресу lasarus@iname.com, как и прежде, работает круглые сутки...

Доброго вам пути!

Виталий Леонтьев

Автор приносит искреннюю благодарность людям и организациям, без которых эта книга никогда не появилась бы на свет:

Редакции издательского дома «ОЛМА-ПРЕСС» и главному редактору Олегу Ткачу — за доброжелательную атмосферу и неоценимую помощь по подготовке этой книги.

А также компаниям Cognitive Technologies, Арсеналъ (Москва), ПРОМТ (С.-Петербург), iSleuthHound Technologies (США) и другим — за предоставленные программные продукты, использованные автором в работе над «Энциклопедией».

ЧТО ТАКОЕ ИНТЕРНЕТ

ИСТОРИЯ ИНТЕРНЕТ

История — мать истины, — говаривал еще Дон Кихот. Через несколько столетий эта фраза стала толчком к появлению одного из лучших рассказов Хорхе Луиса Борхеса, а еще через полвека она же была взята в качестве отправной точки для нашего разговора об Интернет и его возможностях. Ведь ключом к пониманию нынешнего облика Сети и должна стать история ее возникновения и развития.

А началась она в конце пятидесятых, в тот момент, когда над Землей забибикал крохотный металлический шарик, запущенный в космические просторы с территории «одной шестой части света». Именно такую площадь занимала тогда наша страна, называвшаяся Советским Союзом.

В это же самое время на противоположном (с политической точки зрения, конечно) участке Земли разгорелись нешуточные страсти, как раз и порожденные тихим «бип-бип» первого спутника. Высшие военные чины Соединенных Штатов были в панике: «холодная война» была в полном разгаре и «захват» Советским Союзом космического пространства представлялся серьезной угрозой. Кто знает, что натворят эти кровожадные русские в следующий раз? А ну как выведут на орбиту не безобидную бибикалку, а...

О том, что это будет, военным не хотелось даже думать.

Ясно было одно: необходимо срочно ускорить темпы разработок новейших систем защиты, а на всякий случай еще и нападения... И именно с этой целью и было создано в том же 1957 году Агентство Перспективных Разработок (ARPA).

Нет-нет, ARPA занималась тогда отнюдь не международными сетями, а самыми банальными военными разработками. И просуществовало оно в этом качестве целое десятилетие, прежде чем перед учеными встала новая проблема.

А проблема была вот какая: необходимо было объединить работу исследовательских учреждений, разбросанных по необъятным просторам родной Америки. Необходима была четкая, налаженная система, позволяющая различным исследовательским центрам координировать свою работу, обмениваться информацией по принципу «каждый с каждым». И работать эта система должна была таким образом, чтобы выход из

строя одного «узла» этой сети — скажем, в случае прицельного ядерного удара — никоим образом не повлиял бы на работу остальных...

Что должно было быть объединено в эту сеть? Конечно, компьютеры, служившие мозговым центром любой исследовательской лаборатории. Но не только они. Концепция Сети (пока что — безымянной) предусматривала интегрирование в единую структуру множества мелких, как сказали бы сегодня, — локальных «подсетей». При этом каждая из них, сохраняя свою индивидуальность, становилась в то же время частью единой информационной структуры.

И вот в январе 1969 года смутные идеи, витавшие в головах чиновников, военных и исследователей, наконец-то получили свое воплощение — впервые (правда, всего на несколько минут) была запущена система, связавшая между собой четыре компьютера в разных концах США. А через год новая информационная сеть, названная Arpanet, уже приступила к работе.

Arpanet давала ученым просто невероятные возможности коммуникации: в считанные секунды исследователь, находящийся, скажем, в Техасе, мог послать запрос на получение нужной ему информации куда-нибудь на Аляску — и через несколько секунд нужный файл уже «лежал» на его «электронном столе».

С каждым годом Arpanet росла и развивалась — просто угрожающими темпами. Из чисто военной и засекреченной Сеть становилась все более доступной для организаций, скажем так, сугубо гражданских. Право доступа в Arpanet начали требовать себе сначала все крупные лаборатории, потом — более мелкие... Наконец, в гонку за Arpanet включились и высшие учебные заведения. Военные ворчали, но соглашались... В 1973 года через Arpanet впервые «пообщались» компьютеры разных стран. Сеть стала международной.

Лавина, спущенная в 1969 году, грохоча катилась вниз по склону, быстро набирая скорость. На какой-то момент она как бы зависла на «уступе»: разработчики сети просто не предусмотрели того, что созданное ими детище будет таким популярным. В итоге, когда в сеть оказались соединенными уже тысячи компьютеров, стало ясно: необходимо полностью переработать механизм доступа к Arpanet. Такой механизм, названный «протоколом TCP/IP» (Transmission Control Protocol/Интернет Protocol), был введен в строй в 1983 году.

Рождение протокола TCP/IP, позволявшего пользователям с легкостью подключаться к Интернет при помощи обычной телефонной линии, совпало с другим событием — разделением Arpanet. От некогда единой сети отпочковались (сохраняя при этом связь с ней) несколько «научных» сетей, включая знаменитую NSFNet. Она-то, по сути, и стала прародительницей Интернет...

Наконец, в конце 80-х терпению военных пришел конец: их родная, лелеемая и подкармливаемая серьезными капиталовложениями сеть превратилась в проходной двор, в котором постоянно толклись какие-то непонятные личности. Хотя число подключенных в сеть компьютеров еще не достигло тысячи, но даже с таким количеством пользователей ни о какой секретности, понятно, не могло быть и речи. Поэтому пентагоновские яс-

требы откромсали для своих нужд некоторую часть Arpanet, получившую название MILNet, а остальное пространство Сети оставили на усмотрение жаждущей коммуникаций общественности. Так родилась Интернет...

Настоящим «рождением» это еще не было, и Сеть продолжала оставаться рабочим инструментом узкого круга специалистов. Однако развитие Интернет шло полным ходом — всего за шесть лет ее существования в качестве открытой информационной сети число подключенных к ней пользователей увеличилось более чем в 100 раз!

В начале 90-х годов произошла еще одна революция — повсеместное распространение графического способа отображения информации в Сети в виде «страничек», способных нести не только текст, как раньше, но и графику, а позднее — еще и элементы мультимедиа (звук и даже видео). Это было то, что нужно для «средних» пользователей — неспециалистов: Сеть ожила, потеряла свой скучный вид, заблистала всеми возможными красками... Невиданный бум «страничек» захлестнул Интернет, буквально в течение двух лет превратив сеть из скромного с виду серого и скучного строения в подобие Изумрудного города. А технология «гипертекста», придуманная еще в середине 60-х, в начале 90-х годов связала все ресурсы Интернет Всемирной Паутиной WorldWideWeb.

Пользователи хлынули в Сеть потоком — теперь уже не специалисты, не ученые, а простые обыватели. Спрос на услуги Интернет возрастал не по дням, а по часам: с начала 90-х годов число подключенных к Интернет ежегодно как минимум удваивалось. А в 1995 году начался настоящий бум Интернет, превративший Сеть в самое крупное, динамичное и доступное средство массовой коммуникации.

14 апреля 1998 года история Интернет вышла на второй виток: в Соединенных Штатах Америки состоялся торжественный «запуск» новой Сети, получившей название «Интернет-2». Родителями новой Сети стали крупнейшие учебные заведения, научные и исследовательские учреждения США, а также ряд промышленных гигантов.

Скорость прохождения данных в Интернет-2 просто потрясает воображение. Она более чем в 1000 раз превышает возможности самых быстрых каналов сегодняшней Сети (например, для передачи по Интернет-2 информации, хранящейся в 30-томной «Британской Энциклопедии», достаточно... всего одной секунды!). Понятно, что с приходом Интернет-2 такие понятия, как «компьютерное телевидение», передача «живого видео» в реальном времени и даже «интернет-кинематограф» переходят из области фантазии в разряд бытовых, привычных явлений.

Увы — широкие слои компьютерной общественности получат возможность воспользоваться прелестями Интернет-2 еще нескоро: пока что новая Сеть будет обслуживать только крупные учебные и исследовательские организации. Однако не исключено, что уже через 5—10 лет Интернет-2 потеснит отжившую свое традиционную Сеть.

Эволюция Интернет еще не закончена. Фактически, история Сети только начинается. Как массовое явление Интернет существует всего четыре года, и за этот рекордно короткий срок она уже стала неотъемлемой частью жизни доброй сотни миллионов людей на планете.

ИНТЕРНЕТ СЕГОДНЯ

Итак, что же представляет собой Интернет сегодня, в эпоху, когда эта «сеть сетей» охватила уже все континенты и большинство стран?

Даже из нашего бурного и хаотичного вступления вы уже могли понять основные элементы структуры Интернет, однако для пущей надежности перечислим их еще раз.

Состоит Всемирная Сеть из большого количества более мелких сетей разного масштаба. К их числу можно отнести и крупные региональные сети, охватывающие целые страны (например, российский сегмент принято называть «Рунетом»), и крохотные локальные сети отдельных предприятий и организаций, каждая из которых интегрирована в Интернет. Таким образом, отдельные сети в составе Интернет относительно независимы и могут развиваться по своим собственным законам и правилам, оставаясь в то же время частью единой структуры. Сети, в свою очередь, состоят из большого количества постоянно подключенных компьютеров (хостов), каждый из которых снабжен собственным цифровым адресом.

Обратимся к услугам статистики, которая, как известно, знает все... включая, вопреки теории Ильфа и Петрова, количество стульев на душу населения. Ну, а компьютеров, как известно, у нас пока что меньше, чем стульев. Их и сосчитать будет проще.

В декабре 2000 года ирландская компания NUA (http://www.nua.ie) сообщила следующие данные: число пользователей Интернет на конец года превысило 410 млн человек. Из них в США и Канаде проживают 168 млн, еще 113 — в Европе, около 109 млн приходится на долю Азии и Африки. Как ожидается, к 2003 году число пользователей Интернет достигнет одного миллиарда человек — наибольшие надежды в этой области связаны с быстроразвивающимися странами Юго-Восточной Азии, Китаем и Россией.

В 2001 году число российских пользователей Сети, по данным агентства Monitoring.Ru (http://www.monitoring.ru), превысило 9 млн человек, из которых около 2 млн пользуются Сетью ежедневно. Самая активная часть аудитории, работающая в Интернет около 3 часов в день, составляет не более 1,4 млн человек, 70 % из которых живут в Москве и С.-Петербурге.

Число сайтов Интернет, по данным сайта Domain Statistics (http://www.domainstats.com), по состоянию на конец 2000 года превысило 34 млн. Стоит учесть, что в феврале 1997 года, по оценкам той же службы, число серверов составляло всего лишь около 700 тыс. Российская же часть Интернета (или Рунет), по данным одного из крупнейших поисковых серверов Яndex (http://www.yandex.ru/chisla.html), включает около 300 тыс. сайтов общим объемом более 600 Гб (учитывается лишь текстовая информация).

Естественно, эта статистика стареет. А потому, если вы хотите знать, как обстоят дела в тот момент, когда вы читаете эту книгу, вам придется обратиться за информацией на сайты упомянутых компаний. Или подписаться на очень дельный и информативный список рассылки eStat: «Интернет в цифрах и фактах» (http://www.subscribe.ru/catalog/

inet.news.estat), сведения из которой автором были неоднократно использованы в этой книге.

УСТРОЙСТВО ИНТЕРНЕТ

«У кольца нет начала и конца» — эту поговорку из неподъемного цикла романов Айзека Азимова (который, к слову сказать, так и не смог сработаться со своей «персоналкой», оставаясь верным старой пишущей машинке) можно с полным правом отнести и к Интернет. У Сети нет центра — хотя большая часть ее ресурсов по-прежнему сосредоточена в США. Нет у нее начала — хотя традиционно «началом» Интернет считается сайт швейцарской лаборатории атомной физики (CERN), где и родилась технология Всемирной сети (WWW). Нет у нее и конца — хотя в Сети и существует несколько сайтов с таким названием.

А потому может показаться, что нет у Интернет и определенной структуры. Но она все-таки есть — четкая иерархия компьютеров и пользователей.

Самый нижний — а значит, и самый массивный уровень сетевого «айсберга» — это мы с вами, простые пользователи, подключенные к Сети через низкоскоростной телефонный канал. Поток данных между нашими компьютерами и Сетью ничтожно мал — не более нескольких килобайт в секунду! Чтобы выкачать из Сети, к примеру, текст этой книги, простому пользователю понадобится не менее десяти минут. Более того, никто из нас даже не имеет в Сети постоянной прописки: «сетевой адрес» (или IP) нашим компьютерам присваивается только на время входа в Сеть, и при каждом подключении он меняется. А значит, постоянного доступа к нашему компьютеру не может получить никто...

Вот такие мы — бесправные, ползущие с черепашьей скоростью сетевые нахлебники, которые только и умеют, что без устали «высасывать» из Сети все, что под руку попадется. Зато нас — большинство, и именно мы определяем погоду в Сети!

Чуток погордившись, поползем вверх по нашему «айсбергу». Немного выше простых пользователей расположены постоянные «граждане» сети, связанные с Интернет уже не телефонным, а волоконно-оптическим кабелем разной пропускной способности (как правило, до 128—256 кбит/с). Эти компьютеры уже могут функционировать в качестве полноценных узлов Интернет, именно на них могут размещаться сайты Всемирной Паутины (WWW), файловые архивы FTP и прочая «начинка» Сети.

Еще выше расположены провайдеры — держатели еще более мощных и скоростных каналов связи, которые не только пользуются ими сами, но и предоставляют возможность подключения к Сети конечным пользователям и другим провайдерам классом пониже. Таким образом, в эту группу попадают и небольшие провайдерские фирмы, обслуживающие сотню-другую пользователей, и такие гиганты, как провайдерские концерны «Россия Онлайн» или «МТУ-Интел». И часто случается так, что конечный пользователь, лежащий уровнем ниже (например,

крупная организация типа «Газпрома»), имеет в своем распоряжении канал, в десятки раз более скоростной (или, как говорят сами провайдеры, «толстый»), чем теоретически находящийся на более высокой ступени провайдер...

Вот мы и вышли уже на уровень целого региона или даже страны, где мы неизменно столкнемся с главным «боссом» данного сегмента Сети — организацией, которая контролирует самый «толстый», главный канал, соединяющий всю сеть этого региона с остальной частью Интернет (его пропускная способность может достигать нескольких гигабит в секунду). Такой монстр (типа отечественного Ростелекома) уже не разменивается на работу с мелочью вроде конечного пользователя, под его «крышей» находятся десятки и сотни мощнейших провайдерских контор.

Крупные страны, как правило, подключены к Сети сразу через несколько информационных магистралей — волоконно-оптических кабелей или каналов спутниковой связи, — что позволяет обеспечить надежность и стабильность связи. Хотя нередки случаи, когда после внезапного сбоя или аварии от Интернет оказывалась отрезанной целая страна и даже континент.

Что же происходит, когда с самого низа «айсберга» поступает запрос на подключение к одному из удаленных компьютеров Сети? Сигнал отправляется по цепочке — от вашего компьютера к компьютеру провайдера, затем — к промежуточному серверу, затем — еще к одному. И так далее — по цепочке, проходя по дороге через десятки компьютеров в разных регионах. Понаблюдать за маршрутом прохождения вашего сигнала порой очень любопытно, и многие специалисты частенько проделывают такую процедуру с помощью специальных программ. В реальной жизни такой «марш-бросок» из Москвы в Токио через какую-нибудь Папуа-Новую Гвинею выглядит пустой тратой времени и денег, для Интернет же это — дело вполне обычное. В самом худшем случае нужная вам страница откроется на секунду-другую позже, за счет чрезмерно извилистого маршрута, по которому идет сигнал от удаленного компьютера до вашей «персоналки». Ничего страшного, можно и подождать...

Зато за счет отсутствия единого центра, через который проходили бы все сигналы со всех концов света, автономного и вполне независимого существования отдельных сегментов сети, Интернет выигрывает значительно больше, чем теряет. В Сети нет границ, ее (пока что) невозможно контролировать. Ни один диктатор или террорист не сможет «подгрести» Сеть под себя, установив контроль над «главным» сервером. Безусловно, можно установить контроль над отдельным сегментом Сети, фильтруя всю циркулирующую по нему информацию. Так происходит сегодня во многих мусульманских странах, в Китае и Северной Корее. Именно такой режим хотели бы установить в российской Сети некоторые люди с излишне холодной головой и не слишком чистыми руками... Но Сеть в целом не подвластна никому — и именно в этом и состоит ее главное преимущество перед всеми остальными видами коммуникации...

ВОЗМОЖНОСТИ ИНТЕРНЕТ

Говорить о том, что в предыдущей главе мы с вами окончательно разобрались с устройством Сети, было бы большой ошибкой. Ведь все, что мы видели до сих пор, было лишь физической оболочкой, «телом» Интернет. А тело — оно тело и есть. Кому оно интересно само по себе, без души? Разве что специалистам по анатомии.

Нас же, пользователей, в первую очередь интересует другое — «душа» Интернет, ее внутреннее наполнение. Те виды услуг (или «сервисов»), которые она может нам предложить. В конец концов, какое нам дело до того, по какому маршруту идет какой-то там сигнал?

На самом деле и об этом стоит знать, так что к разговору о физическом устройстве Сети мы еще вернемся. Но пока что мы даже не разобрались, зачем именно нам нужна эта самая Сеть, стоит ли вообще тратить время и деньги на эту модную штучку. Покажите мне, в конце концов, меню этого ресторана!

На самом деле фраза «Я работаю в Интернет» не слишком информативна — это все равно, что сказать «Я живу в доме». В каком именно доме, где он расположен, сколько комнат в квартире?

Работа с Интернет состоит из каждодневного общения с добрым десятком отдельных сервисов Сети. Некоторые из них вы будете использовать чаще, некоторые реже, ну а с какой-то частью сталкиваться и вовсе не придется.

Подробно рассказывать обо всех в рамках этой книги нет смысла, поэтому мы с вами остановимся лишь на самых популярных:

WWW — WorldWide Web, Всемирная Паутина. Именно с этим, самым молодым сервисом Интернет мы сталкиваемся, когда заходим на «страничку» или сайт какой-либо организации. WWW — это система «страниц», содержащих текст, графику, а иногда — и звуковые файлы и даже видеоизображения! Построены «странички» по системе гипертекста, то есть каждый их элемент может быть связан с другой страничкой, порой находящейся на другом конце света. Именно на этот сервис указывают два первых элемента адреса Интернет. Например:

http://www.microsoft.com

Первая часть адреса, до наклонных скобок, указывает на то, что нам придется иметь дело с гипертекстовой страничкой и протоколом передачи данных http (Hypertext Transfer Protocol). А префикс www подтверждает, что мы имеет дело с частью системы WWW. Неважно, что это — сайт крупной корпорации или «домашняя страничка» вашего знакомого. Работать с WWW-страничками вы будете, вооружившись специальной программой просмотра — браузером. Таким, к примеру, как встроенный в Windows комплекс Internet Explorer.

WWW — самый распространенный и популярный сервис Интернет, в какой-то мере способный заменить все остальные... С которыми, кстати, нам пора познакомиться.

FTP — второй из Великих сервисов и протоколов Интернет. Серверы FTP, в отличие от WWW — это просто файловые архивы на удаленном компьютере. Работать с ними вы можете точно так же, как с вашим собственным компьютером: с помощью Проводника или другой программы для работы с файлами (файлового менеджера).

О принадлежности адреса к этому сервису свидетельствует аббревиатура ftp:

ftp://ftp.microsoft.com

E-Mail — Электронная почта. Для работы с этим сервисом вам необходима почтовая программа — например, встроенный в Windows пакет Outlook Express.

Адрес электронной почты легко отличить по значку @ — его вы не встретите больше нигде:

lasarus@iname.com

News — серверы новостей. В чем-то этот сервис похож на электронную почту, только сообщения посылаются не на «почтовый ящик» конкретного адресата, а в специальную «группу новостей». И читать их может не один человек, а все подписчики — их может быть сотни тысяч!

Ну, с возможностями Интернет мы вроде разобрались. Вопрос остается лишь в том, чем именно полезны эти самые возможности вам — обычному пользователю. В более глобальном смысле — зачем он нужен, Интернет? Что вы сможете получить за свои кровные 0,5—1 долл. в час? Для облегчения задачи допустим, что вы собираетесь использовать Интернет не столько для бизнеса, сколько для собственной пользы и удовольствия.

Интернет — самый массовый и оперативный источник информации. Свое «представительство», собственную WWW-страничку в Сети имеет сегодня практически каждая крупная западная организация, фирма или компания. В Интернет расположены «электронные» варианты многих тысяч газет и журналов, через Сеть вещают сотни радиостанций и телекомпаний. Трудно найти какую-либо область человеческой деятельности, которая не была бы представлена в Интернет во всей своей полноте сотнями и тысячами «страничек». Кроме «дубликатов» существующих периодических изданий, вы можете найти в Сети множество образчиков оригинальной «электронной прессы» — лично мне ее чтение доставляет немало удовольствия. Не буду расписывать такие мелочи, как программа передач телевидения, курс валют, прогноз погоды и т. д. — это само собой разумеется.

Другая популярная технология получения информации — через так называемые «группы» новостей, число которых приближается сегодня к ста тысячам, а также многочисленные «рассылки», распространяющиеся по каналам электронной почты.

Интернет — крупнейший в мире источник развлечений. Игры и музыка, кино и театр — все виды искусства и все детища громадной индустрии

развлечений представлены сегодня в Интернет. Вы можете сыграть в игру с партнером, находящимся на другом конце земли, узнать новости о жизни любимой рок-группы и прослушать их последний диск, разгадать кроссворд и получить результаты последнего футбольного матча, зачитаться обширной коллекцией анекдотов и стать собирателем Очень Интересных Картинок, наконец, даже принять участие в заседании Общества Любителей Жареных Каракатиц... Я затрудняюсь даже назвать вид развлечений и хобби, которому не посвящен в Сети хотя бы десяток страниц.

Интернет — самое прогрессивное средство общения и коммуникации. Ежедневно пользователи Сети отправляют друг другу сотни миллионов электронных посланий — для многих из них Интернет полностью заменил обычную почту. Миллионы людей ежедневно знакомятся и общаются друг с другом на всевозможных «болтальных» каналах IRC. Пока сравнительно небольшое число людей пользуется услугами интернет-телефонии и видеоконференций, однако эти технологии общения становятся все более популярными: «пик» спроса на них в России ожидается не ранее 2003 года.

Интернет — самое благоприятное пространство для бизнеса. Все более популярной становится электронная торговля, позволяющая пользователю совершить покупку практически любого товара в любой точке планеты. По Интернет вы можете заказать и получить новые программные продукты, послать букет цветов любимой девушке и даже приобрести автомобиль. А также узнать последние результаты торгов на биржах всего мира, осведомиться о курсе акций той или иной компании и провернуть с ними сделку. Для крупных фирм и корпораций Сеть стала идеальной средой для проведения всевозможных операций и расчетов, а также торговли по схеме business-to-business, совещаний в реальном времени. Впрочем, заработать на Сети может не только крупная фирма, но и практически любой человек, создавший свою страничку.

Интернет — это идеальный инструмент для рекламы. Сеть дает любому человеку практически бесплатную возможность оповестить многомиллионную аудиторию о предлагаемых им услугах или продукции. Интернет уравнивает частных лиц, фирмы средней руки и крупные корпорации: у всех есть одинаковые возможности для привлечения покупателей. Не надо платить тысячи и даже миллионы долларов за мгновения рекламы на телевидении, не надо покупать полосы в газетах — ваша страничка в Интернет будет функционировать круглосуточно, без перерывов.

Интернет — это громадный простор для творчества. С помощью Сети вы можете заявить о себе на весь мир, создав личную домашнюю страничку. О чем? О чем хотите. О любимой группе или композиторе, о породе кошек или о собирании поплавков. А можно — о себе, любимом,

чтобы потом удивлять знакомых небрежным: «Зайди на мою страничку в Интернет, там лежат фотографии со вчерашнего дня рождения»...

Интернет — идеальная среда для получения новых файлов и программ. Через Сеть вы можете получить новые драйверы для устройств, входящих в состав вашего компьютера, исправления и дополнения для используемых вами программ, а иногда и их новые версии. Честно говоря, я просто не знаю, каким другим путем можно заполучить все это. У фирмы, где вы покупали компьютер? Маловероятно, хотя возможно. Но если вы будете наведываться к продавцам с дискетами каждый месяц, боюсь, подобная благотворительность в любом случае им быстро надоест...

Интернет — великолепное пространство для шопинга. С помощью Сети вы можете приобретать товары и услуги в тысячах «виртуальных» магазинах, принимать участие в электронных торгах ведущих бирж мира или участвовать в виртуальных аукционах.

Достаточно? А ведь мы перечислили далеко не все, что может дать вам общение с Сетью. Не волнуйтесь — мы еще только начинаем знакомство с ее возможностями: читая главы этой книги, вы встретите еще немало интересных и полезных услуг, которые может предложить вам Всемирная Сеть.

Но для начала нам все-таки необходимо сделать первый шаг и подключиться к Интернет. И именно этим мы с вами и займемся в следующей главе.

ПОДКЛЮЧЕНИЕ К ИНТЕРНЕТ

Вы все же решились... Невзирая на мольбы жены и родных, на опустошенный покупкой компьютера кошелек, на предупреждения Минздрава. На здравый смысл, наконец.

Попробуйте остановиться на минутку. Набрать полную грудь воздуха и вновь произнести эту сакраментальную фразу:

Я ХОЧУ ПОДКЛЮЧИТЬСЯ К ИНТЕРНЕТ!

Решимости не поубавилось? Не надейтесь — отговаривать я вас не буду. В конце концов не вы первый, увязший в информационной паутине WWW, и не вы последний....

Единственная цель, которую автор ставит перед собой, — максимально облегчить вам вхождение в сеть.

Этот раздел проведет вас от самых первых шагов до того момента, когда вы будете способны бороздить просторы Сети уже без подсказки. Процесс обучения займет немного времени. Чтобы освоить все необходимые вам возможности Интернет, понадобится около недели. А то и меньше. Чем мы, в конце концов, хуже пятилетних американских детей?

Теоретические занятия окончены — им была посвящена предыдущая глава. Сейчас настает время практики. Время настоящего знакомства с Интернет.

Так что не будем долго рассуждать. За дело!

В первую очередь вам необходимо выбрать *провайдера* — организацию, которая предоставит вам доступ в Интернет. А стало быть, и вид нашего подключения к Сети.

Приобрести и настроить необходимое оборудование — например, модем.

Наконец, установить и настроить необходимое для работы программное обеспечение — русскую версию программного комплекса Microsoft Internet Explorer версии 5.5 или более поздней (далее мы будем называть его просто Internet Explorer).

Кроме этого, снабдить свой компьютер несколькими маленькими дополнительными программками, которые помогут облегчить вам работу с Интернет.

И все!

Как видите, нужно сделать не так уж много.

Но с чего начнем? Конечно же, с выбора провайдера — поставщика услуг Интернет.

ВИДЫ ПОДКЛЮЧЕНИЯ К ИНТЕРНЕТ

Провайдеры появились в тот момент, когда родилась Интернет. Или нет — Интернет родилась в тот момент, когда появились первые провайдеры. Извечный спор о курице и яйце...

Как мы помним, первоначально Интернет (которая тогда называлась еще Arpanet) состояла преимущественно из постоянно подключенных к сети компьютеров, каждый из которых обладал своим фиксированным адресом, а позднее — доменным именем.

Позднее родилась идея предоставлять доступ к Сети по телефонной линии с помощью сеансового подключения. Вы связываетесь по телефону с компьютером — постоянным «гражданином» Сети, подключаетесь к нему и таким образом сами становитесь частью Интернет. И естественно, появилось великое множество организаций, которые предоставляли доступ всем желающим. Не бесплатно, конечно... Так появились первые провайдеры.

Стать провайдером может любой. В том числе и вы. Если, конечно, у вас есть деньги на мощный сервер, на покупку множества телефонных входных линий для ваших клиентов. И самое главное — на выделенный канал связи.

Этот канал — главное, что отличает провайдера от нас, конечных пользователей. Вспомните, с каким трудом отечественные телефонные линии пропускают мощный поток интернет-информации! И одному-то пропускной способности канала не хватает... А если нескольким?

Поэтому передачу информации в Интернет провайдеры осуществляют через специальные высокоскоростные каналы связи, например, через волоконно-оптические кабели или, в крайнем случае, через спутниковую связь. Эти каналы позволяют одновременно работать в Интернет сотням и даже тысячам пользователей, которые не ощущают при этом никакого дискомфорта. Конечно, в определенный момент емкости канала перестает хватать, тогда его либо модернизируют — делают более емким, либо связь катастрофически ухудшается...

В любом случае, вопреки известному рекламному слогану, пользователя прежде всего волнует не то, с какой скоростью передаются данные от провайдера в Сеть, а то, с какой скоростью «работает» канал между его собственным компьютером и компьютером провайдера. Ведь каким бы быстрым и мощным ни был канал связи между провайдером и Сетью, хлипкость «последней мили» может свести на нет все его достоинства. Именно различие в типе подключения и пропускной способности канала связи между пользователем и провайдером определяет вид доступа к Интернет, а заодно и его стоимость. Конечно, далеко не в каждом городе России пользователь может позволить себе роскошь выбирать из нескольких схем. Но Интернет все активнее проникает в нашу жизнь, и

самые новые виды коммуникации, еще пару лет назад доступные только в Москве и Петербурге, потихоньку «обживают» и провинцию.

Итак, какие же виды доступа в Интернет значатся в «меню» современных провайдеров?

Их куда больше, чем может показаться на первый взгляд. Но все без исключения виды доступа делятся на две большие группы:

Сеансовое подключение. В этом режиме работы пользователь не подключен к Сети постоянно, а соединяется с ней через посредство телефонной линии лишь на относительно короткое время. Оплата взимается за каждый час вашей работы в Сети. Данные в Сеть передаются в аналоговом виде.

Постоянное подключение. Ваш компьютер подключен к постоянному и быстрому каналу для доступа в Интернет, при этом данные передаются в Сеть в цифровом виде. Оплата взимается только за *траффик* — объем принятых вашим компьютером данных.

Эти два вида отличаются не только временем пребывания пользователя в Сети, но и скоростью работы. А также тем, что при постоянном доступе ваш компьютер получает полноценную «прописку» в Интернет и собственный цифровой *IP-адрес,* по которому к вашему компьютеру (точнее — к открытой для доступа части жесткого диска) может подключиться любой пользователь Интернет. Это необходимо, если ваш компьютер «по совместительству» работает в качестве сервера Сети и содержит ваш сайт или архив файлов.

В случае сеансового доступа IP-адрес присваивается компьютеру только на время работы, выбранный наудачу из бесчисленного множества свободных адресов. Потому и называется он *динамическим IP-адресом*.

Сеансовое подключение

КОММУТИРУЕМЫЙ ДОСТУП ПО ТЕЛЕФОННОЙ ЛИНИИ (DIAL-UP)

Самая старая и популярная схема работы с Сетью — через посредство телефонной линии и обычного, аналогового модема. Скорость приема данных в этом случае зависит от трех величин: типа модема, качества телефонной линии на «последней миле» (от вашей квартиры до телефонного узла АТС) и от ее типа. В самом благоприятном случае она составит около 56 кбит/с (около 7 кбайт/с, 420 кбит/мин или 25 Мбайт/час) — именно такую скорость приема данных обеспечивают современные модемы. Скорость передачи информации будет несколько ниже — около 33 кбит/с. Да, скорость при работе в Dial-Up не назовешь космической — забудьте о столь модных нынче штучках, как просмотр фильмов по Сети — да что там фильмы, обычная музыка с хорошим качеством требует вдвое больших скоростей. Зато этот вид доступа отно-

сительно недорог — от 0,4 до 1 долл. в час, не требует приобретения дорогостоящей аппаратуры и доступен от Москвы до самых до окраин. Именно поэтому, в отличие от Запада, в России подавляющее большинство пользователей использует именно Dial-Up.

АСИНХРОННОЕ ПОДКЛЮЧЕНИЕ ЧЕРЕЗ СПУТНИК

Один из самых «молодых» видов доступа, ставший за последний год необычайно популярным в столице. При этом типе соединения с Интернет используется два канала связи: при передаче информации, в том числе команд и запросов на открытие страниц или файлов, пользователь работает через обычный модем в стандартном Dial-Up-режиме, а вот для приема информации используется быстрый спутниковый канал, скорость потока данных в котором превышает модемную в 4—8 раз (256—512 кбит/с). Такая организация доступа весьма рациональна, поскольку при работе в Интернет на компьютер поступает примерно в 10 раз больше данных, чем уходит с него. При этом для приема больших объемов информации совершенно не обязательно «висеть» на телефонной линии — входящий сигнал со спутника доступен вам постоянно! На некоторые странички и файлы можно даже «подписаться» — они будут поступать на ваш компьютер через определенные промежутки времени.

Кроме приема информации из Интернет, спутниковый канал даст вам возможность просматривать десятки и даже сотни (!) бесплатных каналов спутникового телевидения. И не просто просматривать — понравившиеся программы можно записать на жесткий диск компьютера.

Расписав достоинства «спутникового Интернет», взглянем на обратную сторону медали. Сколько стоит это удовольствие? Само по себе пользование спутниковым каналом связи обойдется недорого — 15—20 долл. в месяц при отсутствии всяких ограничений на объем скачиваемой информации. Примерно столько же понадобится на оплату услуг Dial-Up канала. А вот комплект аппаратуры, необходимой для приема информации со спутника — PCI-карта тюнера (как правило, SkyStar 1 или SkyStar 2), спутниковая тарелка (69—90 см) с принимающей головкой и так далее, — обойдется не дешевле 300—400 долл. Если же, помимо открытых телеканалов, вы захотите принимать еще и платные, придется раскошелиться еще не менее чем на 300—350 долл. на приобретение дополнительного оборудования. Чуть легче тем, в чьей квартире уже установлен комплект спутникового телевидения — в этом случае вам придется приобрести лишь карту-приемник стоимостью около 250 долл.

Еще один, не менее серьезный «минус» спутникового доступа — существенные задержки в прохождении сигнала. На то, чтобы посланный вами запрос добрался до сервера провайдера, а результаты его обработки — до вашего компьютера, уходит порой до десятка секунд, что в значительной мере снижает преимущества скоростного спутникового канала.

Но если 5—10-секундная пауза при просмотре страниц Интернет — всего лишь маленькое неудобство, то на некоторых интерактивных сервисах Сети эта задержка просто ставит крест. Практически невозможно

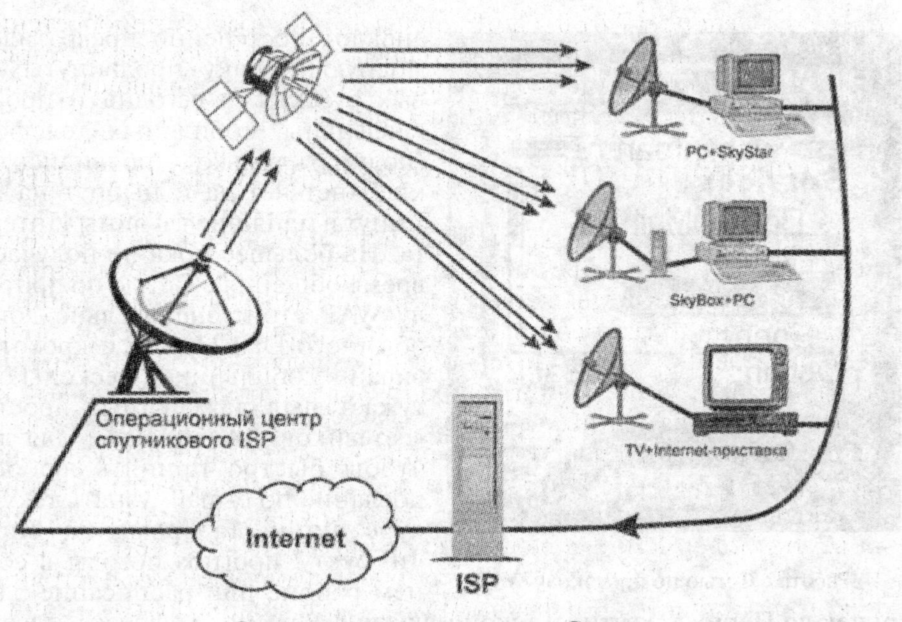

«Спутниковое» подключение к Сети

становится болтать в чатах или общаться по интернет-телефону, а уж про «командные» игры в виртуальном пространстве Сети и говорить не приходится. Кроме того, при работе со спутниковым доступом вам придется существенно ограничить круг используемых вами программ. Общение со спутником не придется по сердцу столь любимой всеми пользователями Сети «Аське» — интернет-пейджеру ICQ, да и электронную почту во многих случаях придется принимать обычным путем. Наконец, не слишком велика выгода и для любителей WWW-серфинга. Конечно, странички будут загружаться на ваш компьютер в два раза быстрее, но это далеко не 8—10-кратный выигрыш, который вы можете получить при скачивании файлов.

Однако недостатки спутникового доступа не перекрывают его главного достоинства — относительной доступности вкупе с хорошим пакетом дополнительных услуг. И совершенно неудивительно, что с каждым годом этот вид подключения будет становиться все более популярным в нашей стране...

Провайдеров спутникового Интернет сегодня в России не так уж мало — однако подавляющее их большинство просто перепродает услуги европейской компании EuropeOnline. Исключение — отечественные компании НТВ-Интернет (http://www.ntvi.ru) и Космос ТВ (http://www.cosmostv.ru), располагающие собственными спутниками связи.

ДОСТУП ЧЕРЕЗ МОБИЛЬНЫЙ ТЕЛЕФОН (WAP)

Подумать только — еще пару лет назад возможность работы с Сетью через «мобильник» казалось просто анекдотом! Однако через годик

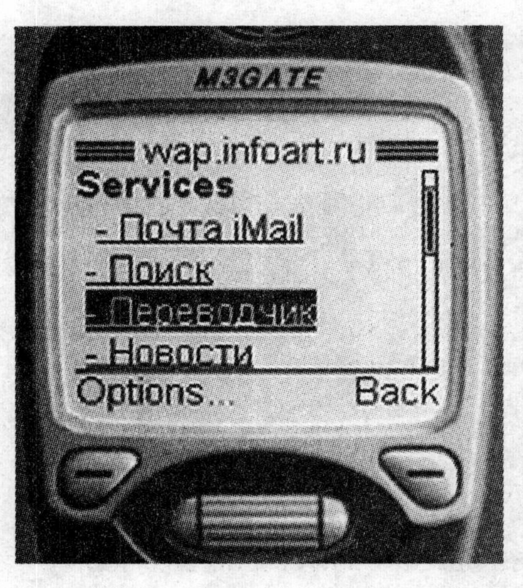

Работа с Сетью по протоколу WAP

анекдот постепенно превратился в модную игрушку «продвинутых» новых русских, а сегодня и простые владельцы мобильных телефонов (подумать только — появились и такие!) нет-нет да и нырнут на пару минут в манящие глубины Интернета. На большее пока не получается: время общения с Сетью по протоколу WAP стоит значительно дороже обычного Dial-Up. Да и крохотный экран «мобильника» несколько остужает пыл даже самых яростных «сетевиков». А впрочем, для того, чтобы быстро принять любовное послание по e-mail, узнать текущий курс акций Газпрома на биржах Тимбукту, прогноз погоды в соседнем районе или расписание электричек до Парижа, хватит и такой малютки. Ведь не сетевое же телевидение вы хотите смотреть!

Если идея шастать по Сети через «мобильник» вас не слишком вдохновляет, то другой «мобильный» сервис наверняка придется вам по вкусу. Вспомните, что большинство современных (и не самых дешевых) телефонов умеет принимать не только голосовые, но и короткие текстовые сообщения в формате SMS! И отправлять эти сообщения возможно, в частности, из сети Интернет, где для этого существуют специальные сайты. Впрочем, если компьютер вашего собеседника оснащен популярной программой ICQ, то и лазить по сайтам не придется — SMS-сообщения через ICQ отправить так же просто, как и обычное электронное послание.

Постоянное подключение

АСИНХРОННЫЙ ДОСТУП ПО ТЕЛЕФОННОЙ ЛИНИИ (ADSL)

Эта технология произвела настоящую революцию в цифровой связи. Как вы помните, при работе с Dial-Up и частично со спутниковым доступом мы имеем дело с медленной аналоговой связью, зависимой от качества линии. Куда более перспективной выглядит связь цифровая — и именно она используется при передаче данных по Сети. Однако организация цифрового канала «последней мили», от провайдера до пользователя, обойдется последнему в хорошую копеечку (точнее — в сотни и даже тысячи долларов)!

Технология ADSL предлагает пользователю неплохой компромисс: хотя для передачи и приема данных по-прежнему используется теле-

фонная линия, ваш телефон во время этого процесса остается свободным. Значит, вам нет никакой необходимости отключаться от Сети — вы находитесь в ней постоянно. Существенно вырастает и скорость передачи данных: до 1,5 Мбит/с в режиме приема и до 8 Мбит/с — при передаче информации. А это, напомним, в 3—4 раза быстрее спутникового доступа и более чем в 30 раз — модемного! Реальная скорость работы, правда, несколько отличается от заявленных величин — в среднем стабильная работа возможна на 300—512 кбит/с, что уже сравнимо с доступом через спутник.

Стоимость подключения к ADSL-каналу и комплекта необходимого для этого оборудования пока еще слишком высока — от 600 до 750 долл. Месяц работы в Интернет обойдется в 120—150 долл., при этом объем скачанных вами данных не должен превышать 1 Гбайт (а такой объем информации на скорости ADSL вы сможете скачать всего за 5 часов беспрерывной работы). За каждый последующий мегабайт будет взиматься дополнительная плата — как правило, от 5 до 10 центов.

Дорого — но не будем забывать, что ADSL в России до сих пор не вышел из младенческого возраста. Вероятно, уже через пару лет этот вид доступа серьезно потеснит обычный Dial-Up, пока же он может быть рекомендован только для пользователей с достатком выше среднего. Зато, если вы объединитесь с парой-тройкой соседей в небольшую локальную сеть, совместная работа в ADSL-режиме сможет стать хорошим решением.

СИНХРОННЫЙ ДОСТУП ПО ВЫДЕЛЕННОМУ КАНАЛУ

В отличие от ADSL, скорость передачи данных здесь одинакова всегда, независимо от количества пользователей и качества линии. Вы можете арендовать себе выделенный канал связи, рассчитанный на определенную скорость работы (от 64 кбит/с до нескольких мегабит в секунду).

Виды канала тоже могут быть различными: например, вы можете использовать свободную телефонную линию или протягивать до вашего дома или офиса оптический канал, используя цифровую линию ISDN (Integrated Services Digital Network). Не так давно именно ISDN-технология, позволявшая за сравнительно небольшие деньги обзавестись каналом со скоростью доступа до 128 kbps, возглавляла «хит-парад» популярности видов «постоянного подключения», однако сегодня все больше пользователей присматривается к различным представителям технологического семейства xDSL, позволяющего использовать как новые, так и уже имеющиеся каналы связи. Включая, конечно же, уже существующие телефонные линии.

Наконец, различаются и цены, однако в любом случае этот вид доступа — слишком дорогое удовольствие для частного пользователя. Установка выделенного канала доступа может обойтись вам в 500—1000 долл., а ежемесячная абонентская плата за него — превысить 200—400 долл. Как и

в случае с ADSL, вам придется оплачивать каждый мегабайт информации, скачанный вам с превышением месячной нормы (в зависимости от провайдера — от 5 до 10 центов).

ПОДКЛЮЧЕНИЕ К ИНТЕРНЕТ ЧЕРЕЗ ЛОКАЛЬНУЮ СЕТЬ

Достоинствами выделенного канала необязательно пользоваться в одиночку: через него можно подключить к Сети не только один компьютер, но и целую локальную сеть. А ведь в крупных городах нередка ситуация, когда в одном доме проживает несколько десятков обладателей персональных компьютеров. В таком случае нет ничего проще, чем, объединив все компьютеры с помощью сетевых карт и кабелей, подключить к Интернет всю связку целиком! Точнее — к Интернет, используя любой из имеющихся в вашем регионе видов доступа (спутниковый канал, ISDN, ADSL и т. д.), подключается главный компьютер вашей локальной сети — сервер. Остальные же станции используют его в качестве «шлюза», перекачивая к себе нужные данные по локальной сети.

Этот вид доступа не требует от пользователей больших затрат на оборудование (максимум — 100—150 долл. с человека, что сравнимо с ценой хорошего модема). Невелика и абонентская плата — от 10 до 20 долл. в месяц. Однако основные траты связаны с оплатой входящего трафика — так, за каждый принятый мегабайт пользователю приходится платить от 8 до 10 центов. Нетрудно подсчитать, что даже при сравнительно скромном объеме трафика (до 10 Мбайт в день) ежемесячная оплата услуг такого «корпоративного» Интернет составит не меньше 50 долл.

ВЫБОР ПРОВАЙДЕРА

При всем изобилии видов доступа старый добрый Dial-Up по-прежнему остается в России вне конкуренции — по вполне понятным финансовым соображениям. Отечественные пользователи готовы пожертвовать такими, вне всякого сомнения, нужными вещами, как прием по Сети телепрограмм и радиопередач, видеоконференции с друзьями — лишь бы стоимость работы не слишком ударяла по карману. Так что примем за аксиому, что, по крайней мере, на первое время вы выберете именно Dial-Up.

Выбрать-то вид подключения нетрудно, но во сто крат сложнее подобрать себе поставщика услуг Интернет — провайдера. Их в каждом крупном городе имеется, как минимум, несколько, а про Москву и Петербург и говорить не приходится — добрая сотня крупных и мелких фирм бьется за наше внимание (и что куда важнее — кошелек).

Выбирая провайдера, приходится постоянно иметь в виду сразу несколько важных моментов:

Начнем с главного — **с качества соединения по телефонной линии.** По цифровым каналам связи, по кабелям волоконной оптики информация летит быстро. А вот отрезок телефонной линии от провайдера до поль-

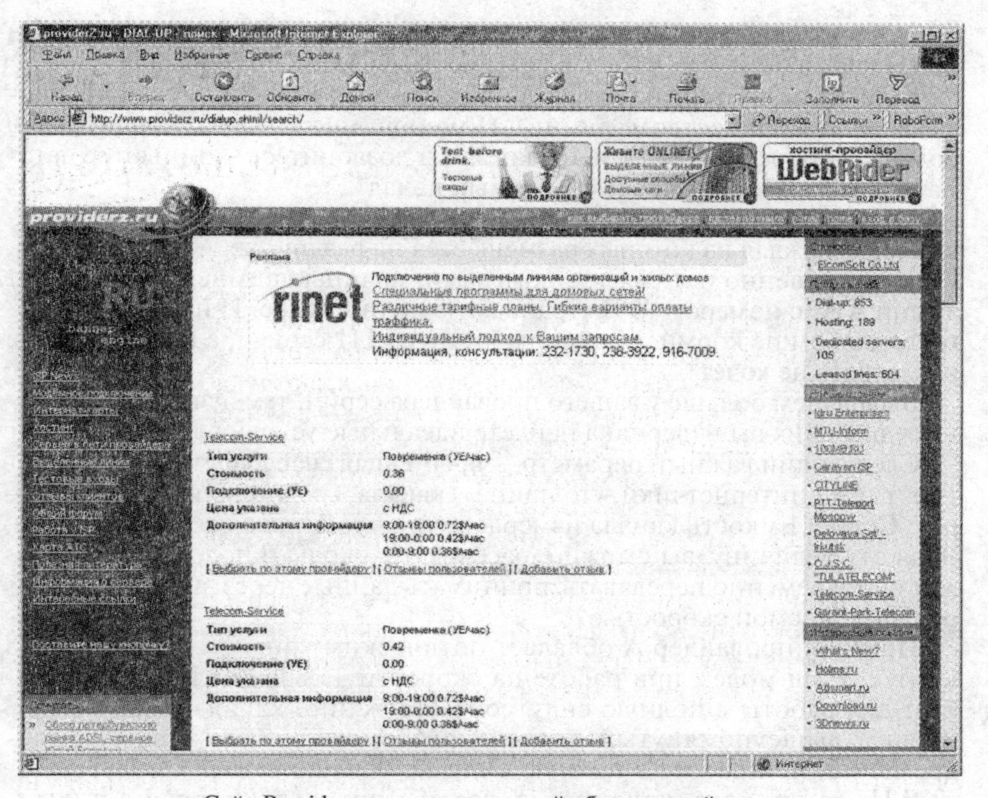

Сайт Providerz.ru — независимый обзор провайдеров

зователя — самое «узкое» место. Пусть возможности провайдера практически не ограничены — если у вас нет надежного и качественного телефонного соединения с его номером, то быстрого входа в Интернет вы не получите.

Как быть? Ведь никогда не знаешь заранее, с каким провайдером соединение будет надежным, а с каким — нет. Выход здесь один: выбирать тех провайдеров, которые готовы предоставить вам тестовый, пробный доступ. Много вам не нужно — 5—10 минут для пробы соединения (или, как говорят знатоки, *коннекта*) хватит вполне. Нормальным для модема со скоростью 33 600 бод (бит в секунду) считается коннект в диапазоне начиная от 28 800 бод. Если скорость вашего коннекта чуть меньше, попробуйте перезвонить еще несколько раз. Помните, что качество телефонной связи впрямую зависит от того, когда именно вы звоните: понятно, что, например, ранним утром скорость будет заметно выше, чем днем, когда все АТС работают на пределе возможностей.

Допустим, коннект вас устраивает — телефонный участок от вас до вожделенного Интернет работает нормально. Что теперь? Теперь обратите внимание на **количество телефонных линий,** которым обладает ваш провайдер. Ведь для единовременной работы, скажем, 60 человек, нужно не менее 60 входных линий... Чем больше входных линий у провайдера, тем больше вероятность, что вам удастся дозвониться с первого же

раза. А вот если у провайдера всего 10—20 линий — вероятнее всего, вам придется «долбиться» в Сеть в течение получаса. А то и больше.

Кстати, не путайте количество телефонных номеров у вашего провайдера с количеством линий. Номеров может быть значительно больше — просто в тот момент, когда вы дозвонитесь, компьютер автоматически выберет для вас свободный канал.

Многие провайдеры разделяют свои телефонные каналы на несколько **серий**, каждая из которых размещается на различных АТС. Допустим, у вас совершенно нет связи с номерами, начинающимися на 111, а вот линии АТС с номером 999 устраивают в полной мере. И наоборот — кого-то хлебом не корми, а дай поработать со 111 серией, а на 999 он даже и смотреть не хочет.

Вывод: чем больше у вашего провайдера серий, тем лучше. На какой-нибудь из них вы наверняка найдете идеальные условия для работы.

Следующий важный параметр — **пропускная способность** (или, как говорят сами интернетчики, «толщина») **канала**, соединяющего провайдера с Сетью. Емкость канала измеряется в килобитах в секунду (кбит/с). Зная эту величину, вы сможете рассчитать, сколько пользователей может одновременно передавать/принимать данные через этого провайдера с приемлемой скоростью.

Пример: провайдер А обладает оптическим каналом емкостью 128 кбит/с. Наш модем при работе на скорости 33 600 бит в секунду требует для работы в полную силу, соответственно, канала на 33 кбит/с. Значит, вышеупомянутый провайдер А сможет обслуживать одновременно, при работе в полную силу, не больше четырех пользователей! На самом деле, конечно же, все обстоит не так страшно и количество пользователей можно смело удвоить: известно, что при работе в Интернет в обычном режиме большую часть времени наш компьютер простаивает, не занимаясь приемом или передачей данных. Маленькая поправка: происходит это лишь в том случае, если вы не скачиваете из Сети большой файл, а просто читаете информацию со страничек.

Теперь соотнесите эту величину с крупно напечатанным в рекламе числом в 50 телефонных линий и призадумайтесь, с какой скоростью смогут работать эти 50 несчастных. Правильно, в пять—семь раз меньшей, чем нужно.

Как там у Хазанова? Такой хоккей нам не нужен!

Успокою вас: почти все серьезные провайдеры сегодня обладают как минимум 2-мегабитным каналом, а «толщина» каналов самых известных и солидных провайдеров превышает 10 Мбит. Но это — в столицах, а в маленьких провинциальных городах и канал в 512 кбит сегодня встретишь нечасто.

Поддержка высокоскоростных протоколов 56К (x2, v.90). Очень, подчеркиваю, очень маловероятно, чтобы ваш модем, даже обладающий возможностью работы со скоростью 56 700 бод, смог реально развить такую скорость на искореженной рытвинами и ухабами «телефонной магистрали». Однако не стоит думать, что пользы от «скоростных» протоколов нет никакой — «коннект» в 38 000 — 48 000 бод вполне реален в

большинстве городов России. Только не путайте скорость, которую показывает ваш модем при установке соединения, с реальной скоростью приема-передачи данных — последняя при неустойчивой связи может быть значительно меньше.

Поддержка CallBack. Если не случится чего-нибудь совсем уж невероятного (например, ни с того ни с сего во владельцах телефонных компаний пробудится совесть), в течение ближайших двух лет нам с вами суждено оказаться под пятой «повременки». Оплачиваться будет каждая минута разговора, и стоимость услуг Интернет возрастет многократно.

Однако некоторые провайдеры уже сегодня предлагают пользователям весьма оригинальный вариант доступа в Сеть, при котором лично вы не платите телефонным компаниям ни копейки. Как это делается? Очень просто — с помощью метода «обратного звонка» — CallBack. Методика CallBack такова: вы соединяетесь с провайдером и посылаете на сервер некий кодовый сигнал. После этого компьютер провайдера сам перезванивает вам и сразу же подключает вас в Сеть. Оплата за время, проведенное на телефонной линии, таким образом перекладывается с вас на провайдера, которому это время в любом случае обойдется дешевле.

Конечно, стоимость услуг Интернет при CallBack несколько возрастет, однако в условиях повременной оплаты этот метод работы — самый выгодный.

Стоимость услуги. Увы, стоимость услуг Интернет пока что остается крайне высокой. В среднем в зависимости от провайдера — 0,8—1 долл. в час днем и 0,4—0,8 долл. в час в ночное время. И это — без учета повременной оплаты за телефон.

На самом деле истинная цена услуги очень часто маскируется провайдерами. И вот, к примеру, в газете «Вечерний Мухославск» вы видите рекламу с крупно набранными цифрами: 0,5 долл./ч! И это при том, что другие провайдеры в этом самом Мухославске берут от доллара до двух.

Вы тут же бросаетесь в офис провайдера с кошельком нараспашку, и с удивлением обнаруживаете, что:

Кроме оплаты работы существует еще и так называемая «стоимость подключения», а это еще 10—20 долл.

С вас будут взимать плату за пользование почтовым ящиком и сервером новостей — еще 10 долл. в месяц.

Каждый месяц вы должны вносить фиксированный «задаток», причем, если вы наработаете за свои 30 дней меньше суммы задатка, ее остаток идет «на благотворительные цели», т. е. в пользу провайдера...

Такая вот арифметика с почасовой оплатой.

Сегодня эти способы элегантного надувательства используются куда реже, чем года два назад. Но до сих пор некоторые из них, в различных комбинациях, встречаются в провинции...

Запомните: порядочные, серьезные провайдеры никогда не берут деньги за что-то еще, кроме собственно работы в Интернет. Почтовые ящики, ньюс-серверы и так далее — все предоставляется бесплатно!

Если вы уверены, что будете работать в Интернет часто и подолгу, то вам стоит обратить внимание на провайдеров, предоставляющих возможность так называемой unlimited (неограниченной) работы за фиксированную сумму 30—60 долл. в месяц.

Однако учтите, что, соблазнившись на низкую цену unlimited, вы можете нарваться на провайдера, к которому и дозвониться маловероятно, и скорость работы у него маленькая... Часто, ох часто нам пытаются всучить мусор. По дешевке и оптом...

«Анлимитед» тоже бывает разный. В самых курьезных случаях провайдер, предоставляя пользователю «неограниченный» доступ к Сети, тут же делает поправку — «... но не более 70 часов в месяц». Существует и «неограниченный» ночной доступ, и неограниченный доступ только в выходные...

Варианты расчета. Надеюсь, что ваш провайдер не требует, чтобы деньги за работу ему приносили каждый месяц в офис. Куда удобнее перечислять деньги через сберкассу — так же, как вы платите за квартиру, за телефон и электричество. Многие провайдеры предоставляют возможность оплачивать работу в Интернет через кредитную карточку, но вряд ли большинству из вас придется воспользоваться этой услугой.

Самый же удобный способ расчета — так называемые «интернет-карты» на определенное количество дней (как проездные билеты) или часов. Такие карты сегодня можно купить во многих магазинах, киосках или отделениях связи. Многие карты, помимо доступа в Интернет, позволяют их владельцам пользоваться услугами «интернет-телефона», что очень выгодно при частых звонках за пределы России.

Для того, чтобы получить полноценный доступ в Сеть с помощью карты, ее необходимо «активировать». Для этого вам придется зайти в Сеть по так называемому «гостевому» входу — логин и пароль для этого вы сможете найти на карте. Правда, «гостевой» вход позволит вам зайти только на сервер провайдера, но большего-то нам для регистрации и не потребуется! Запустив процедуру регистрации и внеся номер вашей карты (обычно он скрывается на обратной стороне карты под защитной полоской, которую вам придется стереть) в соответствующий бланк, вы получите новый, теперь уже постоянный логин и пароль для входа в Сеть. Именно такую схему использует, например, популярный московский провайдер MTU-Интел. Впрочем, иногда под защитным слоем скрывается не «ключ карты», а окончательный логин и пароль. В этом случае процедура входа в Сеть для вас станет еще проще и быстрее.

ВЫБОР МОДЕМА

Модем (слово, произошедшее от сокращенного «модулятор — демодулятор») — устройство, предназначенное для передачи данных от одного компьютера к другому через посредство телефонных линий. Модем превращает цифровой поток данных, идущих от компьютера, в смесь «жужжита с шипитом» — т. е. в аналоговый, слышимый человеческим ухом сигнал, который воспринимают телефонные линии. И наоборот.

Внешний модем

На самом деле эта характеристика относится лишь к части модемов, а именно — к простым, аналоговым модемам. Такими устройствами, подключаемыми к обычным телефонным линиям, пользуется подавляющее большинство компьютеровладельцев.

Но существуют еще и другие модемы — кабельные, цифровые. Этим важным господам нет нужды заниматься преобразованиями — сигнал они посылают по цифровым каналам (волоконно-оптические кабели или линии кабельного телевидения). Но при этом, по-прежнему, называются модемами. Правда, устройства этого класса в России покамест не вошли в повсеместный обиход — с цифровыми каналами связи у нас туго...

Передача компьютерных данных — лишь часть того, что умеет современный модем. Есть у него и другие возможности. Большинство современных модемов (точнее — факс-модемов) может автоматически пересылать подготовленные на вашем компьютере документы на факс (или несколько, причем компьютер все сделает без вашего участия), а также выполнять обратную операцию: прием факсов. Могут работать автоответчиком, определителем номера... Но все это лишь побочные функции, наличие которых отнюдь не должно сказываться на главном — передаче данных от компьютера к компьютеру.

Как мы и говорили, в России этот процесс до сих пор осуществляется с помощью телефонных линий — а этот канал связи иначе как анахронизмом уже не назовешь. Страшно медленные. Зашумленные. Малочувствительные, пропускающие лишь узкий диапазон частот. Но зато они есть повсюду — практически в каждом доме. Более распространены разве что электрические сети. Кстати, не так давно был предложен стандарт передачи данных через... электрическую розетку. Но это — дело далекого будущего, а пока нам без телефонных линий не обойтись.

Но, поскольку гора не идет к Магомету, последний должен идти к горе самостоятельно. В условиях дефицита хорошей связи приходится совершенствоваться самим модемам, овладевая все более сложными протоколами связи и методами коррекции ошибок, позволяющими и на плохих линиях достигать существенных скоростей.

Устроен любой модем достаточно просто: его основой являются несколько микросхем, отвечающих за выполнение трех ключевых задач.

Цифровой сигнальный процессор (DSP) руководит всем процессом подготовки компьютерной информации к передаче — ее разбивку на

«пакеты» в соответствии с одним из поддерживаемых протоколов. Именно в его ведении находится поддержка протоколов, а также программная «начинка» модема — BIOS, который чаще называют просто «прошивкой».

Пройдя через DSP, информация передается на руки специальной микросхеме *контроллера*, отвечающей за сжатие информации, а заодно и за коррекцию ошибок.

Наконец, за полностью готовые к отправке данные берется *кодек* (Digital-Analog Coder-Decoder), чьей работой является перевод цифровых сигналов в аналоговые, которые и отправляются в путешествие по телефонным линиям. Информация, поступающая на ваш компьютер через Интернет, проходит через обратное преобразование, из аналоговых сигналов в цифровые, и затем передается для обработки контроллеру и процессору DSP.

Типы модемов. Сегодня по описанной выше классической схеме изготавливаются далеко не все модемы. Если дорогие и качественные модели содержат в себе все три микросхемы, то в самых дешевых, внутренних устройствах может отсутствовать одна или даже две из трех ключевых микросхем!

К примеру, в так называемых «софт-модемах» (softmodem) вы не найдете микросхемы контроллера — вся работа по сжатию и коррекции ошибок ложится на центральный процессор. Последнему дополнительная нагрузка никакого дискомфорта не доставляет, ну а падения производительности на пару процентов не заметит и пользователь.

И уж совсем «безмозглыми» выглядят «вин-модемы» («Winmodem»). Нет, это не ругательство, а просто констатация факта: у этих устройств отсутствует модемный мозг, микросхема DSP. А «думает» вместо нее специальное программное обеспечение, предназначенное для работы под операционной системой Windows (отсюда и название). То есть в DOS «вин-модем» работать не будет, но кто сейчас помнит о DOS!

Конечно, по стабильности работы ни софт, ни винмодем не смогут конкурировать с модемом полноценным. Однако низкая цена (15—30 долл.) с лихвой компенсирует эти недостатки. Вот почему именно «урезанные» модемы и используют все без исключения сборщики типовых, «домашних» компьютеров.

Однако продолжим нашу деятельность по «урезанию» многострадального модема. Как, вы думаете, что дальше уже некуда? Действительно, из трех ключевых микросхем осталась только одна. А если избавиться и от нее?

В 2000 году мутная волна моды вознесла на свой гребень так называемые AMR-модемы, представляющие собой всего лишь небольшое дополнение к интегрированной на большинстве современных материнских плат микросхеме — кодеку AC97. Микросхема эта позволяет решить сразу весь комплекс задач по преобразованию цифровой информации в аналоговую и наоборот, заменяя как модем, так и звуковую карту! Сама же карта, устанавливающаяся в специальный AMR-слот на ма-

теринской плате, представляет собой лишь кусок пластика с разъемами плюс пара-тройка второстепенных микросхем. Стоимость этой карты не превышает 10—15 долл., что вдвое ниже стоимости даже дешевого soft-модема!

После появления AMR стало ясно — часы жизни внешних модемов сочтены. И, возможно, не стоило бы рекомендовать их пользователям XXI века, если бы не то непревзойденное качество работы, которое могут обеспечить только они. Вы не в курсе, почему, несмотря на все нововведения, лучшим модемом знатоки считают громоздкую черную коробку U. S. Robotics Courier, выпущенную еще в 1996 году?

Форм-фактор. Мы уже говорили о двух типах исполнения модемов — внешние, подключающиеся к последовательному (COM) порту или к порту USB, и внутренние, которые вам придется поселить в свободный PCI-разъем на вашей материнской плате. Кстати, вопреки распространенному мнению, внутренние модемы отнюдь не обязательно принадлежат к «урезанным» модификациям — попадаются среди них и нормальные полноценные устройства, которые легко отличить по цене.

И у того, и у другого типа множество достоинств и недостатков. Внешний модем занимает место на столе, требует отдельной розетки, однако он предоставляет вам возможность контролировать все параметры его работы с помощью сигнальных лампочек-индикаторов. Работа внешнего модема более стабильна — как-никак внутренний модем подвержен воздействию многочисленных помех. И последнее — внешний модем можно выключить, не выключая компьютера.

У внутренних модемов — свои козыри. Прежде всего — низкая цена: так, внутренний U. S. Robotics Courier стоит на несколько десятков долларов дешевле внешнего. И конечно же, уже упоминавшаяся компактность, отсутствие претензий на дополнительное место на столе. Как всегда, выбор за вами.

Существуют и другие классификации модемов — например, обычные и голосовые модемы, снабженные разъемами для подключения наушников и микрофона. С помощью голосовых модемов удобно общаться по сети Интернет в режиме «интернет-телефона» — правда, при отсутствии у вашего модема «голосовых» функций вы всегда можете подключить наушники и микрофон к звуковой карте.

Наконец, по типу обработки данных модемы подразделяются на полноценные и «программные». В полноценных модемах работу по поддержке протоколов связи и коррекции ошибок выполняет специальный чип, а дешевые «программные» модели (softmodem или winmodem) перекладывают эту работу на центральный процессор. Стабильность работы у «софт-модемов» чуть ниже, зато и стоят они буквально копейки (до 15—20 долл.). К сожалению, при их установке нередки конфликты с другими PCI-устройствами — например, со звуковой картой.

Протокол и скорость. Протокол можно сравнить с языком, на котором договариваются беседовать друг с другом два модема при установке связи. Язык этот, в частности, определяет и скорость, и тип передачи данных. Естественно, что за свою 20-летнюю историю модемы стали насто-

ящими полиглотами — каждый из них способен поддерживать добрый десяток протоколов! Хотя на практике используется лишь несколько:

v.34, позволяющий принимать данные со скоростью до 33 600 бит в секунду;

v.90, x2 и k56flex, поддерживающие работу на скорость в 57 600 bps. Первый протокол является универсальным, поддерживаемым модемами разных фирм, в то время как его предшественники x2 и k56flex представляют собой «приватные» разработки отдельных фирм;

V.92 — новый, принятый в 2000 году протокол, отличающийся от своего предшественника v.90 лишь скоростью передачи данных (57 600 bps против 28 800).

Конечно же, для нас, конечных пользователей, тип протокола, которым пользуется модем, и даже тип его аппаратной структуры совершенно не важны. Это — личное, внутреннее дело самих устройств. Единственный волнующий нас показатель — скорость. Причем не та скорость, которую обманщик-модем показывает при соединении, а реальная скорость приема и передачи данных. Прежде всего — скорость приема: известно, что объем отправляемой с компьютера информации при работе в Интернет в 8—10 раз ниже, чем объем информации принятой.

Увы, даже на самых совершенных аналоговых модемах при идеальных условиях связи скорость работы все равно будет на уровне черепашьей. Так, на предельной скорости 57 600 bps мегабайтный файл будет передаваться около 3—5 минут. Так что 12—15 Мбайт в час — это, увы, предел... Для сравнения: даже самые простые кабельные модемы обеспечивают скорость вдвое большую, реальный же выигрыш в производительности при переходе на волоконно-оптическую связь — 10 и более раз! Такое же ускорение дает и использование асинхронных технологий передачи с использованием спутниковой связи: за последнюю пару лет этот сервис стал безумно популярным в крупных городах России.

Однако в том случае, если выбирать не приходится, мы будем довольствоваться тем, что сможет нам обеспечить аналоговый модем. Но в установленных жизнью пределах можно быть и привередой.

Для работы в Интернет минимальной является скорость в 28 800 bps. А большинство имеющихся в продаже модемов поддерживают протокол связи v.90 и, стало быть, теоретически способны работать на скорости в 57 600 bps. Правда, даже в сравнительно благополучной Москве лишь немногие способны реально работать с такой скоростью...

Но в таком случае остается непонятным главное — откуда при сравнительно схожих характеристиках такая гигантская разница в стоимости модемов? Внешний модем, к примеру, вы можете приобрести как за 80, так и за 180 долл...

Устойчивость и качество работы. Вот он — второй важный для нас показатель!

Ведь мало соединиться на хорошей скорости, главное, чтобы после этого ваш модем не падал в обморок от качества отечественных телефонных линий... А для того, чтобы обеспечить устойчивость связи, модему приходится запасаться дополнительными микросхемами, отвеча-

ющими за коррекцию ошибок, регулировку уровня сигнала и так далее И, естественно, не стоит забывать программную «начинку», которая также отвечает за качество работы модема. У аппаратных модемов она «зашита» в микросхеме BIOS и может быть легко обновлена с помощью специальных программ-«прошивок» (их вы всегда можете найти на интернет-странице производителя), а soft-модемы, не обладающие такой роскошью, хранят ее в оперативной памяти компьютера.

Фирмы-производители. Не секрет, что многие модемы, обладающие хорошими характеристиками по скорости и вполне пригодные для эксплуатации, скажем, в США, в России просто отказываются работать или же теряют связь через минуту-другую после соединения. Стабильно работающих, надежных в условиях российского телефонного «бездорожья», а сверх того имеющих сертификат российской Минсвязи (Государственного комитета РФ по связи и информатике) модемов немного. Фактически, можно говорить о продукции лишь нескольких фирм: из класса «хай энд» — U. S. Robotics, Zyxel и IDC (Inpro). Из более дешевых, но качественных — AVAKS и Acorp.

Продукцию U. S. Robotics/3COM, по статистике, предпочитают около 60 % российских пользователей. И очень вероятно, что такие модемы выберете и вы. Традиционно U. S. Robotics производит два вида модемов — более дорогой и качественный Courier, бегающий по отечественным телефонным линиям с поистине курьерской скоростью, — и Sportser/MessagePlus, «удешевленная» модель, лишенная многих достоинств «Курьера», но тем не менее весьма удачная. Message Plus, в отличие от простого Sportser, снабжен функциями автоответчика.

Все современные модели U. S. Robotics продаются со встроенной поддержкой скоростных протоколов x2 и v.90 (до 57600 bps). Более ранние модели Courier, работающие со скоростью 33 600 bps, можно легко «омолодить» и усовершенствовать, заменив модемный BIOS (или «прошивку»), «прописанную» во внутренней микросхеме флэш-памяти, на новую версию. Новые «прошивки» для модемов U. S. Robotics вы всегда сможете найти на интернет-страничке корпорации 3COM (http://www.3com.com) или на русской страничке поддержки USR (http://www.usrsupport.ru).

Если же марка модема вам не известна, стоит обратить внимание на то, какой набор микросхем лежит в основе этого устройства. Выбор не слишком велик: большинство модемов среднего класса содержат в своем нутре начинку от Rockwell, а практически все soft-модемы оснащены чипсетом от Lucent. В любом случае обязательно обращайте внимание на наличие сертификата Минсвязи, русскоязычной документации, а еще лучше — пометки, что данный модем изготовлен с учетом специфики российских телефонных линий.

И последнее. Старайтесь подключать модем к основной телефонной розетке в доме: телефон при этом включайте не параллельно модему, а после него, через специальный телефонный выход-розетку на самом модеме. Это помешает кому-нибудь из ваших домашних не вовремя прервать вашу связь с Интернет, подняв трубку телефона и, сверх того, может существенно улучшить качество соединения.

УСТАНОВКА И НАСТРОЙКА МОДЕМА

Теперь, когда модем выбран и куплен, самое время «подружить» его с системой. Только не думайте, что эта операция потребует от вас каких-то невероятных интеллектуальных или физических усилий — все будет очень просто. Вероятнее всего, сама Windows избавит вас от беспокойств, определив и настроив ваш модем в автоматическом режиме. Хотя лишний раз проверить, насколько хорошо справляется со своей работой эта самоуверенная леди, не помешает...

Прежде всего убедитесь, что ваш модем подключен к компьютеру, и подключен правильно. Внешний модем должен быть соединен специальным шнуром с COM или USB-портом на задней стороне системного блока, а заодно — и подключен к источнику питания. На передней панели внешнего модема вы увидите несколько лампочек-индикаторов — как минимум две из них должны гореть.

Что касается внутреннего модема, то ему, как и следует из названия, самое место внутри системного блока, в слоте PCI. Если вы с самого начала купили компьютер с внутренним модемом, вам останется только подключить его к телефонной линии... А уж затем включить компьютер.

Дальше начинается уже работа Windows — при загрузке она должна самостоятельно определить модем и установить правильный драйвер. Либо из собственных запасов, либо со специальной дискеты или компакт-диска, которые должны прилагаться к любому модему. Но часто случается так, что Windows, не шибко долго размышляя, определяет модем как «Стандартный». Не самый лучший выход — а потому в такой ситуации нам с вами придется драйвер поменять вручную.

Щелкните по иконке «Мой компьютер» на Рабочем Столе. В открывшейся папке выберите значок «Панель Управления» (Control Panel) и также нанесите по нему двойной щелчковый удар. После такого воздействия значок развернется в папку и откроет вам доступ к основным параметрам Windows 95/98. Кстати, если вы еще не перетащили ярлык «Панели Управления» на Рабочий Стол Windows, то самое время сделать это сейчас: нам частенько придется обращаться к этой папке. Напомню процедуру создания ярлыка: «подцепите» иконку Панели Управления мышью, держа при этом нажатой правую кнопку, и тащите ее (иконку) на Рабочий стол. Выберите в открывшемся Контекстном меню «Создать ярлык» и... готово дело!

Так или иначе, папку Панели Управления мы открыли. Обратимся теперь к иконке «Модемы» — что там? Как обычно, обрушиваем на папку двойной щелчок... Есть!

Теперь возможны два варианта: либо ваш модем уже определен системой Windows, что подтверждается наличием записи об этом во вкладке «Общие», либо вкладка девственно чиста. В таком случае проверьте, включен ли ваш модем в сеть, надежно ли подсоединен к COM-порту (все это относится, разумеется, к внешнему модему)... А затем запускайте процедуру установки модема. Для этого нажмите кнопку «Добавить», затем — кнопку «Далее»... И после минутного опроса, скорее всего, ваш модем будет обнаружен.

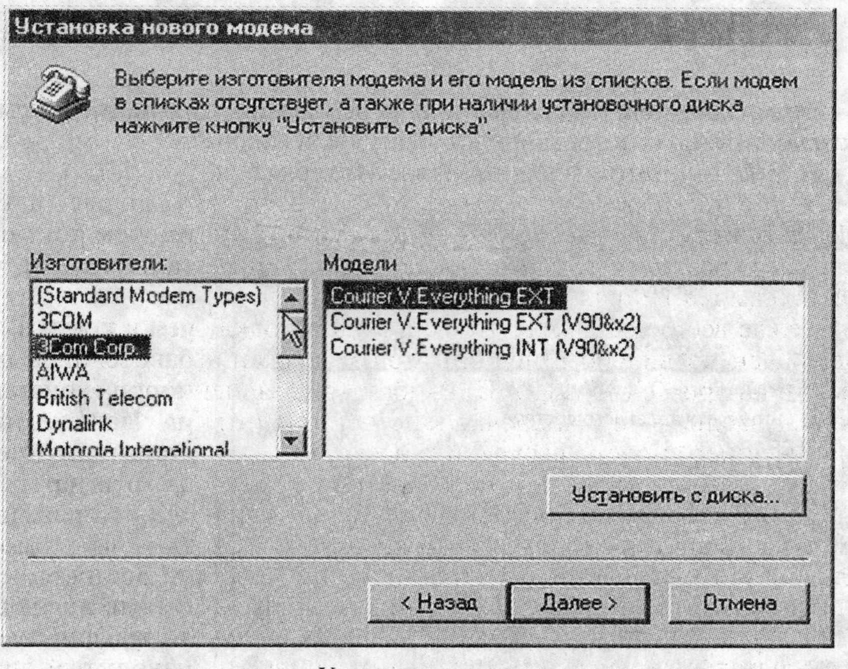

Установка модема

Вообще у Windows имеется скверная привычка — практически любой подключенный к ней модем она определяет как «Стандартный модем». Но это не страшно: честно говоря, тип модема мало на что влияет...

Перед тем, как уйти из папки «Модемы», выполним еще ряд простых операций.

Нажмите на кнопку «Свойства» все в той же вкладке «Общие». Здесь вы можете изменить громкость установленного в модеме динамика, а сей аппарат, как известно, отличается повышенной оручестью, и максимальную скорость работы модема. Если у вас установлен модем со скоростью 28 800 бод и выше, задайте максимальную скорость его работы хотя бы в районе 57 600 бод. Реально скорости работы это, конечно, не увеличит, но на стабильность работы может повлиять. Теперь перейдите в меню «Параметры» и снимите галочки с обоих окон в разделе «Установка связи».

Больше ничего трогать не надо. Со спокойной совестью нажимаем «ОК» и возвращаемся в «Панель Управления».

Настройка удаленного доступа. Перед началом следующей операции вставьте в дисковод CD-ROM имеющийся у вас дистрибутивный диск Windows. Записанные на нем файлы вам сейчас пригодятся.

Мы вновь отправляемся в гости к «Панели Управления». На этот раз нас интересует другой значок на ней — «Сеть».

Дважды щелкнув по значку, мы попадаем в меню изменения параметров работы с сетью. Зайдите во вкладку «Конфигурация» — там,

в разделе установленных в системе компонентов, вы должны увидеть два названия:

- ***Контроллер удаленного доступа*** — основной компонент, обеспечивающий возможность подключения к Интернет.
- ***TCP/IP*** — протокол для работы с Интернет.

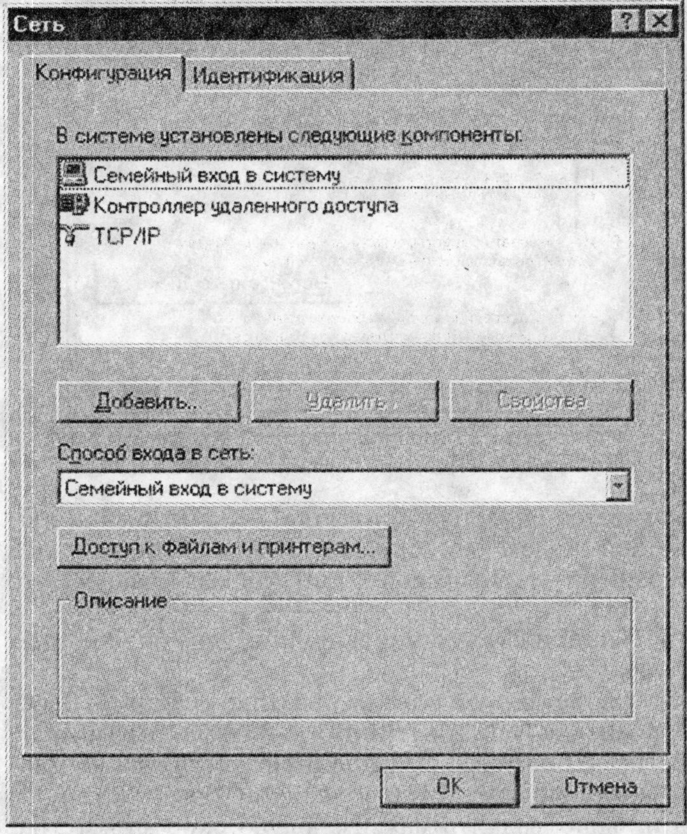

Если какого-нибудь компонента не хватает, установите его с помощью кнопки «Добавить». Для установки контроллера удаленного доступа вам необходимо выбрать раздел «Сетевые платы». В открывшемся оконце выберите в левой колонке фирму-производителя — Microsoft, а затем в левой — нужный вам «Контроллер удаленного доступа». После нажатия кнопки OK система сама возьмет с компакт-диска Windows нужные файлы и установит нужный вам контроллер.

Папка «Сеть»

Ту же операцию примените в случае необходимости установки любого из двух других компонентов. Только не забудьте, что при установке протокола TCP/IP вам нужно после нажатия кнопки «Добавить» выбрать раздел «Контроллеры» для «Клиента сетей Microsoft» — соответственно меню «Клиенты».

Установка завершена. Теперь проверьте, находятся ли в разделе «Сеть» «Панели Управления» нужные вам три компонента. Остальные, если они вдруг появятся, удаляйте с помощью соответствующей кнопки.

Теперь, после нажатия кнопки OK, вы получите приглашение перезапустить систему. Что ж, можно и перезагрузить... Скорее, даже не можно, а нужно. А после перезагрузки компьютера мы приступим к третьему этапу нашей операции.

НАСТРОЙКА ПАРАМЕТРОВ РАБОТЫ С ИНТЕРНЕТ. МАСТЕР ПОДКЛЮЧЕНИЯ

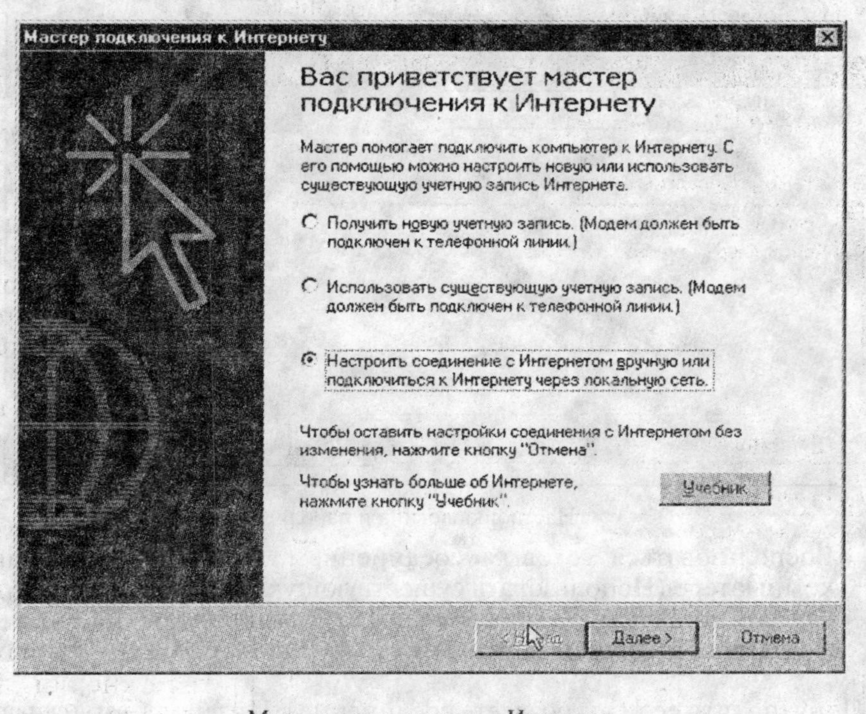

Мастер подключения к Интернет

Для начала вам необходимо настроить самые важные программы для работы с Интернет — браузер (программу просмотра интернет-страниц) Internet Explorer и программу для работы с электронной почтой и группами новостей Outlook Express. Обе эти программы, напомним, уже встроены в Windows, так что устанавливать их отдельно вам не придется. Кроме того, нужно настроить параметры соединения с Сетью, подсказав программе-«звонилке» телефон, по которому следует соединяться с Интернет, а также ваш логин и пароль.

Не волнуйтесь — эта процедура сложна лишь на словах. На деле же практически всю работу за вас сделает специальная программа — Мастер подключения к Интернету, значок которой вы можете найти на Рабочем столе Windows, а также в папке «Пуск/Программы/Стандартные/Связь».

Сразу же после запуска Мастер осведомляется о вариантах настройки соединения с Интернет. Их всего три:

- Выбрать регионального провайдера, чьи координаты уже заложены в памяти Мастера (Получить новую учетную запись).

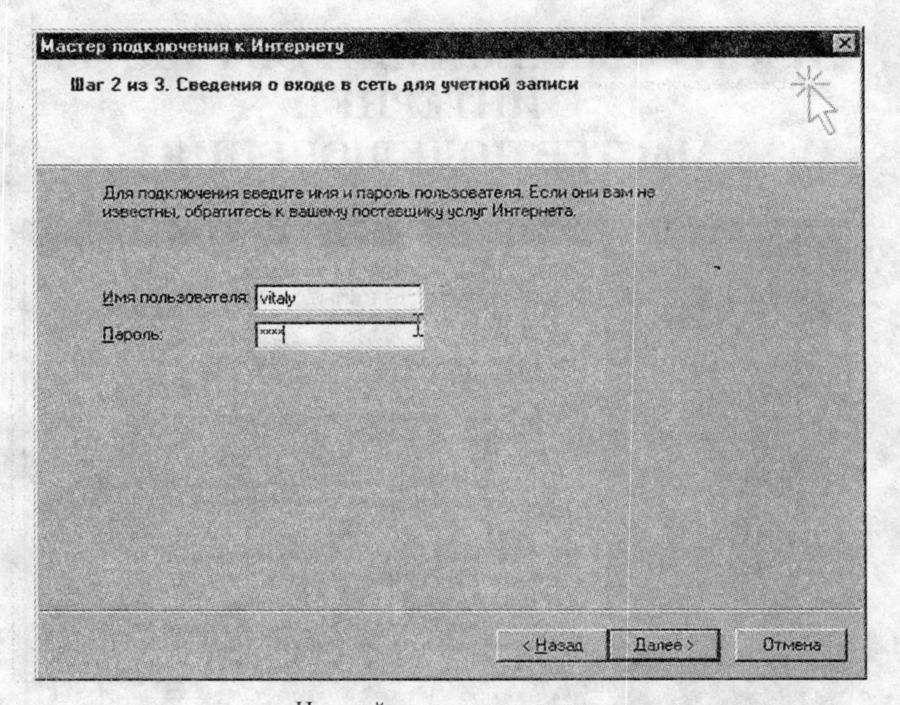

Настройка логина и пароля

- Воспользоваться готовым соединением, имеющемся на вашем компьютере (Использовать существующую учетную запись).
- Создать соединение с провайдером самостоятельно (Настроить соединение с Интернет вручную).

Понятно, что если вы создаете соединение с Интернет, что называется, с нуля, вам стоит выбрать третий вариант настройки. После этого нажмите кнопку «Далее».

В следующем экране вам необходимо указать Мастеру, что вы собираетесь подключаться к Интернет с помощью модема, через телефонную линию (такой вид подключения называется Dial-Up).

Следующие экраны будут посвящены собственно настройке соединения: вас попросят ввести **телефонный номер**, по которому будет происходить соединение (не забудьте убрать галочку рядом с пунктом «Набирать номер вместе с кодами города и страны» — вам ведь не нужно, чтобы модем «ломился» на междугородную линию).

После нажатия кнопки «Далее» вас попросят ввести свое пользовательское имя (**логин**), необходимое для подключения к Интернет, и **пароль**. И то, и другое вам должен предоставить провайдер — фирма, через которую вы приобретаете ваш доступ к Интернет.

Наконец, вас попросят дать **имя** только что созданному соединению — здесь вы вольны изобретать все, что угодно. Хоть обзовите свое соединение «Связь со штаб-квартирой ЦРУ». Но лучше, чтобы это было значимое имя — в особенности, если вы пользуетесь услугами нескольких провайдеров.

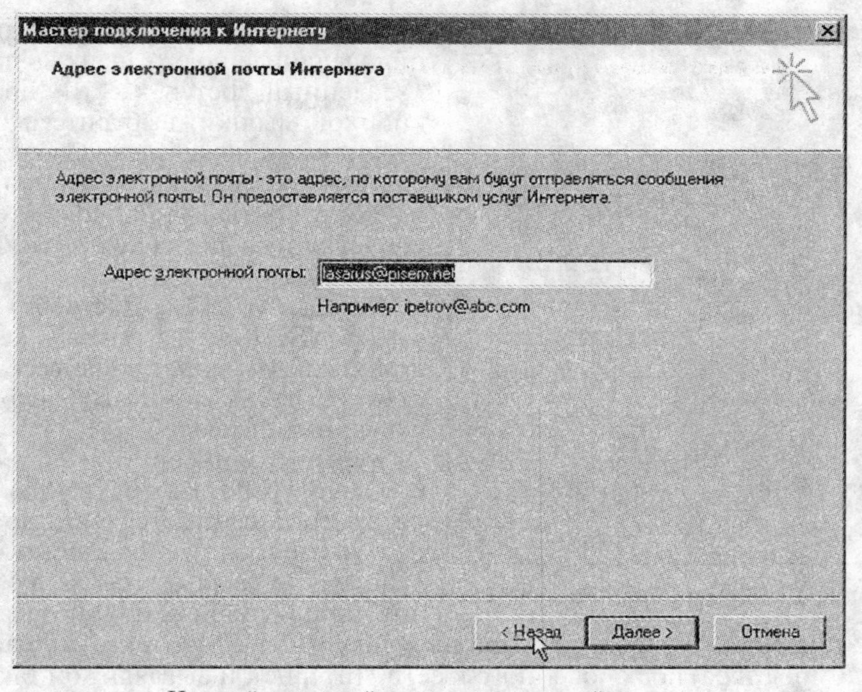

Настройка учетной записи электронной почты

Следующий этап настройки подключения к Интернет — создание учетной записи электронной почты. Проще говоря, вы должны ввести в программу установки свои **имя и электронный адрес** (он также должен быть в документации, которую вам предоставляет провайдер. Обычно электронный адрес строится по формуле: имя пользователя (логин)@имя провайдера.ru (возможно — net или com).

Например, мой адрес — lasarus@iname.com

Другие, не менее важные параметры, которые вы также должны получить у провайдера, — **адреса почтовых серверов**, к которым вы будете подключаться для отправки и получения почты, как правило, их имена начинаются с pop (например, pop.mtu.ru). Обратите внимание: в программе установки существуют отдельные строчки для имен серверов входящей и исходящей почты, но чаще всего эти имена совпадают.

И последнее, что вам надлежит сделать — указать **логин и пароль для доступа к почтовому серверу**. Тут у вас также не должно быть трудностей — эти значения совпадают с вашим основным логином и паролем.

Соединение создано — теперь вы можете войти в Интернет, пользуясь значком вашего соединения в папке «Удаленный доступ к сети», проживающей на Панели управления Windows ME (в Windows 98 — в папке «Мой компьютер». Однако перед этим, возможно, вам придется настроить еще несколько значений.

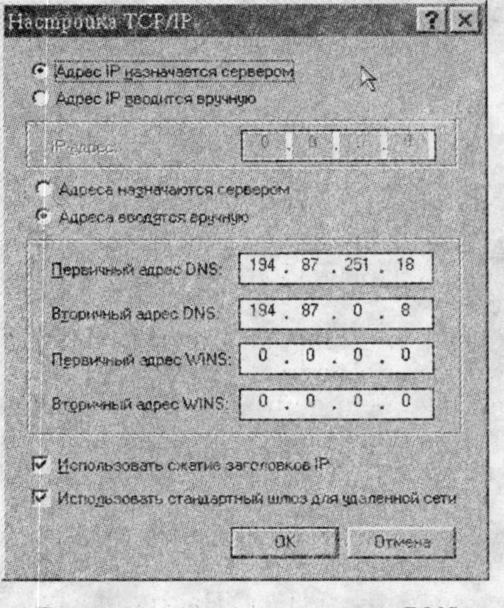

Тонкая настройка соединения. DNS

Для тонкой настройки соединения щелкните по его значку в папке «Удаленный доступ к сети» правой кнопкой мышки, выберите в Контекстном меню пункт «Свойства». Вам откроется меню соединения с целым рядом вкладок. Пока что откорректируем две из них:

Вкладка «СЕТЬ»: Настройка сервера DNS. Как вы знаете, адреса страничек Интернет чаще всего составляются из понятных человеку буквенных символов:

www.microsoft.com

Однако работать с буквенным адресом (он называется еще доменным именем или URL) удобно лишь человеку — компьютеры же в общении между собой оперируют другими, цифровыми адресами. Свой цифровой (или ***IP-адрес***) есть у каждого компьютера, подключенного к сети Интернет, и выглядит он так:

195.34.32.11

А вся информация о том, какой IP-адрес соответствует каждому введенному вами URL, хранятся в памяти специального компьютера — сервера доменных имен (DNS), через который и проходят все ваши команды на открытие тех или иных страниц.

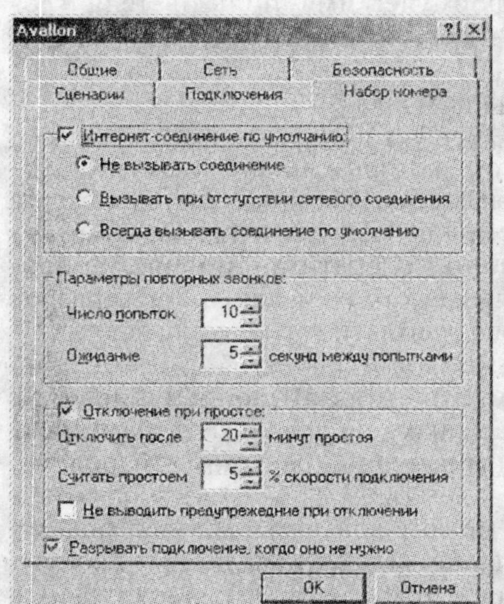

Настройка параметров дозвона

В том случае, если в выданной вам провайдером документации или на оборотной стороне вашей интернет-карты указаны точные адреса серверов DNS, вам понадобится внести их в «карточку» вашего соединения. Сделать это можно следующим образом.

Войдите в папку «Удаленный доступ к сети», щелкните правой кнопкой мышки по значку вашего соединения и выберите пункт «Свойства» в возникшем Контекстном меню. Затем войдите во вкладку «Сеть» и нажмите кнопку «Настройка TCP/IP».

Установите галочку в меню «Адрес IP назначается автоматически» (в том случае, конечно, если автома-

тическое выделение IP-адреса оговорено в вашем договоре провайдером), а в нижнем меню, отвечающем за серверы DNS, наоборот — «Адреса IP вводятся вручную». Теперь вам остается только ввести нужные адреса в графы «Первичный» и «Вторичный адрес DNS».

Вкладка «НАБОР НОМЕРА»: Параметры дозвона. Напоследок не помешает настроить параметры дозвона в Интернет — например, чтобы при сигнале «Занято» компьютер не ленился бы набрать номер еще раз, не дожидаясь вашей команды.

И не один раз, а сколько понадобится... Ведь не надеетесь же вы, что линия у вашего провайдера все время будет свободна?

Установите в разделе «Повтор попыток соединения» число попыток дозвона — ну, скажем, 30 — и длительность паузы, которую делает ваш модем после набора номера, — у меня, например, 5 с.

Создание ярлыка соединения на Рабочем столе. Теперь не забудьте на всякий случай создать ярлык значка соединения на Рабочем столе. Ведь пользоваться им придется часто, а лезть в папку «Пуск/Настройка/Удаленный доступ к сети» (или «Мой компьютер/Панель управления/Удаленный доступ к сети») каждый раз — хлопотно.

Остается только добавить: эту процедуру (точнее, первую ее часть, до настройки почтовых серверов и серверов новостей) вам стоит повторить столько раз, сколько телефонных номеров вам предоставил ваш провайдер. Дополнительные соединения, знаете ли, никогда не помешают...

УСТАНОВКА СОЕДИНЕНИЯ С ПРОВАЙДЕРОМ И НАЧАЛО РАБОТЫ

Теперь у нас все готово для начала работы в Интернет. Осталось только щелкнуть по ярлыку соединения или по кнопке программы-«звонилки»— и застрекочет модем, и понесутся по телефонным проводам сигналы. Новый, удивительный мир откроется перед вами.

И, честно говоря, я вам немножко завидую...

Кстати, о кнопке. «Кнопка для входа в Интернет» на самом деле не одна — их может быть много. Главная — значок запуска Internet Explorer на вашем Рабочем Столе: при двойном щелчке на нем не только откроется сам браузер, но и автоматически запустится программа для входа в Интернет.

То же самое произойдет, если вы запустите информационный менеджер Outlook Express.

Наконец, существует еще одна возможность входа — через ярлыки соединений на Рабочем Столе (надеюсь, вы не забыли создать их?) и сами значки в папке «Удаленного доступа». И этот способ, на мой взгляд — самый удобный.

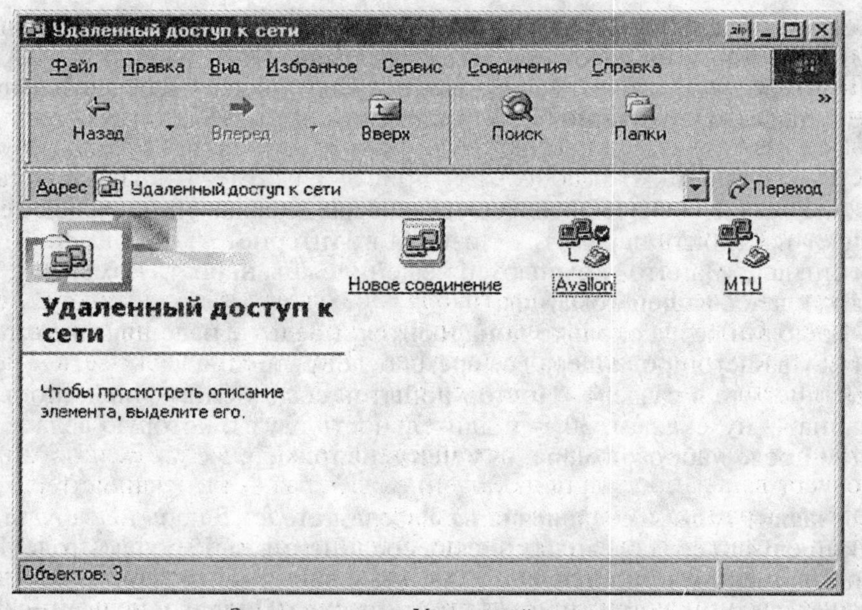

Значки в папке «Удаленный доступ»

Если вход прошел успешно, в окне Internet Explorer появится приветствие и поздравление с удачным входом в Интернет, а в правом нижнем углу Рабочего Стола — значок, отображающий работу модема. Щелкнув по нему, вы получите возможность контролировать вашу работу в Сети и узнать, к примеру, сколько времени вы провели на линии, какой объем информации был вами передан и принят. Тут же находится кнопка «Завершить связь» — нельзя же вечно сидеть в Интернет, надо и выходить время от времени...

Словом, если связь удалась, все хорошо.

А если нет?

Бывает и такое. Тогда, после короткой перебранки модемов, соединение прерывается и на экране возникает короткое сообщение об ошибке. Чаще всего оно может подсказать вам, где и в чем вы допустили неточность.

Ошибка в написании пароля или логина. Самое распространенное явление, особенно для пароля: когда вы вводите его в меню Мастера установки или при ручной настройке, на экране показываются не буквы и цифры, а ничего не значащие крестики. Система-то, конечно, запоминает именно то, что вы ввели, но на экран предусмотрительно не выводит — а вдруг подсмотрит кто...

Решение: попробуйте ввести логин и пароль еще раз, непосредственно в окне соединения или же, вновь, запустив Мастер подключения к Интернет. Как и в прошлый раз выберите пункт «Я хочу заново подключить компьютер через телефон или локальную сеть, используя уже имеющийся у меня пропуск в Интернет (учетную запись)», но после этого не создавайте соединение заново, как это мы делали в

прошлый раз, а используйте уже созданное соединение и проведите его настройку.

Помните: при наборе пароля очень важно соблюдать регистр: если в данной вам документации часть пароля или он весь написан большими буквами, не забудьте «включить верхний регистр» и вы. Большая буква вместо маленькой — и наоборот — приведет к тому, что ваш пароль не будет распознан системой удаленного компьютера — стало быть, в Интернет вас не пустят...

Отсутствие необходимого протокола или контроллера удаленного доступа. Может быть, вы забыли выполнить некоторые действия, описанные в главе «Настройка удаленного доступа». Проверьте раздел «Сеть» Панели Управления — не там ли кроется ошибка?

Ошибка на сервере вашего провайдера. Что ж, бывает... Если компьютер отверг ваш запрос на подключение один раз — не отчаивайтесь, повторите операцию спустя какое-то время.

И — универсальный рецепт: не стесняйтесь обращаться в службу поддержки вашего провайдера. Для этого она и существует. Ведь всех ситуаций, возникающих при работе в Интернет, описать нельзя — даже в самой толстой и подробной книжке.

Такая уж она непредсказуемая и своенравная — Сеть...

Однако не будем пессимистами. Неужели после всех этих трудов у вас ничего не получится?

Конечно, получится!

Уже получилось? Я так и думал. Ну что же, можете отправляться в плавание по волнам Сети — ваш корабль готов к путешествию. Счастливого пути, капитан!

Программы — «звонилки»: дозвон и сбор статистики

Вот ведь как интересно получается: мы только-только начали работать с Интернет, а нам уже приходится обращаться к отдельным, дополнительным программам.

Казалось бы, нехитрая операция — дозвониться до провайдера и подключиться к Сети. Уж с этим-то Windows вполне могла бы справиться самостоятельно... Ан нет — оказывается, возможности стандартной «звонилки» ограничены до неприличия.

Смотрите сами: пользуясь стандартными средствами Windows, мы были вынуждены создавать для каждого телефонного номера отдельное соединение. Удобно это? Конечно же нет: у многих провайдеров в активе — добрый десяток телефонных номеров.

Допустим, нам с вами не будет лень создать десяток соединений. И все равно в результате перебирать номера вам придется вручную — стандартная «звонилка» Windows умеет только без конца «долбить» один-единственный номер...

Продолжать скорбный перечень недоработок? Не стоит — нам и так уже стало ясно, что для собственного удобства стоит обзавестись «звонилкой» помощнее... Благо таких в Сети хватает.

Вот, например, EType Dialer (http://www.enet.ru/~gorlach/edialer/) — великолепная бесплатная «звонилка», созданная Александром Горлачем. С ее помощью вы можете присвоить любому соединению сколько угодно телефонных номеров, которые программа будет добросовестно перебирать. После установки соединения программа может сообщить вам об этом звуковым сигналом и запустить ваш любимый браузер (кстати, программа может входить в Сеть и автоматически, согласно заданному вами расписанию).

Другая полезная возможность программы — расширенная статистика: в любой момент вы можете узнать, сколько времени вы пробыли в Сети в течение последнего дня, недели и даже месяца. Весьма полезная функция для самоконтроля и калькуляции собственных трат. Правда, их-то как раз программа не подсчитывает (хотя эту функцию, вероятно, стоило бы встроить) — но и без того ее возможности впечатляют. И, пожалуй, не найдется пользователя, который отказался бы от EType Dialer в пользу неуклюжей «звонилки» Windows — которую Dialer, кстати сказать, с успехом подменяет собой.

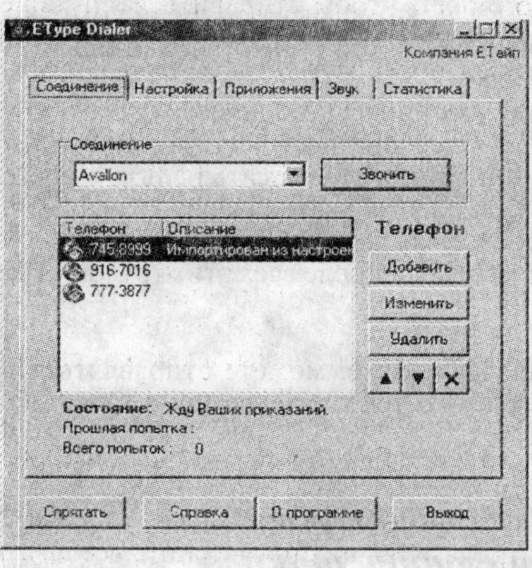

Etype Dialer

...Как и во всех остальных случаях, выбор именно этой программы вовсе не означает, что автор считает ее самой лучшей, удобной и функциональной в своем классе — отнюдь! И уж тем более — единственной: в Сети легко можно найти десятки разнокалиберных «звонилок». Другое дело, что за одни из них авторы ненавязчиво просят денег (а традиция платить за использование программ в России еще явно не привилась), другие поражают не только обилием настроек, но и громоздкостью, наконец, третьи вроде бы всем хороши, но общаться с пользователем желают лишь на английском наречии...

Словом, при всем обилии вариантов (а также и доброжелательных советов от читателей моих книг) я выбрал для себя EType Dialer. А тем, кому эта программа по тем или иным причинам не глянулась, я могу лишь посоветовать зайти на сайт любой «копилки» программ (их адреса вы найдете в Приложении к этой книге) и подобрать себе «звонилку» по вкусу.

Но не будем топтаться на пороге Сети, обсуждая достоинства и недостатки звонилок. Лучше воспользуемся любой их них — и наберем-таки заветный номер, открывающий нам ворота в неведомый и манящий мир Интернет...

МИР ИНФОРМАЦИИ: ВСЕМИРНАЯ ПАУТИНА WWW

Что же нам с вами необходимо теперь, чтобы отправиться в путешествие по страничкам Всемирной Паутины? Модем выбран и настроен, настроено и установлено соединение с провайдером. И теперь нам остается только запустить программу-браузер и набрать в его адресной строке соответствующий адрес, ну а потом, лихо щелкая по ссылкам, начинать тот увлекательный процесс, который и называется «Web-серфингом»... Да, для каждого из нас знакомство с Интернет начинается именно со Всемирной Паутины WWW (WorldWide Web).

Паутина WWW — безусловно, самая яркая, удобная и популярная часть Интернет. И сегодня для многих понятия «Интернет» и «WWW» уже стали синонимами. Лишь иногда наступает просветление сознания: а как же электронная почта, а как же «болталки»-чаты, а как же серверы FTP... Еще через пять минут на воспаленный разум обрушивается новая мысль — позвольте, так ведь Паутина-то появилась совсем недавно, еще и десятка лет не минуло! А все другие сервисы Сети по сравнению с ней — персоны пенсионного возраста.

Но в том-то и состоит особенность и основная причина успеха WWW, что за этот короткий срок она ухитрилась не просто оттеснить все другие сервисы на «обочину истории», но и практически поглотить многие из них. И сегодня через «странички» WWW мы можем читать электронную почту, получать доступ к файловым архивам, работать с группами новостей.

Возможно, когда-нибудь этот монополизм и всеядность выйдут Сети боком. Но пока что популярность WWW лишь растет и конкурента «Паутины» на горизонте не видно... И автору ничего не остается, как, фиксируя на бумаге сложившуюся картину мира, посвятить Паутине одну из самых первых глав. Да еще и самую объемную.

Глава эта, впрочем, будет состоять из ряда главок поменьше. В первой из них мы разберемся — хотя бы на самом простом и доступном уровне — с устройством Паутины. Конечно, это — теория, и особо нетерпеливые практики могут с легким сердцем перескочить через десяток страниц. Однако теория теорией, а кое-какими базовыми знаниями обзавестись не помешает.

Это потом мы с вам будем лихо скакать со странички на страничку, щелкая по кнопкам программы для просмотра страниц Интернет — бра-

узера. Ему, кстати, и посвящена вторая часть нашей большой главы. Знакомство с этой программой также займет немало места, благо по своей сложности и возможностям эта программа не уступает самой операционной системе. Всласть покопаться в ее настройках, освоить все кнопки и меню. А может быть, и сменить браузер, уже установленный на вашем компьютере, на какой-то другой, благо выбор у нас с вами есть — и обширный.

И, наконец, уже умея управлять этой сложной машиной, отправимся в гости к самым главным и полезным серверам сети — поисковым. Ведь вряд ли вы пока еще знаете, какие именно странички вас заинтересуют... Позднее, поднабравшись опыта и пополнив свою папку «Избранное» «закладками» на интересные сайты Сети, вы сможете совершать их каждодневный осмотр в поисках так необходимых вам сведений...

КАК УСТРОЕНА «ВСЕМИРНАЯ ПАУТИНА»?

Доменные зоны. Серверы

Уже на самых первых страницах, говоря о «физической» структуре Сети, мы выяснили, что состоит Интернет из великого множества отдельных компьютеров. Одни из них подключаются к Интернет лишь на короткое время, другие проживают в Сети постоянно. Говорили мы и о том, что называются компьютеры с полноценным сетевым гражданством «хостами», и что у каждого хоста есть свой цифровой адрес (иначе называемый IP-адресом). Например, вот такой:

212.176.20.1

Вспомнили? Так вот, структура Паутины не слишком отличается от этой схемы. Только вот за точку отсчета здесь берется не любой постоянно подключенный к Сети компьютер (хост), а только тот, на котором установлена специальная программа для поддержки сервера WWW. Чаще всего такой компьютер называют просто «сервером».

Принято считать, что все серверы Сети — равноправны. И совершенно неважно, на каком компьютере и в какой стране они установлены. Однако для удобства серверы объединяют в некие логические группы, которые называются «доменными зонами». Зоны эти могут быть как географическими, так и «тематическими».

Географическая доменная зона (домен первого уровня) выделяется каждому государству, подключенному через посредство своих компьютеров к Сети. Обозначается она, как правило, двумя буквами:

- ch — Китай
- fr — Франция
- ge — Германия
- jp — Япония
- ru — Россия
- tw — Тайвань

- ua — Украина
- uk — Великобритания

«Тематическая» доменная зона, в отличие от географической, не привязана к какому-либо определенному региону: она может объединять компьютеры, физически находящиеся не только в разных странах, но и на разных континентах! Здесь компьютеры группируются уже по типу учреждений, которые ими владеют. А доменный индекс обозначается уже тремя и более буквами:

- gov обозначает правительственное учреждение
- com — любую коммерческую организацию
- net — организацию, имеющую отношение к сетевым услугам
- mil — военное учреждение
- int — международное учреждение
- edu — образовательное учреждение
- shop — сетевой магазин
- pro — домен для «профессиональных» учреждений
- museum — музей
- coop — объединение, корпорацию
- biz — любой бизнес-проект
- info — любой ресурс информационной направленности
- aero — организацию, относящуюся к авиаиндустрии
- name — персональную страничку

Далеко не все домены одинаково популярны в мире: большая часть компьютеров, подключенных к Интернет, относится к двум «смысловым» доменам — com и net.

Как вы догадались, принадлежность сервера к той или иной доменной зоне можно легко угадать по его адресу:

http://www.microsoft.com
ftp://ftp.narod.ru

Сайты и их адреса (URL)

Для простоты можно уподобить доменную зону стране, а входящие в нее серверы — городам. Но город, как известно, тоже не монолитная структура — в нем есть районы, округа. Отдельные дома, наконец. Так что же у нас будет аналогом дома в информационной структуре Паутины?

А будет им следующий элемент WWW — «сайт». Некий обособленный, логически завершенный элемент Сети, принадлежащий какой-либо организации или частному лицу и чаще всего посвященный какой-либо одной теме. Свой собственный сайт может создать любой пользователь Сети — от хакера Васи Пупкина (в сетевых шутках и анекдотах этот субъект давно стал «культовой фигурой», оттеснившей на задний план Василия Ивановича со Штирлицем!) до корпорации Microsoft.

Понятия «сервер» и «сайт» очень часто путают. Вообще-то сайт считается более мелким элементом, и на одном «сервере» могут проживать тысячи независимых сайтов. Однако бывает и так, что один и тот же сайт обслуживают несколько серверов — например, так обстоит дело с «сетевым представительством» Microsoft. Назвать этого монстра «сайтом» уже и язык не поворачиваются. Вот и именуют его уважительно «сервером»... Чему тут удивляться, почитай, каждый второй автолюбитель в реальной жизни то и дело норовит назвать гаишного лейтенанта «майором»! Натура человеческая везде одинакова...

Но не будем вносить излишнюю сумятицу на страницы книги. Сайт пусть останется сайтом, независимо от своего раздела и популярности, а сервер — сервером.

Разумеется, у каждого сайта должен быть свой адрес — но уже не цифровой, который далеко не всякий пользователь способен запомнить, а буквенный (по-английски этот адрес называется труднопроизносимой аббревиатурой URL).

http://www.olmapress.ru — сайт издательства «ОЛМА-ПРЕСС»

Знакомая формула? Ничего удивительного — ссылками как раз на такие адреса заполнены сегодня любые печатные публикации, от рекламных листовок до статей в серьезных аналитических журналах. Возвращаясь к аналогии с недвижимостью, это уже точный адрес не только страны и города, но и нужного нам дома!

По понятным причинам, буквенный адрес для нас, пользователей, гораздо удобнее цифрового. Удобен он и для создателей сайтов — еще и потому, что URL технически возможно привязать к любому компьютеру на планете. И вы можете «перекинуть» свой сайт физически, скажем с компьютера в Москве на компьютер в Антарктиде, в то время как его «логический» адрес в Сети останется неизменным. Происходит это потому, что сами компьютеры этот буквенный адрес просто... не понимают! Еще бы — они привыкли иметь дело исключительно с цифрами, а потому IP-адрес остается для них единственным и неповторимым идентификатором компьютера в Сети. Потому и пришлось разработчикам Сети создать специальные «серверы доменных имен» (DNS), автоматически переводящие буквенные адреса (URL) в цифровые (IP). DNS хранят в себе таблицы соответствия этих адресов, изменить которые — дело лишь нескольких минут. Кстати, именно на несанкционированном изменении таблиц основан популярный метод хакерских «атак» на сайты, при которых его официальная титульная «страничка» заменяется на «левую», наскоро сваянную взломщиком. Жертвами подобного «взлома» за последние годы стали тысячи крупнейших сайтов, включая официальные представительства Microsoft, ФБР и Белого Дома.

Но вернемся к адресам сайтов. Как вы уже заметили, состоят они из нескольких важных элементов:

http:// — Этот префикс, обозначающий протокол передачи гипертекстовых документов (HyperText Transfer Protocol) подтверждает, что нам придется иметь дело с элементом Всемирной Паутины, состоящим из гипертекстовых документов. Вообще-то чаще всего он нужен только для проформы — при наборе адреса его чаще всего просто опускают. Так что нужный нам адрес приобретает более компактный и удобный вид:

www.olmapress.ru

www — Еще один «сигнальный флажок», обозначающий принадлежность ресурса к системе www. Большинство сайтов Интернет гордо помещают его перед своим основным именем — читайте, мол, завидуйте — я гражданин! Однако существуют и сайты, по тем или иным причинам предпочитающие обходиться без заветного «паспорта». Например, известный хакерский поисковый сервер Astalavista проживает по странному адресу

http://astalavista.box.sk

После префикса www располагается, наверное, самый важный элемент имени адреса — **собственное имя сайта**... Разумеется, каждый сайтоваятель, вытесав из сетевого «полена» собственного «буратино», стремится присвоить своему детищу имя покороче да позвучнее. А еще лучше — говорящее, чтобы любому было понятно, какую «начинку» содержит тот или иной элемент Сети. И вот тут-то начинаются проблемы. Слов-то в английском языке не так уж много — всего лишь пара сотен тысяч — и далеко не все из них подходят для «вывески» сайта. А самих сайтов — многие миллионы...

Именно поэтому из-за выгодных имен в Интернет часто разгораются целые «виртуальные войны», которым в реальной жизни сопутствуют громкие судебные процессы. Буквально через год после рождения WWW предприимчивые пользователи обнаружили, что самые простые словечки, зарегистрированные в качестве адресов Интернет, могут принести им миллионы долларов! И это не преувеличение: в 2000 году редкая газета не написала о битве за адрес http://www.sex.com, стоимость которого оценивалась уже в сотни миллионов долларов! Еще бы — именно по этому адресу отправится большинство любителей «клубнички», впервые зашедших в Сеть. А значит, вместе с потоком посетителей хозяина данного адреса ждет и немалая прибыль в виде доходов от рекламы... Так что перед нами — как раз тот случай, когда вывеска важнее содержания.

Конечно, все более-менее популярные «знаковые» слова уже давно заняты. Однако остаются еще торговые марки, названия организаций, имена раскрученных «звезд» кино и музыкального мира. Казалось бы, какие проблемы: регистрируй свою торговую марку в качестве имени сайта — и дело в шляпе! Так чаще всего и происходит. И потому на сайт крупной фирмы или корпорации можно попасть, навскидку составив адрес самостоятельно по формуле

www.названиефирмы.com

Но и здесь бывают забавные недоразумения. Так, несколько лет назад с нешуточными трудностями столкнулась питательная корпорация McDonalds: возжелав зарегистрировать собственный сайт, она с удивлением обнаружила, что заветный адрес уже занят неким господином МакДональдом, разместившим по этому адресу собственную персональную страничку. Крупнейший производитель мультимедиа-«железа», корпорация Creative, несколько лет была вынуждена ютиться по невнятному адресу http://www.creaf.com, а всемирно известная поисковая машина AltaVista — по адресу http://www.altavista.tella.com. А в 1999 году притчей во языцех стал казус с корпорацией Microsoft: к моменту выпуска новой операционной системы Windows 2000 оказалось, что адрес http://www.windows2000.com вполне законно зарегистрировал владелец маленькой фирмы по производству окон...

Во всех этих случаях дело кончилось к обоюдному удовлетворению сторон: бывшие хозяева лакомых имен обрели некоторое (весьма весомое!) количество зеленой наличности, а компании — искомые «говорящие» адреса.

И недоразумений этих с каждым годом становилось все больше — до тех пор, пока «захват» выгодных имен для последующей перепродажи не превратился в распространенный вид бизнеса, названный «киберсквоттингом». Жертвами сквоттеров, уводящих адреса сайтов прямо из-под носа их потенциальных обладателей, пали уже тысячи компаний, не говоря уже о неисчислимых «индивидуалах». И теперь, к примеру, будущей эстрадной звезде приходится регистрировать адрес для своего сайта едва ли не раньше, чем будет записана первая песня... Вероятно, это безобразие со временем прекратится — уже сейчас во всем мире принимаются жесткие законы против киберсквоттеров, а множество «перехваченных» ими адресов, включавших всемирно известные торговые марки, уже перешли к «правильным» хозяевам без какой-либо компенсации.

...Да, хорошо иметь собственное доменное имя. Короткое и красивое. Однако такое удовольствие по карману далеко не всем. И часто случается так, что хозяин небольшого сайта (как правило — «домашней странички») вынужден арендовать «жилое пространство» у серьезного и важного сервера (им может стать, например, сервер вашего провайдера). Но вот на то, чтобы заодно зарегистрировать для своего сайта полноценное имя, силенок может уже не хватить... И в этом случае его адрес может выглядеть так:

http://www.dataforce.net/~tantra/

Сразу становится понятно, что перед нами — небольшая домашняя страничка, расположенная на сервере компании Dataforce в папке, принадлежащей пользователю с логином tantra. Значок ~ (его еще называют «тильда») указывает нам, что речь идет именно об отдельном сайте, проживающем на арендованном у Dataforce пространстве, а не об отдельном разделе самого сайта Dataforce. Наличие тильды, впрочем, да-

леко не всегда является обязательным. Вот как выглядит адрес «домашней странички», расположенной в «виртуальном городе» на сервере Geocities:

http://www.geocities.com/Broadway/2989/

Кстати, учтите, что закрывающая косая скобка («слэш») в данном случае является весьма важным элементом адреса сайта: она показывает, что нужный нам сайт расположен в отдельной папке на сервере. И если вы забудете эту скобочку набрать, то, к примеру, в данном случае вместо того, чтобы перенести вас на титульную страничку сайта, расположенную в папке /Broadway/2989/, браузер вместо этого начнет выискивать документ с именем 2989 в папке /Broadway/...

Не стоит ломать себе голову над этим мистическим абзацем — просто запомните, что ежели «слэш» в адресе присутствует, то набирать его в адресной строке браузера также необходимо.

А затем спокойно отправимся дальше, к «хвостику» адреса сайта...

Последним элементом любого адреса является **домен,** правильный выбор которого часто помогает смягчить ситуацию с нехваткой свободных имен. Мы уже говорили о том, что около 70 % всех сайтов расположено на «территории» домена .com. Однако не стоит забывать про другие домены — ведь имя, которое уже официально зарегистрировано в домене .com, может оказаться свободным в домене .net! Или, например, в региональном домене (для России, напомним, таковым является .ru).

Таким образом, под одним и тем же именем могут скрываться несколько различных сайтов! Например —

http://www.software.com
http://www.software.net
http://www.software.ru

Крупные компании, как правило, предпочитают регистрировать свои сайты сразу в нескольких доменных зонах, создавая своеобразные «региональные представительства». Например, базовый сайт корпорации Intel находится по адресу http://www.intel.com, а его русскоязычное «зеркало» проживает на http://www.intel.ru.

Теперь давайте буквально на несколько абзацев вернемся к рассказу об «уровнях» доменов, начатому в предыдущей главе. Мы помним, что все базовые домены (com, ru, net и им подобные) принято называть «доменами первого уровня». Это значит — все, выше уже некуда. Мы на крыше, а над нами — лишь бесконечный Космос Интернет. Но если выше нельзя, то, может быть, пойти вниз? Да пожалуйста!

Каждый сайт, зарегистрированный в доменной зоне первого уровня, сам становится доменом второго уровня, получая при этом адрес типа www.имясайта.домен. Например — http://www.da.ru. Дальше начинается самое интересное: новоиспеченный хозяин домена второго уровня получает возможность... самостоятельно раздавать домены, привлекая под свою «крышу» независимые мелкие сайты. Которым, правда, достается

всего лишь домен третьего уровня — то есть в их адресе будет содержаться уже два доменных идентификатора! А сам адрес при этом будет выглядеть так:

http://www.tantra.da.ru
http://www.leontiev.narod.ru
http://www.user.chat.ru

Как нетрудно догадаться, эти домены третьего уровня принадлежат сайтам, находящимся «под крышей» популярных «виртуальных городов» Da.Ru, Narod.Ru и Chat.Ru.

Что ж, теперь сокровенный мистический смысл адресов URL перестал быть для нас тайной за семью печатями! Но не думайте, что наше путешествие окончено — нам предстоит спуститься еще на один уровень в иерархии информационных элементов Всемирной Паутины и выяснить, из каких же элементов состоят сами сайты.

Странички

...Вот тебе и раз — только минуту назад рождался в нашей душе и голосовых связках победный вопль «Эврика!», только минуту назад нам казалось, что мы наконец-то добрались до главных «кирпичиков», из которых состоит Всемирная Паутина... Ан нет — и сайты оказались не последней ступенью, и их нам придется расчленять на куски в поисках новых «элементарных частиц»!

Ими окажутся странички, отдельные гипертекстовые документы, которые в совокупности и составляют единый «организм» — сайт. Работая с Интернет, вы работаете прежде всего именно со страничками, каждый раз выводя на экран одну из них (бывают и исключения — так, если страничка сконструирована с использованием «фреймов», то в одном экране одновременно могут быть открыты и два, и три отдельных гипертекстовых документа. Но об этом чуть позже).

Являясь частью сайта, каждая страничка в то же время способна функционировать самостоятельно, у каждый есть свой, собственный адрес. Выглядеть он может примерно так:

http://www.olmapress.ru/index.html

(*.htm и *.html — два основных типа файла (или «расширения» его имени), соответствующие гипертекстовым документам, страничкам. В нашем примере — главной, титульной страничке сайта издательства «ОЛМА-ПРЕСС», выпустившего в свет эту книгу.)

Набрав этот адрес, вы откроете главную, титульную страничку сайта издательства «ОЛМА-ПРЕСС». Кстати, титульная страничка на любом сайте открывается автоматически — достаточно просто набрать его, сайта, адрес (http://www.olmapress.ru). А вот если вы захотите сразу открыть любую другую страничку на сайте, вам придется указать ее полный адрес.

При наборе адреса странички обращайте внимание на регистр букв в той его части, которая указывает на конкретный документ. Имя сайта мы с вами можем набирать и большими, и маленькими буквами:

www.tantra.da.ru
www.TANTRA.da.ru
www.Tantra.Da.Ru

— все эти адреса выведут вас на один и тот же сайт. С адресами документов случай иной — здесь регистр букв может быть очень важен. Приведу простой пример из реальности:

http://omen.ru/love.htm
http://omen.ru/LOVE.HTM

Первая ссылка приведет вас в никуда, а вторая — на популярный сайт знакомств, расположенный на сервере Omen.ru.

Впрочем, этот пример — редкое исключение. Обычно же и адреса сайта, и названия страничек пишутся маленькими, строчными буквами.

...И вновь, как и в случае с серверами и сайтами, обнаруживается путаница в терминологии. Мы вроде бы сошлись на том, что «страничкой» можно называть отдельный гипертекстовый документ. Однако на практике термин «страничка» чаще употребляют для обозначения небольшого сайта — в основном созданного отдельным пользователем Сети.

Вот так, в полном соответствии с азами философии (и в полном противоречии с логикой и здравым смыслом) количество переходит в качество!

«Домашняя страничка Коли Иванова» — это именно такой, персональный сайт, который может объединять и несколько, и несколько десятков документов-страничек. И если ваш приятель скажет вам — «Зайди на страничку такую-то!», эта рекомендация может относиться как к отдельной страничке, так и ко всему сайту в целом.

Такое упрощение вполне допустимо, хотя и не совсем корректно. А вот крупные информационные структуры — такие, как сайт корпорации Microsoft, никто страничкой уже называть не станет. В этом случае маятник качается в другую сторону и сайт уважительно назовут сервером...

Чтобы положить конец всей этой путанице, в очередной раз устремим затуманенный взор в небесную твердь и повторим наш мини-словарик:

Страничка — минимальный элемент информационной структуры WWW.

Сайт — логически завершенная информационная структура, состоящая из страничек.

Сервер — подключенный к Сети компьютер, на котором могут располагаться как сайты, так и другие структуры — например, серверы почты или архивы FTP.

Теперь-то все ясно?

Гиперссылки

Видите, как сложно устроена Паутина? Серверы, и сайты, и странички, миллионы, миллиарды единиц текстовой, графической, мультимедийной информации... Мощь этого архитектурного сооружения приводит в трепет, а душу охватывает ликование — свершилось! Сбылась наконец мечта человечества о грандиозной «вселенской библиотеке», в которой оказались бы разложены по полочкам все крупицы знаний, накопленный человечеством за тысячелетия.

И мало кто понимает, что отнюдь не в объеме хранящейся информации сила и смысл Паутины...

Хранить информацию могут и библиотеки. И можно еще поспорить о том, где именно полезной информации больше — в Паутине Интернет или, скажем, в Библиотеке Конгресса.

Но хранить — это одно, а иметь возможность получить ко всей этой информации быстрый доступ, к любому изданному тому, к любой странице — совершенно другое... К тому же все бумажные книги существуют сами по себе, гордо замкнувшись в своих переплетах. И единого информационного пространства из них не построишь. Точно так же, как невозможно построить дом из одного песка или цементного порошка. Миг, дуновение ветра — и рухнут плоды ваших архитектурных терзаний....

Выходом из тупиковой ситуации стала идея гипертекста и гиперссылок, на которой, собственно, и был построен весь Интернет. Отцами этой идеи можно считать сразу трех выдающихся ученых, каждому из которых забывчивая пресса нет-нет да и норовит присудить все лавры первооткрывателя.

«Отцом номер один» стал профессор Дуглас Энгельбарт — один из выдающихся изобретателей компьютерной эпохи. Еще в 1968 году, во время конференции в стенах Стэндфордского университета, почтенный профессор впервые продемонстрировал принцип работы «текста, содержащего отсылки на другие фрагменты текста». Вот оно, открытие! Увы, достопочтенный мистер Энгельбарт оказался на редкость невезучим гением... И практически все его творения, продемонстрированные на той памятной конференции (а среди них были, кстати, и прототип «текстового процессора», и «оконный интерфейс», на котором базируются все популярные операционные системы, и манипулятор «мышь») отправились с испытательного стенда прямиком в долгий ящик, где им и предстояло томиться многие годы...

Через шесть лет после памятной демонстрации Энгельбарта, в 1974 году, идея гипертекста прочно обосновалась в голове профессора Тэда Нельсона. Обосновалась настолько прочно, что ученому ничего не оставалось, как изложить свою концепцию в более развернутом состоянии, чем это сделал до него Энгельбарт, в книге под названием «Computer Lib/Dream Machine»... Вы уже догадались, что перед нами — второй из «отцов» гипертекста. Нельсону повезло больше, чем неудачливому «отцу номер один»: после появления его книги тема гипертекста стала необычайно модной в кругах «сетевых программистов». Но, поскольку са-

ма Сеть находилась в ту пору в младенческом состоянии, идея была вновь отложена «до лучших времен».

Восемнадцать лет спустя такие времена наконец-то наступили. И тогда сотрудник Швейцарской лаборатории ядерной физики (занимавшейся по совместительству еще и информационными технологиями) Тим Бернерс-Ли засучил рукава и воплотил идеи Энгельбарта и Нельсона в реальность. Именно Бернерс-Ли, разработавший спецификацию гипертекстового языка HTML и принципы работы Всемирной Паутины, стал третьим отцом гипертекстовой системы WWW.

Итак — гиперссылки! Вот что делает Паутину Паутиной, вот что связывает воедино все ресурсы Сети. Их можно найти в любом сетевом документе, на любой страничке. При этом в сегодняшнем Интернете гиперссылками могут быть оснащены не только текстовые, но и графические элементы. И, щелкнув по любой картинке на Web-страничке, вы моментально очутитесь совершено в другом месте...

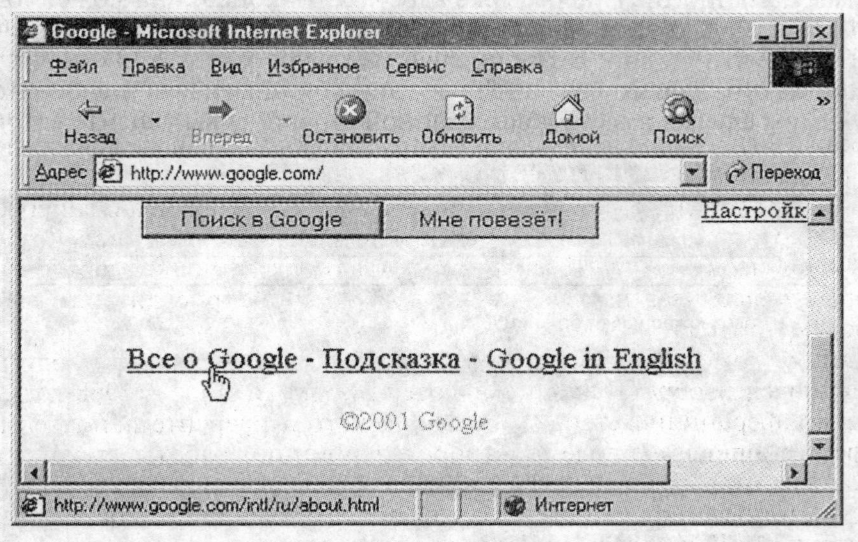

Гиперссылка

Каждая ссылка состоит из двух частей. Одна из них — видимая, предназначена именно для ваших пользовательских глаз и вашего же удобства. Она может содержать все что угодно: фрагмент текста, фразу или слово, небольшой значок или даже целую иллюстрацию. Отличить «оболочку» гиперссылки от обычного содержимого страницы довольно просто.

Текст, скрывающий под собой гиперссылку, обычно выделен другим цветом и подчеркнут — **вот так**. Увы, наглядно продемонстрировать в книге работу гиперссылок не получится, так что вам придется поверить мне на слово.

Еще один признак гиперссылки, общий для текста и для иллюстраций. При попадании на гиперссылку курсор мышки преображается в указующий перст. Если же вы укажете на снабженную гиперссылкой

картинку, то рядом с курсором может возникнуть небольшое поясняющее окошко, которое расскажет вам, куда именно ведет эта «дверь».

Что ж, с оболочками все ясно. А какова же вторая, невидимая часть «айсберга»?

Эта часть представляет собой адрес, указывающий, куда именно пользователь должен перейти после щелчка по элементу, содержащему гиперссылку. В случае со страницами WWW это может быть адрес странички (такой адрес называется URL). Ссылки могут указывать и на файлы, лежащие на одном из серверов FTP (например, ftp://ftp.microsoft.com/windows.zip) — в этом случае щелчок по ней приведет к началу загрузки данного файла. Может она указывать и на почтовый адрес (например, mailto:lasarus@iname.com или просто lasarus@iname.com). Щелкнув по ней, вы тем самым откроете программу электронной почты (например, Outlook Express), автоматически создав бланк нового письма, при этом в поле «Кому» уже будет проставлено имя указанного в гиперссылке адресата. Наконец, она может содержать отсылку к группе новостей... Словом, гиперссылки могут указывать на все что угодно. В том числе и на пустое место, как оно часто и бывает на страничках, созданных не слишком опытными пользователями. В этом случае, вместо долгожданной страницы вы увидите вот что:

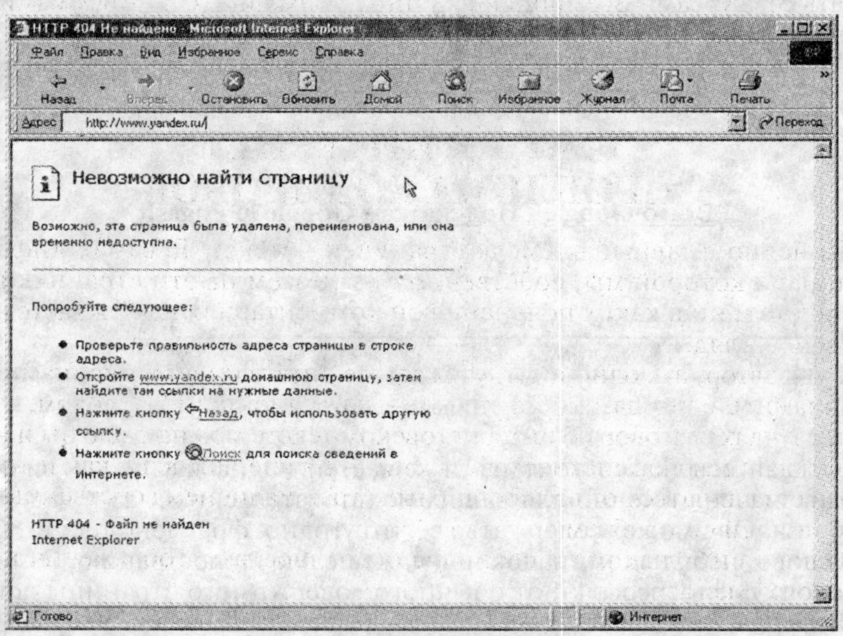

Ошибка при загрузке страницы

Гиперссылки могут присутствовать на страничке и в явном виде — так, набранные в тексте материала адреса других страничек неизменно оказываются гиперссылками. Что выгодно отличает Интернет от любого печатного издания — даже такого полезного, как эта книга.

Если же вы хотите узнать точный адрес, на который указывает «скрытая» гиперссылка, наведите на нее мышиный курсор (но пока не щелкайте!) и взгляните в самую нижнюю часть окна Internet Explorer. Искомый адрес немедленно будет выдан вам услужливым браузером.

Благодаря гиперссылкам нам с вами придется гораздо реже набирать адрес нужного сайта в адресной строке браузера — щелкай себе по ссылкам и путешествуй на здоровье! Тем более, что гиперссылки на самые интересные сайты можно сохранять в виде «закладок» — для этого в Internet Explorer выделена специальная папка под названием «Избранное».

* * *

Видите, как легко и незаметно мы перешли от теории к практике? Только что речь шла о каких-то абстрактных, отвлеченных величинах, а теперь мы уже обсуждаем, каким образом будем работать со всем этим богатством.

- Скользить по страничкам и сайтам Интернет
- Работать с гиперссылками
- Сохранять на будущее ссылки на самые интересные страницы

Ну, а раз речь идет о практике, то нам с вами следует начать знакомство с конкретными программами, с помощью которых мы и будем работать с ресурсами Всемирной Паутины. А именно, с программами просмотра — браузерами — и дополняющими их утилитами.

ТЕКСТ В ИНТЕРНЕТ. ПРОБЛЕМА КОДИРОВОК

Конечно, главный элемент страничек — текст. Та самая информация, ради которой мы, собственно, и залезаем на эти странички. Это очевидно и ни в каких пояснениях и комментариях не нуждается... На первый взгляд.

Будь автор, а заодно и вы, уважаемые читатели, американцами, англичанами или немцами... Да что там — даже японцами!.. Словом, во всех этих случаях разговор об интернетовском тексте можно было бы и не начинать. Но мы с вами живем в России — стране, которая, как известно, обожает отличаться от всех остальных стран наличием собственных «загадочностей» и проблем.

Одна из них как раз и связана с особенностью отображения в Сети русского текста.

Я не зря начал этот разговор здесь — еще до того, как мы с вами открыли в окне браузера первую страницу. Ведь с проблемой, связанной со множеством кодировок русского текста и их неверным отображением на экране, нам придется сталкиваться при работе буквально со всеми сервисами Интернет:

- Страничками Всемирной Паутины
- Сообщениями, пришедшими по электронной почте

- Письмами из групп новостей
- Текстами в окне программ для чата...

Словом, везде где только можно! И потому лучше сразу «разъяснить» этот вопрос, как выражался булгаковский Шарик... Готовы? Тогда начнем наше расследование.

Многие из вас, должно быть, знают, что любой текстовый или цифровой символ, отбражающийся на экране монитора, соответствует определенному коду. Нажимая клавишу на клавиатуре, мы посылаем в компьютер команду отобразить символ, допустим, с кодовым номером 125. А какой именно символ вывести на экран, компьютер справляется в специальной «кодовой таблице», соответствующей тому или иному языку.

Казалось бы, все просто: для каждого языка должна быть предусмотрена собственная «кодовая страница», в которой раз и навсегда закреплено сооответствие цифрового кода и графического символа. Так, собственно, во всем мире и произошло... за исключением России, которая ухитрилась обзавестись сразу несколькими (!) различными системами кодировки.

Первая из них, под названием ISO 8859-5, была принята еще на заре компьютерной эры — и по всем документам, вплоть до ГОСТов и международных стандартов, именно она является базовой для нашей страны. По документам — но никак не в жизни!

...В середине 80-х, в момент прихода в нашу страну программных продуктов Microsoft, была создана вторая кодировка — DOS. Именно она и стала на долгие годы стандартом для всех программных продуктов, а значит, и текстов.

Наступили 90-е годы, DOS сдал вахту новой, более совершенной операционной системе Windows... Для которой была тут же разработана новая кодировка — Win-1251. Во многом этот шаг был обоснован: кодовая таблица Windows стала повместительней, появилась воозможность пристроить в нее новые символы. Но факт остается фактом — расположение символов в таблице вновь поменялось!

Кодировкой Windows все мы пользуемся и сегодня, именно под нее подстроены все работающие с текстом программы. И, казалось бы, именно она должна автоматически стать главной кодировкой русского текста в Интернет, но...

Как назло, снова вмешалась судьба. Не секрет, что корпорация Microsoft во главе с Биллом Гейтсом долгие годы просто игнорировала Интернет, считая его не более чем новомодной игрушкой. Спохватилась компания лишь в 1996 году, когда большинство серверов Интернет уже работали под операционными системами типа Unix. В которых, конечно же, существовала собственная кодировка русского языка под названием КОИ-8... Она и стала на долгие годы единственным стандартом для русской части сети.

Отчаянные усилия Microsoft не смогли полностью переломить ситуацию: операционные системы семейства Windows сумели лишь незначительно потеснить на серверах Интернет UNIX-подобные системы. Последние до сих пор властвуют над большей частью Сети, а вместе с ни-

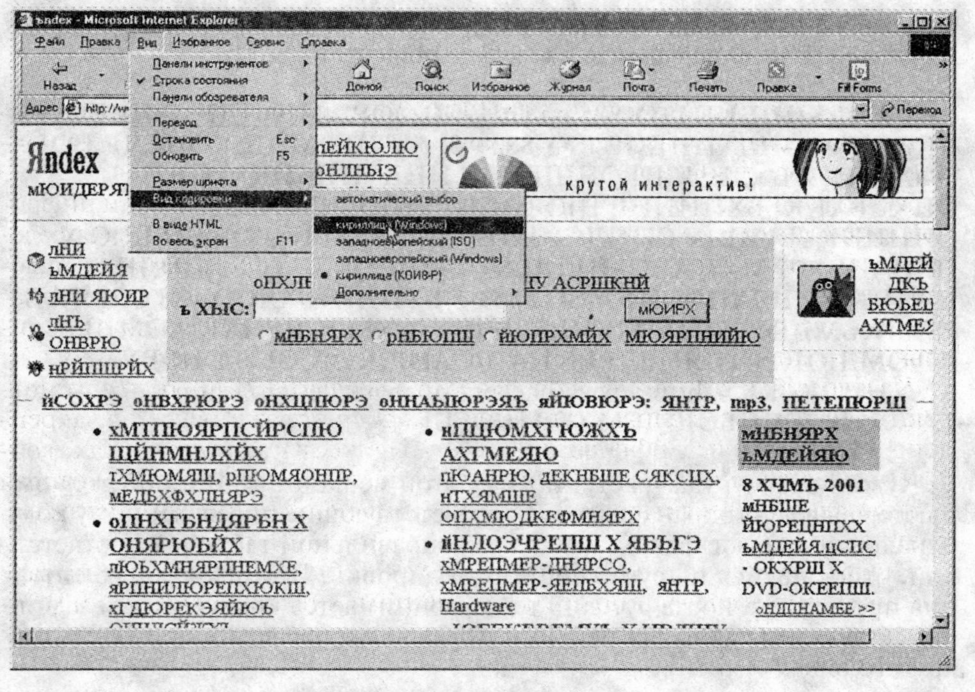

Выбор кодировки в Internet Explorer

ми живет и кодировка КОИ-8. Несмотря на то, что большинство пользователей работает с Интернет на компьютерах, оснащенных Windows и, соответственно, настроенных на кодировку Win-1251! Дополнительный хаос в этот коктейль кодировок, компьютеров и программ, вносят владельцы компьютеров Apple Macintosh: для них тоже создана очередная, пятая по счету, версия кодировки!

Итак, для того, чтобы считаться полностью настроенной на работу с русским языком, любая интернет-программа должна поддерживать ПЯТЬ кодировок:

- ISO
- DOS
- Win-1251
- КОИ-8
- Macintosh

При этом одному и тому же коду могут соответствовать, в зависимости от кодировки, ПЯТЬ различных символов!

На деле, конечно, ситуация не так страшна: подавляющее большинство текстов в Интернет создано с использованием одной из двух кодировок — Win-1251 и КОИ-8. Хотя и их хватает для создания массы проблем с правильным отображением текста.

Как правило, принадлежность текста на страничке к той или иной кодировке определяет программа-браузер. Которая сплошь и рядом

ошибается и отображает текст, набранный, допустим, в Win-1251, как текст в КОИ-8. В результате на экране образуется вот что:

н **ЙНДХПНБЙЕ ISO**-8859-5 | оНЙЮГЮРЭ МЮИДЕММШЕ ЯКНБЮ н ЙНДХПНБЙЕ ISO-8859-5, е. лХПНМНБ, юБЦСЯР 1995, е. лХПНМНБ хЛЕММН ОНЩРНЛС **ЙНДХПНБЙЮ ISO** 8859-5 ОНКСВХКЮ ЬХПНЙНЕ ПЮЯОПНЯРПЮМЕМХЕ Б ОПНЦПЮЛЛМШУ ОПНДСЙРЮУ, СЯРПНИЯРБЮУ ББНДЮ Х НРНАПЮФЕМХЪ ХМТНПЛЮЖХХ ЙПСОМШУ ... йПНЛЕ ЩРНЦН, **ЙНДХПНБЙЮ ISO** 8859-5 ЬХПНЙН ХЯОНКЭГСЕРЯЪ Б НЯМНБМШУ ЛЕФДСМЮПНДМШУ Х ХМДСЯРПХЮКЭМШУ ЯРЮМДЮПРЮУ ЯПЕДЯРБ НАПЮАНРЙХ, Х ОЕПЕДЮВХ ХМТНПЛЮЖХХ. http://www.hackerz.ru/main/design/1.htm — 7й — 22.10.2000 — ЯНБОЮДЕМХЕ ТПЮГШ

Чувствуете, откуда «растут ноги» у этой мешанины? Все просто: компьютер вывел на экран символы, соответствующие определенному коду, однако воспользовался он при этом неправильной таблицей соответствий, относящейся к другой системе кодировки. Примерно та же ситуация происходит, когда русский текст принимается компьютером за английский или западноевропейский. Тогда на экране возникнет «солянка» другого вида:

Е. В. Миронов. О **кодировке ISO**-8859-5 | Показать найденные слова О кодировке ISO-8859-5 Евгений Миронов FREEnet NOC. em@free.net Август 27, 1995 г. Реферат: Краткое описание международного стандарта кодировки символов — ISO/IEC 8859-5:1988 Именно поэтому **кодировка ISO** 8859-5 получила широкое распространение в программных продуктах, устройствах ввода и отображения информации крупных ... Кроме этого, **кодировка ISO** 8859-5 широко используется в основных международных и индустриальных стандартах средств обработки, и передачи информации. http://www.west.com.ua/doc/inet/noc/iso8859-5.html — 6K — 07.02.2001 — совпадение фразы

Еще сложнее приходится электронным письмам, каждое из которых проходит по дороге от одного компьютера к другому, через несколько перекодировок. — письма-то сегодня пишутся чаще всего в кодировке Windows, а большая часть почтовых серверов работает все с той же КОИ-8...

Но не пугайтесь, встретив эту проблему на своем пути! Обнаружив страницу или электронное письмо, состоящее из такой абракадабры, попробуйте перевести его в другую кодировку. Для этого в большинстве «правильных» программ предусмотрен специальный переключатель: так, в Internet Explorer и Outlook Express в меню «Вид» вы найдете пункт «Кодировка» с полным комплектом всех необходимых вам вариантов. Если система не может определить правильную кодировку самостоятельно — установите ее вручную. И спокойно читайте нужный вам текст...

БРАУЗЕР — ОКНО В МИР ВСЕМИРНОЙ ПАУТИНЫ

«Окнами», как известно, пользователи частенько называют операционную систему Windows, установленную на большинстве компьютеров в России. Да и во всем мире, если на то пошло. И впрямь — Windows часто напоминает дом с тысячью окон, каждое из которых открывается в новый, неведомый мир. О многих из них — Мире текста и Мире таблиц, Мире графики и даже Мире мультимедиа — я кратко рассказал на страницах «Новейшей энциклопедии персонального компьютера».

Теперь настала очередь еще одного окошка, через которое мы сможем заглянуть в Мир Всемирной Паутины. Очередь браузера, программы для просмотра гипертекстовых страниц WWW.

Хотя тут уже надо сделать поправку: браузер сегодня — это нечто большее, чем просто программа просмотра. Может, когда-то это было именно так — но как далеко от нас ушли те славные времена! Теперь все изменилось. Из простой и компактной программки для просмотра страниц размером всего несколько мегабайт браузер превратился в громоздкий программный комплекс, включающий до десятка (!) отдельных приложений. И вполне возможно, что уже скоро сам браузер начнет претендовать на роль эдакой операционной системы внутри Windows... Тем более, что, благодаря стараниям Microsoft, сегодня уже невозможно понять, где кончается Windows и начинается браузер. Web-страницы уже можно просматривать в окне «Проводника», а в браузере, наоборот, осуществлять операции с файлами...

Словом, полный кошмар и неразбериха.

Однако разбираться в этой каше нам все же придется. Ведь, как ни крути, без браузера нам при работе с Интернет не обойтись. А знание всех возможностей этой программы превратит браузер в ваших руках в то, чем он и должен являться по природе своей. В мощное и удобное средство для путешествия по просторам Всемирной Сети...

Начнем с выбора. Нашим базовым браузером станет, конечно же, встроенный в Windows браузер Internet Explorer. А выбираем мы его...

Потому, что он у нас уже есть, и нет нужды устанавливать дополнительные программы.

Потому, что Internet Explorer — единственный на сегодня браузер, который способен не просто корректно работать с русским языком, но и обладает полностью русифицированным интерфейсом.

Потому, что базовых возможностей Internet Explorer нам будет совершенно достаточно для всех необходимых действий в Сети. А небольшие недостатки Internet Explorer можно исправить с помощью дополнительных программ.

Однако, справедливости ради, мы посвятим небольшую главу и соперникам Internet Explorer — благо «альтернативными» браузерами, несмотря на все их недостатки, по каким-то причинам пользуется от 10 до 20 % посетителей Интернет...

Браузер Internet Explorer

ПРОГРАММЫ В СОСТАВЕ INTERNET EXPLORER

Как мы уже говорили, Internet Explorer — это не отдельная программа, а целый программный комплекс, в состав которого входит добрый десяток отдельных продуктов.

- Браузер Internet Explorer.
- Outlook Express — программа для работы с почтой и новостями.
- NetMeeting — программа для интернет-телефонии.
- Издатель Web — программа для публикации готовых WWW-страниц на WEB-сервере.
- Microsoft Messenger — «интернет-пейджер», программа для быстрого обмена сообщениями, а также неплохая программа «интернет-телефонии»

Недурная коллекция, не правда ли? Тем более, что все эти компоненты вы получаете абсолютно бесплатно в составе Windows!

Пока что мы будем иметь дело лишь с главной программой — самим браузером, для запуска которого нам необходимо щелкнуть мышкой по значку с синей буквой **е** на рабочем столе Windows или на панели инструментов Интернет рядом с кнопкой «Пуск». Только не забудьте — если вы собираетесь начать работу в Сети уже сейчас, не помешает предварительно соединиться с Интернет. Как это делается? Забывчивых покорно прошу пожаловать на четыре десятка страниц вверх, в главу «Подключение к Интернет».

Впрочем, для небольшой тренировки нам пока что Интернет не нужен. И базовые навыки работы с Internet Explorer вполне можно наработать, находясь, что называется, в режиме «оффлайн».

РАБОТА С INTERNET EXPLORER

Итак, браузер запустился, явив нашим взорам свой умопомрачительный лик. И теперь самое время начать разбирать его устройство «по косточкам».

Для начала — запустим сам браузер. Сделать это можно несколькими способами: нажав на значок Internet Explorer на Рабочем Столе или «кликнув» точно такой же значок внизу, на панели задач.

Внешний вид Internet Explorer, то есть, говоря научным языком, его пользовательский интерфейс, сегодня уже признан каноническим для интернет-браузера: ничего лишнего, а все необходимое легко доступно.

Окно, появляющееся при запуске программы, состоит из следующих основных частей:

- Собственно окно, в котором происходит открытие и просмотр WWW-страниц.

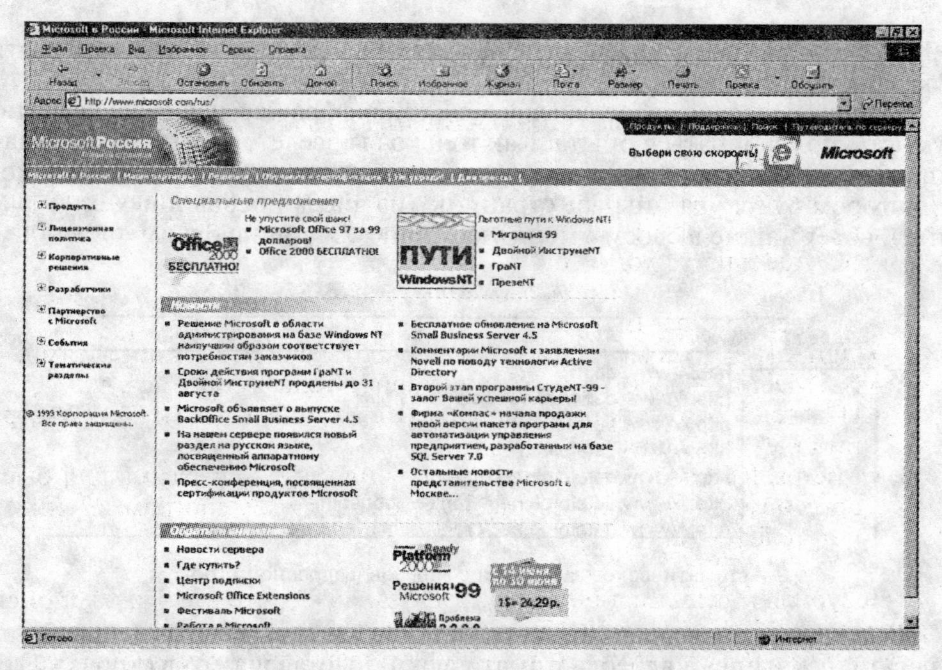

Интерфейс Internet Explorer

- Адресная строка, в которой вы набираете нужный вам адрес WWW-страницы.
- Кнопочная управляющая панель, включающая самые необходимые пользователю функции.
- Управляющее меню со спускающимися панелями.
- Контекстное Меню, вызываемое щелчком правой кнопки мыши.

Открытие странички в Internet Explorer

Адресная строка

Первое, на что нам с вами нужно обратить внимание при работе с Internet Explorer, это адресная строка. Вот она, вальяжно разлеглась в верхней части экрана.

Как это явствует из названия, в адресной строке вам нужно набрать адрес страницы или сайта, который вы хотите посетить. Делать это, понятно, придется латинскими буквами — русских слов браузер пока не понимает. Как выглядит адрес, вы уже знаете:

http://www.microsoft.com

Набирать адрес можно и большими, и маленькими буквами — браузер разницы не заметит. После окончания ввода нажмите кнопку

«Enter» на клавиатуре — и ваш браузер начнет немедленно загружать указанную страничку.

При длительной работе с Internet Explorer браузер начинает заметно умнеть, поднабираться опыта. Как только вы введете часть адреса — например, www.micro — внизу адресной строки тут же откроется окошко, в котором будут указаны все страницы (из числа посещенных вами ранее), содержащие в своем имени указанное сочетание букв.

Назад Вперед Остановить Обновить Домой Поиск
Адрес www.d
http://www.da.ru
http://www.dailymp3.com/cdrippers.html
http://www.dailymp3.com/last.html
http://www.dataforce.net
http://www.dataforce.net/~davv
http://www.dataforce.net/~tantra/about.htm
http://www.dataforce.net/clients.shtml

Автоматическое заполнение адресов в адресной строке

В предыдущих версиях Internet Explorer браузер просто пытался угадывать нужный вам адрес, автоматически подставляя его в строчку. Это было не совсем удобно — браузер частенько попадал пальцем в небо. Теперь у пользователей Internet Explorer появилась возможность выбора адресов из выпадающего списка, а это большой прогресс.

А что будет, если попробовать ввести в адресной строке и вовсе незнакомое слово или даже фразу? В этом случае Internet Explorer запустит свой механизм поиска в Интернет и постарается найти сайты, на которых может содержаться информация по введенной вами теме.

Навигационные кнопки Internet Explorer

Панель кнопок Internet Explorer

Над адресной строкой проживает кнопочная панель, на которой представлены все наиболее популярные инструменты для перемещения по страничкам.

Эта панель, наряду с адресной строкой — наш главный «пульт управления». Все кнопки здесь полезны, все — функциональны... Все в них хорошо, кроме одного: Microsoft явно не сумела впихнуть на одну панель все нужные кнопки. Например, кнопки «Шрифты» и «Печать» становятся видны и доступны пользователю только тогда, когда Internet Explorer работает в полноэкранном режиме.

Впрочем, я не думаю, что вам придется часто распечатывать страницы или изменять масштаб шрифта. Зато остальные кнопки доступны нам всегда:

Кнопки «Назад» и «Вперед»

Часто при просмотре WWW-страниц у вас возникает необходимость вернуться на несколько страничек назад. Что же — держать в памяти адрес каждой просмотренной странички? Ни в коем случае — просто щелкните на кнопку «Назад». А кнопка «Вперед» поможет вам потом совершить обратный переход — так сказать, назад в будущее.

Кнопка «Остановить»

В Интернет есть разные странички. Совсем маленькие, загрузка которых займет буквально несколько секунд, и настоящие гиганты, перенасыщенные графикой. Ждать, когда ваш браузер «засосет» все содержание таких страниц, чаще всего не нужно. Вот тогда и пригодится эта кнопка.

Кнопка «Обновить»

Вы думаете, что после просмотра страницы исчезают с вашего компьютера? Как бы не так — они хранятся в особой папке на вашем жестком диске — дисковом кэше. Перед тем как скачать страничку, ленивец-браузер смотрит в свой дисковый кэш: нельзя ли достать оттуда? Часто это помогает. Например, нет необходимости каждый раз скачивать графическое оформление странички, но вот что касается содержания... В общем, если вы подозреваете, что ваш браузер водит вас за нос и подсовывает старое, взятое из кэша содержание, — намекните ему, что пора бы и честь знать, нажав на кнопку «Обновить».

Кнопка «Домой»

Эта кнопка «отправит» вас на так называемую «стартовую страницу», с которой браузер начинает свое путешествие по WWW. По умолчанию это «приветственная» страница Microsoft. Однако вы сами можете указать браузеру, какую именно страницу вы желаете видеть в качестве «стартовой» (о том, как это сделать, будет рассказано чуть ниже).

Кнопка «Поиск»

При нажатии этой кнопки ваш браузер «раздвоится»: в левой части его окна откроется мини-окно доступа к основным *поисковым серверам* Интернет. Вы сможете ввести в командную строчку интересующее вас слово или словосочетание, и выбранный вами сервер отыщет в Сети информацию по нужной вам тематике. Или, по крайней мере, постарается сделать это.

Кнопка «Избранное»

На этот раз в открывшемся слева окне появится папка с вашей коллекцией ссылок на интересные страницы. Пока что она пуста — ведь вы еще не начали свою коллекционерскую деятельность в Сети. Но — всему свое время...

Кнопка «Журнал»

Здесь хранятся ссылки на все посещенные вами в последние несколько дней страницы. Находка для забывчивых — «Черт, где это я был вчера в три часа ночи?», для шпионов и для вашей благоверной, которая может спокойно узнать, где там по ночам рыщет ее муженек...

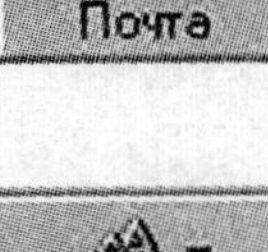

Кнопка «Почта»

Эта кнопка дает вам возможность запустить Outlook Express для ознакомления с пришедшей почтой и группами новостей.

Кнопка «Размер»

Хотите изменить размер шрифтов на экране браузера? Иногда это имеет смысл: уменьшив чрезмерно большой (недосмотр дизайнера!) шрифт на страничке, мы тем самым уместим в стандартное окно намного больше текста. В случае же, если создатели сайта чересчур уж «замельчили» текст, его можно и увеличить.

Кнопка «Печать»

По этой команде выведенная на экран страничка отправится в путешествие к принтеру. Как ни крути, и в информационную эпоху иногда полезно иметь копию важной информации и на бумаге.

Кнопка «Правка»

Нажатие на эту кнопку включает режим редактирования выведенной на экран браузера страницы, запуская установленный в вашей системе WWW-редактор. В нашем случае это будет FrontPage Express, входящий в полный комплект Internet Explorer. Конечно, издевательство с помощью редактора над чужими страничками — тоже творчество, в своем роде. Однако многим не терпится продемонстрировать свои достижения всему миру... И в итоге чуть ли еженедельно в Интернет разражается очередной скандал: то какие-то шутники с завидным постоянством пихают обольстительных ню на страничку Белого дома, то разукрасят свастиками сайт Министерства юстиции. Правда, у вас такой фокус не пройдет — изменить-то страничку вы сможете, а вот переслать свои художества на сайт... Впрочем, мы несколько отклонились от темы. Ведь вы — взрослый, рассудительный человек, и всякие хулиганства вас не слишком привлекают.

Понятно, что далеко не все кнопки лично вам одинаково необходимы. Кое-какие кнопки можно было бы без всякого ущерба для себя убрать, а вот некоторых функций на панели явно не хватает. Хорошо еще, что, как и во многих других программах Windows, кнопочную панель Internet Explorer можно настроить, удаляя и добавляя кнопки по своему вкусу.

Делается это не просто, а очень просто!

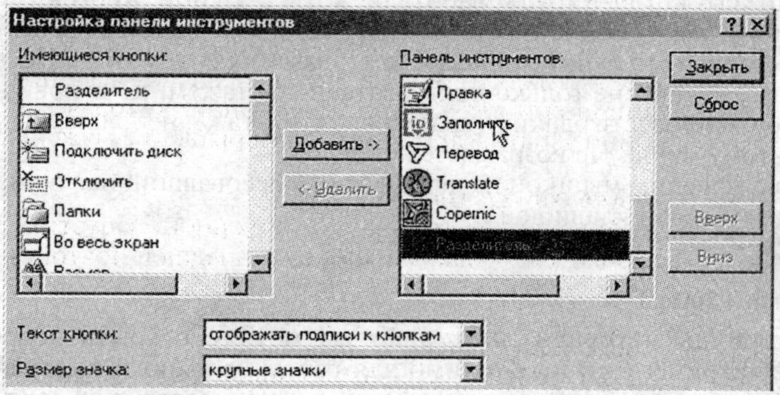

Настройка кнопочной панели Internet Explorer

Щелкните по кнопочной панели мышкой — но не левой кнопкой, которой вы пользуетесь обычно, а правой. Большинство из вас, надеюсь, уже знает, что так в Windows вызывается «Контекстное меню», содержащее все операции, которые можно применить к данному элементу. Не замедлит вылезти это меню и теперь.

Видите — в самой нижней части меню прячется строчка «Настройка»? Туда-то нам с вами и надо!

Теперь перед нами — небольшое окошко, в правой части которого вы можете увидеть список всех кнопок, имеющихся на вашей панели. А слева — названия дополнительных кнопок, которые можно на панель поместить. Перемещение строчек из одного окошка в другое осуществляется с помощью кнопок «Добавить» и «Удалить».

Лично я сразу же убрал с панели Internet Explorer бестолковую кнопку «Дискуссия» — все равно ею в наших условиях мало кто пользуется. Взамен изгнанницы крайне рекомендую добавить на панель кнопку смены кодировок — вот увидите, она вам еще пригодится.

Наконец, не забудьте про два дополнительных меню в нижней части этого же окна. С их помощью вы можете увеличить размер кнопок на панели Internet Explorer, а заодно и снабдить их уточняющими подписями. Для новичков это будет очень кстати.

Управляющее меню

Разумеется, не все возможности управления Internet Explorer доступны через кнопочную панель. А потому спустя какое-то время вам неизбежно придется познакомиться еще с одним «пультом управле-

ния» Internet Explorer — текстовым меню, расположенном над панелью кнопок.

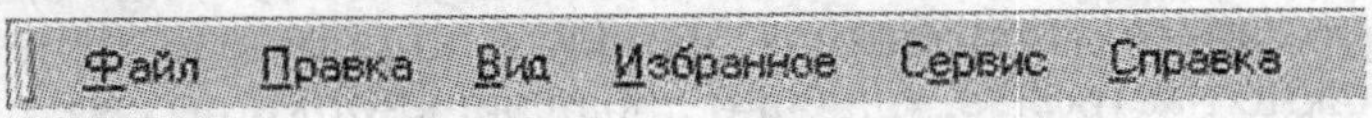

Файл Правка Вид Избранное Сервис Справка

Если вы когда-нибудь работали хоть с одной программой для Windows — например, с текстовым редактором Word — то работа с текстовым меню и его пунктами не доставит вам никаких хлопот. Но, так как эту книгу читают не только пользователи со стажем, но и новички, мы попробуем провести эдакий «краткий инструктаж», небольшую пробежку по этому меню. Не возражаете?

Итак, наводим мышкой на любой заинтересовавший нас пункт меню и щелкаем левой клавишей...

Меню «ФАЙЛ»

С помощью команды ***«Создать»*** вы можете открыть новое окно Internet Explorer (это необходимо для работы со многими страницами сразу), создать сообщение электронной почты, послать письмо в группу новостей, добавить новую запись в вашу адресную книгу.

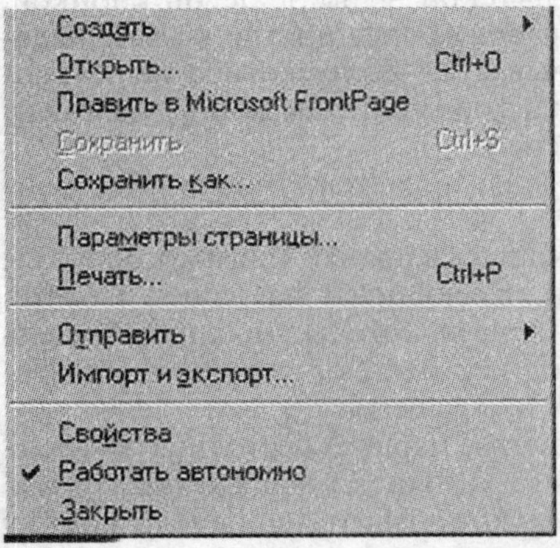

Создать ►
Открыть... Ctrl+O
Править в Microsoft FrontPage
Сохранить Ctrl+S
Сохранить как...
Параметры страницы...
Печать... Ctrl+P
Отправить ►
Импорт и экспорт...
Свойства
✔ Работать автономно
Закрыть

Команда ***«Сохранить как»*** даст вам возможность записать выбранную страницу на диск в виде гипертекстового файла в формате HTML. До версии 5.0 Internet Explorer мог таким путем сохранять только текстовое содержание страницы, теряя при этом все ее графическое оформление — рисунки, фреймы... В Internet Explorer 5.0 этот дефект, слава богу, исправлен — теперь все ваши странички будут сохраняться на диске полностью, без потерь.

Команда ***«Печать»*** отправит текущую страницу на принтер.

Представьте, что вы неожиданно наткнулись в Сети на страницу, посвященную удивительной породе вислоухих ежей, от которых без ума ваш друг Коля. Воспользовавшись командой ***«Отправить»,*** вы можете отослать эту страницу (или ссылку на нее) другу Коле или другому своему знакомому. То-то будет радости!

К услугам меню ***«Работать автономно»*** мы обращаемся в том случае, если необходимо просмотреть одну из посещенных ранее страниц, не входя при этом в Сеть. Установите на этом пункте галочку — и смело гуляйте по страницам Интернет, которые ваш браузер будет брать из собственного архива.

Меню «ПРАВКА»

Команды «Выделить все», «Вырезать», «Копировать», относящиеся к операциям над фрагментами текста, отлично знакомы нам еще по работе с текстовыми редакторами.

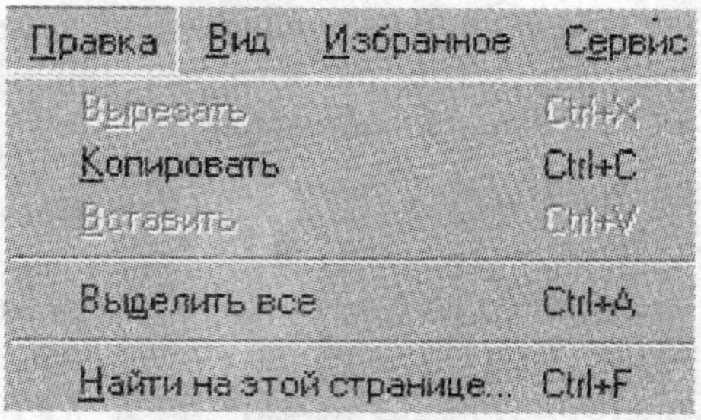

Команда ***«Найти на этой странице»*** поможет вам найти на открытой странице нужное слово или словосочетание.

Меню «ВИД»

Громадны возможности по изменению внешнего вида Internet Explorer. Хотите добавить или убрать любую панель Internet Explorer? Пожалуйста — воспользуйтесь услугами меню «***Панели инструментов***» и «***Панели обозревателя***».

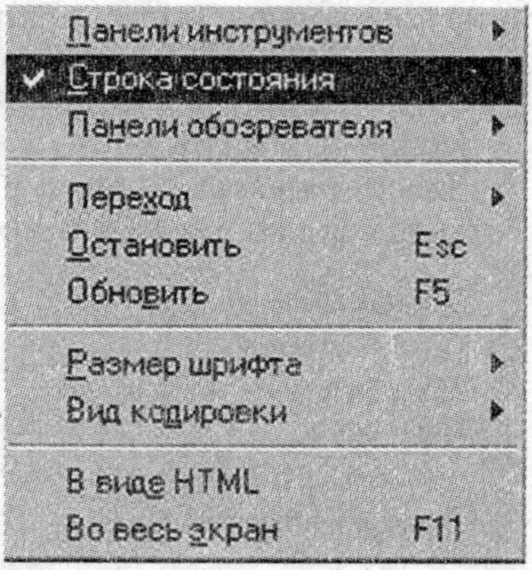

Бывает, что русский текст отображается в окне Internet Explorer в виде буквенной абракадабры, смеси бессмысленных символов. В этом случае не мешает проверить, правильная ли кодировка выбрана браузером для этой страницы? И, в случае ошибки, выбрать ее самостоятельно в меню «***Вид кодировки***». Как правило, путаются кодировки «Кириллица (КОИ-8)» и Кириллица (Windows). Как вы помните, кодировкам русского текста была посвящена специальная глава этой книги — «Текст в Интернет. Проблема кодировок».

Меню «***Размер шрифта***», «***Остановить***» и «***Обновить***» дублируют функции соответствующих кнопок на кнопочной панели Internet Explorer.

Меню «ИЗБРАННОЕ»

Единственное меню, новые пункты в которое пользователь может добавлять самостоятельно. Точнее, в этом меню живут сделанные вами «закладки» на интересные сайты Сети и команды управления этим собранием. С помощью кнопки пункта меню «***Добавить в избранное***» вы можете добавить в эту папку своеобразную «закладку» с ссылкой на открытую в текущем окне страницу Интернет. Позднее, щелкнув по «закладке», вы сможете вернуться на облюбованное вами местечко. Удобно — и никаких длинных адресов запоминать не надо.

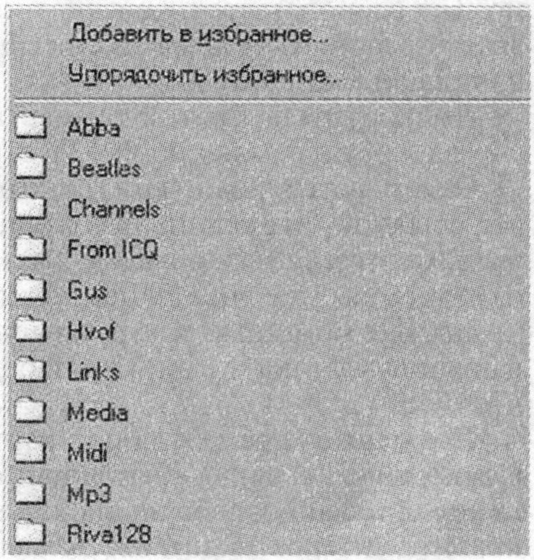

Меню «СЕРВИС»

В этом меню скрываются все механизмы, с помощью которых можно настроить Internet Explorer или изменить параметры его работы (меню «***Свойства обозревателя***»).

Почта и новости
Синхронизировать...
Windows Update
Показать связанные ссылки
Свойства обозревателя...

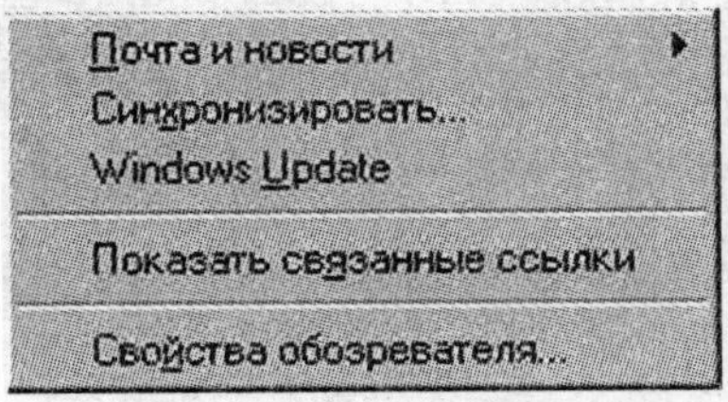

Отсюда же можно получить доступ к программам электронной почты и групп новостей (меню «***Почта и новости***») и перейти на страницу обновления Windows на Web-сервере Microsoft («***Windows Update***»). В том случае, если на вашем компьютере установлены какие-нибудь вспомогательные программы, работающие совместно с Internet Explorer, в меню «Сервис», а заодно — и в Контекстном Меню Internet Explorer появятся новые команды.

Меню «СПРАВКА»

Здесь, надеюсь, ничего растолковывать не надо: справка — она и в Африке справка... И не одна, а несколько! Тут и довольно толковый учебник по работе в Интернет, и раздел «Полезных советов», случайно выскакивающих внизу окна Internet Explorer, и информация о корпорации Microsoft... Кстати, некоторые пункты этого раздела указывают не на файлы на вашем жестком диске, а на страницы Интернет, так что для работы с ними вам придется сначала подключиться к Сети.

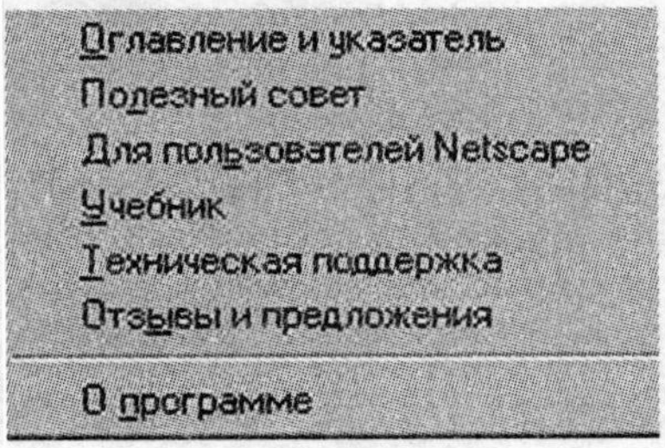

Оглавление и указатель
Полезный совет
Для пользователей Netscape
Учебник
Техническая поддержка
Отзывы и предложения
О программе

Контекстное Меню Internet Explorer

Контекстное Меню — весьма полезный в повседневной сетевой жизни инструмент, и оставлять его без внимания было бы, право, неразумно. Где располагается Контекстное Меню? Везде — его вы можете вызвать из любого участка Internet Explorer с помощью одинарного щелчка правой кнопкой мыши.

Попробуйте вызвать Контекстное Меню, установив мышиный курсор на любую ссылку на WWW-странице. И что мы обнаруживаем?

Оказывается, для открытия страницы, прячущейся за интересующей вас ссылкой, отнюдь не обязательно покидать ту страницу, на которой вы находитесь. Выберите в Контекстном Меню пункт «Открыть в новом окне»... и вы уже догадались, что произойдет.

Также с помощью Контекстного Меню вы можете добавить ссылку в вашу коллекцию — в папку «Избранное», с которой мы еще поработаем позднее.

Подведите курсор к любой картинке и вызовите Контекстное Меню. С помощью команды «Сохранить файл как...» вы можете «стащить» картинку или файл к себе на диск, а выбрав команду «Распечатать», вы отправите интересующий вас элемент страницы на печать.

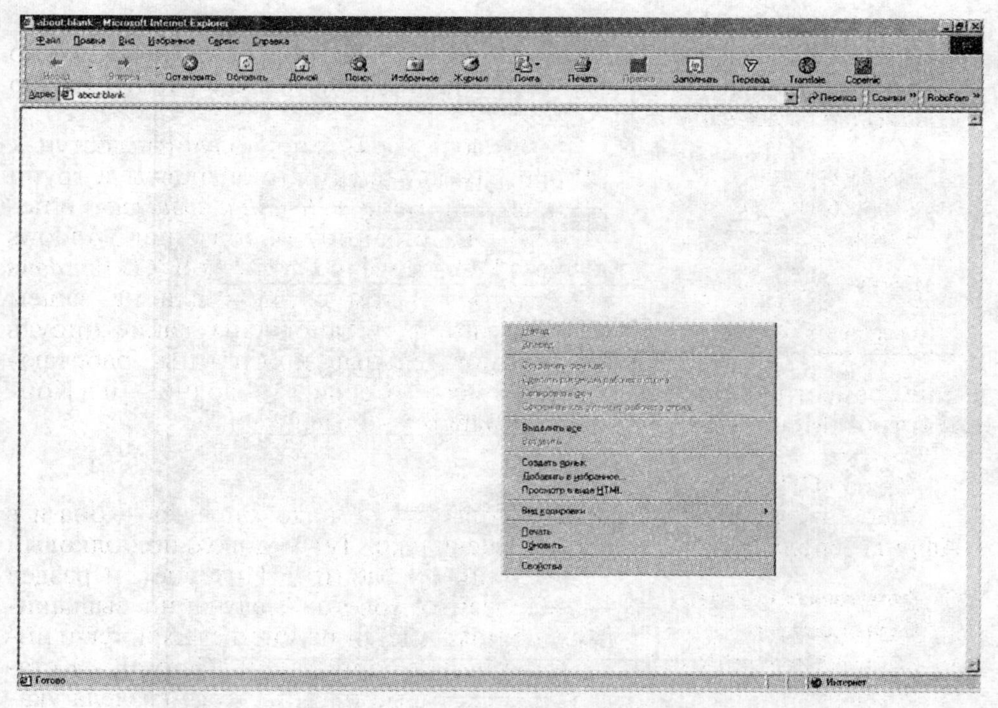

Контекстное меню Internet Explorer

Тонкая настройка Internet Explorer

Перед началом работы вам придется уделить несколько минут настройке Internet Explorer. Не волнуйтесь — это действительно займет немного времени.

Запустите Internet Explorer. Войдите в меню ***Сервис*** и выберите команду ***Свойства обозревателя***.

Перед вами — меню настроек программы. Шесть вкладок — просто глаза разбегаются! Не торопитесь. Будем действовать по порядку.

Вкладка «Общие». Здесь вы можете задать «стартовую страницу», с которой будет начинаться ваше путешествие по Интернет. Вместо бесполезного приветствия вы можете подставить браузеру, скажем, основную страницу вашего провайдера или той же корпорации Microsoft. Впоследствии, нажав на кнопку «***С текущей***», вы сможете задать в качестве исходной любую страницу, на которой вы в данный момент находитесь.

Тут же вы найдете «пульт управления» вашим «**Журналом**» — своеобразным летописцем, который аккуратно фиксирует в своей памяти, какие страницы вы посещали и когда. Вы можете задать количество дней, которые охватывает память «Журнала»: если вы боитесь, что ваши путе-

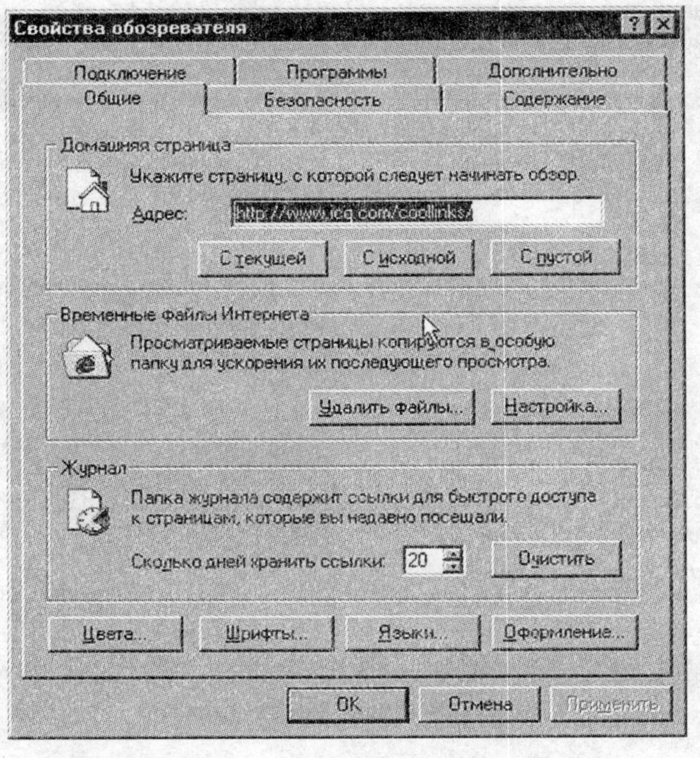

Меню «Свойства обозревателя». Вкладка «Общие»

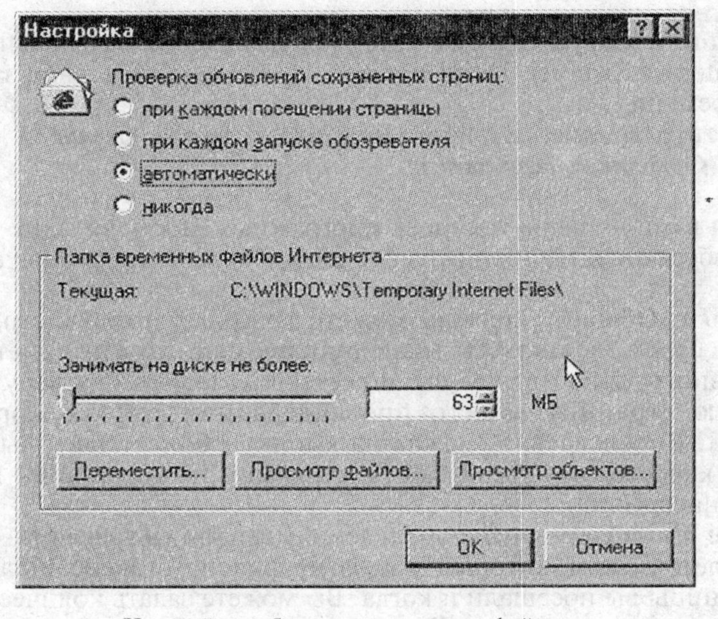

Настройка работы с временными файлами

шествия будут отслежены другими, поставьте **0** в разделе «Сколько дней хранить ссылки».

Раздел «**Временные файлы Интернет**» посвящен параметрам вашего дискового интернет-кэша, своеобразной копилки, в которой браузер сохраняет все открываемые вами страницы. И откуда он их и берет по мере необходимости — в момент обновления страницы (ведь остаются же на любой странице неизменяемые элементы, которые проще взять из кэша, чем качать по новой из Сети!) или при работе в автономном режиме.

Нажав на кнопку «Настройка», вы можете задать максимальный размер дискового пространства, которое будет занимать ваш кэш. В этом случае при превышении заданного вами лимита кэш будет автоматически очищен.

Кроме того, вы можете указать браузеру, когда ему необходимо обновлять страницы WWW, а не просто вытаскивать их из кэша. Если ваше соединение с Интернет стабильное и быстрое и вы желаете постоянно видеть самые свежие версии страницы, установите пометку рядом с меню обновления страницы при каждом ее посещении.

Вкладка «Безопасность», определяющая уровень «паранойи» браузера во время работы с потенциально опасным содержимым WWW-страниц (например, с апплетами Java, которые, будучи программами, вполне могут нести в себе вирус), вам пока что не понадобится: там уже все установлено как надо.

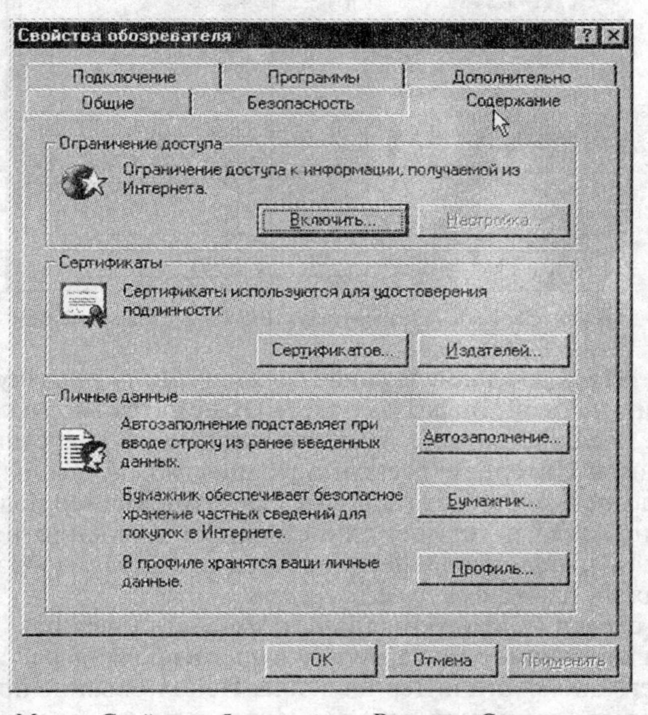

Меню «Свойства обозревателя». Вкладка «Содержание»

Вкладка «Содержание». Если вы боитесь, что ваши дети во время путешествия по Сети могут нечаянно (или нарочно) забрести на страницу, например, с порнографией, можете воспользоваться услугами «Контролера», имеющегося в этой вкладке. Во включенном состоянии Контролер будет запрещать доступ к страницам, подпадающим под категории порнографических, содержащих элементы насилия и жестокости — словом, к тому, что вы не хотели бы показывать своим детям.

Здесь же — параметры Автозаполнения форм (Internet Explorer запоминает наиболее часто вводимые вами данные, например, ваш электронный адрес, и позднее при введении первых символов автоматически подставляет значения в «анкету» или форму на WWW-страницах).

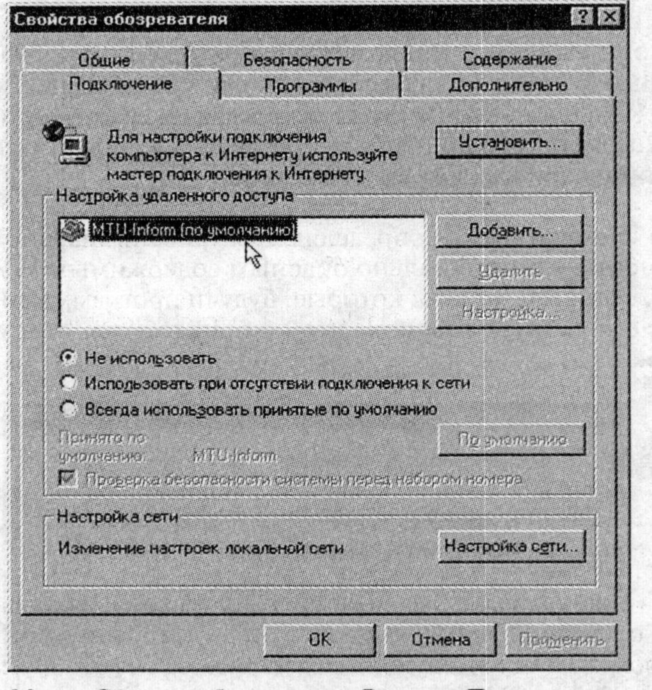

Меню «Свойства обозревателя». Вкладка «Подключение»

Вкладка «Подключение». Вообще-то именно эту вкладку нам следовало посетить первой, поскольку здесь содержатся все важные для нас параметры. Здесь вы можете изменить параметры уже существующего подключения к Интернет (все эти операции можно выполнить, нажав кнопку «Настройка») и создать новые, запустив Мастер подключения.

И именно здесь находится единственный жизненно необходимый для работы с Интернет параметр, до которого мы не добрались в прошлых главах, — настройка *прокси-сервера*.

Прокси-сервер — это громадный, объемом до нескольких гигабайт, кэш, располагающийся на сервере у вашего провайдера. Увеличенная копия вашего дискового интернет-кэша. Использование прокси-сервера может серьезно ускорить работу с Интернет: ведь многие из страниц

и файлов, которые вы тянете откуда-нибудь с другого континента, уже могут спокойно лежать в памяти прокси. И именно оттуда они будут браться при необходимости.

Параметры прокси-сервера — адрес и номер порта — можно найти в данной вам провайдером документации по настройке соединения с Интернет.

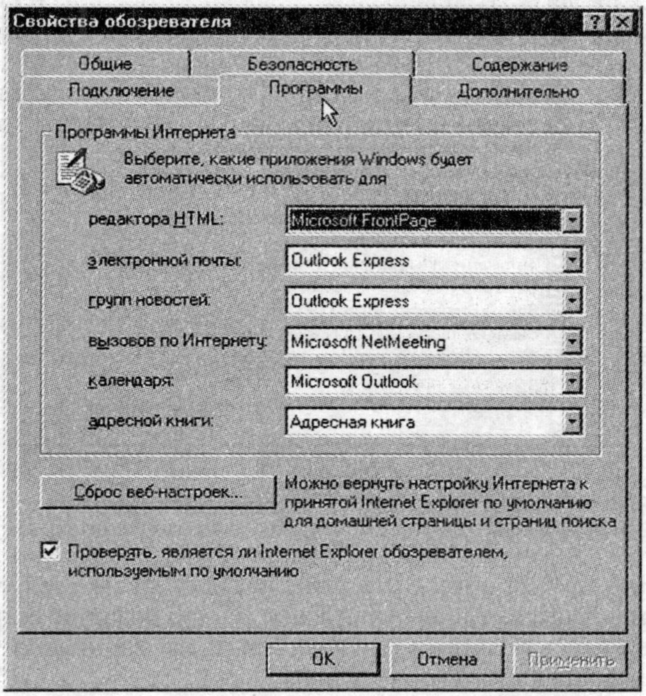

Меню «Свойства обозревателя». Вкладка «Программы»

Вкладка «Программы». С ее помощью вы можете выбрать программы для работы с электронной почтой и группами новостей, редактор Web-страниц, программу для голосового общения по Сети и другие дополнительные программы. Вряд ли вам придется что-нибудь менять — почтой и новостями у вас, как и положено, заведует Outlook Express, голосовым общением — NetMeeting.

Однако, если какая-либо стандартная программа от Microsoft (например, тот же старина Outlook Express) перестанет вас удовлетворять, вы можете установить в качестве стандартной другую программу (скажем, Agent для работы с группами новостей и почтовый клиент The Bat!).

Вкладка «Дополнительно». К этой вкладке обращаются самые дотошные пользователи Internet Explorer, которым нужны новые, более тонкие возможности регулировки. С ее помощью вы можете несколько изменить внешний вид Internet Explorer, например, сделать более мелкими кнопки в меню. Впрочем, даже в этом случае все они на панель не поместятся... Можно отрегулировать параметры работы Internet Explorer со

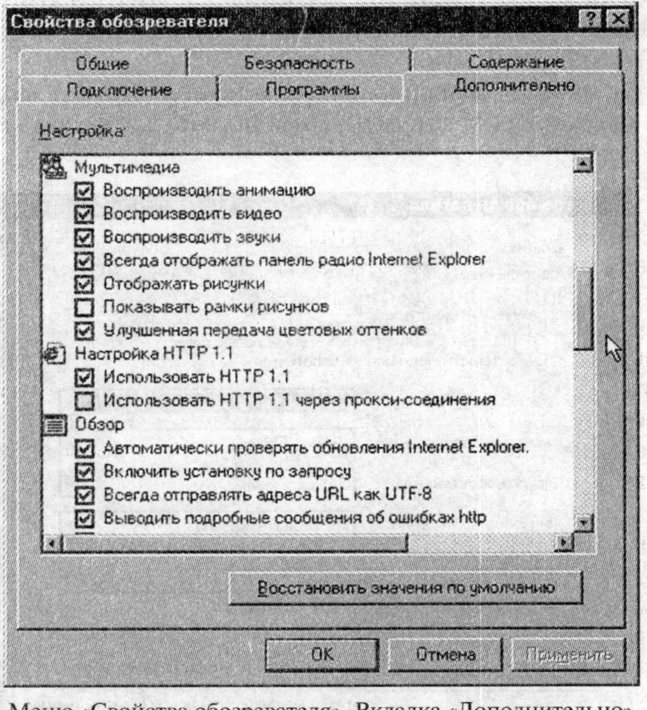

Меню «Свойства обозревателя». Вкладка «Дополнительно»

страницами WWW. Вообще-то к этим регулировкам следует прибегать только в том случае, когда вы точно знаете, что делаете. В крайнем случае воспользуйтесь услугами имеющейся здесь же кнопки «Восстановить исходные значения».

Оптимизация работы с Internet Explorer

Описывать сам процесс открытия страничек в браузере, пожалуй, нет особого смысла. Вы, наверное, уже успели понять, что вам всего-навсего необходимо набрать нужный адрес нужной странички в адресной строке, нажать кнопку Enter... Вот, собственно, и все! Не нужно много времени и на то, чтобы освоить некоторые нехитрые приемы управления и навигации с помощью нахально выпятившихся на панели кнопок. Да и с меню тоже можно разобраться самостоятельно, благо их номенклатура не слишком отличается от любой другой программы Windows.

Но существуют кое-какие интересные возможности Internet Explorer, не упомянуть о которых было бы просто непростительно. Некоторые из них позволят вам оптимизировать работу в Сети, сэкономив толику времени и денег, другие подарят принципиально новые возможности веб-серфинга...

Словом, эта глава — для тех, кто уже свыкся с внешним обликом Internet Explorer и готов идти дальше, совершенствуя навыки по работе в Сети.

Вопрос для разминки: как вы думаете, можно ли бродить по страницам Паутины, не подключаясь при этом к Сети? То есть как это нельзя?! А ну-ка...

РАБОТА В АВТОНОМНОМ РЕЖИМЕ

...Представьте себе такую ситуацию: вам срочно надо еще раз взглянуть, допустим, на список секретных кодов к вашей любимой игрушке, который вы с таким трудом отыскали вчера в Сети. Но, как на грех, именно сейчас ваши родственники выстроились в очередь к телефону и свирепо поглядывают на вас. Какой уж тут Интернет...

Не торопитесь отчаиваться. Помните, мы с вами с удивлением обнаружили, что у Internet Explorer существует свой кэш — директория на диске, куда браузер и складывает все просмотренные вами странички.

Зачем он это делает? Во всяком случае, не из простого любопытства, да и страстью коллекционера программа тоже, вроде бы, не обременена. А делается это для вашего же, господа пользователи, удобства. Ведь не секрет, что большинство из нас каждодневно посещает одни и те же странички — так чего ради каждый раз загружать их по новой? Разумеется, если страничка изменилась, то не мешает ее и обновить — но и в этом случае «тянуть» ее целиком нет смысла. Страничка-то состоит не только из изменчивого текста, но и из графических элементов, которые могут не меняться годами.

Вот потому и заводит браузер собственную «кладовую» на диске — и обращается к ней каждый раз, когда пользователь дает ему команду на открытие странички. Изменилась страничка — из кэша будут взяты лишь картинки, не изменилась — загрузится все целиком.

Кстати, подобную «кладовую» имеет не только ваш браузер, но и компьютер провайдера. И называется она, если вы помните, прокси-сервером. Наличие прокси-сервера дает возможность провайдеру сэкономить денежки, причем немалые — ведь он вынужден отчислять «бакшиш» за каждый выдернутый его клиентами из Сети мегабайт! Если же информация качается с прокси-сервера, то платить за нее провайдеру не надо. В отличие от пользователей, которые могут даже не подозревать о том, что выводят на свой экран страничку «второй свежести», которой уже успело попользоваться энное количество информационно озабоченных индивидуумов.

Точно так же и локальный «кэш» Internet Explorer позволяет вам не просто экономить время на загрузке странички, но и путешествовать по уже посещенным вами страницам Сети без подключения к Интернет! А сделать это можно, переведя браузер в «автономный режим», чтобы он не рвался, подобно горячему коню, на просторы Интернет, а предварительно порылся в собственных кладовых. Включить автономный режим вы можете, войдя в меню ***Файл*** Internet Explorer и установив галочку на пункте ***Работа в автономном режиме***.

Единственное условие работы в автономном режиме — наличие интересующей вас информации в кэше вашего браузера. К сожалению,

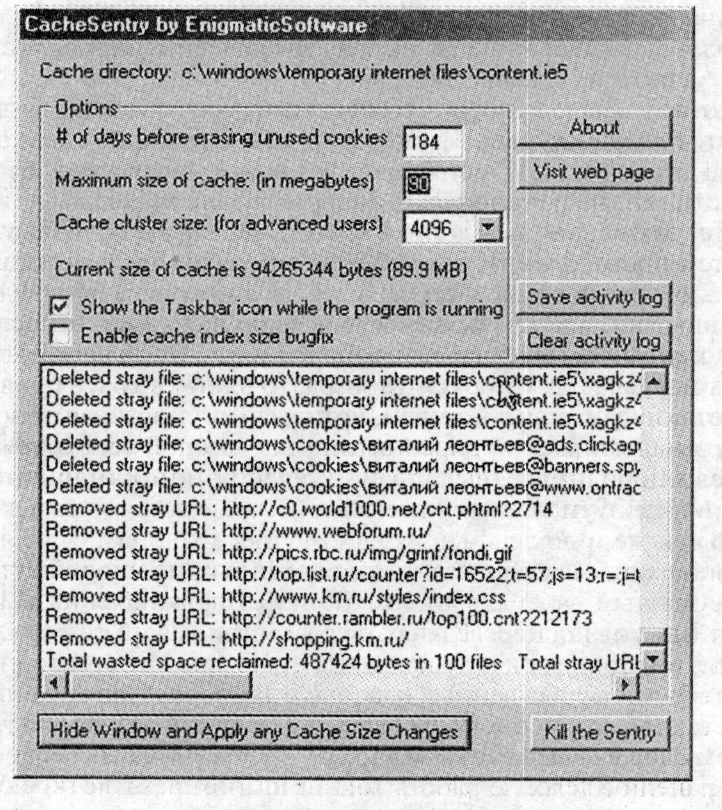

Настройка кэша Internet Explorer

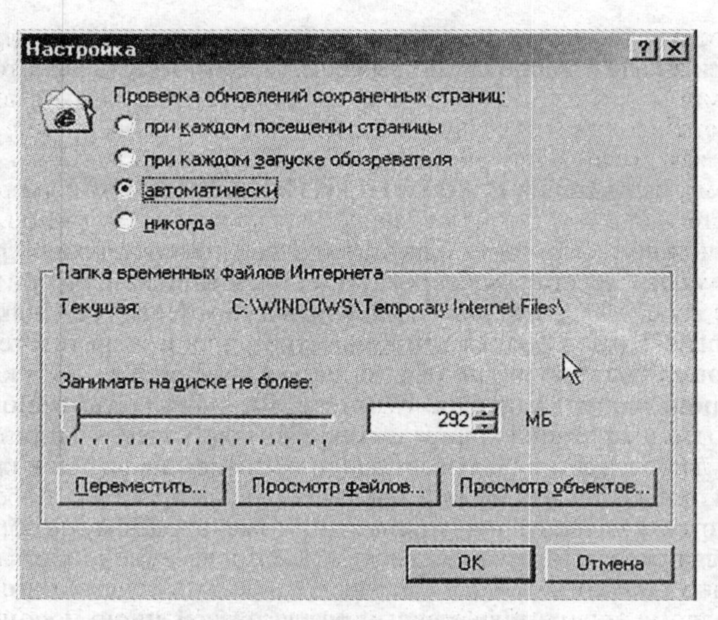

Программа CacheCentry

трудно угадать, какие именно страницы ваш капризный браузер захочет сохранить, а какие безжалостно выкинет из памяти... И поэтому работа в автономном режиме похожа на русскую рулетку: в самый неожиданный момент вы видите сообщение о том, что страница в кэше не обнаружена и вам волей-неволей придется подключиться к Сети.

Поэтому, если вы часто хотите пользоваться автономным режимом, не забудьте увеличить размер вашего Internet-кэша. Напомню, что сделать это можно через меню ***Сервис/Свойства обозревателя/Общие/Временные файлы Internet/Настройка.***

А еще лучше — установить на компьютер бесплатную программу CacheCentry (http://www.ticon.net/~dpoch/enigmatic/), которая ненавязчиво перехватит контроль над кэшем из неумелых ручек Internet Explorer и позволит раз и навсегда решить проблему хаотичного удаления информации из кэша. И вы никогда не столкнетесь с комичной ситуацией, когда страничка, посещенная вами неделю назад, в кэше отыщется, а просмотренная вчера — нет.

Работать с кэшем Internet Explorer можно и «напрямую», без вмешательства браузера (для этого существуют специальные программы). А еще лучше использовать автономный режим работы в сочетании с другими инструментами Internet Explorer — папками «Избранное» и «Журнал».

ПАПКА «ИЗБРАННОЕ». ЗАКЛАДКИ

Во время ваших странствий по Интернет вы то и дело будете натыкаться на Очень Интересные странички. Какие именно? Затрудняюсь сказать. Для кого-то это будут электронные варианты газет и журналов, кто-то не будет вылезать из всевозможных коллекций программ, кто-то предпочтет виртуальную выставку картин... Словом, не важно.

Важно лишь то, что вам надо обязательно вернуться на эти страницы и делать это не от случая к случаю, а постоянно.

Конечно, вы можете указать особо полюбившуюся вам страницу в качестве стартовой, но этот фокус можно проделать только в отношении одной страницы. А их может быть много, очень много...

Для этого и существует в вашем браузере папка «Избранное» — своего рода «записная книжка» путешественника по Сети. В нее вы можете складывать ссылки на интересные страницы, чтобы потом открыть их одним щелчком мыши. Эти сохраненные ссылки называются «закладками».

Открыть папку «Избранное» можно несколькими способами. Первый и самый удобный — щелкнуть по кнопке «Избранное» на Панели Управления Internet Explorer. В этом случае ваша коллекция ссылок будет доступна в отдельном окне в левой части браузера. Для того чтобы вернуться к обычному режиму работы, щелкните по кнопке второй раз — панель с закладками тут же спрячется.

Второй способ — щелкнуть по меню «Избранное» на верхней управляющей панели Internet Explorer. Тогда ваши ссылочки откроются вам в виде обычной системы выпадающих меню.

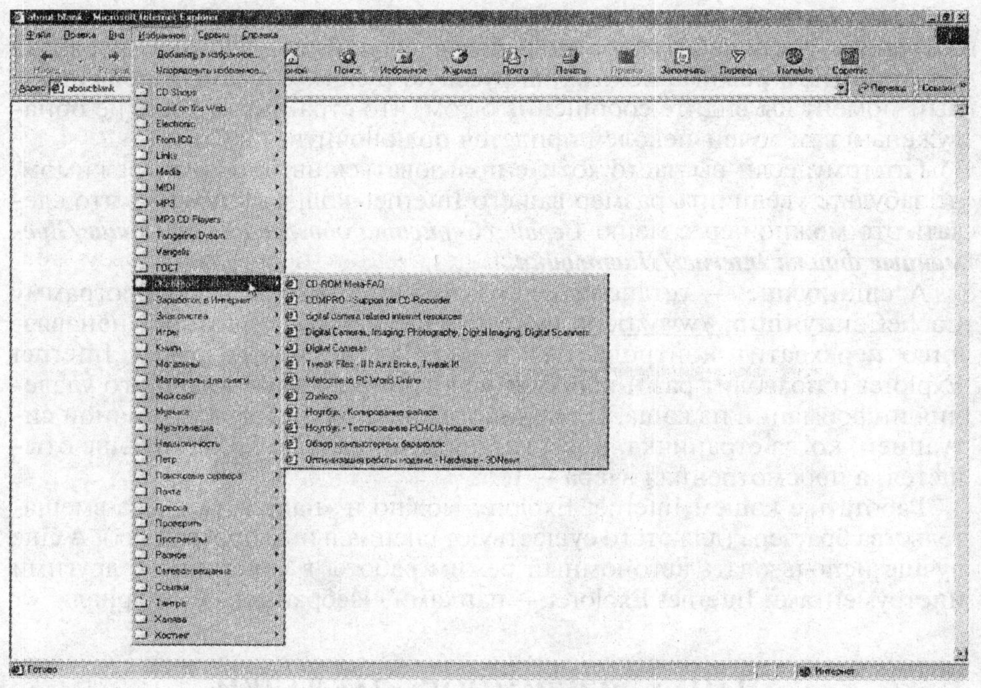

Папка «Избранное»

Наконец, вы можете выбрать нужную вам закладку еще до открытия Internet Explorer! Зайдите в меню «Пуск» на панели задач Windows... Правильно, папка «Избранное» доступна и отсюда, наряду с уже знакомыми вам папками «Программы» и «Документы».

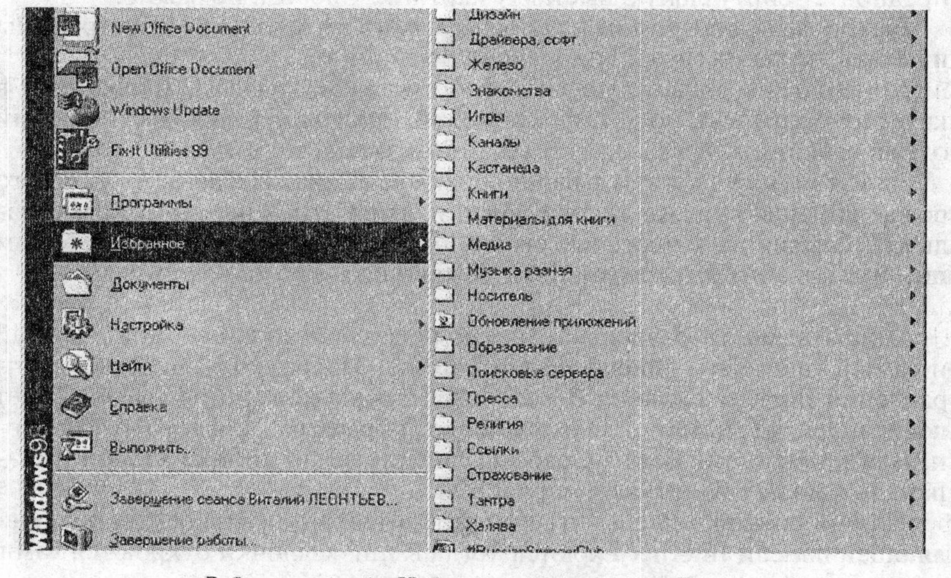

Работа с папкой «Избранное» через меню «Пуск»

Добавлять ссылки в «Избранное» также можно тремя путями: либо с помощью пункта «Добавить в “Избранное”» меню «Избранное» (или панели «Избранное»), либо «перетаскивая» их мышью из окна браузера на панель «Избранное» справа, либо щелкнув по ссылке правой кнопкой и выбрав пункт Контекстного Меню «Добавить в “Избранное”». Обычно компьютер сам дает вашей «закладке» подходящее название, однако иногда вам придется взять бразды управления в свои руки и присвоить ей имя попонятнее.

Конечно, неразумно валить все ссылки в одну кучу — гораздо разумнее будет организовать в вашей папке «Избранное» ряд вложенных папок, рассортированных по тематике ссылок, как это показано на рисунке.

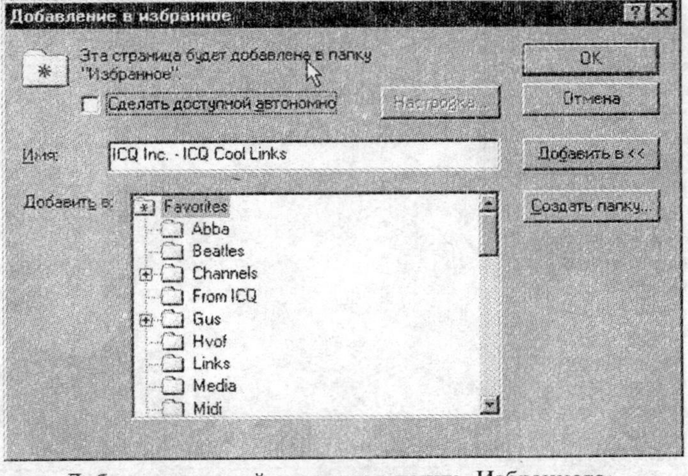

Добавление новой закладки в папку «Избранного»

Создать вложенную папку можно так: после выбора пункта меню «Избранное» «Добавить в папку “Избранное”» нажмите кнопку «Добавить...» и затем — «Создать новую папку». Вам остается лишь дать новой папке название и в следующий раз указать на нее при добавлении новой закладки.

Если вы несколько поспешили и сгоряча превратили свою папку «Избранное» в большое ассорти, не унывайте — шанс навести порядок еще не потерян. Воспользуйтесь пунктом меню (или панели) «Избранное» «Упорядочить “Избранное”». В этом случае вы получите возможность создавать папки и перемещать в них готовые закладки в режиме Проводника Windows.

Если работать с закладками «Избранного» вам приходится постоянно, разумнее будет на протяжении всего сеанса работы держать папку «Избранное» перед глазами, в левой части экрана. В этом случае вы можете работать с закладками и папками точно так же, как и с обычными файлами и папками в Проводнике Windows. Папки можно удалять, переименовывать и создавать (с помощью, конечно же, Контекстного Меню). Закладки можно перетягивать мышкой из папки в папку, а с помощью того же Контекстного Меню менять их свойства.

Кстати, вы можете работать с папкой «Избранное» с помощью Проводника Windows или другого файлового менеджера — ее дисковый адрес C:\Windows\Избранное или C:\Windows\Favorites.

РАБОТА С ПАПКОЙ «ЖУРНАЛ»

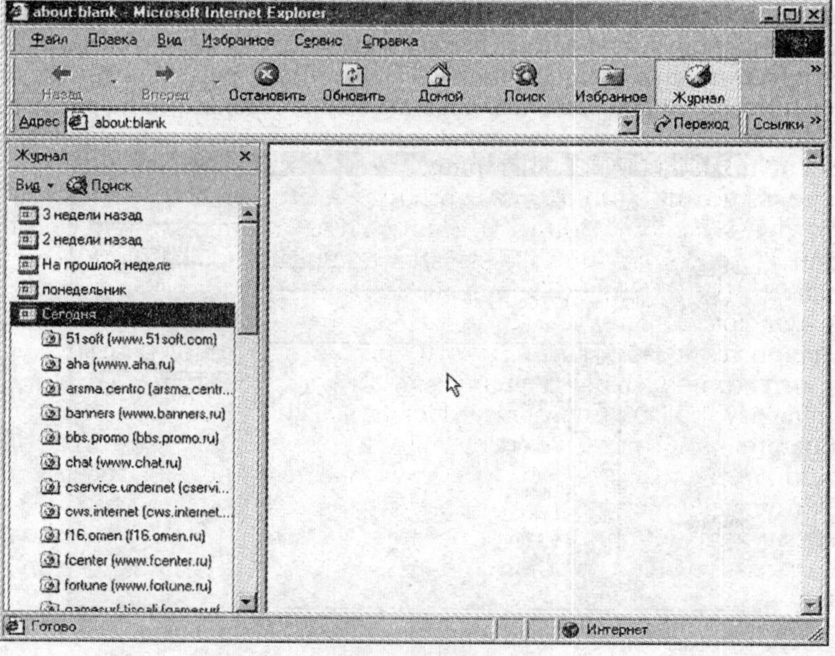

Папка «Журнал»

Вместо окна «Избранное» левой части окна Internet Explorer можно открыть и другую полезную папку — «Журнал». Это — тоже коллекция ссылок, вот только создает их не пользователь, а сам браузер. Каждый раз, когда мы открываем новую страницу, программа фиксирует это злодеяние в журнале. Делается это не только по чисто бюрократическим соображениям, но и просто для нашего удобства. Как часто бывает, что, случайно наткнувшись на интересную страничку и не занеся ее в «Избранное», мы тщетно ищем ее адрес! Благодаря «Журналу» мы можем отследить свой собственный маршрут (а при случае — и похождения других пользователей вашего компьютера) на протяжении нескольких недель. Уточнить, в течение какого времени будут храниться ваши ссылки, можно с помощью меню Internet Explorer ***Сервис/Свойства обозревателя/Общие/Журнал***. «По умолчанию» программа хранит свои шпионские заметки на протяжении 20 дней, однако многие пользователи, слишком серьезно относящиеся к проблемам конфиденциальности, предпочитают установить меньший срок, скажем, 4—5 дней.

Ссылки на страницы в «Журнале» могут быть отсортированы в разных режимах (по желанию пользователя):

- По узлу — странички будут сгруппированы по сайтам.
- По дате посещения.
- По посещаемости — хотите вывести на экран эдакий локальный «хит-парад» ваших любимых страничек? Поверьте, что результаты этого мини-теста могут сказать о вас больше, чем самый дотошный психоаналитик!
- По порядку посещения.

Переключаться между режимами можно с помощью кнопки «Вид» в левом углу панели.

Использовать «Журнал» можно и для других целей — например, для путешествий по уже посещенным нами сайтам Сети в режиме «офлайн». То есть не подключаясь к Интернет.

Использование автономного режима при работе с Журналом дает нам в руки весьма мощный инструмент поиска в кэше Internet Explorer — теперь вы можете вызвать на экран любую из посещенных вами ранее (и сохраненных в кэше) страниц, найдя ее по ключевому слову или фразе.

Перейдите в режим автономного просмотра, откройте окно журнала и нажмите кнопку «Поиск». Теперь введите в строке поиска нужное слово или фразу и нажмите кнопку «Искать».

Обшарив кэш, Internet Explorer выдаст вам список всех страниц, содержащих это слово или фразу. При этом странички, доступные в данную минуту для автономного просмотра, будут выделены более ярким шрифтом, ну а те, просмотреть которые вы сможете, только находясь в Сети, стыдливо уйдут «в тень».

ПОДПИСКА НА СТРАНИЦЫ. АВТОНОМНОЕ ОБНОВЛЕНИЕ СТРАНИЦ

Работа со ссылками в автономном режиме. «Подписка». У ссылок в папке «Избранное» существует еще одна интересная особенность: с их помощью можно «оформить подписку» на интересующие вас страницы. Теперь их новые версии будут автоматически загружаться на ваш компьютер после установки соединения с Интернет, а просматривать их вы сможете и в режиме отключения от Сети!

Щелкните по любой ссылке на панели «***Избранное***» правой кнопкой мышки (надеюсь, ТЕПЕРЬ-ТО УЖ вам не надо напоминать, что таким образом вызывается Контекстное Меню?). В этом самом меню вы обращаете внимание на скромный пункт «Сделать доступной автономно». Вот под ним-то и скрывается тот самый мастер «подписки».

«Подписываясь» на страничку, вы указываете не только тип и время ее обновления (вручную или же автоматически — например, ночью браузер может подключиться к Интернет и самостоятельно скачать все помеченные вами странички, после чего разорвет связь), но и число страниц, которые вы хотите обновить. К примеру, вы можете дать команду на периодическое обновление только титульной странички сервера или

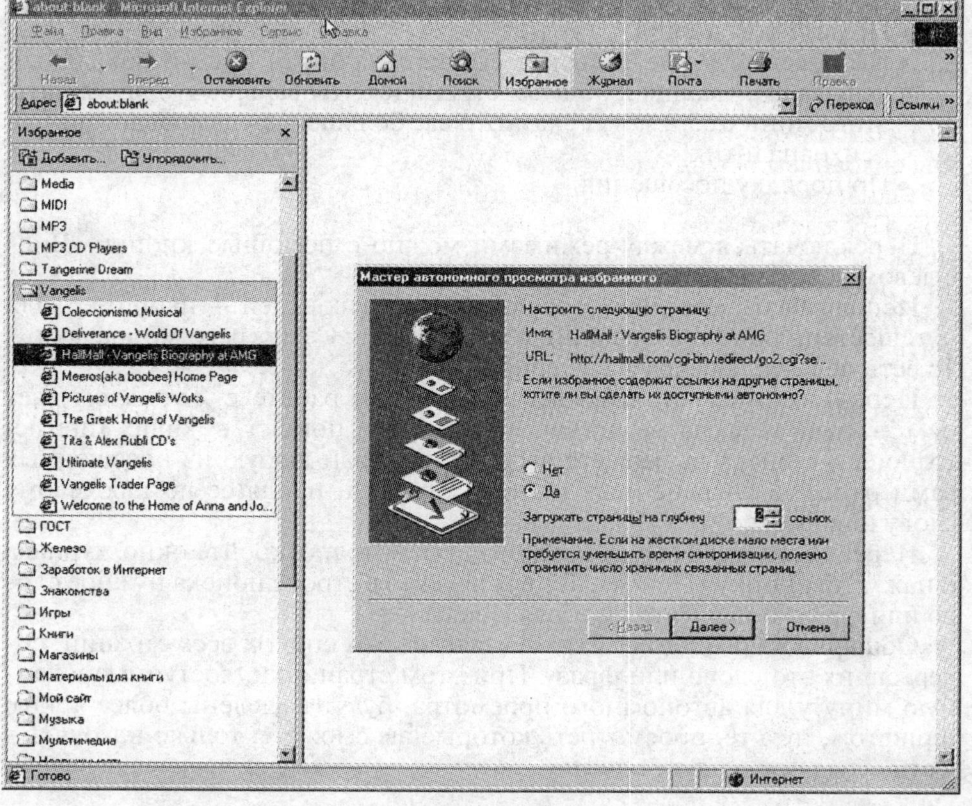

«Подписка» на страничку

же приказать браузеру заодно скопировать и все связанные с ней странички.

Если вы выберете ручной режим обновления, то вся информация с выделенных вами страничек будет обновлена по команде ***Синхронизировать*** меню ***Сервис***.

Ну, а как просматривать скаченные таким образом странички, вы уже знаете. Поставьте галочку на пункте «Работать автономно» меню «Файл» Internet Explorer, после чего загрузите страничку, как в обычном режиме — набрав ее адрес в адресной строке браузера или щелкнув по соответствующей ссылке в панели «Избранное».

СОХРАНЕНИЕ СТРАНИЦ ИНТЕРНЕТ

Да, безусловно, и закладки, и автономный режим работы с Internet Explorer сильно облегчают нашу жизнь. А заодно — экономят и деньги, и время. Но иногда нам требуется нечто большее.

К примеру, натолкнулись вы в Сети на документ, к которому, как вы знаете, вам придется вернуться не раз и не два. И работать с ним надо вдумчиво, углубленно...

Закладки здесь не помогут — не лезть же, в самом деле, каждый раз для открытия нужного документа в Интернет. Да и автономный режим окажется бессилен в том случае, если последний раз вы открывали этот документ неделю-другую назад. Ответ напрашивается сам собой — значит, надо сохранить этот документ на жестком диске, точно так же, как мы сохраняем обычный документ Word.

Однако страницы Интернет все-таки отличаются от обычных текстов. Прежде всего тем, что они являются составными документами, содержащими, помимо текстовой начинки, еще великое множество разных довесков. Скажем, графическое оформление (попросту говоря, картинки), микропрограммы-скрипты и многое другое, а потому и сохранять эти документы нам придется по-особому.

Ничего сложного в этой процедуре нет — как и в большинстве программ Windows, сохранить открытую страницу Интернет можно через меню «Файл/Сохранить как...» Internet Explorer. Нам остается только определить, в каком именно формате будет сохранена интересующая нас информация.

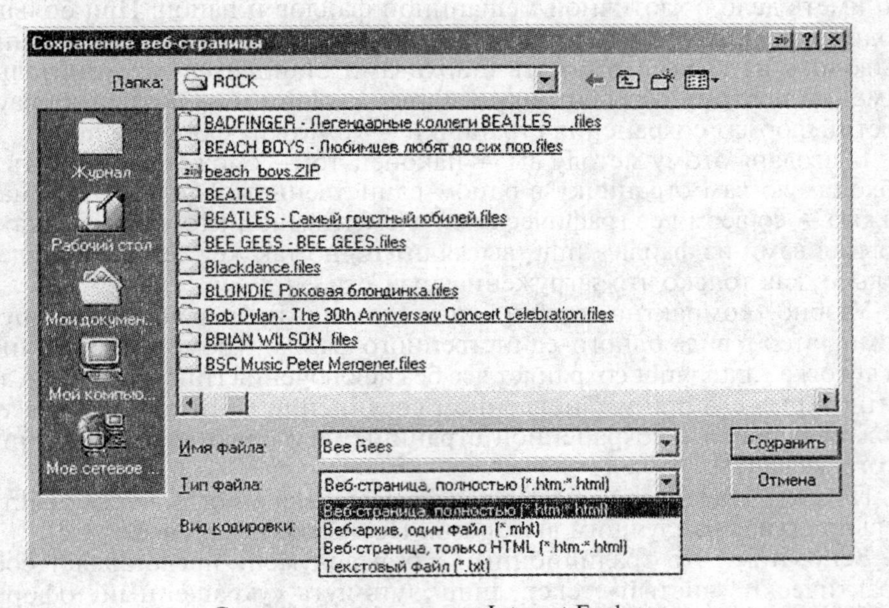

Сохранение странички в Internet Explorer

Самый простой вариант — сохранить только текстовое содержание страницы (формат *.txt). В большинстве случаев именно он оказывается и самым оптимальным. В самом деле, файлы этого формата вы можете позднее открыть в великом множестве программ для работы с текстами, начиная от Word и заканчивая простым Блокнотом Windows. Да и занимают они немного места — не более десятка килобайт!

Если же вы не хотите отказываться от полюбившегося формата *.html (при конвертации в *.txt теряется разметка документа), можно сохранить текст и в этом формате, опять-таки отказавшись от иллюстраций.

Однако у этого метода есть и свои недостатки. Как быть, к примеру, в том случае, если в интересующей вас статье имеются иллюстрации? Нет, не бесполезное оформление в виде бордюрчиков и кнопок, а важная графическая информация, без которой материал потеряет большую часть своей ценности?

Выхода нет — придется нам выбирать другой формат и сохранять Web-страницу полностью, со всем оформлением.

В этом случае в выбранной вами для сохранения папке возникнет файл в гипертекстовом формате *.htm, а в придачу к нему — еще и одноименная папка, содержащая все включенные в страницу графические файлы.

Это тоже удобно — в конце концов, текстовое содержимое всегда можно из такой странички выдернуть, скопировав его в Буфер обмена (или Карман) Windows или же просто по-новой сохранив страничку в уже упомянутом *.txt формате. Зато сохраняется наглядность и выразительность, выгодно отличающая Web-страницы от обычного текста.

Но и в этом яблочке не обходится без червоточины: очень уж неудобно иметь дело с хаотичной мешаниной файлов и папок! При большом количестве сохраненных на диск страничек обилие файлов начинает выводить из себя, а работать с архивами становится затруднительно. Именно поэтому разработчики Internet Explorer и включили в браузер третий формат сохранения странички — «сжатый» формат *.mht.

Благодаря этому методу вы — наконец-то! — сможете сохранить необходимую вам страничку в одном-единственном файле. Что немаловажно — со всеми ее графическими элементами! В итоге страничка, открытая вами из файла *.mht, выглядит точно так же свежо и привлекательно, как только что загруженная из Сети.

Удобно, компактно, страничку всегда можно перенести на другой компьютер в виде одного-единственного файла. Кроме того, в отличие от того же *.txt, *.mht сохраняет все без исключения гиперссылки. А значит, открыв его при установленном соединении с Интернет, мы всегда можем перейти с сохраненной страницы на любую другую страничку этого же сайта!

Победа? Идеал найден? Не торопитесь. Для многих *.mht действительно станет наилучшим выбором... Но далеко не для всех.

Вспомним, что традиционный *.htm документ представляет собой практически «чистый» текст, лишь чуть-чуть «украшенный» оформительскими «командами» — тэгами языка разметки HTML. А значит, работать с ним может большинство текстовых программ, а также — что немаловажно! — системы поиска Windows. Нам ведь нередко приходится прибегать к их услугам, если мы хотим отыскать нужный файл на диске по фрагменту содержащегося в нем текста.

Формат же *.mht — это совсем другая петрушка. И текстовая, и графическая составляющие страницы сохранены в нем в особом, сжатом и закодированном виде. Сам браузер Internet Explorer свое «произведение» всегда примет, как родное дитя. Но предложи *.mht файл другим программам — и они лишь беспомощно разведут руками. В отличие от *.html, стандартом *.mht пока еще не стал.

Как видим, выбрать один-единственный формат сохранения документов Интернет трудно. Да и нужно ли это? Гораздо удобнее пользоваться всеми форматами, предоставляемыми нам Internet Explorer, выбирая нужный по мере необходимости.

- Для относительно простых текстовых документов, не отягощенных нужной графикой, лучше всего подойдет *.txt
- Для текстовых документов со сложным форматированием и разметкой, а также для таблиц — «чистый» *.html
- Для обильно иллюстрированных материалов — *.htm (Web-страница полностью) и в отдельных случаев — Web-архив *.mht.

Выбирайте!

И последнее. В каком бы формате вы ни сохраняли свои странички, старайтесь не делать из них одну большую кучу в папке «Мои документы». Создайте лучше специальную папку, например, «Страницы Интернет», а в ней — еще несколько тематических «подпапок»: «Железо», «Программы», «Игры», «Сети» и так далее. Именно так в свое время поступил я сам, составляя архив материалов для создания этой книги. И ничуть не разочарован.

Ну, а в качестве поисковой системы по сохраненным страницам Сети автор рекомендует сверхзамечательный поисковик «Ищейка» — или, в англоязычной версии, Steuthhound.

По паспорту «Ищейка» (http://www.isleuthhound.com/ru) — американских кровей, однако родителями ее стали русские программисты. Факт весьма отрадный — и дело тут не только в законном чувстве гордости за «наших». Просто давно известно, что россияне, даже оказавшись по ту сторону океана, не забывают соотечественников, даром что о какой-либо прибыли здесь говорить не приходится. В итоге наряду с англоязычной версией «Ищейки» (завоевавшей, кстати, ряд наград от компьютерной прессы) существует и ее «русская» сестра-близнец.

Точнее — сестры, ибо «Ищейка» поставляется в двух модификациях. Базовая, бесплатная версия, способна «обнюхать» массив до 500 документов в формате DOC или TXT. Более «продвинутая» версия, Ищейка Проф, может обрабатывать уже до 64 тыс. документов, да и объем поддерживаемых ей форматов значительно шире. К упомянутым текстовым форматам DOC и TXT присоединяются файлы электронных таблиц Excel (XLS), файлы справки (HLP) и гипертекстовые документы Интернет (HTM, HTML). Мало того — Ищейка Проф позволяет пользователю самому задать программе список обслуживаемых форматов (к примеру, автор этих строк сразу же внес в соответствующее поле универсальный текстовый формат RTF, файлы отчетов LOG, файлы конфигурации INI и CFG плюс еще добрый десяток форматов). Ищейка поможет вам отыскать нужный участок текста в любом из этих форматов, при этом она понимает все основные кодировки русского текста — Win-1251, DOS, КОИ-8.

В чем искать — понятно. Остается выяснить, ГДЕ и КАК...

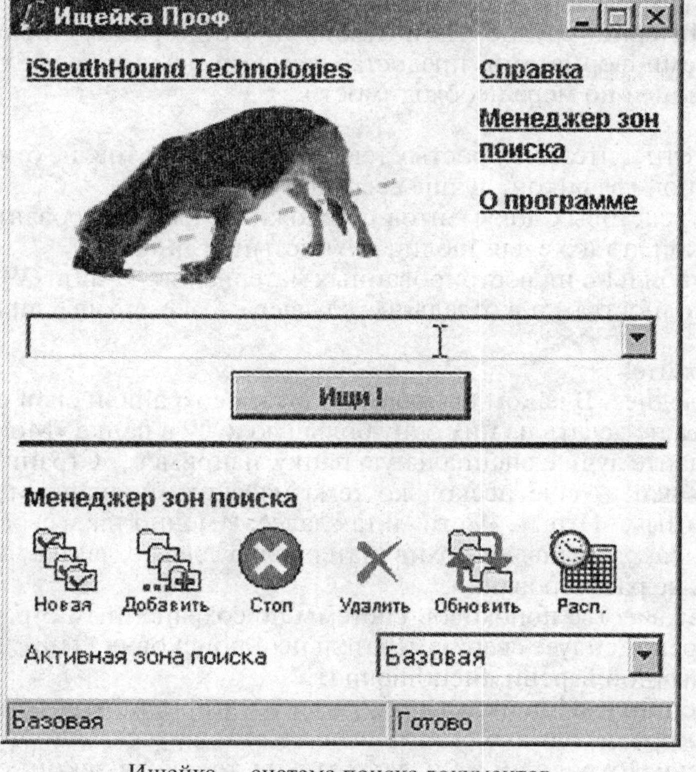

Ищейка — система поиска документов

Сначала ответим на первый вопрос. В отличие, например, от Евфрата, Ищейка работает не с отдельными папками или их образами, а с «зонами поиска» — именно к ним и относятся упомянутые выше ограничения на число документов. Создать этих зон в бесплатной версии можно всего две, зато в профессиональной их количество не ограничено. При создании зоны пользователь может отметить на «древе папок» те, которые он хочет в нее включить, — при этом одна и та же папка может использоваться в нескольких зонах. В принципе, можно превратить в единую «зону» весь жесткий диск, однако оставим такие замашки на долю законченных диктаторов. Ведь какой бы хаос не царил на вашем жестком диске, минимальное тематическое деление все же присутствует, а, стало быть, разумно выделить собственную тематическую зону для каждого типа документов. К примеру, на моем компьютере в отдельных «зонах» обитают рабочие папки с материалами для этой книги, коллекция сохраненных из Интернет музыкальных страниц и файлы конфигурации программ. Стоит ли упоминать, что деление на зоны — чисто условное, логическое, и никаких изменений в структуру ваших папок внесено не будет.

Создав зону, вы даете Ищейке команду на ее обработку и индексацию. Процедура эта проходит пусть и не в мгновение ока, однако в самом тяжелом случае займет не более получаса — при этом программа может работать в фоновом режиме, практически не претендуя на ресурсы мощности ваше-

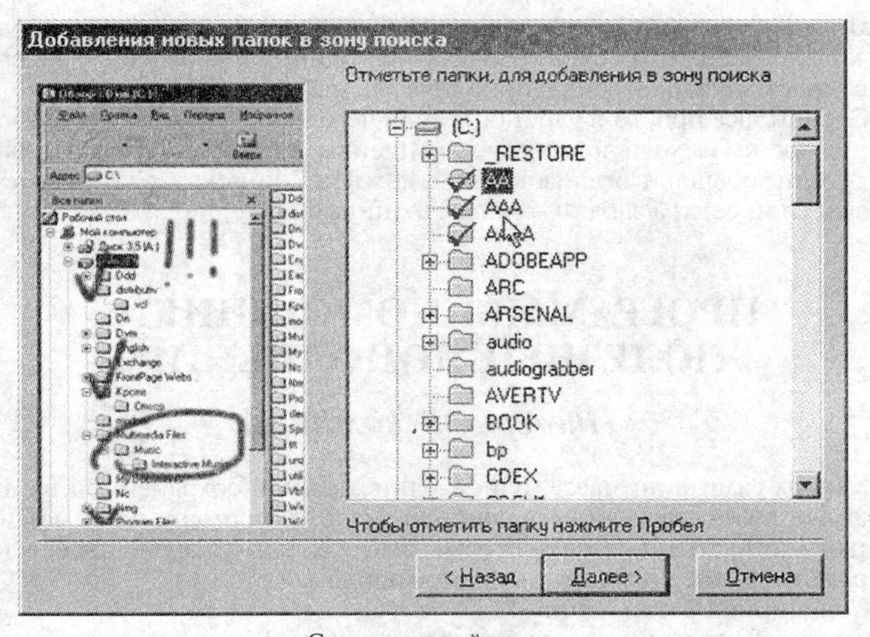

Создание новой «зоны»

го компьютера. Во время индексации Ищейка формирует собственную базу данных, в которой описывает содержание каждого документа. И в дальнейшем, когда вы даете команду на поиск нужного текстового фрагмента, Ищейка не будет лихорадочно обшаривать все файлы на жестком диске, как это делает поисковая система Windows, а спокойно справится в собственном «бюро информации». Естественно, информацию в этом «бюро» нужно периодически обновлять. Это может делать и сама Ищейка, по заданному вами расписанию, но в некоторых случаях (к примеру, если вы все-таки решили раз и навсегда покончить с беспорядком и раскидали ваши файлы по новым папкам) эту процедуру можно проделать и в ручном режиме.

Именно по такому принципу работают поисковые системы Интернет, с которыми Ищейку роднит и еще один параметр — наличие собственного языка запросов. Так, задав в поисковой строке слово «договор», вы получите на выходе список всех документов, в которых упоминаются все падежные формы этого слова. С помощью звездочек (*) можно задать поиск по части слова — так, по запросу ***клад*** Ищейка добросовестно отыщет все слова, в которых встречается это сочетание букв. Наконец, если поисковым параметром являются несколько слов, разумно использовать логические операторы AND (и), NOT (без) OR (или). Например, по запросу «договор NOT обязательства» будут найдены документы, в которых встречается слово «договор» во всех падежах, за исключением файлов, в которых также присутствует слово «обязательства».

Впрочем, такой поиск вряд ли увенчается успехом. Ведь договоров без обязательств не бывает...

Результаты поиска Ищейка выводит в специальном окне — при этом, помимо названия найденных документов, программа услужливо пред-

ложит пользователю короткую выдержку из него, содержащую одно или несколько найденных слов. Щелкнув по одному из названий, вы сразу же откроете нужный файл в окне программы-редактора.

Словом, все просто и удобно. И если чего и остается ждать пользователям, так это выхода новых версий Ищейки, в которых разработчики, в частности, обещают реализовать возможность поиска по компьютерам в локальной сети, а заодно — и по страницам Интернет.

ПРОГРАММЫ-ПОМОЩНИКИ: ПОЛЕЗНЫЕ ДОПОЛНЕНИЯ

«Интернет-вампиры»

Как вы сами понимаете, одной-единственной сохраненной на диск странички часто оказывается слишком мало. К примеру, один мой знакомый — страстный автолюбитель — изыскал как-то очень интересный и полезный сайт, посвященный автомобилям.

С обширной базой данных!

Со множеством интересных статей и обзоров!

С могучей и познавательной конференцией!

Естественно, охочая до знаний русская натура немедленно заявила: «Хочу все и сразу!». Сетевое время дорого, а над такой кладезью премудрости не худо было бы помедитировать часок-другой, неспешно бродя по страничкам...

Копировать странички по отдельности? Не получится — быстрее будет их все прочитать. Да и все равно будет неудобно: ссылки на каждой сохраненной странице будут по-прежнему указывать на «внешние» страницы Интернет, а не на их собратьев, мирно лежащих в сохраненном виде в той же самой папке. Да и как прикажете поступить, скажем, с базами данных — это ведь особый формат, отличный от знакомого нам *.html. А в довершение всего учтите, что сайт-то обновляется, новая информация поступает ежедневно и ежечасно...

Какой же выход? Увы, способностей самого Internet Explorer на этот раз будет недостаточно. Так что придется позвать на помощь вампира. Нет, не киношного Дракулу с острыми и белыми зубками (вот до чего доводит проклятый «Блендамед»!), а мирную программу, которая будет сосать не кровь, а «начинку» сайтов.

И не просто сосать, а аккуратно складировать на диск, создавая на вашем компьютере точную копию (или «зеркало») оригинального сайта, с точным сохранением всей структуры каталогов. При этом все ссылки на каждой странице аккуратно правятся на «Локальные» — то есть указывать они будут не на оригинальные страницы Интернет, а на их «зеркала» на вашем винчестере.

Аппетиты «вампиров», сверх того, можно и поумерить, запретив им выкачивать из Сети файлы определенных форматов. Допустим, вы знаете, что нужный вам сайт, как булочка изюмом, напичкан «живым ви-

део» или звуковыми файлами в формате *.mp3. Нет, если вам нужны именно они — другое дело. Но чаще всего мультимедийная «начинка» становится лишь балластом, на скачивание которого могут уйти уже не часы, а целые дни! Вывод — запретить «вампиру» тянуть из Интернет что попало! Можно и вовсе посадить его на диету, дав команду на скачивание только файлов *.htm (*.html) — то есть текста странички — и *.jpg, *.jpeg, *.gif и *.png — графического оформления и иллюстраций.

Любой уважающий себя «вампир», как правило, умеет «засасывать несколько файлов параллельно, что значительно убыстряет процедуру копирования. Но и в этом случае не слишком увлекайтесь, натравливая «вампира» на крупные сайты типа Microsoft.Com: их объемностью вы вполне можете подавиться! Для крупных сайтов сотня-другая мегабайт объема — не редкость, даже без учета мультимедийных «довесков». Тут и высокая скорость «сосания» не поможет: над такими сайтами «вампиру» придется попотеть целые сутки, а то и двое.

Хорошо еще, что многие «вампиры» умеют ограничивать «глубину» скачивания — то есть вместо всего сайта вы можете скопировать на ваш компьютер только один из его разделов. Для этого необходимо «скормить» «вампиру» в качестве стартового не адрес титульной странички сайта, а адрес этого конкретного раздела. И строго-настрого запретить выходить за пределы данного каталога. Правда, это не поможет в том случае, если сам создатель сайта превратил его в свалку, не удосужившись создать отдельный каталог для каждого раздела. Такое тоже случается.

Ну, а теперь пора представить почтенной публике некоторых особо отличившихся «вампиров». Предупреждаю заранее — отличившихся именно на мой, авторский и пользовательский вкус. Разумеется, состав этого почтенного семейства значительно шире представленного здесь круга персон, к тому же весьма вероятно, что за время написания этой книги в нем случится прибавление...

TELEPORT PRO (TENMAX)

Начнем наше знакомство с патриарха «сайтососов» — прославленного в веках Teleport Pro (http://www.tenmx.com). Как любой старожил, дедушка суров и аскетичен — его интерфейс не блещет графическими красотами, как у его более молодых коллег. Но по функциональности и количеству настроек он по-прежнему не знает себе равных. Новичку в них нетрудно и запутаться, однако пользователь со стажем сможет с их помощью значительно облегчить нелегкий труд по перекачке сайтов.

На примере Teleport Pro удобно знакомиться с принципом работы этого класса программ в целом: хотя настройки и функции у каждого «вампира» разные, основные действия для каждого случая остаются одинаковыми.

Перво-наперво нам с вами нужно создать «проект» для скачивания — для этого сразу же после запуска программы зайдите в меню New/Project. В качестве базового адреса проекта задайте адрес нужного вам сайта или его раздела.

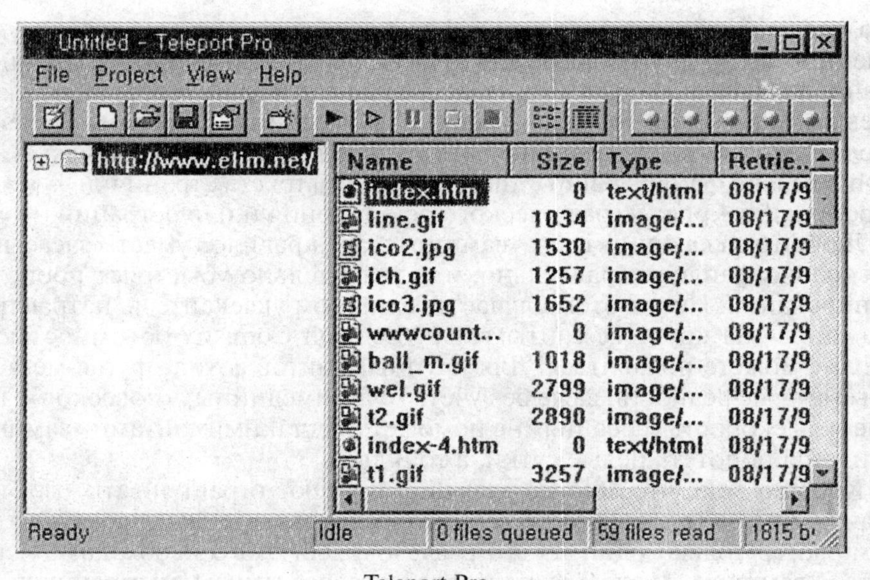

Teleport Pro

Теперь, щелкнув по значку «проекта» правой кнопкой мышки, мы с вами вызовем Контекстное меню свойств проекта (Properties), благодаря которому сможем указать, на какую глубину наш «вампир» будет забрасывать сети — можно его ограничить, к примеру, только одним из разделов сайта или же заставить «высосать» все материалы без остатка. Здесь же — «пульт управления» типами файлов: очень рекомендую для начала ограничиться только текстовыми файлами (*.htm, *.html, *.txt) и файлами картинок (*.jpg, *.gif, *.png). Помните, что сайт может содержать и звуковые, видеоматериалы или большие файлы-архивы, информация из которых вам, в сущности, не нужна. И если ваш «вампир» не дай бог попытается их «засосать», процесс выкачки может затянуться на дни.

Все эти действия, впрочем, можно выполнить и с помощью Мастера создания проекта (режим Wizard). Следуя его инструкциям, вы сможете легко и быстро установить нужную глубину скачивания, настроить «вампира» на режим полной репликации (с дублированием структуры каталогов) и т. д.

А самое главное — Teleport Pro снабжен собственным планировщиком заданий, позволяющим вам задать нужное время начала выкачки. К примеру, часа в три ночи, когда тарифы на услуги Интернет падают в два и более раз, а на просторах телефонных линий царит благодатная тишина, «будильник» разбудит программу, которая самостоятельно подключится к Сети и начнет свою неспешную работу, не забыв по окончании оной разорвать соединение.

Совершенно необязательно выкачивать сайт в один присест — Teleport Pro позволяет вам в любой момент прервать работу, нажав на кнопку «Стоп». И возобновить ее во время следующего «сеанса связи», при этом скачиваться будут только новые или изменившиеся за время вашего отсутствия файлы.

Как водится, пользователи «пробной» версии программы, которую можно совершенно бесплатно скачать на сайте TenMax, столкнутся с некоторыми ограничениями — они смогут выкачивать лишь ограниченное количество страничек. Для обеспечения же полной функциональности придется, увы, расстаться с несколькими десятками долларов. Хотя большинство отечественных пользователей по неведомым причинам предпочитают нарушать закон и «чинить» защиту программы с помощью «ломалок»—«кряков» (cracks).

WEBZIP (SPIDERSOFT)

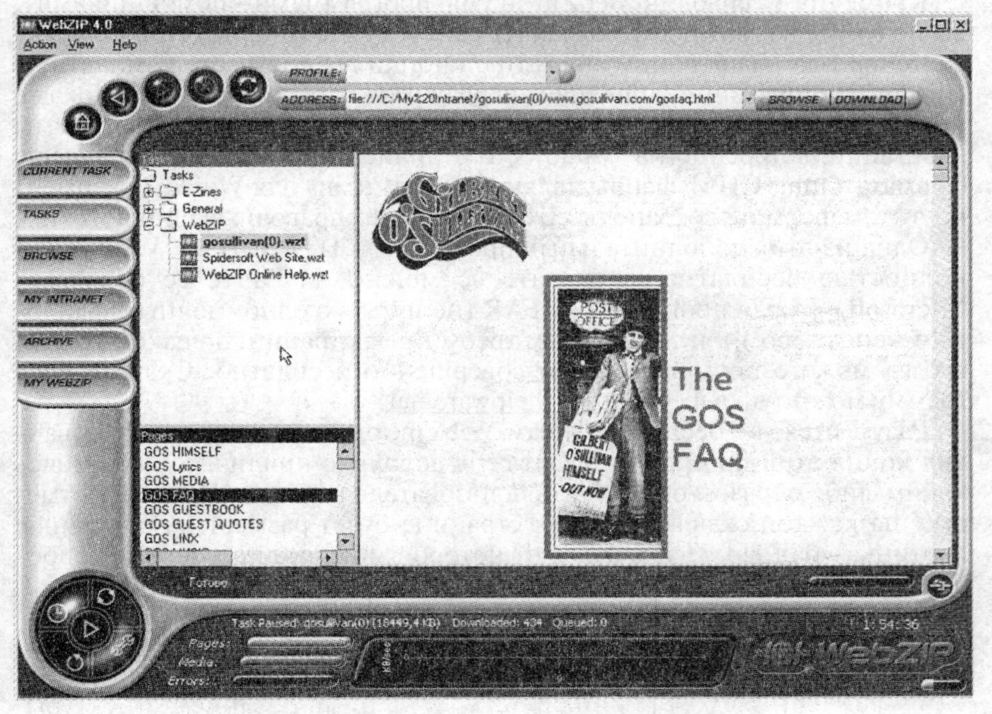

«Качалка» сайтов WebZip

Увы, несмотря на все свои способности Teleport Pro сегодня отнюдь не принадлежит к числу лидеров, а пользуются им скорее по привычке да из уважения к былой славе. И, пока ветеран мирно почивает на подвявших лаврах, вперед давно уже вырвались другие, более талантливые программы. Такие, как, скажем, амбициозный «оффлайн-браузер» WebZIP (http://www.spidersoft.com). Эта программа возникла на горизонте пользователей Сети сравнительно недавно, не более года назад, но уже успела снискать всеобщее уважение.

Посмотрите хотя бы на красивый и удобный (а самое главное — понятный) графический инетрфейс, позволяющий полностью визуализировать процесс выкачки сайта. В левом окне — список скормленных «вампиру» сайтов и выкачанных страниц, содержимое которых услужливо отобра-

жает окно справа. Внизу — наглядный график скорости выкачки и индикатор текущих процессов. Красота! Попользовавшись WebZip денек-другой, вы уже не сможете и смотреть на «слепую» выкачку Teleport...

Но главной изюминкой программы являются все-таки не визуальные красоты, а ее особенность упаковывать выкачанные сайты в архивный файл формата *.zip! Это значительно сокращает место, занимаемое сайтом на диске — при этом при использовании «продвинутых» программ для работы с архивами, таких как ZipMagic, вам не придется даже распаковывать сайт перед просмотром! Можно это сделать и с помощью самого WebZip, снабженного собственным браузером — все скачанные сайты сохраняются в его базе данных.

Кроме того, снабдив WebZip двумя программами-«помощниками», вы получите возможность сохранять сайты в виде гипертекстового архива *.chm! Благодаря одному нажатию кнопки вы получаете компактную «интерактивную энциклопедию», передвигаться по которой можно как с помощью обычного браузера, так и с помощью специальной программы навигации, встроенной в Windows. В отличие от упоминавшегося выше формата *.mht, CHM-файлы являются «родными» для Windows — именно в этом формате сохранены ее собственные справочные библиотеки.

Одна из этих дополнительных программ — HTML Help Workshop — полностью бесплатна, а скачать ее можно на сайте ее создателя Microsoft. Вторая программа — FAR (не путать с одноименным файловым менеджером!), к сожалению, требует регистрации, но какое-то время вы можете пользоваться ею совершенно бесплатно. Скачать программу можно по адресу: http://helpware.net.

Разумеется, не бесплатен и сам WebZip, однако незарегистрированная копия этой программы ведет себя довольно прилично, не пытаясь каким-либо образом ограничить пользователя в правах. Правда, в отместку на каждой скачанной вами странице будет размещена рекламная картинка-«баннер», избавиться от которой можно, лишь зарегистрировав программу должным образом.

WEBCOPIER (MAXIMUMSOFT)

Банальное чувство патриотизма заставляет автора замолвить доброе словечко и об отечественных разработках — благо и их немало. Возьмем, к примеру, «ДИСКо Качалку», сотворенную известным производителем небольших, но очень полезных программ — компанией «ДИСКо» (http://www.disco.ru). Несмотря на некоторую упрощенность интерфейса, что роднит отечественную разработку с Teleport Pro, программа справляется со своими обязанностями на удивление хорошо. «Качалка» способна одновременно выкачивать до 10 файлов, используя пропускную способность вашего канала на все 200 %. Во всяком случае, пытаться отобрать у нее хотя бы толику модемного времени бесполезно. Зато и сайты скачиваются быстрее. Наконец, не стоит забывать и про русскоязычный интерфейс, что само по себе способно привлечь внимание к этой программе пользователей, слабо владеющих языком Шекс-

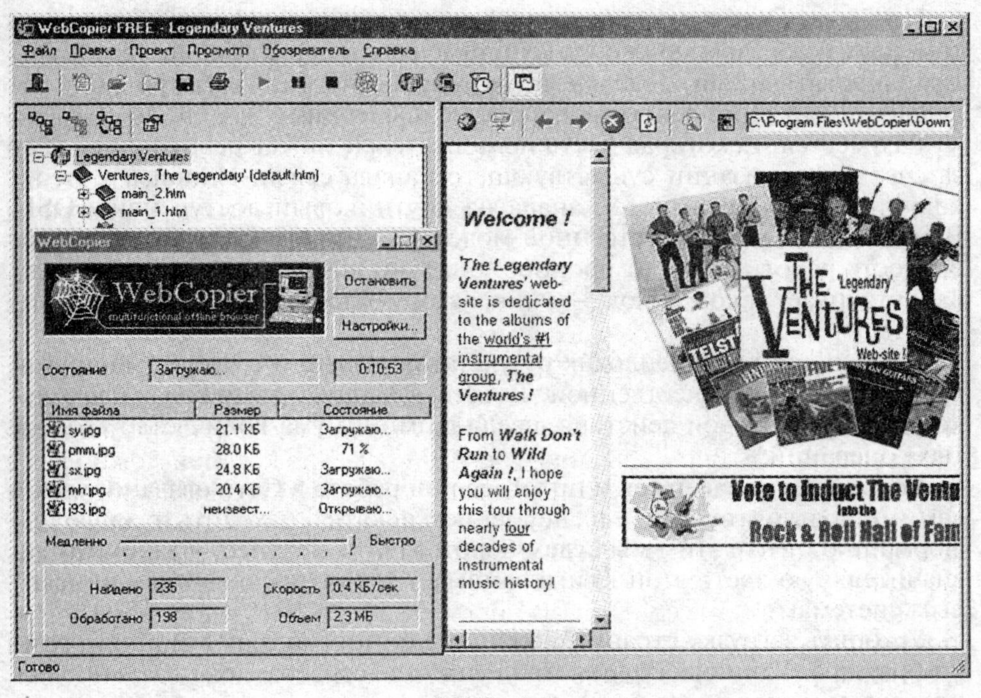

WebCopier

пира и Билла Гейтса. Да и стоимость программы, как водится, гораздо ниже, чем у ее иноземных собратьев.

Однако лично я остановил выбор на другом чисто отечественном продукте — Webcopier, созданном Максимом Климовым (http://www.maximumsoft.com). Во-первых, из-за простого (и, разумеется, полностью русскоязычного) интерфейса: копия сайта на вашем диске создается буквально по нажатию одной кнопки. Во-вторых, базовая версия программы абсолютно бесплатна для российских пользователей — а такая возможность представляется, увы, не так часто, как хотелось бы.

Конечно, тягаться с монстрами типа WebZip российские программы пока что не в состоянии. Зато они быстрее, компактнее и в качестве «рабочей лошадки» на каждый день совсем неплохи. А запаковать созданную вами копию сайта в ZIP-архив, мне кажется, вы сможете и самостоятельно....

Ускорители работы в Сети

Скольжение по нитям Паутины, целенаправленное или, наоборот, совершенно бесцельное шатание по сайтам и страничкам — процесс до невозможности увлекательный. Впору забыть о том, что каждая минута, проведенная вами в Сети, методично выедает из вашего виртуального кошелька совершенно реальные деньги...

Самое интересное, что у немногих это действительно получается...

Но мы-то с вами не сетевые наркоманы, надеюсь. И потому вопрос о том, каким образом можно чуть упорядочить наши с вами шатания, оптимизировать время, подаренное виртуальному миру в ущерб миру реальному. Да и те же деньги — вопрос не последний...

Разумеется, некоторая часть пользователей может решить проблему за счет модернизации существующего канала связи. Например, переключившись с модемного канала на спутниковый доступ или ADSL. В результате такой качественной модернизации значительно возрастет скорость работы, однако пропорционально возрастут и затраты. Если вас устраивает такой выход — что ж, автору остается вам только позавидовать.

Однако добиться неплохих результатов можно и с помощью другой модернизации — качественной. То есть, в наших с вами силах несколько упорядочить свои действия, сведя до минимума количество «холостых» операций.

Большинство задержек и простоев при работе в Сети связано, увы, с самими пользователями, с их неумением искать и находить нужную информацию... Но с этим мы будем бороться чуть позднее — даром что ли значительную часть этой книги занимает глава, посвященная поисковым системам?

Ускорить загрузку страниц можно и с помощью грамотной настройки браузера. Установка параметров «прокси-сервера», оптимальное использование дискового кэша — все эти нехитрые приемы уже не являются для нас тайной после прочтения предыдущих глав.

Но существуют и другие, более кардинальные способы ускорения, связанные с возможностью обойти некоторые физические ограничения, налагаемые на нас «узким» модемным каналом. Правда, в этом случае наших с вами умелых ручонок и внутренних механизмов настройки Internet Explorer будет уже недостаточно — придется звать на помощь специализированные программы.

Но прежде, чем выбрать инструмент, нам еще необходимо понять, какие именно гаечки мы будем этим инструментом подкручивать. За счет чего, собственно, можно ускорить работу в Сети?

«Предварительная загрузка» страниц (префетчинг). Обычно мы используем наше время в сети крайне неэкономно. Подумайте сами — в то время, когда мы читаем информацию с WWW-страниц, наш канал связи простаивает... Вот если бы это время использовать на что-нибудь другое, с толком!

Если вы параллельно с чтением страничек загружаете из Сети какие-то файлы, проблема отпадает сама собой — ваш канал постоянно будет работать с полной загрузкой. Файлами и программами для их вытягивания из Сети мы будем заниматься позднее, в одной из следующих глав, а сейчас пока представим, что ваша цель — «чистый» Web-серфинг, работа исключительно с Web-страничками. Что тогда?

Ответ прост: во время простоев можно загружать на компьютер новые странички данного сайта — ведь вполне возможно, что со следующим щелчком мышки вы отправитесь именно на одну из них! Такая тех-

нология, называемая «предварительной загрузкой» или «предварительным кэшированием», используется практически всеми «ускорителями» работы с Сетью.

Важно понять одно — РЕАЛЬНЫЙ выигрыш скорости от использования таких программ невелик. Выше головы не прыгнешь, и даже Webcelerator не поможет вам превратить хиленький модемный канал в шуструю «выделенку». Обещанная создателями программ 300—500%-ная прибавка в скорости на деле может обернуться ее реальным СНИЖЕНИЕМ. В самом деле, представьте, что вы закачиваете (с помощью специальных менеджеров докачки) большой файл, одновременно прыгая по страницам Интернет. В том случае, если на вашем компьютере висит «ускоритель», настроенный на предварительное скачивание всех близлежащих страниц, скорость скачивания действительно необходимого вам файла упадет почти до нуля. Именно поэтому владельцы «ускорителей» и не спешат вкусить прелестей этого режима работы, включая лишь механизм независимого кэширования данных. Вот она-то и дает реальный выигрыш при работе — однажды посещенные вами страницы грузятся моментально, к тому же их всегда можно просмотреть в режиме offline. Что сэкономит не только время, но и деньги.

Ограничение загрузки графических материалов и рекламы. В подавляющем большинстве случаев полезным наполнением странички для нас является текст, картинкам же достается незавидная роль украшений и дополнений. Да вот в чем проблема: именно на эти «украшения» приходится львиная доля того потока информации, которую в поте лица своего вынужден перекачивать ваш компьютер. Чаще всего на долю текста приходится всего лишь от 10 до 20 % объема странички! И ладно, если бы все это была полезная информация, вроде навигационных меню или пояснительных иллюстраций к тексту. Но сегодня все больше и больше места на страницах занимает реклама — нахальные и броские прямоугольники-баннеры...

Конечно, можно вовсе отключить загрузку графики — особенно удобно это делать через специальную кнопку на панели браузерной «оболочки» NetCaptor. Но как в этом случае отделить нужную нам графику от картиночного «мусора»? Нет, для повседневной работы этот метод нам не подходит. Другое дело — специальные программы-«обрезалки», которые умеют блокировать загрузку рекламы и прочей не нужной нам графики. За счет их усилий время на загрузку странички порой сокращается на 30 и более процентов!

Управление кэшированием страничек. При частом посещении одних и тех же страниц мы вынуждены многократно загружать одну и ту же информацию. Конечно, существует дисковый кэш браузера, который вроде бы должен решать эту проблему — все не изменившиеся со времени последнего посещения элементы странички должны браться именно оттуда, не перегружая Сеть понапрасну. Однако механизм кэширования Internet Explorer, несмотря на многочисленные доработки и улучшения, так и остался ленивым разгильдяем, работающим с доверенным ему

объемом информации спустя рукава. Необходимая информация из кэша часто исчезает буквально через несколько минут, более того — даже если, к примеру, картинка с загружаемой нами страницы в нем присутствует, браузер принимается загружать ее по-новой...

Хорошо еще, что не свете существуют отдельные программы, которые умеют выполнять работу по хранению и кэшированию данных значительно лучше, чем это делает сам Internet Explorer. Мы помним, что нечто подобное делает прокси-сервер, через который проходят запросы всех клиентов данного провайдера — однако его «копилка»-кэш также находится в Сети. Мы же с вами можем установить на компьютере локальный «прокси-сервер», благодаря которому часто посещаемые странички будут открываться всего лишь за пару секунд против обычных 10—15...

Кэширование DNS. Мы помним, что все понятные нам буквенные адреса страничек (URL), введены лишь для нашего, пользовательского удобства, и что сами серверы Интернет распознают друг друга лишь по цифровым адресам (IP). Помним мы и то, что любой введенный нами в адресной строке браузера адрес отправляется на специальный сервер доменных имен (DNS), где и преобразуется в принятую в Сети цифровую форму. На это обращение тоже уходит время — лишняя секунда-две.

Без промежуточного звена в цепочке — DNS — можно и обойтись, если набрать адрес в цифровой форме. Однако, как правило, IP-адреса нам неизвестны... И в этом случае может помочь специальная программка, которая будет перехватывать наш запрос к DNS и сохранять в своей базе данных цифровой эквивалент введенного нами адреса. И в следующий раз, когда мы наберем этот URL в адресной строке, он автоматически будет преобразован в IP прямо на нашем компьютере.

Оптимизация параметров сетевого подключения. Существует и еще один метод ускорения — тонкая подстройка ряда параметров модемного соединения.

- TTL (Time To Live) — максимальный период передачи пакета данных
- RWIN (Receive Window) — объем информации, принимаемой в течение единицы времени
- MTU (Maximum Transmission Unit) — максимальный размер пакета данных

Прячутся эти параметры в системном реестре и их установки «по умолчанию» оптимальными никак не назовешь. Конечно, изменив их, мы не получим многократного ускорения, однако снизить с помощью этой нехитрой операции время задержек при приеме данных вполне реально.

Вопрос лишь в том, КАК менять эти самые параметры. Многие ускорители просто выставляют некие оптимальные (с их точки зрения, конечно) значения, не обращая внимания на качество линии. Такую рабо-

ту, кстати, могут выполнить не только специализированные программы, но и громадное количество утилит «общесистемного» назначения — например, System Mechanic, WinBoots, TweakME и множество других. Любопытствующих в который раз отсылаю к «Новейшей Энциклопедии Персонального Компьютера» собственного производства, в которой вы наверняка найдете исчерпывающую информацию по этим и многим другим продуктам.

Более серьезные утилиты, предназначенные именно для тонкой подстройки параметров связи, сначала проверят работу вашего модема и линии, а уж потом начнут подкручивать своим виртуальным гаечным ключом воображаемые программные «гайки».

Не стоит думать, что для каждого вида оптимизации нам придется устанавливать разные виды программ — нет, большинство утилит «высшего класса» умеет выполнять если не все эти операции, то уж по крайней мере несколько из них.

WEBCELERATOR (EACCELERATION CORP)
(http://www.webcelerator.com)

В отличие от многих других программ этого класса, Webcelerator распространяется совершенно бесплатно! Правда, при установке программа принудительно устанавливает в качестве домашней странички для вашего браузера свою собственную страницу — и работать соглашается лишь при условии, что этот порядок вещей останется неизменным.

Webcelerator выполняет сразу нескольких функций: во-первых, во время вашего визита на какую-либо страничку он потихоньку, пока вы читаете, подгружает на диск основные элементы всех связанных с ней страниц. Щелкните по какой-либо ссылке — и следующая страница откроется со скоростью молнии! Кстати, режим «предварительного чтения» (prefetch) можно настроить по-разному: на загрузку всех страниц со всех посещенных вами сайтов, только страниц сайтов, внесенных в «белый список», либо всех страниц, связанных с текущей.

Кроме того, все посещенные вами странички программа сохраняет в собственном дисковом кэше, который подменяет собой стандартный кэш Internet Explorer. В итоге, повторно зайдя на любимую страничку, вы будете приятно удивлены скоростью ее загрузки. А удивительного в этом ничего нет — просто Webcelerator берет все не изменившиеся со времени последнего визита элементы странички из дискового кэша, не озадачивая ваш модем сизифовой работой.

Вы можете не беспокоиться, что Webcelerator полностью «забьет» ваш канал связи во время перекачки файлов — более того, он поможет даже несколько ускорить этот процесс за счет оптимизации параметров связи.

Наконец, Webcelerator даст вам возможность путешествовать по уже посещенным сайтам в режиме «оффлайн» — т. е. без установленной связи с Интернет! Механизм работы с посещенными страничками при этом ничем не отличается от обычного: вы запускаете браузер и просто набираете в адресной строке нужный вам адрес.

Понятно, что для нормальной работы Webcelerator ему требуется довольно большой кусок дискового пространства — папки кэша программы могут занимать несколько десятков мегабайт. Однако при нынешних размерах жестких дисков это, пожалуй, не так уж и страшно... Тем более, что размер кэша можно отрегулировать.

Webcelerator, без сомнения, самый «раскрученный» из ускорителей работы в Сети. Но далеко не единственный и, вероятно, не самый лучший. На звание «лучшего друга пользователей» в этом классе (как, впрочем, и во всех остальных) претендует несколько десятков (!) программ, использующих схожие методы «ускорения». Правда, в разных комбинациях — одни программы ограничиваются тем, что подменяют собой стандартный кэш Internet Explorer, другие лихорадочно качают все ссылки подряд...

Одним из немногих недостатков программы (отмеченным всеми без исключения обозревателями) до сих пор остается его неуживчивость со многими программы докачки файлов — GetRight, FlashGet, ReGet и некоторыми другими (о них речь пойдет впереди). Это не значит, что связка, к примеру, Webcelerator-GetRight не будет работать вообще — просто в ряде случаев возможны сбои. И если вы готовы заплатить такую цену за превосходную систему кэширования страниц и существенное ускорение работы с WWW, никаких противопоказаний для установки Webcelerator я лично не вижу.

Другим недостатком является навязчивая реклама и масса дополнительных ad-ware модулей, устанавливаемых вместе с программой. Кроме того, Webcelerator по неведомым причинам отказывается загружать некоторые страницы, однако ошибку можно легко устранить, отключив программу через иконку в правом нижнем углу экрана на время просмотра сайта-строптивца.

NAVISCOPE (NAVISCOPE SOFTWARE)

(http://www.naviscope.com)

Еще одна бесплатная, но очень полезная программа, обладающая целым рядом полезных функций по ускорению работы в Сети.

После установки Naviscope в правом нижнем углу вашего Рабочего стола появится панель программы. Этот небольшой прямоугольничек полезен и сам по себе — его индикаторы в любой момент покажут вам, с какой скоростью бегут в настоящий момент данные от вашего компьютера в Сеть и обратно. Кроме того, здесь же находятся все необходимые инструменты управления программой. И прежде всего — столь остро необходимая нам сейчас кнопка настройки (Setup).

Выделить какую-либо функцию Naviscope в качестве основной сами разработчики, увы, не потрудились — мол, комплексное решение и все тут! А вот большинство пользователей устанавливает Naviscope прежде всего как фильтр всевозможных «излишеств», которыми буквально напичканы страницы Интернет.

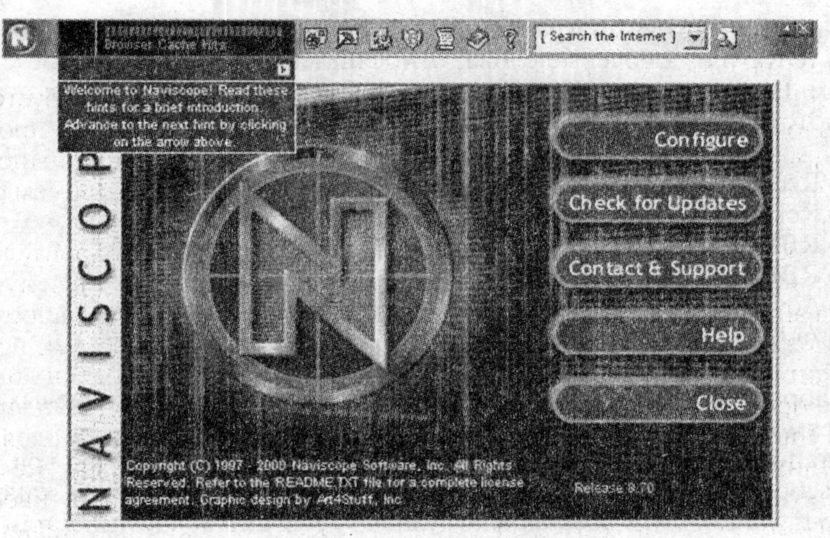

Naviscope

Прежде всего, конечно же, речь идет о рекламе. Naviscope умеет самостоятельно определять и удалять баннеры, принадлежащие популярным рекламным сетям. Если же какую картинку программа и пропустит — не беда, ее всегда можно внести в базу данных вручную. При этом

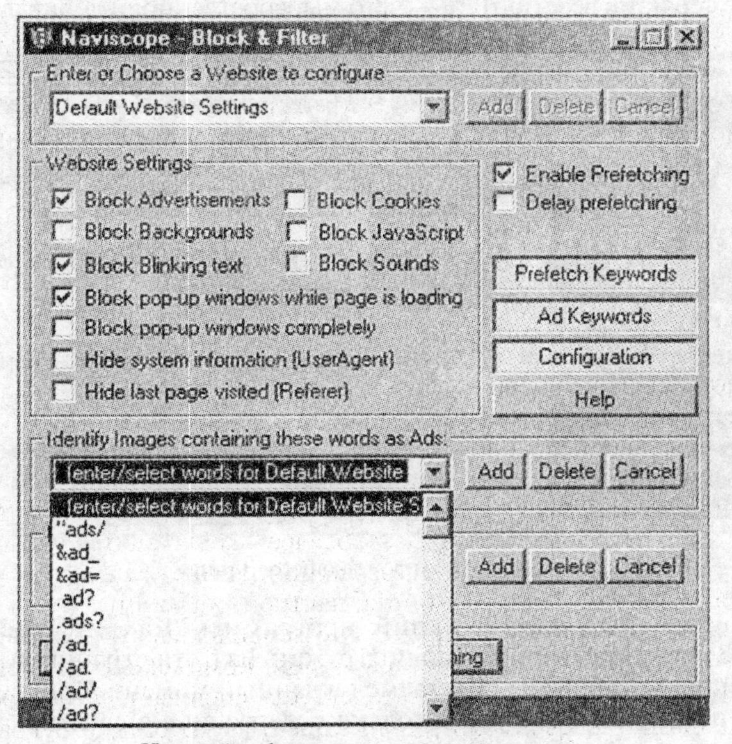

Настройка функции «удаление рекламы»

можно «скормить» программе не только адрес отдельной картинки, а часть URL или ключевые слова, относящиеся к всей рекламной сети в целом. Например, можно наложить запрет на загрузку картинок, в адресах которых встречаются следующие слова:

- Reclama
- Reklama
- RBE
- RBE2
- Advertising
- /ad?

Набравшись опыта, вы сможете расширить список ключевых слов уже самостоятельно.

Распознав в загружаемой картинке рекламоносную вражину, Naviscope замещает ее пустым прямоугольником. Если же в какой-то момент вы захотите все-таки загрузить ту или иную картинку или баннер, достаточно будет на несколько секунд задержать мышиный курсор над этим прямоугольником.

Помимо рекламы, программа умеет «убивать» фоновые картинки и даже музыку, которой щедро пичкают нас многие начинающие Web-мастера, рекламные «окна-выскочки» (pop-ups), в изобилии открывающиеся при загрузке некоторых сайтов... Словом, некоторые страницы за счет усилий Naviscope теряют в весе до 70 % — чего мы, собственно, и добивались!

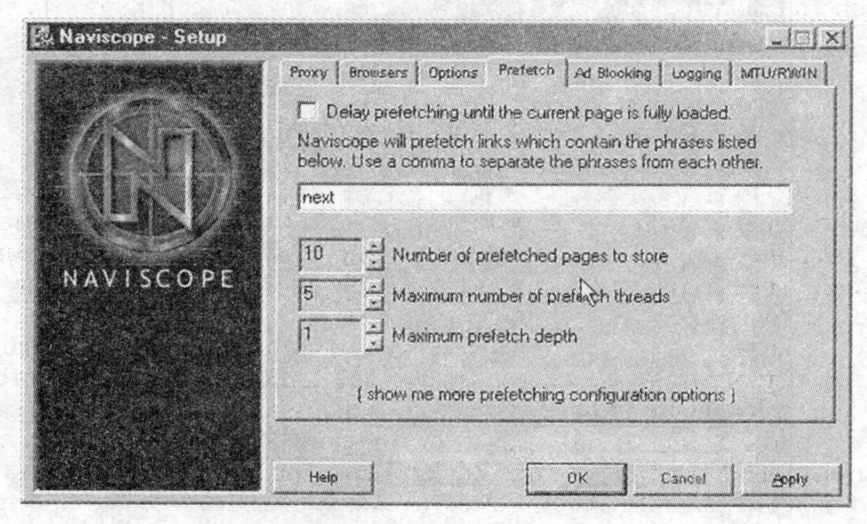

Настройка «упреждающего чтения»

Из других полезных функций программы. Как и Webcelerator, Naviscope умеет предварительно подгружать из Сети странички, связанные с той, на которой мы обретаемся в данный момент. Причем не все, которые попадутся под руку, а только содержащие в своем адресе или названии заданные нами ключевые слова. К примеру, отправили мы запрос на поисковую систему и получили в ответ многостраничный список результатов. Для перехода от странички к страничке нам нужно будет щелкать по гиперссылкам Next и Back — значит, эти слова и стоит внести в «белый список» Naviscope (вкладка Perfetch). К сожалению, в отличие от того же Webcelerator, программа не создает собственный кэш, а удовлетворяется стандартным кэшем Internet Explorer...

Одной из самых интересных функций Naviscope является возможность быстрой выдачи «карты сайта» — перечня всех составляющих его страничек с точным указанием адреса каждой. Благодаря этому вы получите возможность быстро перемещаться по сайту, сразу перескакивая на нужную страничку вместо бесплодных и утомительных метаний от одного раздела к другому. Стоит, правда, учесть, что функция эта грамотно работает лишь на небольших сайтах — попробуйте-ка составить карту той же AltaVista!

Наконец, программа умеет кэшировать DNS и изменять параметры соединения — MaxMTU, TTL и RWin, однако эти функции — лишь приятное дополнение к базовым талантам программы.

И последнее. Программа великолепно уживается с «кэшируюшими» ускорителями типа Netsonic, а вот если вы установили другую «обрезалку» рекламы (например, Ad Muncher (http://www.admuncher.com)), то вполне вероятно, что две схожие по принципу действия системы будут лишь мешать друг другу.

Стоит упомянуть, что неплохим «обрезчиком» для рекламных картинок может стать, например, комплексная система сетевой безопасности Norton Internet Security, о которой мы поговорим в соответствующей главе.

NETSONIC (WEB3000 INC.)

(http://www.netsonic.com)

Если сильной стороной Naviscope или Ad Muncher является грамотное удаление со страниц иллюстративного мусора, то программа NetSonic (или ее платный вариант NetSonic Pro) специализируется на другом методе ускорения — работе с кэшем.

Нет, в данном случае речь идет не только о предварительном кэшировании страниц — с этим и Naviscope худо-бедно справляется. NetSonic же решает проблему гораздо кардинальнее, заставляя ваш браузер окончательно забыть о существовании его собственного локального кэша. Взамен программа дает свой собственный кэш — гораздо более упорядоченный и вместительный. Отныне забудьте о том хаосе, который царил в вашей дисковой кладовой — все посещенные вами странички будут аккуратно складироваться в кэше и вызываться оттуда по первому требованию. А в случае необходимости — и автоматически обновляться. Теперь, если вам понадобится посетить страничку, на которую вы заходили пару-тройку дней назад, не трудитесь подключаться к Интернет: с помощью NetSonic вы можете прогуляться по ней в режиме «оффлайн».

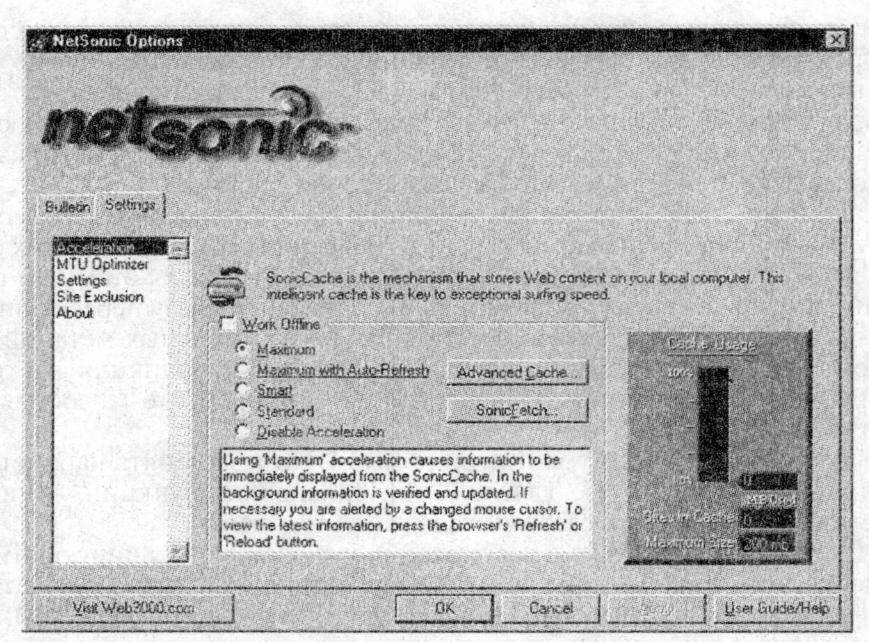

NetSonic

Собственно, дальнейшее описание принципов работы программы излишне — мы уже достаточно хорошо представляем себе, что такое кэш и как он работает. К тому же NetSonic во многом дублирует функции уже хорошо знакомого нам Webcelerator.

Можно только упомянуть о том, что заодно NetSonic умеет кэшировать DNS и вырезать рекламу — правда, эту задачу лучше доверить другой, более профессиональной программе, например Naviscope или Norton Internet Security. К тому же и сам NetSonic не без греха — количество рекламных «добавок» к программе сводит на нет все ее преимущества в качестве «убийцы баннеров».

К сожалению, множество базовых функций NetSonic доступно лишь в платной, коммерческой версии Pro. Пользоваться же «урезанной» версией нет никакого смысла — гораздо лучше будет выбрать бесплатный и столь же умелый Webcelerator.

Программы для проверки обновлений страниц и сайтов

Помнится, еще в первом издании «Новейшей Энциклопедии Персонального Компьютера» автор сетовал на катастрофическую нехватку программ, позволяющих отслеживать изменения на большом количестве WWW-страниц.

Вообще-то такая функция куда более важна, чем может показаться на первый взгляд. Ведь у каждого из нас наверняка есть десяток-другой любимых страниц, и обходить их ежедневно — значит, совершенно не думать об экономии дефицитного сетевого времени. Куда проще воспользоваться программой-следилкой — и за несколько секунд узнать, на каком из узлов появилась новая информация.

В какой-то мере эту проблему помогает решить система закладок Internet Explorer. Как вы помните, закладки, в частности, позволяют нам загрузить любую страничку на наш компьютер для работы в автономном режиме. Так вот, в свойствах той же закладки можно активировать опцию «Оповещать при изменении страницы» — и теперь ваш браузер сможет просигналить вам об обновлении странички, отправив письмо на ваш электронный адрес.

Все бы хорошо, да вот только лично мне подобная увязка двух различных процессов (загрузки странички для автономного доступа и проверка ее обновления) не слишком-то симпатична. Автономным доступом я не пользуюсь, а вот проверка обновлений отнюдь не помешала бы. Да и хотелось бы, чтобы работой этой занимался не браузер, а маленькая автономная утилита.

Лично я вот уже четыре года пользуюсь для этих целей крохотной программкой под названием Notify, входившей в громоздкий пакет Internet Fast Find от Symantec. Сам пакет давным-давно почил в бозе — выпуск его прекращен еще года три назад, да и полного дистрибутива программы у меня не сохранилось. А эта крохотная программка осталась и, надеюсь, прослужит мне верой и правдой еще долгие годы.

Однако рекомендовать Notify своим читателям я не могу, да и права не имею — найти эту крохотулю отдельно от покойного Internet FastFind невозможно. А потому, садясь за написание этой книги, я попытался найти этой программке замену, и, желательно, не одну. И ведь получилось!

ДИСКО НАБЛЮДАТЕЛЬ (ДИСКО)

(http://www.disco.ru)

Перед нами — первая, но далеко не последняя программа, созданная российской компанией ДИСКо и распространяющаяся в комплекте «Русский Офис» фирмы «Арсеналъ». Признаюсь — к программам, сотворенным этой командой, я с самого начала питал самые нежные чувства. И вовсе не потому, что эта привязанность была хорошо простимулирована скромным подарком от фирмы (отсутствие скрытой рекламы в любой форме — один из главных моих принципов). Нет, конечно же. Просто грех не воздать должное компании, еще в тяжелые кризисные годы рискнувшей повернуться лицом к простым пользователям и создать для них целую серию превосходных утилит...

«ДИСКо Наблюдатель» как раз и воплощает мою давнюю мечту: эта небольшая программа работает совершенно независимо от браузера, проверяя через определенные промежутки времени страницы, внесенные пользователем в список, на предмет обновления.

Единственное, что вам нужно сделать, — это скопировать в рабочее

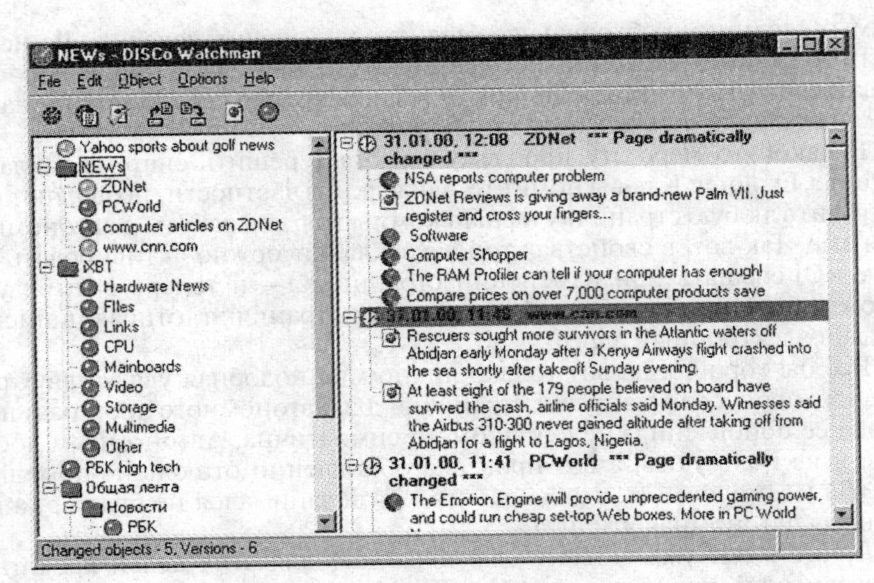

«ДИСКо Наблюдатель»

окно программы адреса страниц, изменения на которых вам необходимо отследить. После этого, войдя в Интернет, вы практически сразу же получаете в небольшом окне полный отчет об изменениях на каждой из них, произошедших со времени последнего запуска программы.

«ДИСКо Наблюдатель» может отслеживать изменения на серверах и в почтовых ящиках в автоматическом режиме, опрашивая их хоть каждые две-три минуты. На практике такая частота для WWW-страниц не нужна — если, конечно, не брать в расчет страницы новостных агентств, биржевые и прочие постоянно изменяющиеся данные. А вот для почтовых ящиков полезнее программы не придумаешь — хотя отчасти мониторингом электронной почты занимается и ICQ, эта программа не может брать на контроль больше одного «ящика». «ДИСКо Наблюдатель» — другое дело, тут никаких лимитов и ограничений не существует.

Конечно, программа стоит денег — однако в данном случае автор смело рекомендует вам не скупиться и приобрести полную версию программы. Существует и бесплатная, пробная версия — но со вполне понятными ограничениями на количество «подшефных» страничек.

MORNING PAPERS (BOUTELL)

(http://www.boutell.com/morning/)

Если Наблюдатель вас по каким-то причинам не устраивает (что, впрочем, весьма странно), автор покладисто посоветует вам еще одну разработку — Morning Papers от компании Boutell (http://www.boutell.com/morning/). Эта условно-бесплатная утилита компакт-

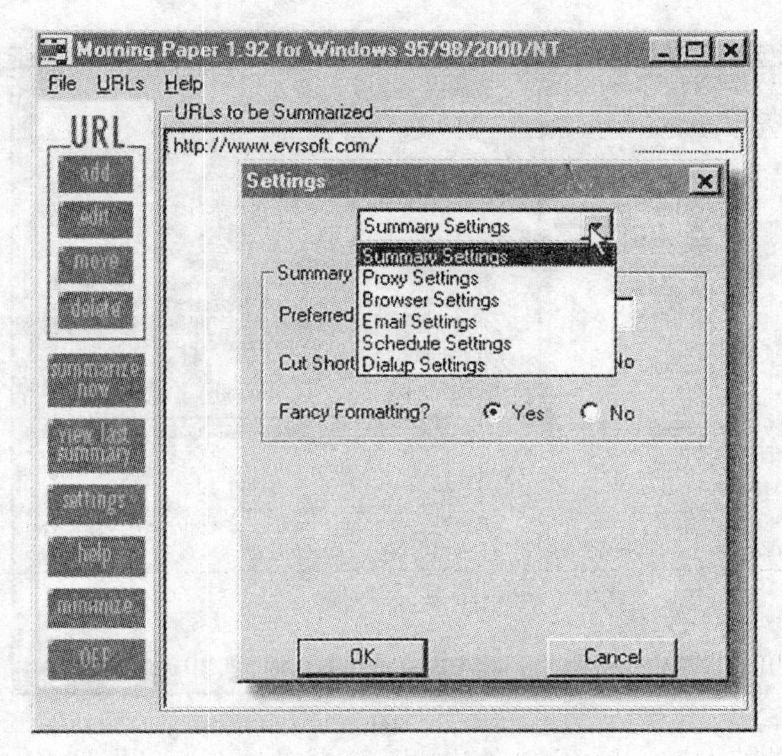

Morning Papers

нее и проще Наблюдателя, так что поклонников минимализма она явно обрадует. К великому сожалению, программа показывает в окошке только адреса сайтов, а не их названия — зато она может регулярно высылать отчеты об изменениях на внесенных вами в список страницах на ваш e-mail. Именно этим и объясняется ее название — подробная информация об обновлениях каждого сайта приходит в ваш почтовый ящик, как утренние газеты.

Пользоваться программой бесплатно можно только 10 дней, однако никто не помешает вам по истечении этого срока удалить и вновь установить ее, вернув Morning Papers былую функциональность.

C4U (C4U LTD)

(http://www.c-4-u.com)

...Я уж было решил, что с этим разделом наконец покончено. Не тут-то было: нежданно-негаданно на горизонте появилась новая и очень многообещающая программа C4U! Будучи абсолютно бесплатной, эта программа обладает целым рядом новых возможностей, выгодно отличающих ее от программ-конкурентов.

Во-первых (и это самое главное!) C4U обзавелась собственной кнопкой на панели Internet Explorer: для того, чтобы занести в базу «следилки» страничку, на которой вы находитесь в данный момент, вам нужно

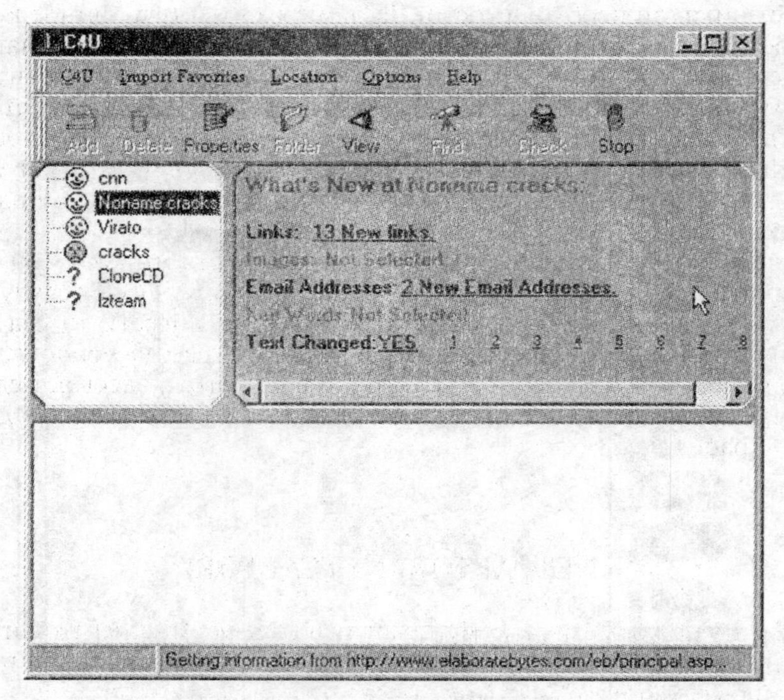

C4U

просто щелкнуть по этой кнопке. И никаких копирований URL через буфер обмена, никаких вводов описаний в ручном режиме!

После установки подключения к Интернет программа быстро пробежится по всем указанным вами страницам, отслеживая, в зависимости от заданных вами настроек:

- Изменения текста на страничке
- Появление новых графических элементов
- Появление новых адресов электронной почты и гиперссылок

Либо — и то, и другое, и третье вместе. Как правило, лучше всего ограничиться первым режимом, дабы суетливая программа не дергала вас по причине появления на страничке нового баннера.

Программа умеет проверять как странички и сайты WWW, так и серверы FTP. А вот с почтовыми ящиками она, увы, справляться не умеет... Хотя грустить по этому поводу вряд ли имеет смысл: лично у меня с проверкой почтовых ящиков неплохо справляется «интернет-пейджер» ICQ, которому в этой книжке будет посвящена специальная глава.

«Браузеры-надстройки»

Интересно, а зачем Internet Explorer, который и так является оболочкой для многих программ Windows, самому облачаться в дополнительный кожух? Закономерный вопрос. Тем более в большинстве случаев в этом нет никакой необходимости. Да, в мире существует энное количество программ, с помощью которых можно перекроить до неузнаваемости внешний вид Internet Explorer (с некоторыми из них, например, WindowsBinds, мы уже свели шапочное знакомство в разделе системных утилит). Но все это, по большому счету, игрушки... А существует ли действительно полезная надстройка над Internet Explorer, которая смогла бы реально облегчить нам нелегкий труд по каждодневному обшариванию закоулков Сети?

...В чем-то Internet Explorer схож с нашим с вами миром — он так же несовершенен. Но если творение Высших Сил вряд ли сможет улучшить самый талантливый политик или программист, то довести до ума вышеупомянутый браузер нетрудно. Так-то сама программа неплоха, спору нет, но вот бы добавить сюда еще того... и вот этого, и здесь вот сделать, как говорил незабвенный молокосос из книги Чуковского «От двух до пяти», «красивше»...

NETCAPTOR (NETCAPTOR)

За работу по косметическому ремонту и доделке Internet Explorer брались многие независимые программисты — плодом их усилий стало великое множество полезных (и не очень) дополнений-«плагинов». Мог-

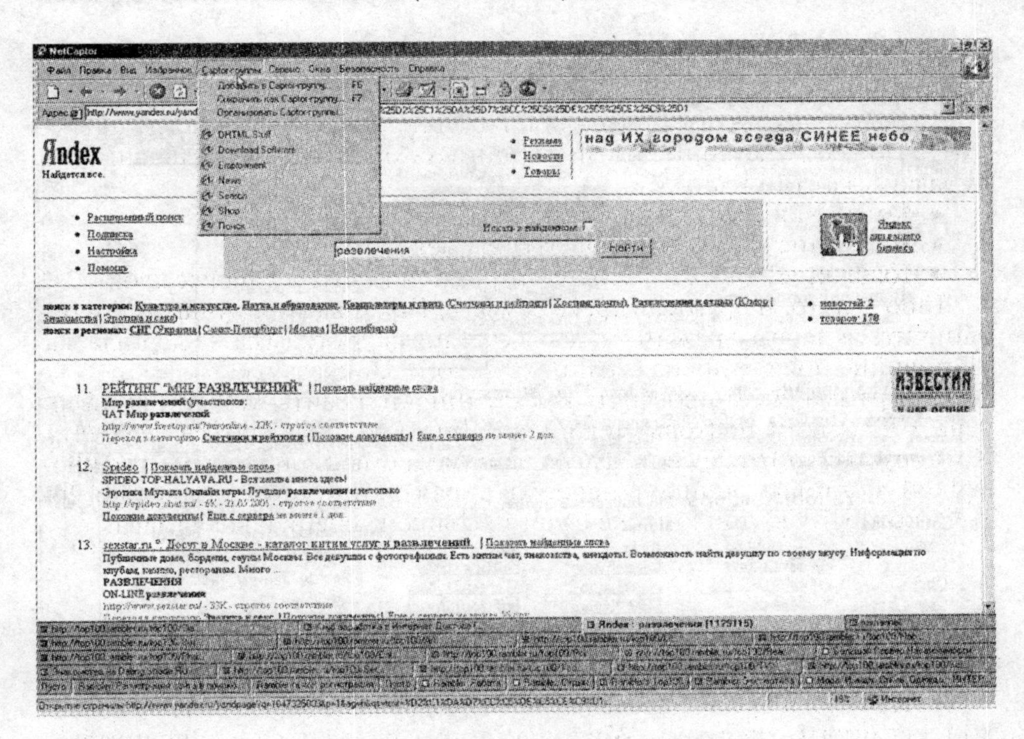

Браузер-«оболочка» NetCaptor

ли бы пойти в этом направления и создатели программы NetCaptor — но, видимо, до их ушей вовремя донеслась песенка модного за океаном рок-кулинара Макаревича. Восприняв мудрую строчку: «Не стоит прогибаться под изменчивый мир, пусть лучше он прогнется под нас», как указание свыше, веселая программистская компания решила: нет, господа, не нашему творению плясать под дудку Internet Explorer! Пусть-ка он попляшет под нашу!

Так оно и вышло... Теперь, запуская на своем компьютере Netcaptor, вы не замечаете, что на самом-то деле перед вами — простая оболочка для того же «эксплорера». Впечатление такое, что вы работаете с принципиально новой программой, обладающей собственным интерфейсом и рядом новых полезных возможностей.

В то же время ваш Internet Explorer остается на компьютере в полной неприкосновенности и вы в любой момент можете запустить именно его. Хотя в большинстве случаев наверняка выберете в качестве браузера именно Netcaptor, перенявший все функции вашего стандартного браузера.

Окно NetCaptor практически не отличается от Internet Explorer — разве что кнопки на панели поменьше. В неприкосновенности осталось столь нужное вам меню «Избранное», «живы» все пункты контекстного меню. Что же изменилось?

Начнем с приятных мелочей. NetCaptor оснащен новой поисковой системой, выгодно отличающейся от используемой в Internet Explorer.

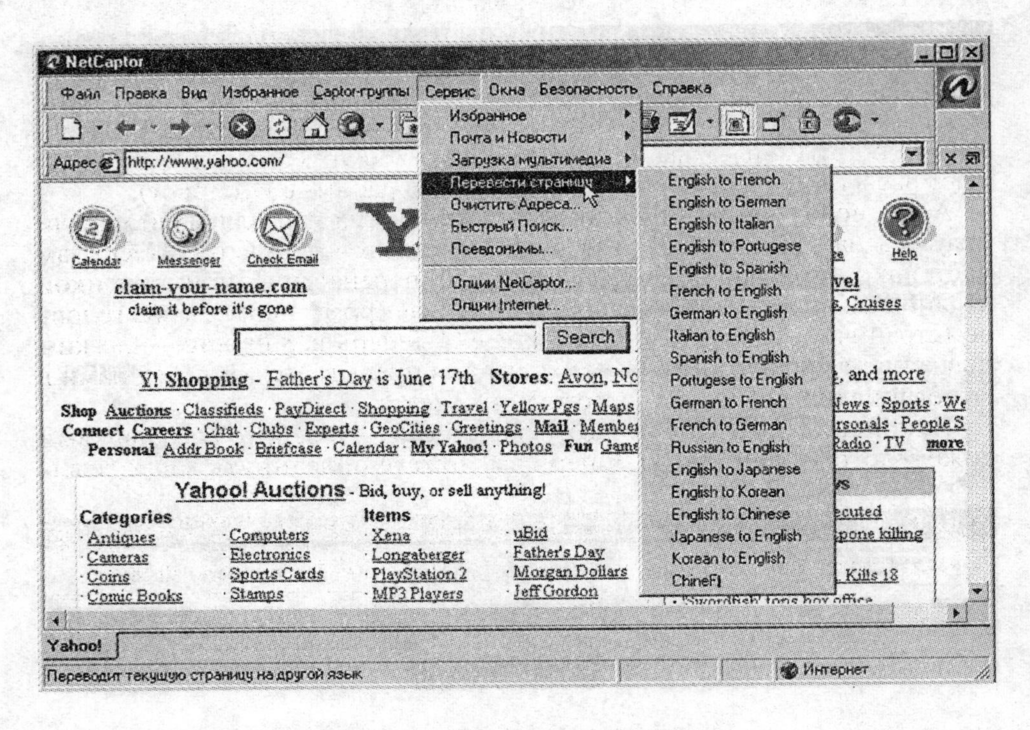

Быстрый перевод текстов в NetCaptor

Но запускается она точно так же, как и раньше — с помощью кнопки «Поиск» — в небольшом окне в левой части экрана.

Еще одна интересная возможность — с помощью всего лишь одного щелчка по строчке в меню «Сервис» вы можете быстро перевести любую страничку, созданную на идеологически чуждом вам языке. Не спешите радоваться — перевод на русский язык программа пока не поддерживает. Зато с легкостью переведет на английский текст с французского, немецкого, португальского, испанского, китайского, корейского, японского и русского языка. Во всех случаях, кроме русского, перевод может осуществляться в обе стороны, так что если ваш родной язык, скажем, японский... Повезло и французам — им доступен двусторонний перевод с английского и немецкого языков.

Вы, чувствую, уже прониклись уважением к способностям NetCaptor? Придется вас чуточку разочаровать: на самом деле хитрая программа и не думает переводить текст самостоятельно, перекидывая работу на плечи могучей онлайновой системе перевода Babel (http://babel.altavista.com). Впрочем, наши пользовательские интересы это небольшое жульничество не слишком ущемляет.

Серьезные изменения произошли во вкладке «Безопасность»: теперь вы сможете одним щелчком отключить отображение «активных элементов» страницы, многие из которых могут быть потенциально опасны для вас. Заодно NetCaptor умеет и пресекать нахальные действия дополнительных рекламных окон, которые в изобилии открываются во время визитов на некоторые сайты, зарабатывая деньги их хозяину. Хотя, что греха таить, этой возможностью программы приходится пользоваться редко: как правило, начинающие пользователи не могут сами отделить зерна от плевел, а потому отключают или разрешают все подряд. Для обеспечения безопасности работы в Сети будет куда правильнее обзавестись фильтрующей программой — «фейрволлом» (рассказ об этих ангелах-хранителях ждет нас в главе, посвященной безопасности работы в Интернет).

А вот новой кнопкой «Загрузка картинок» на управляющей панели браузера нам придется пользоваться довольно часто. Сознайтесь, вам частенько приходилось ждать загрузки перенасыщенной графикой странички, сгорая от нетерпения и призывая громы небесные на голову ее (странички, а не головы) создателей? Теперь все просто — легким движением мышки загрузка всей графики прерывается, и перед нами в мгновение ока возникает долгожданный текст.

Наконец, заглянем в меню «Избранное» — в работе с закладками тоже многое изменилось! Теперь вы можете объединять ваши ссыл-

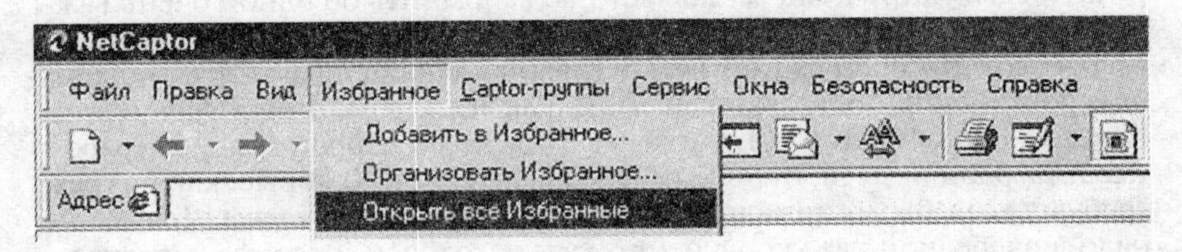

Меню «Избранное»

ки не только в уже знакомые нам папки, но и в группы, с каждой из которых можно работать, как с единым объектом. То есть с помощью всего лишь одного щелчка по значку групп вы откроете ОДНОВРЕМЕННО все страницы, ссылки на которые включены в данную группу.

Упомянув об открытии страниц, мы незаметно подошли к самому главному достоинству Netcaptor. Дело в том, что если для открытия нескольких страниц одновременно Internet Explorer добросовестно «размножается», заполоняя ваш экран многочисленными окнами, то NetCaptor может открывать бесконечное множество страниц... в одном-единственном окне! Конечно, в каждый момент времени перед вашими глазами маячит только одна страница — все остальные присутствуют в нижней части окна программы в виде небольших закладочек. Точно так же, как все запущенные программы получают «закладку» на Панели задач Windows. Щелкнув по закладке, вы выведете на экран соответствующую страницу. NetCaptor можно настроить так, что он будет автоматически создавать новую «закладку» для каждого адреса, введенного вами в строку «Адрес», а можно активировать этот режим только по команде открытия ссылки в новом окне.

Надеюсь, этих двух страниц хвалебных од в адрес NetCaptor достаточно, чтобы большинство из вас отправились, сгорая от нетерпения, на сайт по адресу http://www.netcaptor.com, где вы можете в любой момент совершенно «безвозмездно, то есть даром» получить пробную версию программы. Правда, за работу вам, как и во многих других случаях, придется расплачиваться. Но это, сказать по правде, не слишком большая беда.

И последнее — интерфейс самой программы полностью англоязычный, однако здесь же, на сайте Netcaptor, доступен небольшой файл, с помощью которого все пункты меню программы будут моментально переведены на русский язык. За этим же файлом можно отправиться и на российский сайт Center Blade (http://www.blade.net.ru), где можно найти большую подборку «русификаторов» для различных программ. В том числе — и для большинства продуктов, описанных в этой книге.

Программы-переводчики

...Предыдущий абзац заставляет нас вспомнить об одной очень важной проблеме, которую до сих пор мы упорно обходили. Языковой барьер — вот что преграждает путь к главным сокровищам Сети миллионам российских пользователей. Ведь как ни крути, а обойтись одним Рунетом не получится — не отказываться же по доброй воле, в здравом уме и твердой памяти, от 90 % ресурсов Интернет! Которые, как на грех, требуют хотя бы минимального знания английского языка. Только не надо в очередной раз укоризненно качать головой и отсылать несчастных пользователей на языковые курсы! Учить язык, конечно, сегодня жизненно необходимо, но это вовсе не значит, что до овладения оным отечественные «сетяне» будут заперты в «четырех стенах» Рунета.

Благо уже давно существуют специальные программы-«переводчики», позволяющие если и не насладиться стилистическими красотами содержимого той или иной странички, то хотя бы понять, о чем на ней идет речь. А это уже немало... В конце концов, работая с Сетью, мы имеем дело преимущественно с короткими техническими текстами, с переводом которых справится даже компьютерный переводчик. Тем более что переводчики эти постоянно развиваются, и сегодня плоды их усилий уже не вызывают приступа ужаса или гомерического хохота, как это было всего лишь пять лет назад. И одна из этих программ сможет стать полезной и функциональной добавкой к вашему браузеру, а в некоторых случаях — и заменить его.

К сожалению (или к счастью), выбор подобных программ в России невелик: на ниве интернет-перевода подвизаются лишь две компании. Одна из них — уже известная читателям «Энциклопедии» компания Арсеналъ (http://www.ars.ru), выпускающая переводчик Сократ Интернет, другая — питерская фирма «ПРОМТ», отметившаяся программой PROMT Internet. Обе эти программы находятся примерно на одном уровне: они близки как по качеству перевода, так и по функциональным характеристикам.

PROMT INTERNET (ПРОМТ)

PROMT Internet принадлежит к весьма представительному семейству «переводческих» программ, с большинством представителей которого мы уже познакомились на страницах «Новейшей энциклопедии персонального компьютера». Так что вы уже почти наверняка осведомлены о возможностях «дедушки» — солидного и серьезного переводчика ПРОМТ, знакомы с игривым дитем Magic Gooddy... Теперь настала пора поплотнее пообщаться с представителем «среднего поколения».

От своего старшего товарища PROMT Internet отличается разве что более узкой «сферой деятельности» да количеством поддерживаемых языков. «Интернет-переводчик» способен «разгрызть» тексты на английском, французском и немецком. Конечно, можно было бы пожелать и большего: для полного охвата всех международных языков явно не хватает еще двух — испанского и китайского. Однако стоит ли привередничать?

Тем более, что во всем остальном разработчики PROMT Internet не поскупились: собственно переводом в этом пакете занимается не одна, а сразу три программы!

WebView — Эта программа напоминает обычный браузер (который она, кстати, с успехом может заменить). Только вот вместо одного окна у этой программы — целых два: в верхнем вы можете просматривать оригинальную страницу, в нижнем — ее «русифицированный» вариант.

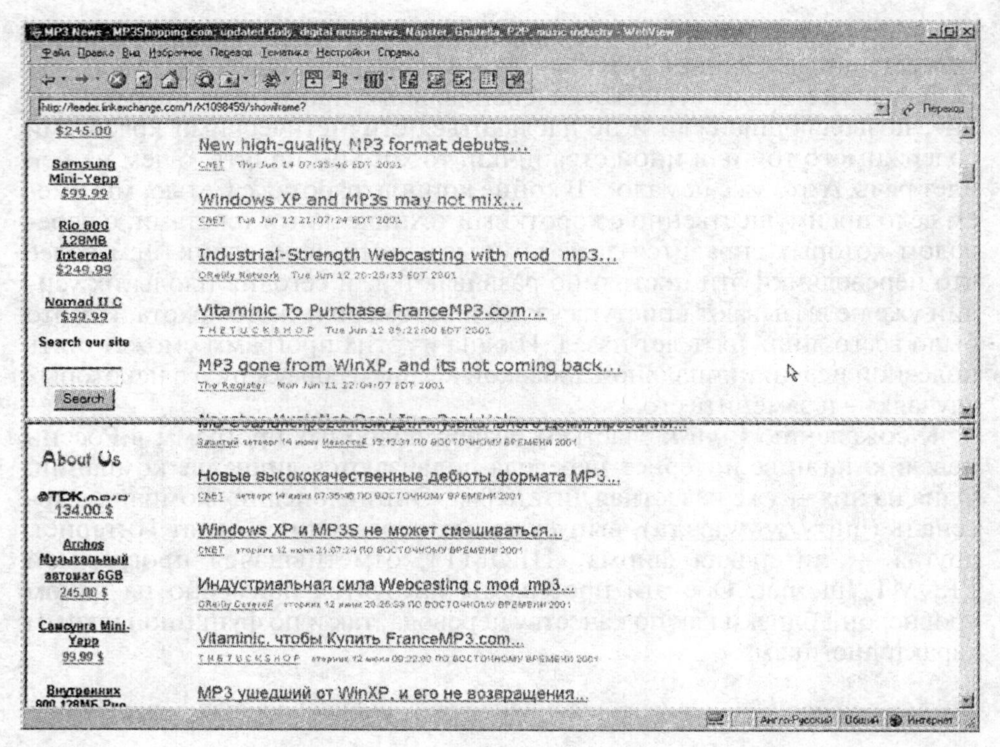

WebView

Это достаточно удобно, поскольку иногда понять переведенный текст можно, лишь периодически сверяясь с англоязычным оригиналом. Кстати, при переводе фрагмента страницы с помощью WebView оформление и форматирование текста на страничке сохраняется в неприкосновенности.

«Пульт управления» WebView практически повторяет аналогичное меню Internet Explorer, за исключением двух новых пунктов — Перевод и Тематика. Именно с их помощью вы можете переключать направления перевода, а также управлять подключенными к программе словарями.

PromtE — Этот модуль позволяет вам переводить странички прямо в окне Internet Explorer (или же в окне «браузера-надстройки» типа уже знакомого нам NetCaptor). Чтобы отправить ту или иную страничку «на перековку», вам необходимо вызвать контекстное меню браузера, в которое PROMT ухитрился незаметно для вас встроить несколько новых команд!

С их помощью вы можете перевести как всю страничку целиком (в этом случае русский текст замещает оригинальный, а оформление и форматирование сохраняется в первозданном виде), так и ее выделенный фрагмент (перевод будет выведен в отдельном «мини-окне»)

R-Express — «Мини-переводчик», которому вы можете «скормить» текст, скопированный из любой программы Windows в буфер обмена или набранный непосредственно в окне переводчика. Отлично подхо-

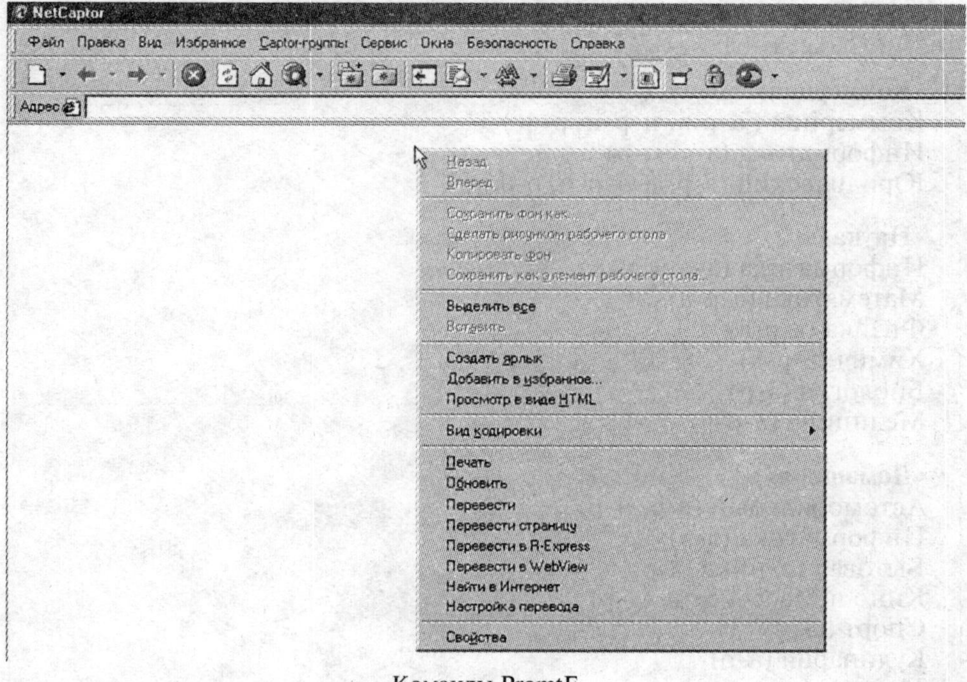

Команды PromtE

Personal Insights

In my opinion, one of the most versatile, but under-rated musical groups in the
United States is the **Ventures**. My personal relationship with the Ventures began in
1964, when their ninth album **The Venture**
was climbing the album charts to #8. I was
driving guitars. Around this time, the Ventu
Guitar with the Ventures albums, each c
diagrams for the lead, rhythm, and bass pa
Walk, Don't Run were the first two songs
with the basics learned from the four album
section of other Ventures' hits. In high scho
organize an instrumental group, which we c
"Eagles" didn't scream too long, however,
separate ways.

По моему мнению, одна из наиболее универсальных(разносторонних), но недооцененных музыкальных групп в Соединенных Штатах - Предприятия. Мои личные отношения с Предприятиями начались в 1964, когда их девятый альбом Игра Предприятий Telstar и Loney Бык поднимался на диаграммы альбома на #8. Я был полностью принят звуком их гитар запуска. Вокруг этого времени, Предприятия также выпускали ряд Гитары Игры с альбомами Предприятий, каждый из которых включил буклет с аппликатурными диаграммами для лидерства, ритма, и басовых частей четырех из их нажатий. Tequila и Обход, Не Выполнитесь, были первые две песни, на которых я когда-либо учился играть на гитаре, и с основами, изученными из этих четырех альбомов, я скоро был способен приобрести(подобрать) ведущий раздел нажатий других Предприятий. В средней школе, нескольких друзьях и я даже пробовали организовывать инструментальную группу, которую мы назвали " Screamin ' Орлы. " "Орлы" не кричали слишком долго, однако, когда мы дипломировали и продолжали наши отдельные пути.

At the time, the Columbia Record Club was a main source for the Ventures'
new albums. In fact, the Ventures even produced an album -- **The Versatile
Ventures** -- that was available only to Columbia Record Club members. Over the
years, I continued to eagerly await each month's Record Club catalog to see if any

R-Express

дит для перевода сообщений, пришедших по электронной почте, может стать помощником во время работе в «чате».

Все программы комплекта используют единый «движок» и единую словарную базу. Напомним, что для каждого направления перевода в PROMT Internet встроен базовый словарь объемом около 200 тысяч слов — кроме того, возможно подключение дополнительных специализированных словарей из коллекции «ПРОМТ». К сожалению, эти словари не входят в базовую поставку программы (что вполне можно было бы сделать, учитывая высокую цену PROMT Internet). И приобретать их придется отдельно, но не поодиночке, а специализированными коллекциями (пакетами):

«Коммерция»
Коммерция (а-р-а, н-р-н, р-ф)
Информатика (а-р, н-р)
Юридический (а-р-а, н-р-н, р-ф)

«Наука»
Информатика (а-р-а, н-р)
Математика (а-р-а)
Физика (а-р-а)
Химия (а-р-а)
Биология (а-р)
Медицина (а-р-а)

«Домашняя»
Автомобильный (а-р, н-р)
Информатика (а-р)
Бытовая техника (а-р)
Кино и Масс-медиа (а-р)
Спорт (а-р)
Кулинария (а-р)
Музыка (а-р)
Религия (а-р-а)
Парфюмерия и косметика (а-р, ф-р)
Путешествия (а-р-а)

«Промышленность»
Автомобильный (а-р, н-р)
Строительство (а-р)
Добыча нефти и газа (а-р-а)
Машиностроение (а-р-а)
Химия (а-р-а)
Горно-Технический (а-р-а)
Металлургия (а-р)
Полиграфия (а-р)

«Техника»
Электротехника и энергетика (а-р-а)
Телекоммуникации (а-р-а)
Военно-политический (а-р-а)
Морской (а-р-а)
Аэрокосмический (а-р-а)
Авиационный (а-р-а)
Информатика (а-р, н-р)

При подключении к системе PROMT нескольких специализированных словарей пользователь получает возможность выбирать не только

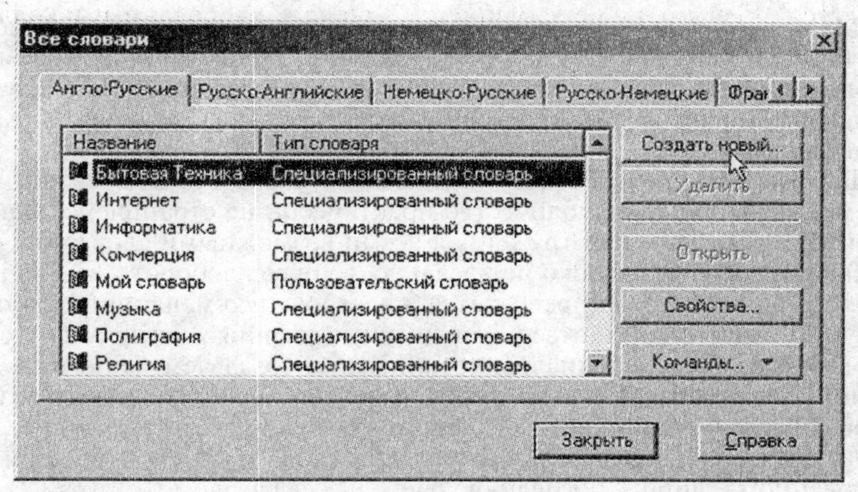

Управление словарями в PROMT

между языками, но и между тематиками перевода. И эту возможность явно не стоит недооценивать — при переводе специализированных текстов (например, технической документации) подключение словаря соответствующей тематики может снизить число «ляпов» (над которыми так любят издеваться журналисты) в десятки раз!

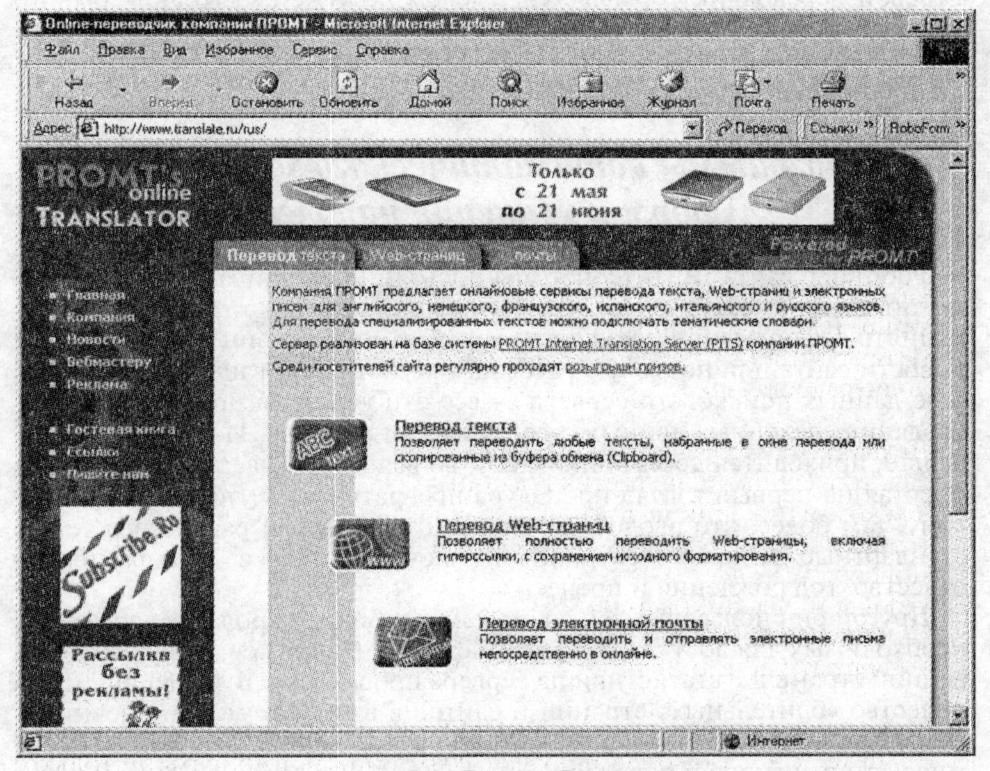

Сайт Translate.Ru

Мало того, для повышения точности перевода пользователь может составить и подключить свой собственный словарь. Хотя алгоритм добавления слов в словарь и не назовешь простым, в итоге система научится правильно переводить нужное слово во всех существующих формах и падежах.

Все три вида словарей могут быть задействованы при переводе одновременно — общее их количество практически не ограничено. Однако стоит помнить, что перегруженная всеми возможными словарями система будет работать далеко не идеально. Скорее наоборот — сделанный с ее помощью перевод превратится в невероятную мешанину! Поэтому разумно будет ограничиться, максимум, четырьмя словарями — базовым, одним-двумя специализированными и создаваемым по ходу дела пользовательским. При этом каждому словарю в системе можно создать свой собственный приоритет — например, нужный вам термин PROMT будет сначала искать в пользовательском словаре, затем — в специализированном и лишь в последнюю очередь — в базовом.

И последнее. Хотя невысокая стоимость PROMT Internet и делает его доступным для всех российских пользователей, особо экономные граждане могут оценить работу «движка» этой программы совершенно бесплатно! Для этого нужно всего лишь подключиться к Сети и посетить сервер «онлайн-перевода» компании ПРОМТ (http://www.translate.ru). Сетевой переводчик справляется с делом не хуже своего автономного коллеги, установленного на вашем компьютере — ему можно предложить как готовые страницы Всемирной Паутины, так и фрагменты текста, перенесенные через буфер обмена.

Программы автоматического заполнения форм и хранения паролей

Работая с сайтами Интернет, мы постоянно сталкиваемся со всевозможными формами и бланками, которые необходимо трудолюбиво заполнять. Оформление покупки в «виртуальном магазине», подписка на новости сайта или почтовую рассылку, регистрация вашей странички в базе данных поискового сервера — все эти действия потребуют от вас ввода определенных данных о собственной персоне. И делать это, поверьте, приходится достаточно часто, во всяком случае, столько, чтобы простая на первый взгляд процедура превратилась в утомительную рутину. Тем более, что вводить-то приходится каждый раз одни и те же, стандартные данные: электронный и почтовый адрес, имя-фамилию-отчество, год рождения и прочее.

Другой бич пользователей со стажем — обилие паролей и «логинов», необходимых для доступа ко многим сайтам. Например, к вашей собственной страничке статистики на сервере провайдера. В дальнейшем количество «бдительных» страниц и сайтов в вашем «путевом дневнике» возрастет многократно — а стало быть, вам придется держать в голове множество логинов и паролей.

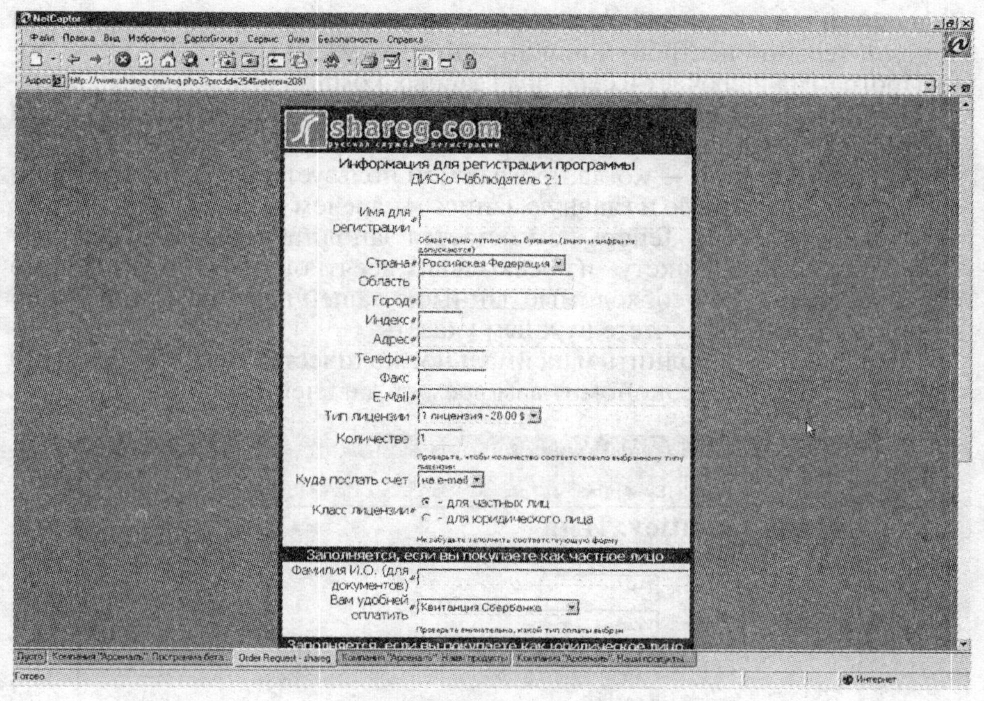

Бланк регистрации на сайте

Понятно, что голова — не самый лучший банк для столь важных сведений. Куда надежнее записывать эти пароли в записной книжке, но как в этом случае быть с безопасностью? Книжку вы можете потерять, к ней могут получить доступ самые разные люди... Что отнюдь не желательно — особенно если учесть, что в ряде случаев пароль для доступа на сайт может позволить постороннему запустить любопытный глаз, а то и загребущую ручонку, в ваш банковский счет...

Даже если я намеренно сгустил краски, реальная картина именно такова: хранить пароли в голове — ненадежно, на бумаге — небезопасно. И в обоих случаях — просто неудобно.

По столь длинному вступлению вы уже догадались, что речь в этой главе пойдет о программах, способных решать обе эти проблемы сразу: сохранять данные, введенные вами в типовые «бланки» различных сайтов, и в дальнейшем заполнять нужные строчки автоматически, справляясь с собственной базой данных. А заодно, при необходимости, запоминать пароли и логины к разнообразным сайтам — причем сохранять их таким образом, чтобы эта «виртуальная копилка» допускала к себе лишь своего главного пользователя. То есть вас...

AI ROBOFORM (SIBER SYSTEMS)

Просто удивительно, как мало пользователей Сети осведомлено о существовании этой небольшой, но весьма функциональной программы. К тому же — созданной отечественными программистами, а значит, способной общаться с пользователем на родном языке без какой-либо дополнительной настройки или внешних модулей.

Программа включает в себя два главных компонента:

Identities — «Книга персон». Персон, то есть пользователей, в AI RoboForm может быть несколько, хотя мы для начала рассмотрим самый простой случай — когда программой пользуетесь только вы. Итак, создадим нашу первую и главную запись и наречем ее собственным именем — для удобства. Теперь нам остается заполнить довольно подробную «виртуальную анкету» из нескольких десятков пунктов, в которые будут занесены все необходимые данные о вашей персоне. Точнее — те из них, которые вы сочтете нужным указать.

Постарайтесь заполнить максимальное количество полей во всех графах «анкеты» — это сэкономит вам время в дальнейшем.

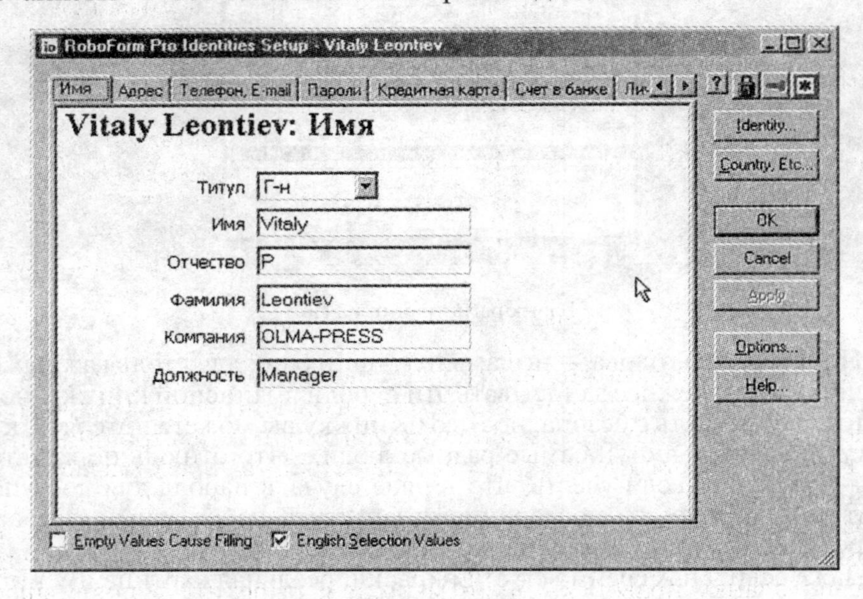

«Анкета» RoboForm

В процессе заполнения нам с вами придется решить лишь один важный вопрос: на каком языке вводить нужные данные, в какой транскрипции? Можно, конечно, ограничиться русским языком, однако в этом случае RoboForm не сможет вам помочь при работе с зарубежными сайтами. Формы-то он заполнит, только вот русские шрифты превратятся на западных страничках в малопонятных «кракозябров». Поэтому я рекомендую вам заполнять все графы анкеты в латинской транскрипции либо поставить галочку в графе «Англоязычные варианты значений» внизу экрана.

Если вы боитесь за сохранность данных (например, номера вашей кредитной карточки), заполненную анкету можно зашифровать — для этого щелкните мышкой по «замочку» в правом верхнем углу программы. После этого RoboForm попросит вас выбрать пароль для доступа к «анкете», и уж его-то постарайтесь запомнить накрепко!

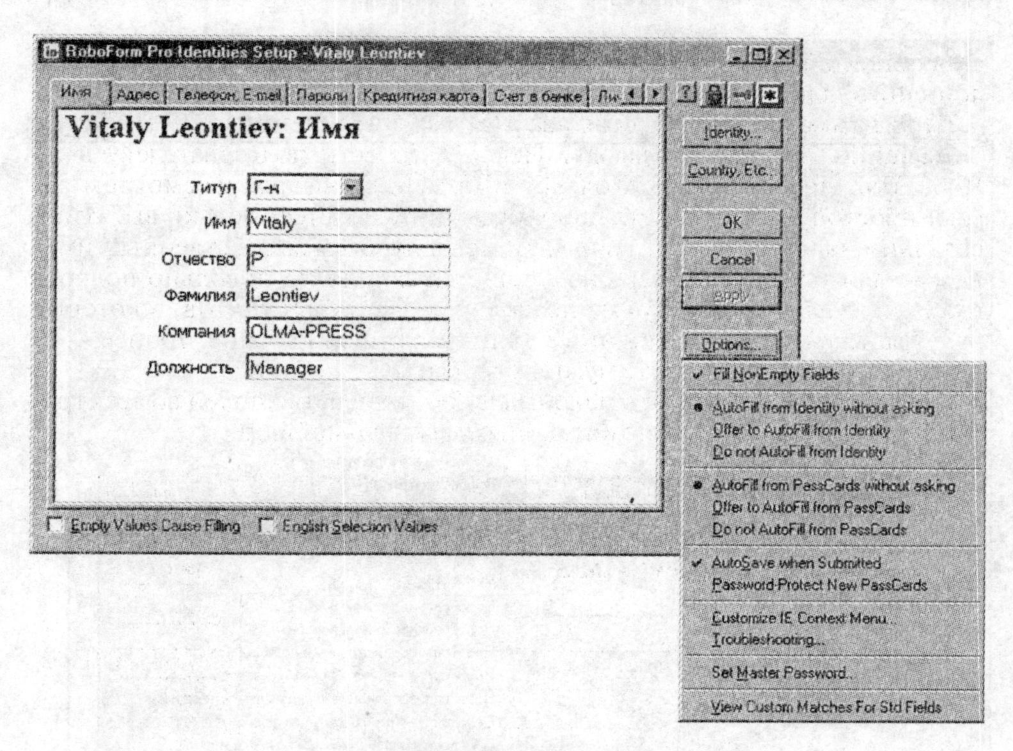

Свойства программы RoboForm

Заполнив анкету, можно вернуться к настройке программы: для этого необходимо нажать кнопку «Свойства» в правой части ее окна. Не буду долго растолковывать значение каждого пункта настройки, однако тот вариант, который вы видите на иллюстрации, представляется мне оптимальным.

Закончили? Замечательно! Теперь, встретившись с бланком или формой на одном из сайтов, не спешите заполнять его вручную: щелкните по бланку правой кнопкой мышки и выберите в появившемся контекстном меню пункт «Заполнить формы из персоны». Впрочем, если вы настроите программу, как показано на рисунке, от вас не потребуется вообще никаких действий: все введенные вами значения стандартных полей будут заполняться автоматически! Правда, в том случае, если созданная вами анкета была зашифрована, в момент открытия странички выскочит окошко, в которое необходимо ввести ваш главный пароль.

Конечно, редкие бланки RoboForm сможет заполнить от начала и до конца. Тем более, что существует множество форм, практически не содержащих типовых полей — здесь возможности программы вас не спасут, придется заполнять все графы вручную. Однако можно сделать так, что в дальнейшем этот бланк RoboForm будет заполнять уже самостоятельно: для этого, заполнив форму, сохраните ее в базе данных программы с помощью команды «Сохранить форму в книге паролей» того же контекстного меню.

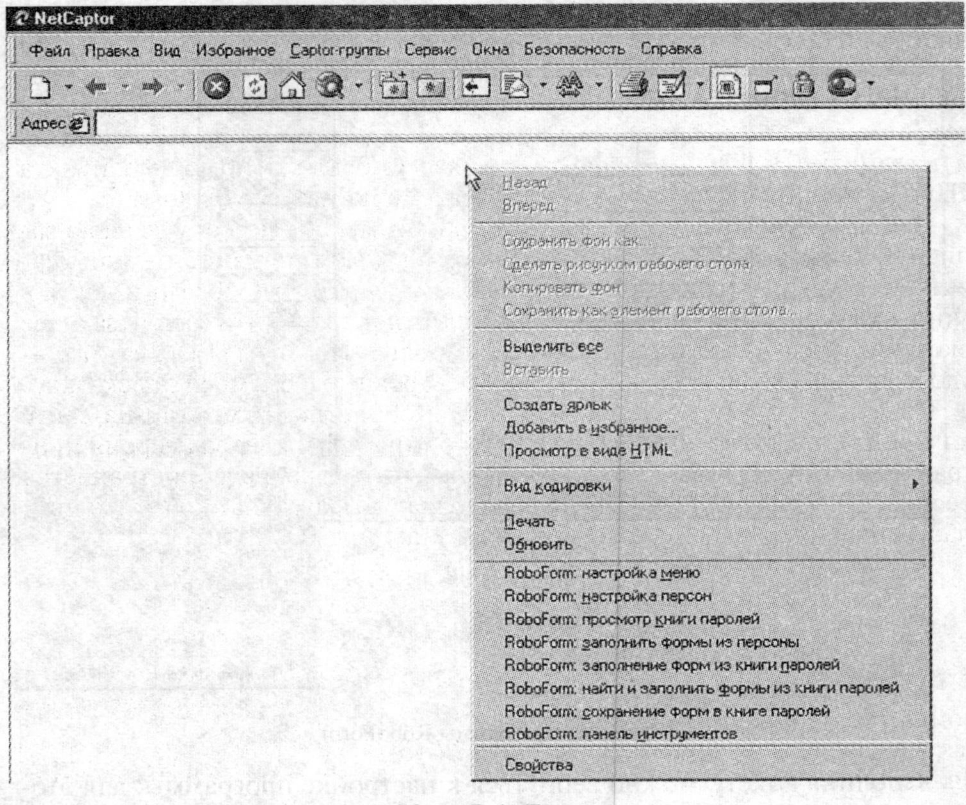

Меню RoboForm

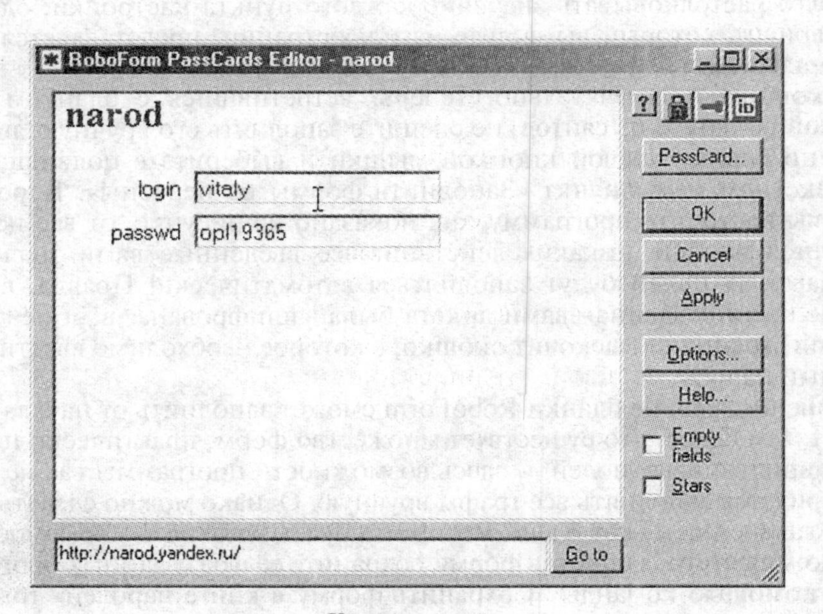

Книга паролей

PassCards — (Книга паролей). Подобно тому, как «книга персон» сохраняет ваши персональные данные, «книга паролей» будет сохранять логин и пароль для доступа к сайтам. Причем для этого вам уже не нужно будет вводить их в базу данных: программа сама сохранит все необходимое в тот момент, когда вы наберете логин и пароль в первый раз. Просмотреть и изменить базу данных программы вы сможете с помощью пункта «Просмотр книги паролей» контекстного меню Internet Explorer.

Для каждого сайта в базе данных программы создается отдельная запись. В режиме просмотра книги паролей вы можете изменить или удалить ее, а также защитить запись паролем — таким же образом, как и в «книге персон». Правда, теперь вас вновь будет тревожить «всплывающее окошко», требующее ввести главный пароль... Но что для вас важнее — удобство или безопасность — вы, надеюсь, решите и без моей подсказки...

Остается добавить, что получить AI RoboForm вы можете на сайте компании Siber Systems (http://www.roboform.com). Базовая версия программы (которая, собственно, и описана в этой главе) распространяется бесплатно, а версия Pro, которая позволяет создавать дополнительные, настраиваемые «стандартные поля», обойдется вам в 15 долл.

GATOR (GATOR)

...Об этой полезной, но чрезвычайно назойливой программе можно было бы и вовсе не писать — все равно вам не избежать знакомства с ней.

Вам не придется искать Gator — рано или поздно он обязательно окажется на вашем компьютере, спрятавшись за широкой спиной других программ. Так, «ушки» Gator (а точнее — любопытные лягушачьи глаза, украшающие логотип программы) буквально торчат из таких популярных программ, как менеджер закачки файлов FlashGet, интернет- ускоритель NetSonic... Более того — создатели сотен сайтов и рекламных рассылок буквально хватают вас за рукав, умоляя, требуя, рекомендуя этот сверхзамечательный продукт! И конечно же, копию Gator можно получить и на «домашней страничке» программы (http://www.gator.com).

...И неизбежно настанет момент, когда вы, отчаявшись отбиться от всей этой толпы доброжелателей, скачаете эти несчастные три сотни килобайт и установите Gator на свой компьютер — благо денег «лягушонок» с вас не потребует. Но бесплатный сыр бывает, как известно, только в мышеловке...

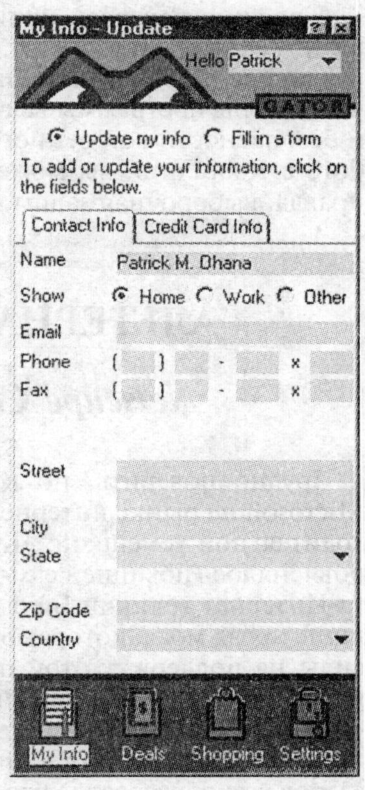

Gator

Ad-ware, Gator заставит вас зарегистрироваться в базе данных своего хозяина, оставив там массу интересных сведений о собственной персоне. И будьте уверены, что они будут использованы на всю катушку: очень скоро в ваш почтовый ящик поступит масса донельзя полезных и необходимых рекламных писем... Кроме того, существует вероятность, что маленький зеленый шпион будет прилежно информировать своих хозяев о ваших путешествиях в Сети, о часто посещаемых сайтах и страничках. И хорошо еще, что создатели Gator используют полученную информацию лишь для корректировки все той же рекламной рассылки...

Впрочем, не стоит быть параноиком: «криминала» в проказах маленького лягушонка не больше, чем в рекламных вставках в телепрограммы. Тем более что свою работу он выполняет исправно, сохраняя в своей зеленой памяти все данные, которые вы вводите в многочисленные бланки. Во многом Gator даже удобнее, чем отечественный RoboForm: его базу данных не нужно заполнять вручную.

Всю сохраняемую информацию Gator делит на две группы: уникальная информация, относящаяся только к данному конкретному сайту (логины, пароли), и типовые значения (имя, фамилия, адрес и так далее). Встречая новый бланк, Gator может либо заполнить его самостоятельно, в автоматическом режиме, либо взвалить эту работу на плечи своего счастливого обладателя. В этом случае большинство типовых полей в бланке можно заполнить одним щелчком мышки по меню Gator.

Конечно, доверять «шпиону» самую сокровенную информацию (те же номера кредитных карт, например), немного боязно... Впрочем, как раз на нее разработчики Gator, похоже, не претендуют. Во всяком случае, авторы программы всячески убеждают пользователей в надежности и безопасности встроенного механизма защиты данных. Как и при работе с RoboForm, вы можете защитить базу данных Gator паролем — правда, выборочная защита в этой программе отсутствует.

АЛЬТЕРНАТИВНЫЕ БРАУЗЕРЫ

Netscape Communicator (Netscape)

Трудно поверить, но всего лишь пять лет назад о перспективах Microsoft на рынке интернет-программ было принято говорить со снисходительной усмешкой: «Куда ему, такому заморышу!». Во многом это объяснялось позицией самой корпорации Microsoft: уже в эпоху расцвета Интернет великий Билл Гейтс авторитетно заявил, что Сеть — всего лишь новая мода, которая быстро пройдет. И не к лицу Microsoft тратить силы на поддержку этой прихоти. Прозрение, конечно, наступило, и уже в 1996 году тот же Гейтс впервые произнес священную формулу: «Нет бога, кроме Интернет, и Microsoft — пророк его». Но все же казалось, что пришло оно слишком поздно — к этому времени на рынке браузеров уже образовался бесспорный и сильный лидер...

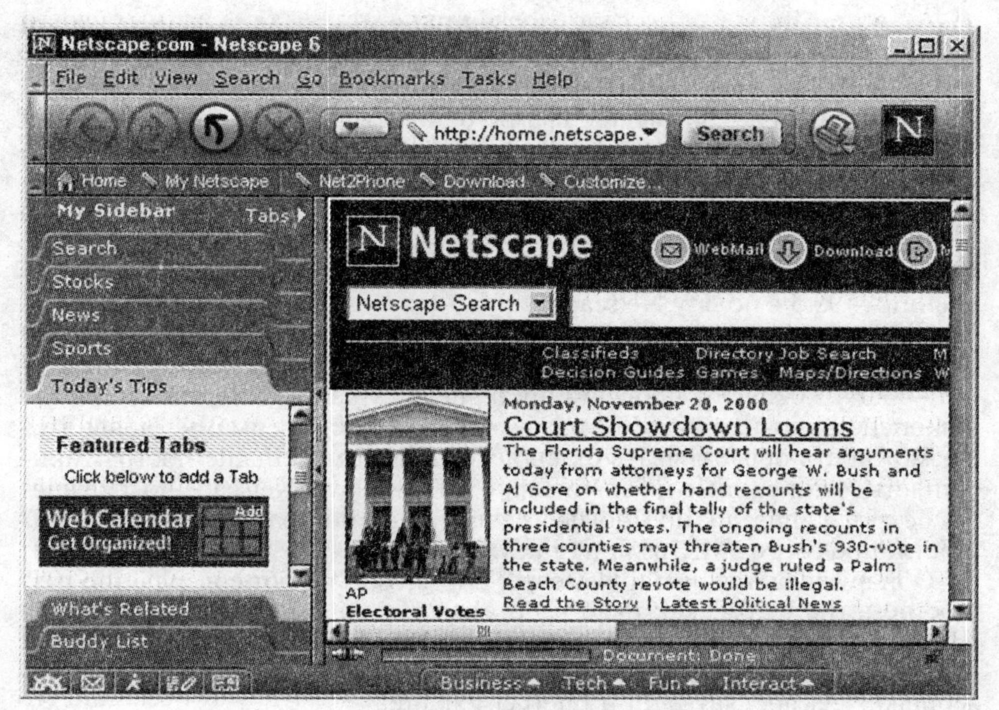

Браузер Netscape Communicator

...Как ни крути, все начиналось именно с Netscape. Именно эта фирма семь лет назад выпустила первую версию своего знаменитого браузера под названием Netscape Navigator. Многие до сих пор умиляются этой программке — быстрая, мощная, работающая под любой версией Windows... А по тем временам это было и вовсе удивительное достижение. Это была настоящая революция в сетевом мире. Нечто удивительное. Неповторимое. Признанный эталон на все времена.

Конечно, браузеры существовали и до Netscape. Вспомним хотя бы программу под названием NSCA Mosaic, созданную в Иллинойсском университете. Но возможности этих браузеров были слишком скромными: они хорошо воспроизводили текст, но «спотыкались» на графическом оформлении страниц, не говоря уже об элементах мультимедиа (о которых тогда еще никто из изготовителей WWW-страниц и не задумывался).

...Вышедшую в 1995 году первую версию Microsoft Internet Explorer встретили в штыки. Программе прочили скорый закат: продукт Microsoft, представлявший собой наспех переделанный браузер NSCA Mosaic, явно не дотягивал по своим возможностям до Netscape Navigator. Однако в этом же году вышла вторая версия Internet Explorer 4.x, которая тоже прошла бы незамеченной, если бы... Если бы Microsoft не сделала ловкий маркетинговый ход, включив эту программу в состав своей новой операционной системы Windows 95.

Шум поднялся неописуемый. Нет, дело было не в качестве нового браузера — тот по-прежнему не мог сравниться с продуктом Netscape.

Однако распространение браузера от Microsoft в составе операционной системы дало повод конкурентам обвинить фирму в попытке монополизации рынка браузеров. В результате многочисленных судебных разбирательств поле битвы на время осталось за Microsoft, а Internet Explorer привлек на свою сторону несколько процентов пользователей. Конечно, куда удобнее настраивать уже имеющийся в системе готовый комплекс для работы с Internet, чем устанавливать что-то от стороннего производителя!

Судя по опросам пользователей браузеров, счет в процентном отношении — 95:5 в пользу Netscape...

1996 год. Microsoft и Netscape практически одновременно выпустили третьи версии Internet Explorer и Navigator. Потом, столь же синхронно — 3.01, 3.02... Оба продукта претерпели существенные изменения — наконец-то по-настоящему налажена работа с фреймами, появилась возможность обрабатывать ставшие модными маленькие программки-апплеты, написанные на специальном языке Java. Netscape по-прежнему остается впереди, но многие уже начинают поговаривать, что, в сущности, продукт от Microsoft не так уж плох...

Обнаруживается, что и Netscape, и Microsoft имеют совершенно разное понятие о том, как надо работать с кодом гипертекстового языка HTML, на котором пишутся все страницы WWW. В итоге создатели Internet-страничек вынуждены делать две версии: для просмотра с помощью Netscape Navigator и Internet Explorer...

Счет — 85:15 в пользу Netscape.

1997 год. Netscape неожиданно для всех объявляет, что следующий продукт компании, носящий название Netscape Communicator, не будет бесплатным. Однако преданных поклонников Netscape это не пугает, тем более, что Communicator обещает стать самым мощным комплексом Internet-программ, который когда-либо видела общественность. Microsoft в это же время представляет публике новую, четвертую версию Internet Explorer, которая выходит в свет в середине лета. Мнения разделяются: некоторые независимые тестеры в один голос утверждает, что Internet Explorer 4.x не только не уступает, но и превосходит продукт Netscape по своим функциональным возможностям. То тут, то там разгораются шумные скандалы из-за обнаруженных в обоих браузерах ошибках (которые немедленно исправляются).

Однако самое главное: устанавливая на свой компьютер, оснащенный Windows 95, Internet Explorer 4.x, пользователь фактически вносит важные изменения во всю идеологию работы операционной системы. Масла в огонь подбавляет сама Microsoft, заявившая, что большая часть новшеств, запланированных в следующей версии Windows, уже включена в Internet Explorer 4.x. В моду входит девиз «Windows 95 + Internet Explorer 4.x = Windows 98».

В это же время — вот удивительное совпадение! — появляются странички, просмотреть которые с помощью Netscape Navigator просто невозможно. Разумеется, большая часть таких страничек как-то связана с некой фирмой, в названии которой присутствует намек на что-то мелкое и мягкое...

Счет — 80:20 В пользу Netscape... Но этим цифрам верят уже далеко не все...

1998 год. Первая половина года — затишье. Microsoft вновь предъявляют обвинение в монополистической деятельности — это связано с намерением сделать Internet Explorer 4.x неотъемлемой (и неудаляемой) частью Windows 98. Борьба между американским правосудием и Биллом Гейтсом идет с переменным успехом — чаши весов склоняются то в одну, то в другую сторону... В это время Netscape делает сильный ход, открыв исходные коды браузера — это позволяет подключить к его разработки тысячи независимых специалистов по всех странах мира. Проект, получивший название Mozilla, с успехом работает и сегодня.

В 1999 году обе компании анонсируют следующие версии своих продуктов — соответственно, Internet Explorer 5.0 и Netscape Communicator 5.0, однако былого ажиотажа вокруг «битвы браузеров» не наблюдается. И действительно: что еще можно впихнуть в программу для путешествий по Internet. Разве что текстовый редактор (редактор WWW-страниц уже есть), электронную таблицу и встроенную игрушку...

...Состязание «Netscape против Microsoft» продолжилось и в новом тысячелетии — хотя теперь уже никто не сомневался, на чьей стороне будет победа. Как водится, шестая версия Netscape увидела свет несколько раньше аналогичной версии Internet Explorer, и именно пользователи Netscape первыми смогли опробовать новые возможности браузеров «шестого поколения» — возможность изменения внешнего вида программы с помощью сменных «шкурок» (skins), усовершенствованные механизмы поиска, персонифицированные панели ссылок...

Все это, впрочем, уже можно найти в Internet Explorer — но если шестая версия этой программы поставляется только в виде встроенного компонента операционной системы Windows XP, то браузер от Netscape доступен всем пользователям, независимо от используемой ими версии Windows. А вот ряд других нововведений — таких, как встроенная программа хранения и шифрования паролей или механизм автоматического перевода, работающий с десятком европейских и азиатских языков, вероятнее всего, так и останутся отличительной особенностью Netscape.

С другой стороны, за Internet Explorer остается несколько весьма ощутимых преимуществ: интеграция с операционной системой, а для отечественных пользователей — и полная локализация, возможность работы со всеми кодировками русского языка. В остальном же, как метко говорят африканские философы, банан папайи не слаще.

«Но есть же и очевидные различия!» — скажут знатоки. Как же — ведь в Сети существует великое множество страниц, которые могут быть корректно отображены только в Netscape Navigator (или в Internet Explorer). Ведь оба этих браузера по-разному отображают некоторые тэги языка HTML, благодаря чему меняется и внешний вид странички. Все правильно. Только различий этих с каждым годом становится все меньше — и лично я, работая с Internet Explorer, не заметил никакого «криминала» при открытии страничек со значком «Optimized for Netscape Navigator»...

Что ж, хотя наша страна, похоже, уже определилась в своих симпатиях, сбрасывать со счетов старину Netscape вряд ли стоит. Новичкам, понятно, лучше обойтись Internet Explorer. Но попробовал бы автор сказать это несгибаемым альтернативщикам, для которых любой продукт Microsoft является едва ли не детищем самого Сатаны. Такие уж точно выберут браузер от Netscape... и, видимо, тоже не будут разочарованы.

Стоит сказать несколько слов и о комплектации программы. Полный комплект Netscape, подобно своему «брату-конкуренту» Internet Explorer, включает в себя «торжественный комплект» для работы с Сетью:

- Браузер Netscape Communicator
- Программу для работы с электронной почтой и группами новостей Netscape Mail & News
- Программу обмена «мгновенными сообщениями» AOL Instant Messenger

Налицо заметное превосходство Internet Explorer — там дополнительных программ значительно больше. Однако не торопитесь с выводами — просто создатели Netscape здраво рассудили, что незачем забивать установочный комплект программы откровенным мусором. Как ни крути, а подавляющее большинство пользователей Сети все равно используют для работы с чатами IRC и интернет-телефонией программы третьих фирм, напрочь игнорируя «довески» от Microsoft. С другой стороны, добротность исполнения всех программ, входящих в состав Netscape, не вызывает никакого сомнения — по количеству ошибок Microsoft далеко впереди....

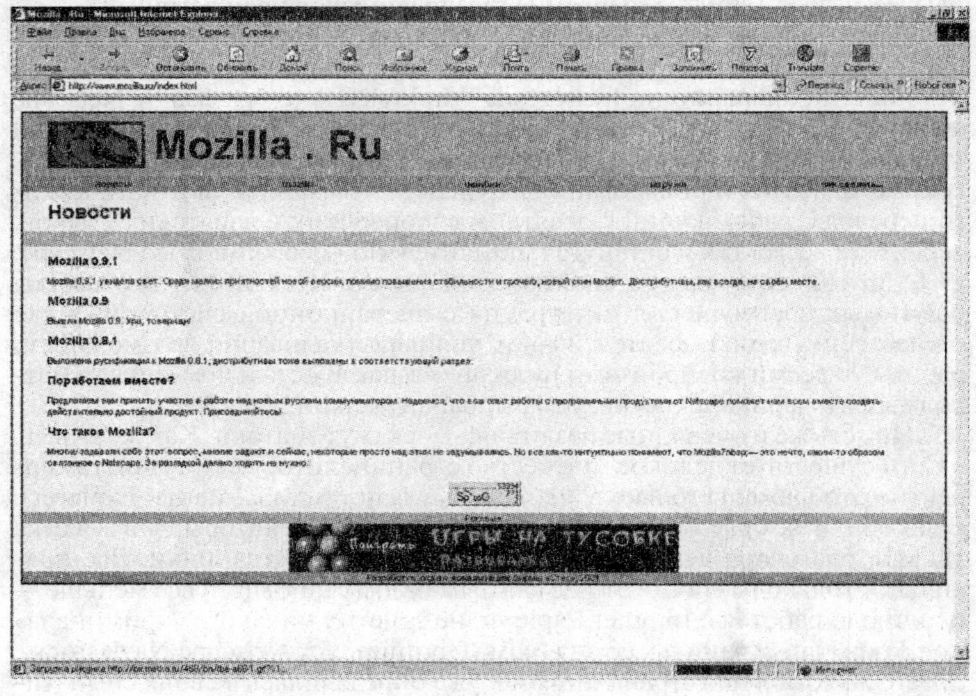

Сайт Mozilla.Ru

...Эта книга уже готовилась к печати, когда до России докатилась печальная весть: не выдержав соперничества с Microsoft, компания Netscape решила уйти с рынка программ для Интернет. Неужели история Netscape Communicator закончилась? Погодите, для похоронного марша время еще не настало: еще жив и успешно дорабатывается ближайший родственник знаменитого браузера — Mozilla! Так что рьяные ненавистники Microsoft могут по-прежнему искать в Сети свежие версии этого браузера.

Сделать это можно, в частности, на русском сайте проекта Mozilla (http://www.mozilla.ru), где вы сможете узнать о самых последних изменениях, внесенных в программу независимыми разработчиками. Ну, а если вы — программист и у вас чешутся руки поучаствовать в доработке браузера, тогда вам тем более необходимо набрать этот адрес в строке браузера. Пусть даже браузером этим окажется стандартный Internet Explorer...

Opera (Opera Software)

Этот маленький, но невероятно нахальный браузер появился на рынке всего лишь два-три года назад — но тем не менее уже успел стать «притчей во языцех»... Почему нахальный? Ну а как еще назвать программу-новичка, с упорством распихивающую крохотными локоточками двух сцепившихся в схватке гигантов. Пропустите, мол, к заветному пирогу!

«Третий — лишний», «Двое дерутся, третий — не мешай»... Что бы еще вытянуть из копилки народной мудрости? Ну разве что «Бог троицу любит»... Да, видимо, так оно и случилось — в тот момент, когда возможности двух основных кандидатов на звание лучшего браузера практически сравнялись, неизбежно должен был появиться третий продукт, который сумел бы, как минимум, удивить пользователя чем-нибудь необычным.

Можно было, конечно, оснастить свой продукт какими-нибудь сверхъестественными «примочками»... Хотя это вряд ли бы получилось — уж по части этих самых примочек конкурировать с Internet Explorer или Netscape Communicator было бы просто бесполезно. Итак уже оба лидера превратились из легких яхт, резво скользящих по просторам Сети, в эдакие копии «Титаника» — столь же помпезные и неповоротливые...

Вот почему компания Opera Software решила поступить совсем иначе — прямо противоположным образом. Вместо утяжеления браузера новый продукт было решено выпустить предельно облегченным, компактным и быстрым. И вот, вооружившись портновскими ножницами, команда программистов принялась нещадно обстригать проект несчастного браузера...

Щелк — и в корзину отправились все ненужные «навороты» вроде громоздких проигрывателей экзотических мультимедиа-форматов, дополнительных программ и прочей мишуры.

Щелк — и за ними последовала поддержка экзотических шрифтов и кодировок.

Щелк — и громоздкая «виртуальная машина» поддержки языка «сетевого программирования» Java, ставшая настоящим камнем на шее традиционных браузеров, увенчала собой ворох обрезков.

Щелк!

Щелк!

Щелк!..

Остановились программисты лишь тогда, когда отрезать от браузера было уже решительно нечего. А на «пыточном столе» остался лежать

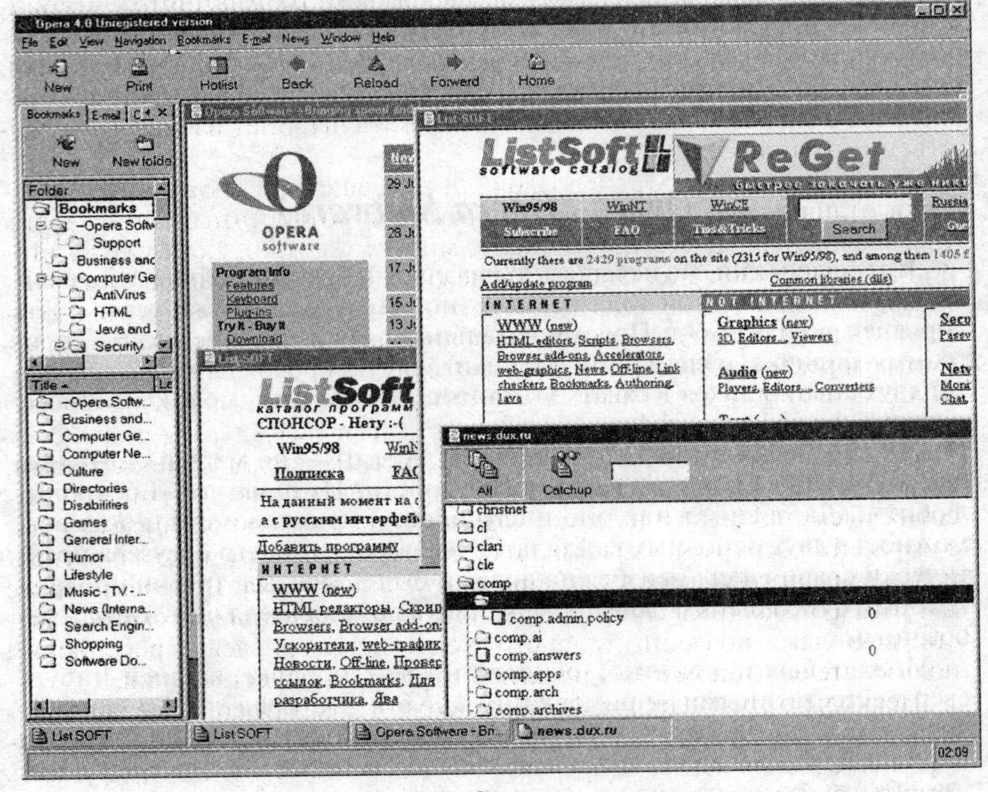

Opera

лишь крохотный программный клочок размером всего лишь полтора мегабайта...

Вот именно этот «клочок» и лег в основу первых версий Opera, потрясших воображение пользователей своей компактностью и быстротой. Еще бы — при размере в десятки (!) раз меньше традиционных браузеров Opera загружала странички в несколько раз быстрее, беспощадно игнорируя все ненужные, на ее взгляд, элементы.

Первыми преимущества Opera оценили владельцы ноутбуков, готовые сражаться за каждый мегабайт дискового пространства. Затем тонким ручейком, незаметно превратившимся в бурную реку, потянулись владельцы настольных компьютеров... Мотивы у новоиспеченных «оперистов» были самые разные: кто-то просто хотел показать увесистый кукиш Microsoft вкупе с «заевшейся» Netscape, чей некогда компактный браузер в последние годы разжирел до пантагрюэлевских комплекций. Другим была важна именно скорость работы — а ради этого они готовы были пожертвовать любыми мультимедийными прибамбасами. Третьи... Словом, причин установить на свой компьютер Opera было не меньше, чем причин этого не делать. Тем более, что при всей узости своего кругозора и плюшкинских замашках свою основную работу Opera все-таки делать умела и со страничками Интернет обходилась замечательно. Да и с почтой и новостями худо-бедно, а работать было возможно. При этом соответствующие программы запускались непосредственно в окне браузера, что, в общем-то, вполне логично и полностью отвечает требованиям эпохи, позволяя работать со всеми сервисами Интернет из одного-единственного окна.

Правда, создатели Opera позволили себе еще одну нахальную выходку: в отличие от «полноценных» браузеров сотворенный ими карлик требовал денег... И что удивительно, многие платили. Хотя уже на второй год существования Opera от денежных претензий решено было отказаться — программе придали модный ныне статус ad-ware и пользователи стали расплачиваться за работу программы принудительным просмотром рекламных картинок-баннеров.

Сегодня, когда в свет вышли уже четыре полноценных версии Opera и на подходе пятая, стало понятно — перспективы у «крошки-енота» есть. Пусть Opera и никогда не встанет в ряд со своими старшими коллегами, однако ж с ее помощью ежедневно гуляет по Всемирной Паутине добрая сотня тысяч человек. В их числе — и несколько тысяч российских пользователей программы, которых не остановили даже трудности с распознаванием многочисленных кодировок русского языка. Впрочем, что же мы хотим от малютки Opera, до сих пор не вышедшей из детского возраста, ведь даже почтенный монстр Netscape повернулся к российским пользователям лицом лишь на пятый год своего существования.

Несколько тревожит тот факт, что со временем Opera тоже начинает ощутимо «толстеть». Последний вариант программы, вновь снабженный поддержкой языка Java, весит уже около 15 Мбайт, что лишь в пять (вместо былых двадцати) раз меньше упомянутых выше «монстров». И все-таки хочется надеяться, что крохотные ножки Opera еще долго будут топать по просторам Сети...

Приобщиться к благам, предлагаемым Opera Software, можно, посетив сайт компании по адресу http://www.operasoftware.com. Российские пользователи могут заглянуть на русский сайт поддержки Opera, расположенный по адресу http://opera.al.ru. Здесь, помимо наисвежайших дистрибутивов программы, вы можете найти обширную коллекцию полезных добавок к Opera и впечатляющий набор ценных советов и рекомендаций...

...Как сказал однажды один мудрый француз — «Необязательно любить только большие деревья»...

ПОИСК ИНФОРМАЦИИ В ИНТЕРНЕТ

Как известно, Интернет называют Глобальной Информационной Системой. Однако все чаще со страниц компьютерной прессы слышится куда менее почетное определение — Глобальная Информационная Свалка.

И в чем-то скептики правы.

Ведь собрать информацию, накопить ее — это даже не полдела. Скорее — десятая часть. А главная задача — структурировать ее, обеспечить быстрые возможности поиска и доступа к любым нужным сведениям. Этот принцип лежит в основе любой базы данных, любого собрания информации.

Но только не в основе Интернет.

...Много лет назад один великий слепец (нет, не Гомер, а Хорхе Луис Борхес) в одном из своих рассказов описал немыслимый кошмар: безграничную Вавилонскую библиотеку, которая хранит в себе все книги, которые когда-либо были и будут написаны на всех языках мира. Все возможные сочетания букв всех алфавитов.

Среди бесконечного множества томов можно найти все, что угодно. Историю вашей жизни, точную хронику конца Света и даже подлинное имя Бога. Но в том-то все и дело, что найти нельзя ничего — каталог библиотеки, конечно, существует, но он затерян в бесконечной книжной массе...

Борхес и не подозревал, что его рассказ столь точно предугадает судьбу тогда еще не существовавшей сети Интернет...

Свобода Сети, доступность и простота размещения информации и полная независимость серверов друг от друга помогла Интернет стать явлением всемирного масштаба. Но она же и превратила Сеть в хаос...

Конечно, существует некая структура — серверы, странички... Но на одном и том же сервере вы можете найти собрание порнографических картинок, методику вычисления сопротивления стали марки Зю-159 и каноническое жизнеописание какого-нибудь Темы Лебедева... И еще миллион других вещей, о которых часто не осведомлен даже хозяин этого сервера. Существуют и целые «электронные города» (например, гигантский сервер бесплатных «домашних страничек» Geocities), «населенные» сотнями тысяч электронных жителей...

Так как же быть? Как отыскать среди миллионов страниц ту самую, единственную и неповторимую, на которой как раз и находится нужная вам информация?

Вот и начинается наш первый настоящий — самый ценный — урок работы с Интернет. Лично я убежден, что, овладев приемами поиска информации в Сети, вы можете с легкостью сказать «прощай» всем громоздким, бумажным изданиям. Ибо все остальное вы сможете раскопать уже самостоятельно — лучшего учебника Сети, чем сам Интернет, придумать невозможно. Так что, вводя в книгу эту главу, автор тем самым легкомысленно подпиливает сук, на котором обосновался не только он, но и подавляющее большинство других компьютерных авторов.

Пилите, Шура, пилите...

«Желтые страницы»

...Вот и настал тот великий день, когда на просторы Сети впервые вышел прогуляться мой отец, человек весьма основательный и поднаторевший в работе с архивами бумажной информации. И как вы думаете, каким вопросом он озадачил меня уже через две минуты?

Правильно — «А существует ли хоть какой-то каталог у всего этого безобразия?»

Справочник семейства «Желтые страницы»

В ответ я было пустился в пространные рассуждения о «живом» характере Сети, о ее постоянной изменчивости и непредсказуемости, о том, что на создание подробного каталога ушли бы века. А потом подумал: а ведь, собственно, он прав. Каталог должен быть — пусть не слишком подробный, пусть в чем-то устаревший... Но ведь пользуется же мой отец телефонным справочником десятилетней давности, утверждая при этом, что работать с ним не в пример удобнее, чем с пухлыми современными томами...

Согласен, традиционные, бумажные справочники ресурсов Интернет, которые в изобилии продаются в любом книжном магазине — не лучшее орудие поиска. Однако во многом они даже выигрывают у других средств поиска в Сети: справочник не разменивается на мелочи, на его страницах вы всегда сможете найти ссылки на самые известные и солидные сайты по всем популярным темам. Вы всегда можете наметить себе маршрут для будущего путешествия, не тратя драгоценного сетевого времени. Наконец, на страницах справочника вы всегда можете найти мини-рецензию, краткую аннотацию любого ресурса.

А еще справочник можно просто читать, как обычный путеводитель... В конце концов, это далеко не самый худший способ убить время!

Разумеется, поднабираясь опыта, вы все реже и реже станете открывать пухлый том, некогда бывший вашей настольной книгой. Ибо ваши запросы станут другими — теперь вы будете искать уже не просто сайт «про кино», а, к примеру, страничку актрисы, игравшей в фильме «Брат-3» эпизодическую роль «девушки Бодрова». При таком объеме исходной информации справочник окажется бессилен...

Однако пока еще мы с вами не настолько пресытились общей информацией, а потому и справочник этот может быть вам полезен. Вот только какой?

Традиционно самым авторитетным справочником по Интернет считаются «Желтые страницы» Харли Хана. Этот полнеющий год от года том выдержал в России уже добрый десяток изданий и доступен в любом реальном (или виртуальном) книжном магазине. В семейство «Желтых страниц» входит и ряд справочников поменьше — например, путеводитель по русскоязычной части сети, справочники по отдельным направлениям и темам.

И, конечно же, существуют еще и WWW-версии «Желтых страниц», доступные непосредственно в Интернет. Пользоваться такими «онлайновыми справочниками» удобнее всего, платить за них не надо. К тому же их содержание обычно регулярно обновляется. Книгу же или компакт-диск вам уже через год придется отправить в мусорное ведро...

ОНЛАЙН-СПРАВОЧНИК «ЖЕЛТЫЕ СТРАНИЦЫ. РУССКИЕ РЕСУРСЫ»
(http://yp.piter-press.ru)

К сожалению, большинство сетевых воплощений «Желтых страниц», особенно в западной части Сети, слишком далеко от идеала. Зайдя было на сайт с простым адресом http://www.yellowpage.com, автор ужаснулся царящему там бардаку и немедленно перелетел на страничку русского варианта «Желтых страниц». Здесь дело обстоит значительно лучше — имеется удобный рубрикатор, не уступающий любому качественному интернет-каталогу. Правда, число ссылок относительно невелико (не более 5 тысяч), однако все «сливки» Рунета вы здесь найдете.

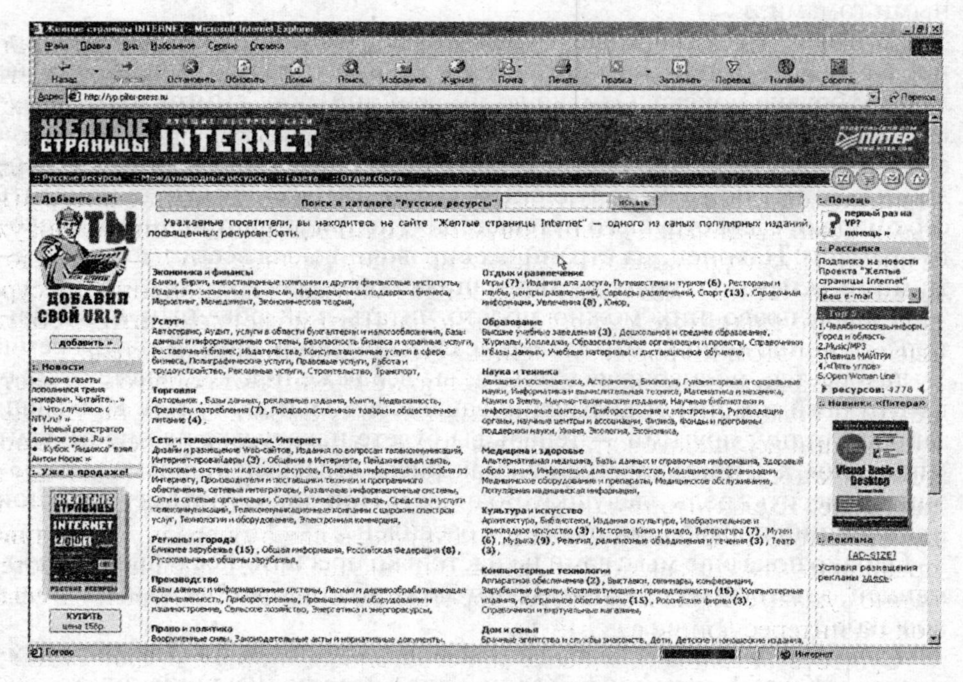

Каталог «Желтые страницы»

БАЗОВЫЕ КАТЕГОРИИ:

- Экономика и финансы
- Услуги
- Торговля
- Сети и телекоммуникации. Интернет
- Регионы и города
- Производства
- Право и политика
- Отдых и развлечение
- Образование
- Наука и техника
- Медицина и здоровье
- Культура и искусство
- Компьютерные технологии
- Дом и семья

На сайте имеется возможность добавления новых ресурсов, самые интересные из которых впоследствии будут опубликованы в бумажной версии «Желтых страниц». Работает подписка на обновления сайта — ежедневно ссылки на новые внесенные в каталог ресурсы по выбранным вами категориям отправляются на ваш почтовый ящик.

Каталоги

Заметили, как быстро мы перешли из реального мира в виртуальный? Ничего удивительного — все-таки искать информацию о ресурсах Сети лучше всего в самой Сети, где существует громадное количество поисковых ресурсов. В том числе — и уже хорошо знакомые нам каталоги.

...Это только в нашем, «реальном» мире справочники типа «Желтых страниц» способны привести в трепет кого угодно своими монструозными комплекциями. А если подумать, то информации в них не так уж и много. Посчитайте сами — тысячи полторы страниц, по 10—15 ссылок на каждой. Итого — немногим более десятка тысяч полноценных ресурсов. В виртуальных же каталогах число записей может доходить до сотен тысяч, при этом информация в них худо-бедно, но обновляется.

Все каталоги Интернет построены по принципу «от общего — к частному» и обладают удобной древовидной структурой. Зайдя на титульную страничку любого каталога, вы сразу же наткнетесь на перечень основных категорий — «Компьютеры», «Интернет», «Культура», «Наука» и так далее. Щелкните по любой ссылке, например, «Компьютеры» — и вы очутитесь на новой странице, которая, в свою очередь, услужливо предложит вам список подразделов. Вот так, щелчок за щелчком, постепенно сужая тему, вы и сможете добраться до странички с перечнем ссылок на интересующие вас сайты.

Существует, однако, и более простой способ поиска информации в каталоге — по ключевым словам или даже фразам. Зайдя на титульную страничку каталога, обратите внимание на пустую строку, снабженную кнопкой с надписью типа «Find» (Найти), «Go» (Перейти) и так далее. В этой строке вы и можете набрать свой запрос, состоящий из слов или сочетаний, которые, по вашему мнению, должны присутствовать на искомой страничке.

Допустим, собираетесь вы махнуть на недельку на Канарские острова и желаете знать, не застигнет ли вас в разгар сезона снежный буран. Знакомые просветили вас, что в Сети полным-полно «погодных» сайтов, которые с радостью предоставят вам сводку погоды хоть на год вперед. И вот теперь требуется найти такой сайт с помощью каталога.

Вариант первый — путешествуем по «дереву», пока не упремся в пару-тройку конкретных сайтов с прогнозом погоды.

Вариант второй — набираем в поисковой строчке на первой странице слова «прогноз погоды канары» или «погода канарские острова» или просто «погода». Кстати — запрос в поисковой строчке совершенно не обязательно заключать в кавычки, да и большие буквы от маленьких он, увы, не отличит.

«Скормите» запрос каталогу, нажав упомянутую кнопку Search, Find, Go или ей подобную и ждите, пока он в ответ не выплюнет на экран страничку со множеством ссылок, некоторые из них уж точно приведут вас именно туда, куда вы хотите.

Помимо общих каталогов страниц, существуют еще и каталоги специализированные, по той или иной тематике. Перечислить их и вовсе невозможно, да и не стоит, благо все они в обязательном порядке упоминаются в «больших» каталогах.

Чем хороши каталоги, мы поняли. А чем же они плохи?

Во-первых, субъективизмом. Что ни говори, а составляют каталог люди, которые просто физически не могут уследить за всем происходящем в Интернет. А стало быть, при формировании каждого размера они будут подбирать ресурсы на свой вкус, и выбор их далеко не всегда будет отображать реальное положение вещей.

Существует, конечно, и обратная связь — так, практически во всех крупных каталогах пользователю предоставляется возможность самостоятельно вносить в каталог новые сайты. Что большинство «Web-мастеров» с превеликим удовольствием и делает — реклама! Однако последнее, решающее слово все равно остается за командой, контролирующей данный каталог, — только они решают, увековечивать или нет тот или иной сайт.

Учтите также и тот факт, что далеко не все авторы сайтов горят желанием увидеть свое детище в одном из популярных каталогов. Некоторые осознанно избегают публичности, создавая сайт для себя и маленькой компании своих друзей — однако при этом содержащаяся на сайте информация может оказаться необычайно интересной для вас.

Наконец, третий фактор: многие сайты просто не могут быть внесены в каталог по причинам морального или юридического свойства. Не думайте что, речь идет ТОЛЬКО о коллекциях «интересных» картинок, сайтах с пиратскими версиями программ или сетевых представительствах организаций экстремистского толка. (Для подобных «изгоев» в интернетовском подполье, кстати говоря, существуют свои собственные каталоги). Хотя и о них тоже. Просто — возвращаясь к вопросу о человеческой субъективности — границы допустимого у каждого свои. И если во главе каталога стоит, допустим, ортодоксальный христианин, он может запросто исключить из списка все мусульманские сайты. Или хотя бы серьезно ограничить количество таковых.

И последнее. Внести в каталог информацию, зафиксировав рождение того или иного сайта, не слишком сложно. Однако не стоит забывать о том, что сайты рождаются и умирают, переезжают с одного адреса на другой... Словом, Интернет живет, изменяется. Но далеко не всегда эти изменения успевают отловить каталоги. Еще бы — поди-ка проверь массив из миллиона-другого ссылок! Поэтому процент «мертвых» ссылок в интернет-каталогах сравнительно велик, хотя в бумажных справочниках их еще больше.

Итак, каталог делают люди — и этим объясняются все его слабые и сильные стороны. Каталог имеет четкую структуру, сайты здесь аккуратно расставлены по ранжиру, однако много и откровенно мусорной, устаревшей информации. Удобно то, что вы обязательно найдете все самые известные и популярные сайты по любой тематике, однако навряд ли стоит искать здесь оперативную информацию об изменениях в информационном пространстве Интернет. В этом случае каталог — не лучший советчик.

Зато каталогов много — гораздо больше, чем других поисковых ресурсов. И, помимо общих каталогов, существуют еще и специализированные, посвященные, например, туризму или автомобилям... Нужны адреса? Что ж, сведения о самых популярных каталогах вы найдете на страницах этой книги — а уж они подскажут вам, в каком направлении двигаться дальше. Гораздо большую коллекцию ссылок на каталоги можно найти... на страницах самих каталогов — например, на List.Ru в разделе Интернет/Поиск.

КАТАЛОГ YAHOO
(http://www.yahoo.com)

Нет сомнения, что именно этот сайт является лучшим мировым каталогом сетевых ресурсов, а заодно — и самым популярным. Во всяком случае, именно с Yahoo принято сравнивать все остальные каталоги, хотя сравнение неизменно оказывается не в пользу новичков. Для справки: как свидетельствует статистика, до 70 % поисковых запросов в мире (точнее, в его западной части) отправляется именно на Yahoo.

На самом деле Yahoo давно уже превратился из обычного каталога в грандиозный портал, включающий в себя собственную систему электронный почты, агентство новостей, всемирно известный аукцион, поисковую систему и массу других интересных ресурсов... Собственно, чтобы описать все возможности Yahoo, понадобилась бы целая книга — которая, кстати, уже давно написана и предлагается тут же, на сайте. Однако нас пока что интересует только одна часть Yahoo — каталог ресурсов Интернет.

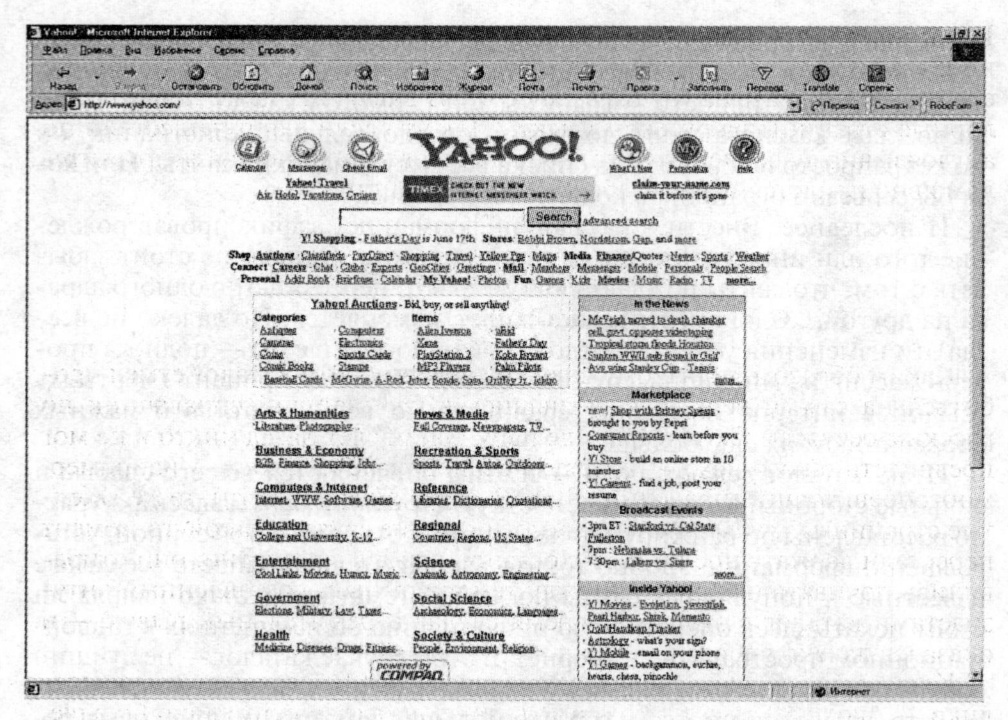

Каталог Yahoo

Работать с базой данных Yahoo, включающих несколько миллионов (!) страниц, можно в трех основных режимах. Два из них уже знакомы нам: с помощью запроса через строку поиска (с возможностью составления сложных запросов) и с помощью путешествия по «дереву» категорий. Кстати, «каталожную» сущность Yahoo в мешке не утаишь: даже результаты поиска по ключевым словам выводятся на экран в виде аккуратно рассортированного по категориям списка.

А вот третий режим действительно уникален — позволить себе такую «пижонскую» выходку мог лишь каталожный гигант типа Yahoo. Дело в том, что некоторые тематические разделы базы данных могут функционировать... в качестве совершенно автономных каталогов с собственным интерфейсом и инфраструктурой! И таких самостоятельных каталогов в загашнике Yahoo не меньше полутора сотен. Часть каталогов носит региональный характер — собственным каталогом одарен едва ли не каждый штат США и большинство развитых стран, к числу которых Россия, увы, не относится. Другие каталоги посвящены самым популярным у публике темам — от бизнеса до домашних животных. Существует даже специальный «детский» портал с озорным названием Yahooligans!

Дабы не запутаться в этой сложной системе категорий и отдельных каталогов, пользователю предлагается настроить Yahoo по собственному вкусу, добавив интересующие его категории в «персональный» каталог.

Несмотря на громадное количество ресурсов, каждый кандидат на собственную строчку в каталоге Yahoo проходит строжайший отбор.

Именно поэтому Yahoo считается не только самым представительным, но и самым придирчивым каталогом в Галактике. В частности, явно не стоит рассчитывать на то, что в Yahoo будут включены даже самые популярные страницы на русском языке... Так что если для путешествий по англоязычному сегменту Сети лучшего проводника не найти, то жителям явно придется искать себе другого «Сусанина»...

КАТАЛОГ LIST.RU
(http://www.list.ru)

Каким образом, по какому щучьему велению этот каталог сумел пробиться на самый верх, превратившись в крупнейший справочник по русским ресурсам Сети? Ведь еще пару-тройку лет назад никто и не мог предвидеть такого исхода. На слуху были другие каталоги — например, многообещающий справочник Stars.Ru (http://www.stars.ru), те же «Желтые страницы»... Увы — и эти, и многие другие сайты в какой-то момент перестали держать нос по ветру: остановившись в развитии, они отправились почивать на лаврах. Между тем скромный, составленный энтузиастами каталог в это самое время сделал стремительный рывок — и оказался далеко впереди.

Количество ссылок, вошедших в каталог List.Ru, сравнительно невелико — около 80 тыс. Сайтов в Рунете, понятно, значительно больше, так что назвать этот каталог «полным» было бы некорректно. Как, впро-

Каталог List.Ru

чем, и объективным: если на первые порах List.Ru охотно коллекционировал ссылки на любые сайты, включая хакерские ресурсы и странички «девочек по вызову», то теперь его создатели подходят к отбору кандидатов на увековечивание гораздо строже. Однако есть здесь и положительные стороны: благодаря «цензуре» List.Ru можно без опаски рекомендовать даже детям, да и «сайтов-однодневок» в нем стало гораздо меньше.

Очень интересным и удобным для пользователя решением может стать «Спутник» — автономная панель ссылок List.Ru, которая может (с вашего согласия, разумеется) обосноваться прямо под адресной строкой Internet Explorer. Щелкнув по одной из ссылок «Спутника», вы можете быстро перейти в нужный вам раздел каталога List.Ru.

Основные категории каталога:

- Автомобили
- Вокруг света
- Государство Российское
- Деловой Мир
- Домашний очаг
- Интернет
- Компьютеры
- Культура, искусство
- Непознанное
- Образование, наука
- Отдых
- Предприятия
- Работа и заработок
- СМИ
- Спорт
- Справки
- Товары и услуги
- Юмор

Имеется и раздел региональных ресурсов по ряду крупнейших городов России. Эта черта роднит List.Ru с Yahoo — и то, что создатели каталога обратили внимание на эту идею, лично меня весьма радует. Ведь не секрет, что большая часть российских каталогов, увы, изначально ориентирована лишь на жителей Москвы и Петербурга.

Еще одно сходство с Yahoo: помимо собственно каталога в систему List.Ru входит еще множество полезных сервисов. Здесь вы можете получить бесплатный адрес электронной почты, создать свой собственный сайт с доменным именем третьего уровня, ознакомиться с важнейшими новостями дня... Словом, налицо очень удачный интернет-портал, работа с которым может значительно облегчить жизнь любому пользователю Сети.

КАТАЛОГ «ВИРТУАЛЬНОГО ГОРОДА» NAROD.RU
(http://www.narod.ru)

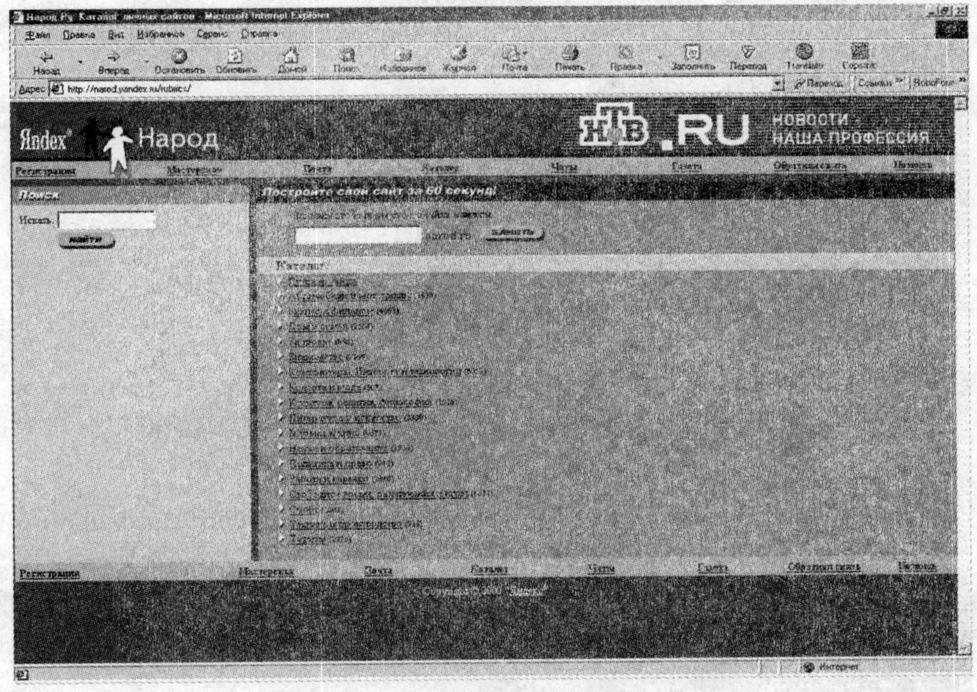

Каталог Narod.Ru

Еще один превосходный каталог «домашних страничек», составленный «виртуальным городом» Narod.Ru. Кстати, большинство внесенных в список сайтов проживают именно в квартирах, бесплатно предоставленных «Народом»: этой щедростью воспользовалось уже не менее 250 000 сайтовладельцев. В каталог, разумеется, вошла информация далеко не обо всех сайтах — сегодня в нем представлено не более 50 000 записей. Впрочем, и это число не может не вызывать уважения: как-никак, пятая часть всего Рунета!

Не пытайтесь искать на «Народе» сайт Президента России или сервера корпорации Microsoft. А вот для того, чтобы протоптать тропинку к сокрытой в дебрях «виртуального города» приятной самоделке, лучше этого каталога не придумаешь!

Кстати, Narod.Ru входит в систему поискового портала Ѩndex — поэтому через «народную» поисковую систему вы можете заодно отправить запрос на эту популярную искалку...

Основные категории каталога:

- Автомобили и мотоциклы
- Бизнес и финансы
- Дом и семья

- Здоровье
- Знакомства
- Компьютеры, Интернет и технологии
- Красота и мода
- Культура, религия, философия
- Литература и искусство
- Музыка и кино
- Наука и образование
- Политика и право
- Работа и карьера
- Свободное время, развлечения и игры
- Спорт
- Техника и производство
- Туризм

КАТАЛОГ ДЛЯ ЖЕНЩИН WWWOMEN ONLINE

(http://wwwomen.ru)

Тезис о том, что Интернет — игрушка исключительно для сильного пола, давно уже опровергнут. Наоборот, статистика свидетельствует, что в ушедшем году прекрасная половина человечества одержала убедительную победу над сильной: женщин в Сети впервые стало больше, чем мужчин. Спешу развеять и второе заблуждение: это вам, господа мужчи-

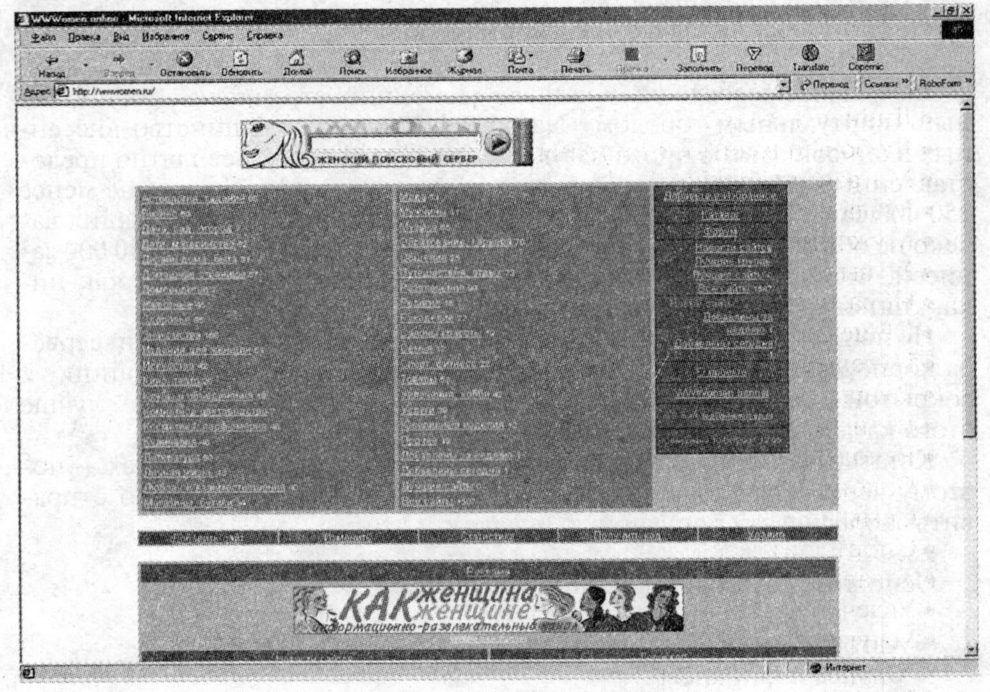

Каталог WWWomen.Ru

ны, только кажется, что ваши милые леди способны только часами болтать с подружками в «чатах», на самом же деле круг их интересов значительно шире. Вот только кто поможет им найти нужные странички, ведь каталоги-то наши ориентированы преимущественно на мужчин?

Тут-то как раз и пригодится этот небольшой каталог, созданный женщинами и предназначенный исключительно для дамского населения Рунета. Правда, ссылок в нем не слишком много (около тысячи), зато на категории разработчики сайта явно не поскупились: их здесь чуть ли не вдвое больше, чем в других каталогах:

- Астрология, гадания
- Бизнес
- Дача, сад, огород
- Дети, материнство
- Дизайн дома, быта
- Домашние страницы
- Домоводство
- Животные
- Здоровье
- Знакомства
- Издания для женщин
- Искусство
- Кино, театр
- Клубы и объединения
- Комнатное цветоводство
- Косметика, парфюмерия
- Кулинария
- Литература
- Личная жизнь
- Любовь и взаимоотношения
- Магазины, бутики
- Мода
- Мужчины
- Музыка
- Образование, карьера
- Общение
- Путешествия, отдых
- Развлечения
- Религия
- Рукоделие
- Салоны красоты
- Семья
- Спорт, фитнесс
- Товары
- Увлечения, хобби
- Услуги
- Ювелирные изделия
- Прочее

Жаль, обновляется информация на сайте нечасто: одна новая ссылка в день — это явно маловато! Слабо верится и в то, что в российской сети можно найти только три достойных упоминания сайта по домоводству. Так что до уровня постоянного советника и гида этот каталог покамест не дорос, однако редкая дама откажется совершить в компании с ним пару-другую прогулок по интересным сайтам.

ДЕТСКИЙ КАТАЛОГ KINDER.RU

(http://www.kinder.ru)

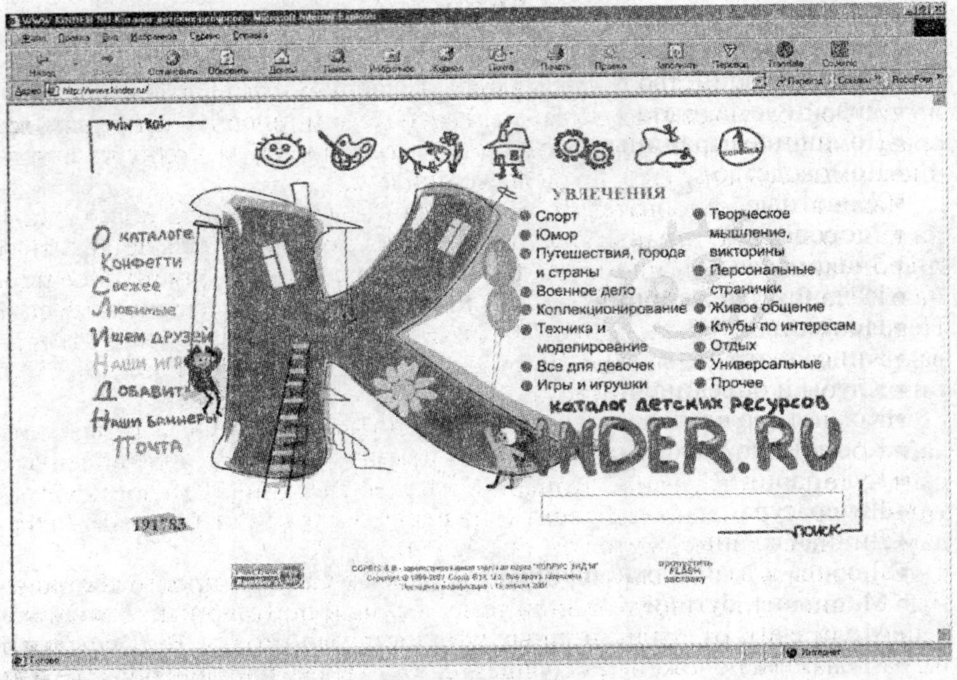

Каталог Kinder.Ru

В главе, посвященной Yahoo, мы мельком упоминали о специальном каталоге Yahooligans, созданного для удобства юных «сетян». А заодно и для спокойствия их родителей — уж этот-то каталог явно не подучит подрастающее поколение искать фотографии с голыми тетеньками, воровать номера кредитных карт у Билла Гейтса или потехи ради «взламывать» сервер Пентагона.

Не осталась обделенной и российская детвора — специально для тинейджеров в Рунете создан каталог Kinder.Ru, содержащий ссылки на несколько сотен детских сайтов. Слово «детский» в данном случае не имеет ничего общего с приторным сюсюканьем а-ля «Телепузики» — кстати, на некоторые из этих страничек и взрослым следовало бы заходить почаще... Хотя нет, пусть эти взрослые шастают по своим «яхам» и «листам», а этот участок сетевого пространства раз и навсегда оставят на откуп детям.

Основные разделы каталога:

- Искусство и культура
- Человек и природа
- Дом и семья
- Интернет
- Наука, техника, образование
- Деловой мир
- Увлечения

Рейтинги

...Ну хорошо, зашли вы в каталог, отыскали нужный раздел и получили сотню-другую ссылок на сайты. И что же вам теперь — открывать все сразу или устраивать «русскую рулетку», тыкая наобум в одну из многочисленных ссылок? Нет, так дело не пойдет...

Чаще всего пользователям, особо начинающим, нужна подсказка — на какую именно страничку сходить, на каком сайте больше полезной информации по той или иной теме. Конечно, можно ориентироваться на имя сайта или его адрес, но этот прием срабатывает далеко не всегда. Нередко сайты солидных фирм с выгодным адресом с треском проигрывают по качеству информации и частоте ее обновления скромной страничке, созданной каким-нибудь энтузиастом-одиночкой...

И в этом случае едва ли не единственным показателем полезности сайта остается его популярность, посещаемость. Чем больше посещают сайт — тем он интереснее. Конечно, и плохо сделанный, малоинформативный ресурс можно «забросить» на первую строчку любого «хит-парада», да только продержится он там недолго...

Стало быть, в том случае, если мы ищем в Сети не просто абстрактную страничку по определенной теме, а самый популярный, самый посещаемый сайт, от традиционных каталогов мало толку. Ведь ссылки в их разделах расположены, в лучшем случае, в алфавитном порядке или в порядке регистрации. Вот если бы учитывалась еще и популярность каждого сайта... Только почему «если бы»? Существуют такие каталоги в Сети, более того — их едва ли не больше, чем каталогов традиционных! И называются они «топами» или «рейтингами».

Не стоит думать, что рейтинги и каталоги непременно должны соперничать друг с другом — наоборот, вместо врагов, яростно сражающихся за сердца читателей, мы видим эдакую «сладкую парочку» сиамских близнецов. Оно и понятно: чтобы быть по-настоящему объективным и представительным, рейтинг должен формироваться на основе обширной базы данных. Сам по себе он такую базу собрать не в состоянии, да и зачем делать это, когда под рукой есть готовый каталог! Выгоден подобный симбиоз и каталогу — он обзаводится новой формой представления информации.

Не остаемся внакладе и мы, пользователи, получая два различных сервиса «в одном флаконе». Хотим — пользуемся традиционным каталогом, хотим — переключаемся на рейтинг. И отдельного адреса для рейтинга заучивать не надо, просто наберите в адресной строчки URL какого-нибудь крупного поисковика или каталога, а уж потом ищите на титульной страничке ссылку «Рейтинг» или «Top 100». В частности, очень неплохими рейтингами оборудованы популярные каталоги Rambler и List.Ru — их мы и порекомендуем в качестве базовых для русскоязычных пользователей.

Кстати сказать, уяснив себе механизм взаимоотношений рейтингов и каталогов, мы можем ответить на главный вопрос: а как осуществляется подсчет количества посещений каждого сайта? Нет ли тут какой надувательки? В реальной-то жизни все рейтинги, социологические опросы и хит-парады часто превращаются в фикцию, в мошенничество. Во всяком случае у нас, в России, где покупается и продается все.

Но если в «реальности» подсчитать точное количество зрителей, смотрящих тот или иной телеканал, на деле практически невозможно, то в виртуальном пространстве Интернет сделать это не составляет никакого труда. Например, большинство популярных каталогов при регистрации нового сайта обязывают его владельца разместить на титульной страничке небольшую рекламную картинку — баннер. А этот баннер связан с каталогом невидимой ниточкой-гиперссылкой, и за ниточку эту дергает, сам того не замечая, каждый посетитель вашей странички. А в каталоге на невидимом счетчике, ответственном за ваш сайт, прибавляется единичка.

Тут есть тонкий момент, напоминающий нам, что мы с вами находимся не в реальном, а в виртуальном мире. В отличие от «реальных» хит-парадов, рейтинги и хит-парады Интернет должны учитывать сразу две величины:

- Общее количество заходов на сайт (хиты)
- Количество уникальных посетителей (хосты)

Количество «хитов» показывает, сколько раз открывали ту или иную страничку за истекший промежуток времени. Однако во избежание «накрутки» счетчиков и нечестных приемов «продвижения» страницы в хит-параде учитывается еще и количество посетителей странички с уникальным, не повторяющимся IP-адресом.

Но вернемся к разговору о счетчиках: кто это сказал, что счетчик непременно должен быть невидимым? Большинство начинающих «вебмастеров» как раз любят устанавливать счетчик прямо на титульную страничку, дабы и самолюбие свое потешить, и перед другими похвастаться. Смотрите, мол, вчерась у меня в гостях аж тридцать человек побывало!

В свое время раздачей таких счетчиков как раз и занимались исключительно каталоги. Именно с подобной благотворительности начал свою раскрутку один из известнейших рейтингов Рунета — Rambler Top 100. Однако вскоре возникли независимые от каталогов службы раздачи счетчиков, которые тут же поспешили основать свои собственные рейтинги. Многие из них, как и рейтинги «каталожные», со временем стали необычайно популярными и сегодня сами занимают верхние строчки во всевозможных «топах».

Увы, однозначно порекомендовать одного-двух «фаворитов» для каждодневной объездки автор не может, ибо и ему приходится регулярно просматривать не менее пяти различных рейтингов. Условно (и очень условно!) можно вывести такую закономерность: в «каталожных» рейтингах чаще участвуют тяжеловесы, сайты с уже сформировавшимся имиджем и солидной историей. А в «счетчиковых» рейтингах борьбу за первые места ведут в основном авторы небольших, «домашних» страничек, среди которых много новичков. Так и получается, что на первых строчках различных рейтингов мы порой видим совершенно разные сайты.

И все же рейтинги — вещь безусловно полезная и информативная. Конечно, в поисках нужной информации в Сети вряд ли стоит руководствоваться только их рекомендациями и принимать на веру их отчеты. Не секрет, что в последнее время некоторые популярные рейтинги начали втихаря «приторговывать» первыми строчками в каждом разделе — и к этой политике трудно относиться иначе, чем с чувством отвращения и брезгливости...

Словом, любой, даже самый авторитетный рейтинг — не догма, а всего лишь руководство к действию. К дальнейшим поискам с использованием новых, более совершенных и точных розыскных инструментов.

РЕЙТИНГ RAMBLER TOP 100

(http://top100.rambler.ru)

Rambler Top 100

Когда-то давно Рэмблер был лучшей поисковой системой в Рунете. Потом — просто самой известной. Потом — самым большим поисковым порталом в российской части Сети. Сегодня все эти титулы принадлежат другим поисковым сайтам, а в лавровом венке Рэмблера изрядно поубавилось листьев. Однако рэмблеровский рейтинг Top 100 и по сей день остается лучшим «топом» Рунета, на голову обойдя все остальные рейтинги и большинство каталогов.

В рейтинге участвует около 70 тыс. сайтов, распределенных аж по 50 с лишним категориям. Столь детальная классификация позволяет добиться корректности сравнения — согласитесь, негоже было бы «программному» сайту соревноваться с сайтом крупного производителя компьютеров. А такое в других рейтингах, увы, встречается...

Подобно другим известным рейтингам, Рэмблер Top 100 принимает в свои объятия далеко не все сайты — вероятно, реально в нем может участвовать не более половины страниц Рунета.

РЕЙТИНГ MAFIA.RU
(http://www.mafia.ru/top100/)

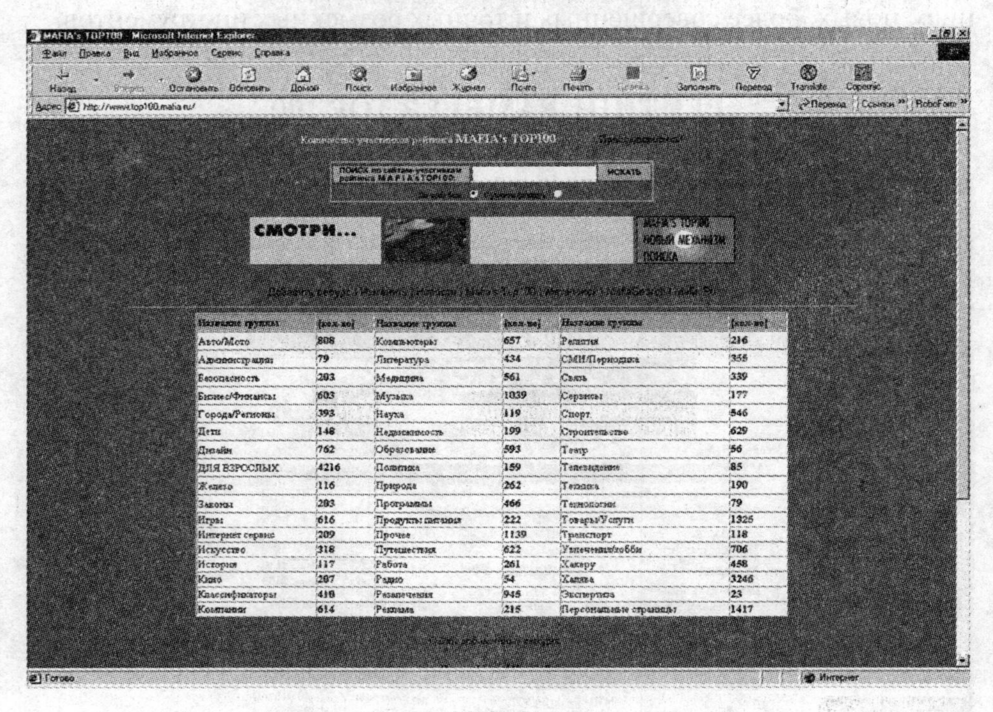

Название группы	[кол-во]	Название группы	[кол-во]	Название группы	[кол-во]
Авто/Мото	808	Компьютеры	657	Религия	216
Администрация	79	Литература	434	СМИ/Периодика	355
Безопасность	203	Медицина	561	Связь	339
Бизнес/Финансы	603	Музыка	1039	Сервисы	177
Города/Регионы	393	Наука	119	Спорт	546
Дети	148	Недвижимость	199	Строительство	629
Дизайн	762	Образование	593	Театр	56
ДЛЯ ВЗРОСЛЫХ	4216	Политика	159	Телевидение	85
Железо	116	Природа	262	Техника	190
Законы	203	Программы	466	Технологии	79
Игры	616	Продукты питания	222	Товары/Услуги	1325
Интернет сервис	209	Прочее	1139	Транспорт	118
Искусство	318	Путешествия	622	Увлечения/хобби	706
История	117	Работа	261	Хакеру	458
Кино	207	Радио	54	Халява	3246
Классификаторы	410	Развлечения	945	Экспертиза	23
Компании	614	Реклама	215	Персональные страницы	1417

Mafia.Ru

Появление в Сети сайта под зловещим названием Mafia.Ru несколько лет назад наделало много шума. Раздутый прессой скандал, разумеется, привел к тому, что «мафиозный» сайт быстро выбился в число лидеров по посещаемости.

Полностью оправдывая репутацию сайта, «счетчиковый» рейтинг Mafia.Ru Top 100 приглашает в свои ряды всех «униженных и оскорбленных» создателей страничек, которые ни при каких обстоятельствах не смогли бы попасть в традиционные рейтинги. За счет подобной всеядности рейтинг в кратчайшие сроки смог набрать в копилку около 25 тыс. «отверженных» сайтов. О том, что это за братия, можно судить хотя бы по тому, что добрая треть всех сайтов из копилки Mafia.Ru относится к категориям «Для взрослых» и «Халява». Впрочем, помимо этих двух рейтинг включает еще около 50 категорий, среди которых есть и вполне мирных. «Природа», например, или «Наука»... И пусть добавлены эти категории скорее «для галочки», однако и в них вы можете найти немало интересных ресурсов, в основном относящихся к классу «домашних страниц».

РЕЙТИНГ SPYLOG
(http://www.spylog.com)

Еще один популярный «счетчиковый» рейтинг, включающий около 85 тысяч сайтов, рассортированных по 12 категориям. В отличие от той же «мафии» Spylog уже успел изрядно остепениться и теперь позиционирует себя в качестве серьезного рейтинга. Откровенной порнографии и уголовщины там уже нет, однако до косности «Рэмблера» ему, слава богу, еще далеко... Пока что Spylog сохраняет ориентацию на небольшие сайты и «домашние страницы», однако постепенно к нему присматриваются и крупные ресурсы.

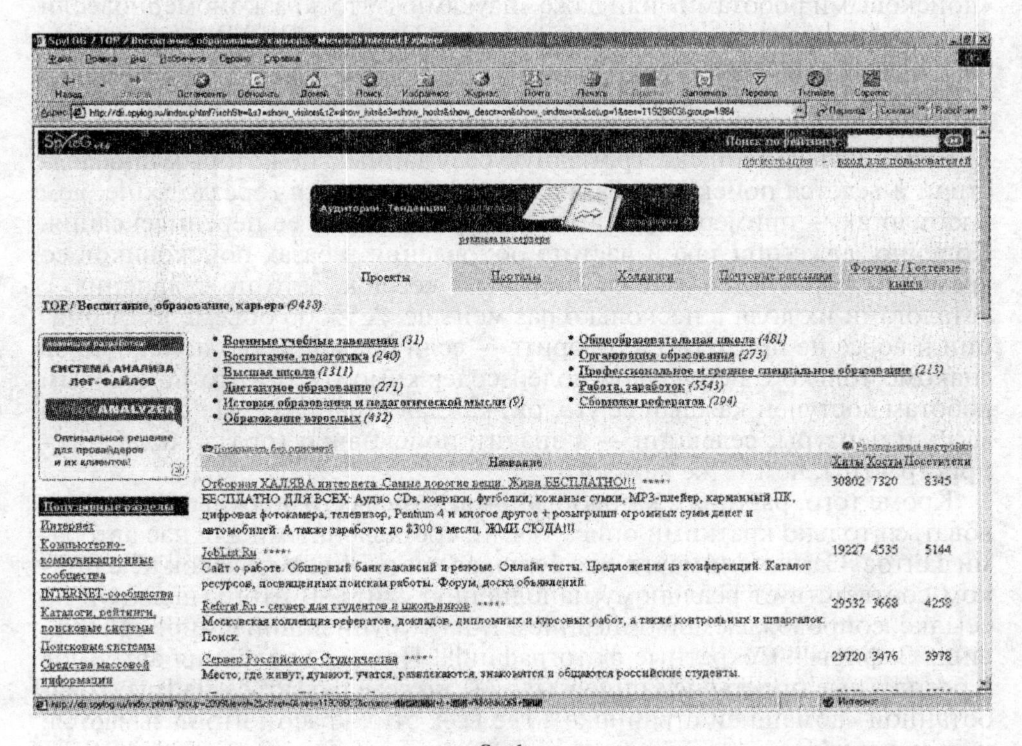

Spylog

Поисковые системы

Все инструменты поиска, описанные в предыдущих главах, сами по себе неплохи.

Более того — очень удобны!

Но не стоит слишком рассчитывать на их таланты и умения. Ведь все «готовые» подборки ссылок, независимо от их размера и структуры, пригодны лишь в качестве инструментов для грубого поиска. То есть — очертить границы интересующего нас района Сети можно, а вот нанести точечный удар, обнаружить на «карте» Паутины не город, не деревню, а крохотный пригорок... Увы!

Подумайте — ведь чаще всего мы с вами ищем в Сети не абстрактный сайт, будь он хоть трижды специализированным. А конкретную информацию, участок текста, содержащий нужные нам сведения.

К примеру, потребовалось вам узнать расписание электричек до Мадрида или рецензию на очередной бестселлер какого-нибудь Виталия Леонтьева. И на каком сайте прикажете это искать, если достоверно известно, что ни у мадридской электрички, ни у гражданина Леонтьева собственного сайта отродясь не водилось?

Стало быть, каталог нам не помощник...

Но выход есть — воспользоваться поисковыми системами, которые не ждут, пока пользователь внесет сайт в их каталог, а сами периодически обшаривают все пространство Сети. Иногда эти системы называют «поисковыми роботами» или даже «пауками». Что ж, закономерно: если существует Всемирная Информационная Паутина (WWW), то почему бы в ней не завестись паукам?

Ползая по хитрым переплетениям Сети, «пауки» ежедневно и даже ежечасно заползают практически на все доступные страницы и заносят их в специальный индекс, громадную базу данных, по которым впоследствии и ведется поиск. Эта база данных обновляется гораздо чаще, чем в каталогах — примерно раз в месяц производится ее переиндексация. Конечно, даже при такой частоте обновления в базах поисковиков со временем образуются залежи «мертвых» ссылок, зато по сравнению с каталогами их доля в несколько раз меньше. А уж об объеме информации и вовсе не приходится говорить — если большинство поисковиков знакомо только с небольшой долей содержимого Сети, то поисковым роботам доступен каждый ее уголок, каждая страничка. Не проводится здесь и цензуры, селекции — а значит, поисковики гораздо более беспристрастны, чем те же каталоги.

Кроме того, работая с каталогами, мы чаще всего должны руководствоваться только краткими описаниями, составленными для нас авторами сайтов. Сами понимаете, что большая часть эти самохвалок не слишком соответствует реальному наполнению сайта. В итоге, щелкнув по ссылке, сопровождаемой описанием типа «Крупнейший в мире сайт певицы Зефиры!!! Секретные фотографии!!!! Полная коллекция альбомов и бесплатные билеты на концерты!», вы можете оказаться на грубо сработанной «домашней страничке», где всех этих красот, что называется, и не ночевало.

Поисковый робот, в отличие от человека, беспристрастен и равнодушен к рекламным завлекалочкам. Его задача проста: «сфотографировать» содержимое каждой странички на сайте и занести его в общий индекс. Создатели сайтов «пауков» уважают и даже заискивают перед ними, подносся мохнатому чудищу готовый список кодовых слов, определяющих тематику сайта. Например, страничка книжного издательства может содержать кодовые слова: «книги», «литература», «издания», «детективы», «фантастика», «книга — почтой» и пр.

Однако поисковые роботы редко полагаются только на внутренний «индекс» странички. Нередки случаи, когда авторы сайтов намеренно заполняли «индекс» словечками типа «секс», «порно» и им подобными. Разумеется, в результате наблюдался необъяснимо высокий интерес к этим, в общем-то невинным и чаще всего неинтересным страничкам. Хотя почему же, вполне объяснимо... О времена, о нравы! Поэтому большинство серьезных поисковых систем не ограничиваются взглядом в индекс, а добросовестно сканируют всю страничку — на всякий случай.

Что происходит потом? Пользователь, зайдя на страничку «поисковика», вводит слово, по которому должен будет осуществляться поиск. А затем лицезреет долгожданный результат — гору полезных и бесполезных ссылок.

Увы, осуществлять поиск по отдельным словам — работа весьма неблагодарная. Ибо в этом случае вместо ожидаемой четкой и короткой выборки сайтов на вас может свалиться такое... Отправьте, например, той же «альтависте», запрос на поиск по очень важному для вас слову sex. А теперь попробуйте разобраться со всеми мохнадцатью бульонами ссылок, которые вы получили. Не получится — не отчаивайтесь, авось правнуки разгребут...

А между тем и в более простых случаях вы можете попасть впросак...

Допустим, вам нужно найти в Сети информацию об этой книге. Каков будет ваш запрос? Правильно — «новейшая энциклопедия интернет»!

Правильно, да не совсем. Конечно, набрав в поисковой страничке «Яндекса» или «Рэмблера» это сочетание слов, вы вполне можете отыскать нужную информацию... Но сделать это будет не просто. Ведь в этом случае система просто завалит вас горой ссылок на странички, на которых встречаются слова «новейшая», «энциклопедия» и «интернет» в произвольном порядке. При этом одно слово может быть в начале странички, второе — в середине, а третье — вообще в конце!

Таких страничек, понятно, в Сети сыщется немало...

Особенно трудно совладать с разбушевавшимся конем-поисковиком тем, кому нужно задать поиск по очень специфической теме, оперируя при этом самыми простыми словами. Например, автор является давним поклонником группы Software, работающей в жанре «электронной симфонии». Понятно, что слово software для поисковика может ассоциироваться со многим — но только в последнюю очередь с музыкальной группой. Если же добавить к запросу еще и electronic music — возникнет объясненная выше информационная каша.

Именно для решения этой проблемы на большинстве серверов введен так называемый «сложный поиск». Часто для его реализации применяются «расширенные» формы запроса — на них можно выйти, выбрав меню «Сложный поиск» или «Расширенный поиск» на любом поисковом сервере.

Впрочем, «матерые» ветераны интернет-поиска относятся к готовым «формам» весьма критически — и поражают воображение новичков, самостоятельно составляя сложные запросы-формулы с использованием специальных команд-операторов. Этим нехитрым искусством можете овладеть и вы — если, конечно, прочтете специальную главу этого раздела, без лишних затей названную «Сложный поиск в Интернет».

Впрочем, несмотря на внушения автора, большинство пользователей предпочитают ограничиваться простыми запросами. Поисковикам приходится лишь признавать этот прискорбный факт и самим делать шаг навстречу незадачливым искателям. Сегодня большинство поисковых машин оснащены сложным механизмом сортировки, который позволяет частично отфильтровать заведомый мусор и оттеснить его в конец списка результатов. А на первые места в нем будут претендовать странички, обладающие большей степенью *релевантности,* то есть ожидаемой степени соответствия странички запросу пользователя.

Звучит громоздко и непонятно, но на самом деле все очень просто.

Мы помним, что, индексируя страницу, поисковик работает сразу с несколькими элементами ее содержания:

- Заголовок страницы
- Перечень «ключевых слов», составленный ее автором
- Краткое описание странички, также содержащееся в ее теле. Для пользователей эта информация, как и список ключевых слов, остается невидимой
- Собственно содержимое странички

Получается, что если заданные вами ключевые слова будут найдены в заголовке, описании, да еще вдобавок и в самом тексте странички, то степень ее релевантности будет достаточно высокой. И велика вероятность, что в виде ссылки на эту страничку вы обрели бесценный информационный клад! А вот если ключевые слова будут найдены только в описании, но не на самой страничке, то «робот» наверняка занесет ее в список подозрительных: уж не пустышку ли вы нам подсовываете, господин вебмастер?

Но даже если хозяева «паука» и облегчили ему задачу, исключив из перечня обыскиваемых элементов странички ее описание (мало ли что там эти пользователи понапишут!), он всегда найдет, на что обратить внимание при определении степени релевантности странички. Например, где именно расположена фраза, содержащая ключевое слово, насколько часто оно повторяется в тексте странички...

Впрочем, иногда механизм забывает про свое теоретическое «совершенство» и на первых местах в списке результатов поиска мы обнаруживаем все ту же «пустую породу». Окажется интересной одна ссылка из десятка — великолепно, редкая удача.

К сожалению, поисковые роботы не слишком интеллектуальны — к тому же на их машинную логику порой накладывается глупость самих пользователей. Я не знаю, на что рассчитывают несчастные, задающие поисковым системам в качестве кодового слово «секс». Естественно, поисковики добросовестно доставляют им сотни тысяч адресов страничек, содержащих это слово — порносайтов и служб знакомств, медицинских трактатов и социологических исследований.... В итоге — все тот же хаос, только чуть меньший по размерам.

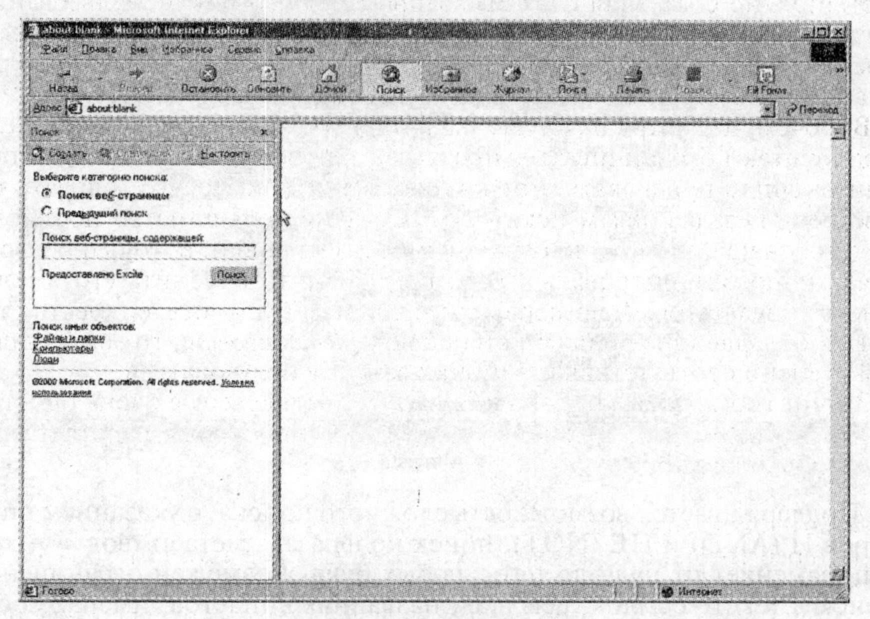

Поиск в Internet Explorer

Было бы удивительно, если бы поисковые возможности не были востребованы создателями программ для путешествия по Сети — браузеров. Вы еще не забыли, что на панели вашего Internet Explorer есть кнопка «Поиск»? Нажав на нее, вы сможете обратиться сразу к нескольким крупнейшим поисковым серверам, в том числе — и к русскоязычным. Ведь еще два года назад российским пользователям Интернет приходилось довольствоваться исключительно англоязычными «поисковиками», не слишком уверенно справляющимися с русским текстом. Теперь все изменилось — в Сети исправно функционирует добрый десяток русских поисковых машин.

ПОИСКОВАЯ СИСТЕМА ALTAVISTA
(http://www.altavista.com)

Один из крупнейших поисковых порталов, признанный лидер на поисковом рынке, чемпион по количеству предоставляемых сервисов (поиск информации на 25 языках, включая русский, перевод найденных страниц Интернет, обширный каталог...) и прочая, и прочая...

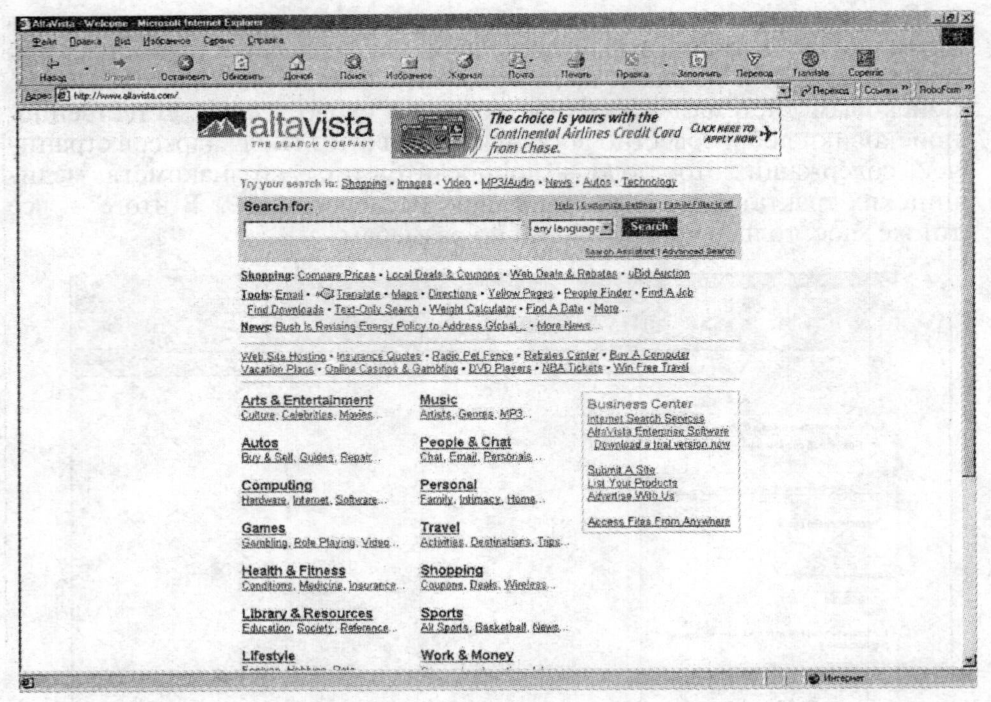

Altavista

Поддерживается возможность сложного поиска, с указанием операторов И (AND) и НЕ (NOT), поиск по фразам, метасимвол «*», который заменяет от нуля до пяти любых букв. Возможен ограниченный поиск в тексте ссылок, ссылках, названиях апплетов, именах хостов, названиях картинок, видимом тексте, заголовках и URL. Возможен поиск в группах новостей. Можно вести поиск среди документов на заданном языке, но при этом вы не увидите множества страниц с неопознанным или неверно определенным языком, а среди русских таких бывает больше половины. Если же вы задаете поиск на любом языке, формулируйте задание поточнее, чтобы набор символов не совпал с какими-нибудь словами в другом языке. Поиск в различных кодировках дает разные результаты. Возможен автоматический перевод найденных документов с английского на французский, немецкий, итальянский, испанский или португальский язык, а также перевод с этих языков на английский.

ПОИСКОВАЯ СИСТЕМА GOOGLE
(http://www.google.com)

Эта поисковая машина, основанная на принципиально новом алгоритме поиска, отличается предельно аскетическим интерфейсом... и великолепными результатами поиска, отличающимися высокой степенью релевантности (соответствия результатов поиска реальному состоянию

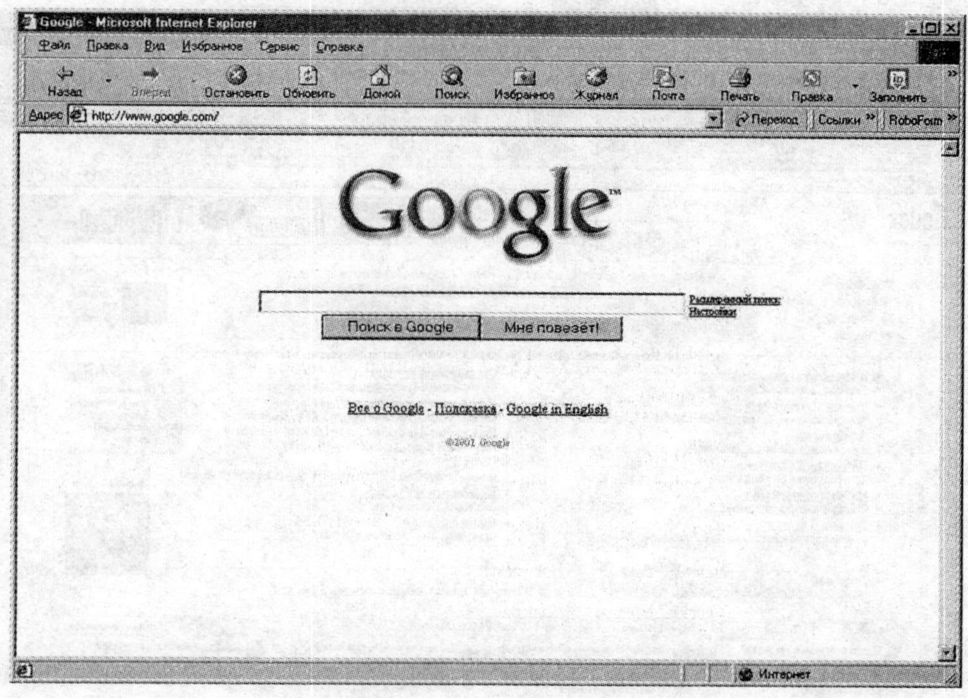

Google

дел в Сети). В отличие от других поисковых систем, в «первой десятке» результатов, выданных Google, вы не встретите никакого информационного мусора и случайных сайтов: место сайта в списке напрямую связано с количеством ссылок на него с других серверов аналогичной тематики. В итоге сегодня Google значительно потеснил былого лидера поисковых систем — AltaVista.

Интересной особенностью Google является наличие второй кнопки рядом со строкой поиска. Если первая кнопка запускает традиционный механизм, то вторая кнопка сразу же перебросит пользователя на сайт, который, по мнению Google, максимально отвечает его запросам. И кстати, частенько этот прием срабатывает!

Не так давно Google обзавелся собственным каталогом, в котором уже присутствует большое количество русских ресурсов с описаниями на все том же «великом и могучем», освоил поиск по группам новостей... А самое главное, во всяком случае, для нас, российских пользователей — наконец-то заговорил по-русски!

Словом, развитие Google идет полным ходом и, если его темп сохранится и далее, звание «поисковой системы номер один» закрепится за этим сервером уже в текущем году. Собственно говоря, лишь уважение к заслугам и дополнительным «примочкам» AltaVista не позволяет мне поставить Google на первое место уже сейчас...

ПОИСКОВАЯ СИСТЕМА ЯNDEX

(http://www.yandex.ru)

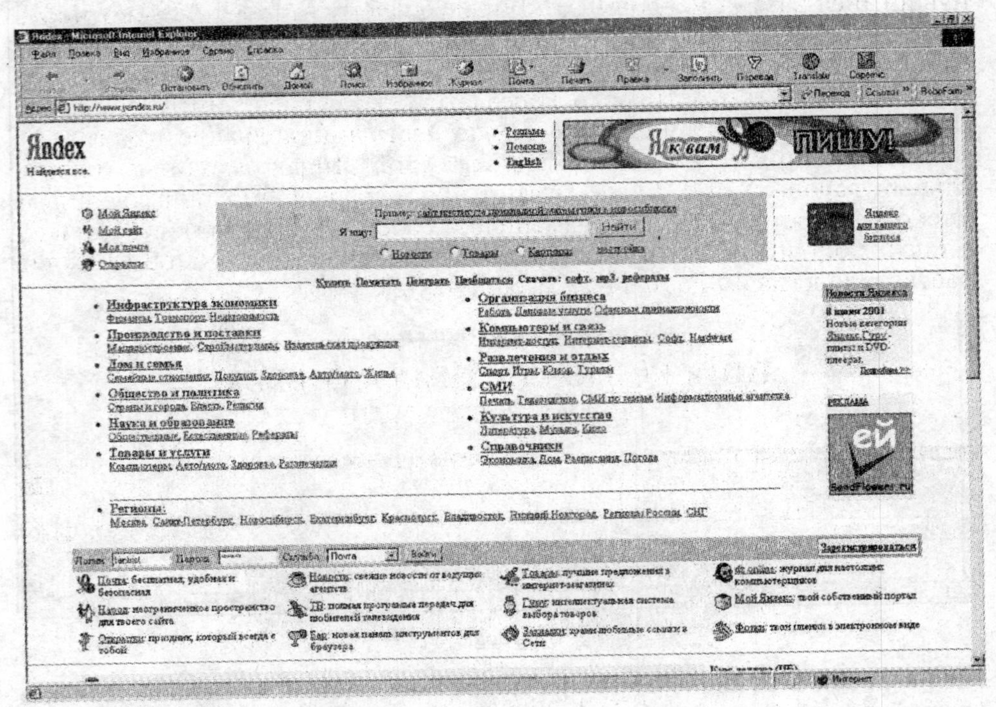

Яndex

Когда-то эта «искалка» едва ли не в одночасье лишила королевского титула знаменитый Рэмблер, и сегодня именно она продолжает оставаться самой модной и умелой поисковой системой в русской Сети. В частности, Яндекс — едва ли не единственный поисковик, способный отыскать информацию на страничке, проживающей в каком-нибудь «виртуальном городе» типа Narod.Ru.

В поисках информации Яндекс отнюдь не ограничивает себя территорией Российской Федерации: система с легкостью отыскивает сайты, расположенные в доменных зонах республик бывшего СССР, а иногда — и вовсе за пределами постсоветского пространства.

Основным достоинством Яndex'а является способность находить заданные слова независимо от формы, в которой они употребляются в документах. Интересно, что система может образовывать словоформы даже для тех слов, которых нет в словаре. Система поддерживает логические операции И, ИЛИ и НЕ, логические группы, поиск по фразам, причем действие операторов И и НЕ может распространяться как на один абзац, так и на весь документ в целом. Поиск можно вести как по всем формам ключевых слов, так и по конкретно заданной форме. Возможно определение расстояния между словами с учетом их порядка, указание различной значимости ключевых слов, а также использование уточняющих слов. Специальный поиск можно вести по заголовкам документов и находящимся в них ссылкам. Кроме того, имеется возможность попросить систему найти документы, схожие с наиболее приглянувшимися вам из найденных по предыдущему запросу. Можно также ограничить поиск уже найденными документами. А в том случае, если нужные документы не будут найдены, можно продолжить поиск через AltaVista, куда автоматически передается уже обработанный системой запрос. Поиск в различных кодировках дает одинаковый результат.

Помимо поисковой системы, в семейство Яндекс входит и «виртуальный город» Narod.Ru, бесплатно предоставляющий пользователям дисковое пространство для размещения собственной WWW-странички, а также дополнительный почтовый ящик. Подробнее о Narod.Ru будет рассказано в главе «Размещаем страничку в Сети».

ПОИСКОВАЯ СИСТЕМА RAMBLER
(http://www.rambler.ru)

Rambler

На протяжении всей книги автор только и делал, что без конца критиковал этот сервер — а ведь только из уважения к стажу и пионерству последнего к нему следовало бы относится гораздо более почтительно.

Рэмблер — типичный сервер типа «все в одном флаконе». Здесь вы найдете громадное количество поисковых сервисов: и знаменитый каталог-рейтинг Rambler Top 100, и отдельные каталоги по таким темам, как сетевые магазины, подарки, здоровье, работа, право, компьютеры, и службы поиска файлов, и отличную справочную систему по различным вопросам...

Впрочем, многие серверы Рэмблера будут рассматриваться как отдельные поисковые системы в других разделах нашей книги. Сейчас же речь пойдет исключительно о способностях рэмблеровского поисковика. Они по-прежнему безукоризненны — но лишь тогда, когда речь заходит о матерых, проверенных временем сайтах. Будучи истинным аристократом, Рэмблер с некоторым презрением относится к небольшим сайтам и домашним страничкам, информацию на которых он способен отыскать далеко не всегда. Но зато результаты Рэмблера содержат минимальное количество «мусора», что в некоторых случаях делает его более удобным для пользователя, чем дотошный, но всеядный Яndex.

Впрочем, в ближайшее время в жизни старого доброго «Рэмблера», возможно, произойдут революционные перемены: уже давно по российской Сети циркулируют слухи о возможном его объединении с лидером «русского поиска» Яndex, а также о скором переходе Rambler на новый поисковой механизм, заимствованный у знаменитого сервера Google. И в каком бы направлении ни развивались события, шансы Rambler на возвращение давно утраченной короны весьма высоки...

Система поддерживает логические операции И, ИЛИ, НЕ, логические группы, метасимволы «?» и «*», заменяющие один символ или их группу, а также позволяет увеличивать и уменьшать значимость вводимых слов с помощью коэффициентов «+» и «–». Есть возможность поиска документов «похожих» на приглянувшийся среди найденных, а также поиска среди уже найденных документов. Поиск в различных кодировках дает одинаковый результат.

ПОИСКОВАЯ СИСТЕМА АПОРТ!

(http://www.aport.ru)

Последний представитель «большой тройки» поисковых серверов Рунет. Обычно этим поисковиком пренебрегают: его индексная база значительно меньше, чем у Яndex или Rambler, да и оперативность ее обновления хромает... Однако частенько «Апорту» удается вытащить из Сети ссылки, по неведомым причинам упущенные из виду остальными двумя поисковиками. Кроме того, есть у «Апорта» своя «изюминка» — возможность восстановления исходного текста документа по индексу, даже в том случае, когда сам документ из Сети давным-давно удален...

Поиск ведется более чем по полутора миллионам документов. Система умеет искать по различным словоформам введенных слов и даже исправляет в введенных словах ошибки, поддерживает логические операторы И, ИЛИ, НЕ, логические группы, поиск по фразам, ограничение в расстоянии между словами, заданное числом слов или фраз. Мало того, система может переводить с русского на английский и с английского на русский не только запрос, но и полученную в результате поиска информацию. Возможен поиск по URL, а также указание допустимого времени создания документов.

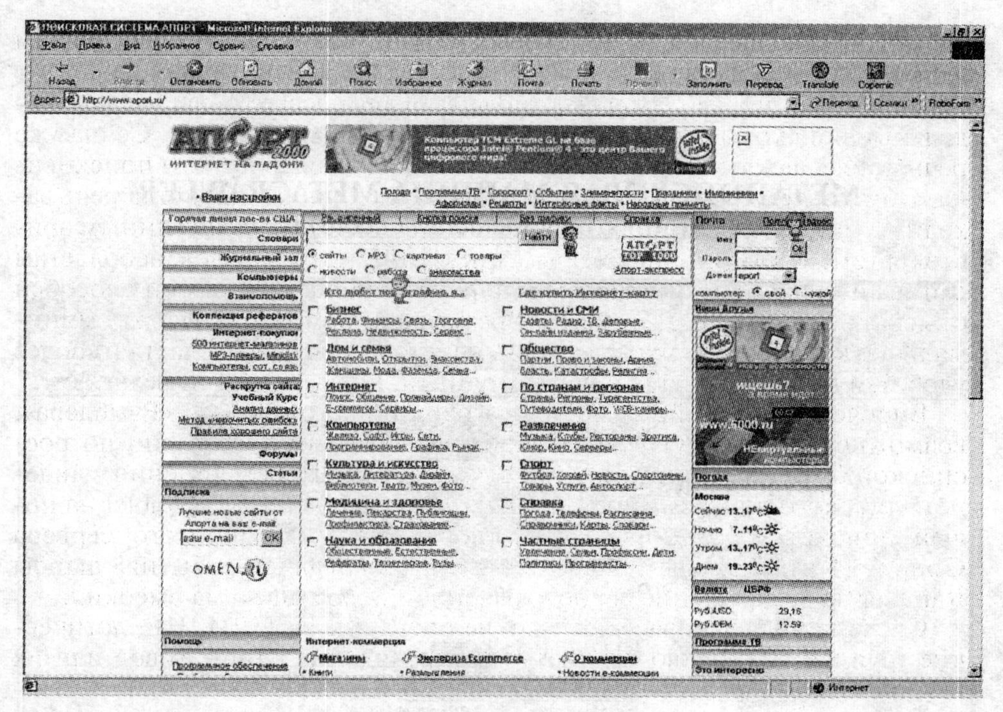

Апорт

Метапоисковые машины

Как мы видим, каждый вид поисковых механизмов имеет свои достоинства и недостатки. Каталоги лучше справляются с поиском сайтов, поисковики — страничек...

Да и самих серверов не так уж мало: одних только поисковиков в мире насчитывается несколько десятков. И попробуй тут сделать выбор, если одна машина удобнее по интерфейсу, другая лучше ищет, третья тщательнее сортирует...

Потому редко кто из пользователей Интернет ограничивается одним поисковиком — даже той же знаменитой AltaVista или Google. Большинство же, не отловив нужной ссылки ни на одном из лидеров, начинают лихорадочно перебирать поисковик за поисковиком. А вдруг отыщется?

Однако запускать одну за другой несколько поисковых машин — не самое лучшее решение. Ведь в итоге вы получите несколько громадных списков результатов с большим количеством повторов. Да и открывать для этого несколько окон Internet Explorer не слишком удобно... А сколько драгоценного времени теряется!

Именно поэтому все большую популярность в сети завоевывают поисковики третьего типа — «мультипоисковые машины». Сами по себе они ничего не ищут, их задача другая — переадресовать ваш запрос на как можно большее число поисковых машин (как каталогов, так и «пауков»), а затем суммировать полученное, удаляя дублирующие друг друга записи.

МЕТАПОИСКОВАЯ МАШИНА METACRAWLER
(http://www.metacrawler.com)

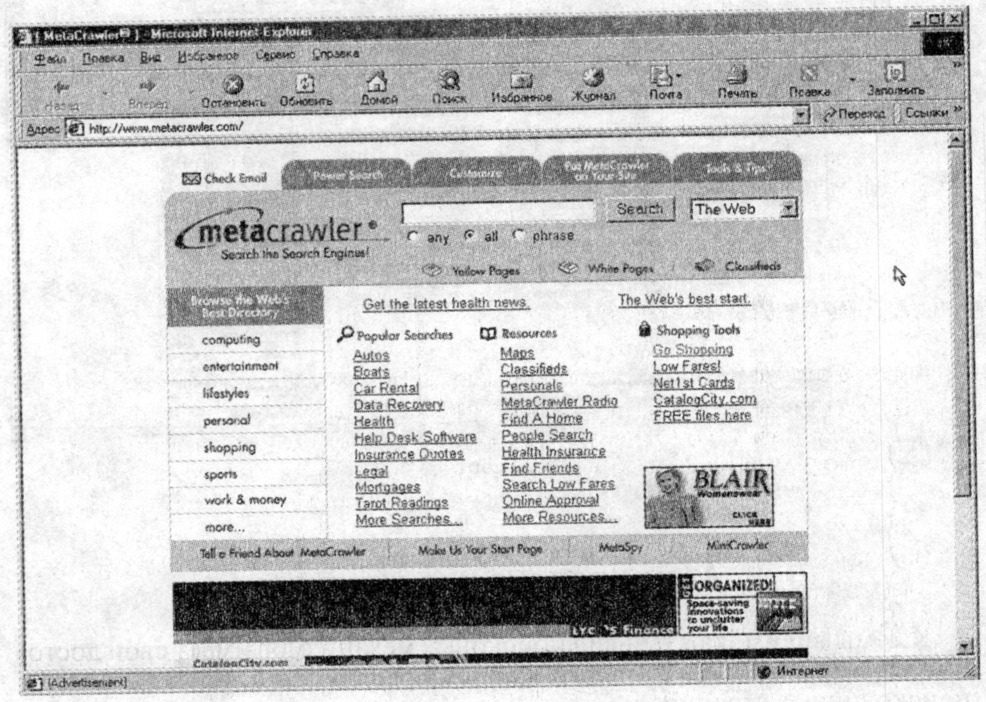

Metacrawler

Один из лидеров метапоиска в западном сегменте Интернет. Позволяет отправить запрос сразу на полтора десятка (!) крупнейших поисковиков и каталогов:

- Yahoo
- AltaVista
- Google
- Lycos
- DirectHit
- WebCrawler
- Excite
- FindWhat
- GoTo.com
- Internet Keywords
- Kanoodle
- MetaCatalog

- LookSmart
- Sprinks by About

Понятно, что имена большинства этих сайтов (кроме первой четверки) мало что скажут не только новичкам, но и большинству пользователей со стажем. Однако «халявы много не бывает» — почему бы заодно не пошерстить в этих укромных уголках, ежели система дозволяет? Переключившись в режим «расширенного поиска» (advanced search), вы, впрочем, можете уточнить, каким именно поисковикам вы доверите обработку своего запроса.

Разумеется, Metacrawler не будет вываливать вам весь массив ссылок с каждого поисковика, ограничившись «первой тридцаткой». Кстати, точное количество ссылок с каждого ресурса можно установить здесь же, в меню расширенного поиска.

При использовании нескольких ключевых слов Metacrawler может работать в режиме поиска страниц, содержащих все слова (all), любое из указанных слов (any) или словосочетание целиком (phrase).

МЕТАПОИСКОВАЯ ФОРМА SEARCH
(http://www.informika.ru/windows/intern/poisk/main.html)

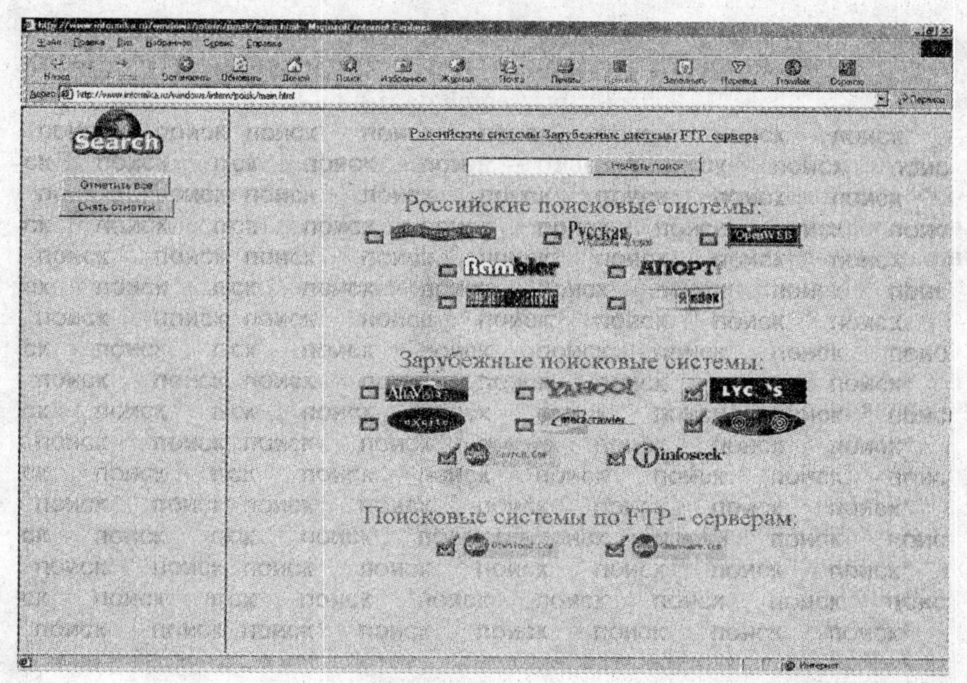

Search

С помощью этого сайта можно отправить запрос на любую комбинацию поисковых машин, отметив «галочкой» нужные системы из следующего перечня:

- Russian Интернет Search (Поиск в русском Интернет)
- Русская машина поиска
- OpenWEB
- Rambler
- Апорт
- Созвездие Интернет
- Яndex
- AltaVista
- eXcite
- InfoSeek
- Lycos
- MetaCrawler
- HotBot
- Yahoo
- Shareware.com
- Download.com
- Search.com

Результаты поиска через каждую систему открываются в отдельном окне.

МЕТАПОИСКОВАЯ ФОРМА SEARCH.DA.RU

(http://search.da.ru)

Аскетично и функционально — вот два слова, необходимых для исчерпывающей характеристики этого сайта. Все просто и наглядно, как у всенародного любимца Google: строчка для запроса и перечень поисковиков с «гнездами» для ваших галочек.

На сегодня в активе системы — 15 русских поисковиков и каталогов:

- @Rus
- Aport search
- catalog.chat.ru
- hi.ru
- KM.ru
- List.ru
- Rambler search
- Rambler's Top100
- SpyLog
- stars.ru
- up.ru
- www.ru
- Eprst
- Хочу!
- Яndex search

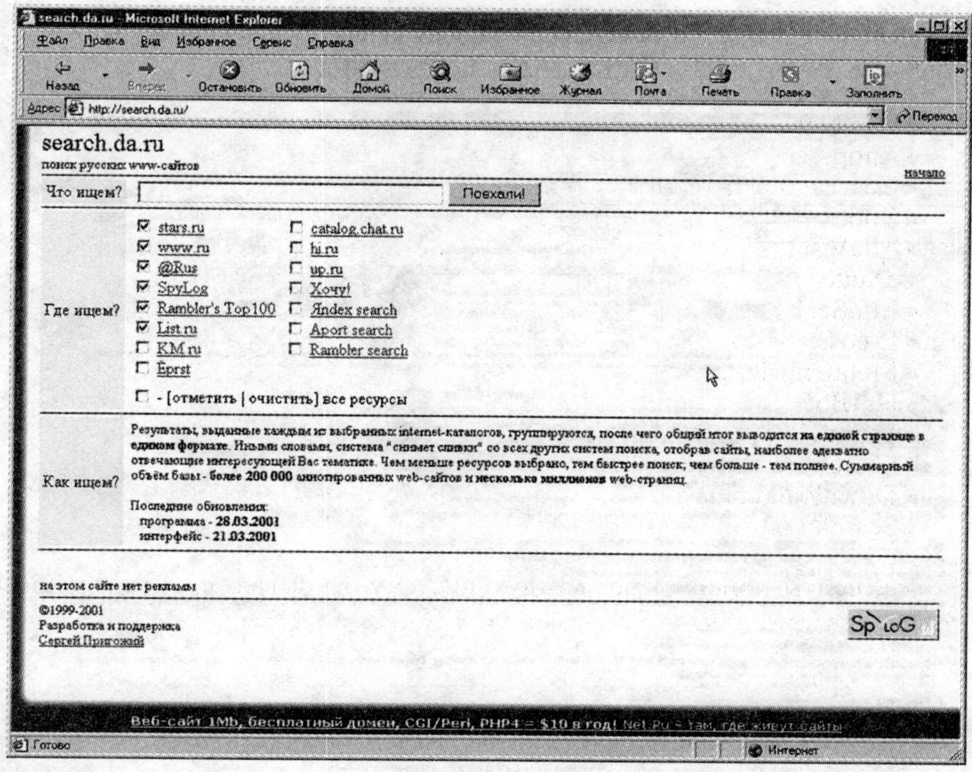

Search.Da.Ru

Отрадно, что с помощью этого сайта можно работать не только с «монстрами» русского поиска типа Яndex или Rambler, но и с менее известными и недооцененными (и совершенно напрасно!) каталогами.

Каталоги поисковых систем

Поисковых систем в мире много. Очень много. Гораздо больше, чем может охватить эта книга. Все-таки наша энциклопедия не может быть посвящена одним лишь поисковым системам! Приходится сравнивать, отбирать лучшее, но нет никаких гарантий, что поисковик, пришедшийся по вкусу автору, обязательно подойдет и вам. Да, процентов девяносто пользователей использует для поиска в мировом пространстве Сети AltaVista или Google, а в русском — Яndex... Но с остальными-то десятью процентами как быть?

Возможности описать все без исключения поисковики я, увы, не имею. Зато могу переложить эту работу на плечи специальных каталогов — сайтов, которые не просто описывают «поисковики», но и сравнивают их возможности. Причем значительно подробнее, чем эта книга... А потому будущих профессионалов поиска в Сети (есть сегодня и такая профессия) покорнейше прошу за более подробной информацией на один из следующих сайтов:

КАТАЛОГ SEARCH KIT
(http://www.alf.ru/search/)

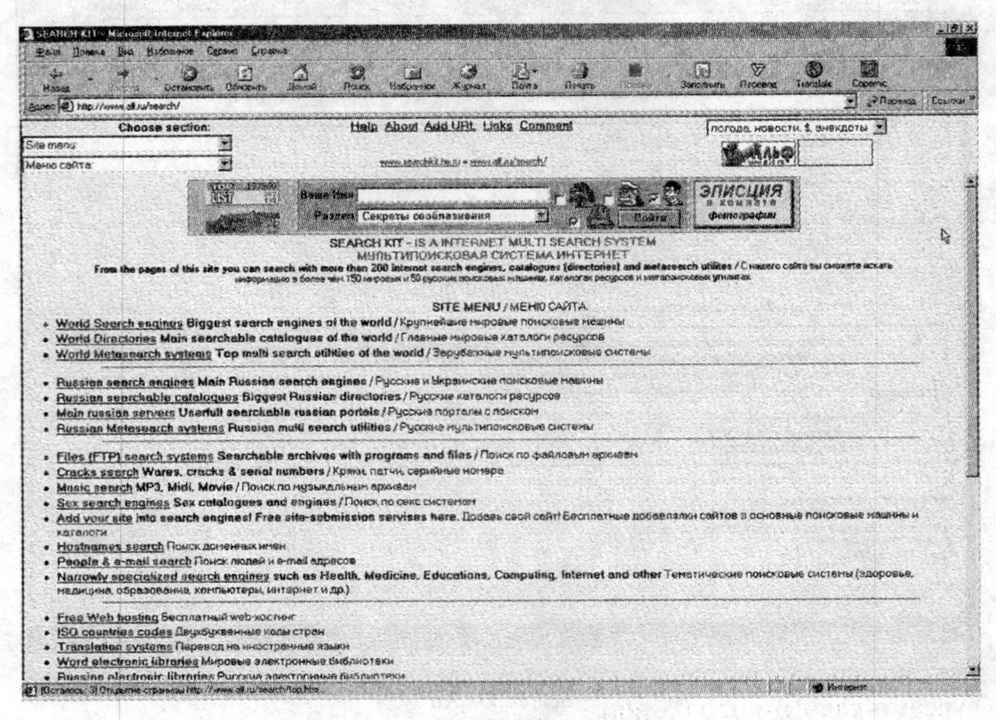

Search Kit

Один из самых полных и удобных каталогов поисковых серверов в Рунете. Сайт ссылки более чем 150 мировых и 50 русскоязычных поисковиков, рейтингов и каталогов; при этом отправить запрос на любой из них вы можете через форму, расположенную прямо на странице каталога. Возможность (или невозможность) работы каждого поисковика с русским текстом обозначена специальным значком.

Каталог охватывает все возможные направления поиска: благодаря ему вы можете воспользоваться не только традиционными поисковиками, но и специализированными поисковыми системами (поиск файлов, музыки в формате MP3 и т. д.).

Помимо поисковых систем, справочник содержит ссылки на ряд других полезных ресурсов Интернет (каталог электронных библиотек, сайтов, бесплатно предоставляющих услуги хостинга, онлайновых переводчиков).

КАТАЛОГ «БУКИ. ПОИСК В РУССКОМ WEB'E»
(http://www.rinet.ru/buki/)

Сайт содержит описания более 100 поисковых серверов, специализирующихся на русском сегменте Сети. Особенно полезным будет этот сервер для пользователей Интернет в провинции: значительное место в

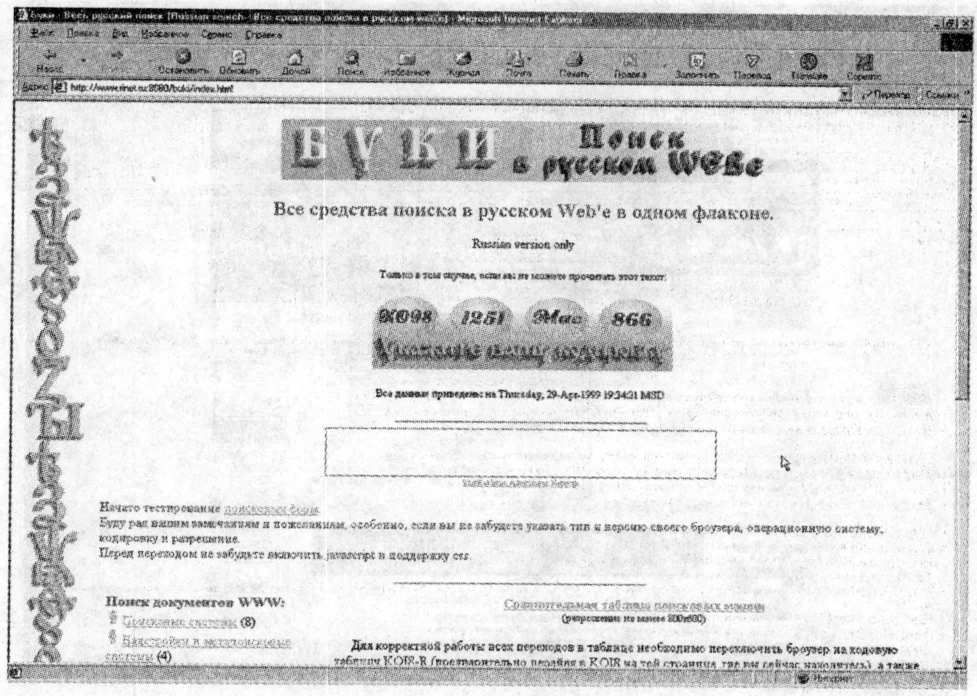

Каталог «Буки»

базе данных «Буки» занимают «местные» поисковики, работающие с ресурсами какого-либо региона.

В ближайшем будущем сайт должен обзавестись поисковыми «формами», которые позволят запускать поиск по любому из указанных в списке серверов непосредственно с «Буки»... Очень хочется надеяться, что это будущее когда-нибудь наступит, хотя за последние два года создатели «Буки» и не привнесли никаких заметных изменений в структуру своего детища...

Порталы

Вообще-то по логике порталы следовало бы поместить на самый верх информационной структуры Сети. Прямо над сайтами и уж, тем более, над страничками. Да только вряд ли уместно водружать на первое место новичка: ведь порталы — самые молодые образования в Сети. И пока что — самые малочисленные, хотя именно на их долю приходится едва ли не большинство пользовательских «визитов».

Не секрет, что принцип «все в одном флаконе» ох как симпатичен пользовательскому сердцу. Неважно, что это — модная комбинация стирального порошка с шампунем или стиральной машины с факс-аппаратом и пылесосом. Еще менее важно то, что чаще всего компоненты такого кадавра значительно уступают в удобстве своим автономным собратьям...

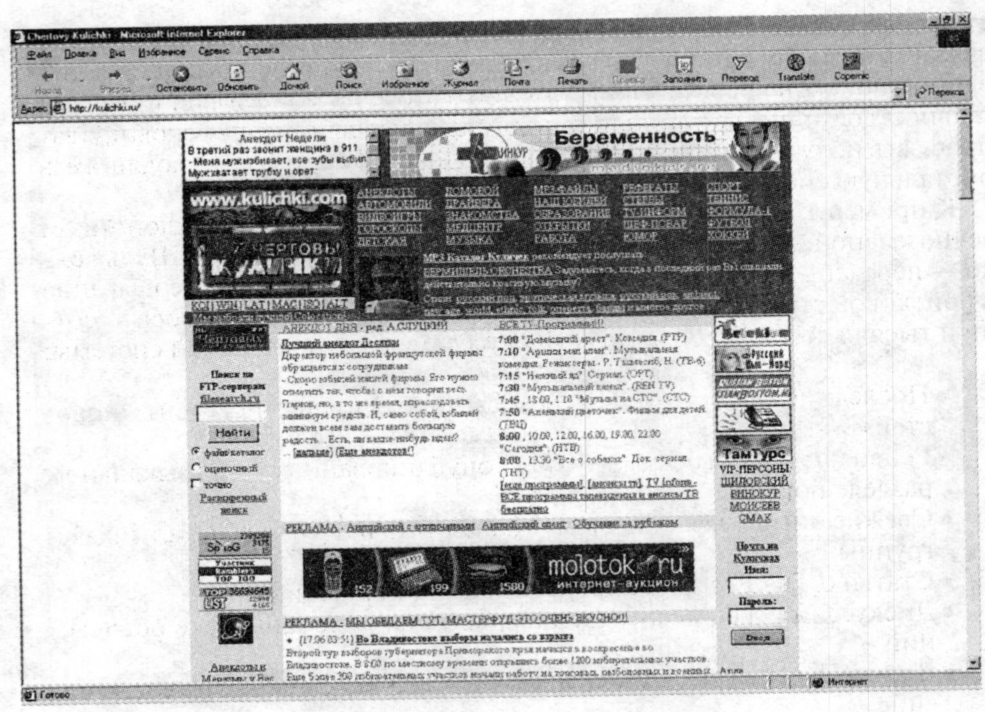

Развлекательный портал «Чертовы Кулички»

Именно по такому принципу построены порталы Всемирной паутины.

Первоначально слово «портал» означало всего лишь «ворота», «вход в здание». Позднее это слово приобрело некий мистический оттенок: в фантастической литературе так назывались загадочные «врата», пройдя через которые, человек мог оказаться в одном из тысяч (миллионов, миллиардов) сопряженных миров или вселенных.

Наконец, третий смысл этого слова возник буквально на наших глазах, в эпоху Интернет. Порталами стали называться мощные информационные системы, объединяющие не только несколько (порой — несколько десятков) отдельных сайтов, но и максимально возможное количество различных сервисов.

- Поисковая система
- Каталог страниц Интернет
- Служба новостей
- Система электронной почты
- Электронная энциклопедия
- Электронный магазин
- Доска объявлений или форум

Это всего лишь краткий перечень ресурсов, доступных через самый простенький портал. Портальные же гиганты включают в себя сразу несколько видов каждого ресурса! Например, несколько электронных энциклопедий, множество различных каталогов, отдельные «ленты новостей» для каждой темы и так далее. Причем все эти различные ресурсы связаны между собой не только общим интерфейсом и ссылками, но и единой поисковой системой! И именно в этом, на мой взгляд, и состоит главное достоинство порталов: скормив портальному поисковику запрос, вы получите в ответ ссылки, относящиеся ко всем входящим в портальную систему ресурсам!

К примеру, если вы, как и автор этой книги, являетесь поклонником вечнозеленой музыки The Beatles (или Queen, или Клавдии Шульженко — перечень дополните сами), попробуйте набрать заветное название в поисковой строке портала... Что в результате? Как и ожидалось — сотни и тысячи ссылок, собранных «по сусекам» всей портальной системы:

- Последние новости о The Beatles, проходившие по «ленте новостей»
- Рецензии на альбомы группы, опубликованные в музыкальном разделе портала
- Свежие интервью с Полом Маккартни и другими участниками группы
- Статьи о The Beatles в виртуальной энциклопедии
- Дискуссии о The Beatles на локальном форуме или доске объявлений
- Диски The Beatles, выставленные на продажу в «виртуальном магазине»
- Связанные с The Beatles товары, выставленные участниками на «виртуальном аукционе»
- Ссылки на страницы, посвященные The Beatles

Последний ресурс можно было бы, впрочем, и не упоминать вовсе: мы и так сможем получить все необходимое, не выходя за рамки облюбованного портала...

Помимо тематических порталов, составляющих львиную долю портального поголовья, встречаются и порталы географические, объединяющие ресурсы какого-либо региона, страны или даже города. Различаются порталы и по размеру: помимо упомянутых выше гигантов встречаются и порталы-крошки, которые, по существу, ничем не отличаются от обычных коллекций ссылок.

Разумеется, копать «вглубь» с помощью портала невозможно: в большинстве случаев этот Великий Всезнай замкнут на своем духовном богатстве и искренне считает, что более полной информации вам не предложит никто и никогда! И разница между серьезными поисковыми системам и порталами в большинстве случаев не меньше, чем между изысканными ресторанами и каким-нибудь «Макдональдсом»...

А ведь верно: портал — это своего рода информационный Макдональдс и есть! Быстро, недорого, красиво и вроде бы даже разнообразно. Кстати, в наш сегодняшний стремительный век «быстрая информация», как и быстрое питание — товар необычайно востребованный... И в ряде случаев — даже полезный. Узнать прогноз погоды, познакомиться с текущими новостями и курсом валют, просмотреть программу телевидения, пробежаться по анонсам интересных мероприятий на день — все это удобнее делать именно с помощью порталов. Новости на любой вкус, быстрые ответы на популярные вопросы — вот их специальность...

Но не стоит думать, что все порталы — существа легковесные и несерьезные. Взгляните, к примеру, свежим взглядом на уже хорошо знакомые нам поисковые системы:

- Altavista
- Yahoo
- Rambler
- Яndex

До поры до времени мы с вами эксплуатировали только «ищеечные» способности этих систем, но ведь на самом деле каждая из них — полноценный портал со сложной структурой и массой возможностей! Присмотритесь к ним повнимательнее, вы ведь и так заходите на эти сайты каждый день. И я уверен, что отныне поиск нужной информации станет для вас чуть более легким делом...

Сегодня количество порталов в Сети растет едва ли не быстрее, чем количество пользователей: последние шутят, что скоро в Интернет ничего, кроме порталов, и не останется... Вполне закономерно, что популярность и доверие к порталам снижается — больно много развелось крикливых однодневок, не вполне обоснованно претендующих на этот обязывающий ко многому титул. Однако золотой век порталов еще не минул, и пренебрегать их возможностями не стоит.

ПОРТАЛ «КИРИЛЛ И МЕФОДИЙ»

(http://www.km.ru)

Собственно, по этому адресу расположен уже не портал, а «мультипортал» — так гордо именуют создатели свое детище, подчеркивая не только его солидность, но и уникальность. Другого такого «мультипортала» в Рунете и вправду нет...

Первая и самая важная часть «Кирилла и Мефодия» — одноименная мегаэнциклопедия, вобравшая в себя сотни тысяч статей из серии отдельных электронных энциклопедий (http://mega.km.ru).

Кроме энциклопедий, портал Megabook.Ru предоставляет пользователям возможность поработать с электронными версиями нескольких популярных словарей — «Толкового словаря русского языка» Ожегова, англо-русского, русско-английского, экономического.

Образовательная тематика главенствует и в ряде других ресурсов КМ: студенты могут заглянуть на портал http://4students.ru, а для посетителей помладше постоянно открыты двери «Виртуальной школы» (http://www.vschool.ru) и детского обучающего портала VKids (http://www.vkids.ru). Существует заветный уголок и для преподавательского состава.

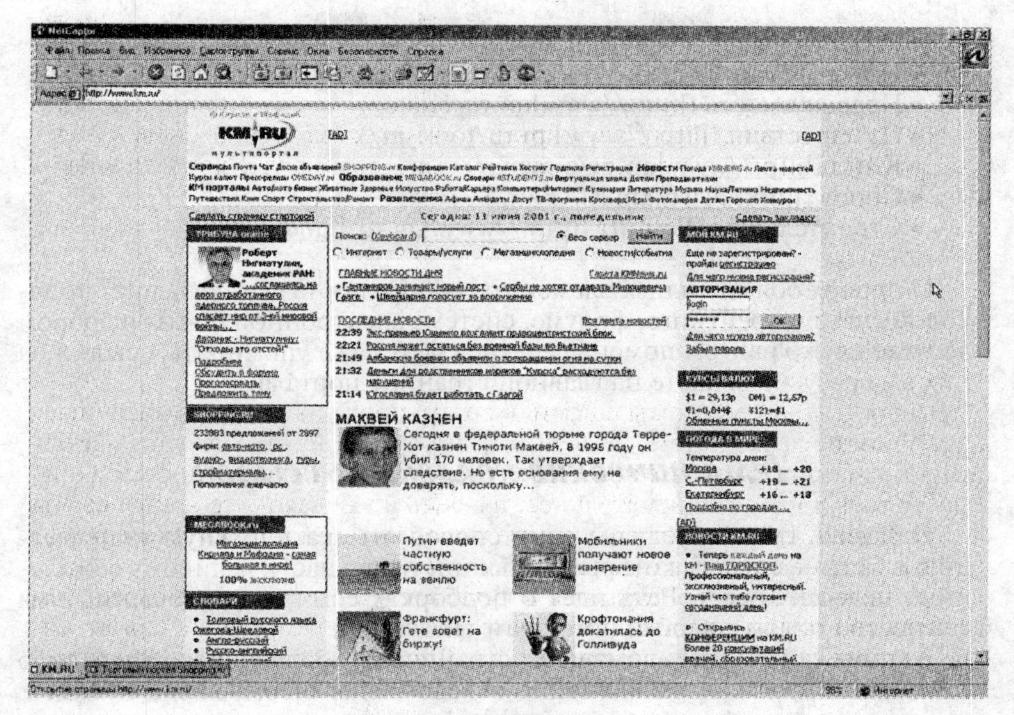

Портал «Кирилл и Мефодий»

Торговый портал Shopping.ru (http://www.shopping.ru) поможет найти нужный товар — от косметики и книг до автомобилей и драгоценностей — в прайс-листах более чем 3000 фирм и электронных магазинов.

Новостной портал KMNews.Ru (http://news.km.ru/news/) — качественная и оперативная лента новостей на всевозможные темы. За счет постоянного обновления «горячие» новости появляются здесь куда оперативнее, чем в теле- и радиопередачах, не говоря уже об обычных, бумажных СМИ.

Наконец, последний блок ресурсов посвящен теме досуга. Нашлось здесь место и для обширной коллекции анекдотов (http://www.km.ru/fun), и для путеводителя по развлечениям столицы (http://www.km.ru/entertaiment), и для программы телепередач (http://www.km.ru/tv/).

Кроме уже описанных, в систему КМ входят следующие «малые порталы»:

- Авто/мото (http://www.km.ru/auto/)
- Бизнес (http://www.km.ru/business/)
- Животные (http://www.km.ru/animals/)
- Здоровье (http://www.km.ru/health/)
- Искусство (http://www.km.ru/art/)
- Работа/Карьера (http://www.km.ru/job/)
- Компьютеры/Интернет (http://www.km.ru/pc/)
- Кулинария (http://www.km.ru/kitchen/)
- Литература (http://www.km.ru/literature/)

- Музыка (http://www.km.ru/rock/)
- Наука/Техника (http://www.km.ru/science/)
- Недвижимость (http://www.km.ru/estate/)
- Путешествия (http://www.km.ru/tourism/)
- Кино (http://www.km.ru/cinema/)
- Спорт (http://www.km.ru/sport/)
- Строительство/Ремонт (http://www.km.ru/building/)

О прочих обязательных элементах любого портала — каталоге, поисковой системе, рейтинге, форуме, системе электронной почты и добром десятке служб рангом поменьше — не стоит даже упоминать: ссылки на них вы сразу же найдете на главной странице портала.

Тематические коллекции ссылок

Наконец, существует еще один способ отыскать нужную информацию в Сети — способ, который большинство из нас, к великому сожалению, недооценивает. Речь идет о подборках ссылок, размещенных на сайтах со схожей с необходимой вам тематикой.

Авторы сайтов или «домашних страничек», «болеющие» какой-либо темой, как правило, великолепно осведомлены о том, какие схожие с

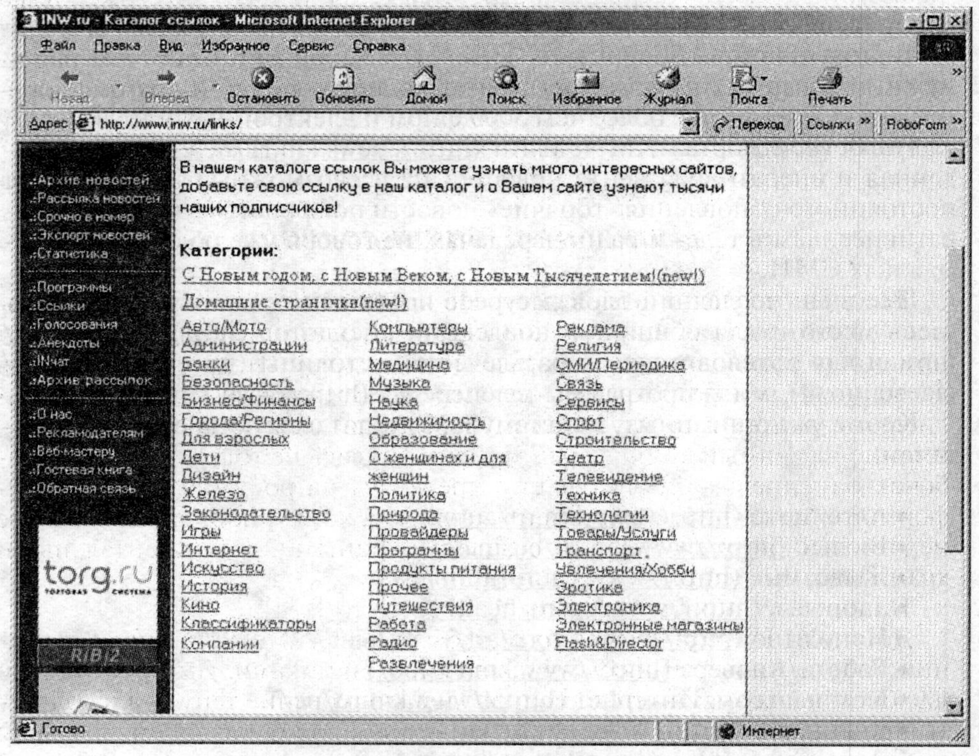

Коллекция ссылок

его детищем сайты имеются в Паутине. И редко кто из них отказывается поделиться имеющейся у них информацией с окружающими. Зайдите на любой сайт, присмотритесь повнимательнее, и вы наверняка найдете на нем раздел под названием «Ссылки» (Links). Здесь и скрывается коллекция ссылок, содержащая значительно более полные и подробные сведения по данному конкретному вопросу, чем может предоставить вам поисковый сервер или каталог.

Допустим, вы — большой поклонник творчества некоего писателя или группы (пусть будет «некоего», ибо автор уже утомился ненавязчиво декларировать собственные предпочтения). И вам до зарезу необходимо найти некую информацию об этом мистере Икс на посвященных ему страничках Сети. Ваши действия?

Торопливые пользователи первым делом бросятся к каталогу — и будут правы. Другое дело, что в ряде случаев каталог рациональнее использовать лишь как точку опоры.

Попробуйте выбрать из горы ссылок всего лишь один сайт — неважно, содержит он или нет ту конкретную информацию, которая нам с вами необходима. А затем обратитесь к его локальной коллекции ссылок, которая может находиться в разделе «Ссылки» или «Links» — и перед вашими глазами окажется уже готовый список интересных ресурсов, на которых вы можете сосредоточить ваши дальнейшие поиски.

Достоинства локальных коллекций ссылок по сравнению с теми же каталогами — большая оперативность обновления, учет сайтов схожей тематики, которые в «большом» каталоге могут проживать в совершенно отличной от интересующей вас категории. И, разумеется, полнота и практически полное отсутствие мусора. Если, конечно, создатель сайта не принадлежит к числу неразборчивых «коллекционеров», превращающих свой сайт в нечто среднее между плохим каталогом и хорошей помойкой...

Интернет-энциклопедии

Все в мире течет и изменяется. Не является исключением и Интернет — эта громадная информационная река, один из самых живых и динамичных организмов в информационном мире. И до сих пор, шаря всевозможными поисковыми «сетями» во Всемирной Сети, мы пытались «отловить» в ее глубинах информацию свежую и актуальную — именно на данный конкретный момент. Но ведь не только из таких «бабочек-однодневок» состоит Сеть: претендуя на роль Всемирного Информатория, она волей-неволей вынуждена конкурировать не только с недолговечной прессой, но и с более солидными, фундаментальными хранилищами знаний.

Например, энциклопедиями.

До эпохи Интернет именно они были главными источниками знаний, главными нашими советчиками и помощниками. Интересовала ли нас биография знаменитого полководца, толкование термина из области прикладной химии или направление мировой философии — ответы на все эти вопросы мы находили на книжных страницах.

Более того — казалось, что нет в мире двух более отличных друг от друга явлений, чем Интернет и традиционные энциклопедии. Что уж там скрывать — Сеть не в пример более легковесна и кичлива, ссылаться на нее, как на авторитет, и сегодня принято с оглядкой. А уж как на «конечную инстанцию» и вовсе невозможно... Информация в Сети распределена неравномерно — то густо, то пусто, да и четкая структура в ней отсутствует. Другое дело энциклопедии, солидные, авторитетные издания, на которые и сослаться уместно в любой ситуации. В них и статеечка каждая доведена до совершенства, многократно проверена и выверена, и пользоваться ей удобно... Вот только объем огорчает — попробуйте-ка втиснуть на полку в малогабаритной квартире хотя бы «Большую Советскую Энциклопедию»! Да и цена кусается... Наконец, любая книжная энциклопедия неизбежно устаревает уже через несколько лет после выхода; и это при том, что упор здесь делается не на модные сенсации-однодневки, а на явления исторического масштаба...

Словом, у каждого свои недостатки — но и свои достоинства... И об этом, увы, мы слишком редко вспоминаем, полностью отвергая один источник информации во имя другого. Спросите у любого современного школьника — а давно ли ты, братец, заглядывал хотя бы в «Большой энциклопедический словарь»? В ответ — искренне недоумение: «А зачем? Все, что мне надо, я и в Сети найду...» Может оно и так, но одно де-

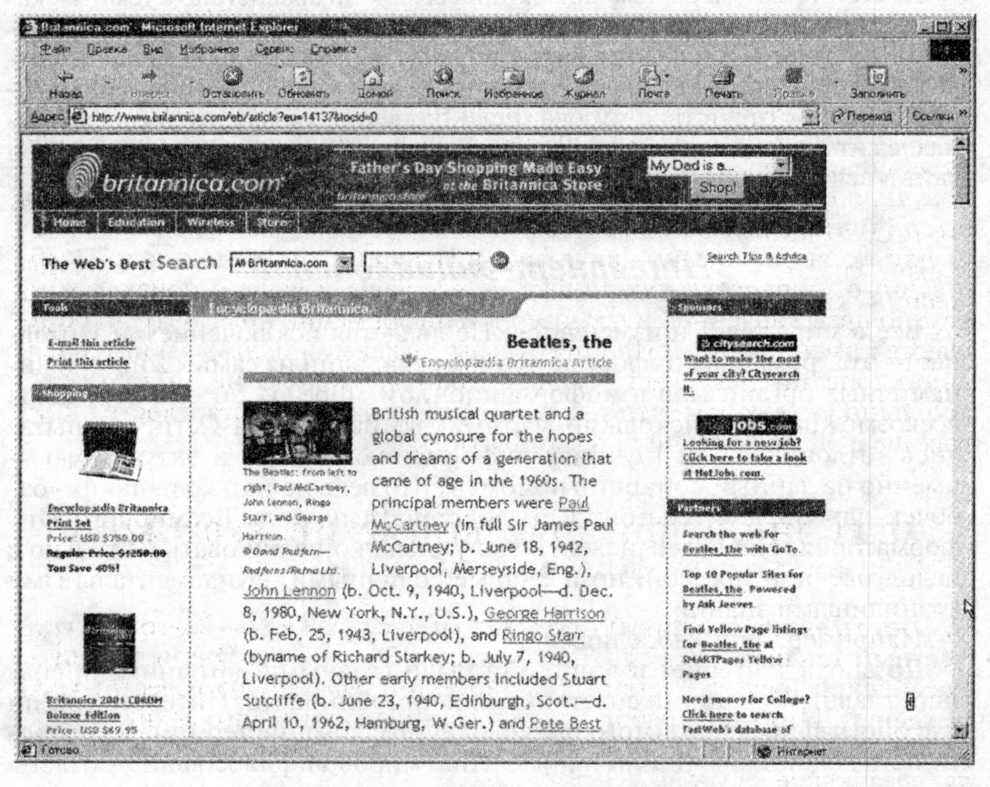

Виртуальная энциклопедия «Британика»

ло — биография Цицерона или Вуди Аллена, найденная на безвестной «домашней страничке», а совсем другое — статья в хорошей, авторитетной энциклопедии.

Можно, конечно, долго и занудно философствовать, обсасывая столь модную нынче тему противостояния книжной и электронной форм представления информации. Но ведь на самом деле никакого противостояния здесь нет! Ибо уже давно многие традиционные энциклопедии обрели новую жизнь, воплотившись в электронной форме на просторах Интернет.

Началось все, конечно же, со знаменитой «Британики», открывшей свое «сетевое представительство» еще четыре года назад. Поначалу, правда, издательство знаменитой энциклопедии воспринимало «электронную» «Британику» исключительно как игрушку, рекламный трюк, призванный продвигать продажи «Британики» бумажной. Однако буквально через год, убедившись в небывалом интересе общественности к «виртуальному клону» легендарного издания, ее владельцы впали в другую крайность — доступ к сайту «Британики» стал платным... И лишь в конце 90-х ситуация выправилась окончательно: отныне электронная «Британика» стала доступна всем и каждому по адресу http://www.britanica.com!

В Россию электронные энциклопедии пришли намного позже — лишь в 1998 году открылся первый и самый известный энциклопедический портал «Кирилл и Мефодий» (с ним мы уже познакомились в главе, посвященной порталам). Однако этот проект не копировал существующие «бумажные» издания, а создавался «с нуля», да еще и с изначальной ориентацией на «сетевое» бытие.

По-настоящему дело сдвинулось с мертвой точки лишь в 2001 году, когда, в рамках проекта «Рубрикон», в Сеть было перенесено несколько крупнейших отечественных энциклопедий, а российские пользователи получили еще один необычайно богатый и информативный ресурс для быстрого поиска нужной информации.

Что ж, энциклопедии прижились в Интернет, отвоевав для себя собственную «экологическую нишу». И все чаще и чаще в поисках компактно представленной и достоверной информации пользователи обращаются именно к ним. Ирония судьбы: максимум пользы из интернет-энциклопедий извлекает именно молодое поколение — студенты, школьники. Те самые, что так любят рассуждать об «устарелости» книг вообще и энциклопедий — в частности...

МЕГА-ЭНЦИКЛОПЕДИЧЕСКИЙ АРХИВ «РУБРИКОН»
(http://www.rubricon.ru)

Этот грандиозный проект получил «путевку в жизнь» благодаря совместным усилиям издательства «Большая Российская Энциклопедия», Российской Государственной Библиотеки и ряда других известных учреждений. Итогом их работы стало создание гигантского архива «электронных энциклопедий», включающего (по состоянию на июнь 2001 года) следующие издания:

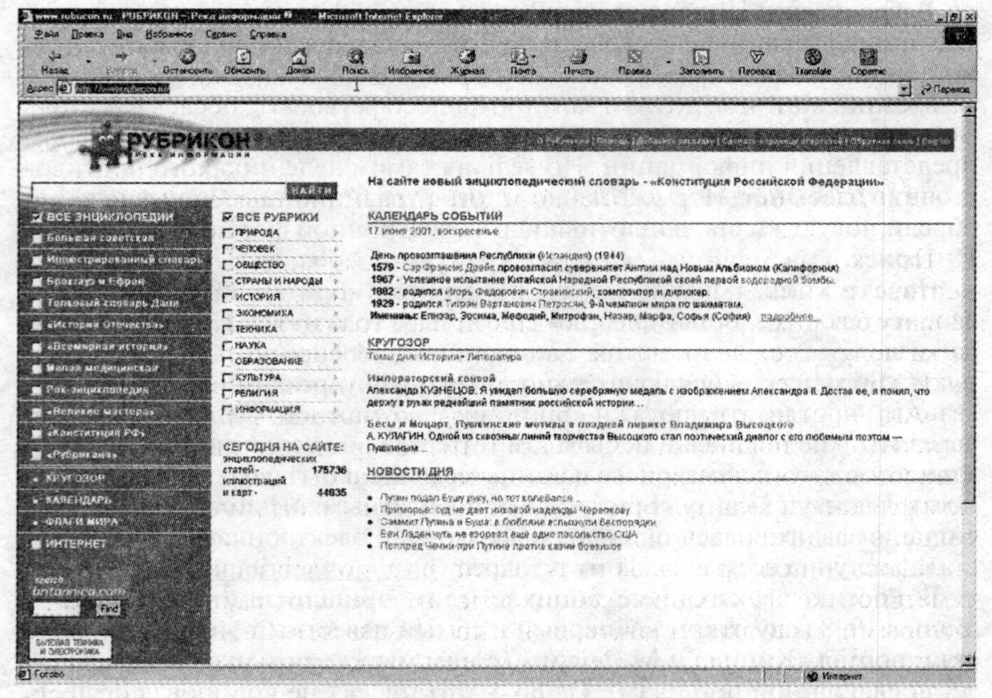

Архив «Рубрикон»

- Большая Советская Энциклопедия (третье издание).
- Иллюстрированный энциклопедический словарь
- Энциклопедический словарь Брокгауза и Ефрона
- Толковый словарь русского языка В. И. Даля
- Энциклопедия «История Отечества»
- Энциклопедия «Всемирная История»
- Малая медицинская энциклопедия
- Рок-энциклопедия С. Кастальского
- Энциклопедия искусств «Великие мастера»

Помимо электронных версий «бумажных» энциклопедий «Рубрикон» включает и оригинальную «народную» энциклопедию «Рубрикона», сотворить собственную статью для которой может любой пользователь!

Сегодняшний «Рубрикон», титульная страничка которого в данный момент услаждает очи автора, содержит более 180 тысяч энциклопедических статей: однако для вас мое «сегодня» уже превратилось во «вчера»... Создатели портала обещают в ближайшее время пополнить свое детище электронными версиями еще более 30 тематических энциклопедий. И, если это произойдет, «Рубрикон» имеет все шансы превратиться в крупнейшую «мегаэнциклопедию» не только в России, но и во всем мире. Хорошо бы, конечно, если бы со временем изрядно устаревшую БСЭ заменила новая Большая Российская Энциклопедия, вялотекущий процесс создания которой идет уже десятый год...

Встроенную в «Рубрикон» «Ищейку» можно будет «натравить» как на все энциклопедии скопом, так и на отдельные издания по выбору. Кроме того, возможен поиск и по категориям, в которые входят статьи из различных энциклопедий.

Поисковые программы на вашем компьютере

Поисковые машины, каталоги, рейтинги, архивы ссылок... Все — чертовски уникальны, безумно незаменимы и раздражающе полезны. И шагу без них, кормильцев, не ступить! Да только вот ведь какая закавыка получается — много их, помощников, развелось... Слишком много. И каждый со своими особенностями и изюминками...

«Ага — старая песня!» — догадается внимательный читатель. Это, мол, автор подводит к мысли, что искать попеременно с помощью орды каталогов и поисковиков неудобно, что хорошо бы заиметь все это в одном флаконе... Повторяетесь, сударь — об этом речь шла еще парой глав выше, в разделе метапоисковых машин!

Каюсь — повтор есть. И речь в этой главе пойдет, в общем-то, снова о метапоиске. Но только особого рода. Ибо на этот раз поисковики, с которыми мы будем работать, будут проживать не в Сети, а... на нашем собственном компьютере! Сегодня число таких программ уже перевалило за несколько десятков. Некоторые из них, самые простые, лишь расширяют стандартные поисковые механизмы того же Internet Explorer и могут функционировать лишь как придаток к браузеру. Но существуют и другие программы — солидные, мощные комплексы, предназначенные для «автономного плавания».

Что дает использование таких программ? Ну, прежде всего, возможность сохранять результаты поиска, просматривая их в режиме отключения от Сети. Причем не одного поиска, а сразу нескольких — хоть всего архива за месяц. Во-вторых, запуская поиск по одному и тому же запросу несколько раз, мы сможем отследить появление новых серверов, а также изменения на уже действующих страницах. В-третьих, поисковая программа, в отличие от сетевой поисковой машины, куда гибче — мы с вами сможем не только выбирать из имеющейся базы данных поисковики и каталоги, которые будет опрашивать программа, но и самостоятельно добавлять в нее новые ресурсы. А заодно и пользоваться поисковыми категориями. Наконец, автономная программа работает незаметно для вас, в фоновом режиме, и не занимает окно Internet Explorer даже для того, чтобы вывести результаты поиска.

Можно назвать еще много плюсов мультипоисковых программ, но не стоит бежать впереди паровоза: познакомившись с этой главой, вы наверняка сможете угадать их преимущества самостоятельно.

В качестве представителей этого достойного семейства я выбрал всего три программы. Одна из них уже давно признана «номером первым» в своей области, две другие только начинают пробивать себе дорогу к пьедесталу почета. Но не стоит думать, что этими программами мир «автономных поисковиков» и ограничивается — отнюдь! За три года лично я перепробовал около десятка аналогичных продуктов, начиная с таких ветеранов, как семейство поисковиков FerretSoft (http://www.ferretsoft.com) и заканчивая первыми робкими разработками отечественных программистов. И вполне вероятно, что и мои нынешние симпатии со временем уступят дорогу более молодым и умелым конкурентам... Но пока что эти программы остаются моими основными помощниками в путешествиях по Сети, и эта глава во многом — дань признательности их авторам.

COPERNIC 2001 (COPERNIC TECHNOLOGIES)

Впервые мне довелось столкнуться с Copernic в конце 1998 года — и до недавних пор эта программа оставалась моим любимым «секретным оружием». Пользователей «Коперника» тогда в России было немного, и автор этой книги трудолюбиво и неустанно стучал по мозгам всем своим компьютеризированным знакомым, желая немедленно приобщить их к этой благодати. Кстати небольшая главка в первом издании «Новейшей энциклопедии персонального компьютера» стала (ну как не похвастаться!) одной из первых публикаций о «Копернике» в нашей стране.

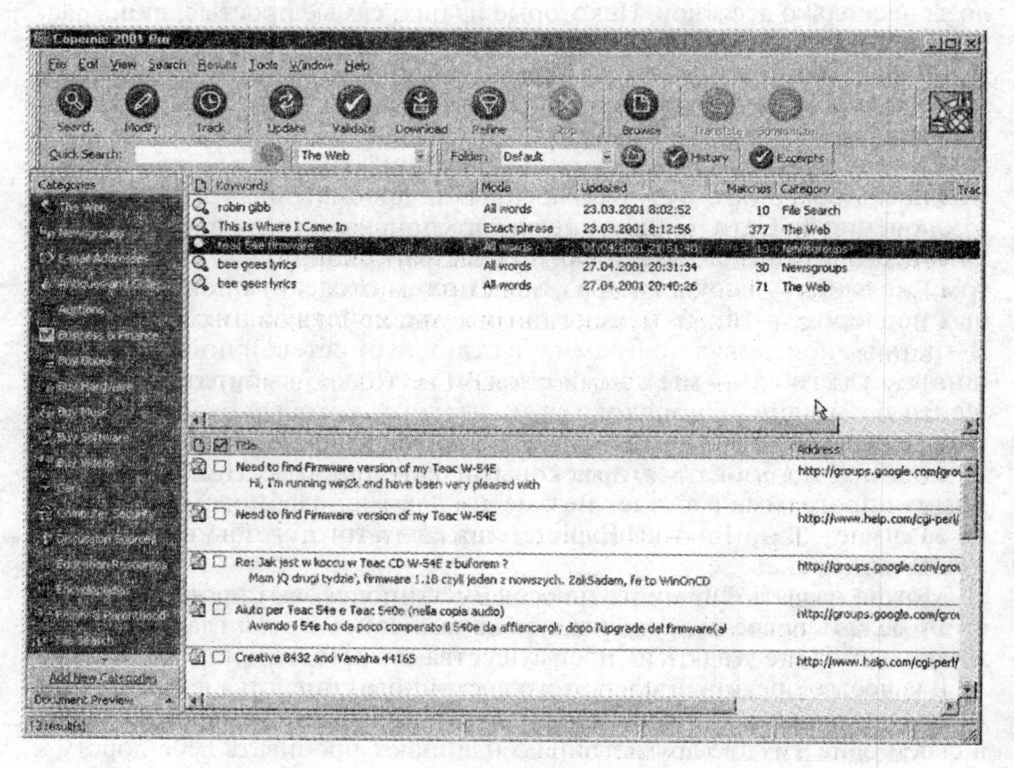

Мультипоисковая машина Copernic

Время шло и неведению пользователей быстро пришел конец. Уже через год после своего рождения «Коперник» вошел в число любимцев российских пользователей, хотя с русским языком программа, увы, покамест так и не подружилась. И теперь восторженные отзывы об этой программе регулярно публикуются в большинстве компьютерных изданий. Словом, для полного счастья не хватает только включения «Коперника» в стандартную поставку Windows... Хотя этот недочет Билла Гейтса вы легко можете исправить, зайдя на сайт Copernic (http://www.copernic.com) и загрузив бесплатную версию программы.

Кстати, необходимо сказать о вариантах поставки программы. Всего их три:

Basic — бесплатная версия. Позволяет работать с 80 поисковыми серверами, распределенными по 7 категориям:

- The Web — Поиск информации на WWW-страницах
- Newsgroups — Поиск в группах новостей
- E-mail Addresses — Поиск E-Mail адресов
- Buy Books — Поиск книг в сетевых магазинах
- Buy Hardware — Поиск компьютерных комплектующих в сетевых магазинах
- Buy Software — Поиск программ в сетевых магазинах
- File Search — Поиск файлов

Plus — платная версия (30 долл.). Работает с 1000 поисковыми серверами, объединенными в 93 категории.

- The Web — Поиск информации на WWW-страницах
- Newsgroups — Поиск в группах новостей
- E-mail Addresses — Поиск E-Mail адресов
- Business And Finance — Финансовая информация
- Antiques and Collectibles — Поиск для коллекционеров
- Auctions — Поиск товаров по сетевым аукционам
- Buy Books — Поиск книг в сетевых магазинах
- Buy Music — Поиск музыкальных компакт-дисков в сетевых магазинах
- Buy Video — Поиск видеокассет, DVD и VideoCD в сетевых магазинах
- Christianity — Поиск по христианским страницам Сети
- Computer Answers — Поиск ответов на вопросы по компьютерам и программам
- Desktop Themes — Поиск сменных «тем» для Рабочего стола Windows
- FAQ Search — Поиск на сайтах со сборниками «ответов на типичные вопросы» (FAQ) по разным темам
- Jobs — Поиск работы
- Mac News — Поиск новостей из мира Macintosh
- Mac Shopping — Поиск аппаратного обеспечения и программ для Macintosh в сетевых магазинах
- Net Streams — Поиск «сетевых радиостанций»

- Patents — Поиск в сетевых архивах патентов и авторских свидетельств
- Programming — Поиск информации о программировании
- Resumes — Поиск резюме
- Buy Hardware — Поиск компьютерных комплектующих в сетевых магазинах
- Buy Software — Поиск программ в сетевых магазинах
- Cars — Поиск информации по автомобилям
- Computer Security — Поиск информации по компьютерной безопасности
- Education Resources — Поиск по образовательным страницам
- Encyclopedias — Поиск в электронных версиях энциклопедий
- Family and Parenthood — Поиск на страницах, посвященных дому и семье
- File Search — Поиск файлов
- Games — Поиск информации об играх
- Gardening — Поиск информации по садоводству
- Genealogy — Поиск своих «корней» в Сети
- Health — Поиск по медицинским ресурсам
- Home — Поиск информации по обустройству дома
- Humor — Поиск юмористических рассказов, анекдотов
- Images — Поиск изображений
- Kids — Информация о детях и для детей
- Movies — Поиск информации о кино и видеофильмах
- MP3 — Поиск музыкальных композиций в формате MP3
- Multimedia — Поиск музыкальных файлов
- Music — Поиск информации об исполнителях, группах, жанрах музыки и т. д.
- Newspapers — Поиск новостей в электронных газетах и новостных сайтах
- Pets — Поиск информации о домашних животных
- Recipes — Поиск кулинарных рецептов
- Science — Поиск научной информации
- Software Download — Поиск условно-бесплатных и бесплатных программ
- Sport News — Поиск новостей из мира спорта
- Tech News — Поиск новостей науки и технологии
- Top News — Поиск «горячих» новостей по всем темам
- Travel — Информация о путешествиях
- Yellow Pages — Поиск в каталогах

Приведенный список, конечно, далеко не полон, однако остальные сорок поисковых категорий относятся к категории региональных или узкоспециализированных, поэтому приводить их в этой книге, на мой взгляд, нет никакой нужды.

Кстати, непосредственно в саму программу встроено не более 40 серверов — остальные пользователь может добавить самостоятельно, руководствуясь своим собственным вкусом и потребностями. Для этого требуется лишь подключиться к Интернет и щелкнуть по кнопке Add New Categories на панели Copernic. Поддерживается, в частности, возможность поиска в региональных сегментах Сети — то-то возрадуются французы, испанцы, немцы, голландцы и представители еще доброго десятка национальностей! Нам же с вами остается лишь завистливо вздыхать — похоже, сотворить для «Коперника» русскую «надстройку» его создатели пока не помышляют. И это закономерно — число зарегистрированных пользователей программы в России исчезающе мало...

Помимо новых поисковых категорий, в версии Plus предусмотрена сортировка найденных ссылок по релевантности и убраны надоедливые рекламные баннеры вверху окна.

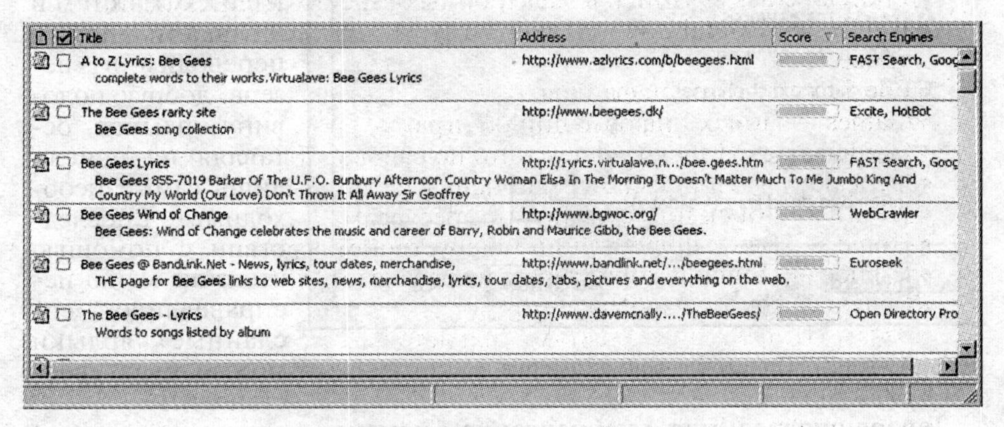

Сортировка результатов в Copernic

Pro — самая мощная и совершенная версия программы (55 долл.). Количество поисковых серверов и категорий осталось прежним — да и куда уж больше! Зато добавились новые, ценные возможности — например, теперь Copernic может самостоятельно проверить результаты поиска, отсеять «мертвые» ссылки. Кроме того, доступна функция автоматического обновления результатов поиска с уведомлением пользователя по электронной почте в случае изменения какого-нибудь важного ресурса.

...Российские пользователи — увы! — максималисты по природе. И редкий «юзер» сочтет возможность унизиться до установки бесплатной версии — куда круче скачать с «хакерских» сайтов «взломанную» Pro-версию... Каюсь — услугами пиратов пользовался и я. Но затем, перейдя на бесплатный базовый вариант, с удивлением обнаружил, что никакого особенного ущерба мне это не нанесло. А имеющихся семи категорий, на мой взгляд, будет вполне достаточно для 90 % «домашних» пользователей.

Тем более, что обилие ярлыков поисковых направлений на рабочей панели «Коперника» скорее мешает, чем помогает в повседневной работе. И потому большинство пользователей, установив на компьютер пиратскую версию Copernic, предпочитают убрать с поисковой панели лишние, не нужные лично им значки. Делается это просто — щелкаете

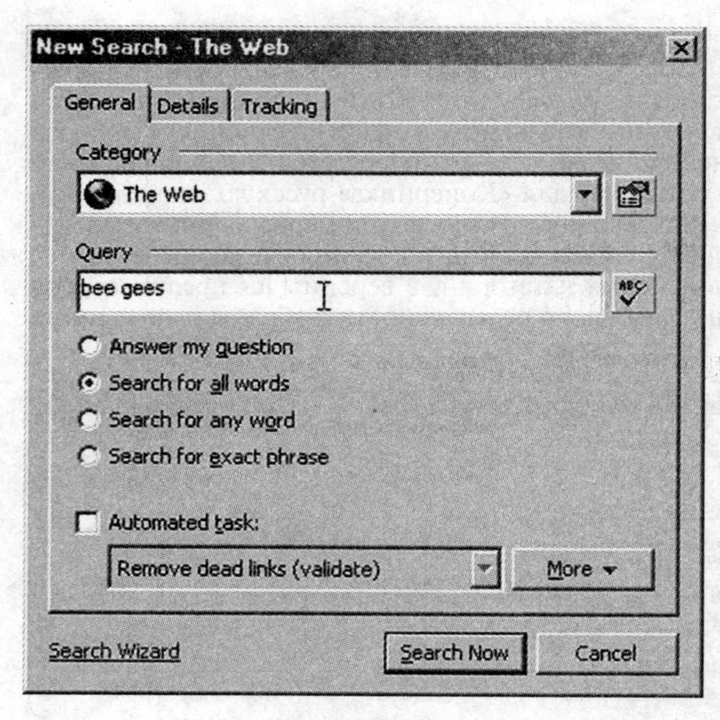

Поисковая форма Copernic

правой кнопкой мышки по левой вертикальной панели программы (той самой, где значки-символы поисковых категорий) и выбираете пункт Customize Shortcuts контекстного меню. Теперь несколькими щелчками мышки переводим в «резерв» добрую половину ярлыков, оставляя на панели лишь самые необходимые. Впоследствии с помощью этого же меню несправедливо «сосланные» ярлыки можно будет восстановить.

Теперь определимся с направлением поиска — для начала освоим самый востребованный в повседневном блуждании по Сети механизм поиска по Web-страницам. Щелкнув по значку The Web, вы откроете небольшое окно со строкой для запроса, но пока что не торопитесь начинать поиск. Время у нас есть, спешить пока что некуда, поэтому давайте разберемся, как именно и где Copernic будет искать нужную нам фразу.

Главный элемент окна — это, конечно, строка, в которой вы наберете свой запрос, и небольшое меню «сложного поиска»:

- ***Answer My Question*** — поиск ответа на конкретный вопрос
- ***Search For All Words*** — поиск страниц, на которых представлены все слова в запросе (И)
- ***Search For Any Word*** — поиск страниц, содержащих хотя бы одно слово из запроса (ИЛИ)
- ***Search For Exact Phrase*** — поиск фразы или словосочетания (неразрывный запрос)

Честно говоря, не уверен, что первый пункт этого меню нам понадобится — многие ли из вас смогут корректно сформулировать вопрос по-английски? И на родном-то языке не всегда получается... Остальными пунктами вам придется пользоваться в равной мере — в зависимости от типа запроса.

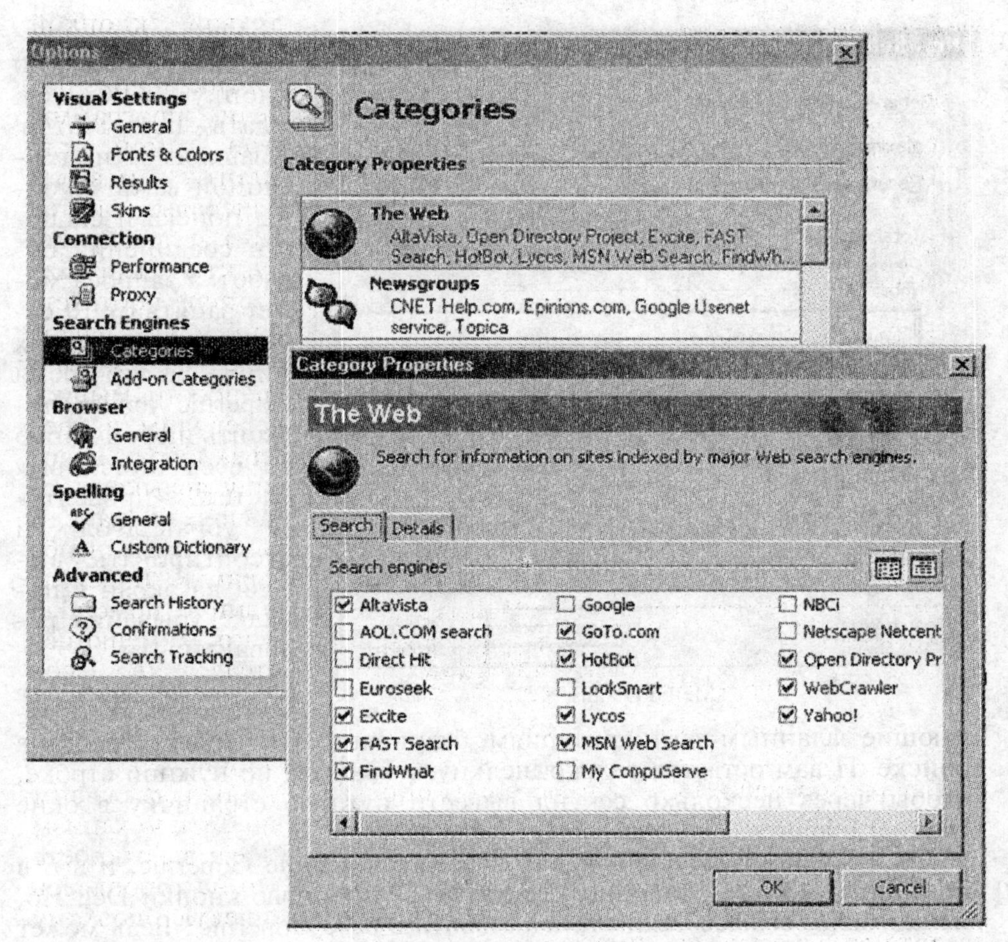

Свойства категорий

Справа от строки Category тихо и незаметно дремлет значок Properties, нажав на который, вы получите полный список «поисковиков», с которыми Copernic будет сотрудничать в этой категории. Список этот к тому же не простой, а интерактивный: вы можете самостоятельно подключить или отключить любую из представленных в нем поисковых машин. Часто это помогает значительно улучшить качество работы Copernic и количество выданных им полезных ссылок. Вот простой пример: в базовой настройке программы по неведомым причинам отключен любимый мной поисковик Google, описанием достоинств которого я, наверное, уже здорово вас утомил... Но несмотря на это не поленитесь — поставьте напротив его имени «птичку»... и наслаждайтесь результатами!

Перейдем в меню Details. Здесь можно установить «глубину» поиска — суммарное количество ссылок, которые вам выдаст Copernic и требуемое число ссылок с каждого сервера.

Наконец, в третьем меню — Tracking — вы можете подписаться на автоматическое обновление результатов поиска по данному запросу с отправкой их по электронной почте.

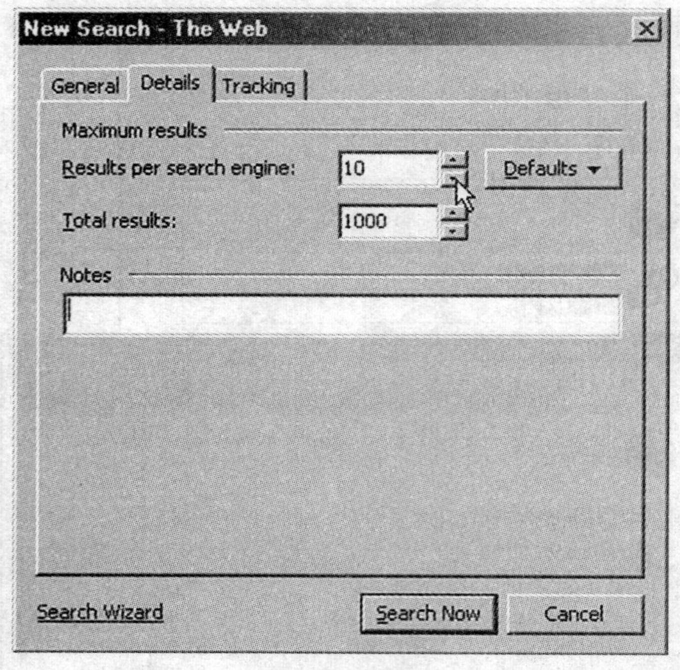

Меню Details

А вот теперь можно нажать любимую кнопку ОК... и ждать результатов! В зависимости от заданной вами глубины поиска и скорости соединения обработка запроса может занять от 10 секунд до нескольких минут. За это время Copernic успеет получить информацию со всех поисковых систем, «просеять» ее, убрав дубли, и отсортировать, выведя на экран в порядке убывания релевантности — ссылки на сайты, максимально отвечающие заданным вами критериям, будут занимать первые строчки в списке. И вам остается только щелкнуть мышкой по нужной строке, чтобы через несколько секунд вывести нужную страничку в окне Internet Explorer.

Отслуживший свое запрос так и остается в окне Copernic, и вы, в принципе, можете спокойно удалить его с помощью кнопки Del. Но, может быть, его все-таки стоит оставить в базе Copernic? Ведь может случиться, что информацию по этому запросу вам придется искать не раз и не два...И мы можем «освежить» полученный нами список адресов, а заодно и очистить его от явного мусора — например, страничек, которые числятся в поисковых каталогах и серверах, но в действительности уже не существуют.

Делается это, разумеется, по помощью контекстного меню запроса. Щелкните по нему правой кнопкой мышки и выберите одну из команд появившегося меню:

- ***Modify*** — Изменить запрос
- ***Validate*** — Проверить все ссылки и удалить нерабочие
- ***Update*** — Повторный поиск по запросу с обновлением базы ссылок
- ***Download*** — Скачать все страницы из списка и сохранить их для автономного просмотра

При обновлении базы ссылок по запросу Copernic заботливо выделит ссылки на новые странички полужирным шрифтом — так вы сможете узнать, что нового появилось в Сети по интересующей вас теме.

WEBMACHINE (WEBMACHINE)

...И вот тут-то нахально всплывает в памяти игривый рекламный слоган — «Все прекрасное в природе имеет пару». Спорно, конечно — но зато как воодушевляет!

Сведя знакомство с «Коперником» еще три года назад, я никак не мог взять в толк, почему бы отечественным программистам не поплевать на мозолистые ладони да и не сотворить иноземному поисковику брата-близнеца отечественного разлива. Пусть не такого красивого в области фасада, но с теми же талантами.

Тогда, впрочем, надеяться на рождение чего-либо путного не приходилось. И не в криворукости и нерасторопности тех же программистов тут причина, а в тотальной нехватке авторитетных и дельных поисковых ресурсов. Рамблер, Яндекс, да Апорт... И все, кончилось изобилие! А ради объединения в одном флаконе всего трех серверов и огород городить не стоило.

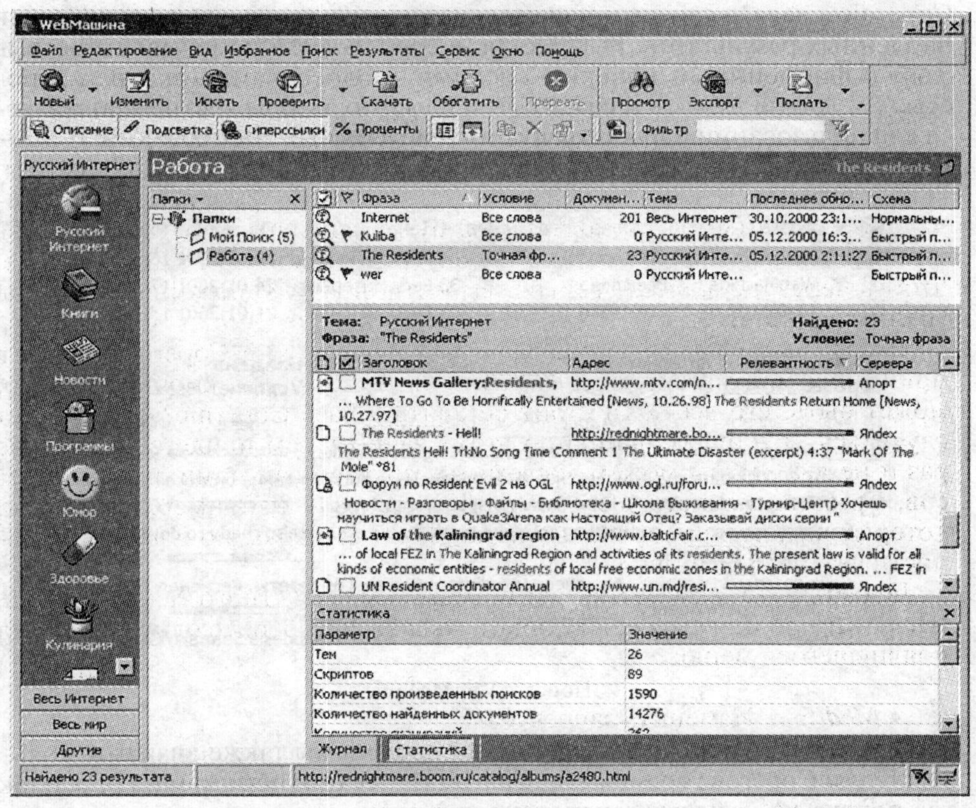

WebMachine

Справедливости ради надо заметить, что охотники до целинных земель все-таки сыскались. Питерская компания ДИСКо, горячо любимая и почитаемая автором, года два назад выбросила на рынок продукт под названием ДИСКо Искатель, как раз и специализировавшийся по изысканию всяческих полезностей через посредство той самой Большой Тройки русских серверов. Сегодня, конечно, возможности Искателя вызывают лишь ностальгическую улыбку... Но, как говорится, о первопроходцах либо хорошо, либо ничего.

Тем временем ситуация с поисковиками и каталогами начала потихоньку проясняться, к трем патриархам присоединились еще пара десятков поисковиков помоложе... А у независимых программистов наконец-то зачесались руки! Еще бы — если уж скромный Искатель от ДИСКо ухитрился найти дорогу к сердцу покупателей, то удачный клон «Коперника» в перспективе мог принести своему создателю не только снопы виртуального лаврового листа, но и некоторое количество вполне реальной «капусты»...

Чем и воспользовались, хотя и с некоторым опозданием, разработчики российской поисковой программы WebMachine (http://www.webmachine.ru).

По своему внешнему виду программа разительно напоминает Copernic: слева – панель поисковых категорий, слева – окно запросов и найденных результатов. Разумеется, с сортировкой по релевантности и даже с фирменными коперниковскими «полосочками» около каждой ссылки! Это не упрек в плагиате, тем паче что авторы честно признаются в использовании наработок лучших зарубежных поисковиков. И в самом деле — зачем изобретать велосипед...

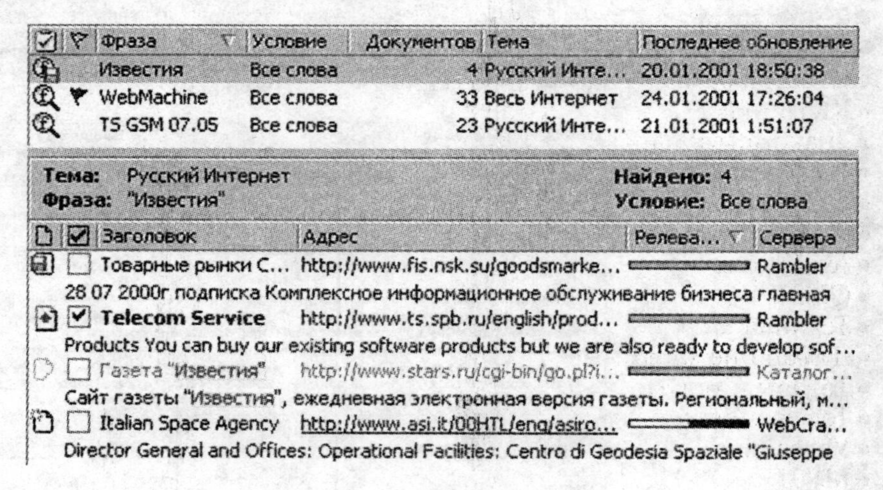

Поиск в WebMachine

Практически все базовые функции программы также знакомы пользователям Copernic: возможность автоматического обновления результатов поиска по каждому запросу, подписка на их рассылку по электронной почте, режим автоматической закачки найденных документов, возможности уточнения запросов в режиме «сложного поиска»...

А как обстоит дело с главным элементом «начинки» любой поисковой утилиты — с номенклатурой и количеством задействованных поисковиков и категорий? Что ж, и в этом случае наша родная «машина» не ударяет в грязь лицом, радуя пользователей внушительным списком в 250 поисковых машин, объединенных в 43 категории:

Русский Интернет

- Русский Интернет — общие поисковые машины
- Музыка
- Книги
- Новости
- Программы
- Юмор
- Игры
- Видео
- Здоровье
- Кулинария
- Бизнес и финансы
- Политика
- Компьютеры и Интернет
- Авто/Мото
- Законы
- Наука
- Работа и карьера
- Спорт
- Семья и дети
- Компании
- Отдых и развлечения
- Картинки
- Знакомства и досуг
- Железо
- Искусство и культура
- Файлы
- Аукционы
- СМИ
- Техника
- Домашние животные
- Товары и услуги
- Телефония
- Увлечения
- MP3

Весь Интернет

- Весь Интернет — общие поисковые машины

Весь мир (Поиск по регионам)

- Интернет — Австралия
- Интернет — Бельгия
- Интернет — Канада
- Интернет — Великобритания
- Интернет — Франция

- Интернет — Германия
- Интернет — Италия
- Интернет — Бразилия

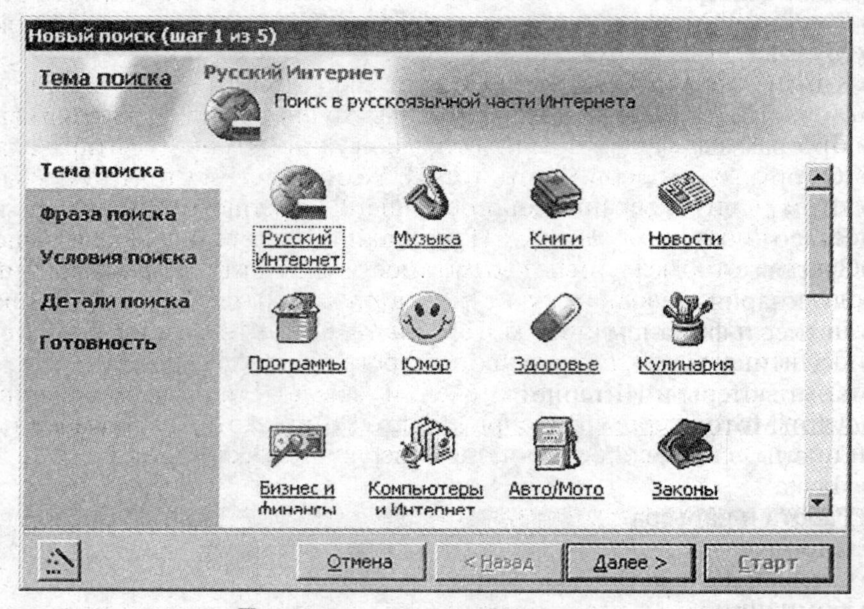

Поисковые категории WebMachine

Имейте в виду, что число и номенклатура категорий, равно как и число самих поисковиков, может значительно увеличиться к тому моменту, как эта книга попадет в ваши руки.

Правда, все это изобилие доступно лишь пользователям зарегистрированной версии, остальным же придется обходиться лишь 6 категориями и 30 главными поисковиками. Но превращение бесплатной версии программы в полнофункциональную обойдется вам всего лишь в 150 рублей (за эту сумму вы приобретаете «годовую подписку» на обновления программы). Несколько дороже стоит регистрация «профессиональной» модификации WebMachine Pro, позволяющей выполнять поиск сразу по нескольким запросам. Кроме того, программа может выполнять многие поисковые операции в автоматическом режиме и обладает расширенными возможностями экспорта найденных документов.

...Впереди у WebMachine — неограниченное время и простор для совершенствования. Однако уже первая версия этой программы, появившаяся на свет в начале 2001 года, выглядит вполне «зрелым» продуктом. И уж во всяком случае эта программа стала первым профессиональным «поисковиком», рожденным на российской территории — и она имеет все шансы серьезно потеснить Copernic на компьютерах как начинающих пользователей, так и профессионалов сетевого поиска.

SEARCH+ (ALONE)

...Казалось бы, все точки над «е» уже расставлены, призы зрительских симпатий розданы... А на пьедестале почета надежно обосновались отечественный WebMachine и заокеанский Copernic, и третий в этой компании будет явно лишним...

Не торопитесь с ответом. Существует еще, как минимум, одна программа, заслуживающая самого пристального внимания. И в чем-то выгодно отличающаяся от описанных нами двух монстров мультипоиска.

Прежде всего — ценой. Пусть тот же WebMachine и стоит буквально копейки, а полную версию дорогостоящего Copernic можно найти на множестве «пиратских» сайтов... И все-таки не перевелись еще в нашей стране люди, которые не имеют возможности выложить за понравившийся продукт даже символическую сумму, а пользоваться пиратскими продуктами не желают из принципа. Но при этом и не готовы идти на компромисс, жертвуя функциональностью программы ради бесплатности.

Именно для таких пользователей и создана программа Search+ (http://alone.mastak.com/url/srchplus/indexr.shtml), которая с самого начала и по сей день распространяется совершенно бесплатно!

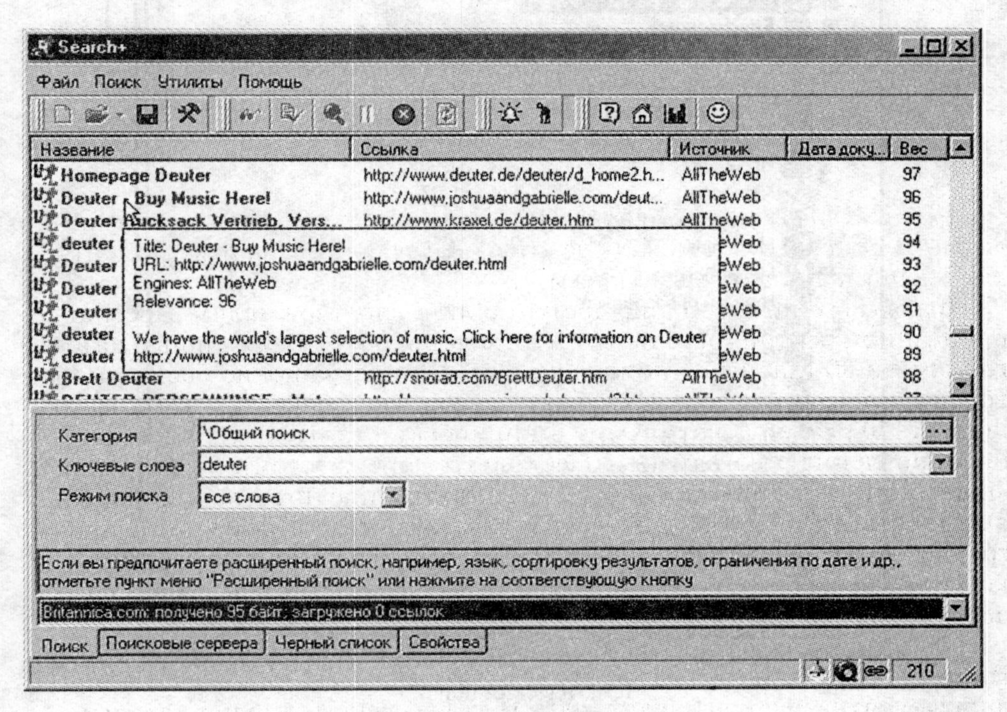

Поисковая форма Search+

Конечно, трудно ожидать от бесплатной утилиты красоты и функциональности интерфейса: те, кто привык встречать программы исключительно «по одежке», аскетичность Search+ вряд ли примут «на ура». И совершенно напрасно: ведь внутри этого скромного «Запорожца» скрывается мощный поисковый движок, не уступающий его франтоватым коллегам.

Поиск по категориям. В активе Search+ имеется около 30 категорий, объединяющих несколько сотен популярных поисковых ресурсов. При этом, разрабатывая программу, ее автор не стал бездумно копировать категории того же «Коперника», а доработал список с учетом потребностей отечественных пользователей Сети. Говоря научным языком, принял во внимание особенности менталитета своей целевой аудитории. И в самом деле, искать кулинарные рецепты или советы по садоводству в российской Сети как-то не принято. А вот реферат или курсовую... Ах, скольких студентов спасли эти самые рефераты, бесплатно выкладываемые в Сеть отчитавшимися счастливчиками! Или например...

Впрочем, лучше будет, не мудрствуя лукаво, привести список поисковых категорий Search+ целиком.

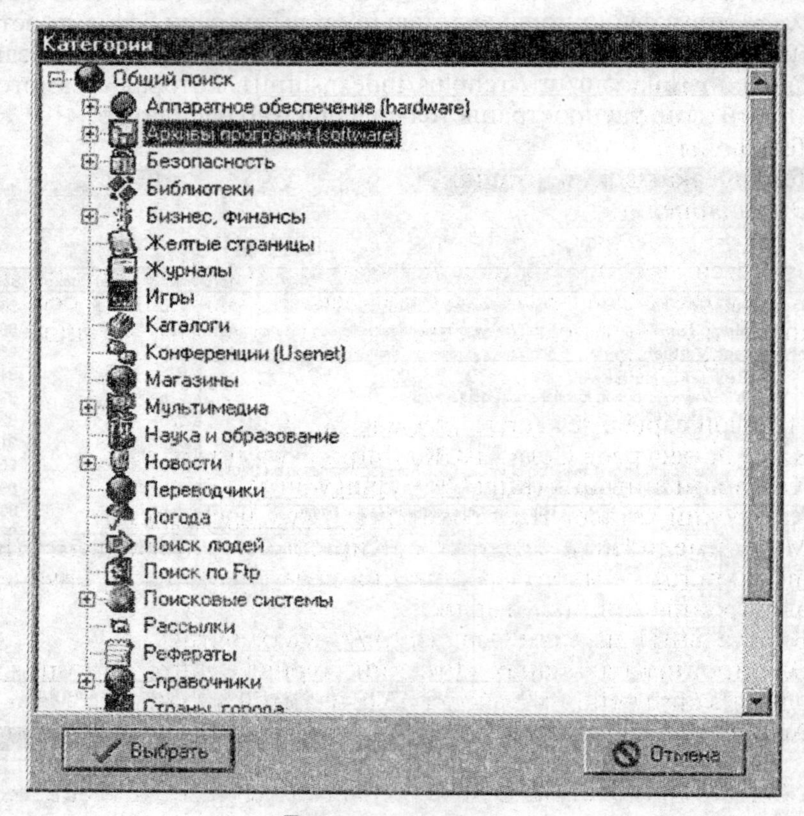

Тематический поиск

- Аппаратное обеспечение (hardware)
- Архивы программ (software)
- Безопасность
- Библиотеки
- Бизнес, финансы

- Желтые страницы
- Журналы
- Игры
- Каталоги
- Конференции Usenet
- Магазины
- Медицина
- Мультимедиа
- Наука и образование
- Переводчики
- Погода
- Поиск людей
- Поиск по FTP
- Поисковые системы
- Работа
- Рассылки
- Рефераты, курсовые, сочинения и т. д.
- Справочники
- Страны, города
- Телефоны
- Техническая документация
- Энциклопедии

Разумеется, предусмотрена и возможность «общего поиска», при котором вы можете задействовать сразу десяток (!) крупных российских поисковиков. Три из них вы уже знаете, а вот остальных кандидатов стоит назвать поименно.

- Игровой сервер AG (http://www.ag.ru/cheats)
- Каталог ресурсов Сети List.Ru (http://www.list.ru)
- Каталог «Пингвин» (http://www.pingwn.ru)
- Хакерский каталог HackZone (http://www.hackzone.ru)
- Мультимедийный портал «Кирилл и Мефодий» (http://mega.km.ru) — место проживания сразу нескольких крупнейших электронных энциклопедий.
- Виртуальный магазин Озон (http://www.ozon.ru)
- Электронный альманах «Русский журнал» (http://www.russ.ru) — одно из крупнейших электронных изданий в Рунете.
- Архив программного обеспечения Softarea (http://www.softarea.ru)

Вообще-то присутствие такого большого количества специализированных поисковиков в «общей» категории может быть оценено по-разному. С одной стороны, с их помощью вы можете выловить большое количество страничек, по тем или иным причинам не попавших в поле зрения «Трех Богатырей». С другой стороны, побочным продуктом их деятельности неизбежно станет энное количество «информационного мусора». Впрочем, как и в случае с «Коперником», никто не помешает вам отключить или подключить тот или иной сервер в любой группе (для этого служит вкладка «Поисковые сервера» в нижней части экрана). Если же поисковая база Search+ вас почему-то не устраивает, вы в любой момент можете добавить в нее новые серверы и даже целые категории — это еще одна деталь, выгодно отличающая Search+ от Copernic...

Правда, как честно признается сам автор программы, за счет большого количества серверов несколько страдает качество поиска: вряд ли вы сможете использовать возможности каждого отдельного поисковика, что называется, на всю катушку. Однако признайтесь, часто ли вам приходится нажимать кнопку «расширенный поиск» на том же Rambler или составлять «поисковые формы» для Яndex? То-то и оно...

Региональный поиск. Пока политики до хрипоты и драки продолжают спорить о возможности объединить в единое целое разбежавшиеся республики бывшего СССР, автор Search+ без лишнего шума ухитрился «подружить» в рамках единого поискового пространства сразу четыре из них — Россию, Украину, Белоруссию, Молдову! Пожалуй, только за этот ход программе можно было бы присудить приз зрительских симпатий — несмотря на то, что большая часть украинских или белорусских сайтов вещает на «великом и могучем», российские поисковики их зачастую игнорируют. Ох уж этот великодержавный шовинизм!

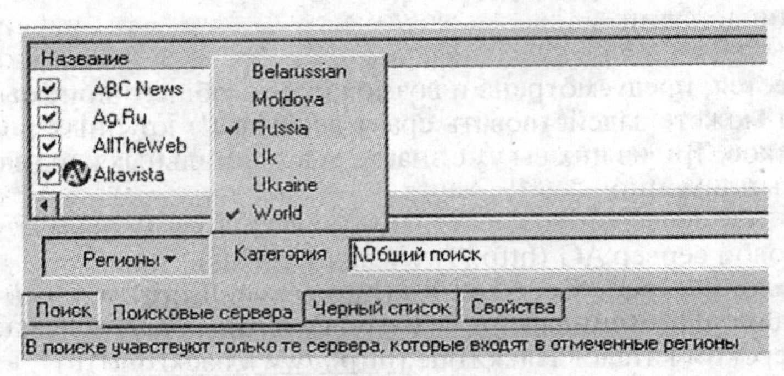

Настройка регионов поиска

Интересно, что, в отличие от того же «Коперника», в Search+ вы можете задействовать сразу несколько регионов — например, Россию и Украину, или Белоруссию и... весь остальной мир. Да, именно так — несмотря на то, что Search+ специализируется на русскоязычных ресурсах, возможность работы с крупнейшими мировыми поисковиками в нем присутствует.

Проверка ссылок. Нажав кнопку «Настройка» и выбрав вкладку «Настройка поиска», вы можете заставить Search+ проверять все найденные ссылки на «живучесть». Этот механизм не слишком отличается от аналогичного у Copernic, а вот папка «Черный список» — интересная и эксклюзивная «изюминка» Search+. Занеся в «черный список» чем-то провинившийся перед вами сайт, вы в дальнейшем автоматически исключите все ссылки на него из результатов поиска.

...Очередное то ли предупреждение, то ли оправдание: нет, хитрый автор никоим образом не хочет столкнуть лбами «трех богатырей» — Copernic, WebMachine и Search+, даром что сравнивает их на каждой странице. Как сказал бы буссенаровский капитан Сорви-Голова — «И английская леди, и бурский генерал прекрасны как полубоги — но каждый в своем роде». И если в других главах этой книги автор ненавязчиво подводил вас к трудной проблеме выбора, то здесь случай особый.

Увы — выбирать не приходится... При блуждании в мировой Сети Copernic незаменим, но все его умения заканчиваются аккурат на российской границе. По другую ее сторону царит WebMachine, и удивительно, что до сих пор о существовании этой прекрасной программы наслышана лишь крохотная часть русскоязычных пользователей. Но и скромная программа Search+ вполне может рассчитывать на успех у многих пользователей — если, конечно, ее создателю, живущему на малопитательном коктейле из энтузиазма и альтруизма, не придет в голову переключиться на какой-либо другой, чисто коммерческий проект. Примеров этому, увы, не так уж и мало.

Сложный поиск в Интернет

Помимо использования уже знакомых нам форм «расширенного поиска» существует другой, значительно более гибкий и профессиональный метод: создание «запроса-формулы», разделяя слова специальными логическими операторами. Эти команды-разделители в профессиональной среде называются «операторами Буля» — термин из области высшей математики. И действительно — наш «сложный запрос» будет очень похож на математическую формулу — в нем можно использовать даже скобки!

У разных поисковых серверов существует свой собственный язык запросов, с использованием самых различных операторов. Чаще всего в «сложном поиске» задействуются следующие операторы:

AND — «и». Этот оператор подразумевает, что в искомом документе обязательно должны содержаться все слова, которые оператор разделяет в запросе. При этом совершенно безразлично, стоят ли они рядом или находятся в разных частях документа. Пример:

(electronic music) software

Как правило, логическому «И» в запросе соответствует простой пробел между словами, однако в большинстве случаев вместо пробела можно использовать знак & или +:

electronic & music

Учтите, что знаки + и – в запросе размещаются не так, как в математической формуле: перед любым из них обязательно ставится пробел, а вот с последующим словом они должны находиться в близком соседстве:

beatles +lennon
компьютеры +железо

OR — «или». В документе должно находиться хотя бы одно слово из тех, которые разделяет этот оператор.
Пример: **(klinton AND scandal) OR monica**
Эквивалент — знак |
Пример: **klinton +scandal | monica**

NOT — «без». Подразумевает, что выбраны будут все документы, содержащие слово перед этим оператором, но исключая содержащие слова после него.
Этому оператору соответствуют знаки – или ~

beatles +lennon–mccartney
реферат +педагогика–социальная

NEAR — «близко». Подразумевает, что слова, разделенные этим оператором, должны находиться максимально близко друг от друга. Например, запрос «компьютерная NEAR пресса» позволит вам получить список страниц, на которых встречается именно СЛОВОСОЧЕТАНИЕ «компьютерная пресса».
Эквивалент — знак &&

социальная && педагогика

Кстати — «удвоенный» оператор используется в тех случаях, когда вам необходимо «заострить» запрос: он укажет поисковику, что разделенные им слова должны располагаться в пределах одного абзаца. Так, по запросу

социальная ~~педагогика

будут найдены все страницы, в кажом обзаце которого НЕ встречаются слова «социальная» и «педагогика». В разных абзацах — пожалуйста, на этот счет ограничений нет. А вот если вы используете запрос

социальная~педагогика
социальная–педагогика

то в результатах будет напрочь исключена возможность появления этих слов в одном документе.

Помимо операторов, при формировании запроса часто используются и специальные символы, позволяющие уточнить запрос либо, наоборот, предоставить поисковику большую свободу.

Дело в том, что для любого слова, как нам известно, существует множество дополнительных форм — падежей, склонений и т. д. Особенно славится этим русский язык с его непостижимым для иностранцев форменным изобилием.

Приятно, конечно, что хотя бы в этом мы опережаем Запад. Однако поиск это здорово усложняет. Например, задав в качестве поискового алгоритма слово «журналистика», мы тем самым пропускаем все документы, содержащие «журналистику», «журналистикой» или «журналистский».

Эта проблема решается, если мы заменим часть слова символом *:
журналист*

Другие специальные символы:
@ — поиск слов со всеми словоформами (@журналистика)
? — замена любого символа (журналистик?)

На многих серверах существует свой собственный язык запросов. Так, в системе Яndex вместо оператора AND используется символ &, вместо OR — символ |, а вместо NOT — символ ~. При этом условия, ограниченные этими операторами, действуют только в пределах абзаца. Если же вы хотите, чтобы заданные вами условия относились ко всему тексту документа, а не к отдельной фразе, операторы нужно «удвоить» — например, вместо & поставить &&. Так, по запросу «виталий && леонтьев» сервер радостно вывалит перед ваши очи все документы, в которых встречаются имя и фамилия автора этой книги. Пусть даже имя будет в начале страницы, а фамилия — далеко в конце...

Наконец, в некоторых поисковиках, в том числе и на Yandex, используется ряд дополнительных символов, позволяющих определять, на каком расстоянии друг от друга должны располагаться в тексте странички слова, включенные в запрос:
/n где n равно количеству слов-«разделителей».

Так, по запросу:

персональный /3 компьютер

будут найдены все странички, в тексте которых встречаются слова «персональный» и «компьютер», отделенные друг от друга не более чем тремя словами.

Число n можно также дополнить знаками + и –, в какую сторону будет вестись отсчет слов-разделителей (вперед и назад соответственно).

Алгоритм поиска информации в Сети

Теперь, познакомившись с основными группами поисковых ресурсов Сети, самое время сесть и, аккуратно разложив перед собой полученные информационные обрывки, постараться сложить их в единую картину. В четкий и выверенный алгоритм поиска информации в Сети.

Куда же обращаться в первую очередь?

Поиск группы сайтов по интересующей теме. Для такой нехитрой операции проще всего воспользоваться каталогом, информация в котором представлена в максимально удобной для пользователя форме. Для ускорения работы воспользуйтесь поиском по каталогу, набрав нужные ключевые слова или их сочетания в строке поиска.

Для поиска больших информационных ресурсов, таких, как сайты крупных компаний, известные сетевые средства массовой информации и так далее, проще всего воспользоваться каталогом Rambler (для русскоязычных ресурсов) или Yahoo (англоязычные ресурсы).

Если вы желаете получить доступ к самым известным и популярным ресурсам по той или иной теме, отправьтесь в гости к одному из популярных рейтингов, например, Rambler Top 100. В том случае, если вы не хотите ограничиваться крупными сайтами и желаете выделить лучшие персональные сайты и странички, созданные любителями, воспользуйтесь услугами рейтингов типа Spylog или того же List.Ru.

Если же сфера ваших интересов охватывает сразу несколько смежных тем или достаточно широкую область знаний, вы можете сделать своим каждодневным инструментом отдельные тематические каталоги сайтов Сети. Адреса таких каталогов вы можете найти, в частности, в каталоге поисковых систем Search Kit.

Поиск отдельных сайтов. В этом случае, помимо уже знакомых вам инструментов поиска, можно прибегнуть к помощи локальных коллекций ссылок, расположенных на любом сайте по интересующей вас теме. В качестве дополнительного средства можно воспользоваться метапоисковыми системами типа Metacrawler — они помогут вам снять «сливки» с результатов, выдаваемых крупнейшими поисковыми системами.

Поиск отдельных страниц. Для тех, кто ищет в Сети ответ на конкретный вопрос или определенный текст, основным инструментом должны стать поисковые системы, выдающие результаты с высокой степенью релевантности. В Рунете лучшим поисковиком такого типа является Яndex, а желающим поискать информацию на англоязычных страницах придется выбирать между AltaVista и Google.

Однако самым предпочтительным, по мнению автора, будет использование поисковых программ, позволяющих не только осуществлять тематический поиск, но и обрабатывать результаты со множества поисковых и метапоисковых систем. Лучшей поисковой программой для англоязычной части Сети пока что остается Copernic, российские же пользователи имеют в своем распоряжении отличную программу Search+.

Поиск справочной информации. Не забывайте о возможностях «электронных версий» традиционных справочных изданий — энциклопедий, словарей. Телефонных книг, наконец! Порой именно они могут стать для вас главным источником справочной информации, в противовес «рыхлым» и малодостоверным сайтам. Там, где нужна точность и не слишком важна оперативность, энциклопедии по-прежнему вне конкуренции.

И последнее: каким бы видом поиска вы не пользовались, старайтесь грамотно формулировать ваш запрос и выбирать правильные ключевые слова. В особо ответственных случаях используйте возможности сложного поиска, применяя специальные логические операторы.

МИР ФАЙЛОВ: ФАЙЛОВЫЕ АРХИВЫ В ИНТЕРНЕТ

Информация — это, если можно так выразиться, воздух, которым дышит каждый обитатель или гость Сети. Но трудно представить себе вселенную, состоящую из одного воздуха. Зыбок и неустойчив был бы такой мир...

И пусть даже речь идет не о «материальной» Вселенной, а всего лишь о виртуальном мире Интернет, где кроме информации, казалось, и существовать ничего не может. Однако и у информации есть своя «плотность»! Так можно ли извлечь из Сети нечто более «материальное», более осязаемое?

Разумеется, можно! Только для этого нам с вами придется открыть для себя новую сторону Интернет. И если прежде мы были знакомы только с «парадной витриной» Сети, Всемирной Паутиной WWW, то сейчас нам предстоит заглянуть в «складские помещения» этого огромного информационного супермаркета.

Условно мы назвали этот раздел «миром файлов», хотя это определение не слишком точное. Ведь в виде файлов в Сети сохраняется любая информация — не исключая уже знакомые нам страницы WWW. Но сейчас речь пойдет о другом — о более весомых «кусочках» информации, работать с которыми нам придется уже не в Сети, а на своем собственном компьютере. Конечно, предварительно нам с вами придется эти файлы скопировать (или, как говорят пользователи, «скачать») из Сети на свой компьютер.

Какие именно файлы мы будем искать в Сети? Ну, во-первых, конечно же, программы! Если уж вы дочитали книжку до этого раздела, то наверняка уж выбрали для себя несколько (или несколько десятков) жизненно необходимых программ для работы с Интернет. Теперь остается их только скачать и установить — это не так трудно сделать, благо автор снабдил (и будет снабжать) описание каждой программы ссылкой-адресом.

Во-вторых, драйверы — специальные программы-посредники между операционной системой и входящим в состав вашего компьютера «железом». Их тоже рекомендуется периодически обновлять — и нет лучшего способа сделать это, чем с помощью все той же Сети.

Наконец, через Сеть можно получить доступ к миллионам (!) изображений, музыкальных композиций и даже видеофильмов. Конечно, в большинстве случаев обмен этими материалами происходит не на совсем законных основаниях, но все-таки полностью игнорировать это явление было бы большой ошибкой...

...И это далеко не все. Существует еще множество видов информации, которые вы можете загрузить на свой компьютер в виде «файлов» — электронные книги, документация, игры и так далее. Но в качестве «вводного материала» того, что сказано выше, будет вполне достаточно. В конце концов, надо же оставить вам простор для собственных открытий! Тем более, что нескольким категориям файлов мы еще посвятим отдельные главы этой книги.

Где же «живут» эти самые файлы в Сети и как получить к ним доступ? Что ж, если для информационных страничек была придумана система WWW, то и для файлов создана собственная Вселенная — сеть серверов FTP.

На самом деле эти две «вселенные» живут в столь тесном соседстве друг с другом, что разделить их просто невозможно. И «вытягивать» файлы из Сети можно как через уже знакомые нам странички Всемирной Паутины (если, конечно, сервер FTP снабжен «надстройкой» в виде сайта или странички), так и обращаясь к серверу FTP напрямую, с помощью специальных программ.

Не пугайтесь — в большинстве случаев будет вполне достаточно уже знакомого вам первого варианта. Те же программы, например, мы будем искать на специализированных сайтах-«копилках» Сети (адреса многих из них вы найдете в приложениях к этой книге). И даже в тех редких случаях, когда нам по тем или иным причинам придется работать с FTP напрямую, мы будем использовать в качестве базовой программы уже знакомый нам браузер...

Получается, что про FTP, как отдельную службу Интернет, можно просто забыть? Нет. Как бы ни была «архаична» FTP, как бы не было велико искушение полностью растворить его в атмосфере Сети... Но чем глубже вы будете проникать в устройство Интернет, чем чаще будете работать с файлами — тем чаще вам придется сталкиваться с FTP.

Например, вам нужно переслать другу «объемную» программу или музыкальную композицию. Или опубликовать созданную вами страничку или сайт в Сети. Или... Словом, во всех этих случаях нам не обойтись без FTP.

Однако работе с FTP мы будем учиться чуть позже — после того, как мы научимся «вытаскивать» файлы непосредственно со страничек Всемирной Паутины.

ПРОГРАММЫ ДОКАЧКИ ФАЙЛОВ

Если файлы скачиваются с помощью специальных программ непосредственно с FTP-серверов, то никаких проблем не возникает. Однако в подавляющем большинстве случаев мы копируем файлы из Сети с помощью обычного браузера прямо со страниц WWW.

Что в этом плохого? В принципе, ничего, поскольку любой современный браузер умеет работать как с HTTP, так и с FTP протоколом. Однако есть одно маленькое «но» — используя браузер, мы лишаемся одного из важнейших преимуществ FTP, а именно возможности докачки. Представьте — связь неожиданно прервалась до завершения копирования файлов, что случается, увы, сплошь и рядом. Работая с FTP-клиентом, вы бы спокойно возобновили закачку с того места, на котором прервалась предыдущая. Но в случае с закачкой файлов через браузер картина получается иная — уже скопированный вами кусок файла пропадает... Если файл маленький — это не так страшно. Но ведь случается, что связь рвется на последних секундах копирования 20-мегабайтного файла!

Именно этот недостаток долгие годы заставлял пользователей держать на компьютере программу для работы с FTP, работать с которой далеко не всегда удобно. И хорошо, что существует неплохая альтернатива — менеджеры скачивания файлов, позволяющие вам наслаждаться всеми преимуществами копирования файлов со страниц Интернет через браузер с сохранением при этом всех удобств работы в FTP-режиме! И более того, заполучить новые удобства ...

Программа **GetRight** (http://www.getright.com) сможет раз и навсегда избавить вас от нежелательных переживаний в подобных случаях: ее функция и состоит в том, чтобы докачивать «прерванные» файлы из Сети.

После установки GetRight фактически встраивается в ваш браузер и берет на себя полный контроль за скачиванием нужных вам файлов. Для вас разница будет несущественной — просто при щелчке по интернет-ссылке, указывающей на файл, вместо окна загрузки браузера стартует окно GetRight.

Перед тем как начать копирование файлов с удаленного компьютера на ваш жесткий диск, программа самостоятельно произведет поиск по Интернет — не лежит ли нужная вам программа на других серверах? В этом случае GetRight протестирует все найденные сервера на скорость и,

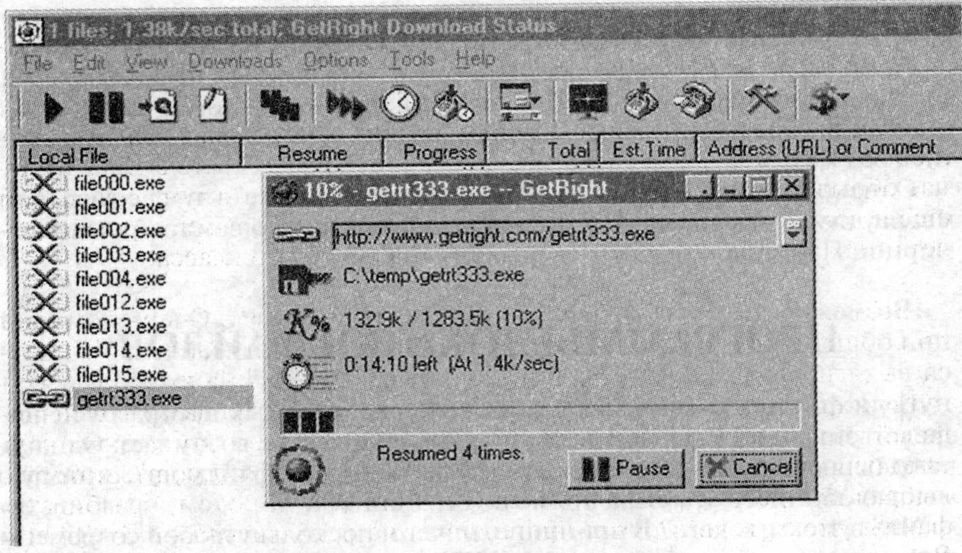

GetRight — программа докачки файлов

выбрав самый быстрый, начнет закачку. При этом на мониторе программы будет показан точный объем файла, скорость его выкачки с данного сервера и время до завершения операции.

В случае разрыва связи — случайного или осознанного (бывает, что файл слишком большой и за один прием его не выкачать) GetRight прячет выкачанный кусок файла в свой «загашник». А при новом заходе в сеть уже самостоятельно, независимо от вас, возобновляет прием файла с того самого момента, на котором вы остановились в прошлый раз. Более того — программа может самостоятельно, в заданное вами время (например, в три-четыре часа утра, когда стоимость работы в Интернет минимальная, а скорость — максимальная) подключиться к Интернет, выкачать все отмеченные вами файлы, а по окончании сеанса — разорвать связь и выключить компьютер.

GetRight — программа платная, однако демонстрационная версия, которую вы можете взять на сайте производителя, будет работать с полной отдачей, отличаясь от платного варианта лишь наличием рекламного окошка.

Как легко предположить, у GetRight имеется множество программ-конкурентов — бесплатных или почти бесплатных. И выбрать среди обилия программ нужную порой непросто — ведь практически все они умеют:

- Отслеживать щелчки по ссылкам на файл в популярных браузерах — Internet Explorer и Netscape Communicator
- Автоматически искать альтернативные сервера, содержащие искомый файл, и выбирать для выкачки самый быстрый
- Автоматически подключаться к Сети в заданное вами время, а после выполнения всех заданий — отключаться
- При «аварийном» разрыве связи — самостоятельно возобновлять соединение с Интернет
- Автоматически раскидывать принятые файлы по категориям, в зависимости от их типа

Это, так сказать, базовый набор функций, которым должен обладать любой менеджер докачки (помимо главной — докачивать файлы в случае обрыва связи). Но помимо этой «программы-минимум» существует еще и дополнительный перечень завлекалочек, которыми, в разных сочетаниях, могут быть «вооружены» программы этого класса:

Возможность выкачки файла в несколько «потоков». Очень помогает при общении с серверами-«черепахами», из которых файлы приходится вытягивать «по миллиметру». Если разбить файл на кусочки и «тянуть» их в отдельном процессе (thread), то даже «черепаха» волей-неволей разгонится до приемлемой скорости. Первой эту «изюминку» заполучила программа **FlashGet** (http://www.amazesoft.com), которую выбрал для себя и автор этой книги. Сегодня, впрочем, «разбивать» файлы умеют и два других претендента на роль лидера — GetRight и ReGet.

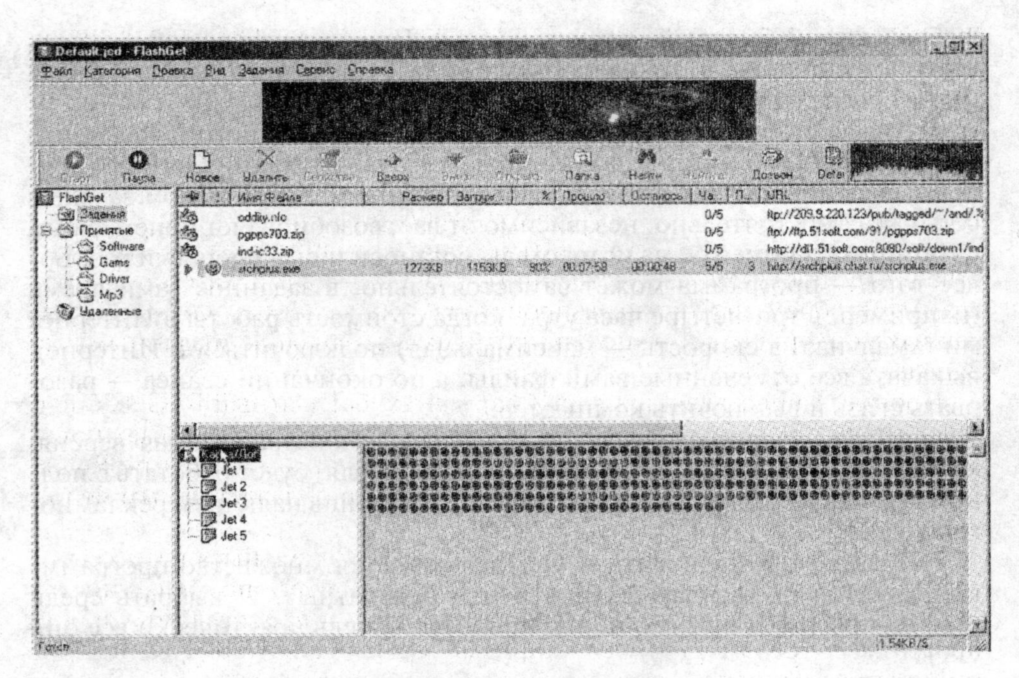

Менеджер закачки FlashGet

Русскоязычный интерфейс. Мелочь, а как приятно! И вдвойне приятно обнаружить, что практически любая программа докачки может общаться с пользователем на родном русском языке. Впервые поддержка великого и могучего появилась, конечно же, в GetRight, чуть

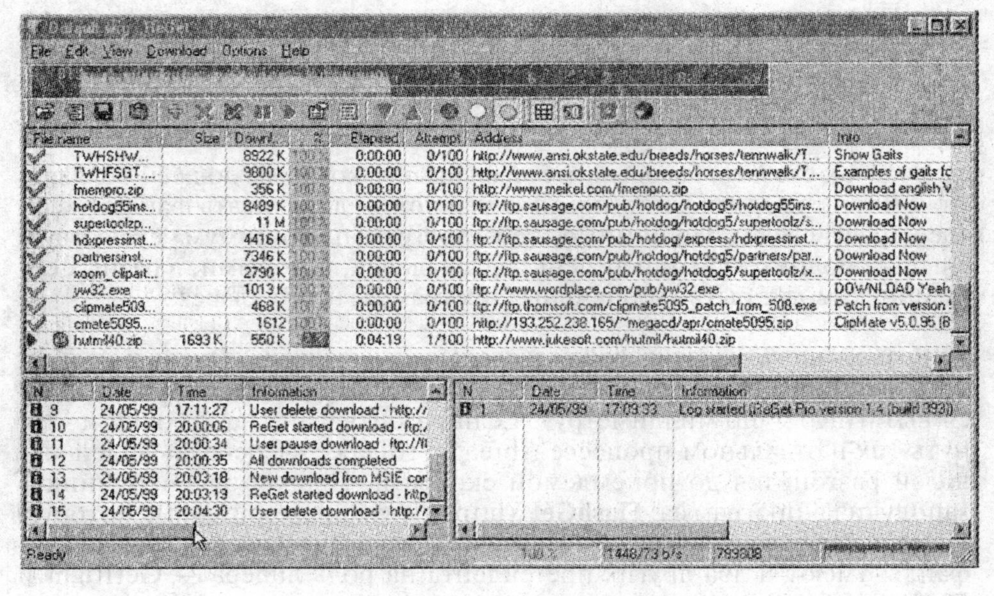

Менеджер закачки ReGet

позднее ей обзавелись и FlashGet. В большинстве случаев для русификации интерфейса программы вам придется скачать с сервера ее изготовителя крохотный дополнительный модуль, что не займет много времени.

Впрочем, существует и программа, для которой русский изначально был родным, базовым языком. Речь идет о программе **ReGet**, созданной Владимиром Романовым (http://www.reget.com).

Этой программе следует уделить больше внимания хотя бы как единственному продукту «отечественного разлива» в этой категории программ. Впрочем, не только в происхождении дело: сегодня ReGet на равных конкурирует с лучшими программами закачки, созданными на Западе.

Программа поставляется в двух вариантах: бесплатный ReGet Junior, подобно своим западным коллегам, ненавязчиво подкармливает пользователя рекламными баннерами. Второй вариант — платный ReGet Deluxe — от рекламных заставок свободен, зато обладает целым рядом дополнительных функций.

Кстати, о функциях. Громадный перечень «уникальных» возможностей программы, приведенный на странице ReGet, по большинству пунктов совпадает с аналогичными «рекламными проспектами» других программ — того же FlashGet, например. Однако некоторые возможности программы заслуживают упоминания:

- ReGet Deluxe умеет скачивать с защищенных (HTTPS) серверов при помощи добавочного модуля, который можно найти на странице закачек.
- ReGet Deluxe умеет скачивать с «виртуальных дисков», размещенных в Сети — (таких как MySpace.com, iDrive.com и др.).
- Просмотр Web-страниц во время скачивания: ReGet Deluxe определяет активность броузера и автоматически понижает свой трафик, если броузер передает данные, давая вам возможность просматривать Web-страницы, не прерывая процесс скачивания.
- Встроенный MSIE Spy — программа для отслеживания активности броузера. Дает возможность узнать реальные URLs всех скачиваемых броузером файлов, которые обычно невидимы для пользователя: картинки, скрипты, баннеры, кнопки, таблицы стилей (CSS), файлы Javascript, и т. д.
- Улучшенная система интеграции с броузером позволяет ReGet Deluxe перехватывать и обрабатывать все типы ссылок, включая формы и скрипты-редиректоры.

Наконец, последнее. Новичкам, без всякого сомнения, стоит хотя бы на первое время ограничиться бесплатной версией Reget Junior, а более опытным пользователям не грех будет и прикупить полнофункциональную версию программы, благо просят за нее недорого — всего лишь 7 долл.! Сумма эта вполне по силам большинству пользователей — другое дело, что покупать программы у нас, увы, до сих пор както «непрестижно»...

«КЛАДОВЫЕ» ИНТЕРНЕТ

Программы

Подключение к Интернет дает вам замечательную возможность получать новые программы чуть ли не в день их выхода. Но «бегать» по всей Сети в поисках какой-то утилитки — занятие неблагодарное, и тут на помощь приходят сайты, специализирующиеся на информации о новом программном обеспечении. Прежде чем перейти к рассказу о таких сайтах, я дам немного вводной информации для тех, кто только начинает разбираться со всеми этими «компьютерными прибамбасами».

То, что программы бывают платные и бесплатные, знает каждый пользователь. Но мало кто догадывается, сколько именно модификаций «платного» и «бесплатного» напридумывали хитрые авторы программ!

Бесплатное программное обеспечение (freeware) — обычно это небольшие вспомогательные программы-утилиты, которые разрабатываются независимыми программистами. Изредка — бесплатные дополнения к известным коммерческим пакетам.

Коммерческое программное обеспечение (commercialware) — программы, за которые надо платить, и чаще всего — довольно значительные суммы. Сюда относятся все крупные программные пакеты известных производителей и ряд утилит. Программы этого типа можно приобрести в красивых коробках или без оных в любом компьютерном супермаркете. Однако сегодня все чаще и чаще программные продукты продаются через сеть Интернет. Сделать это можно либо на сайтах производителей программ, либо — в больших интернет-магазинах программного обеспечения (например, российский сервер www.bolero.ru). Расплачиваться за покупку можно кредитной карточкой Visa или American Express, а получить товар вы можете двумя способами. Большие программы в виде тех самых красочных коробок с компакт-диском или документацией доставляются вам на дом курьерской службой или по почте, а мелкие программы вы можете скопировать прямо с сайта Интернет. Правда, большинство программ, распространяемых таким путем, относят к совершенно иной группе.

Условно-бесплатное программное обеспечение (shareware). Самая массовая группа программ, в которую входят практически все утилиты, а часто — и весьма серьезные, умелые программные пакеты. Эти программы предоставляются вам бесплатно, однако по истечении определенного срока вы должны заплатить их автору небольшую сумму. Если же вы через указанный промежуток времени не зарегистрируетесь, часть программ этого класса теряет ряд своих возможностей, а часть начинает надоедать настоятельными просьбами зарегистрироваться. И, соответственно, заплатить. Если вы согласны перевести на счет производителя энную сумму, программа приобретает статус commercialware, если же, подобно большинству наших пользователей, воспользовались чужим «ключом» или программой-«ломалкой», программа становится попросту ворованной.

Пробные версии (trialware). Как правило, это полноценные версии коммерческих пакетов, которые вы можете использовать какое-то время бесплатно. По истечении этого времени программы, как правило, прекращают работать. Хотя всегда находятся умельцы, искусственно продлевающие жизнь любимой программе с помощью «ломалки» или простого перевода системных часов Windows на месяц-другой назад при запуске программы.

Другие «умельцы», чуть более честные, ухитряются продлить жизнь программ без использования хакерских методов. Существует несколько способов более-менее честного, как говаривал незабвенный сэр Остап, способов изящного надувания программ, а заодно и их производителей:

- Переустановка программы. Отказавшаяся работать программа удаляется из системы (предпочтительнее при этом использовать программы-деинсталляторы типа Norton CleanSweep) и устанавливается заново. В некоторых случаях это помогает.
- Махинации с системными часами. При установке программы системные часы переводятся вперед, скажем, на год — то есть компьютер, начинает считать себя живущим, к примеру, в октябре 2001 года. От этой даты и отсчитывается срок работы с программой. После установки программы системные часы вновь приводятся в исходное состояние. Отметим, что способ этот работает не так уж и часто — многие программы имеют свой собственный счетчик, не привязанный к системным часам.
- Махинация номер два. Часы переводятся НАЗАД перед запуском программы на несколько дней или недель. Часто не дает результата по причинам, изложенным выше.

Конечно, нет никакой гарантии, что хотя бы один из этих способов сработает с нужной именно вам программой. Надежный способ, как вы догадываетесь, есть только один — заплатить автору искомые 15—20 долл. Однако для России подобная рекомендация звучит сегодня, как издевательство....

Однако мы увлеклись, а наше путешествие по миру программ пока еще не окончено!

Демо-версии (demoware). Демонстрационные версии популярных коммерческих пакетов с «урезанными» возможностями. Например, с выключенной функцией сохранения результатов в текстовом или графическом редакторе. У некоторых программ, кроме того, присутствуют и ограничения по времени работы.

«Рекламно-оплачиваемые» программы (ad-ware). Появившись всего лишь год назад, этот способ распространения программ ныне стремительно завоевывает популярность. Ибо в этом случае целыми и сытыми остаются и волки, и овцы: потребитель получает возможность работать с программой бесплатно, а на счет производителя меж тем все равно капают ощутимые денежки. Откуда? Секрет прост. Платят программистам крупные фирмы-рекламодатели, программист за это внедряет их рекламную картинку-«баннер» в свою программу. Пользователи вынуждены эту рекламу смотреть, а иногда — еще и щелкают по особо понравившимся картинкам, отправляясь прямиком на сайт фирмы-рекламодателя... Отдача от этих путешествий не слишком велика, однако и пара клиентов может принести, например, интернет-магазину, сотни долларов прибыли, 10—15 из которых он с охотой выплатит программисту.

Возможен и другой способ добычи клиентов: при установке программы пользователю предлагают заполнить мини-анкету сведениями о себе, любимом, о членах своей семьи, об уровне доходов, интересах и работе. На основе этих сведений в дальнейшем будут формироваться «рекламные рассылки», которые будут исправно наполнять мусором ваш электронный почтовый ящик.

Наконец, существует и третий, наименее честный способ. Рекламы программа вам показывать не будет, анкету заполнять не попросит. Однако при работе начнет втихаря контролировать ваши путешествия по Интернету и отсылать все данные на сайт фирмы-разработчика. Такая программа, которую можно отнести к особому классу — **spyware** — не слишком отличается от обычного вируса и, хоть вреда вашей системе она не причинит, связываться с ней вряд ли стоит.

Кстати, для проверки вашего компьютера на предмет наличия spyware-программ и возможного удаления оных шведская фирма Lavasoft (www.lavasoft.de) разработала специальную программу Ad-aware, которую желающие могут совершенно бесплатно загрузить с сайта компании в сети Интернет.

Модификацией ad-ware является еще один статус распространения программ — **homepageware**. При установке программа автоматически устанавливает свою страницу в Интернет в качестве стартовой страницы вашего браузера — например, Microsoft Internet Explorer. То есть при запуске браузера он первым делом покажет вам эту самую страницу, на которой вы найдете... правильно, ту же рекламу!

Еще не так давно по принципу ad-ware распространялись лишь мелкие утилиты, однако сегодня в этом статусе распространяются такие известные пакеты, как интернет-пейджер ICQ или менеджер докачки файлов GetRight.

«Условно-платные» программы (donation ware). Автор таких программ намекает, что, в принципе, он не отказался бы от пары-другой монет за свое детище, но платить он никого не принуждает и функциональность программы не ограничивает. Появится желание — заплатите, не появится... Ну что ж, на нет и суда нет! Понятно, что таких «альтруистов наполовину» среди программистов немного, а честных плательщиков среди пользователей — и того меньше.

«Открыточные» версии (cardware). Весьма экзотический вид программ, в качестве вознаграждения за пользование которыми вас просят отправить автору красивую почтовую открытку.

Помимо коммерческого статуса, программы, доступные в Интернет, различаются и по степени своей «доведенности до кондиции». О новизне программы говорит номер ее версии. Такой, например:

WinAmp version 2.85 beta

Что это значит? Ну, с номером все понятно: при модернизации программы серьезные качественные изменения в ней отмечаются «скачком» номера — например, с единицы на двойку. Значительные, но не слишком революционные изменения вызывают смену первого знака после точки или запятой — так, версия 2.3 сменяется на 2.4. Наконец, внешние, косметические изменения приводят к смене второго знака — например, с 2.55 на 2.56 и т. д. На самом деле понятия о серьезности изменений и система нумерации у каждого автора свои, поэтому не удивляйтесь, обнаружив программу с номером версии 2.3443 или даже 0.9082.

А что же значит таинственное слово «alpha» после номера версии?

Работая над программой, ее автор может выкладывать в Сеть не только окончательные, но и предварительные версии! Каждая из них имеет свое собственное обозначение:

Альфа (Alpha) — самая первая версия программы, черновой набросок. Статус «альфы» гарантирует вам, что скачанная программа установится и даже запустится, однако ее дальнейшие действия непредсказуемы. Чаще всего «альфа-версия» напичкана ошибками, как сдобная булочка изюмом, многие из ее возможностей и функций просто не работают. Вот почему пользоваться «альфой» могут лишь самые нетерпеливые и отчаянные экспериментаторы, выполняя таким образом роль тестеров. Остальным же стоит дождаться появления более стабильной и надежной версии — «беты».

Бета (Beta) — уже вполне пригодный к употреблению продукт. Грубые ошибки убраны, базовые задачи программа выполняет успешно. Остались лишь маленькие недоделки, которые могут исчезнуть уже в следующих «бетах». В статусе «беты» многие программы пребывают большую часть жизни — вспомним хотя бы проигрыватель WinAmp, почтовую программу The Bat! и ряд других программ, «бетовость» которых не мешает миллионам пользователей пользоваться ими.

Релиз (Release) — полностью готовая, окончательная версия программы.

Программы распространяются через Интернет, как правило, в виде одного файла так называемого «архива». Об архивах я подробнее рассказывал на страницах «Новейшей Энциклопедии Персонального Компьютера», поэтому здесь остановлюсь на этом лишь мельком.

Архивный файл — это своего рода «сжатая папка», которая, как и положено, может содержать в себе не один, а несколько отдельных файлов! Однако для пользователя такая папка выглядит, как простой файл, что сильно упрощает его хранение и транспортировку. При этом архив, за счет использования алгоритмов сжатия, может занимать в десятки раз меньше места, чем упакованные в него файлы.

Существует множество видов и форматов архивов, однако в Интернет вы чаще всего встретите лишь три формата:

- ZIP (файл с именем типа arhiv.zip)
- ARJ (файл с именем типа arhiv.arj)
- RAR (файл с именем типа arhiv.rar)

Для установки программы выкачанный из Интернет файл-архив нужно сначала «распаковать» в отдельную папку. Для этого нам, разумеется, понадобятся специализированные программы-архиваторы — например, WinZip или WinRar. В Windows ME встроена программа Compressed Folders, позволяющая распаковывать архивы ряда популярных форматов (например, zip). Для этого необходимо лишь щелкнуть правой кнопкой мышки по имени файла-архива в Проводнике и выбрать в контекстном меню команду распаковки.

После распаковки в выбранной вами папке окажется куча разнообразных файлов — это и есть установочный комплект программы (дистрибутив). Теперь в этой куче вам надо найти файл с названием setup.exe, install.exe или install.bat и запустить его (желательно перед этим прочитать readme.txt — там обычно описываются особенности программы). После этого вам останется только следовать инструкциям.

Бывают, впрочем, и другие архивы, не требующие для распаковки никаких дополнительных программ. Такие архивы называются длиннющим словом «самораспаковывающиеся» и представляют собой обычные исполняемые файлы с расширением exe. Такой файл нужно просто «запустить», как самую обычную программу — встроенный распаковщик вытащит из архива все нужные файлы и запустит программу установки.

По окончании установки распакованные файлы дистрибутива можно удалить, а вот исходный файл-архив с установочным комплектом стоит сохранить — на тот случай, если вам понадобится переустановить программу.

ДРАЙВЕРЫ И «ПРОШИВКИ»

Читатели «Новейшей Энциклопедии Персонального Компьютера» (равно как и других пособий для начинающих пользователей) великолепно осведомлены о том, что, помимо программ прикладных, предназначенных для нашего с вами удобства, существуют и программы системные, которые использует в своей работе сам компьютер.

К числу таких остро необходимых программ, вне всякого сомнения, относятся и драйверы — специальные программные модули, помогающие операционной системе работать с аппаратными компонентами компьютера. Собственные драйверы, напомним, приложены практически к каждому устройству — материнской плате, звуковой карте, видеоплате, принтеру, сканеру, модему...

Разумеется, как и всякие программы, драйверы постоянно обновляются производителями — для того, чтобы ваше «железо» работало стабильнее, лучше и быстрее. Установка новых драйверов поможет убрать некоторые досадные ошибки в работе устройств и даже раскрыть их но-

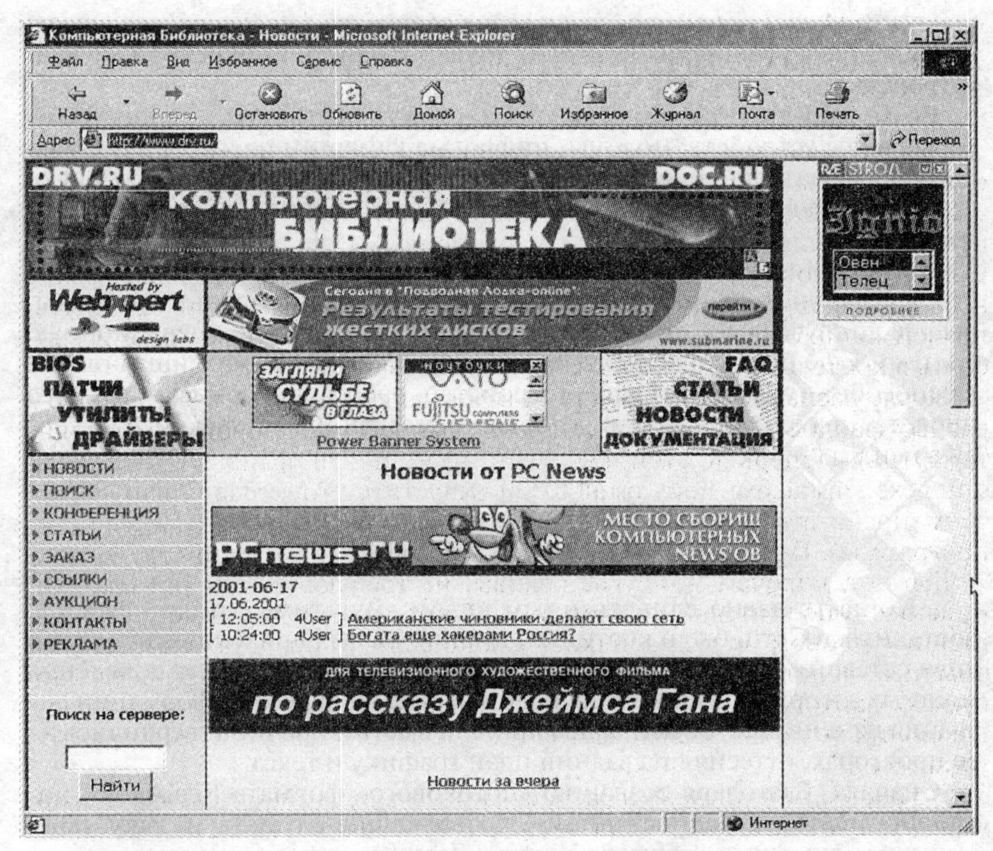

«Драйверотека» Drv.Ru

вые возможности. Вот почему, регулярно обновляя драйверы, вы вряд ли проиграете — за исключением, конечно, отдельных случаев, когда старый драйвер оказывается стабильнее и надежнее нового.

Драйверы для того или иного «железа» нужно искать на сайтах фирм производителей, в разделах Support, Drivers или Download. В ряде случаев стоит «вытягивать» драйвер не со странички, а с FTP-сервера компании, однако об этом разговор пойдет чуть впереди. Существуют, наконец, специализированные сайты с коллекциями свежих драйверов — их адреса вы найдете в приложениях к этой книге.

Установка драйверов ничем не отличается от установки программ — для этого вам нужно запустить выкачанный из Интернета файл (если вы имеете дело с самораспаковывающимся архивом с расширением exe) или предварительно распаковать архив в пустую папку с последующим запуском файла setup.exe.

Помимо драйверов, существует еще несколько видов вспомогательных программ, доступных нам через Интернет, — новые версии «прошивок» или BIOS. Эти модули предназначены для обновления внутренних «микропрограмм» устройств, записанных в их собственную память, и обладают еще более узкой специализацией. Если драйверы могут быть предназначены, например, для целого семейства видеокарт или звуковых плат, то «прошивки» подходят только к одной, конкретной модели устройства.

Возможностью замены «прошивки» могут похвастаться лишь некоторые виды устройств: модемы, цифровые камеры и плейеры... А самое главное — материнские платы: ведь каждая из них содержит базовую, главную управляющую микросхему BIOS, начиненную крохотной программкой...

Но помните: замена драйверов и уж тем более BIOS — весьма ответственная и рискованная операция: установив неправильные драйверы, вы в ряде случаев должны будете переустанавливать всю операционную систему. Еще более опасны шутки с «прошивками» — малейшая ошибка способна «умертвить» ваше устройство, работоспособность которого придется восстанавливать в условиях ремонтной мастерской или сервис-центра.

МУЗЫКА И ВИДЕО

...Когда-то давно единственным видом «мультимедийных» файлов, доступных в Сети, были картинки, именно на них приходилась львиная доля сетевого «трафика». Однако в начале 90-х годов, после появления мощных алгоритмов сжатия звуковой (а затем и видео) информации ситуация изменилась. Звук и видео пришли в сеть и прочно утвердились на ее просторах, оттесняя на задний план графику и текст.

Сначала, благодаря созданию «потокового» формата RealAudio, появились «сетевые радиостанции», позволявшие слушать музыку через Интернет в режиме «прямого эфира». Затем возникли «сетевые телеканалы», транслировавшие через Интернет программы новостей и концерты поп-музыки, спортивные соревнования и ток-шоу...

Однако оставим пока в стороне «сетевое вещание» — ему будет посвящена специальная глава этой книги. Тема же нашей сегодняшней беседы — громадные кладовые «сжатого» звука и видео, богатейшие «виртуальные фонотеки», распространение которых поставило под угрозу существование всего музыкального бизнеса в его прежнем, архаичном виде.

Для тех, кто еще не успел прочитать «музыкальные» разделы «Новейшей Энциклопедии Персонального Компьютера», напомним, что началась эта история еще в 1995 году, когда был создан алгоритм сжатия звука под названием Mpeg I Layer III, более известный широкой общественности как MP3. Благодаря ему час музыки хорошего качества стал занимать не 600, как раньше, а всего 60 Мбайт, что давало возможность передавать через Сеть уже не отдельные композиции, а целые альбомы. В итоге через несколько лет MP3-файлы стали самыми модными и востребованными мультимедийными ресурсами Интернет. MP3-коллекциям посвящены десятки тысяч (!) сайтов — начиная от простеньких «домашних страничек» и заканчивая такими гигантами, как грандиозный портал MP3.Com...

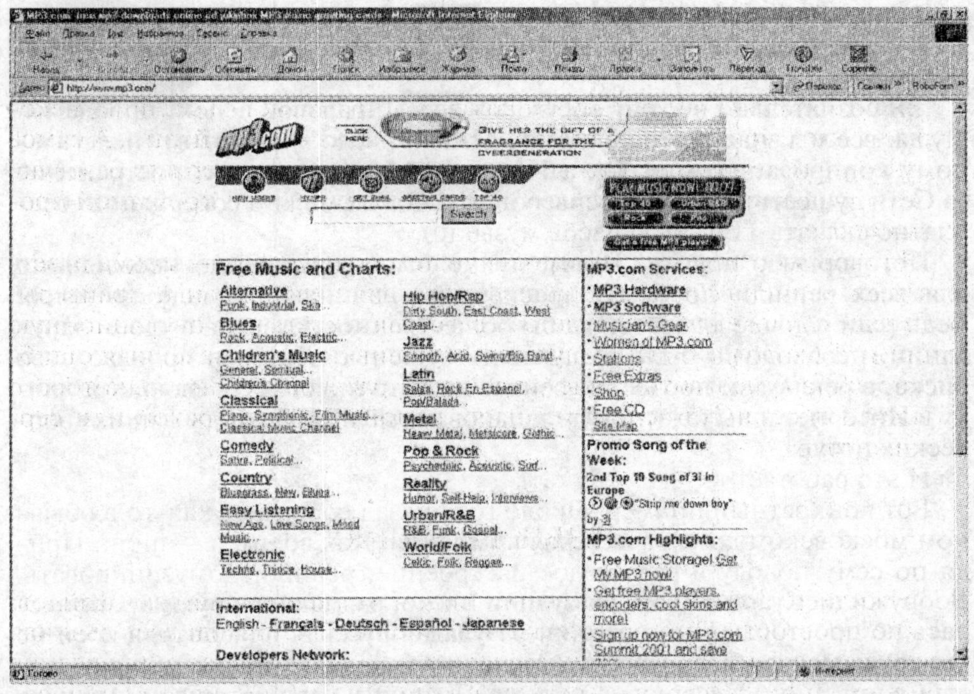

Музыкальный портал MP3.Com

В 1999 году заявила о себе система Napster, позволившая миллионам пользователей со всего мира обмениваться музыкальными композициями в режиме «прямого соединения» (peer-to-peer). Выбранная Napster стратегия оказалась на редкость удачной: сервер этой службы сам по себе не содержал никаких MP3-композиций, а лишь позволял гостям системы копаться в музыкальных коллекциях друг друга. Благодаря этому компании долгое время удалось открещиваться от обвинений в распространении пиратских копий песен и альбомов, отбив несколько атак звукозаписывающей индустрии. В 2000-м году развязка все же наступила — Napster обязали закрыть свой сервис... Однако к этому времени на свет появилось уже несколько десятков серверов-клонов, использовавших тот же алгоритм работы, но никак не связанных с Napster. Благодаря этому обмен музыкальными файлами в Интернет живет и процветает до сих пор.

Сегодня история повторяется — однако теперь «мультимедийная революция» затронула неприступную до сих пор цитадель видео. Новый стандарт сжатия видеоинформации MPEG-4, представленный Microsoft в 1999 году, и его пиратская модификация DivX совершили в мире видео переворот, аналогичный тому, что сотворил MP3 со звуком. Полтора часа видео вполне пристойного качества стали с легкостью умещаться на обычном компакт-диске, а на обычном домашнем компьютере стало возможным хранить небольшую фильмотеку из 30—40 фильмов... Естественно, что не остался в стороне и Интернет, ставший идеальной средой для распространения DivX-видео. Сегодня модные видеоновинки уже через несколько дней после выхода можно найти на FTP-серверах или в подобных Napster обменных сетях формата «peer-to-peer».

...Я сознательно не хочу обсуждать здесь правовой аспект проблемы. Ну да, все мы знаем, что рождение MP3 привело к массовому нелегальному копированию музыки, а Интернет облегчил ее распространение (в Сети существуют сотни серверов, с которых можно совершенно бесплатно скачать ТЫСЯЧИ часов музыки!).

Поговорим о другом. Новые технологии совершенно неожиданно для всех решили проблему «раскрутки» начинающих исполнителей. Ведь если раньше для того, чтобы общественность узнала о твоем даровании, необходимо было вкладывать бешеные деньги в производство диска, в рекламу и прочее, то сейчас достаточно создать свою страничку в Интернет и выложить туда запакованные в MP3 плоды ваших творческих потуг.

И это работает!

Вот конкретный пример. Около года назад собралась как-то в обычном московском доме развеселая компания. Как водится — пили. Придя по сему поводу в развеселое настроение, решили помузицировать. Вооружились гармошкой, раззудили плечо, размахнули руки и... понеслась по просторам многоэтажки разудалая русская плясовая, в коей не без труда можно было узнать слезоточивую композицию заморской дивы Селин Дион. Песенку из фильма «Титаник», под которую оный торжественно на экране и затонул.

Бравые русские ремейкеры, однако, тонуть не собирались. А сделали нечто совсем иное — записали плясовую имени Дион на свой компьютер и... выпустили в Интернет.

Через несколько месяцев пьянючие завывания добрых молодцев доносились с каждого второго компьютера. Вокруг песни роились легенды: спорную честь создания «рашн-дринк-соул-версии» знаменитого хита, как в былые времена место рождения Гомера, оспаривали друг у друга сразу несколько российских городов. Докатилась песенка и до далекой Америки — правда, слышала ли ее сама Селин Дион, сказать трудно... В итоге песенка прозвучала и по радио, однако к ее «славе» уже ничего не надо было прибавлять. Все, что было возможно, уже сделали компьютер, Интернет и MP3...

Программа для обмена музыкальными файлами WinMX (Frontcode Technologies)

(http://www.winmx.com)

После безвременной кончины Napster именно эта программа для поиска и обмена мультимедийными файлами в сети Интернет сумела занять опустевший трон, обскакав других, менее шустрых коллег по цеху — Morpheus, Audiogalaxy и многих других.

WinMX может одновременно подключаться к десяткам независимых сетей peer-to-peer, позволяя их пользователям обмениваться музыкаль-

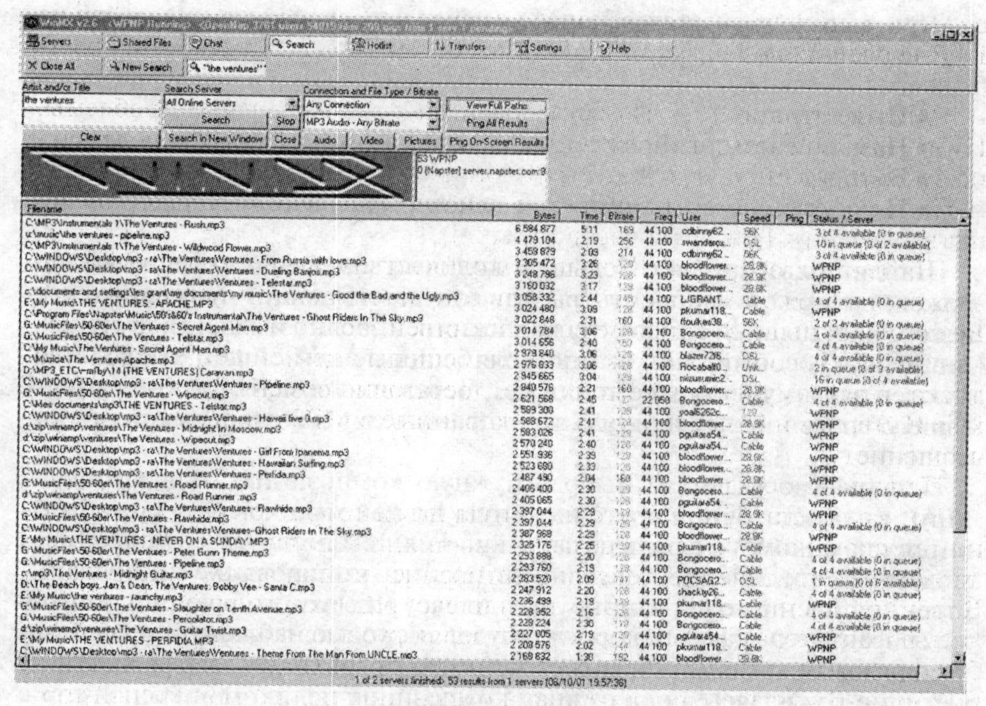

Поисковый клиент WinMX

ными композициями и видеофильмами друг с другом. Каждая из сетей может насчитывать от нескольких сотен до нескольких тысяч пользователей одновременно, в собственной же сети WinMX может одновременно работать более 70 тыс. человек!

Установив WinMX, вы должны будете открыть для других пользователей определенную папку на жестком диске, в которой хранятся ваши музыкальные коллекции и куда будут складироваться принятые файлы. Желательно, конечно, чтобы выбранная вами папка не была абсолютно пустой, но и щедро отворять двери в ваши основные закрома не стоит. К вашему компьютеру тут же «присосется» до десятка пользователей одновременно, полностью забив ваш канал. В условиях же России, где преобладает медленное модемное соединение, некоторые и вовсе предпочитают некоторое время побыть «халявщиком», выкачивая из Сети все необходимое и ничего не давая взамен. Благо нормами сетевого этикета пользователи WinMX не связаны...

Подключившись к нужным сетям (это может занять некоторое время), вы получаете возможность поискать нужную композицию или альбом на компьютерах других пользователей. Для этого в WinMX, как и в других peer-to-peer системах, предусмотрен специальный «поисковик», в строку которого вы можете внести часть имени исполнителя или название нужного вам альбома и композиции. Старайтесь конкретизировать запрос — иначе, введя в поисковую строку только название группы, вы получите в ответ тысячи (!) ссылок, разгрести которые будет непросто...

При выдаче результатов WinMX может отсортировать их по любому из следующих полей:

- Имя артиста
- Название композиции
- Битрейт
- Пользователь — «хозяин» той или иной коллекции или дорожки

Найдя пользователя с большим количеством интересующих вас дорожек, вы можете запросить, вызвав соответствующий пункт контекстного меню, полный список его коллекции, а заодно и занести имя пользователя в «особый список», позволяющий в дальнейшем узнать, подключен ваш «клиент» к сети или нет. Через это же меню можно вызвать вашего визави на чат или просто отправить ему короткое текстовое сообщение.

Теперь — о главном. Выбрав нужную композицию (или композиции), вам достаточно просто щелкнуть по ней мышкой — и она отправится прямиком в очередь на закачку... Если вы пользуетесь медленным модемным соединением, не удивляйтесь, что копирование одной-единственной песни может занять у вас до часу (!) сетевого времени. К тому же не факт, что владелец дорожки будет спокойно наблюдать за вашими комариными трудами: он может запросто прервать связь или выйти из Сети, не дожидаясь, пока нужная композиция целиком «переползет» с его диска на ваш компьютер. Хорошо еще, что WinMX снабжен механизмом, позволяющим докачивать MP3-файлы во время следующего сеанса связи. Причем принять недостающий кусок можно с компьютера совершенно другого пользователя сети WinMX — главное, чтобы размеры «дорожки» у него и у вашего первого «донора» совпадали с точностью до байта.

И напоследок автор вновь считает своим долгом предупредить: копирование и распространение MP3-файлов НЕЗАКОННО — за исключением тех редких случаев, когда автор композиции сам выложил свое творение в Сеть и ничем не ограничил ее распространение. А в наших условиях пользование peer-to-peer сетями и вовсе не слишком выгодно, если, конечно, вы не используете быстрое кабельное соединение. Да и в этом случае стоимость выкачки одного альбома в приемлемом качестве (около 80 Мбайт с битрейтом 192 kbps) обойдется вам, по стандартным расценкам, лишь вдвое меньше стоимости обычного (легального!) компакт-диска...

ОСНОВЫ РАБОТЫ С FTP

Как и серверы Всемирной Паутины WWW, FTP-серверы располагаются на постоянно подключенных к Сети компьютерах, оккупируя часть их дискового пространства. Ту самую, где и сложены интересующие нас файлы. Отличие от WWW — лишь в способе доступа к этим файлам, тот интерфейс, который предлагает пользователю управляющая FTP-сервером программа.

Раз уж мы сравнили Сеть с супермаркетом, то продолжим аналогию. Серверная программа, ответственная за странички WWW — это квалифицированная и заботливая продавщица, которая изо всех сил старается показать вам товар лицом, в готовом к употреблению виде.

FTP-программа — это суровый и немногословный кладовщик, которому некогда точить с вами лясы и расписывать достоинства каждого файла. Вот списочек предложить, инвентарный лист — это пожалуйста: вот вам полки и ящики (папки), а вот в них файлы — на любой вкус, цвет и размер. А уж дальше сами выбирайте, что с этими файлами делать!

Что ж, поскольку FTP появился на свет задолго до рождения WWW, красоты и удобства, к которым мы так привыкли при работе со страницами Интернет, здесь отсутствуют. Никакого графического интерфейса, никаких украшений и пояснений! Общаясь с FTP-сервером, вы будете видеть только сухой и скучный список файлов на удаленном компьютере. Точно так же выглядит содержимое вашего собственного диска в окне Проводника или другого файлового менеджера — FAR, ДИСКо Командир, Windows Commander...

Но о программах — разговор впереди. Важно то, что, какой бы программой вы не пользовались, для доступа к «виртуальному складу» вам необходим его адрес — брат-близнец (а иногда — и тезка) уже знакомых нам адресов сайтов или страничек:

ftp://ftp.microsoft.com/pub/support/util/file.zip

Вероятно, вам не нужно объяснять, что значит первая часть адреса. А вот та часть, которая находится после второй черты-слэша, нуждается в комментариях. Перед нами — «адрес» конкретного файла (file.zip) на жестком диске удаленного компьютера в каталоге /pub/support/util/. Похожий «адрес» имеет и любой файл нашего компьютера. Вы помните, как мы путешествовали к нему через вложенные друг в друга папки. То же происходит и на FTP: мы можем сначала просто войти на сервер, набрав его имя:

ftp://ftp.microsoft.com

А уже потом, папка за папкой, добираемся до нужной нам «полки» на виртуальном складе.

Впрочем, так просто адрес будет выглядеть только в том случае, если мы имеем дело с общедоступным FTP, а таких в Интернет не слишком много. Абсолютное же большинство «хранилищ» откроют двери лишь тогда, когда вы представитесь — то есть назовете свой логин (имя) и пароль, которые вам может предоставить хозяин FTP-архива. Для такого входа адрес в строке проводника или Internet Explorer будет выглядеть иначе:

ftp://логин:пароль@ftp.microsoft.com

Логинов и паролей для доступа на FTP-сервер может быть сколько угодно: одни из них позволяют только считывать информацию с сервера, а другие — изменять, удалять и перемещать файлы на нем, а также добавлять новые. Этим FTP кардинально отличается от WWW — системы, предназначенной только для чтения информации. Изменить информацию на сервере через страничку Сети вы не сможете, а вот обходным путем, через FTP — пожалуйста! Кстати, именно так и поступают сами создатели страничек — для их публикации в WWW достаточно разместить необходимые файлы на соответствующем данному файлу участке FTP-сервера.

Но нас покамест интересует лишь возможность копирования информации с FTP — самим нам добавлять на сервер ничего не надо. Так что вернемся к окошку браузера, в котором, я надеюсь, уже отобразилась структура выбранного вами сервера.

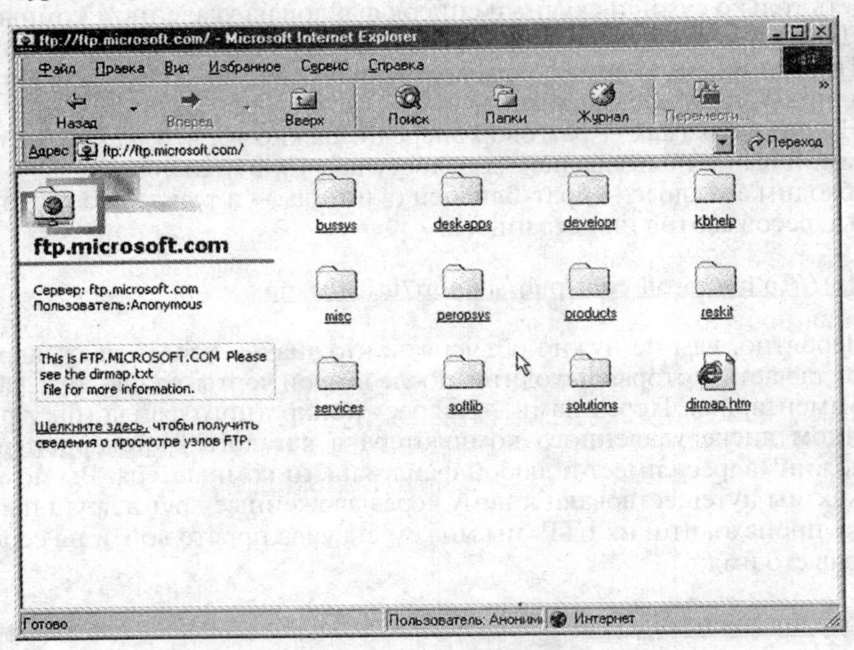

Работа с сервером FTP с помощью Internet Explorer

Добравшись по «дереву» папок до нужного нам уровня, мы можем, щелкнув по имени файла, запустить процедуру его копирования на наш компьютер... Проще говоря — скачать его. И вот тут-то и проявляется одно из главных преимуществ протокола FTP — возможность «докачки». Если вы выкачиваете файлы непосредственно со страниц WWW, используя Internet Explorer и протокол HTTP (и не прибегая к помощи специальных программ докачки), в случае обрыва связи вам придется начинать скачивание с самого начала. Работая же с FTP-сервером, вы получаете возможность возобновлять «выкачку» непосредственно с того участка, на котором вы остановились в прошлый раз.

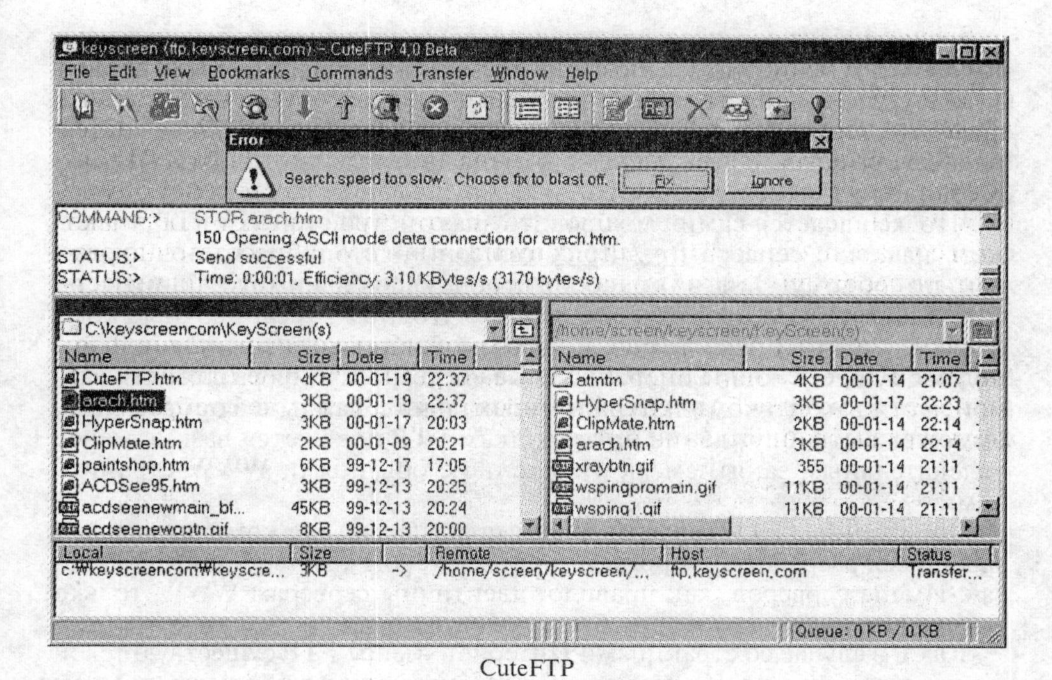

CuteFTP

Кстати, о программах. Существует множество специализированных утилит для работы с FTP. Самая популярная из них — условно-бесплатная программа CuteFTP (http://www.cuteftp.com), которую можно

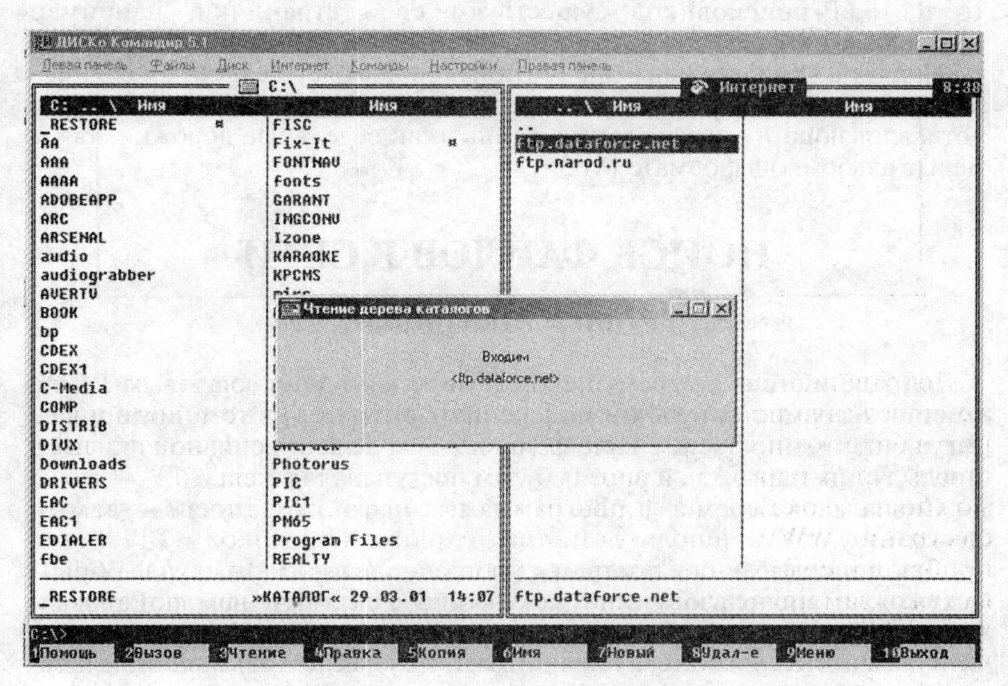

Работа с FTP с помощью программы ДИСКо Командир

найти на многих серверах с коллекциями программного обеспечения в Интернет. И, конечно же, не стоит забывать, что возможность работы с FTP-серверами встроена в файловый менеджер Windows, а также практически во все популярные файловые менеджеры, описанные в разделе «утилит». В том числе — в отечественные программы ДИСКо Командир и FAR.

Что же касается самих архивов, то знакомство с миром FTP вы можете начать с сервера ftp://ftp.cdrom.com — стопроцентного лидера как по объему, так и по ассортименту содержимого. Найти на cdrom.com можно практически все, что угодно — установочные комплекты тысяч (!) бесплатных и условно-бесплатных программ и игр под все существующие операционные системы, драйвера для аппаратной части вашего компьютера и музыкальные файлы в формате MP3. И может быть, блуждание по закоулкам FTP покажется вам не менее увлекательным занятием, чем общение с обычными WWW-страничками.

Собственные FTP-серверы имеют практически все компании, занимающиеся разработкой программ или выпуском компьютерного «железа». Имена серверов, как правило, идентичны серверам WWW, только вместо http и www вам нужно будет набрать ftp.

Как и в случае со страницами Интернет, в мире FTP существуют свои поисковые системы. Их помощь понадобится вам в том случае, если вы точно знаете имя файла, который вам необходимо извлечь из бездны Сети, или хотя бы его часть. Хотя и в этом случае вам вновь придется иметь дело со старой знакомой — Всемирной паутиной WWW. У каждого из FTP-поисковиков существуют свои странички, например http://ftpsearch.ru.

Наряду с универсальными FTP-поисковиками существуют и специализированные, например, по адресу http://oth.net живет поисковик, «отлавливающий» музыкальные файлы (как отдельные дорожки, так и целые альбомы) в формате MP3.

ПОИСК ФАЙЛОВ В СЕТИ

Поиск программ

...А как обстоит дело с поиском в мире «интернет-кладовых»? Ведь именно на самостоятельном поиске информации — в том числе и в ее «сгущенной» ипостаси, в виде файлов — мы делали основной акцент в предыдущих главах, да и впредь будем поступать так же...

Сначала разберемся с программами, благо этот случай — самый легкий.

Для поиска нужных программ на специализированных WWW-сайтах можно воспользоваться уже хорошо знакомым нам поисковым комплексом Copernic. Как мы помним, одна из его поисковых категорий называется Software, а опрашиваются при ее использовании следующие сайты:

- 32bit.com (http://www.32bit.com)
- CNet Downloads (http://www.download.com)
- CNet Shareware (http://www.shareware.com)
- FileMine (http://www.filemine.com)
- FileDudes (http://www.filedudes.com)
- GrabWare (http://www.grabware.com/gw/)
- Jumbo (http://www.jumbo.com)
- MediaBuilder (http://www.mediabuilder.com)
- SoftSeek (http://www.softseek.com)
- SuperShareware (http://www.supershareware.com)
- TopFile (http://www.topfile.com)
- Tucows (http://www.tucows.com)
- ZDNet Software (http://www.hotfiles.com)

В базу Copernic включены, конечно же, далеко не все коллекции программ в Сети. И даже не все самые крупные. Но, поскольку почти все коллекции во многом дублируют друг друга, через «сито» Copernic нужная вам программа явно не проскочит.

...Если, конечно, она написана не российским программистом и не размещена лишь на российских серверах. В этом случае, правда, можно прибегнуть к помощи российского «коллеги» Copernic — поисковика Search+ (о котором мы также говорили в разделе «Поиск информации в Интернет»). Описание серверов из его коллекции вы сможете найти в одном из приложений к этой книге — «Желтые странички».

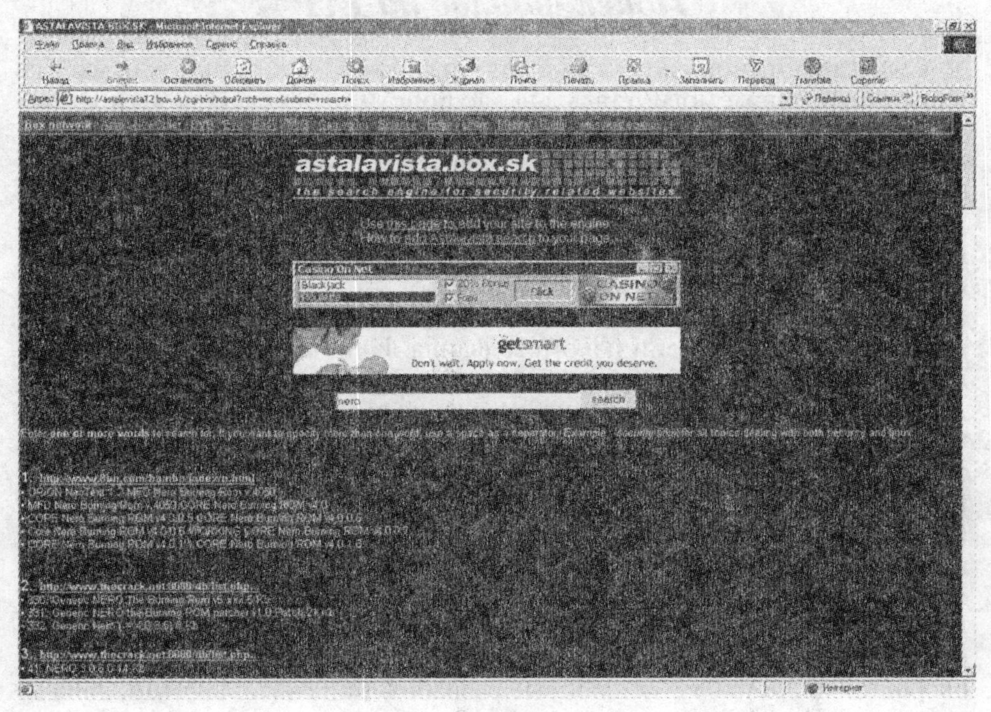

Astalavista

Известно, что у каждой медали в мире существует оборотная сторона. А у каждой Луны — темная... Мир поисковых систем — не исключение: здесь, наряду с общепризнанными и почитаемыми серверами существуют «черные» поисковики, о которых в приличном обществе и говорить как-то не принято. Но которыми, тем не менее, хотя бы раз в жизни пользуется каждый посетитель Сети... Не стану разводить интриги на пустом месте — речь идет о серверах, специализирующихся на поиске «отмычек», «ломалок» и «патчей» к условно-бесплатным программам, для превращения «пробных версий» в полнофункциональные.

Не являясь сторонником «взлома» в принципе, автор не считает тем не менее необходимым, да и возможным, прятать голову в песок и делать вид, что таких гадких серверов и в природе не существует. Тем более, что на самом факте их существования подобный страусизм все равно никак не отразится...

Знакомьтесь — **AstalaVista** (http://astalavista.box.sk), один из самых популярных и посещаемых «хакерских» поисковиков. С его помощью можно отыскать «ломалку» практически к любой программе (из числа существующих в природе, разумеется). Другое дело — стоит ли этой ломалкой пользоваться. Ведь «взламывая» программу, вы нарушаете не только некие моральные нормы, но и статьи Уголовного Кодекса.

Хотя ни то, ни другое наших не слишком обеспеченных компьютерщиков, в любом случае, не остановит...

Поиск файлов на FTP

Существуют свои «ищейки» и для серверов FTP, которые, как мы уже упоминали, также могут стать для вас поистине неисчерпаемым кладезем полезных файлов. Известно, что на FTP можно найти практически все что угодно, да вот только искать нам будет гораздо сложнее.

Почему? Все очень просто: если раньше, работая с WWW-сайтами, мы могли использовать в качестве поискового запроса название программы, ключевые слова, характеризующие ее свойства и море других критериев, то на этот раз о подобной вольнице можете и не мечтать. FTP-поисковики принимают в качестве запроса только сочетания букв, входящие в состав имени искомого файла. Или, в крайнем случае, папку, в которой этот файл проживает.

Вы еще не почувствовали, насколько осложнилась наша задача? Вот вам пример из жизни.

Однажды автору этой книги срочно понадобился установочный комплект (или «дистрибутив») последней версии браузера Internet Explorer. Старая, входящая в состав Windows 98, с годами начала проявлять редкостную строптивость, радуя громадным количеством сбоев. Переходить же ради нового «ослика Ие» на Windows ME не хотелось...

Казалось бы, чего проще — зайти на сайт Microsoft и скачать оттуда вожделенный браузер, благо программа бесплатная и распространяется свободно! Ан нет — трудолюбивые разработчики сайта, видимо, движимые заботой о пользователе, превратили простой процесс скачивания в невероятно сложную процедуру. В итоге «выкачать» установочный комплект можно было только с использованием «мастера загрузки» Microsoft, лишаясь при этом возможности докачки.

Что делать? Поскольку найти браузер на других сайтах не было никакой возможности, пришлось обращаться к FTP-поисковикам... То, что комплект Internet Explorer лежит на сотнях серверов в России, не было никакого сомнения... Но вот под каким именем? Запрос «Internet Explorer» не прошел, что неудивительно: длинные имена файлов в мире FTP встречаются нечасто, и владельцы жизненно необходимого дистрибутива, упакованного в стандартный zip-файл, наверняка снабдили его компактным именем старого образца — не более 8 знаков. А каким будет это имя — зависит лишь от их собственной прихоти.

Единственное, на что можно было надеяться, — так это то, что название архивного файла будет содержать в себе аббревиатуру ie, номер версии (5.5) и сокращение rus или букву r, свидетельствующую о том, что перед нами — именно русифицированный комплект.

Так оно и оказалось — по запросу ie искомый дистрибутив был найден под следующими именами:

- Ie55rus.zip
- Rusie55.zip
- Msie55.zip

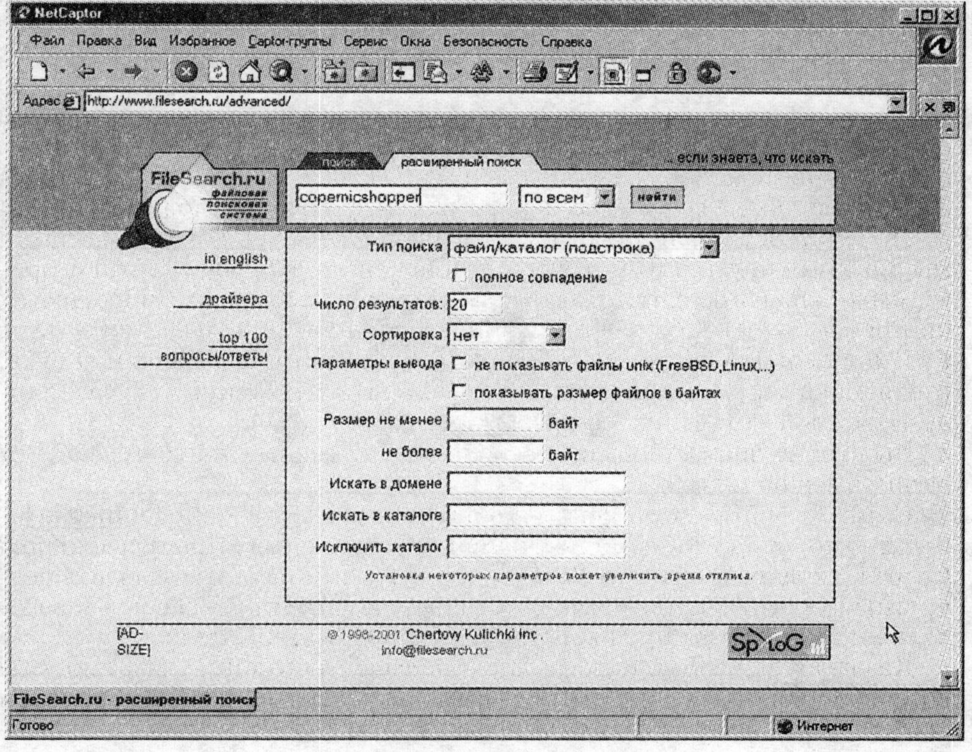

FileSearch.Ru

Позвольте, а куда был направлен этот самый запрос? Конечно, мы же еще не познакомились со специализированными FTP-поисковиками! Исправляем эту досадную ошибку.

Поисковых серверов, относящихся к классу ftpsearch, в мире довольно много, так что мы имеем возможность выбора. И вполне естественно, что выберем мы сервер российский, который не только по мировым «кладовым» шарить обучен, но и нашим, отечественным FTP-серверам уделяет особое внимание.

Возьмем для затравки один из самых умелых российских поисковиков — Filesearch (http://www.filesearch.ru). Ищет он не кое-как, а обстоятельно, руководствуясь указаниями пользователя. Помимо общего поиска по всем файлам скопом, вы можете поискать только файлы определенных типов:

- Картинки
- MP3-файлы
- Видеофайлы

Задать поиск можно не только по типам файлов, но и по региону: вы можете ограничиться только российскими серверами или охватить сво-

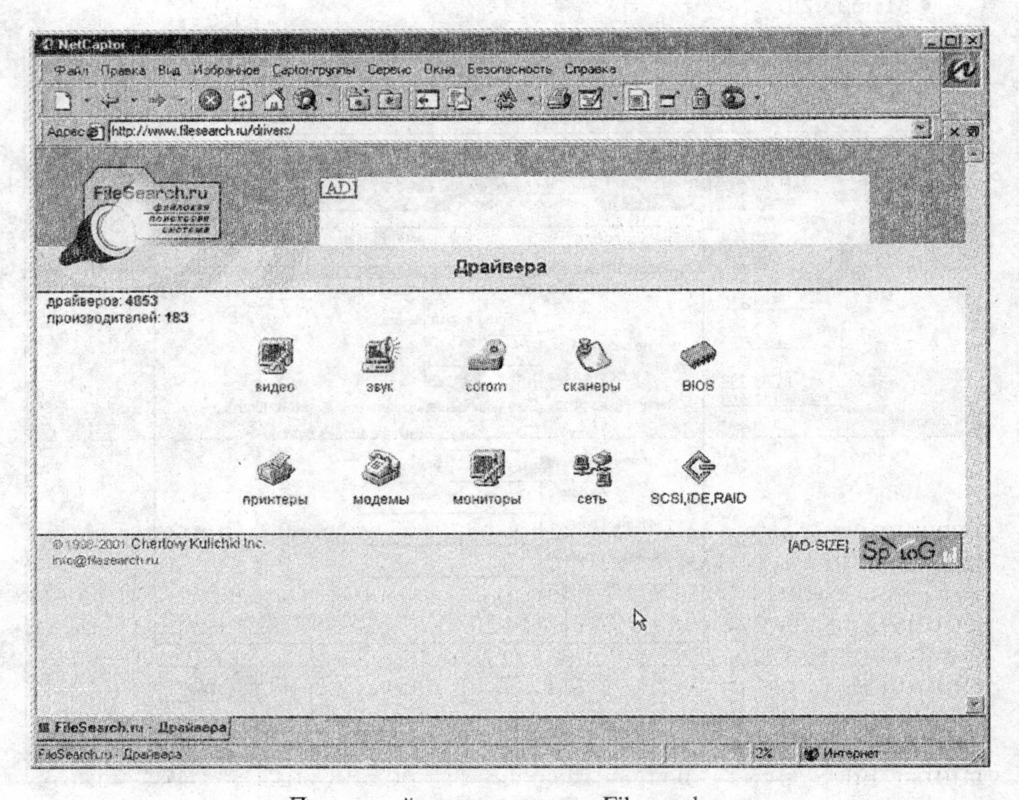

Поиск драйверов на сервере Filesearch.ru

им вниманием весь мир. Наконец, предусмотрена возможность расширенного поиска — для гурманов и специалистов.

Кстати, на этом же сервере работает и специальный поисковик по драйверам — он проживает по адресу http://www.filesearch.ru/drivers/. И здесь все выстроено весьма ладно и удобно — драйверы и BIOS рассортированы, как по типам устройств, так и по производителям.

...Разработчики Filesearch утверждают, что в базу данных их детища занесены практически все российские FTP-серверы. Но, видимо, это все-таки не так: иначе как объяснить тот факт, что поиск по другому по-

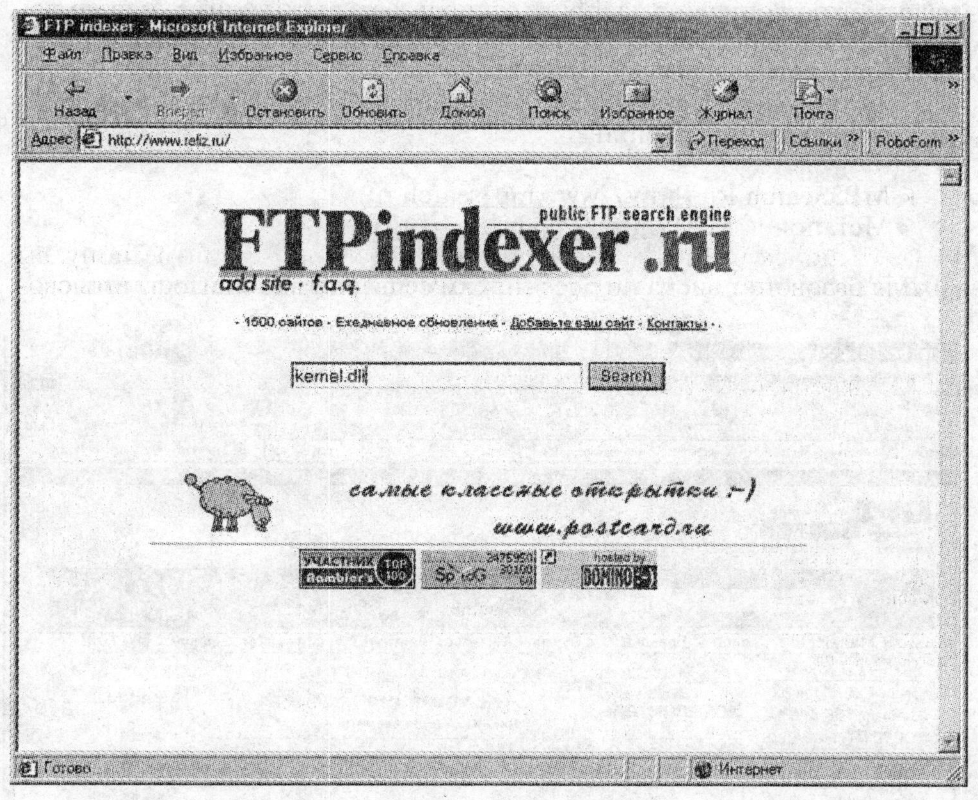

Reliz.Ru

пулярному серверу — FTP Indexer (http://www.reliz.ru) — приводит к совершенно иным результатам?

В базе данных Reliz.Ru — около 1500 FTP-серверов. Что ж — на этот раз, по крайней мере, нам сообщают конкретные цифры... Зато возможности этого поисковика гораздо скромнее — искать по всему миру он не умеет, ограничиваясь одной лишь Россией, возможностей «сложного поиска» тут не предусмотрено. Так что с помощью Reliz.Ru можно лишь проверить и скорректировать результаты, выданные FileSearch, — в качестве базового поисковика он, увы, нам не подойдет...

Поиск МР3-файлов

Пробежавшись по Интернет в поисках материалов для этой небольшой главы, я был порядком обескуражен: в самом деле, такого богатого ассортимента поисковых систем мы с вами не встретим даже в мире WWW! Попробуйте сами скормить стандартному поисковику по Паутине — например, любимому мной Google — запрос типа «MP3 search»... Бьюсь об заклад, ТАКОГО количества ссылок вам не обработать во веки веков!

Какие системы поиска МР3-файлов лучше, какие хуже, определить невозможно — ни одна из них не спешить «открыть личико» и поведать, по какому количеству серверов и по каким алгоритмам проводится поиск. Приходится действовать наудачу...

Осматриваясь на российской территории, мы обнаружим, в частности, следующие поисковики:

- MP3Search.Ru (http://www.mp3search.ru)
- Метапоиск МР3 (http://mp3meta.h1.ru)

Для базового поиска по российским серверам вполне достаточно.

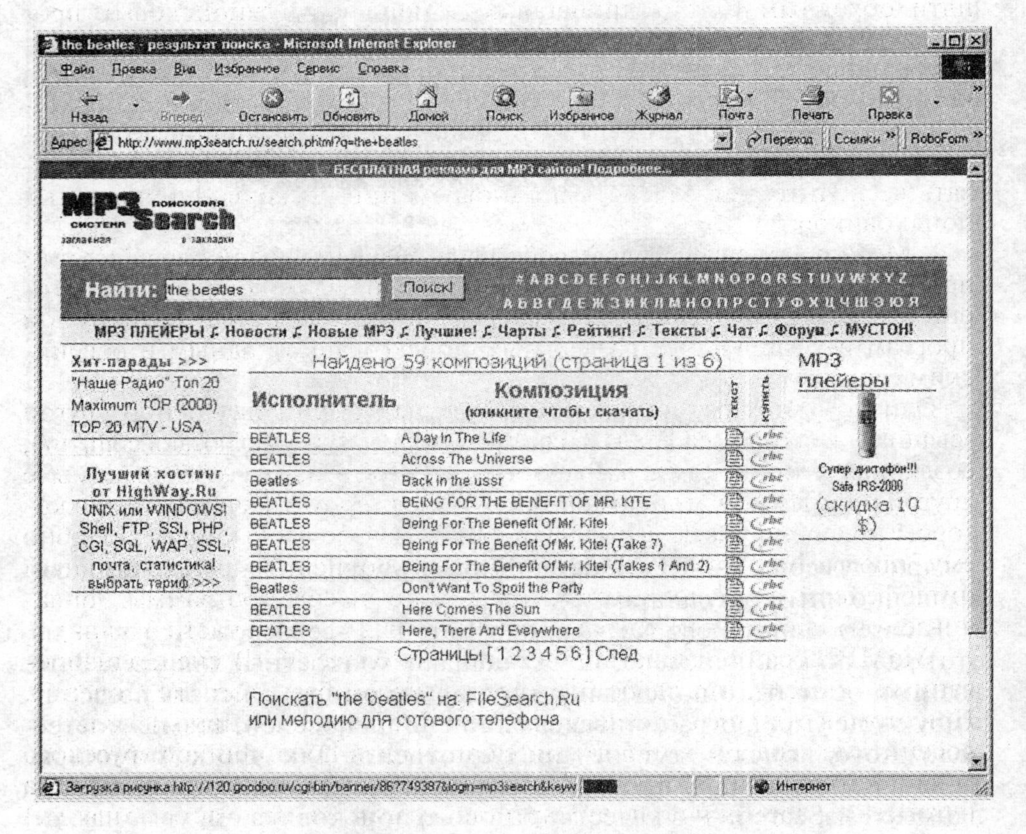

Поисковая система MP3Search.Ru

Если же просторы бывшей «одной шестой части света» вас не устраивают, можно воспользоваться услугами западных поисковых систем:

- MP3.Box (http://mp3.box.sk) — родной брат знаменитой Astalavista!
- Lycos (http://music.lycos.com)
- AudioFind (http://www.audiofind.com)

Oth.net (http://oth.net) — один из самых интересных поисковиков, специализирующийся на частных FTP-серверах. Правда, большинство из них открыто лишь для просмотра списков, но не для скачивания файлов. Чтобы получить пароль на полный доступ, вам придется связаться с владельцем сервера (его координаты обычно публикуются рядом со списком файлов) и, в свою очередь, закачать на его сервер парочку альбомов из собственной коллекции.

Продолжить список? Конечно, объективности ради, можно было бы и перечислить ВСЕ существующие системы, да еще снабдив каждую из них подробной аннотацией. Однако в этом случае получилась бы уже отдельная книга, писать которую автор пока что не собирается.

Но тему надобно закрыть, а потому нам придется в очередной раз идти обходным путем, прибегая к помощи мультипоисковых программ. Только умоляю, не путайте их с программами класса peer-to-peer (AudioGalaxy, Napster, Morpheus или уже знакомый нам WinMX), которые могут отыскивать файлы лишь на компьютерах пользователей, подключенных в этот момент к той или иной обменной сети. Программы же, которыми мы будем работать сейчас, способны обшаривать весь Интернет, задействуя одновременно несколько популярных поисковиков.

...Можно, конечно, было бы обойтись очередной одой способностям программы Copernic — вы не забыли, что одна из ее поисковых категорий как раз и посвящена MP3-файлам? Можно было бы упомянуть и программу Search+ с ее раздельным поиском по западным и российским серверам...

Однако в этот раз на пьедестал будет вознесен совершенно другой «сыщик» — программа **WinMP3Locator** (http://www.winmp3locator.com/ru/), созданная российскими разработчиками. Кстати, мы уже знакомы с другой программой этой компании — менеджером закачки ReGet, о котором подробно рассказывалось в самом начале этой книги. Подобно ему, программа WinMP3Locator обладает полностью русскоязычным интерфейсом, а заодно — и статусом ad-ware (то есть программы, «оплачиваемой» просмотром рекламных баннеров в верхней части экрана).

WinMP3Locator задействует для поиска более 30 (!) специализированных «ищеек», что вдвое больше поисковой базы того же Copernic. При этом, в отличие от последнего, WinMP3Locator активно использует российские серверы — приятный сюрприз для поклонников «русского рока». Кроме того, программа способна не только отыскать ссылки на нужные вам дорожки по имени артиста, названию (или части названия) альбома или песни, но и проверить все найденные ссылки на «живу-

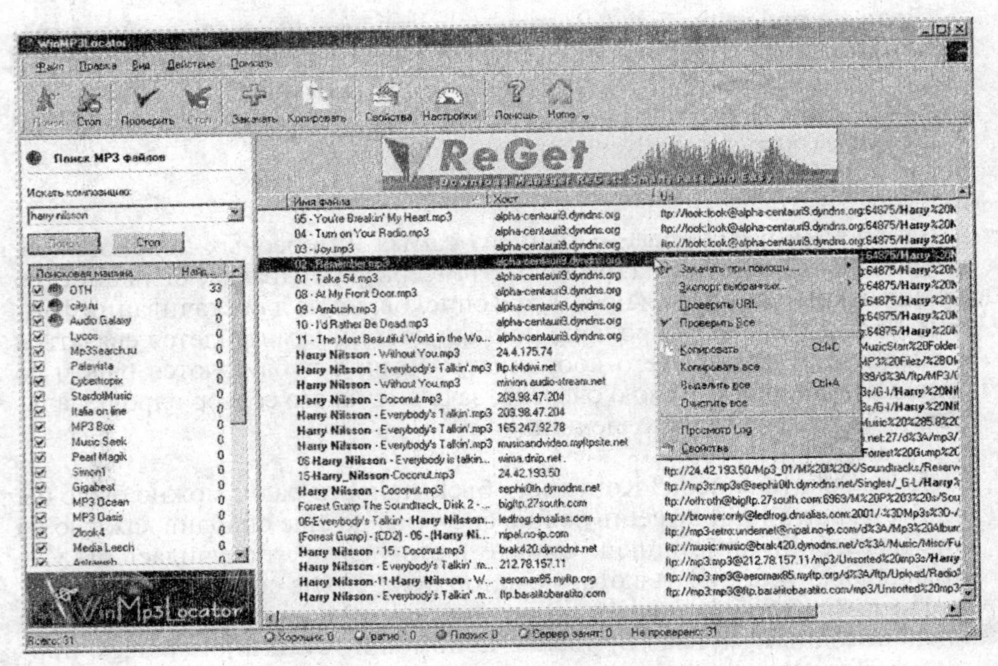

WinMP3Locator

честь» и доступность. Проверка может выполняться как в ручном режиме — для этого необходимо выделить нужные ссылки и нажать кнопку «Проверить», — так и в автоматическим, с проверкой всех найденных ссылок. Правда, этот режим может значительно замедлить поиск, но в данном случае овчинка стоит выделки: теперь вам не придется тыкать по ссылкам «вслепую», постоянно натыкаясь то на «мертвые», то на просто закрытые для скачивания серверы.

Кстати, последние версии программы умеют искать не только MP3-файлы: WinMP3Locator обзавелся дополнительным модулем FileLocator, ведающим общим поиском по FTP. При этом (опять же, за счет наличия в базе данных программы российских поисковиков) программа превосходит в удобстве и полноте результатов аналогичную «поисковую категорию» Copernic. Хотя серверов FileLocator использует меньше — всего шесть против восьми у Copernic.

Но мы отвлеклись от нашей темы, а ведь остается еще один важный ресурс, который можно использовать при поиске MP3-композиций. Было бы неразумно забывать про громадные базы данных таких серверов, как MP3.Com (http://www.mp3.com) и его российского коллеги MP3.Ru (http://www.mp3.ru). Самое приятное, что эти серверы, в отличие от многих других, «публикуют» музыкальные дорожки на вполне законных основаниях, с разрешения авторов и правообладателей. А сколько новых, неведомых имен можно открыть с помощью этих серверов — ведь здесь выставляют свои творения и начинающие артисты, еще не удостоившиеся «полноценного» компакт-диска! При этом в коллекции того же MP3.com нередко попадаются самые настоящие жемчужины, и просто диву даешься, каким образом эти талантливые ребята еще не попали в поле зрения гигантов звукозаписывающей индустрии... Впрочем, для многих из них карьера и успех еще впереди...

Необходимое послесловие: помните о том, что, скачивая и сохраняя на своем компьютере MP3-композиции, за исключением распространяемых самими авторами и правообладателями, и тем более распространяя их, вы нарушаете положения российского и международного законодательства об авторских правах. В то же время вы имеете полное моральное (но не юридическое) право использовать MP3-композиции в ознакомительных целях — в этом случае они должны быть удалены с вашего компьютера не позднее, чем через 24 часа после скачивания.

МИР ВЕЩАНИЯ: «СЕТЕВЫЕ ТРАНСЛЯЦИИ»

Эту главу я решил включить в книгу буквально в самый последний момент, поскольку не был уверен (да и, признаюсь, не очень уверен сейчас) в ее необходимости в наших российских условиях.

Неужели сетевое вещание так остро необходимо нам, имеющим в квартире обычный радиоприемник и телевизор?

Что нового оно может предложить нам, какие неведомые доселе острые ощущения? Какие новые знания о мире поможет получить?

Вопросов было множество — и большая их часть, увы, так и осталась без ответа.

Однако параллельно стало ясно, что виртуальное вещание — это новый, отдельный Мир, вполне достойный встать в ряд с другими Мирами, описанными в этой книге. А что до сомнений... Что ж, в пользе «сетевого общения» тоже сомневаются многие, что не мешает последнему существовать и процветать, к нашему общему благу.

Пусть для многих пользователей — особенно российских — просмотр телепередач или прослушивание радиостанций через Интернет выглядит как кощунство: сетевое время стоит дорого, к тому же медленное модемное соединение все равно не позволяет достичь приемлемого качества не только видео, но и звука! Впрочем, развивать тему дальше нет необходимости — мы и так «обсосали» эту проблему до косточек в главах, посвященных «интернет-телефонии» и видеоконференциям.

Конечно, и сегодня некоторое количество пользователей Интернет в России сидит на «быстрых» каналах связи, а стало быть, имеет возможность приобщиться к этому лакомому кусочку. Можно использовать для этого канал на работе или в институте... Можно — но не разумно. Не забывайте, что при постоянном подключении к Сети арендатор канала оплачивает каждый мегабайт, загруженный им из Интернет, — и расплачиваться за ваше удовольствие придется фирме или учебному заведению. Путем несложных подсчетов можно выяснить, что каждый час прослушивания высококачественного «интернет-радио» или просмотра «виртуального телеканала» обходится в 8—10 долларов. Не слишком ли высокая плата за развлечения?

С другой стороны, такое положение дел продержится еще от силы год-два. Модемная связь даже в нашей стране стремительно уступает место недорогим видам быстрого постоянного подключения — таким как ADSL или спутниковый доступ. Кстати говоря, этот способ подключения к Сети наиболее благоприятен для работы с «сетевым вещанием» — качество картинки «виртуальных телеканалов», не говоря уже о звуке, здесь выше всяких похвал.

В любом случае торжество «интернет-вещания» отнюдь не за горами — а потому нам нужно хотя бы бегло познакомиться с возможностями этой новой для нас Вселенной.

ВИДЫ СЕТЕВОГО ВЕЩАНИЯ

...О возможности трансляций через Сеть медиамагнаты начали задумываться едва ли не с первого дня существования Интернет. И немудрено: не имеющая границ Сеть выглядела просто идеальной средой для вещания, ведь она давала возможность любой, даже крохотной радиостанции или телеканалу, распространять сигнал по всему миру! Сколько радиостанций вы можете поймать с помощью обычного радиоприемника? В лучшему случае — несколько десятков, причем львиная доля будет расположена в вашем собственном регионе. Качество же звука зарубежных радиостанций, вынужденных добираться до вас лишь в диапазоне коротких волн, будет ниже всякой критики. Для информационных программ этого, может, и достаточно... Но как быть с музыкой — а ведь именно она главенствует на большинстве радиостанций мира?

В мире телевидения ситуация выглядела несколько проще: множество телепрограмм транслировались на весь мир через спутники. Однако и этот способ распространения телесигнала был не идеальным: как передача, так и прием спутникового сигнала были недешевы. Кроме того, аналоговый сигнал, используемый как для передачи телеканалов, так и в радиовещании, был весьма чувствителен к помехам... Впрочем, это для России не новость: кто из нас хотя бы раз в жизни не сталкивался с рябью на экране телевизора или раздражающим шипением в радиоприемнике? Другое дело — цифровой сигнал, менее чувствительный к помехам...

А вот и еще одна выгода: при работе с радиостанцией или телеканалом пользователь волей-неволей оказывался в положении пассивного потребителя. Максимум, что он мог — это перейти с канала на канал. В сетевом же вещании зритель или слушатель мог не только влиться в тот или иной поток, но и выбрать уже готовую, сохраненную на жестком диске передачу или фильм по своему вкусу. То есть речь шла уже не только о «виртуальном вещании» в режиме прямого эфира, но и о «виртуальных фонотеках» и фильмотеках!

- Интернет-телевидение
- Интернет-радиостанции
- Интернет-фильмотеки

Во всех этих случаях Интернет не изобретает ничего нового — он лишь предоставляет традиционным средствам массовой информации новый канал для распространения своих передач, дарит им новую, массовую аудиторию.

И тем не менее существует по крайней мере один вид сетевого вещания, порожденный Сетью, — вид, который явно не смог бы существовать в другой среде и в других условиях.

Кто из нас не слышал о «живых камерах», тысячами установленных во всех уголках планеты? Благодаря им мы можем в любой момент окунуться в жизнь Лондона и Парижа, полюбоваться на льды Антарктиды и космические просторы. Но порой не менее увлекательно заглянуть в дом к вашему соседу — даже если последний об этом прекрасно осведомлен...

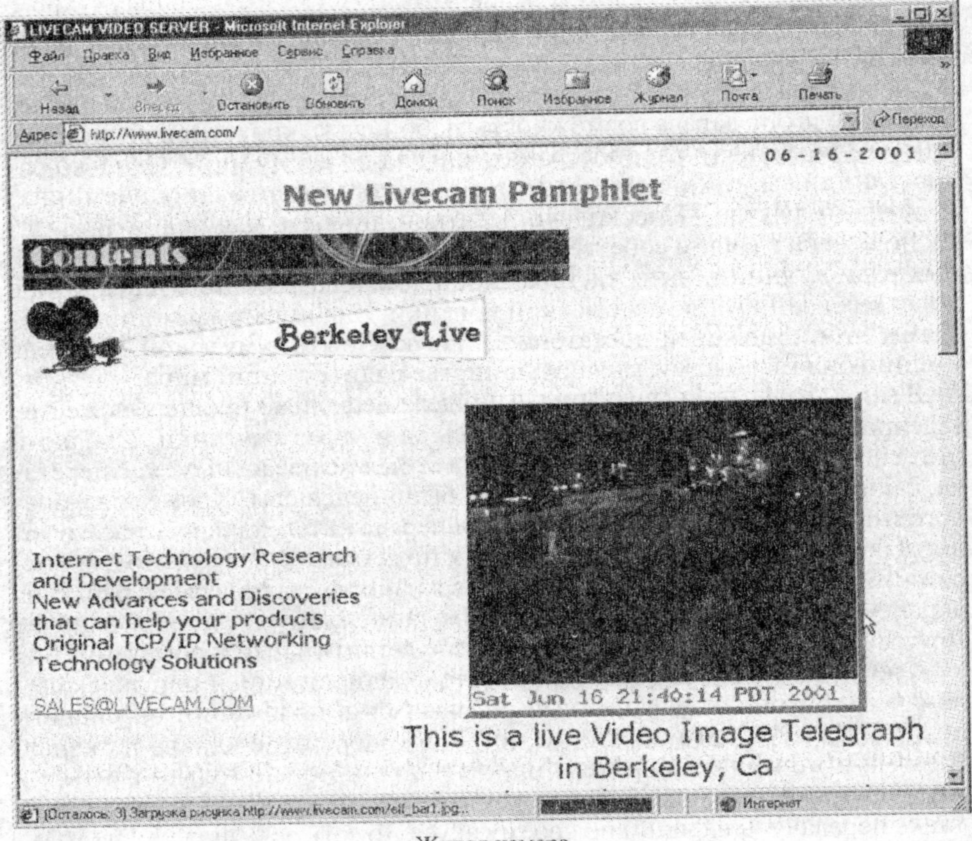

Живая камера

Первые «живые камеры» появились в Сети еще на заре ее существования, в начале 90-х годов. И очень быстро превратились в модную игрушку, а для многих — в способ заработка. Ведь для организации собственного телеканала требовалась немного — стодолларовая камера-игрушка да быстрый и круглосуточный доступ в Интернет... В итоге уже через год как реальный, так и виртуальный мир был буквально напичкан «живыми камерами» — правда, значительная их часть передавала в Сеть отнюдь не безобидные «картинки» ландшафтов.

...А в середине 90-х мир внезапно открыл всю прелесть наблюдения за повседневной жизнью обычных, ничем не примечательных людей — и круглосуточные «виртуальные репортажи» из своих домов начали организовывать тысячи обывателей. Пик интереса к «живым репортажам» на Западе пришелся на 1998—1999 годы: именно тогда в газетах развернулась бурная дискуссия по поводу первой «трансляции» через Интернет процесса родов, а по всем экранам мира с триумфом прошел породивший массовую паранойю фильм «Шоу Трумэна». До России же, как это обычно и бывает, веяния мировой моды дошли с заметным опозданием — проекты типа iOne или «Три Сестры», дававшие миллионам зевак понаблюдать за жизнью одноименных персонажей, запертых в в насквозь просматриваемых (за исключением отдельных «укромных местечек») квартирах, выглядели лишь бледной тенью нашумевших западных акций...

ПРИНЦИПЫ СЕТЕВОГО ВЕЩАНИЯ

Как видим, Интернет оказался в этой ситуации универсальной «палочкой-выручалочкой», устраивавшей обе стороны, — как деятелей медиаиндустрии, так и потребителей. Осталось решить лишь одну проблему — создать подходящий формат передачи сигнала.

Существующие методики сжатия «мультимедийной» информации здесь не годились, ведь помимо высокой степени компрессии новый формат должен был отвечать следующим требованиям:

- Возможность гибкой подстройки качества и степени сжатия сигнала под пропускную способность канала.
- Возможность подключения к трансляции «на лету».
- А самое главное — пользователь должен был иметь возможность беспрепятственно прослушивать или просматривать «сетевую передачу», но не сохранять ее на своем компьютере: авторские права необходимо было защитить любой ценой! В дальнейшем, правда, это последнее требование удалось обойти...

Получается, что для организации сетевого вещания требовалась принципиально новая схема как кодирования, так и передачи сигнала — не в виде файла, а в виде «потока». Разницу между ними легко понять, сравнив прием теле- или радиопередач через Сеть с уже знакомым нам «выкачиванием» сжатой музыки и фильмов (о них мы подробнее рассказывали в разделе «Мир Файлов»).

Звуковые дорожки в формате MP3 или видеофильмы в форматах AVI и MPG мы были вынуждены скачивать целиком и лишь потом прослушивать и просматривать, используя стандартные проигрыватели. Кроме того, степень сжатия информации MP3 или AVI-файле зафиксирована и не может быть изменена без дополнительной перекодировки.

В «потоковых» форматах все обстоит совершенно иначе: к виртуальному телеканалу или радиостанции вы можете подключиться точно так же, как и к их реальным коллегам, влившись в «поток» на любом его участке! А все потому, что данные во время «виртуальных трансляций» передаются не единым куском, а небольшими порциями-«пакетами».

Другая «изюминка» связана со способностью «сетевых радиостанций» или телеканалов подстраиваться под пропускную способность вашего канала связи. Подключаетесь вы по медленному модемному каналу — что ж, радиопередача будет звучать, как заезженная пластинка на бабушкином граммофоне, а просматривать телепередачи можно будет в крохотном окошке... Помните главу о видеоконференциях? Если же вы подключитесь к той же радиостанции или телеканалу по быстрой «оптической» или спутниковой линии, картина будет совершенно иной — вы сможете наслаждаться качеством звука и видео, близким к телевизионному, а порой и превышающим его.

Если уж речь зашла о качестве, то необходимо упомянуть и о величине, его характеризующей. В нашем случае это — «ширина» мультимедийного потока, объем информации, которая проносится по нему в единицу времени. Читатели «Новейшей Энциклопедии Персонального Компьютера» без труда вспомнят, что величина эта называется «битрейтом» и измеряется в килобитах в секунду (kbps). Именно в килобитах, поскольку эта единица измерения (составляющая, как нетрудно догадаться, восьмую часть знакомого всем килобайта) традиционно применяется в областях, связанных с передачей данных.

Итак, битрейт. Понятно, что он не должен превышать пропускную способность канала, связывающего на с Интернет, максимальной скорости нашего модема. Таковая, как мы помним, сегодня варьируется в диапазоне от 28 до 56 кбит/с. Под эти величины и подстраиваются сетевые радиостанции.

Конечно, это немного: вспомним, что «кассетное» качество звучания «сжатого» с помощью современных методик компрессии аудиофайла достигается лишь при битрейтах от 96 до 112 kbps. А это уже вдвое выше скорости модема... Правда, некоторое улучшение качества звука достигается при переходе от стерео к монофоническому вещанию — чем и пользуется добрая половина радиостанций.

Необходимый битрейт передачи, по желанию, может выбрать и сам пользователь: зайдите на сайт любой интернет-радиостанции, и вы наверняка увидите несколько значков для переключения в режим «живого вещания», каждый из которых соответствует тому или иному битрейту.

Еще тяжелее ситуация с видео. Для получения полноэкранного изображения высокого качества необходим битрейт от 1000 (при использовании стандарта вещания RealMedia) до 500 кбит/с (MPEG-4). В наших же условиях большинство «виртуальных телеканалов» вынуждены ограничиваться все теми же 28—33 килобитами в секунду...

Надеюсь, что теперь механизм трансляций через Сеть нам стал понятен. Теперь настало время поговорить о популярных «потоковых» форматах, а затем — и о программах для их приема.

ПОПУЛЯРНЫЕ «ПОТОКОВЫЕ» ФОРМАТЫ И ПРОГРАММЫ

Realmedia (Progressive Networks)

Пионером в области «интернет-вещания» стала компания Progressive Network, разработавшая в 1995 году первый «потоковый» формат RealAudio, новым версиям которого до сих пор удается удерживать лидерство в этой области. Конечно, качество звука, «упакованного» в формат RA, было ниже всякой критики... Однако в течение нескольких лет этот алгоритм оставался единственным, способным обеспечить возможность приема «виртуальных радиостанций» по медленному модемному каналу, с пропускной способностью 28—32 кбит/с.

Через пару лет та же компания вновь привлекла к себе внимание, представив новый потоковый формат, на этот раз предназначенный для организации передачи видеоизображения — RealVideo. И вновь история повторилась: несмотря на низкое качество изображения, формат сумел утвердиться и стать, наряду с RealAudio новым сетевым стандартом. В дальнейшем вместо двух раздельных форматов для аудио и видеоинформации компания разработала новый, единый стандарт — **RealMedia** (форматы файлов — RM и RAM), который остается «королем» сетевого вещания и по сей день. Во всяком случае, в России, где большинство радиостанций продолжают вещание именно в этом формате. Во всем остальном мире незыблемые доселе позиции RealMedia теснят новые форматы — ASF от Microsoft и MP3-Shoutcast от Nullsoft.

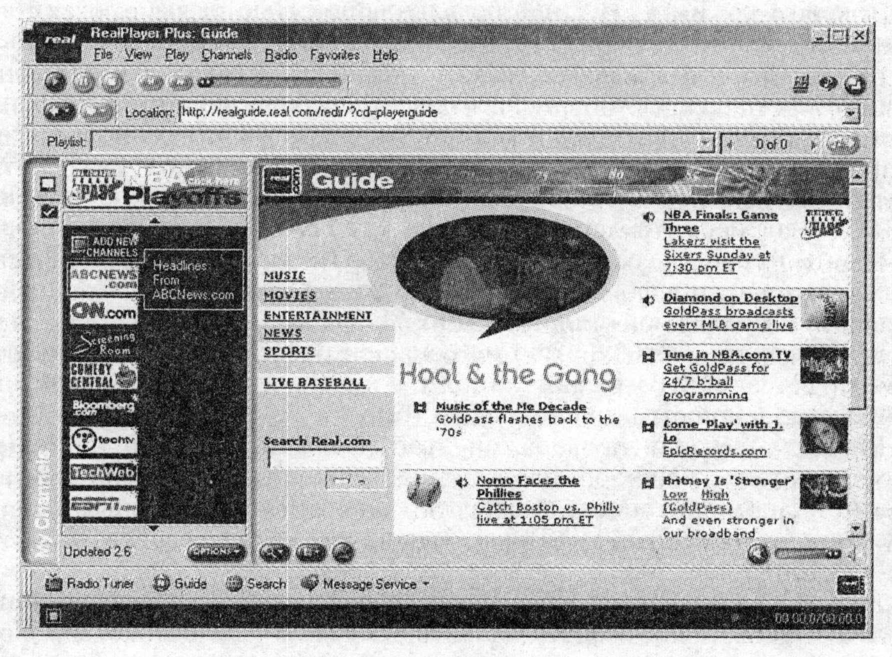

RealPlayer

Для приема с мультимедийными «потоками» в этом формате используется программный комплекс RealPlayer (http://www.real.com). Программа поставляется в нескольких вариантах: базовый RealPlayer доступен совершенно бесплатно, а более удобный и функциональный RealPlayer Plus, в базе данных которого вы можете найти более двух с половиной тысяч «сетевых радиостанций» и телеканалов, предлагается разработчиками за смешную сумму в 30 долл.

MP3 (Fraunhofer Institute)

Как выяснилось, даже абсолютное лидерство RealAudio не помешало другим компаниям, специализирующимся на разработке средств сжатия звука, активно работать над новыми форматами, которые обеспечивали бы более высокое качество звука. Конечно, соперничать с технологиями Progressive Networks на их «родном» поле — низкокачественный звук, оптимизированный для передачи по «узким» модемным каналам, было довольно сложно... Но ведь оставалась еще некая «пограничная зона», где обитали пользователи, подключенные к Сети через относительно быстрые каналы — ISDN, выделенные линии, обеспечивавшие пропускную способность 64 до 128 кбит/с. И вот здесь RealAudio показывал себя не с лучшей стороны: даже в последнем случае качество музыки было далеко от того, что обеспечивали традиционные FM-радиостанции.

Зато с последними вполне мог тягаться родившийся одновременно с RealAudio формат MP3 — кстати, изначально рассчитанный на работу в «потоковом режиме». И лишь недальновидностью разработавшей его компании можно объяснить тот факт, что полноценное MP3-вещание в Сети началось гораздо позже, чем следовало бы. А главное — разработчики MP3 так и не удосужились создать достойный проигрыватель, подобный RealPlayer, который бы обеспечил возможность приема теле- и радиопередач в этом формате на домашних компьютерах.

Эту ошибку удалось исправить лишь компании Nullsoft — автору знаменитого плейера WinAmp, установленного сегодня на доброй половине компьютеров во всем мире. Два года назад разработчики этой программы вдохнули в формат MP3 новую жизнь, включив в свой плейер поддержку «потоковой» модификации ShoutCast.

К сожалению, сам WinAmp не оснащен собственным «путеводителем» по сетевым MP3-радиостанциям, однако неплохой каталог можно найти на главной странице ShoutCast (http://www.shoutcast.com).

Впрочем, сегодня поддержкой этого формата оснащен не только проигрыватель от NullSoft: настроиться на «волны» MP3-радиостанций можно и с помощью последних версий стандартного проигрывателя от Microsoft — Windows Media Player, встроенного во все версии Windows, начиная с Windows ME.

Желающих подробнее изучить эту любопытную программу я вновь переадресую к соответствующей главе «Новейшей Энциклопедии Персонального Компьютера», хотя интерфейс программы столь прост, что

WinAmp

разобраться с ним можно без всяких дополнительных руководств и инструкций.

Однако если вы думаете, что на этом знакомство с продукцией Microsoft будет (по крайней мере, в рамках этого раздела) закончено, то вы глубоко ошибаетесь: ведь следующий формат «сетевого вещания» создан именно этой могущественной корпорацией.

WMA/ASF (Microsoft)

На протяжении без малого пятилетки Microsoft могла лишь с завистью наблюдать за покорением рынка «интернет-вещания» форматами RM и MP3. Никаких шагов в этом направлении детище Билла Гейтса до поры до времени просто не могло предпринять, поскольку созданием инструментов для работы со звуком Microsoft никогда не занималась. Существовал, конечно, «стандартный» алгоритм сжатия музыкальных файлов ADPCM, однако на его будущем был поставлен крест буквально через несколько месяцев после громкого дебюта MP3. Сетевое же вещание и вовсе было для компании в диковинку...

Однако уже в конце 90-х годов, осознав перспективность этого рынка, а заодно и размеры уже упущенной прибыли, Microsoft ринулась в бой, заявив о начале работ над новым, революционным алгоритмом сжатия мультимедийной информации, а заодно — и над новым стандартом потокового вещания. Как мы помним, итогом этих работ и громогласных заявлений стало рождение формата WMA и его «потоковой» модификации ASF/ASX. Одновременно на свет появилась новая версия «универсального проигрывателя» Windows Media Player, откровенно скопированного с давней «занозы в сердце» Microsoft — RealPlayer.

Сегодня, на второй год существования ASF, медиаиндустрия только-только присматривается к этому формату, но присматривается весьма тщательно. Ведь давно известно, что все свои разработки, даже откровенно провальные, Microsoft ухитряется превратить в новые стандарты...

Впрочем, чем-чем, а провалом ASF назвать ни в коем случае нельзя: алгоритм получился довольно удачным. В области звука с низким битрейтом (то есть скоростью потока) он успешно соперничает с RealMedia, на средних битрейтах — с MP3. Уступает он своему главному конкуренту лишь на высоких битрейтах: при скорости потока в 192—256 кбит/с MP3 звучит гораздо чище и натуральнее. Однако возможностей для совершенствования у ASF еще предостаточно, в то время как у MP3 они практически исчерпаны.

С другой стороны, положение может измениться с появлением нового стандарта MP3+, представленного недавно разработчиками MP3. Новый кодек должен, по их заявлению, устроить новую революцию в сфере «сетевого вещания», вновь отодвинув Microsoft на задний план. Однако есть опасения, что этот формат будет «закрытым» и пойдет «в народ» лишь через несколько лет, в то время, как Microsoft активно продвигает ASF на всех возможных фронтах. Так что об исходе поединка «ASF против MP3» можно только гадать...

Но не стоит забывать о том, что формат ASF, как и RM, позволяет передавать по Сети не только звук, но и видео — и в этом его коренное отличие от специализированного MP3. Ну, а что будет, если сравнить «универсальный сетевой формат» Microsoft со столь же универсальным RM? На первый взгляд, «атака» Microsoft на этот сетевой стандарт успешно провалилась. Но не забудем, что в отличие от разработчиков RealVideo Microsoft создавала свой стандарт загодя, здраво рассудив, что эпоха медленных каналов подходит к концу, а потому не стоит гнаться за заведомо отставшим от времени форматом, а создавать свой собственный алгоритм сжатия.

Если в области аудио ASF использует «наработки» алгоритма WMA, то для видео Microsoft создала новый стандарт кодирования, без ложной скромности названый MPEG-4. Напомним, что алгоритм MPEG-1 использовался для записи фильмов в уже забытом сегодня формате VideoCD, MPEG-2 применяется и ныне в DVD... Значит ли это, что с появлением разработки Microsoft индустрия видеозаписи выходит на качественно новый уровень?

Похоже что так... Во всяком случае, при использовании MPEG-4 впервые появилась возможность впихнуть минуту видео приемлемого качества, в полноэкранном режиме и со стереозвуком всего лишь в 3 Мбайта, что соответствует потоку в 400 кбит/с. Это — скорость, которую вполне может обеспечить и спутниковое, и кабельное подключение. Кстати, один из провайдеров спутникового доступа, компания Europe Online, предоставляет своим пользователям доступ к специальному «вещательному порталу», который позволяет наслаждаться просмотром десятков телеканалов, закодированных с использованием именно этого алгоритма.

Windows Media Player

При разработке «потоковой» модификация MPEG-4, упрятанной все в тот же знакомый нам формат ASF/ASX, разработчики постарались максимально защитить содержимое потока от нелегального копирования. Мы помним, что нечто подобное пытались в свое время сделать и создатели RealMedia, но, увы, пользователи мигом нашли способ обойти поставленную ими защиту. В итоге компания капитулировала и даже включила возможность сохранения «потока» в файл на жестком диске в один из вариантов RealPlayer.

В Microsoft постарались учесть ошибки предшественников: качество изображения ASF было гораздо лучше, чем у RealMedia при ВДВОЕ меньшем битрейте, а значит, и вопрос защиты авторских прав стоял вдвойне остро. Был сделан хитрый ход: щелкая по ссылке на Web-страничке, пользователь получал доступ не к самому потоку, а лишь к его «заголовку», хранящемуся отдельно. Конечно, как и в случае с RealMedia, можно было «вытащить» файл из сети и сохранить его на жестком диске, но в этом случае в руках у пользователя оставался лишь «хвостик», в то время как хитрая «ящерка» ускользала!

Конечно, пользователям медленного модемного канала не стоит особенно рассчитывать на революционное улучшение качества картинки по сравнению с тем же RM, однако явный прогресс налицо. К тому же совсем недавно Microsoft объявила о создании нового варианта MPEG4/ASF, который позволит уменьшить скорость видеопотока еще вдвое...

ПОИСК РАДИОСТАНЦИЙ И ТЕЛЕКАНАЛОВ В ИНТЕРНЕТ

Вот ведь какая неразбериха получается: сегодня мы имеем три несовместимых друг с другом формата. И, стало быть, три отдельные программы для работы с сетевым вещанием!

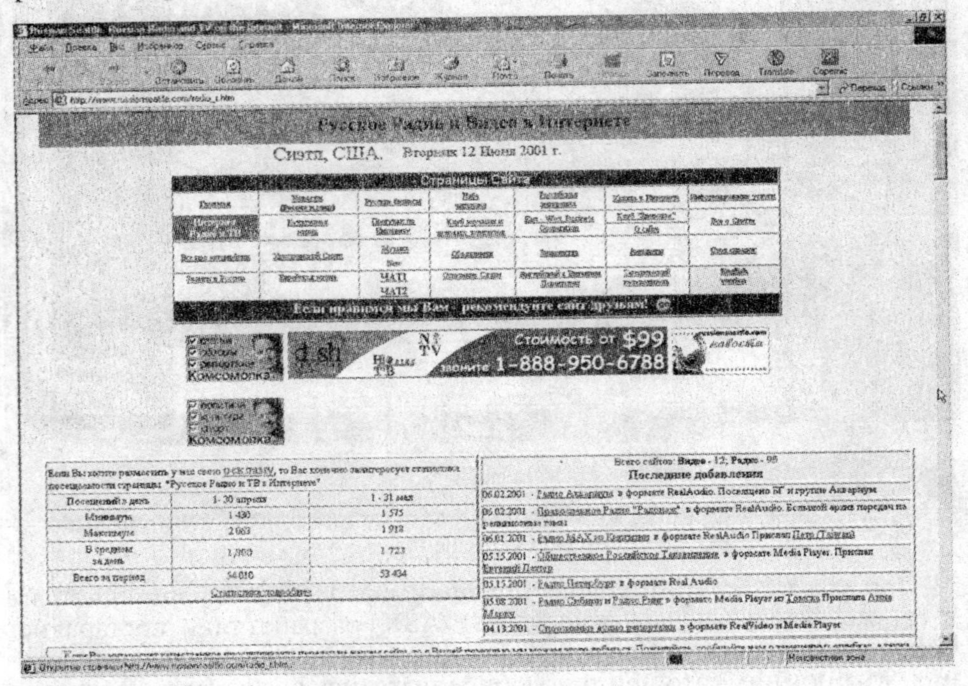

Каталог «Русский Сиэттл»

Пусть RealMedia давно уже пора списывать в архив, однако тысячи станций во всем мире (и подавляющее большинство станций российских) продолжают вещать в Сети именно в этом формате...

Более того, именно в RealMedia хранятся миллионы видеофрагментов и передач на специализированных сайтах: например, на сайте Film.Com (http://www.film.com) вы можете лицезреть рекламные ролики фильмов, которые будут выпущены в прокат лишь через несколько месяцев.

Кстати говоря, не мешало бы обзавестись каталогом станций — хотя бы одним, охватывающим российские каналы. Ведь сам RealPlayer осведомлен о российском вещании весьма поверхностно. Хорошо еще, что в Сети можно найти несколько специализированных каталогов: например, неплохой справочник русскоязычных «сетевых станций», расположенный на сервере «Русский Сиэттл» (http://www.russianseattle.com/radio_r.htm). Дизайн каталога нельзя назвать удачным, однако сама база данных отличается редкостной полнотой и подробностью. Справедливости ради надо сказать, что станций, вещающих в Сети по-русски, насчитывается не более нескольких десятков.

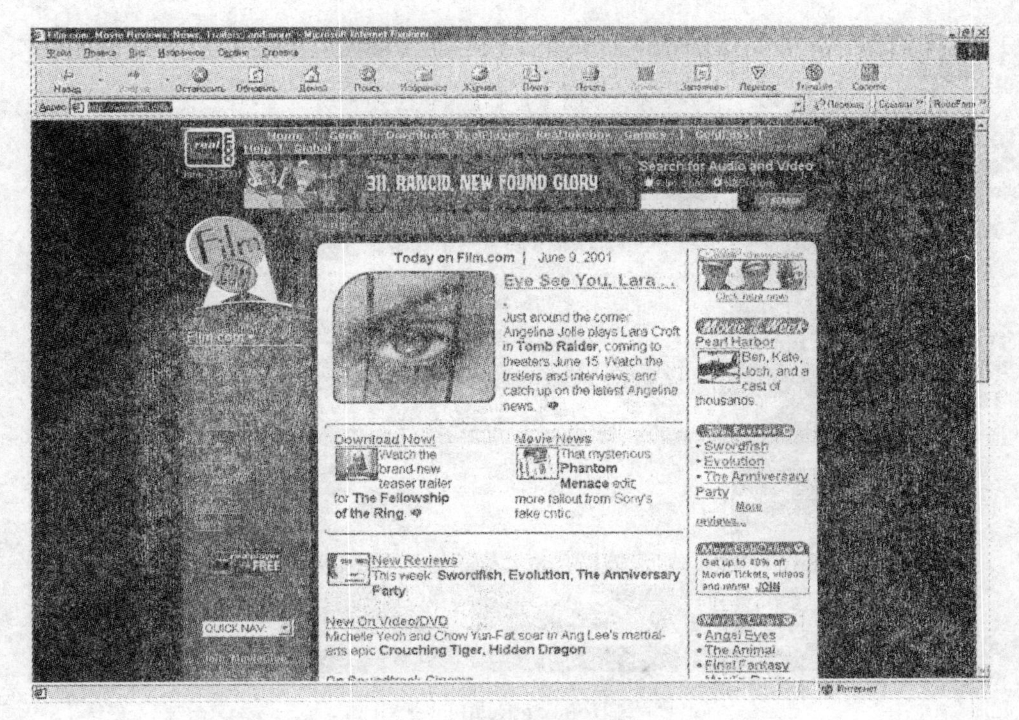

Film.Com

Зато тех, кто предпочитает зарубежные станции, ждет настоящее раздолье: «домашний» сервер RealMedia (http://www.real.com) предоставит вам доступ к нескольким тысячам радио- и телеканалов. Выбирай на вкус, подыскивай — благо на сайте обосновался неплохой поисковый механизм с возможностью сортировки станций по региону и языку вещания, тематике и формату.

Особенно повезло владельцам, что греха таить, не самого бесплатного в мире плейера RealPlayer Plus — им и вовсе не придется открывать браузер, лезть на какую-то страничку... Взгляните на левую часть окна, где уже томится в ожидании неплохая коллекция ссылок на популярные станции! Конечно, десяток-другой закладок — это вам не многократно упомянутые две с хвостиком тысячи станций... Однако в плейере, специально для таких приверед, припасен собственный поисковик по базе данных того же Real.com, а главное окно программы на период поиска услужливо притворится браузером...

Для поиска радиостанции переведите плейер в режим «радиотюнера» (нажав одноименную кнопку внизу экрана), а затем выберите вкладку Find Station. Найденные вами каналы можно добавить в локальную базу данных (аналог папки «Избранное» в Internet Explorer) с помощью меню Channels.

Но не будем забывать о том, что формат RM далеко не идеален, а потому покинем со вздохом тучные нивы RealAudio и обратим взор свой на радиостанции, вещающие в MP3-диапазоне.

Если на вашем компьютере установлена программа WinAmp, то лучшего путеводителя по миру MP3 и не придумаешь! Ведь в нем, как и в

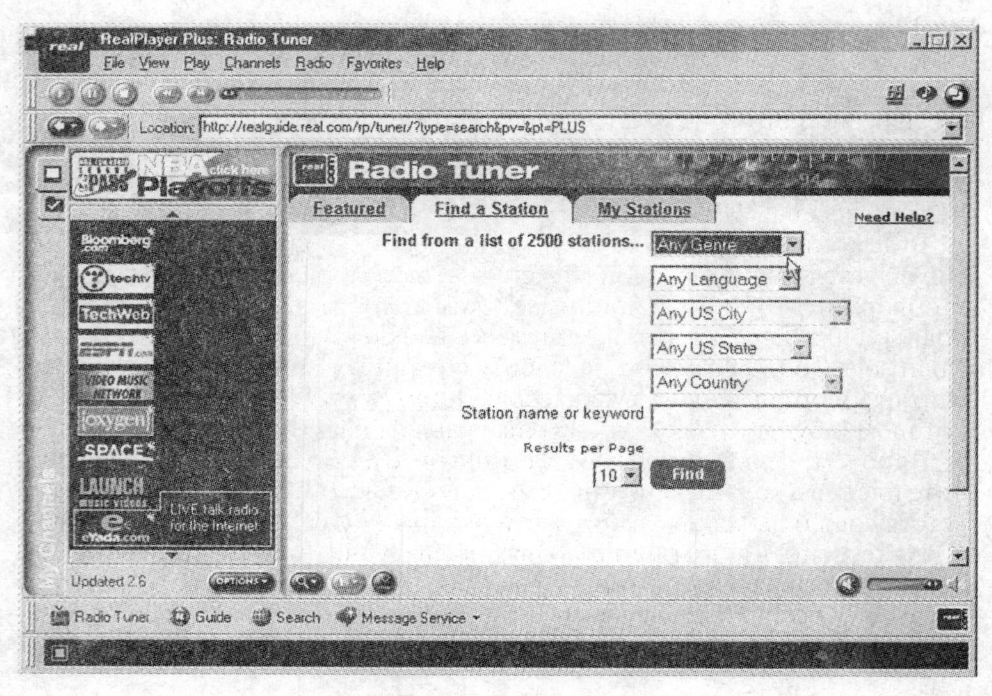

Поиск в RealPlayer

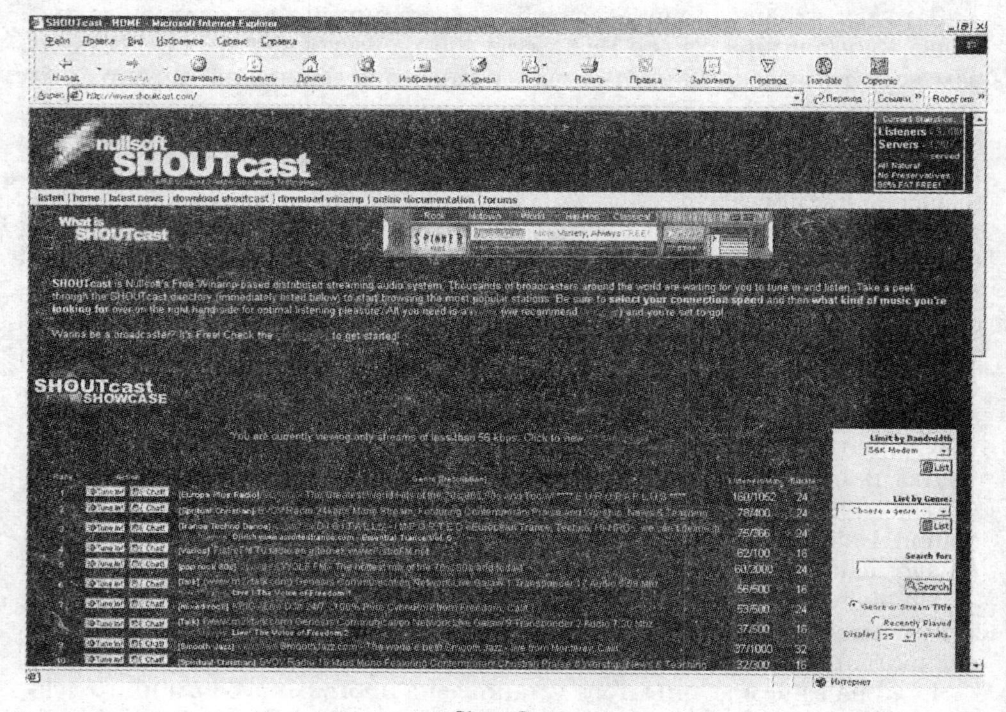

ShoutCast

RealPlayer, встроен «мини-браузер», через который можно подключиться к базе данных фирменного портала компании Nullsoft — Shoutcast. Впрочем, сделать это можно и с помощью обычного браузера, набрав в его адресной строчке простой адрес http://www.shoutcast.com.

Дальнейшие действия нам уже знакомы: поиск по обширной базе данных по формату, языку или тематике станции, затем — щелчок по нужной ссылке... Готово!

Будем справедливы: не хуже «Винампа» с ролью радиоприемника справляется наш старый знакомец — Windows Media Player. Тем более, что формат MP3 он воспринимает, как родной... Хотя по-настоящему родным для него является, разумеется, формат ASF/ASX, созданный Microsoft. Соответственно, на работу со станциями в этом формате рассчитан и портал WindowsMedia.Com (http://www.windowsmedia.com), на котором и будет отыскивать нужные каналы наша «игралочка».

Впрочем, делать это она будет лишь в том случае, если вы переключите плейер в режим «радиоприемника» (Radio Tuner), щелкнув по соответствующей вкладке в левой части экрана.

Интересно, что в отличие от двух предыдущих плейеров WMP не грузит в окно своего «мини-браузера» всю страницу целиком, а поступает гораздо умнее: на экране появляется лишь компактная и удобная поисковая надстройка.

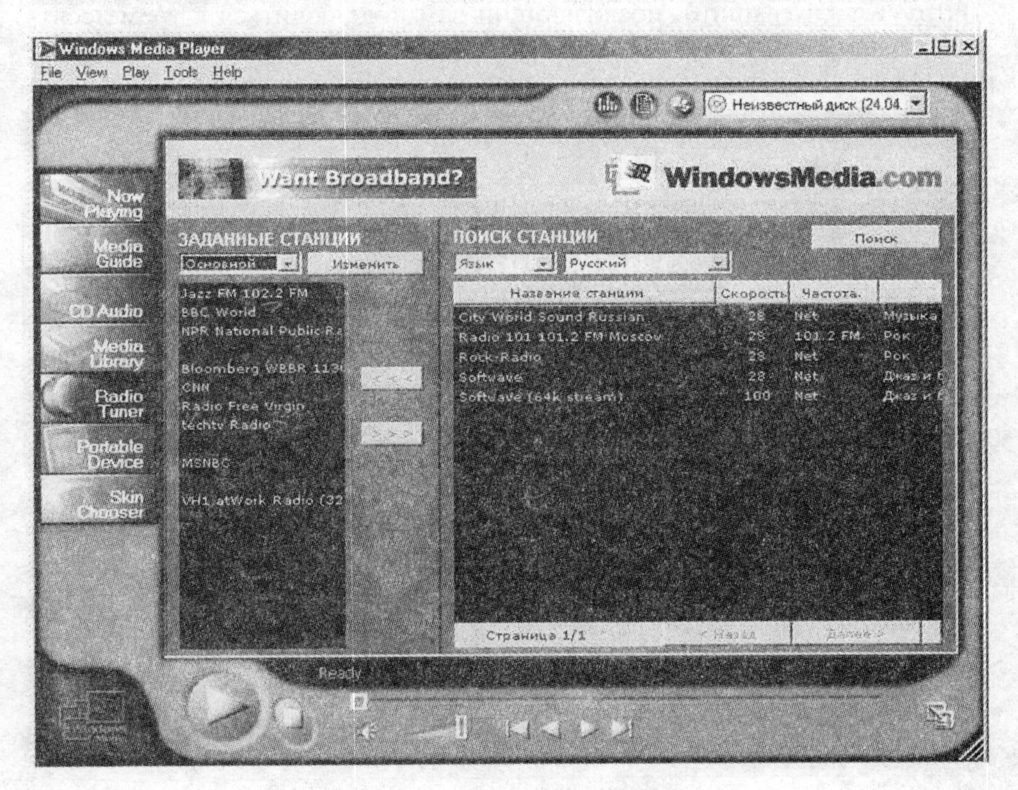

Поиск в Windows Media Player

На любой из найденных каналов, как и в RealPlayer, вы можете поставить «закладку», добавив его имя в список «избранного».

Таким образом, упомянутые в этой главе три портала в принципе должны охватывать весь диапазон интернет-вещания. Но это только к принципе. На практике не помешает изредка опрашивать еще и отдельные специализированные «поисковики» и порталы. Такие, например, как мощная база данных по «интернет-телестанциям» WorldWide Internet TV (http://wwitv.com).

Чего тут только нет — «виртуальные телеканалы» и телемагазины, «живые камеры», круглосуточно передающие изображения со всех концов планеты. И, конечно же, радиостанции — даром что сайт телевизионный...

Кстати, если уж речь зашла о сетевых камерах, то не грех упомянуть еще парочку полезных каталогов. Не надейтесь, что найдете в них все работающие в данный момент камеры — уж во всяком случае, откровенного криминала и аморальщины здесь нет. Надеюсь, впрочем, что вы не слишком будете сокрушаться по этому поводу...

Для затравки заглянем на отечественный каталог WorldCam (http://www.worldcam.ru), в котором содержится более 1300 «живых камер», установленных практически в 50 странах мира. Если желаете ограничиться Россией — к вашим услугам каталог Russian LiveCams (http://www.livecam.ru), позволяющий вам подключиться к трем десяткам самых известных веб-камер в разных городах нашей страны. А заме-

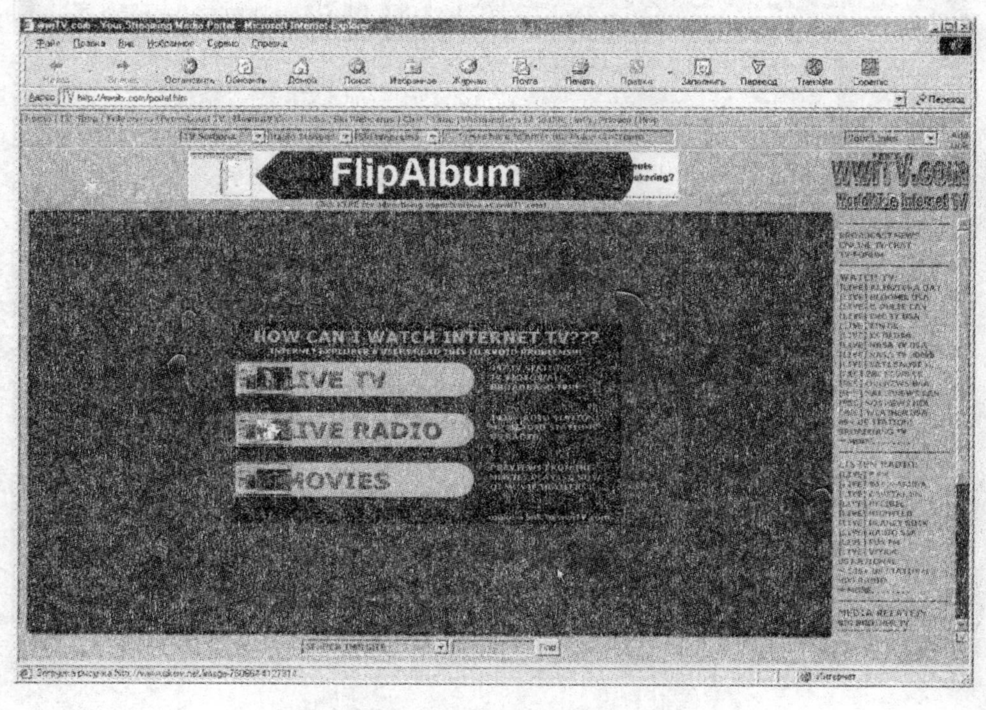

База данных WorldWide Internet TV

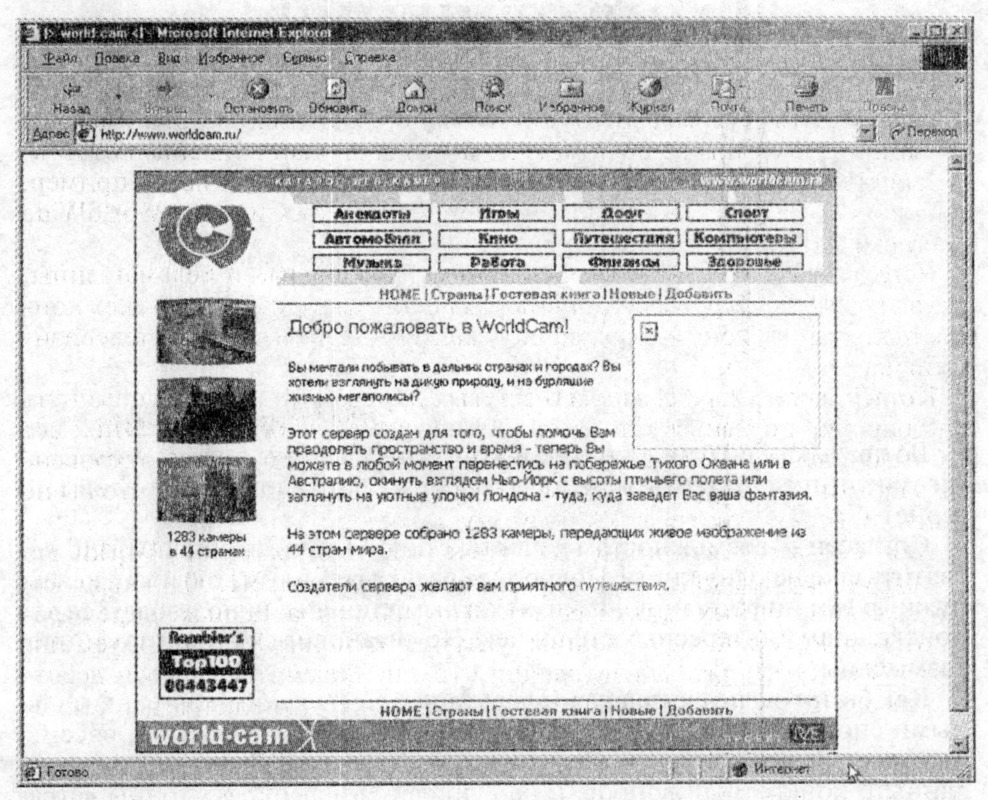

Каталог WorldCam

нив ru на com и поэкспериментировав с написанием адреса, вы наверняка наткнетесь еще на добрый десяток международных каталогов.

Наконец, не забудьте заглянуть в папку «Избранное» вашего любимого браузера. Даже если вы еще не успели добавить в нее ни одной закладки, в «копилке» отнюдь не пусто... Обратите внимание на папку «Мультимедиа» — в ней вы обязательно найдете ссылку, которая приведет вас к «Путеводителю по радиостанциям Интернет», расположенному на сервере Microsoft.

Словом — смотрите и наслаждайтесь... Что же касается вашего покорного слуги, то он, будучи личностью консервативной, предпочтет и в дальнейшем слушать любимое «Эхо Москвы» по обычному радиоприемнику, в старом добром диапазоне FM.

МИР ОБЩЕНИЯ: ОТ «ЕМЕЛИ» ДО «АСЬКИ»

Вот ведь как получилось: уже и книга до середины дошла, а мы с вами успели познакомиться лишь с одним из популярных сервисов Интернет.

Согласен — возможностям гипертекстовой Паутины можно было посвятить еще не одну книгу. Подробнее рассказать о том, где и как искать нужную вам информацию, какими хитрыми приемами пользоваться для поиска новых интересных страничек. Но остановимся на минутку и поразмыслим.

Как бы ни была насыщена информацией Сеть, какими бы удивительными способностями она ни обладала, все же это — мертвый, пассивный, застывший организм. Сеть никогда не даст вам ответа на прямо заданный, конкретный вопрос, и нам придется перебирать тонны «страничной руды», чтобы выловить, наконец, искомую крупицу смысла. Словом — настоящего, полноценного разговора с Сетью у нас не получится. Ибо такое общение возможно только между людьми.

Но Сеть не была бы Сетью, если бы не сумела обойти и эту проблему. Хотите общения? Пожалуйста!

Сеть стала посредником, забыв на время про свою премудрость. Сеть создала на своих просторах множество новых каналов связи, позволяющих пользователям общаться друг с другом, делиться полезной (да и бесполезной) информацией... Просто проводить время в жизнерадостном трепе, наконец.

И если бы этого не случилось, Сеть никогда не стала бы Сетью — не просто всемирным Информатором, но и грандиозным Коммуникатором!

Сеть предоставляет нам массу возможностей пообщаться с друзьями, коллегами по увлечениям. Деловыми партнерами, наконец. И множество способов это общение осуществить — от самых простых, допускающих лишь текстовые формы диалога, до сложных программных комплексов, предназначенных для передачи аудио и видеопотока в режиме «реального времени».

Отличительная особенность сетевого общения — в необычайно высокой степени его анонимности. В реальном мире при общении мы в любом случае получаем какие-то данные о собеседнике: слышим его голос, видим, как он выглядит и одевается. И уже на основе этих двух факторов, даже не обладая дедуктивными способностями Шерлока Холмса, можем сделать массу выводов: какого он пола, сколько ему лет, к какой социальной группе он принадлежит... При общении же сетевом перед нашими глазами — только текст письма. А вместо имени — псевдоним-«маска», за которой может скрываться кто угодно.

Вот почему для многих пользователей Интернет общение — увлекательная игра, своего рода виртуальный театр, в котором ты можешь играть любую роль, напялив на себя любую виртуальную личину.

Тем более, что существует столько способов сделать это!

В следующей главе мы как раз и попытаемся кратко описать все возможные виды общения в Сети. Но прежде уделим внимание одному очень занудному, но очень важному вопросу — этикету сетевого общения.

Казалось бы, никаких особых правил поведения в Сети выдумывать не надо: соблюдай себе нормы общения, принятые в реальном мире — и все! Но оказалось, что не все так просто. Начать с того, что некоторая часть «сетян» и вовсе не имеет понятия о правилах поведения — ни в реальном, ни в виртуальном мире. Будь «крутым перцем», демонстрируй свою «крутизну» направо и налево — и успех обеспечен! Благо и атмосфера Сети способствует раскрепощению, открытости...

С другой стороны, порой самые вежливые и корректные люди, попадая в мир Сети, ухитряются с ходу наделать ошибок, не зная элементарных правил сетевого общения.

Стало быть, нормы сетевого этикета необходимы — решила интернетовская общественность и дружно взялась за дело. С первым шагом проблем не возникло: новоиспеченный «кодекс хорошего тона» был наречен «нэтикетом» (netiquette) — от слов «сеть» (net) и «этикет» (etiquette).

Разработать сами правила оказалось куда сложнее — сразу же выяснилось, что собственный «кодекс» необходимо создавать под каждый вид сетевого общения. И впрямь — что уместно в чате, может оказаться не слишком уместным в форуме или группе новостей. Да и базовые, общие для всех правила всяк формулировал по-разному.

Относительную ясность в эту запутанную историю внесла книга Вирджинии Ши «Сетевой этикет», полную версию которой вы можете найти по адресу

http://www.albion.com/netiquette/

Леди Вирджинии удалось сформулировать десять (на манер библейских десяти заповедей) универсальных правил поведения в Сети, с которыми полезно ознакомиться каждому пользователю:

Помните о человеке! Не забывайте, что даже через посредство мертвой Сети и напичканного электроникой компьютера вы общаетесь с живым человеком. А часто — и со многими людьми одновременно... Не позволяйте одурманить себя атмосферой анонимности и вседозволенности — помните, что на другом конце провода такой же человек, как и вы... Сочиняя электронное послание, представьте, что все это вы говорите человеку прямо в лицо — и старайтесь, чтобы вам при этом не было стыдно за собственные слова. Отсюда — второе правило:

Следуйте в Сети тем же правилам, которым вы следуете в реальной жизни. Нарушение законов человеческого общения, моральных правил или норм общественной жизни в Сети, возможно, и пройдет для вас относительно безнаказанным... Но будет при этом чиста ваша совесть? Однако не забывайте при этом и о третьем правиле:

Помните, что вы находитесь в киберпространстве! Его границы куда шире, чем границы привычного нам человеческого общества, и в разных его частях могут действовать свои законы. Поэтому, сталкиваясь с новым для вас видом общения в Сети, изучайте его законы и признавайте их приоритет. Скажем, в любой группе новостей, форуме или даже канале IRC существуют собственные, локальные правила (rules) — ознакомьтесь с ними, прежде, чем отправлять свое первое сообщение! А главное — помните о неписаных правилах: например, правиле четвертом:

Бережно относитесь ко времени и мнению других людей! Обращайтесь за помощью только тогда, когда это реально необходимо — и в этом случае вы всегда можете рассчитывать на поддержку ваших коллег. Однако не дергайте других пользователей по пустякам — иначе в конце концов с вами просто перестанут общаться. Помните, что сетевое время не только ограничено, но и для многих весьма дорого! И, помимо ваших проблем, у ваших собеседников могут быть еще и собственные... Однако этот принцип имеет и оборотную сторону, зафиксированную в правиле пятом:

Старайтесь выглядеть достойно в глазах своих собеседников! Не экономьте свое время на «условностях» типа правил хорошего тона или, скажем, правил грамматики и орфографии. Поверьте моему опыту: даже комплименты теряют в весе и убедительности, будучи воплощенными в такой вот форме:

«Приэт чувак я тащусь от тебя и тваих книг круто пиши ищо»

И таких писем в мой адрес приходит немало... И не обольщайтесь тем, что при переписке или виртуальном общении они видят не вас, а лишь созданную вами виртуальную «маску»!

Из этого правила вытекает и правило шестое:

Не пренебрегайте советами знатоков и делитесь своими знаниями с другими! Будьте благодарны тем, кто тратит свое время, отвечая на ваши вопросы. Но и сами, получив письмо с вопросом от другого пользователя, не спешите отправлять это послание в мусорную корзину, каким бы наивным и нелепым оно вам не казалось. Отсюда — правило седьмое:

Сдерживайте страсти. Вступать в дискуссии никакой этикет не запрещает, однако не опускайтесь до брани и ругательств — пусть даже ваш визави сознательно провоцирует вас на это.

Относитесь с уважением не только к своей, но и к чужой приватности! Если вы по каким-либо причинам хотите сохранять анонимность в Сети, признавайте эти права и за вашим собеседником. Более того — он имеет право на анонимность и приватность, даже если вы выступаете «с открытым забралом». Побочное следствие этого правила: не публикуйте информацию из ваших приватных писем без согласия их отправителей, не копайтесь в чужих почтовых ящиках и, в конечном итоге, в чужих компьютерах! Господа хакеры, это относится непосредственно к вам... Как и следующее правило:

Не злоупотребляйте своей властью и влиянием в Сети! Завоевать доверие трудно, а потерять — так легко!

И наконец — последнее, самое главное правило:

Будьте терпимы к недостаткам окружающих вас людей! Не смотрите на то, соблюдают или нет ваши собеседники правила сетевого этикета, соблюдайте их сами! В конце концов, предельно вежливо порекомендуйте собеседнику ознакомиться с книгой Вирджинии Ши... Или с этой «Энциклопедией».

ЭЛЕКТРОННАЯ ПОЧТА (E-MAIL)

Будем объективны — именно электронную почту нам по всем правилам и «понятиям» следовало бы поместить на первое место в списке сервисов Сети. Ведь она появилась на свет первой — одновременно с рождением самой Сети — и более двадцати лет была главной сетевой «изюминкой»... Да и сегодня пользователей электронной почты во всем мире в десятки (!) раз больше, чем пользователей других сетевых сервисов — Паутины WWW, Файловых архивов FTP... И вполне вероятно, что уже через пять лет собственный электронный адрес будет иметь каждый житель развитых стран мира. Не верите? Тогда постарайтесь вспомнить, что было каких-нибудь десять лет назад, когда электронная почта только-только пришла к нам, в Россию. С каким удивлением смотрели мы тогда на окна центральных почтамтов, на которых красовалась гордая надпись — «Услуги электронной почты». Сегодня это кажется таким же странным, как, например, «Прокат зубных щеток». Ведь электронная почта — дело крайне личное, интимное...

И каким же волшебством это казалось! Написанное тобой письмо за считанные минуты домчится до самого отдаленного уголка земного шара, а еще через несколько минут ты уже можешь получить ответ! Электронное письмо не перехватывает и не читает таможня, оно не попадет в чужие руки — только в руки того, кому оно предназначено... Тот, кто попробовал пользоваться электронной почтой — хотя бы один раз! — уже никогда не будет старательно выводить на листке из школьной тетрадки дрожащими буквами: «И еще хочу сказать я вам, любезная Катерина Матвеевна...» С появлением электронной почты — слушайте, давайте же наконец воспользуемся определением e-mail (или, в крайнем случае, ласковым русским «Емеля») — так вот, только с появлением e-mail мы осознали, насколько скоропортящимися могут быть наши письма. Где теперь времена расцвета эпистолярного жанра, когда письмо писалось днями и неделями, а к адресату доходило лишь спустя месяц! И, как хороший коньяк, от выдержки только выигрывало — и сегодня мы с удовольствием и трепетом читаем послания, написанные века назад. Хотел бы я знать, будут ли наши далекие потомки столь же вдохновенно читать наши сегодняшние «емельки»?

Конечно же, обычная почта не отомрет еще долго. Ведь ничего «материального» послать по e-mail пока что нельзя. Вот «виртуальную» информацию — пожалуйста, в любом виде. В «электронный конверт», как и в обычный, можно вложить фотографии вашей семьи, копию электронного рисунка вашего младшего сына, и даже короткий звуковой фрагмент... Ограничений по типу информации нет никаких, разве что по «весу» вложения. Максимально допустимый размер письма зависит от «размера» вашего почтового ящика, то есть от объема дискового пространства, отведенного провайдером под хранение вашей почты. Как правило, размер почтового ящика варьируется от 2 до 5 Мбайт, но по соображениям здравого смысла и нормам сетевого этикета размер письма не должен превышать 1 Мбайт.

Итак, чтобы воспользоваться услугами электронной почты, нам нужны всего четыре вещи:

- Вход в Интернет.
- Ваш собственный адрес электронной почты.
- Связанный с ним «почтовый ящик», через который и будет происходить обмен почтой.
- Наконец, специальная программа для работы с электронной почтой.

Будем считать, что подключение к Сети у вас уже есть — иначе зачем вам понадобилось столь пристально изучать эту книгу? Не беспокойтесь, много времени работа с e-mail у вас не займет: на прием-отправку сообщений уйдет всего несколько минут, а читать письма и отвечать на них можно уже «в режиме оффлайн».

О программах для работы с e-mail речь пойдет попозже, в одной из следующих глав. А вот о почтовом адресе и ящике (точнее — о почтовых АДРЕСАХ и ЯЩИКАХ) мы начнем разговор прямо сейчас, начиная со следующего абзаца.

Регистрация главного адреса E-MAIL

Как и любой интернетовский адрес, адрес электронной почты состоит из нескольких частей: та, что слева — ваше имя или псевдоним, под которым вы зарегистрированы у провайдера. Дальше следует симпатичный значок @, называемый «собакой». Наверное, потому, что этот значок всегда, в любом электронном адресе, верно следует за именем своего «хозяина». Как хвостик за собакой. В таком случае, почему этот значок не назвать хвостиком? Постойте, а кто тогда собака? Молчу, молчу!

За «собакой» следует вторая часть адреса — имя того *сервера* (или домена), к которому вы прикреплены. Например, мой провайдер — фирма Dataforce, которой принадлежит доменное имя www.dataforce.net. А значит, слова dataforce.net и угнездятся после «собаки».

Электронный адрес индивидуален и неповторим. В мире может проживать множество Биллов Клинтонов, но только один имеет адрес president@whitehouse.gov. И Биллов Гейтсов много, но найдите мне хотя бы еще одного с адресом.... Нет, ЕГО адреса я вам не дам. Сами найдете, если уж так приспичит! Такую возможность обеспечивают поисковые системы Интернет, например, WhoWhere (http://www.whowhere.com) или Whitepages (http://www.whitepages.com) — благодаря которым можно узнать имя, фамилию и даже адрес человека по его электронному адресу. И наоборот, зная имя и фамилию человека, вы можете легко найти его e-mail.

Итак, приобретая доступ к Сети у провайдера, вы автоматически получаете свой первый адрес электронной почты и личный «почтовый ящик», имя которого в большинстве случаев совпадает с вашим пользовательским логином для входа в Сеть.

Однако сегодня все больше пользователей подключается к Интернет по карточкам с уже указанными логинами, которые чаще всего составлены из случайных комбинаций букв и цифр. В качестве адреса электронной почты такой логин, конечно, можно использовать... Но куда лучше все-таки создать новый, более внятный адрес — специально для электронной почты. Большинство крупных провайдеров позволяет пользователям регистрировать свой e-mail в полностью автоматическом режиме: для этого необходимо зайти на собственную «страницу статистики» на сервере провайдер с помощью уже имеющихся у вас логина и пароля. А затем найти меню «Создать адрес электронной почты», «Изменить адрес электронной почты» или другое в этом же роде.

В малых городах России «карточный» доступ, увы, явление редкое, и оформлять подключение к Сети приходится в офисе провайдера. В этом случае выбранный вами электронный адрес обязательно должен быть указан в квитанции или договоре, который вы получите после оплаты услуг Интернет.

Выбор собственного адреса (точнее — той его части, что стоит непосредственно перед «собакой») — операция очень ответственная. Ведь нам с вами нужен не абы какой адрес, а такой, чтобы выглядел компактно, запоминался бы просто и мог бы сказать хоть что-то о своем хозяине. В выборе имени вы не ограничены ничем... за исключением тех случаев, когда нужное имя уже зарегистрировано на другого пользователя. К примеру, не слишком надейтесь на то, что, подключившись к крупному провайдеру, вы сможете зарезервировать для «дособачной части» своего адреса свое имя:

sasha@provider.ru
igor@provider.ru

И так далее. Уверяю вас, и Саш, и Игорей в Сети предостаточно, и почти наверняка подобные адреса оказались «забиты» еще несколько лет назад. Что ж, придется нам пожертвовать простым и коротким адресом, чтобы несколько «конкретизировать» свою персону, указав еще и фамилию:

sasha_vlasov@provider.ru
larisa_rikhter@provider.ru

Заметьте — никаких пробелов в e-mail адресе не предусмотрено — в случае необходимости для разделения слов можно воспользоваться знаком _ .

А можно не зацикливаться на собственном имени, а придумать себе «сетевое прозвище» — «ник». Простое, емкое и оригинальное:

bester@provider.ru
coolgirl@provider.ru

Это — стиль молодежной тусовки, яркий и модный... Который, однако, не слишком подходит для деловых людей. Последние чаще всего выбирают для «логина» собственную фамилию или уже упомянутую комбинацию имени и фамилии.

Кстати, помимо букв, ваш адрес может содержать и цифры:

agent007@mi5.gb

Итак, процедура регистрации закончена! Теперь у вас на руках должно оказаться несколько важных значений, которые надлежит немедля запомнить, а еще лучше — записать:

- Созданный вами адрес (например, user@provider.ru)
- Имя вашего почтового ящика (например, pop.provider.ru)
- Логин для подключения к почтовому ящику.

Будьте внимательны — в зависимости от провайдера этот логин может совпадать как с вашим базовым логином для подключения к сети, так и с созданным вами «ником» для адреса электронной почты. Самый простой и удобный для пользователя вариант — когда и логин для входа в Сеть, и левая часть e-mail адреса, и логин для подключения к почтовому ящику совпадают.

Пароль для подключения к вашему почтовому ящику, как правило, совпадает с базовым паролем для входа в Интернет.

Регистрация дополнительных почтовых ящиков

В большинстве случаев пользователям хватает и одного почтового ящика — того, который милостиво дарит им провайдер. Однако все больше и больше «сетян» в дополнение к базовому адресу регистрируют на свое имя еще несколько, но уже не на сервере провайдера, а на специальных, независимых серверах.

Зачем нужны несколько электронных адресов? — спросите вы. И на этот вопрос ответить нетрудно: во-первых, всегда полезно иметь один, постоянный адрес, который не будет зависеть о того, через какого провайдера вы входите в Сеть.

Допустим, решили вы отказаться от услуг популярного провайдера А и перейти к более дешевому провайдеру Б. Но что случится с вашим почтовым ящиком, адрес которого уже давно известен всем вашим знакомым? Если на вашем счету у провайдера не останется денег, он просто исчезнет, чему вы вряд ли будете рады. А такие скачки в наше время не редкость: лично я всего лишь за два года сменил уже пять (!) провайдерских фирм и не собираюсь останавливаться на достигнутом. Но адрес у меня всегда остается один и тот же — lasarus@iname.com.

«Вот тебе и первая выгода!» — как говорил удав в киплинговской сказке про слоненка. А вот вам на закуску и вторая.

Каждый пользователь Сети живет, если можно так выразиться, сразу в нескольких параллельных потоках жизни. Работа, профессиональные обязанности. Хобби, общения с коллегами по увлечению. Личная жизнь, наконец. И для каждого «потока» существует своя собственная «струйка» электронных писем, которые неплохо было бы разделить. А значит — для каждого вида переписки можно завести свой собственный почтовый ящик.

Наконец, бесплатные почтовые ящики нередко используются для соблюдения анонимности — в самом деле, по адресу типа lasarus@iname.com невозможно понять даже то, в какой стране живет его владелец! И даже всемогущий поисковик типа Whowhere в данном случае будет бессилен...

И последнее — часто «независимые» почтовые ящики бывают гораздо вместительнее своих «официальных» коллег. Например, мой базовый почтовый ящик позволяет работать с сообщениями, не превышающими 2 Мбайт, а независимый почтовый ящик «вместительнее» его аж в целых пять раз!

Думаю, вам уже вполне достаточно аргументов за создание второго почтового ящика, а при необходимости — третьего, четвертого и так далее. Дело лишь за тем, как найти и выбрать подходящий вам почтовый сервер. Не удивляйтесь — столь лакомую услугу сегодня предоставляет великое множество серверов, только в России бесплатных почтовых служб работает не менее двух десятков! Естественно, далеко не все «независимые» почтовики одинаково удобны и функциональны. Поэтому нам и придется выбирать тщательно, скрупулезно, оценивая сразу несколько факторов. Ведь адрес мы выбираем надолго, может быть, навсегда...

Помимо базовых характеристик (скорость работы, размер почтового ящика и так далее, главное, чем отличаются независимые «почтовики» друг от друга — вид доступа к почтовым сообщениям:

Полноценные почтовые ящики (доступ по протоколу POP3), позволяют забирать почту с помощью обычных почтовых программ — например, Outlook Express. В самом лучшем варианте вы сможете использовать этот ящик как для приема, так и для отправки сообщений, и работа с ним ничем не будет отличаться от работы с «ящиком», установленным у вашего провайдера.

Почтовые ящики с доступом по WWW. Фактически вы заполучаете не «ящик», а страничку в Сети, на которой и будут публиковаться все ваши письма. С этой же странички вы сможете и отправлять ответы, которые отправятся уже в обычный почтовый ящик вашего адресата. Напоминает уже знакомую нам систему «гостевых книг», или «форумов», только доступ к этой страничке сможете получить только вы, с помощью вашего индивидуального логина и пароля...

«Плюсы» такого режима работы с почтой — при его использовании вам не понадобится никаких дополнительных программ, хватит и обычного браузера. Получить доступ к своему почтовому ящику вы сможете из интернет-кафе, компьютеров гостиниц, библиотек, учебных заведений, на которых по тем или иным причинам не установлена программа для работы с e-mail... Кроме того, можно быть уверенным,

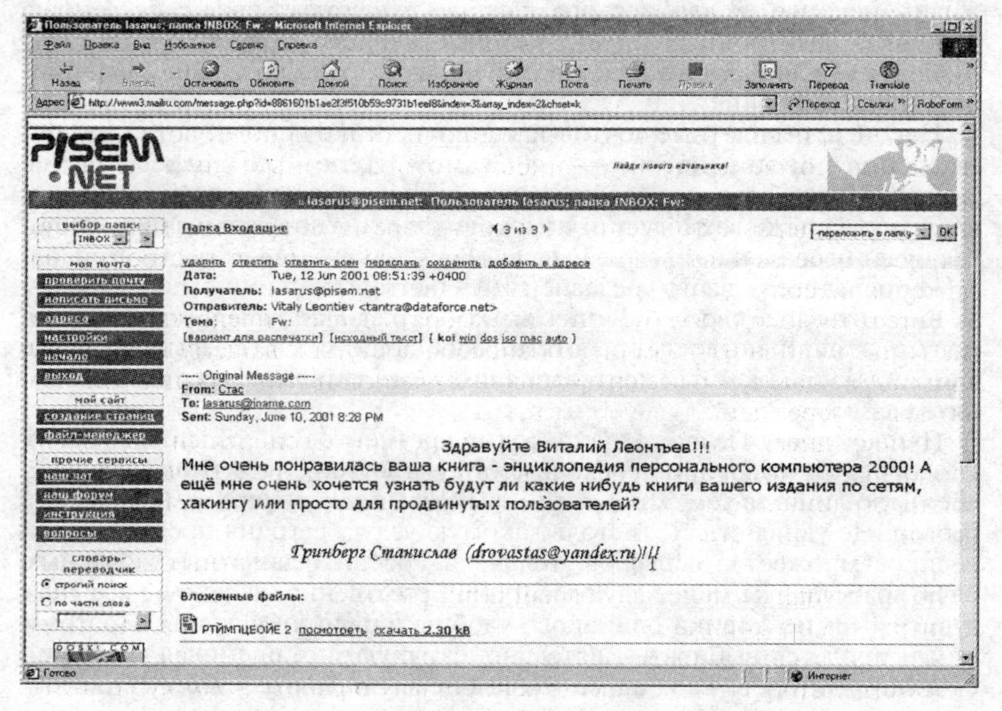

Работа с почтовым ящиком в режиме WWW-доступа

что ваше сообщение не пропадет где-то на полпути от отправителя к вашему почтовому ящику, что, увы, нередко случается с обычными письмами.

Отрада для непосед! А вот остальным пользователям доступ к почтовому ящику через WWW может показаться не таким уж удобным... И дело не только в том, что работать с письмами в Outlook Express гораздо приятнее, чем в окне Internet Explorer — есть фильтры, множество возможностей сортировки. Но еще и в том, что, работая в режиме WWW, вам поневоле приходится ограничиваться чисто текстовыми сообщениями — далеко не все бесплатные почтовые службы позволяют пересылать на «WWW-ящики» письма с вложенными файлами.

Доступ к почтовому ящику по WWW предлагает, например, одна из самых популярных западных служб Hotmail.com или отечественный сервер Mail.ru.

Почтовые ящики с возможностью доступа по протоколу WAP. Этот протокол, напомним, предоставляет возможность работы с ресурсами Сети владельцам мобильных коммуникационных устройств — сотовых телефонов, персональных органайзеров и так далее. Так что ежели у вас в кармане водится «мобильник», оборудованный всем необходимым для работы с WAP, выбирайте сервер, поддерживающий этот протокол.

Виртуальные почтовые ящики с переадресовкой писем. Многие поставщики бесплатных адресов электронной почты отнюдь не жаждут обременять себя хранением почты своих клиентов — дисковое пространство, понимаете ли, стоит денег. Куда проще отвалить от щедрот господских один адрес, а все поступившие на него письма немедленно перебрасывать на другой, указанный пользователем. Именно так поступает, к примеру, сервер www.iname.com, клиентом которого является и автор этой книги. Все письма, отправленные вами на адрес lasarus@iname.com, перебрасываются на почтовый ящик моего текущего провайдера, которые, как ни крути, время от времени меняются. Главное — не забывать вовремя вносить изменения в настройки на сайте iname.com.

Естественно, для вас будет лучше выбрать сервер, предоставляющий как минимум два из упомянутых способа доступа к вашему почтовому ящику. А в идеале — и все сразу: кто знает, какой именно из них понадобится вам через день, неделю, год...

И последнее. По запросу «free e-mail» или «бесплатный почтовый ящик» любой поисковый сервер выдаст вам громадное количество ссылок на странички со списками и описаниями этих ресурсов. Например, на эти:

http://mvmgroup.agava.ru/rusmail.html
http://freemail.4u.ru/

Авторы этих страничек проделали большую работу и конкурировать с ними по полноте представления материала у меня нет ни возможнос-

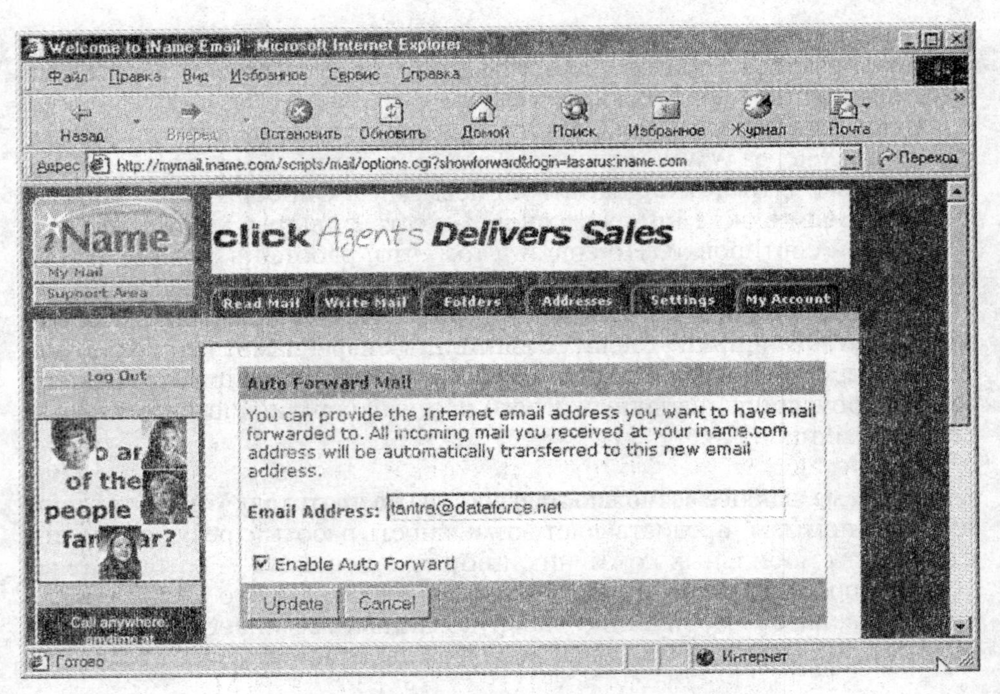

«Переадресатор» Iname.Com

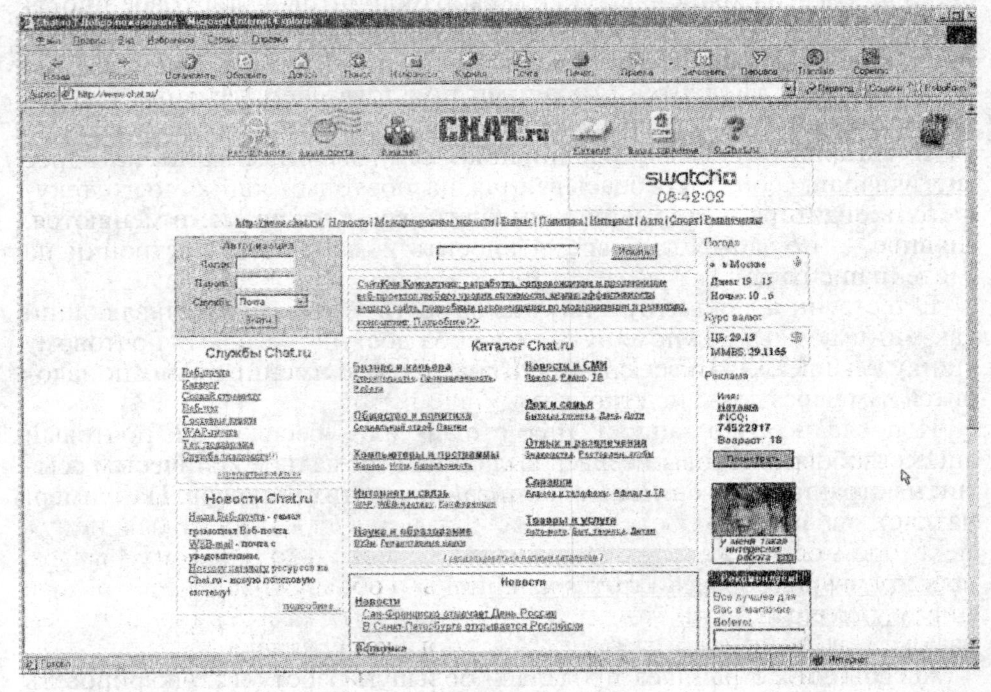

Сервер Chat.Ru

тей, ни, признаюсь, большого желания. Однако для полноты картины, как и в других случаях, рискну предложить вам несколько ссылок на самые популярные и дельные серверы бесплатной электронной почты. А уж там — делайте выбор самостоятельно.

БЕСПЛАТНЫЙ ПОЧТОВЫЙ СЕРВЕР CHAT.RU

(http://www.chat.ru)

Традиционная вотчина любителей Web-доступа к почтовому ящику, почтовый рай для молодежи... И один из самых перегруженных почтовых серверов в России. Но несмотря на это, добрая половина владельцев второго почтового ящика держит его именно на Chat.Ru или на сервере его главного конкурента Mail.Ru...

Предоставляет бесплатный почтовый ящик с адресом типа user@chat.ru, а также место под персональную страничку.

Объем ящика — до 10 Мбайт плюс еще 10 Мбайт для размещения страниц.

Доступ к почте: POP3, WWW, переадресация.

БЕСПЛАТНЫЙ ПОЧТОВЫЙ СЕРВЕР MAIL.RU

(http://www.mail.ru)

Пожалуй, самый популярный бесплатный «почтовик» на просторах Рунета — во многом из-за выгодного домена. К сожалению, популярность имеет не только положительную сторону — иногда доступ к почтовому ящику на Mail.Ru бывает затруднен из-за большого «наплыва» пользователей.

Предоставляет бесплатный почтовый ящик с адресом типа user@mail.ru

Объем ящика — до 2 Мбайт (в ближайшее время может быть увеличен).

Доступ к почте: WWW, POP3, WAP.

БЕСПЛАТНЫЙ ПОЧТОВЫЙ СЕРВЕР HOTBOX.RU

(http://www.hotbox.ru)

Весьма перспективный новичок, бросивший вызов сразу всем именитым «почтовикам» в России. Список предоставляемых им услуг впечатляет, однако молодость этого ресурса заставляет относиться к нему с некоторой осторожностью. В частности, несколько знакомых автора, абонировавших ящик на Hotbox, частенько обнаруживали факт потери писем, приходящих на этот адрес — то ли по пути к серверу, то ли на нем самом. Излечима эта болезнь или нет, покажет будущее.

Из отличительных особенностей сервера назовем хорошую систему предварительной фильтрации почты — откровенный «мусор» может от-

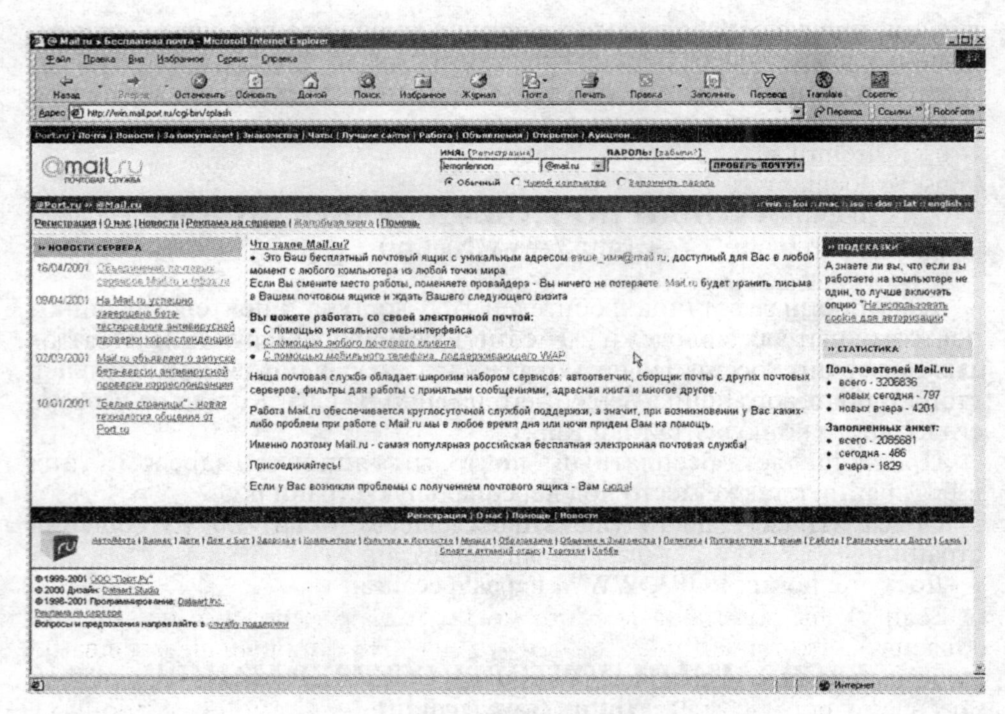

Сервер Mail.Ru

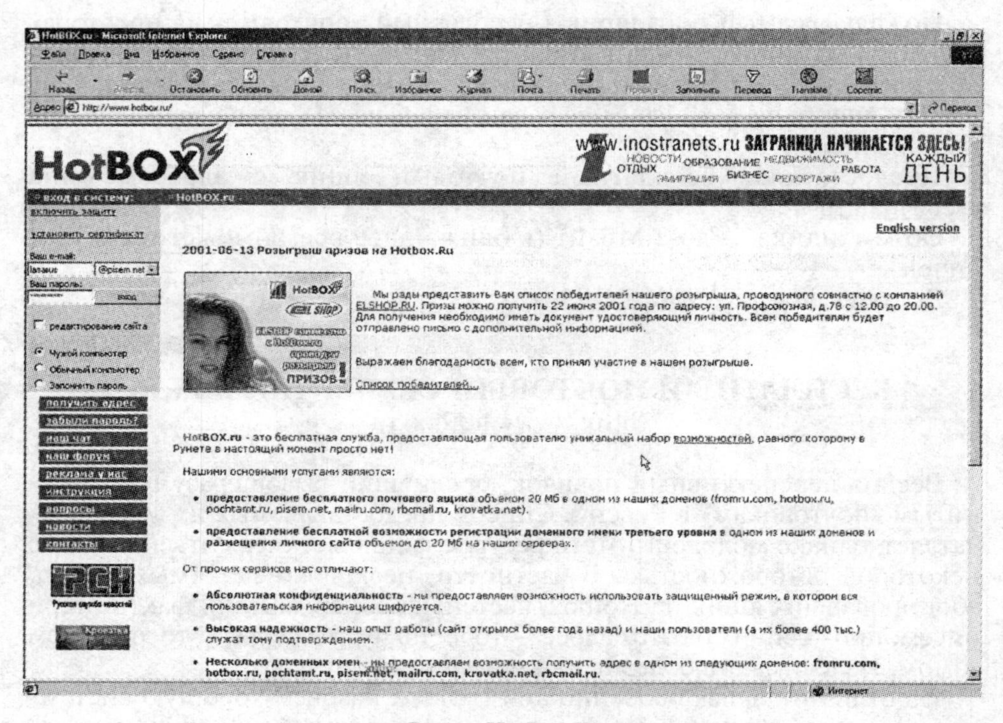

Сервер HotBox.Ru

сеиваться прямо на сервере, не попадая в ваш почтовый ящик — а также почтовый «автоответчик».

Предоставляет бесплатный почтовый ящик с адресами типа

user@hotbox.ru
user@fromru.ru
user@pochtamt.ru
user@pisem.net
user@mailru.com
user@krovatka.net
user@rbcmail.ru

Объем почтового ящика — 20 Мбайт (размер письма — до 15 Мбайт!) плюс 20 Мбайт для размещения персональной странички.

Доступ к почте: POP3, WWW, переадресация.

БЕСПЛАТНЫЙ ПОЧТОВЫЙ СЕРВЕР YANDEX.RU
(http://mail.yandex.ru)

Если уж вы дочитали до этого места, то вам, вероятно, нет нужды объяснять, что такое Яndex и с чем его едят. Но если раньше мы с вами разбирали только поисковые возможности этого сервера, то сейчас самое время поработать с приложенной к нему системой электронной почты.

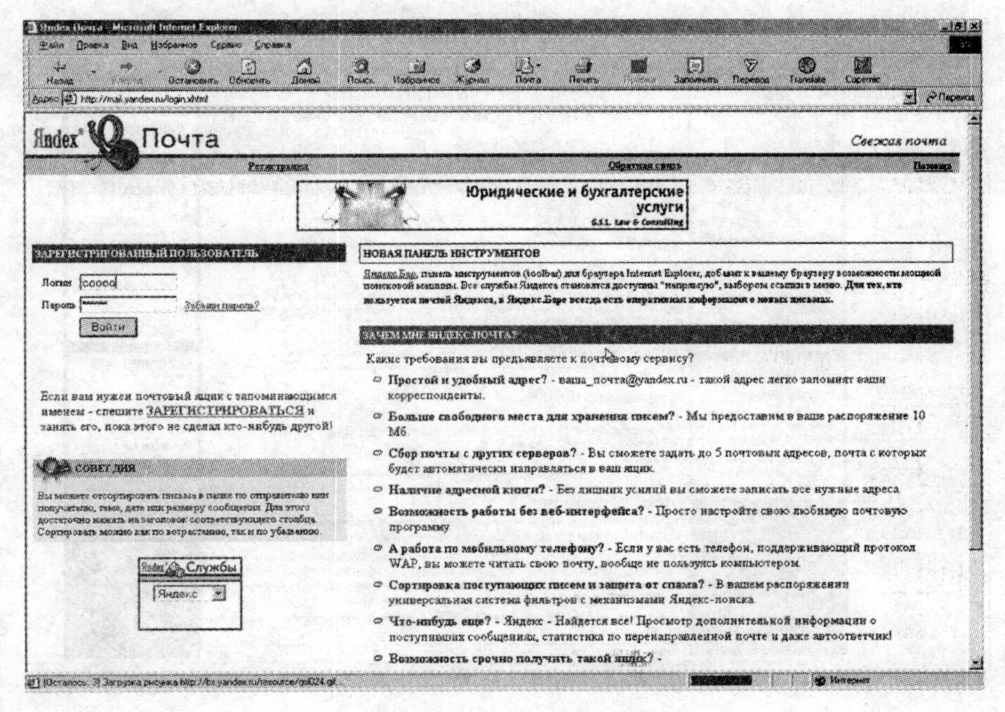

Почтовый сервер Yandex

Возможен быстрый доступ к почтовому ящику Яndex с помощью специальной «надстройки» для Internet Explorer — Яндекс Бар (http://bar.yandex.ru) — а также предварительная фильтрация почты с помощью механизмов Яндекс-поиска, автоответчик.

Предоставляет бесплатный почтовый ящик с адресом типа user@yandex.ru или user@narod.ru

Объем почтового ящика — 10 Мбайт.

Доступ к почте: POP3, WWW, WAP, переадресация.

ВСЕ О ПОЧТЕ: ЭНЦИКЛОПЕДИЯ БЕСПЛАТНЫХ ПОЧТОВЫХ СЕРВЕРОВ

(http://emailaddresses.com)

Охотно допускаю, что найдутся-таки привереды, которым будет недостаточно описанных выше четырех серверов. Что ж, дело читателя — желать, а дело автора — выполнять...

Сервер Emailaddresses.com готов порадовать любителей «полных досье» подборкой из более тысячи(!) интереснейших ссылок на серверы бесплатной почты по всему миру. Разумеется, можно заказать выборку и по России. Как уверяют авторы, их подборка Emailaddresses.com самая полная в Сети... Во всяком случае, в Рунете.

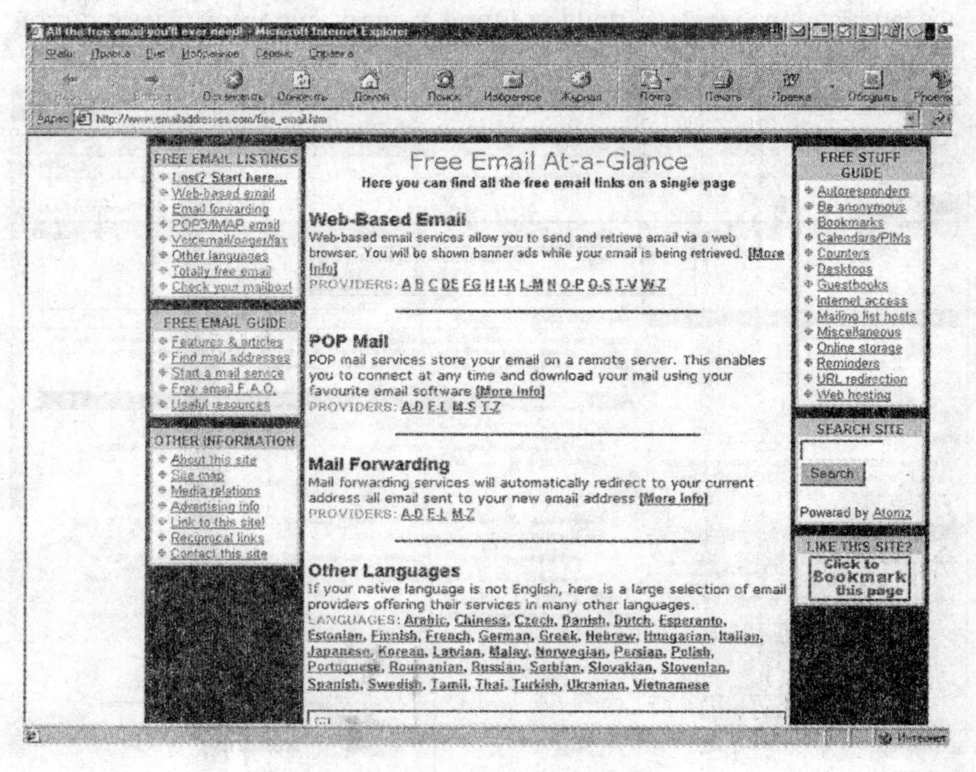

Сервер Emailaddresses.com

Кроме обзора почтовых серверов, на сайте можно найти массу интересной информации о других бесплатных сервисах Emailaddresses.com — «голосовой почте», отправке факсов через Сеть, почтовых рассылках, бесплатных приятностей для вебмастеров и т. д.

Имейте в виду: до недавнего времени в России имелся собственный русскоязычный аналог Emailaddresses.com — сервер «Все о почте» (http://smokio.virtualave.net). Однако в момент подписания этой книги к печати этот райский уголок весьма неожиданно прекратил свое существование. Однако автор настоятельно рекомендует зайти по этому адресу — авось страничка и оживет...

Работа с электронной почтой в программе Outlook Express

Можно как угодно относиться к программам Microsoft вообще и к Internet Explorer в частности, но даже самые заядлые скептики признают, что Outlook Express — превосходная программа.

Напомним, что в более ранних версиях Internet Explorer работа с почтой и новостями была разделена и пользователю приходилось иметь дело с двумя программами вместо одной. Это вызывало бесчисленные нарекания потребителей, поэтому в четвертой версии работу с почтой и новостями было решено объединить в одном программном комплексе — Outlook Express.

Конечно, даже этот превосходный комплекс нуждается в настройке и оптимизации, но, вероятно, вам не придется это делать. Почему? Да потому что настройка Outlook Express, скорее всего, уже произведена вашим Мастером подключения к Интернет в процессе настройки соединения. Вам необходимо будет внести изменения в параметры Outlook Express только в том случае, если вы не пользовались Мастером, а создавали соединение с Интернет вручную, с помощью папки «Удаленный доступ».

Может быть, все-таки стоит перестраховаться?

Как вы уже знаете, программный комплекс Internet Explorer, в состав которого включен и Outlook Express — бесплатный продукт. И устанавливать его можно со спокойной совестью даже с пиратских дисков — другое дело, что на многих из них установочный комплект (или по-компьютерному, дистрибутив) может быть дан в урезанном виде.

Русскую версию Internet Explorer можно бесплатно получить и на WWW-странице Microsoft, однако мне трудно рекомендовать вам скачивать из Сети несколько десятков мегабайт. Дорогое это удовольствие, да и времени займет немало. Диск купить куда проще и дешевле, и совершенно необязательно пиратский... Например, вполне официальный компакт-диск с Internet Explorer выпущен как российским представительством Microsoft, так и известным мультимедийным издательством «АураМедиа».

К сожалению, последняя на сегодняшний день, шестая версия Internet Explorer, равно как и входящий в ее состав Outlook Express, в виде отдельного продукта выпущена не будет. Отныне, утвердившись в качестве полноправного компонента Windows, Internet Explorer будет поставляться только в составе этой операционной системы — а значит, получить Internet Explorer 6 законным образом можно будет только вместе с полным комплектом операционной системы Windows XP, для которой он, собственно, и разрабатывался.

И последнее — не забудьте, что устанавливать англоязычный вариант Internet Explorer поверх русской версии Windows не стоит. Так что выбирайте именно локализованный, русскоязычный вариант программы.

ВНЕШНИЙ ВИД И НАСТРОЙКА OUTLOOK EXPRESS

Запустить Outlook Express вы можете, нажав одну из четырех иконок Интернет на Панели быстрого доступа Windows. Можно сделать это и через кнопку «Почта» в программе Internet Explorer. Наконец, доступен он и через Меню Пуск / Программы, хотя вряд ли вы будете пользоваться для запуска Outlook Express столь извращенным способом доступа. Благо других, более простых, вполне достаточно.

Но на какую бы кнопку вы ни нажали — результат один. Перед вами предстанет вот такое симпатичное окошко...

Точнее говоря, окошко не одно, а сразу четыре: два справа, побольше, и два маленьких слева.

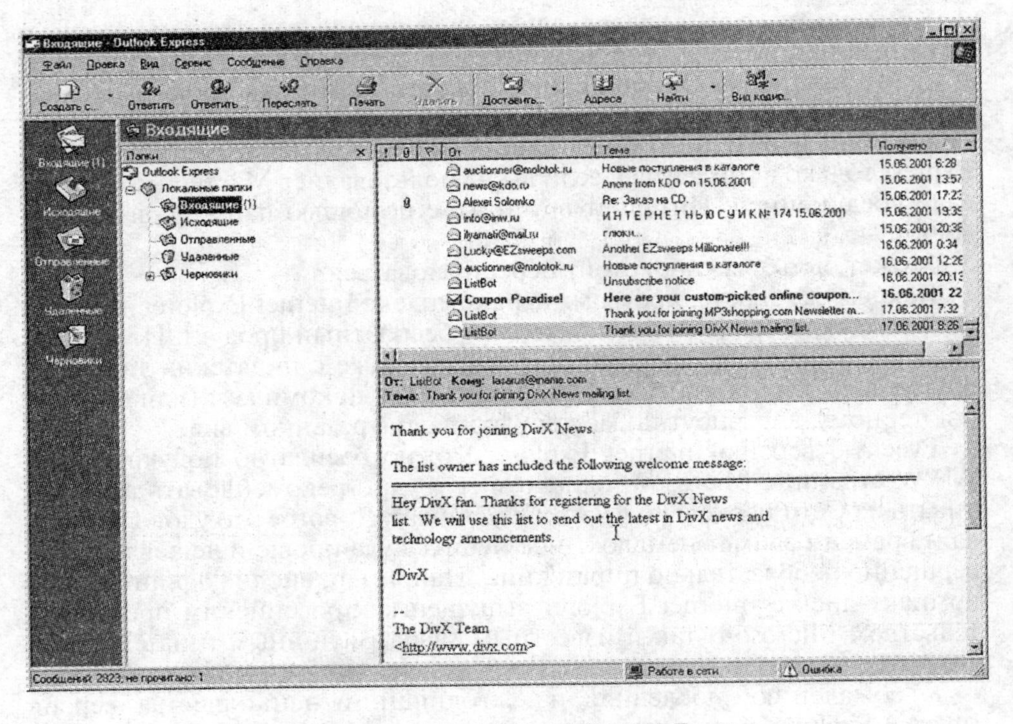

Менеджер почты и новостей Outlook Express

- Верхнее левое окно — так называемое окно папок: именно здесь помещаются папки входящей, исходящей почты, отправленных и удаленных вами сообщений. Кстати, совершенно необязательно ограничиваться имеющимися папками, вы спокойно можете создать здесь новые... Но об этом потом.
- Внизу слева расположено окно контактов — адресная книга, в которую вы заносите имена и электронные адреса ваших постоянных адресатов.
- Верхнее правое окно — окно заголовков, в котором вы можете увидеть список пришедших на ваш адрес писем или статей из групп новостей.
- Наконец, последнее, четвертое окно служит для отображения текста выделенного вами сообщения.

На очереди — управляющие панели. Как и в Internet Explorer, Outlook Express снабжен кнопочной панелью, на которую вынесены все часто используемые вами функции, и управляющим меню вверху экрана. На кнопочной панели Outlook Express — девять крупных кнопок, с помощью которых можно получить доступ к самым необходимым функциям: Создание нового сообщения, Печать сообщений, Доставка сообщений, Удаление сообщений, Печать сообщений, Адресная книга, Поиск нужных сообщений и адресов электронной почты.

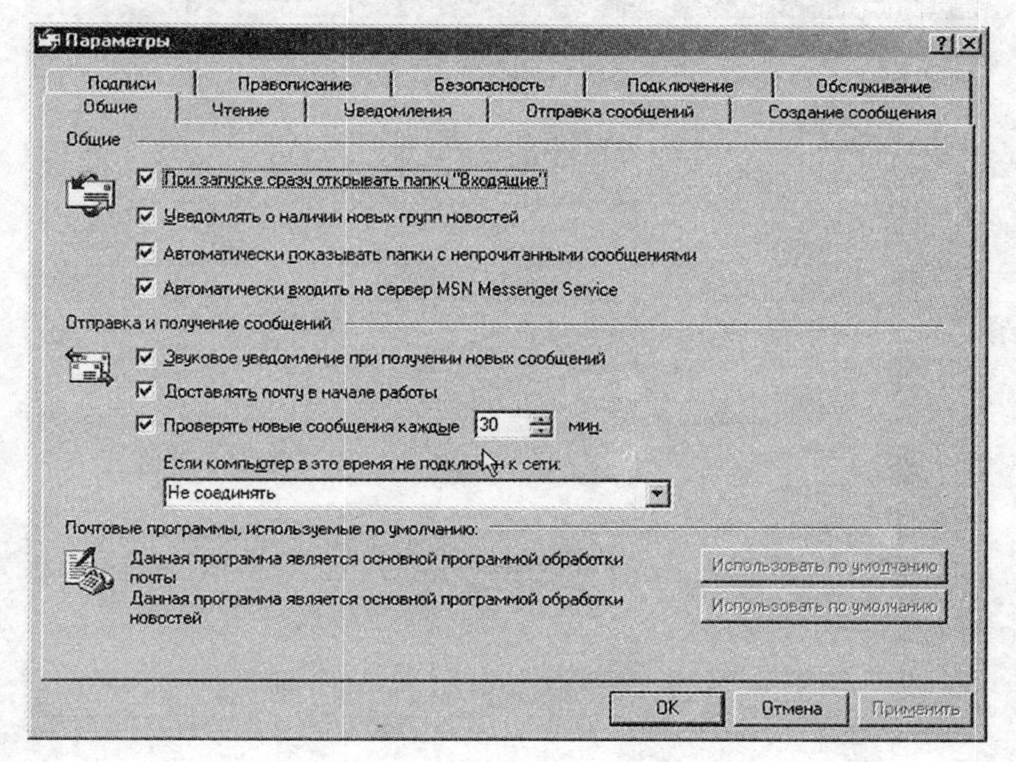

Настройка Outlook Express. Вкладка Общие

Однако прежде чем мы начнем работать с Outlook Express, разберемся с настройкой программы.

Что нам нужно для этого? Меню «Параметры», не так ли? Ведь именно с его помощью мы настраивали Internet Explorer. Вспоминая старые навыки, заходим в меню «Вид» и...

Ой, ошибочка вышла! Никакого меню «Параметры» здесь нет. Казалось бы, что стоило Microsoft сделать у всех программ комплекта Internet Explorer одинаковый или хотя бы схожий интерфейс — так нет же! А, стало быть, нам придется искать.

Наконец-то! Искомые «Параметры» обнаружились в соседнем меню — «Сервис». Заходим в них и начинаем настройку.

Вкладка «Общие». Здесь ничего объяснять не надо — все просто и понятно. Чем больше пунктов помечено «галочками», тем лучше. Хотите, чтобы каждый раз при получении нового сообщения Outlook Express уведомлял вас об этом — не забудьте пометить галочкой соответствующие пункты меню. Полезно также пометить еще и пункт «При запуске открывать папку "Входящие"» (чтобы сразу видеть все присланные на ваш адрес письма).

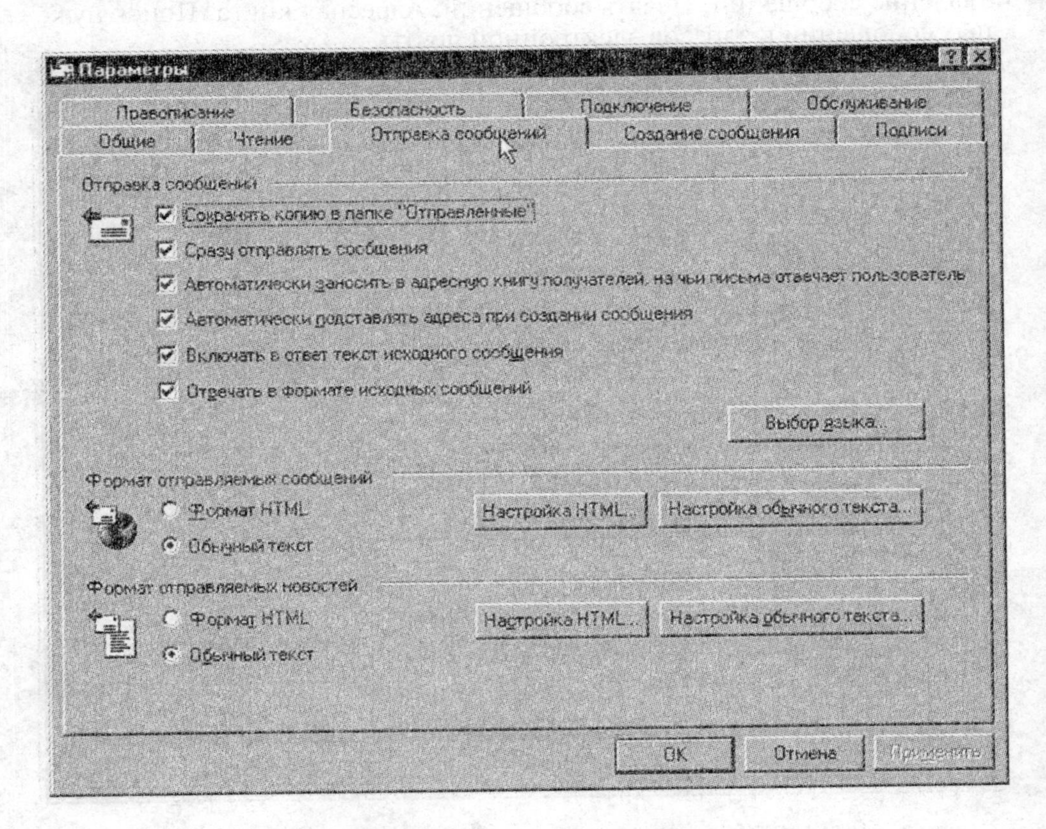

Настройка Outlook Express. Вкладка Отправка сообщений

Вкладка «Отправка сообщений». Здесь вы устанавливаете параметры отправки созданных вами сообщений. Непонятно? Попробую объяснить доступнее. Первоначально все сообщения электронной почты рассылались в виде простых текстовых файлов, без всяких «рюшечек» и сложного форматирования. И лишь сравнительно недавно в моду вошел новый стандарт писем — HTML, знакомый нам формат гипертекстовых документов Интернет. Используя HTML, вы можете создавать Очень Красивые Письма — с разнообразными шрифтами, фоновыми рисунками и прочим. Точь-в-точь как настоящие Web-странички. Но злоупотреблять этим не стоит — не все клиенты электронной почты умеют распознавать HTML (хотя таких отщепенцев с каждым годом становится все меньше). Да и красивость в сообщениях уместна далеко не всегда... Так что мой совет — выберите и для почты, и для новостей формат обычного текста, а не гипертекстовый формат HTML. Все остальные пункты пометьте галочками, если это уже не сделано «по умолчанию».

Еще одна полезная вкладка — **Обслуживание**. Хотите, чтобы удаленные вами письма не сохранялись в специальной папке (на радость все тем же зловредным шпионам и прочим домашним), а отправлялись прямехонько в небытие, — поставьте галочку напротив пункта «Очищать

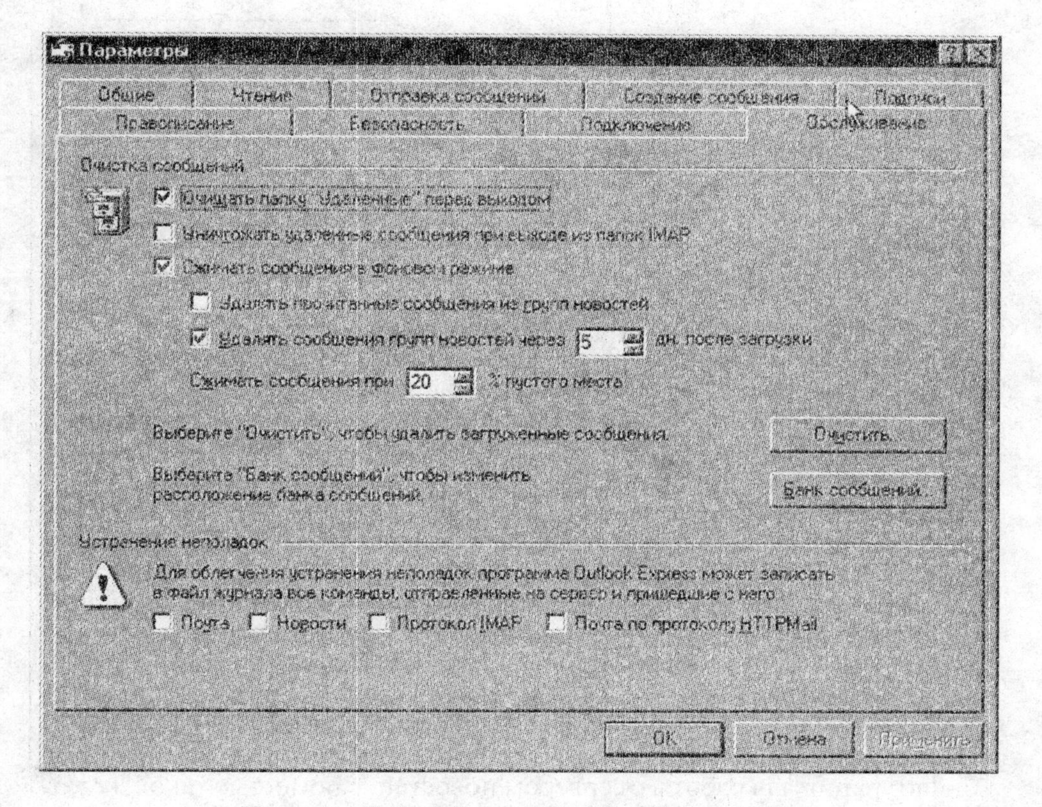

Настройка Outlook Express. Вкладка Обслуживание

папку "Удаленные" перед выходом». Здесь же можно установить параметры автоматического удаления сообщений из групп новостей.

В остальных меню — пока! — можно все оставить как есть.

Но позвольте! Все эти параметры относятся только к «внешности» Outlook Express. А где же самые главные для нас параметры — имя почтового сервера, к которому мы будем подключаться, пароль для доступа к нему и т. д.?

Удивительно, но в меню «Параметры» этого нет! И, стало быть, весь наш опыт работы с Internet Explorer помочь нам не может...

Ладно, не отчаивайтесь. Подскажу. Все указанные выше параметры выделены в отдельный пункт того же меню «Сервис» под названием «Учетные записи». Трудно догадаться, не правда ли?

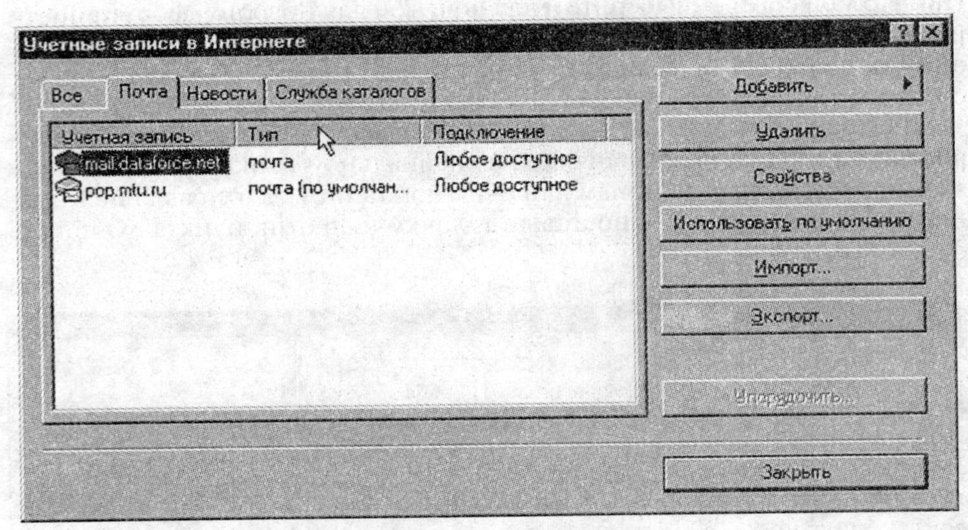

Учетные записи Outlook Express

Однако не будем тратить время на очередные слова благодарности в адрес Microsoft — у кого из нас не бывает промахов? Заходим в «Учетные записи» и проверяем, все ли там настроено как надо.

Нас интересуют всего две вкладки из имеющихся четырех: «Почта» и «Новости». Сначала заходим в «Почту» и проверяем, есть ли в этой вкладке хоть одна учетная запись.

Вы видите имя своего почтового сервера в списке учетных записей? Прекрасно. Если вы использовали Мастер подключения к Интернет, все так и должно быть. Остается проверить некоторые мелочи типа пароля. Для этого выделите щелчком мышки вашу запись и щелкните по кнопке «Свойства». Здесь вы можете с помощью вкладок «Общие» и «Серверы» изменить любые параметры доступа к вашему почтовому серверу. Будьте очень внимательны при написании пароля — ошибка даже в одной букве приведет к тому, что ваш «почтовый ящик» окажется вам недоступен.

Теперь проверьте учетные записи во вкладке «Новости», где хранится конфигурация для работы с сервером новостей, с помощью такой же последовательности действий.

ДОБАВЛЕНИЕ НОВОГО ПОЧТОВОГО ЯЩИКА

Предположим, что по какому-то капризу судьбы разделы «Почта» и «Новости» в меню «Учетные записи» пусты. Значит, программа пока еще не знает, откуда и как ей забирать почту и новости, и нам необходимо «рассказать» ей об этом, т. е. — создать новую учетную запись.

Нажмите кнопку «Добавить» в одной из вкладок и выберите, какую именно учетную запись вы хотите создать (для почтового сервера или сервера новостей). Теперь вас возьмет под свою опеку соответствующий Мастер настройки — фактически, это будет кусочек Мастера подключения к Интернет, работу которого мы описывали выше, в главе, посвященной Internet Explorer. Так что в случае надобности вернитесь туда. Описывать работу Мастера подробно здесь не имеет смысла — его инструкции достаточно просты: ввести свой электронный адрес, имя, адрес сервера почты... Ну, имя свое вы, надеюсь, и сами знаете, а остальные сведения вам должен предоставить провайдер.

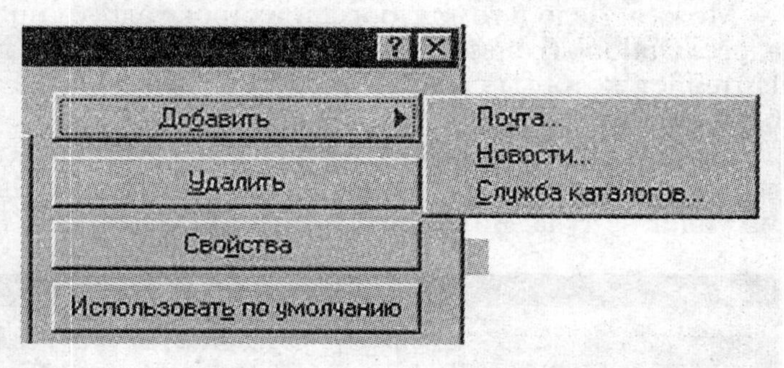

Добавление нового почтового ящика

Маленькая хитрость: немногие знают, что Outlook Express может работать с *несколькими* почтовыми ящиками одновременно, равно как и с несколькими серверами новостей. И если вы имеете несколько электронных адресов и почтовых ящиков — скажем, один для рабочей почты, другой — для личной, вы вполне можете заставить Outlook Express просматривать их все. Для этого создайте на каждый почтовый ящик или сервер новостей отдельную учетную запись, руководствуясь описанной выше процедурой.

Едва ли не основной (и весьма приятной) особенностью последних версий Outlook Express является поддержка бесплатной почтовой службы Hotmail. До сих пор доступ к ее услугам (читай — отправка и получение писем) был возможен только в режиме WWW: пользователю приходилось каждый раз заходить на Web-страницу Hotmail, чтобы прочитать пришедшую почту или отправить новое письмо. Теперь же в Outlook Express добавлен специальный механизм, благодаря которому пользователь может не только быстро зарегистрироваться на сервере Hotmail и получить бесплатный электронный адрес типа username@hotmail.com, но и работать с почтой в привычном режиме Outlook Express. Правда, при этом создается новая Иерархия папок — стандартные папки «Исходящие», «Входящие» и т. д. для Hotmail не подходят. Но это в чем-то даже удобно — почта, пришедшая на Hotmail, будет отделена от прочих сообщений.

Адрес Hotmail останется с вами навсегда и не изменится даже в том случае, если вы поменяете провайдера. Таких сервисов в Сети в принципе существует не так уж и мало, однако в 1998 году некоторые крупнейшие поставщики «постоянных» электронных адресов (в частности, usa.net и iname.com) внезапно стали требовать деньги за свои услуги. Что, понятно, не могло не сказаться на популярности Hotmail, которая твердо намерена и в дальнейшем поставлять услуги совершенно безвозмездно, т. е. даром.

Запустить Мастера регистрации в Hotmail вы можете с помощью меню ***Сервис/Получить новую учетную запись/ Hotmail***.

РАБОТА С АДРЕСНОЙ КНИГОЙ

Держать в памяти электронные адреса всех своих партнеров по переписке сложно. Да и письмо с безликим адресом в поле «Кому» смотрится как-то не слишком весело. Вот если бы можно было писать здесь имя...

Можно. Дело в том, что, если в строке адреса присутствует имя, а не адрес, Outlook Express автоматически обращается к поисковым службам Интернет, которые способны найти электронный адрес обладателя любого имени.

Проблема лишь в том, что имя вы должны написать строго в том виде, в котором оно зарегистрировано в Интернет. Ошибетесь — и письмо уйдет не туда. Билл Гейтс — это Bill Gates, а не Bill Geits. А вариан-

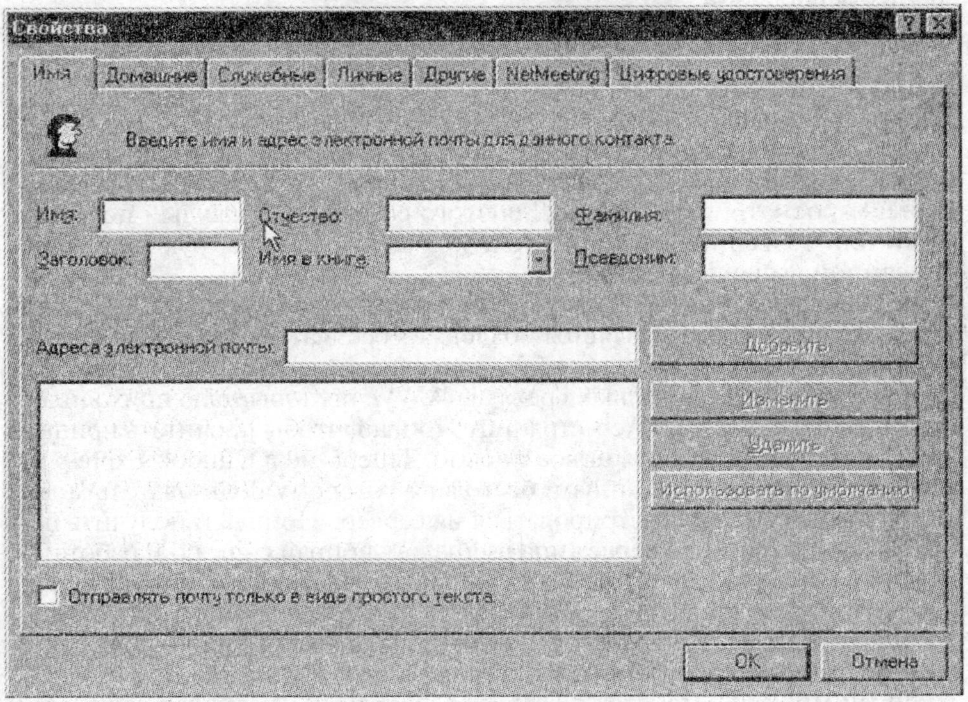

Адресная книга Outlook Express

тов написания одного и того же имени латинскими буквами может быть много...

К тому же даже при правильном написании имени перед вами встанет проблема: как выбрать одного нужного вам адресата из двух-трех десятков полных тезок? Загадка...

Так что же, можно распрощаться с идеей имени в адресной строке? Отчего же. Для того чтобы иметь дело с именами вместо адресов, вам надо прибегнуть к услугам вашей Адресной книги. Она, как вы помните, доступна через кнопку «Адреса» или через панель «Контакты» в левой нижней части окна Outlook Express.

Заносить адреса в адресную книгу можно в ручном и автоматическом режимах. Для того, чтобы адреса и имена всех ваших адресатов фиксировались в книге автоматически, вам необходимо поставить галочку напротив пункта ***«Автоматически заносить в адресную книгу получателей, на чьи письма отвечает пользователь»*** в меню ***Сервис /Параметры /Отправка сообщений*** Outlook Express (если вы не сделали этого раньше).

Вручную добавить нового адресата в книгу можно так: нажмите кнопку «Адреса» на панели кнопок Outlook Express, затем — кнопку «Создать». Теперь вам остается только внести в бланк адресной книги информацию об имени и фамилии вашего адресата в его электронном адресе. Кстати, после ввода адреса не забудьте нажать кнопку «Добавить» рядом с адресной строкой.

Для ввода нового адреса вы можете также воспользоваться пунктом «Создать Контакт» Контекстного Меню папки «Контакты».

Для того, чтобы воспользоваться адресной книгой при создании нового письма, щелкните по значку рядом со строкой «Кому» в бланке вашего нового сообщения. В открывшемся списке имен адресной книги выберите нужное вам имя и добавьте его в список получателей письма двойным щелчком мыши.

Напомню: вы можете отправить одно и то же письмо нескольким адресатам сразу — для этого добавьте в список получателей несколько имен из адресной книги.

СОЗДАНИЕ И ОТПРАВКА НОВОГО СООБЩЕНИЯ

С чего начнем? Получать нам пока еще нечего — только что созданный почтовый ящик пуст, и вряд ли можно ожидать, что в нем что-то появится... пока вы не напишете письмо сами. Например, знакомому или партнеру по бизнесу. Или любимой девушке... Мол, поздравьте меня, я в Интернете!

Нажмите кнопку «Создать сообщение» на панели Outlook Express. Перед вами появится чистый бланк письма, который вы и будете добросовестно заполнять в ближайшие пять минут.

Начать нужно с адресата — человека, которому вы собираетесь черкнуть пару строчек. Ввести этот адрес нужно в строку «Кому». Никаких имен, никаких кавычек, никаких пробелов. Просто адрес — например, lasarus@iname.com.

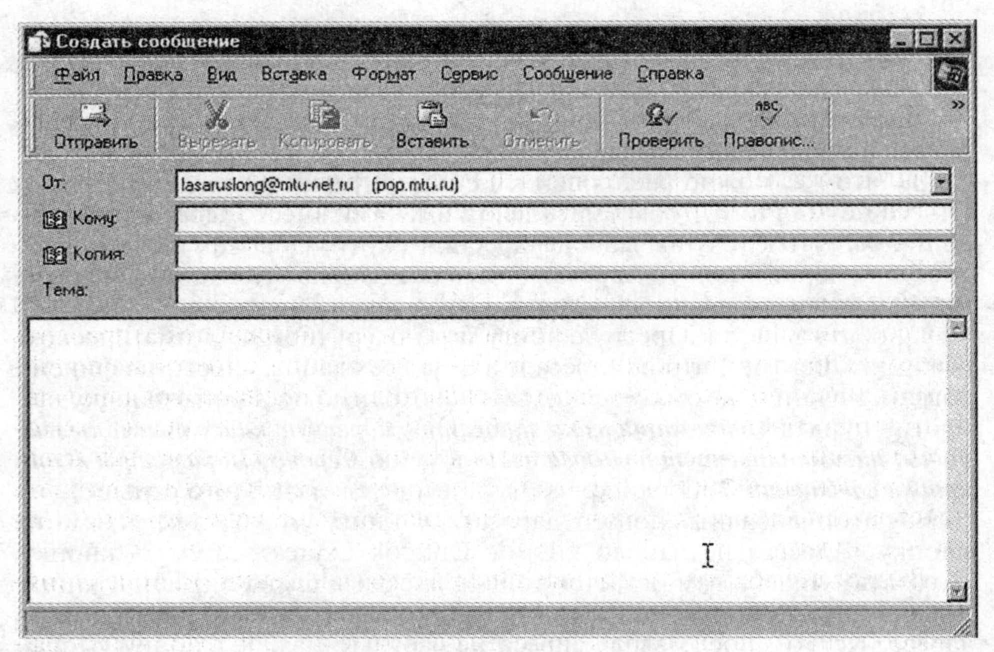

Создание нового письма

Выглядит скучно. Но вы можете поступить и по-другому: внести имя и e-mail вашего адресата в Адресную книгу (кнопка ***Адреса***, меню ***Новый***). Добросовестно заполните все поля (впрочем, вполне достаточно ввести имя, фамилию и электронный адрес) — и имя нужного вам человека появится в окне ***Контакты***. А в будущем для создания нового письма этому человеку вам нужно будет просто щелкнуть по его имени, и именно имя (а не безликий электронный адрес) появится в строчке «Кому» вашего будущего письма. Открыть адресную книгу можно, щелкнув мышкой по кнопке «Кому».

Письмо можно разослать и нескольким адресатам — для этого нужно указать всех получателей в строке «Кому». Впишите в поле «Кому» электронный адрес всех получателей письма через точку с запятой (или, щелкнув мышкой по кнопке «Кому», выберите нескольких получателей из Адресной книги). Однако лучше поступить по-другому — оставить в строчке «Кому» только одного адресата, а всех остальных поместить в следующую строчку — «Копии». В этом случае каждый адресат из вашего списка получателей потешит свое тщеславие, узрев свое имя наверху, а всех остальных — внизу. Мол, он главный!

Но бывают и такие случаи, когда жизненно важно разослать одно-единственное письмо в добрый десяток адресов... и не дать при этом вашим адресатам и малейшего намека на то, что этот текст не был сочинен лично для них. Где это может пригодиться? При создании рекламных текстов, электронных бюллетеней или даже любовных писем. Ах, как любят молодые повесы, создав самое романтическое, самое пламенное и нежное в мире изъявление любовных чувств, отправить его нескольким избранницам одновременно!

Нетрудно представить себе, что подумает дама сердца эдакого рыцаря, обнаружив в пришедшем к ней любовном послании солидный список «альтернативных» получателей...

Так вот, чтобы этого не произошло, необходимо внести всех получателей (кроме главного) в строчку «Скрытая», т. е. — создать тайные, скрытые от глаз других получателей копии письма. Романтика!

Наконец, последняя строчка — «Тема», в которую вы впишете заголовок вашего послания. Здесь все зависит от вашей фантазии.

Кстати, о фантазии. Выбрав в меню ***Сервис/Параметры/Отправка/Формат отправки сообщений*** HTML в качестве основного формата для создания новых сообщений, вы получите возможность отправлять вашему адресату роскошные, красочные послания с цветным шрифтом и фоном, многочисленными украшениями... Однако, если получатель этого сообщения пользуется не Outlook Express, а другим почтовым клиентом, то есть вероятность, что он, увы, не сможет эти ваши «навороченные» письма прочесть. Вот почему я советовал вам выбрать текстовый формат исходного сообщения: меньше возможностей, зато — стандарт...

Вы можете создать красочные письма с поздравлениями, признаниями в любви и так далее с помощью специальных бланков-шаблонов, своеобразных «электронных почтовых открыток». Для этого при создании нового сообщения нажмите не на кнопку «***Создать сообщение***», а на стрелочку справа от нее. В открывшемся Контекстном Меню вы найдете список всех доступных вам бланков.

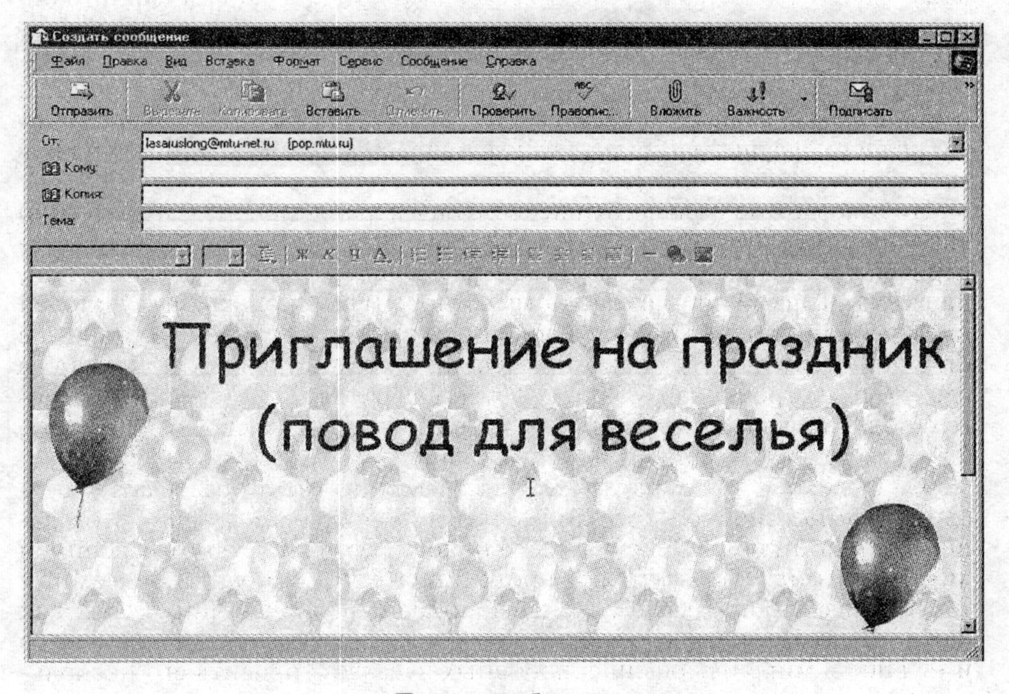

Письмо на «бланке»

Письмо создано. И теперь нам остается одно — нажать на кнопку «***Отправить***». Если вы подключены к Интернет, ваше письмо тут же улетит к адресату, если же нет — переместится в папку «Исходящие» и будет отправлено во время следующего сеанса работы с Интернет. Для этого после входа в Сеть и Запуска Outlook Express нажмите кнопку «Доставить». Кстати, эта же кнопка, параллельно с отправлением созданных вами писем, запустит процесс загрузки с сервера почты отправленных в ваш адрес писем. Может, вам уже ответили?

И напоследок: все отправленные вами письма сохраняются в специальной папке Outlook Express — она называется «Отправленные». И зайдя в нее, вы в любую минуту можете посмотреть, что же такого вы написали другу Коле годик-другой назад и за что именно осталась в большой обиде на вас подружка Оленька...

СПЕЦИАЛЬНЫЕ АТРИБУТЫ ПИСЕМ

В Outlook Express существует ряд специальных «сигнальных ярлычков», которые могут быть «наклеены» на отправленное вами сообщение. Некоторые из них программа присваивает письму автоматически — скажем, если ваше письмо будет содержать файл-вложение, получатель увидит напротив его заголовка значок скрепки. Другой значок — «розетка» — будет прикрепляться к письмам, снабженным электронной подписью (эта тема будет подробнее раскрыта в главе, посвященной безопасности в Интернет).

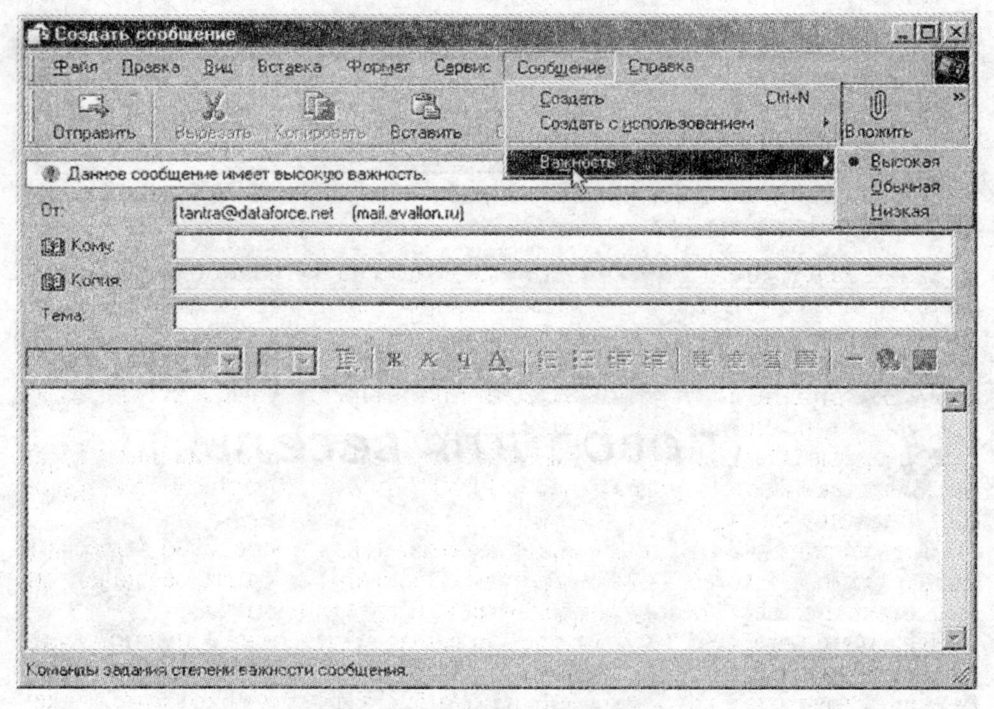

Установка атрибута важности

Но некоторые значки, которые призваны выделить ваше письмо среди всех других посланий, акцентировав на нем внимание получателя, можно добавить и самостоятельно. Например, значок в виде восклицательного знака, свидетельствующий о важности вашего сообщения.

Создайте новое письмо обычным порядком, но только перед тем, как нажимать кнопку «Отправить», зайдите в меню ***Сообщение/Важность*** и активируйте пункт «Высокая». Вот теперь письмо можно и отправить.

Могу засвидетельствовать — письмо, снабженное атрибутом высокой важности, наверняка обратит на себя внимание — во всяком случае, не затеряется и не полетит в корзину до прочтения. Не забывайте только о том, что злоупотреблять этим значком не следует. Помните сказку о пастушке, постоянно кричавшем без всякого повода: «Волки! Волки!»? В столь же нелепое положение можете попасть и вы, если будете «украшать» значком все сообщения подряд — к вам просто не будут серьезно относиться.

Еще один секрет напоследок: если вы хотите убедиться, что адресат получил и прочел ваше письмо, вы можете отправить его «с уведомлением». Сделать это легко, выбрав пункт ***Запросить уведомление о прочтении*** в меню ***Сервис*** бланка вашего нового письма.

РАССЫЛКА СООБЩЕНИЙ ГРУППЕ ПОЛЬЗОВАТЕЛЕЙ

Наряду с одиночными письмами иногда приходится отправлять одно и то же сообщение большому количеству адресатов. Что это может быть?

- Поздравление с праздником...
- Информация об обновлении вашего сайта...
- Предупреждение о новом опасном вирусе...
- Свежий прайс-лист — если вы работаете к какой-нибудь коммерческой структуре...

И так далее. Впрочем, если уж у вас возникла потребность использовать эту возможность, то ответить на вопрос «ЗАЧЕМ» вы сможете и сами. Наше же дело выяснить — «КАК».

Один вариант очевиден — вбивать все адреса подряд в строку «КОМУ». Это вполне допустимо, но, если таких адресов у вас в активе десяток-другой, не слишком удобно.

К счастью, Outlook Express умеет работать не только с отдельными адресами электронной почты, но и с ГРУППАМИ, которое могут включать большое количество пользователей.

Все операции с группами выполняются через посредство Адресной книги Outlook Express — так что будьте любезны открыть ее, нажав на уже знакомую вам кнопку «Адреса» на панели программы.

Нажмите кнопку «Создать» в левом верхнем углу окна Адресной книги и выберите пункт «Создать группу». Перед вами откроется «карточка» будущей группы, в которую необходимо будет внести некоторые сведе-

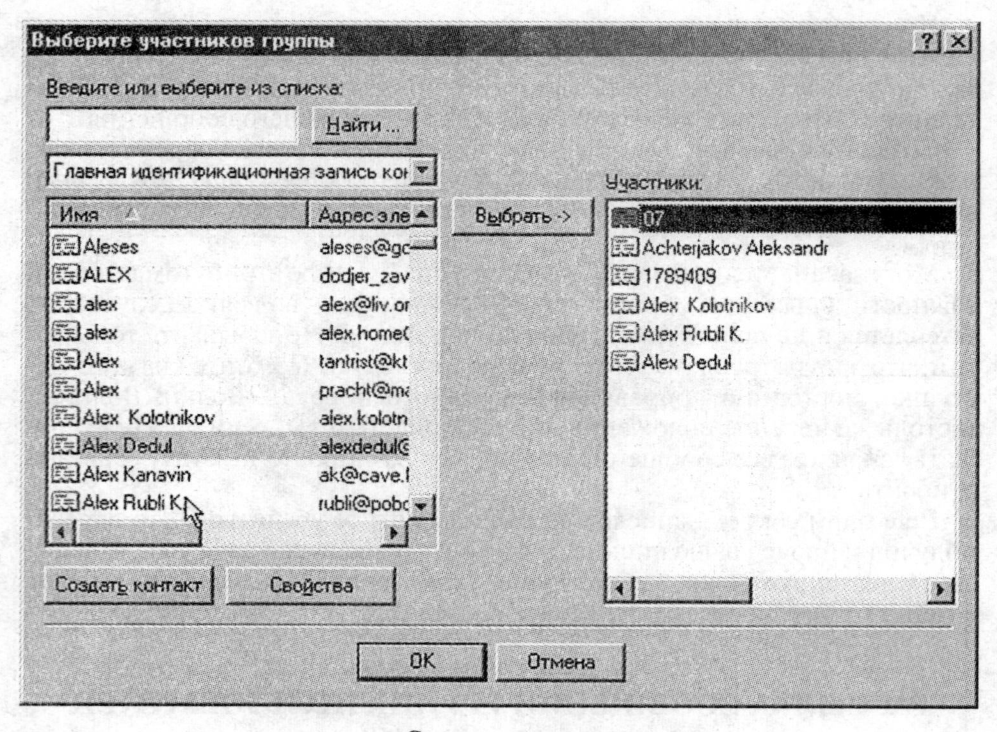

Создание группы

ния о «новорожденной»... И в первую очередь — имена пользователей, которые в эту группу будут включены.

Здесь мы можем пойти двумя путями: если кандидаты в группу уже «зафиксированы» в адресной книге, смело нажимайте кнопку «Выбрать» рядом с окном записей и добавьте в группу все нужные вам записи.

Если же вы хотите внести в группу человека, не представленного в адресной книге, то тут вам придется прибегнуть к другой кнопке — «Создать контакт» — и заполнить карточку участника группы вручную.

Группа создана! Теперь для рассылки писем вы сможете набирать в строке «Кому» бланка вашего письма не кучу адресов, а только имя созданной вами группы. Лучше всего будет выбрать его из той же адресной книги, нажав на кнопку «Кому» в заголовке письма.

ВСТАВКА ФАЙЛА В ПИСЬМО

Я уже говорил о том, что письмо может содержать не только текст. Вместе с ним вы можете переслать вашему адресату любой файл достаточно большого размера — до 1 Мбайта (а иногда — даже больше). Эдакий прицеп с полезным грузом. Здесь может быть фотография, файл с записью голосового приветствия, нужная приятелю программа или готовый документ в формате Microsoft Office.

Чтобы вложить файл в письмо, воспользуйтесь кнопкой с изображе-

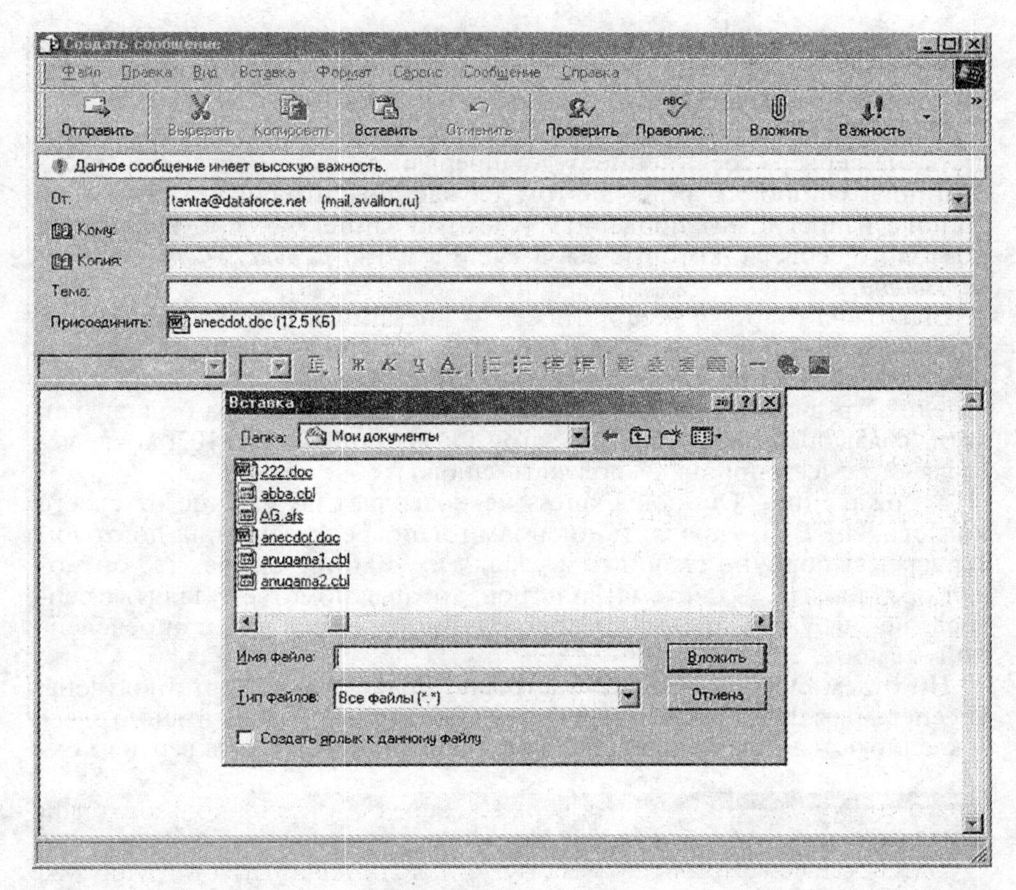

Вставка файла в письмо

нием скрепки на панели Outlook Express. Разумеется, вкладывать файл можно только в режиме создания и редактирования вашего сообщения, до того, как вы нажали кнопку «Отправить». После нажатия «скрепки» перед вами откроется окно проводника, в котором вы должны выбрать предназначенный для вложения файл. Надеюсь, вы еще не забыли, как работать с проводником? Если забыли — обратитесь к соответствующей главе в разделе «Работа с Windows 98/ME».

Отправить файл можно непосредственно из самого проводника: для этого вызовите Контекстное Меню для данного файла, откройте пункт меню ***Отправить/Адресат***, а затем выберите получателя файла из вашей Адресной книги.

ПОЛУЧЕНИЕ И ПРОСМОТР ПОЧТЫ

Если вы запускаете Outlook Express во время работы в Интернет, процесс получения и отправки почты запускается автоматически. В зависимости от количества и объема пришедших писем он может длиться от нескольких секунд до 10—15 мин. Команду проверить почтовый ящик и, в случае надобности, загрузить пришедшие письма, может отдать и сам пользователь, нажав уже упоминавшуюся кнопку «Доставить».

Обратите внимание, что, если вы неправильно ввели пароль для доступа на сервер, соединение будет прервано и почта останется незабранной. Outlook Express в этом случае просигнализирует вам об ошибке и предложит проверить «учетную запись» — т. е. параметры почтового сервера, которые вы указали в меню ***Сервис/Учетные записи/Почта***.

Возможна и другая неприятность — внезапный разрыв соединения при получении почты. Весьма неприятная оказия — теперь в большинстве случаев вам придется скачивать все письма снова, даже если вы уже успели загрузить большую часть из них. На памяти автора был случай, когда связь прервалась во время загрузки 99-го письма из 102, после чего все сто писем пришлось получать заново...

К сожалению, Outlook Express не позволяет, в отличие от своего коллеги The Bat!, управлять письмами непосредственно на почтовом сервере, выборочно скачивая и удаляя их. Единственное, что он может предложить, — система фильтров, которая помогает удалять с сервера, не загружая, письма от определенного адреса или с определенной «темой».

Но будем считать, что все настроено правильно и почта получена. И теперь нам стоит заглянуть в папку «Входящие» — ведь именно здесь «складируются» все пришедшие вам сообщения. А в левом верхнем ок-

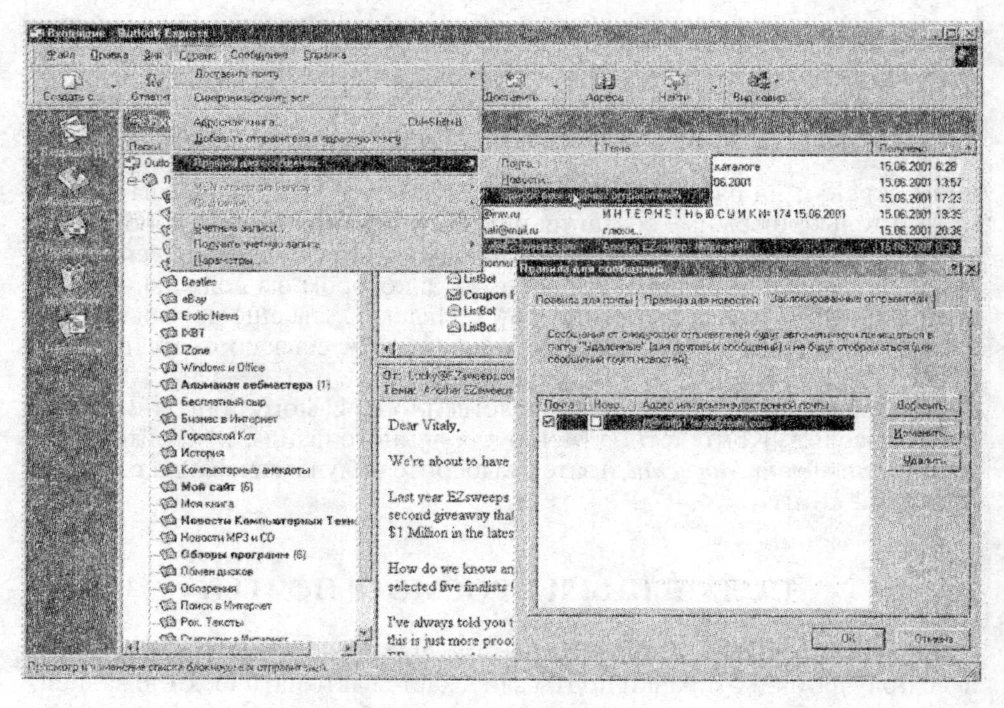

Блокировка отправителей

не, рядом с названием этой папки, будет показано число новых, еще не прочитанных вами сообщений.

В правом верхнем окне вы сможете прочитать заголовки писем. Щелкните мышкой на любом заголовке или перейдите на него с помощью «стрелочек» клавиатуры, и в нижнем правом окне вы сможете прочесть текст сообщения.

Заголовки сообщений, которые вы еще не успели прочесть, отличаются от прочитанных более темным, полужирным шрифтом заголовка. Но это назойливое выделение исчезает, если вы просматриваете это письмо более 5 секунд.

Помечает Outlook Express и сообщения, на которые вы уже ответили — в углу «конвертика», располагающегося рядом с заголовком письма, появляется небольшая стрелочка.

Если в письме имеется вложенный файл (о чем свидетельствует «скрепочка» в левом верхнем углу текстового окна), то, щелкнув по ней левой кнопкой, вы сможете сохранить присланный вам файл на диске или сразу же открыть его для просмотра. А если в письмо вложена картинка или гипертекстовый документ Интернет, это будет автоматически показано вам в нижней части присланного сообщения.

Есть еще одна тонкость, особенно важная для нас, русскоязычных пользователей. Вы не забыли об уже упоминавшейся выше проблеме с кодировками (глава «Текст в Интернет. Проблема кодировок»)? Забыли — напомню еще раз. Существует два основных стандарта кодировки (т. е. соответствия шрифтовых символов определенным «ячейкам» кодо-

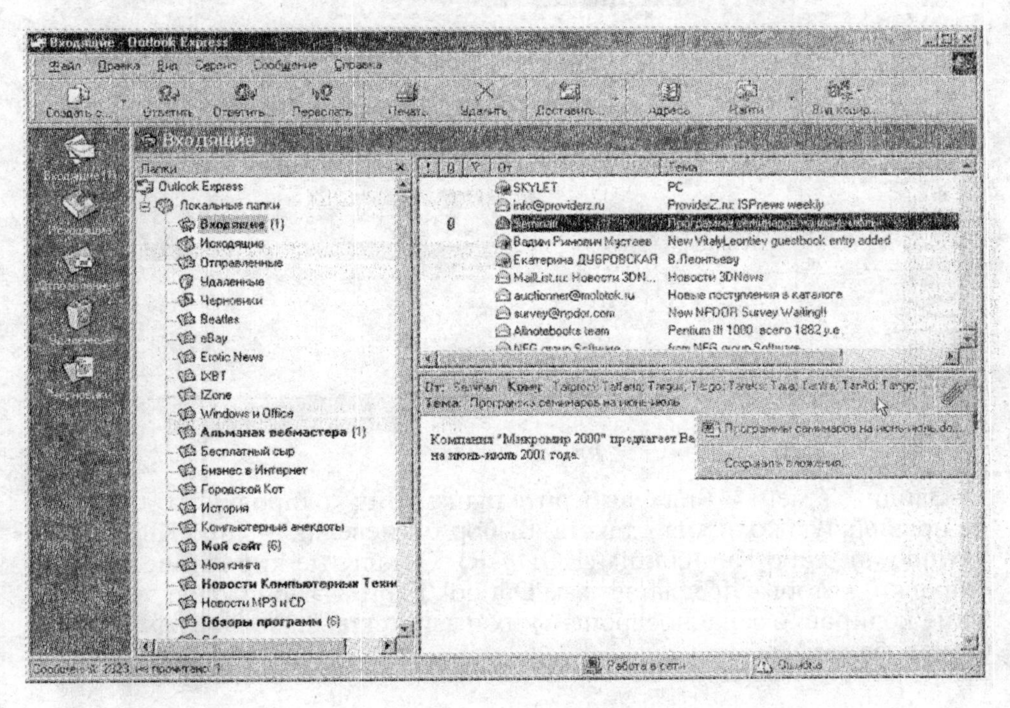

Письмо с «вложением»

вой таблицы) — стандартная кодировка Windows (Win-1251) и кодировка UNIX-систем КОИ-8. Письма создаются и в той, и в другой кодировке, да вот только расположение символов в них совершенно различное. Например, строчка «Наши информационные партнеры» будет выглядеть в КОИ-кодировке так:

мЮЬХ ХМТНПЛЮЖХНММШЕ ОЮПРМЕПШ:

Появляются такие «кракозябры» в том случае, если Outlook Express или почтовый сервер вашего провайдера неправильно определил кодировку письма. Это случается весьма часто, и что прикажете делать в таком случае? Вспоминать дедуктивный метод Шерлока Холмса и расшифровывать «кракозябров» самостоятельно? Нет, все-таки лучше просто указать Outlook Express на его ошибку и заставить строптивую программу правильно отобразить сообщение.

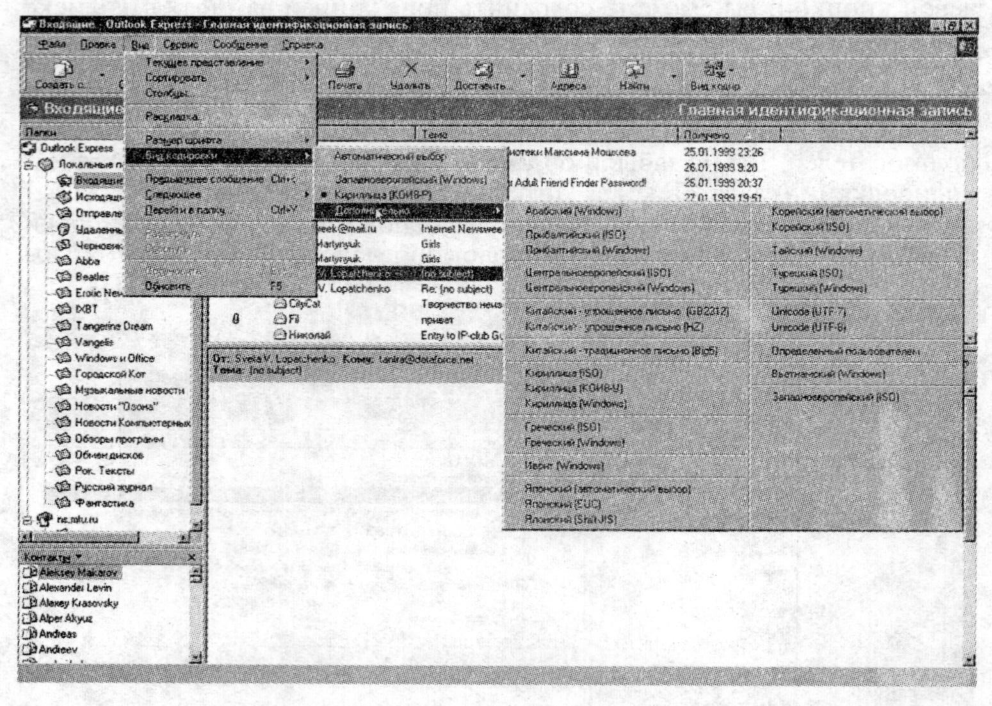

Выбор кодировки

Зайдите в меню «Вид», выберите пункт «Вид кодировки» и установите правильную кодировку текста. Выбор тут невелик — либо Кириллица (Windows), либо Кириллица (КОИ8-R). Остальные кириллические кодировки, которые предлагает вам Outlook Express, равно как и экзотические кодировки западноевропейских и азиатских символов вам вряд ли понадобятся.

СОРТИРОВКА СООБЩЕНИЙ

Нет зрелища печальнее на свете, чем куча разнородных писем, собранных в одной-единственной папке «Входящие». Разобраться в эдакой свалке трудновато — нужное письмо мгновенно теряется в массе других...

С бумажными документами все понятно и просто — мы раскладываем их по тематическим папкам, листочек к листочку. А почему бы не сделать то же самое с электронными сообщениями?

Вот тут-то и пригодится нам такой упомянутый автором прием, как создание ряда дополнительных папок для входящей почты. Отведите для каждой тематической группы писем свою особую

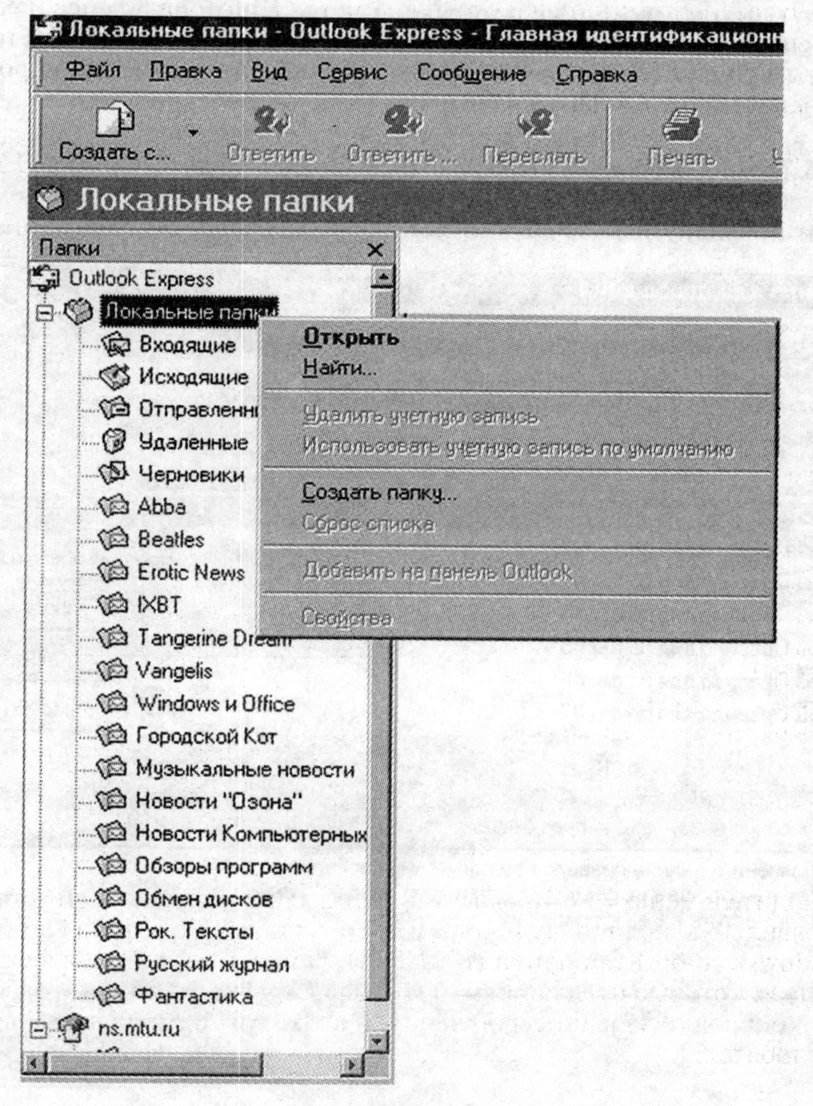

Создание новой папки

папку — и вы сами увидите, что работать вам станет неизмеримо удобнее.

Например, автор этой книги подписан на несколько электронных списков рассылки новостей через e-mail. Ежедневно в мой почтовый ящик падают музыкальные новости, обзоры новых условно-бесплатных программ, новости книжного рынка и т. д. И для каждой группы писем у меня создана особая папка: «Обзоры программ», «Книги», «Битлз» и т. д. В результате работа с письмами заметно ускоряется и исчезает вероятность, что нужное письмо останется незамеченным в груде «электронного мусора».

Создать новую папку «верхнего уровня» можно с помощью Контекстного меню в левом окне программы — щелкните по значку «Локальные папки» правой кнопкой мышки и выберите пункт «Создать новую папку». Создать новую папку можно, впрочем, не только здесь, но и в любой другой папке Outlook Express. Придумайте папке имя и перетащите в нее той же мышкой все подходящие по тематике письма...

Позвольте, зачем же делать это мышкой? Ведь в Outlook Express имеется достаточно мощный автоматический сортировщик писем, который позволит вам за считанные секунды разбросать по папкам не

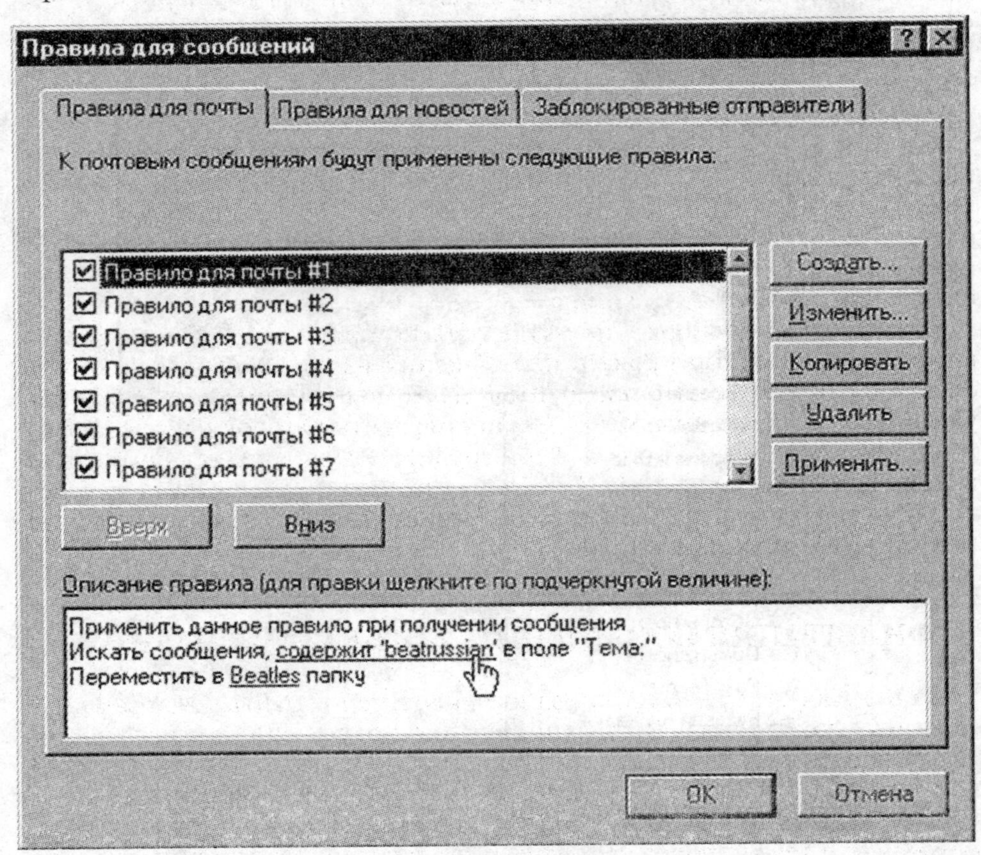

Настройка сортировщика сообщений

только все имеющиеся сообщения, но и автоматически сортировать новую почту.

Включить и настроить сортировщик писем Outlook Express вы можете в меню ***Сервис/Правила для сообщений/Почта*** (в Outlook Express 4 — «Сортировка сообщений»). С помощью кнопки «***Создать***» создайте новое «правило» — параметр, по которому будут сортироваться письма. Это может быть кодовое слово в имени отправителя, в строке «Тема письма» или в самом письме.

Затем внесите в выбранное вами поле признак сортировки. Например, для выборки всех писем, посвященных группе «Битлз», я вношу Beatles в строку «Тема» (или же вношу имя автора большей части этих сообщений в строку «ОТ:»). Теперь вам нужно выбрать операцию, которую будет проделывать сортировщик при получении письма, удовлетворяющего этим параметрам. В данном случае нам нужно выбрать меню «Переместить» и выбрать имя папки, в которую будут перемещаться сообщения. Кстати, сортировщик может не только перемещать письма, но и копировать, удалять их и т. д.

Нажмите кнопку ОК. Мы вновь вернулись в главное меню сортировщика, только теперь мы уже видим здесь созданную нами запись. И последняя операция — с помощью кнопки «Применить» выберите папку, которую будет контролировать сортировщик. В нашем случае — папку «Входящие». Эта же операция позволит отсортировать и уже принятые сообщения.

Кстати, с помощью сортировщика можно выполнять еще и другие полезные операции, например, заставить программу защищать нас от нежелательных писем — откровенного «спама» или сообщений от особо надоедливых адресатов. Если неизвестный адресат заваливает вас ненужными письмами, внесите его имя в параметры сортировщика и выберите пункт «Удалить с сервера».

Сортировщик Outlook Express позволяет, наряду с сообщениями электронной почты, сортировать и сообщения из групп новостей. И эта особенность нам весьма пригодится: далее мы увидим, насколько неудобен и неуклюж стандартный механизм работы Outlook Express с группами новостей... Создав для каждой группы новую, специальную папку в Outlook Express и включив механизм сортировки, мы можем с легкостью обойти то множество подводных камней, которые припасли для нас заботливые авторы программы.

ФИЛЬТРАЦИЯ СООБЩЕНИЙ. БОРЬБА СО «СПАМОМ»

За все удобства рано или поздно приходится платить! Этот закон — один из двух Великих, Вечных и Нерушимых устоев, на которых держится Вселенная. Второй, как можно легко догадаться — это известный всем и каждому Закон Подлости или Оборотной Стороны, как кому удобнее. Словом — у каждой «халявы» всегда есть оборотная сторона, которая то и дело норовит испортить все удовольствие от использования свалившегося вдруг подарочка.

За удобство, доступность и практическую бесплатность электронной почты, равно как и за пользование другими «бесплатными» ресурсами Интернет, вам неизбежно придется платить, тратя огромные усилия на борьбу с рекламными письмами, которые будут каждый день сваливаться в ваш почтовый ящик. Откуда, каким образом? И вы еще спрашиваете... Разве не заполняли вы небольшую форму на сайте, предоставляющем вам какие-то бесплатные услуги — тот же почтовый ящик? А внимательно ли вы прочитали перед этим пользовательское соглашение? Вот то-то и оно.

Разумеется, далеко не все владельцы бесплатных «почтовиков» устраивает своим посетителям такую подлянку. Но ведь не только в них дело! «Бесплатных» мышеловок, напичканных «сыром» стопроцентного качества, в Сети достаточно. И задача многих из них — заполучить ваш почтовый адрес, дабы завалить вас горами обещаний, предложений, опросов... Хорошо, если это будет одно-два сообщения в день... А если больше?

Такой непонятно откуда взявшийся, надоедливый электронный мусор именуется «спамом» (spam). На самом деле «спам» — это вполне безобидные мясные консервы, что-то типа тушенки. Название это стало нарицательным в Америке благодаря одному из комических шоу «Воздушного цирка Монти Пайтона», во время которого слово «Spam» звучала с экрана чуть ли не каждую секунду...

«Can I have “spam, spam, sausage, and spam” without spam?»

«No, because it won’t be “spam, spam, sausage, and spam” then!»

И далее в том же духе.

Понятие же «электронного спама» появилось на свет благодаря активной деятельности супружеской четы американских адвокатов, буквально наводнивших Интернет своей электронной рекламой. Поначалу эпидемия «спама» поразила группы электронных новостей (о них вы сможете прочитать ниже), а вскоре «зараженными» оказались и личные почтовые ящики пользователей. И сегодня в Америке существуют несколько фирм, специализирующихся на рассылке электронной рекламы по личный адресам пользователей. Чтобы попасть в список к «спаммерам», иногда достаточно всего один раз «засветить» свой адрес, например, в одной из групп новостей.

Прибегают спаммеры и к хитростям. Например, если к вам приходит электронное письмо с рекламой какой-либо услуги и предложением в случае вашего отказа написать по указанному в письме адресу, девяносто девять шансов из ста, что это — работа спаммера. Ответьте на такое письмо вежливым отказом, и спаммер поймет, что адрес работает и хозяин его почту читает. И уж тогда — держитесь!

...В любом случае — надеяться на то, что ваш почтовый ящику будет защищен от этой зудящей и надоедливой сетевой «мошкары», было бы с вашей стороны просто наивно! Однако не стоит паниковать, обнаружив в почтовом ящике первое рекламное сообщение. Спокойно жмите на кнопку Del и переходите к следующему сообщению. Особо надоедливых «спаммеров» можно отлучить от вашего почтового ящика с помощью механизма фильтрации Outlook Express.

Отфильтровать спам поможет уже хорошо знакомая нам система сортировки.

Переведите курсор на полученное «мусорное письмо», щелкнув по его заголовку левой кнопкой мышки. Теперь укажите курсором на пункт «Сообщение» текстового меню вверху экрана Outlook Express, активируйте его щелчком и выберите пункт «Создать правило из сообщения».

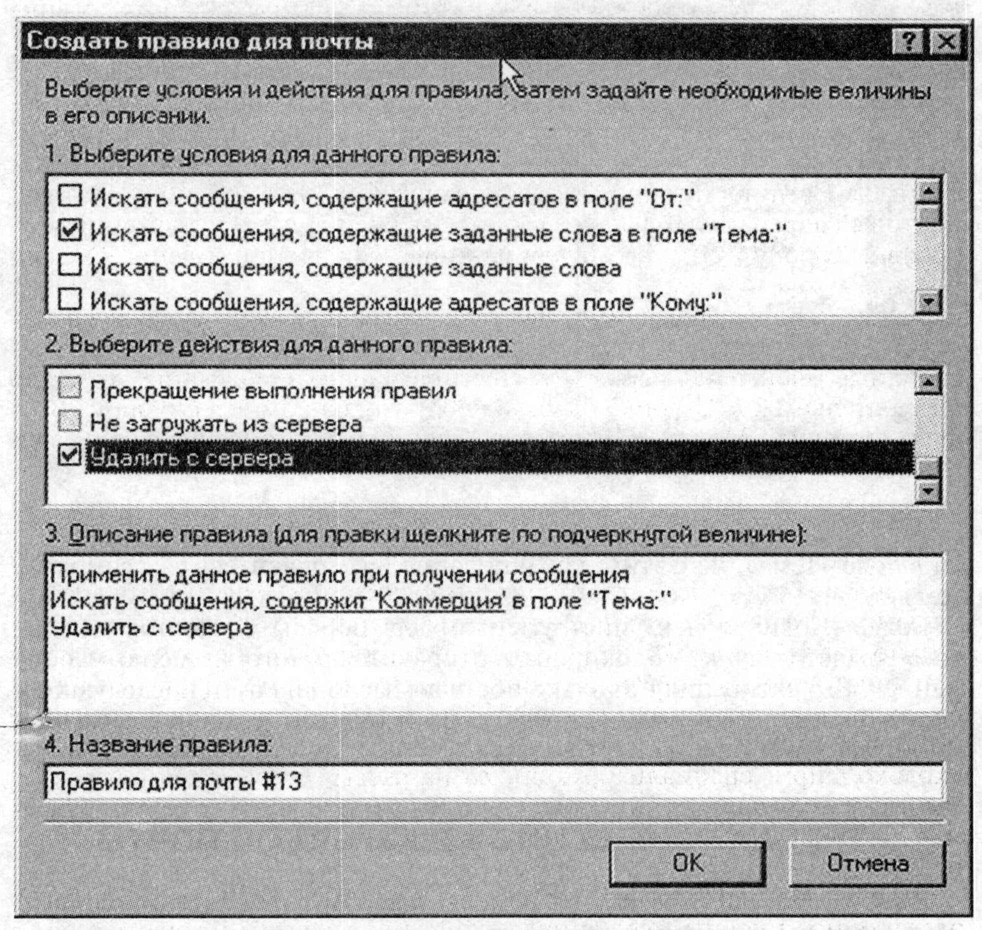

Создание правила из сообщения

Вы увидите уже хорошо знакомый нам бланк сортировщика, в поле «ОТ» которого внесен адрес отправителя «спама». И теперь нам остается только пункт «Удалить с сервера» в разделе «Действия» (для перехода в конец списка действий воспользуйтесь «бегунком» в правой части окна бланка). Ура! — письма от этого адресата больше не будут загружаться на ваш компьютер, а будут зверски убиты прямо в почтовом ящике. Учтите только, что хитрые спаммеры постоянно меняют адреса — значит, нам придется повторять эту процедуру снова и снова.

В «черный список» кандидатов на уничтожение можно занести не только адреса электронной почты, но и письма с определенными слова-

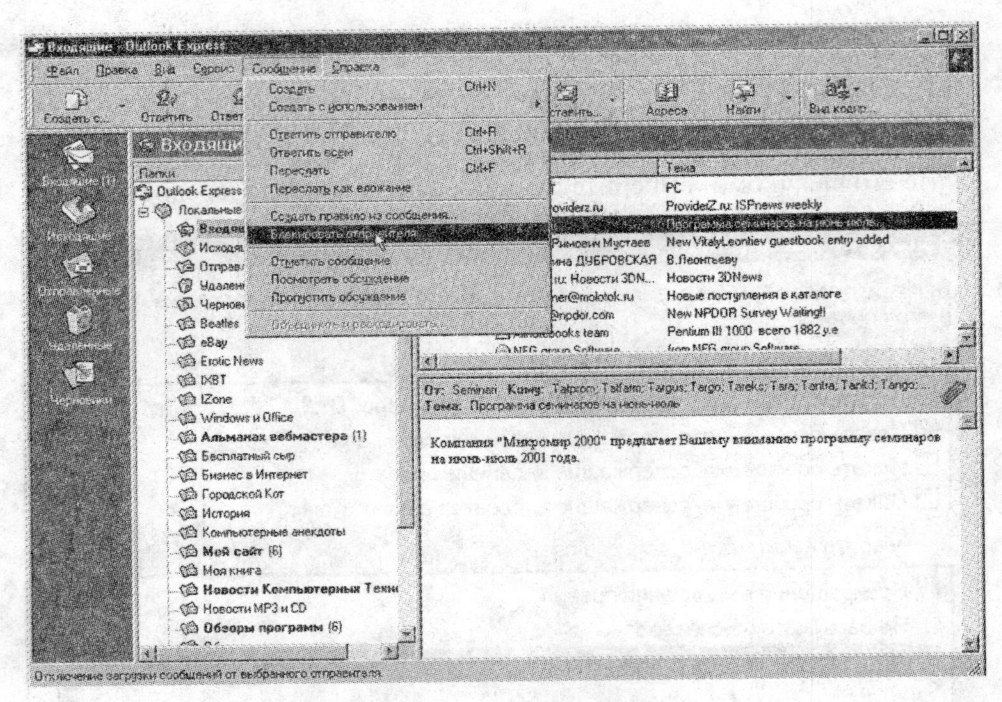

Блокировка адресатов

ми в поле «Тема», но с этим, как я полагаю, вы справитесь уже самостоятельно.

Более кардинальным инструментом для борьбы с «почтовым хламом» является пункт «Блокировать отправителя» того же меню «Сообщение». Его активация не только поставит заслон на пути последующих писем от выбранного вами адресата, но и очистит компьютер от всех принятых ранее писем с этого адреса.

ОТВЕТ НА СООБЩЕНИЕ ЭЛЕКТРОННОЙ ПОЧТЫ

Если вы хотите ответить на присланное вам сообщение, поставьте курсор на его заголовок (с помощью мыши или управляющих «стрелок» клавиатуры) и нажмите кнопку «Ответить».

Перед вами откроется новое окно — бланк ответа, в котором уже включен текст присланного вам письма. Это делается для удобства получателя — ведь далеко не всегда мы помним, что именно написали тому или иному адресату.

Особенно — после тяжелого трудового дня и стаканчика... гм, скажем так, отнюдь не чая.

Да и отвечать на письмо удобно — вы можете комментировать каждый абзац присланного вам письма по отдельности.

А чтобы тексты первоначального письма и вашего ответа не перепутались, строчки, принадлежащие первому, выделяются галочками.

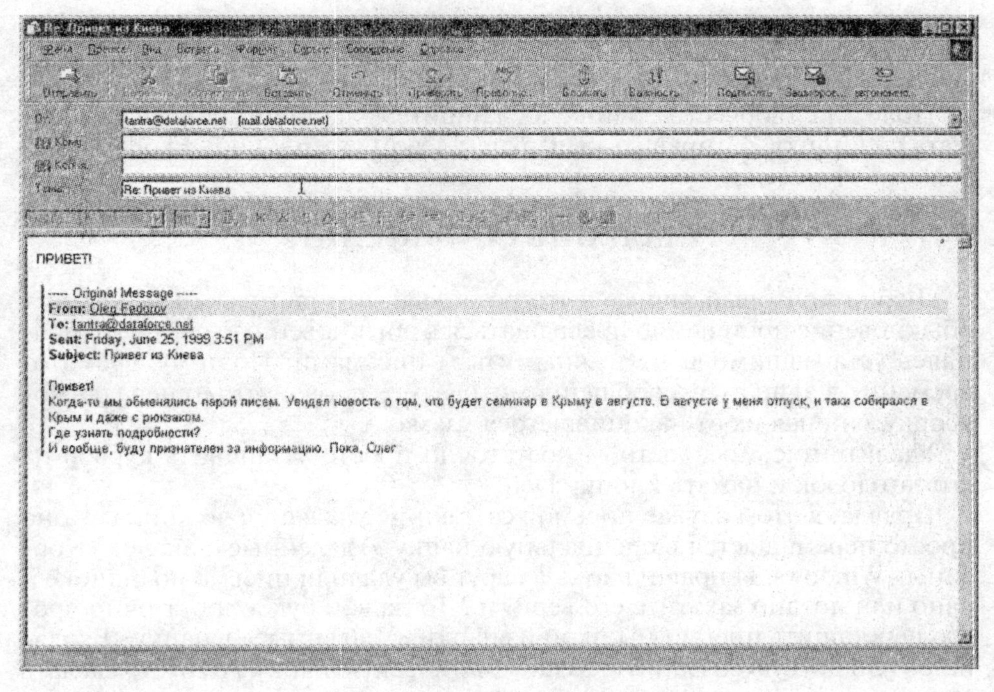

Создание ответа на письмо

Вот так:

>>Прошу тебя немедленно вернуть мне диски, которые ты взял два года назад!!!!

8)))

Под строчкой с галочкой — ответ. В данном случае весьма нахальный и лаконичный. С соответствующим «смайликом» в конце. О смайликах — значках, с помощью которых в Интернет принято передавать эмоциональную окраску сообщению, мы еще поговорим далее, а данный конкретный значок означает иронию, насмешку — не дождешься, мол!

Еще более богатые возможности для выделения фрагментов письма предоставляет стандарт HTML. Там, как мы помним, вы можете выделять различные участки текста разными цветами, экспериментировать с фоновым оформлением. Однако Outlook Express «по умолчанию» настроен так, что ответ на письмо составляется в том же формате, что и первоначальное письмо. То есть если вам прислали красивый гипертекстовый документ на «бланке» со шрифтами и картинками, то, нажав кнопку «Ответить», вы создаете письмо-ответ на том же бланке. Прислали простой текстовый документ — значит, и отвечать будете в этом же формате.

Текст первоначального сообщения можно и удалить — если вы твердо уверены, что тот, кому вы отвечаете, поймет вас и так. Как это сделать? Очень просто: выделите текст мышкой или воспользовавшись Контекстным Меню «Выделить все», и нажмите клавишу Del на клавиатуре.

Поле для творчества очищено. Пишите. Закончив, не забудьте нажать на кнопку «Отправить» в верхнем левом углу Outlook Express.

УДАЛЕНИЕ СООБЩЕНИЙ

Любой почтовый ящик — что реальный, что виртуальный — имеет обыкновение постепенно превращаться в обыкновенную свалку, наполняясь устаревшими и не нужными вам письмами. Поэтому, время от времени, в папках с сообщениями следует проводить «генеральную» уборку, очищая их от накопившегося хлама.

Удалить письмо просто — достаточно просто установить курсор на его заголовок и нажать кнопку Del.

Правда, в этом случае письмо все-таки не удаляется до конца — оно просто перемещается в специальную папку «Удаленные», аналог «Корзины» Windows. И правильно — а вдруг вы удалили письмо по ошибке и рано или поздно захотите его вернуть? Тогда вам будет достаточно просто перетащить письмо мышкой из папки «Удаленные» в папку «Входящие» или другую созданную вами тематическую папку. А можно сделать иначе — щелчком правой кнопки мышки вызвать Контекстное Меню удаленного вами сообщения и выбрать пункт «Переместить в папку». Хотя, на мой взгляд, мышкой все же удобнее...

Если вы хотите удалить целую группу писем — например, от одного отправителя или по одной теме, — можно вновь обратиться к услугам сортировщика писем Outlook Express (его работа описана в главе «Сортировка писем»). Только операция, которую мы будет применять к письмам с его помощью, будет иной — не перемещение из папки в папку, а удаление.

Ну, а как же перемещать письма из одной папки в другую? Ответ на этот вопрос вы, я думаю, уже знаете — перетягивая их мышкой из одной папки в другую.

И последнее. Как и Корзину Windows или ваше домашнее мусорное ведро, папку «Удаленные» необходимо все-таки время от времени очищать. Ведь хранить мусор годами в надежде, что вы ненароком удалили что-нибудь полезное, лишено всякого смысла — база писем Outlook Express разбухает, программа работает медленнее...

Выполнить процедуру очистки, как и в случае с Корзиной, можно, вызвав щелчком правой клавиши мышки Контекстное Меню папки «Удаленные» и выбрав пункт «Очистить папку “Удаленные”».

Если же вы хотите, чтобы ваша Корзина... т. е. папка «Удаленные»... очищалась автоматически в момент выхода из Outlook Express, вы можете зайти в меню ***Сервис/Параметры/Обслуживание*** и установить галочку напротив пункта ***Очищать папку «Удаленные» перед выходом***.

Работа с электронной почтой в программе The Bat!

Вот ведь удивительно — кто, как не русский народ, изобрел мудрую пословицу: «От добра добра не ищут». И в то же самое время тот же народ, в лице почти сотни тысяч (!) представителей, вдруг решил дать от ворот поворот милейшему Outlook Express!

...Бесплатному
...Полностью русифицированному
...Встроенному в любой экземпляр Windows

Словом — идеальному со всех точек зрения почтовому клиенту!
И как вы думаете, в пользу кого эта самая общественность пошла на разрыв отношений с давним знакомцем и почти что другом?
В пользу другой почтовой программы:

...Платной
...Англоязычной
...Которую необходимо скачивать и устанавливать дополнительно!

Да, что ни говори — любовь, как и сердце русского человека — всегда загадка.

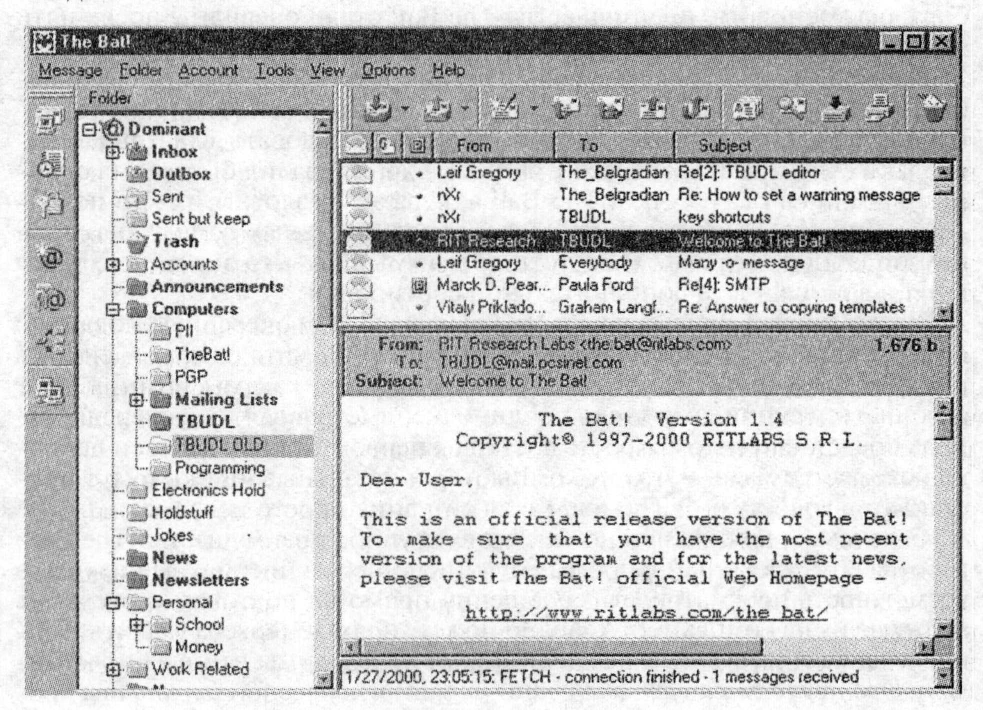

Почтовый клиент The Bat!

Но если мы хотя бы на минуту выкинем из головы прижившиеся стереотипы и взглянем по-новому на персону «разлучника», то нам откроется нечто любопытное.

Начнем с того, что наш герой (кстати, знакомьтесь — зовут этого таинственного незнакомца The Bat!) хоть и лопочет поначалу исключительно на аглицком наречии, но обучить его великому и могучему нетрудно. Достаточно лишь установить поверх программы «мультиязычный пакет» — надстройку. И создан он, в отличие от «родного» Outlook Express, российскими разработчиками, хотя породившая «мышку» фирма Ritlabs (http://www.ritlavbs.com) весьма успешно распространяет свое детище во всем мире.

Что программа платная (а регистрация The Bat! стоит для российских пользователей 15 долл.) — тоже не беда. В конце концов, более-менее обеспеченные пользователи такую сумму наковыряют в карманах без труда, остальные же могут честно пользоваться программой 30 дней. Можно (с помощью небезызвестных способов) и больше, но уже на не вполне законных основаниях.

С этими препятствиями разобрались. Остается лишь выяснить, что именно в устройстве и функциях The Bat! могло пленить сердце вышеупомянутой пользовательской орды. Извольте еще пословицу: шило ведь на мыло не меняют!

...Когда количество писем с требованием рассказать в новом издании книги про «мышку» перевалило за два десятка, я решил-таки разобраться с загадочной программой по-крупному. Хотя в итоге этого не потребовалось: основные преимущества The Bat! стали очевидны после пяти минут работы.

Начнем, пожалуй, с главного: The Bat! позволяет создать сразу несколько независимых почтовых ящиков с индивидуальными настройками для каждого. Это, безусловно, должно порадовать владельцев нескольких электронных адресов: Outlook Express свалил бы письма с разных ящиков в одну кучу, а The Bat! аккуратно разложит их «по полочкам». При этом система фильтров и дополнительных папок, знакомая нам по Outlook Express, присутствует и в «мышке» — а значит, сохраняются и возможности дополнительной сортировки.

Нажав кнопку приема почты, мы обнаруживаем очередную новацию: почту с разных ящиков программа может принимать одновременно, в режиме параллельных потоков. Outlook Express, как мы помним, мог разбираться с ящиками лишь поодиночке, выстраивая их в очередь. Теперь представьте, что скорость доступа к первому ящику в вашей цепочке исчезающе мала — что ж, компьютер и остальные ящики будут простаивать вхолостую. В The Bat! такая ситуация просто невозможна.

С приемом почты связано еще одно крупное преимущество The Bat!: работая со встроенным в программу «Диспетчером писем», вы получаете возможность просматривать сообщения прямо на почтовом сервере, не загружая их на компьютер. А заодно можете прямо с сервера удалить лишние письма и загрузить лишь те, которые необходимы вам в данную минуту. Это пригодится вам, если один из ваших корреспондентов, не спросясь, забросил в почтовый ящик весточку мегабайт на пять, скачивать которую у вас нет ни времени, ни возможности. Такой казус случился и со мной, когда мой слишком усердный читатель решил вдруг ознакомить меня с собственной фотографией, сохраненной в виде файла bmp, без малейших признаков компрессии. В тот день я проклял все на свете, ибо разбухшее послание не только забило мой почтовый ящик, но и плотно перекрыло дорогу остальной почте. Кроме того, эта особенность The Bat! пригодится для изничтожения подозрительных писем с вложениями, в которых могут содержаться вирусы, а также откровенного «спама».

Перейдем теперь от приема писем к их написанию и отправке: нет ли и здесь каких изюминок? Разумеется, без них не обошлось... Начнем, пожалуй, с главной: мощной системы управления шаблонами для ответов и новых писем. Причем собственный шаблон письма, с заголовком, подписью и, если надо, полным текстом сообщения, можно создать не только для каждой учетной записи, но и для каждого из ваших адресатов. В шаблонах, кстати, можно устанавливать и кодировку писем — и я с грустью вспоминаю мой Outlook Express, уже второй год упорно отображающий письма от одного из адресатов в неправильной кодировке.

Наконец, последнее. Для пользователей, озабоченных проблемой конфиденциальности, в The Bat! встроен усовершенствованный механизм шифрования писем, основанный на популярном алгоритме PGP. Эта система значительно превосходит по своей надежности и удобству «шифровальщик», встроенный в Outlook Express. Впрочем, о шифровании мы подробнее поговорим в главе «Мир безопасности. Как сохранить приватность в Интернет» — к ней я и переадресую всех любопытных.

Остальные же возможности The Bat! — работа с адресной книгой, поддержка кодировок и так далее — в самом худшем случае идентичны аналогичным механизмам Outlook Express. Не слишком отличается и программа настройки учетных записей — с помощью понятного и простого Мастера. Так что, я думаю, что после знакомства с программой Outlook Express вы сможете настроить The Bat! уже самостоятельно, без всяких подсказок. Конечно, в том случае, если вы все-таки решите поселить «мышку» на своем компьютере. Благо она, как и положено мышке, маленькая и юркая — установочный комплект The Bat уместится на обычной дискете. Без учета, правда, дополнительного Multilangual Pack, который научит программу общаться с пользователем аж на 17 языках...

Загрузить же программу, а заодно и зарегистрировать ее можно на сервере компании Ritlabs (http://www.ritlabs.com), который также умеет общаться с пользователями на безукоризненном русском языке...

ПОЧТОВЫЕ РАССЫЛКИ И КОНФЕРЕНЦИИ (MAILING LISTS)

Электронная почта может использоваться не только для обмена письмами между двумя пользователями — этот канал поможет в организации настоящей «виртуальной газеты», рассылаемой в адреса сразу большого количества людей.

Мы уже знакомы с «темной стороной» этого явления — спамом, навязчивой рекламой, распространяемой без нашего согласия. Однако сам по себе механизм одновременной рассылки одинаковых писем большому числу людей не несет ничего дурного. Напротив, он помогает своевременно доносить самую свежую информацию до тех, кто в ней заинтересован, значительно облегчая нашу с вами жизнь.

Каждый из нас может найти в Сети громадное количество интересных сайтов, и за всеми ними хорошо бы более-менее пристально следить. Но заходить на одни и те же сайты каждый день, уныло созерцая набивший оскомину лик титульной странички, скучно... Гораздо удобнее, если новости со странички или хотя бы сведения о ее обновлении будут приходить к вам сами. Для этого, в частности, и существуют рассылки: заходя на многие сайты, вы можете увидеть прямо на титульной страничке небольшую форму подписки. Мол, если желаешь, гость честной, подписаться на новости по этой тематике или с этого сайта — оставь, будь любезен, свой e-mail! Внесите в нужную строку свой электронный адрес, нажмите кнопку «OK», «Send» или «Subscribe» — и будьте спокойны, уж новости с этого сайта вы ни за что не пропустите!

Впрочем, рассылки существуют не только в качестве «довесков» к тем или иным сайтам: множество тематических «листов» живут сами по себе. Через списки рассылки пользователи получают финансовые данные, биржевые сводки, прогнозы погоды и т. д. — вплоть до анекдотов!

Завести собственную рассылку в принципе может каждый: для этого необходимы лишь самые простые навыки работы с электронной почтой. Собственно, в предыдущей главе, посвященной Outlook Express, мы с вами как раз и учились создавать свою, простую рассылку. Однако, если вам придется обслуживать большое количество подписчиков, возможностей вашего почтового клиента может быть уже недостаточно. В этом случае вы всегда можете прибегнуть к помощи специальных служб, наподобие нашего «Городского Кота», которые возьмут на себя организацию подписки и собственно рассылку. Было бы что рассылать!

Впрочем, мы с вами опять забежали дальше, чем следовало. Ведь пока что речь не идет о создании собственных рассылок, нам бы понять, как ими пользоваться... И тут у читателей может возникнуть весьма интересный вопрос: а по какой, собственно, причине разговор о рассылках зашел именно здесь, в разделе «Общение»? Неужели только по той причине, что рассылки водят тесное знакомство с электронной почтой?

Что ж, на первый взгляд кажется, что работать с рассылками пользователь может лишь в «пассивной» форме, исправно поглощая приходящую информацию. Действительно, если не бОльшая, то большАя часть рассылок не предполагает участия пользователей — ведет их один-единственный человек, «модератор», который и является единственным и неповторимым источником информационной свежатины. Ему можно, конечно, и письмо написать, и вполне может статься, что на страницах той же рассылки ваше письмо поместят и на него же ответят... Но все-таки это не полноценное общение.

Хорошо еще, что в природе, помимо «электронных бюллетеней», существует еще один вид рассылок, в работе которых пользователь как раз может принять самое активное участие — почтовые конференции. И создаются они именно для общения близких по духу людей, каждый из которых может послать свое письмо сразу всем пользователям, внесенным в список.

К сожалению, в России таких «конференций» не так уж много. А вот на Западе «клубы виртуального общения», созданные энтузиастами, очень весьма распространены. Тамошний народ, вероятно, дружнее нашего... Собственные независимые рассылки часто организуют любители музыкальных групп, литературных жанров, модных актеров и режиссеров. Словом — те, кто не мыслит свою жизнь без общения с близкими по духу людьми.

Безусловно, участие в почтовой конференции — дело куда менее «интимное», чем простая переписка: участники рассылки, подписываясь на нее, принимают на себя обязательство соблюдать определенные нормы поведения, правила, установленные ведущим рассылки — модератором. При нарушении этих правил любой участник может быть либо исключен из конференции, либо переведен на определенный срок в режим «только чтение» (read-only). В дальнейшем мы еще не раз встретимся с такой практикой, например, при работе с группами новостей.

Подписаться на рассылку можно как через специализированный сервер, так и послав по электронному адресу ее «подписного робота» пустое письмо словом Subscribe в заголовке. Подписываясь через сервер, можете заодно выбрать, в каком формате вы желаете получать письма (обычный текст или HTML), вид рассылки (все письма по-отдельности или «дайджест» сообщений раз в неделю) и т. д.

Сервер рассылок Subscribe.Ru

(http://www.subscribre.ru)

Пару лет назад эта система называлась «Городской Кот» — и именно под этим именем ее знали многие пользователи. Сегодня это чрезвычайно осведомленное обо всем происходящем на свете и дружелюбное создание присутствует на сайте лишь в виде крохотной картинки-логотипа.

Однако суть сервера не изменилась — и сегодня он остается крупнейшим в России «рассылочным ресурсом». В активе «экс-Кота» сегодня не менее 6000 рассылок, при этом каждый день на сервере регистрируется еще несколько новичков. Услугами сервера сегодня пользуется не менее 800 000 подписчиков. Диапазон рассылок широк — от банальных прогнозов погоды, программ телепередач, курсов валют и анекдотов до новостей популярных сайтов и обзоров прессы.

Большинство рассылок «Городского Кота» не предполагает активного участия пользователей — по каналам рассылки проходят лишь письма, представленные модератором.

Базовые категории (в порядке убывания количества представленных рассылок):

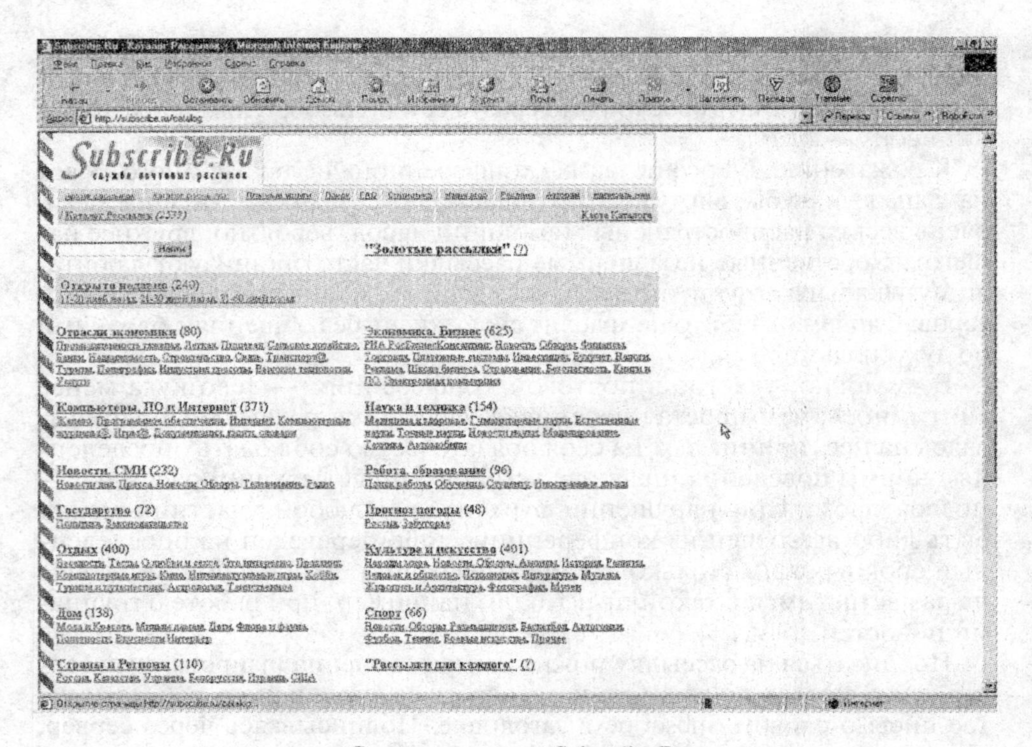

Система рассылок Subscribe.Ru

- Культура и искусство
- Отдых
- Компьютеры, ПО и Интернет
- Новости, СМИ
- Экономика, бизнес
- Дом
- Наука и техника
- Страны и регионы
- Работа, образование
- Государство
- Спорт
- Прогноз погоды
- Отрасли экономики

Сервер почтовых конференций и рассылок Ru.Lists

(http://www.ru-lists.c-net.ru)

Отличное дополнение к «Городскому Коту»! Далеко не все русскоязычные рассылки пользуются услугами Subscribe.Ru — авторы многих из них предпочитают работать с аналогичными зарубежными системами (YahooGroups, ListBot и др.). И найти эти «иголочки» в стоге англо-

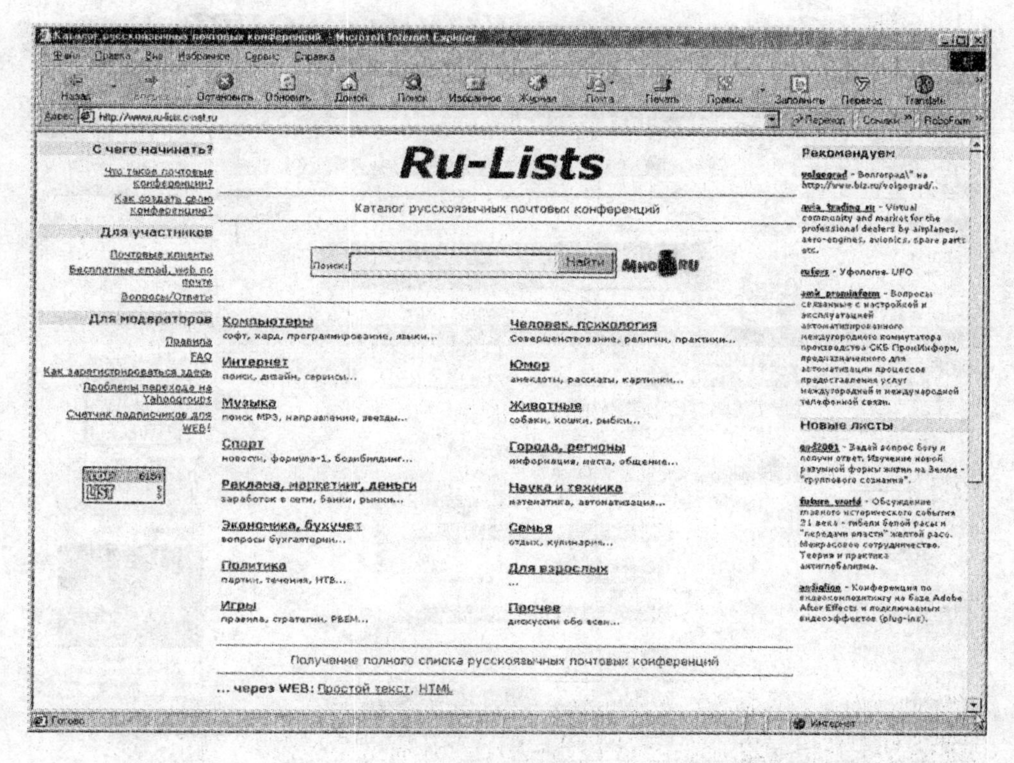

Ru.Lists

язычного «сена» было бы не так-то просто... Если бы не Ru.Lists, собравший всех «эмигрантов» под одной крышей.

И пусть каталог сервера куда менее представителен, чем обширный список «Городского Кота» (около 300 рассылок), однако стоит учесть, что большинство из них составляют именно конференции, в «кошачьей» кладовой представленные слабо.

Базовые категории (в порядке убывания количества представленных рассылок):

- Компьютеры
- Реклама, маркетинг, деньги
- Наука и техника
- Города, регионы
- Интернет
- Музыка
- Спорт
- Человек, психология
- Игры
- Для взрослых
- Семья
- Политика
- Экономика, бухучет

Сервер рассылок YAHOO GROURS

(http://groups.yahoo.com)

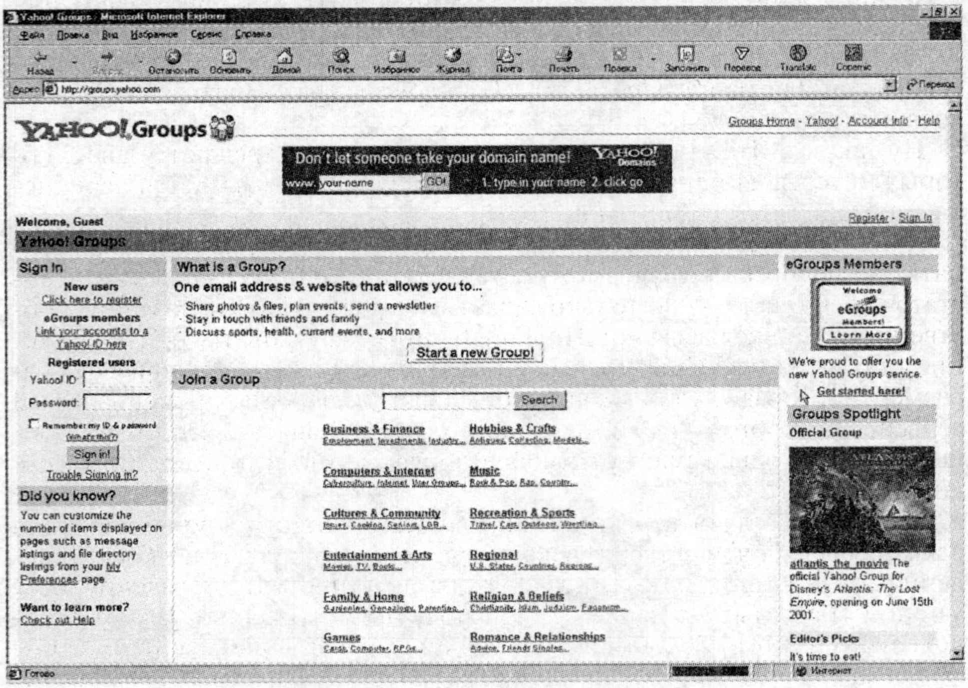

Каталог Yahoo Groups

Большая часть англоязычных рассылок сосредоточена на сервере Yahoo Groups, ставшем преемником знаменитого каталога рассылок Onelist.

Не будь этот сервер оборудован удобной поисковой системой, пользователи наверняка бы сразу же заблудились в его дебрях. И никакой тематический каталог (как на «Городском коте») не помог бы... Ведь в ассортименте сервера — БОЛЕЕ ДЕСЯТИ ТЫСЯЧ самых разнообразных почтовых конференций на всевозможные темы. Есть среди них такие, на которые подписываются многие тысячи пользователей, а есть и аутсайдеры с двумя-тремя подписчиками в активе.

В отличие от рассылок «Городского Кота», подписчики конференций Yahoo могут не только получать письма из рассылки, но и посылать туда свои собственные сообщения — с условием, конечно, что «постинг» сообщений не запрещен изначально и что ваше сообщение отвечает теме (топику) рассылки. Для этого вам необходимо послать обычное электронное письмо на адрес рассылки, который вы найдете в заголовке любого пришедшего по рассылке письма, или просто ответить на одно из писем. Но помните — нажав кнопку «Ответить», вы тем самым отправляете ответ не автору заинтересовавшего вас письма лично, а сразу в рассылку! Если же вы хотите послать личное письмо, постарайтесь отыскать в тексте заинтересовавшего вас сообщения адрес его автора.

ГРУППЫ НОВОСТЕЙ (NEWSGROUPS)

В мире живут миллиарды людей, миллиарды индивидуальностей, личностей. Но тех, кого интересуют все эти миллиарды, — куда меньше.

Не будем упрощать. Конечно, существует масса интересных для разговора тем. Ну, например... Черт... Ну, словом, должны же существовать хотя бы три штуки!

Ну так вот. Что происходит, когда в Интернет встречаются двое, которых интересует одна и та же тема? Правильно, завязывается переписка с помощью электронной почты.

А что будет, если встретились и нашли друг друга уже не два, а двадцать два человека? Тут возможностей традиционного e-mail уже недостаточно. Отчасти — но только отчасти! — может помочь создание собственного списка рассылки. Но и он начинает «буксовать» при достижении определенных пределов. Да и стандартный почтовый ящик не безразмерен... Гораздо удобнее выделить для этой переписки специальный сервер, с которого каждый желающий может «скачать» весь архив сообщений и не только прочесть любое послание, но и присоединиться к дискуссии.

Идея эта, согласитесь, достаточно проста — оттого и воплощена она в жизнь была почти четверть века назад, через несколько лет после рождения электронной почты и за полтора десятилетия до создания Всемирной Паутины. Из первых групп новостей, созданных Томом Трасскоттом в далеком 1979 году, впоследствии выросла мощная система конференций Usenet, которая сегодня является одним из самых затребованных сервисов Сети.

С рождением WWW ньюс-группы не утратили своей актуальности — напротив, интерес к ним достиг своего пика в 1991—1993 годах, когда именно с их помощью пользователи Интернет могли узнать о событиях в «горячих точках» планеты. Мало кто сегодня помнит, что именно группы новостей стали для западных пользователей Сети единственным каналом, по которому проходила объективная информация об августовском перевороте в Советском Союзе. А позднее — о боевых действиях в Персидском Заливе. В обоих случаях группы новостей оказались куда оперативнее и объективнее традиционных средств массовой информации.

Сегодня, к сожалению, а может быть и к счастью, популярность групп новостей значительно снизилась. Сократилась доля проходящей по ним полезной информации, все больше и больше становится пустой болтовни... Но в то же время многие конференции сумели не просто выжить, но и превратились в настоящие «сетевые издания», состоящие из писем, реплик и размышлений множества людей. Аудитория некоторых групп новостей составляет сотни тысяч человек, и проходит через такие группы до нескольких сотен писем в день!

Группы новостей необычайно полезны, если вы хотите получить быстрый ответ на конкретный вопрос — ведь в этом случае отвечать вам будет не «застывшая» страница, а живые люди, ваши коллеги по увлечению, среди которых наверняка найдутся специалисты высокого класса.

Они же помогут вам быть в курсе самой оперативной информации по любым темам — эдакий современный вариант «сарафанного радио» с его умопомрачительной скоростью распространения информации...

Всемогущая Паутина серьезно потеснила группы новостей, позаимствовав многие их функции. Теперь аналоги многих групп можно встретить на страницах Интернет — только называются они теперь «форумами» или «досками объявлений»... Однако ни одна страница Интернет не даст вам возможность получить доступ к десяткам тысяч таких «форумов» одновременно! Кроме того, при работе с традиционными группами новостей вам не нужно каждый раз подключаться к Сети, чтобы вторично прочесть сообщение или ответить на него: весь архив писем находится на вашем собственном компьютере. Похоже на электронную почту? Правильно — только письма из групп новостей хранятся в специальных областях, не забивая ваши почтовые ящики и папки с письмами. Кроме того, при работе с группами новостей вы получаете целый ряд новых возможностей — в частности, вы можете сначала загрузить ТОЛЬКО заголовки всех хранящихся на сервере сообщений, а уж потом указать, какие из них вы хотите загрузить полностью.

В мире существует не менее 70 тысяч групп новостей... Целое море, в котором вы можете найти группы, созданные собирателями штопоров и ежиных иголок, группы для обсуждения того или иного компьютерного «железа». Здесь вы встретите частные мнения, споры и ссоры, официальную и рекламную информацию. Из них можно узнать самые свежие новости, выслушать советы мэтров и задать свой конкретный вопрос. Правда, не гарантирую, что вы сразу же или вообще когда-нибудь получите на него ответ...

У каждой группы есть свое название, говорящее о ее тематике, а иногда — и о происхождении. Например:

- alt.binaries.sounds.midi
- fido7.su.music
- relcom.commerce.audio-video

Первая часть названия ньюс-группы — до точки — рассказывает о том, к какому типу принадлежит эта группа. Например, префикс alt означает, что перед нами одна из «свободных» от всякого контроля и цензуры «альтернативных» групп новостей. Среди таких групп вы можете найти даже такие, тематика которых попадает под действие уголовных кодексов всех стран, а можно найти и вполне мирные. Например, через группу новостей alt.binaries.sounds.midi распространяются музыкальные файлы в формате MIDI. Именно к **семейству (иерархии) alt** принадлежит большинство популярных международных групп новостей.

Что до русскоязычных групп новостей, то подавляющее их большинство относится к одному из трех семейств-иерархий:

В **семейство relcom** входят русскоязычные группы, созданные во времена оны на базе отечественной сети «Релком». Среди них вы найдете большое число коммерческих групп с рекламной информацией — на это указывает слово commerce в названии группы. Всего же «релкомовских» групп существует около сотни, однако активная переписка ведется далеко не во всех.

Семейство medlux объединяет русскоязычные группы медицинской тематики. Это малочисленное семейство объединяет всего несколько десятков групп, большинство из которых интересно только для специалистов.

Наконец, самое обширное **семейство — fido7** — объединяет русскоязычные группы новостей, «позаимствованные» из компьютерной сети Фидонет (это отдельная структура, которая не является частью Интернет и работает по совершенно другим принципам). «Фидошных» групп в России зарегистрировано около трех тысяч (!), при этом подавляющее их большинство создано и поддерживается энтузиастиами-любителями.

По имени «фидошной» конференции можно узнать многое — не только ее тематику, но и региональную принадлежность и даже статус в Сети.

- Названия московских конференций начинаются на fido7.mo.
- Питерских — соответственно на fido7.spb.
- Общероссийские — на fido7.ru.
- Распространяемые во всех республиках бывшего Советского Союза — fido7.su.

Кроме того, существует громадное количество групп, чьи названия начинаются на fido7.pvt. — это альтернативные или частные группы новостей.

Дело в том, что в отличие от Интернет, где царит полная анархия, большинство групп Фидо подчиняются правилам сетевого этикета. Например, практически везде строго запрещена реклама. Нежелательно (и даже очень!) использовать ненормативную лексику, оскорблять собеседников, заниматься «пустым трепом» (флеймом)...

Вполне разумные правила. Жаль, что распространяются они только на группы Фидо, а не, скажем, на заседания Государственной Думы...

Помимо общих для всех групп правил у каждой группы существуют собственные правила поведения, разработанные ее создателем и контролером — модератором. Модератор — царь и бог в группе новостей, его слово — закон, а споры с ним чаще всего караются. Такая вот «демократия». Впрочем, благодаря столь жестким порядкам в группах Фидо куда меньше «мусора», откровенной коммерческой рекламы и прочего ненужного добра, чем в Интернет.

Группы pvt, как и их аналоги alt в Интернет, меньше других скованы этикетными рамками. Модераторы таких групп имеют полное право несколько отойти от строгих шаблонов поведения в Фидо — например, разрешить ту же рекламу. Или даже создать конференцию, посвященную общению исключительно на «матерном» языке.

Итак, в нашем распоряжении — около четырех тысяч конференций на русском языке. Конечно, даже это изобилие тематик охватывает далеко не все сферы человеческих интересов, да и «охваченные» темы освещаются неравномерно: там густо, а там — пусто. Разумеется, большая часть групп посвящена компьютерной тематике — аппаратному обеспечению, популярным прикладным программам... В таких группах вы всегда сможете найти помощь и получить ответ практически на любой вопрос от пасущихся там «знатоков». Одно лишь замечание: перед тем, как писать в какую-либо группу, внимательно изучите ее правила (rules) и список разрешенных и запрещенных тем (off-topic). Эти документы регулярно (не реже, чем раз в две недели) публикуются в любой группе новостей. Особенно строго следят за соблюдением правил в группах Фидо — и, пожалуйста, не забывайте, что вы в этой сети всего лишь гость! К пришельцам из Интернет «фидошники», как правило, настроены довольно настороженно — от привыкших к интернетовской вольнице можно ожидать всего чего угодно.

Помните и о том, что последствия нарушения правил поведения в группах новостей Фидо могут быть плачевными не только для вас, но и для других клиентов вашего провайдера — им просто запретят «постинг» сообщений в группы. К таким кардинальным мерам, конечно, прибегают нечасто, лишь в случае особо серьезных нарушений, но все-таки...

Еще одна подсказка: бывает, что на одну и ту же тему существует несколько групп. Например:

- fido7.su.music
- fido7.su.music.chainik
- fido7.su.music.news

Так вот, если уж вам вздумалось написать письмо в конференцию, начните с группы, в названии которой содержится постфикс «chainik» — такие группы именно для новичков с их наивными и не всегда корректными вопросами и предназначены.

Зато читать вы можете любые группы — и без всякой опаски...

Другое дело, что поиск нужной группы может оказаться не таким простым делом — доступный сервер новостей порой непросто отыскать. Конечно же, все крупные провайдеры предоставляют всем своим пользователям доступ к ньюс-серверу с большим количеством групп — его адрес должен быть указан на страничке провайдера или в предоставленной вам документации. В крайнем случае, можно обратиться в службу поддержки пользователей — там вам обязательно помогут... Но только в том случае, если этот сервер у провайдера имеется. Многие небольшие компании, предоставляющие своим клиентам доступ в Интернет, сознательно отказываются от создания ньюс-сервера, ибо хранение и выкачка громадного количества сообщений обходится недешево. Ведь общий объем сообщений по одной только группе иерархии alt может составлять до нескольких сотен мегабайт в сутки! Потому-то многие провайдеры специально ограничивают число групп alt на своем ньюс-сервере, дабы не накликать на свою голову неприятностей и просто снизить нагрузку на сервер.

Как быть в таком случае?

Не расстраивайтесь. В Интернет существует большое число открытых для свободного доступа ньюс-серверов, списки которых публикуются на специальных страницах сети Интернет. Часть из них дает возможность пользователю только читать информацию из групп новостей, а некоторые, самые «лакомые» — еще и отправлять сообщения в любую группу (эта возможность называется «постингом»). К сожалению, большая часть этих серверов живет не слишком долго — около одного месяца, после чего либо переходит в категорию «платных» (а, стало быть, не слишком интересных для нас), либо просто прекращает принимать новых пользователей. Однако некоторые выживают и исправно обслуживают всех желающих годами... Например, для доступа к российским группам новостей можно воспользоваться услугами бесплатного сервера dol.ddt.ru.

Но не спешите набирать этот адрес сервера новостей в адресной строке браузера — для работы с группами новостей нам понадобится еще одна, специальная программа. Выбор здесь невелик: для начинающих пользователей самым удобным, вне всякого сомнения, станет новостной клиент, встроенный в уже знакомый нам «почтовик» Outlook Express. Более «продвинутым» пользователям, которых не испугаешь долгой возней с настройками, можно посоветовать программу Agent или ее бесплатную версию Free Agent от компании Forte.

КАТАЛОГ БЕСПЛАТНЫХ СЕРВЕРОВ НОВОСТЕЙ NEWZBOT
(http://www.newzbot.com)

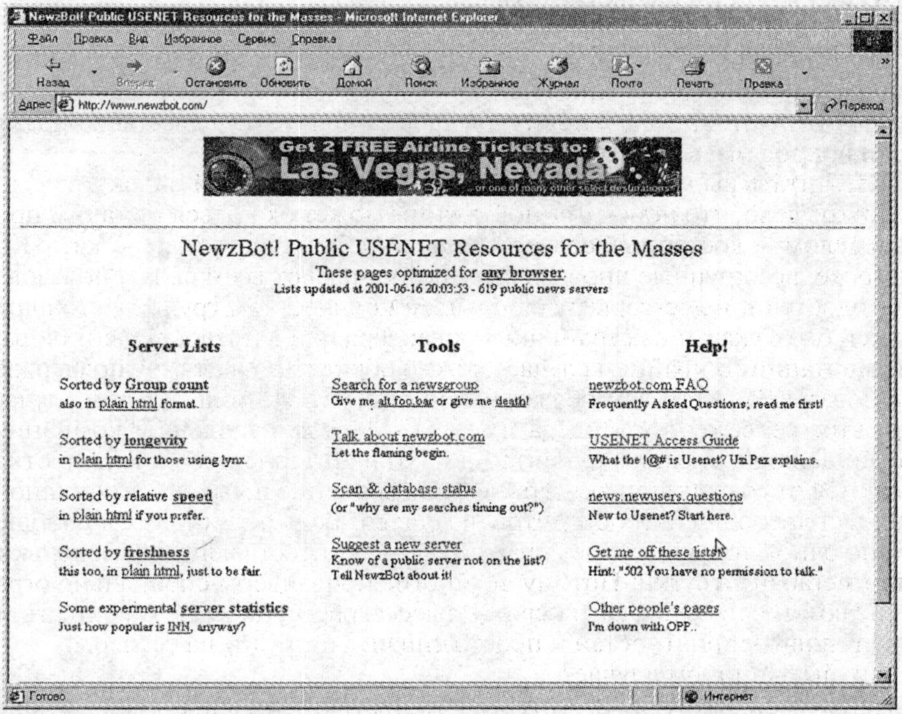

Каталог NewzBot

На этом сайте расположена база данных по бесплатным серверам новостей, информация в которой обновляется ежедневно. Для каждого сервера указано точное количество хранящихся на нем групп новостей, а также скорость доступа и возможность постинга. Сортировка данных в итоговой таблице возможна по любому из указанных атрибутов, кроме того, с помощью поискового механизма вы можете сделать выборку серверов, содержащих нужные вам иерархии и конкретные группы новостей.

Работа с группами новостей в программе Outlook Express

Смешанные чувства рождаются в груди моей, когда приступаю я к этой главе. Ибо, к великому сожалению миллионов русскоязычных пользователей, способности Outlook Express в работе с ньюсгруппами трудно назвать выдающимися.

Обидно, ведь если быть объективным, серьезных недостатков в Outlook Express — единицы. Зато эти единицы напрочь перечеркивают все достоинства этой, в общем-то, замечательной программы.

Но не будем спешить, поскольку на первых порах от Outlook Express вам никуда не деться. К тому же пока это — единственная программа, обеспечивающая возможность корректной работы с русским языком, о чем уже было говорено не раз.

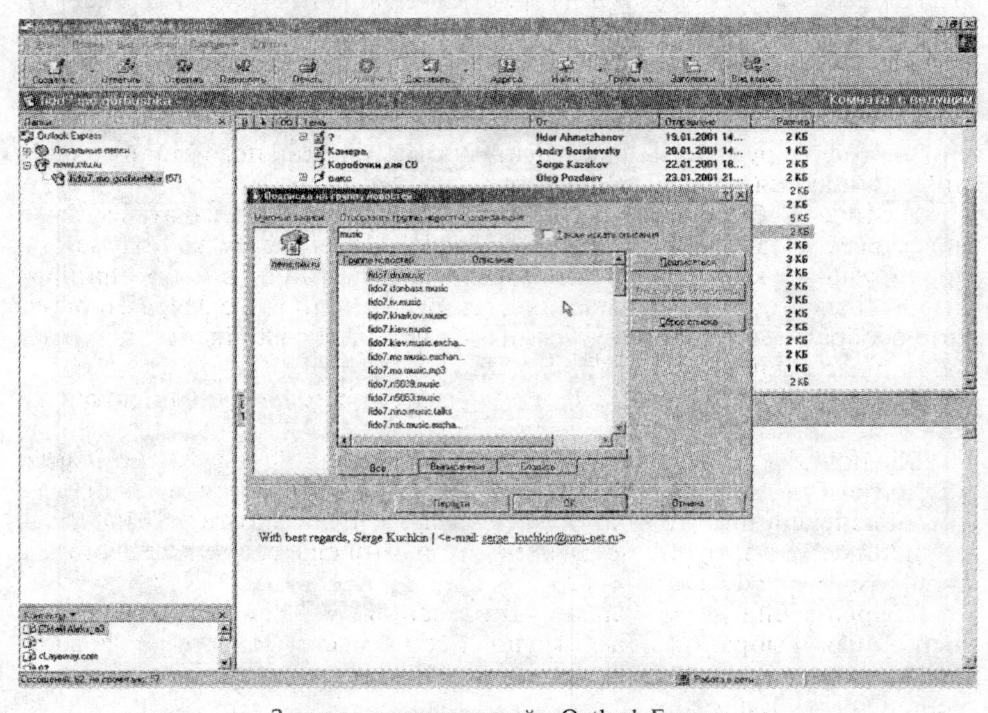

Загрузка групп новостей в Outlook Express

Надеюсь, вы уже создали учетную запись сервера новостей? Если нет — вернитесь в главу «Добавление нового почтового ящика», где подробно об этом рассказано.

Допустим, запись создана и Outlook Express уже сообразил, с какого сервера ему необходимо «тянуть» новости. Теперь вам необходимо выбрать группы новостей, на которые вы хотели бы подписаться. А для осуществления этого благородного деяния необходимо что? Правильно — полный список групп новостей, имеющихся на вашем сервере.

Подключитесь к Интернет и запустите Outlook Express. Щелкните мышкой по строчке с названием вашего ньюс-сервера — обычно это последняя строчка в меню папок (левое верхнее окно). Теперь Outlook Express сам запросит у вас разрешения получить список доступных групп новостей. Операция это не слишком быстрая и может занять до 10—15 мин (при числе доступных групп новостей 15—25 тысяч). В дальнейшем выйти на этот список вы можете через кнопку «Группы новостей» на панели кнопок Outlook Express.

Теперь выберите из длинного списка интересующие вас группы. Для этого, кстати, совершенно необязательно просматривать весь многотысячный список — просто наберите в окне «Отобразить названия групп, содержащие...» название интересующей вас темы. Естественно, на английском языке. Любите музыку — наберите music. Искусство в целом — art. Путешествия — travel, и т. д. В конце концов, загляните же в словарь!

Список групп новостей в окне внизу заметно сократился, в самом худшем (или лучшем) случае осталось не больше сотни названий. А выбрать нужную вам группу из ста куда проще, чем из тысячи, не правда ли?

Кстати, вернемся еще раз к языковым вопросам. Если вы сносно читаете на языке Шекспира, то вам не о чем беспокоиться — выбирайте любую группу и подключайтесь к дискуссии. Если же нет — выберите из списка только русскоязычные группы новостей. Как правило, их названия начинаются на fido7. или relcom.

А если вы — безнадежный рискач и страстно жаждете качать из групп новостей всевозможные файлы (НУ ПОЧЕМУ вы сразу же подумали о порнографических картинках, есть ведь и картинки вполне приличные — иллюстрации к фантастике, например, или фото Марса!), обратите особое внимание на группы, начинающиеся с alt.binaries, к примеру, alt.binaries.sound.midi.

О'кей. Группы выбраны. Теперь нам нужно только подписаться на них.

Для подписки дважды щелкните левой кнопкой мышки по имени каждой выбранной вами группы. Теперь рядом с ним появится значок, сигнализирующий, что подписка проведена. Если захотите отписаться от какой-либо из групп, щелкните по ее имени еще раз тем же двойным щелчком.

Теперь перейдите во вкладку «Выписанные». Здесь вы найдете полный список выбранных вами групп. Все на месте? Ничего не забыли? Что ж, тогда смело нажимайте кнопку ОК и возвращайтесь в основное меню Outlook Express.

Как видите, выбранные вами группы новостей добавились в древовидную структуру папок в левой части окна. И работать с ними вы будете, как с папками — за немногими, но досадными исключениями...

Подключитесь к Интернет и щелкните по заголовку любой из выбранных вами групп новостей. Outlook Express тут же начнет загружать список заголовков писем из этой группы и представит его вам. Задается эта опция через уже знакомый нам пункт «Параметры» в меню «Сервис» — проверьте, установлена ли галочка на пункте «Автоматически показывать новые сообщения» во вкладке «Чтение».

Хотите прочитать какое-либо из писем — щелкните по его заголовку, и Outlook Express тут же загрузит текст сообщения с сервера.

Отбор писем для последующей загрузки — дело хлопотное и долгое: попробуйте, выберите нужные сообщения из нескольких сотен! Поэтому тратить на это дорогостоящее время в Интернет и занимать телефонную линию почем зря неразумно. Ведь эту операцию вы можете проделать и в автономном режиме, отключившись от Сети.

Пометьте заголовок каждого из заинтересовавших вас сообщений с помощью соответствующего пункта Контекстного Меню. Теперь снова войдите в Сеть и воспользуйтесь командой «Загрузить все» из меню «Сервис» — нужные вам сообщения будут доставлены.

В группах новостей мы часто имеем дело не столько с отдельными письмами, сколько с обсуждениями — сериями писем на одну и ту же тему. Скажем, первый участник задает тему, второй ему отвечает, третий спорит со вторым, а четвертый соглашается с первым. И потянулась це-

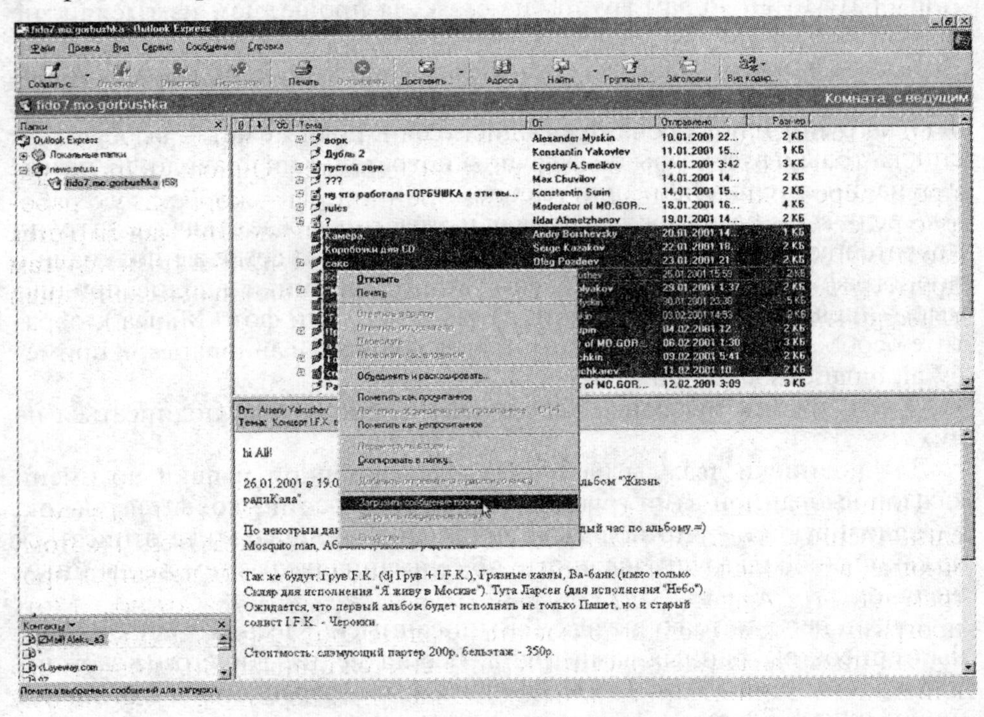

Пометка сообщений для загрузки

почка... Поэтому по умолчанию — для удобства пользователей — Outlook Express показывает лишь первое письмо в каждом обсуждении, помечая его слева значком +. Щелкнув по этому значку, вы получите доступ к остальным письмам дискуссии.

Поместить новое письмо в группу новостей вы можете с помощью тех же приемов, которыми мы пользовались при создании писем электронной почты, т. е. с помощью кнопки «Создать сообщение». А вот возможности ответа на те или иные сообщения у вас расширились: теперь к вашим услугам сразу две кнопки — «Ответить в группу» и «Ответить автору» (в этом случае ваш ответ посылается не в группу новостей, а по электронной почте).

До сих пор мы не отмечали каких-либо особенных недостатков режима работы с новостями Outlook Express, о котором столько говорилось в начале главы. Терпение — сейчас они появятся.

Самый крупный из них — невозможность удаления заголовков сообщений и самих сообщений в реальном времени, с помощью кнопки Del или каким-либо другим способом. Более того, отсутствует реальная возможность создания архива из писем: все прочитанные сообщения удаляются при выходе из Outlook Express. Можно, конечно, после прочтения сообщения пометить его как непрочитанное с помощью соответствующего пункта Контекстного Меню — в этом случае оно останется в папке. Наконец, можно просто перетащить какое-либо из интересных сообщений в одну из архивных папок электронной почты, которые мы с вами учились создавать раньше, либо создать еще несколько папок, под каждую группу новостей. Но это так неудобно!

Существует еще один выход: запретить удаление прочитанных сообщений с помощью меню ***Сервис/Параметры/Дополнительные***, сняв галочку с пункта ***Не сохранять прочитанные сообщения***. Но в этом случае вы рискуете «затопить» ваш диск сотнями и тысячами ненужных писем...

Словом, все эти недостатки режима новостей Outlook Express напрочь перечеркивают два его главных достоинства — корректную работу с русским языком и интегрированность в комплекс Internet Explorer. Поэтому большинство пользователей вынуждены прибегать к услугам других редакторов групп новостей — таких, как описанный в следующей главе почтовый клиент Agent.

Работа с группами новостей в программе Agent

Привычный интерфейс и великолепная работа с русским языком — единственные достоинство новостного клиента Outlook Express. Поэтому многие, в том числе и автор этой книги, предпочитают пользоваться программой Free Agent, предоставляющей куда большие возможности (эту программу можно бесплатно скачать по адресу http://www.forteinc.com).

Эта программа уже более пяти лет является стандартом «новостного клиента» — единственным и непревзойденным образцом, по которому следовало бы равняться конкурентам. Последние, впрочем, почему-то

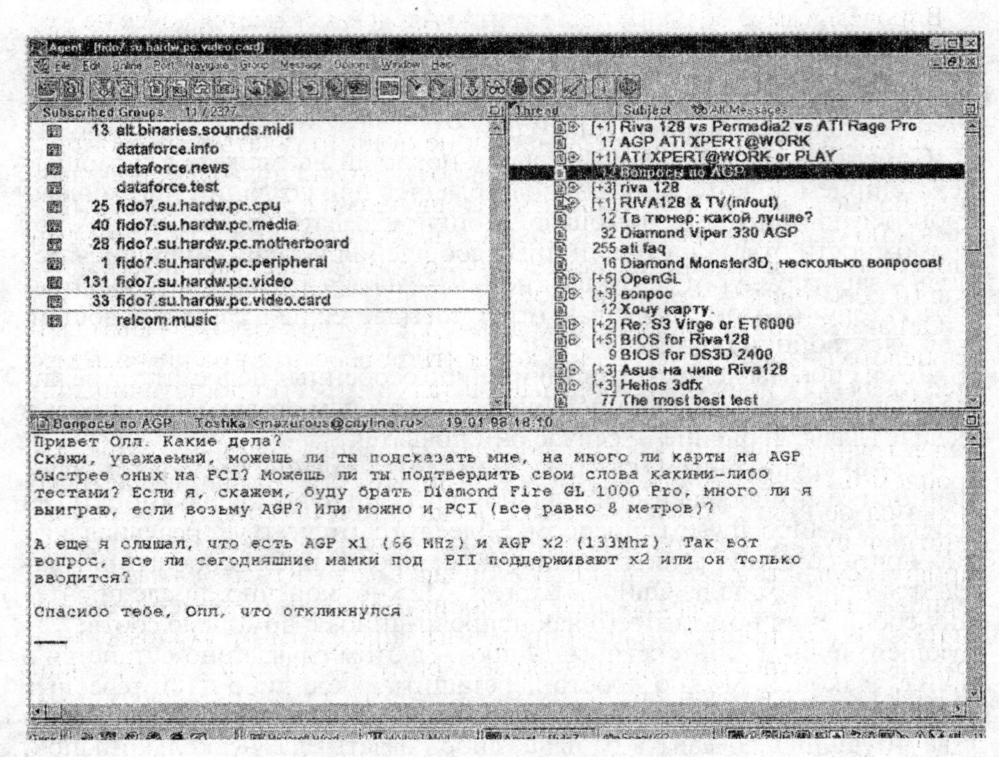

Agent — программа для просмотра новостей

не спешат это делать, благодаря чему и сегодня, несмотря на свой несколько архаичный интерфейс, Agent остается программой не только популярной, но и «модной». Правда, насладиться всеми ее преимуществами могут лишь опытные пользователи — механизм настройки Agent для новичка сложноват.

Интерфейс программы, на первый взгляд, не слишком отличается от знакомого обличья Outlook Express — все те же панели с именами групп новостей (слева), заголовков (справа) и текстов сообщений (внизу). Однако каждая из этих панелей гораздо функциональнее своих аналогов в Outlook Express. Начнем с панели групп — с ее помощью вы можете вывести на экран не только список выписанных вами групп, но и полный список групп новостей на сервере, а также новых групп, добавленных в промежутке между последними обновлениями списка. Для переключения режимов панели достаточно щелкнуть по ее «шапке»-заголовку. Во всех случаях уже выписанные вами группы помечены значком «карточки» слева от их названия, новые же группы помечены символом горящей лампочки. Для подписки на любую группу достаточно вызвать, с помощью щелчка правой кнопкой мышки по ее названию, ее контекстное меню и выбрать пункт ***Подписаться*** (Subscribe) или ***Отписаться*** (Unsubscribe). Команду для загрузки или обновления списка групп новостей можно дать с помощью двух пунктов меню Online — Get new groups и Refresh groups list соответственно.

Впрочем, самое большое достоинство Agent заключается вовсе не в ее интерфейсе, а в механизме загрузки и сохранения сообщений. Мы помним, что Outlook Express не позволял выборочно быстро удалять сообщения из групп с помощью кнопки Del — в Agent эта проблема устранена! Теперь работа с группами новостей не будет отличаться от работы с обычными сообщениями электронной почты. Agent позволяет производить любые действия с отдельными сообщениями в группах новостей — их можно удалять, перемещать, сохранять, сортировать всевозможными способами. Словом, предоставляет пользователю максимально возможную (и необходимую) степень удобств.

Однако эта бочка меда не обходится для российских пользователей без целого половника дегтя. Для корректной работы с русским языком Free Agent, как и другие импортные «читалки», требует достаточно долгой и кропотливой настройки. Точнее, если бы русскоязычные сообщения в группах новостей отправлялись в обычной кодировке Windows, проблем бы не было. Однако мы помним, что вследствие несчастного стечения обстоятельств кодировок русского текста (то есть схем соответствия букв-символов определенным номерам кодовой страницы шрифта) существует несколько. И стандартной в группах новостей Интернет стала не привычная нам кодировка Windows, а альтернативная КОИ-8. Большинство русифицированных программ от Microsoft — в том числе Internet Explorer и Outlook Express — работать с кодировкой КОИ-8 умеет, а вот для англоязычных программ других производителей ее существование является тайной за семью печатями. Именно поэтому, если вы захотите работать именно с Agent, вам придется установить специальные КОИ-8 шрифты, а заодно внести изменения в настройки самой программы.

Если же вы хотите узнать о кодировках подробнее... Что ж, в очередной (и последний!) раз отсылаю вас к многострадальной главе «Текст в Интернет. Проблема кодировок», на которую автор ухитряется ссылаться едва ли не в каждом разделе.

Получить доступ к ключевым механизмам настройки Agent можно через пункты меню Options:

- ***User and System Preferences*** — сюда необходимо внести имя пользователя, его электронный адрес, а также адрес сервера новостей. Здесь же — настройки параметров доступа в Сеть, механизма отправки писем и т. д.
- ***General Preferences*** — настройка интерфейса программы.
- ***Display Preferences*** — самый важный для российского пользователя раздел настроек! Именно здесь устанавливаются шрифты, используемые Agent для отображения заголовков и текстов писем.
- ***Posting Preferences*** — настройки сигнатур, полей исходящих писем и т. д.

К сожалению, автор не может позволить себе роскошь подробно рассказать о настройке и русификации Agent — эта инструкция заняла бы лишний десяток страниц в и без того перегруженной книге. К тому же нет смысла изобретать велосипед: в Сети опубликовано несколько весьма дельных страниц, посвященных этой теме, которые без труда можно найти по запросу «настройка русификация agent» на любом поисковом сервере. Желающих могу переадресовать, в частности, по следующему адресу:

http://support.mtu.ru/echo/info/setup_forte.htm

Последним — и самым большим — недостатком Agent остается платный статус программы. Можно, конечно, довольствоваться бесплатной версией Free Agent, однако возможности ее настройки существенно ограничены по сравнению с базовой версией. На худой конец, всегда можно поискать «ключ» на одном из специализированных «хакерских» поисковиков — однако давать вам такие рекомендации я, как вы сами понимаете, не имею никакого морального права...

Работа с группами новостей через WWW

Мы уже говорили о поглощении множества традиционных сервисов Сети вездесущей Всемирной Паутиной. Не стали исключением и группы новостей — сегодня работа с ними может осуществляться через обычную WWW-страницу. Точнее, через специализированный сайт, который служит своеобразными «шлюзами» (гейт) между мирам WWW и Usenet.

В этом подходе, как водится, есть и положительные, и отрицательные стороны. И последних не так уж мало... Во-первых, времени на чтение новостей в таком режиме потребуется значительно больше — оформленные в виде WWW-страничек сообщения загружаются в несколько раз медленнее. К тому же все это время вам придется быть «на линии», читать сообщения в режиме отключения от Сети, заранее скачав все интересное, уже не получится. Наконец, теряется возможность создания собственного локального «архива» сообщений — не сохранять же каждое в виде отдельной странички! Последнему горю, впрочем, легко помочь, ведь полную (!) подборку всех сообщений в любой группе новостей за несколько лет вы сможете найти здесь же, на том же самом сервере, который, ко всему прочему, еще и оборудован собственной поисковой системой...

Наконец, последний, но очень важный для многих «минус». Вспомним, что сообщения в группах новостей могут содержать не только текст, который мы сможем прочесть на сервере-«шлюзе», но и вложенные файлы. А вот их-то «шлюз» и не пропустит, аккуратно выкусив их из письма... Это сразу же делает WWW—«шлюзы» бесполезными для коллекционеров картинок или музыкальных композиций, для обмена которыми, как мы помним, существуют специальные группы (иерархии alt.binaries).

Однако все эти недостатки искупает один-единственный «плюс»: для работы с «конференциями» через WWW нам не потребуется долго возиться с настройкой незнакомых программ: все операции по чтению и отправке писем выполняются в окне Internet Explorer.

Как и в случае с ньюс-серверами, специализированные «WWW-гейты» также различаются по предоставляемым ими возможностям. Некоторые из них позволяют только читать сообщения, другие допускают, после регистрации, отправку сообщений в группы через WWW-страницы. Наконец, третьи, помимо большого количества «оригинальных» групп новостей, предлагают читателю собственное семейство конференций.

ПОИСКОВАЯ СИСТЕМА GOOGLE GROUPS

(http://groups.google.com)

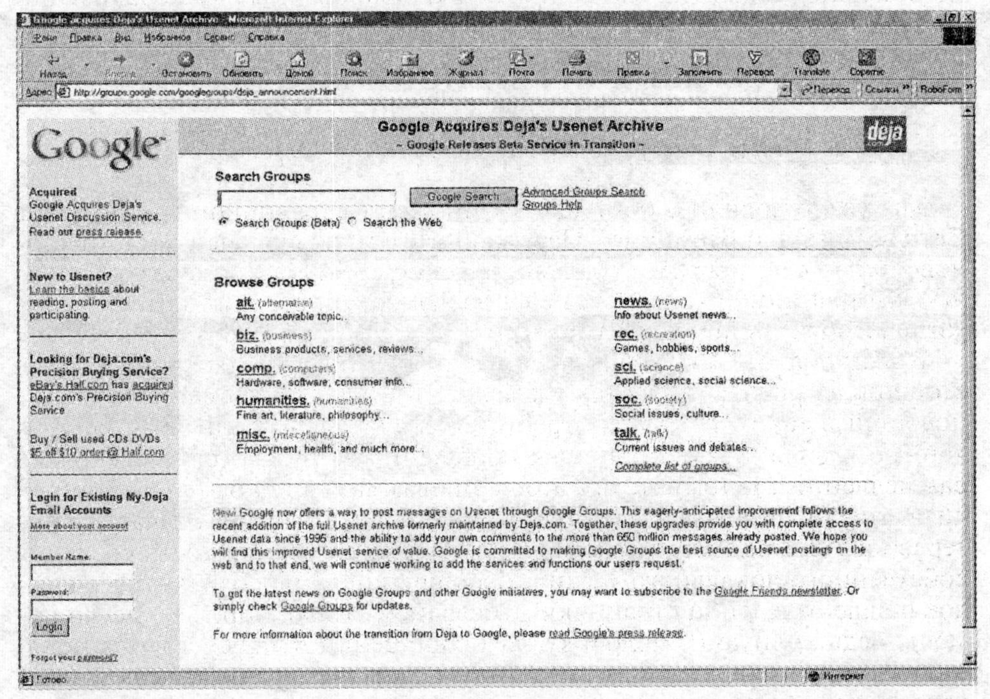

Google Groups

...В 1995 году, в самый разгар популярности групп новостей, в Сети была создана первая поисковая служба по опубликованным в них сообщениям. Называлась она Deja News, и именно под этим названием благополучно просуществовала до 2000 года, став одним из популярнейших «поисковиков» в Сети. Однако в прошлом году этот популярнейший ресурс начало серьезно лихорадить — в итоге, сменив обличье и адрес, служба возродилась в качестве подразделения лучшей (на мой субъективный взгляд) поисковой системы Google.

Сегодня система Google Groups находится в «детском» возрасте: многие из ее задекларированных возможностей (постинг сообщений, автоматическая пересылка новых сообщений, отвечающих заданным вами параметрам, на ваш почтовый ящик) пока еще не работают «в полную силу». Однако все возможности старой Deja News не только сохранились, но и значительно улучшились. В частности, система наконец-то научилась качественно работать с русским языком, невзирая на разницу в кодировках. Усовершенствован и поисковый механизм — теперь вы можете искать сообщения, пользуясь фильтрами и языком запросов Google.

В архиве системы — около 500 миллионов сообщений, опубликованных в 50 с лишним тысячах групп новостей с момента их создания. Разумеется, упор по-прежнему делается на англоязычные конференции, с которыми Google работает значительно лучше всех своих конкурентов. А вот результаты поиска по русским группам не худо бы лишний раз проверить, проведя «альтернативный» поиск по Talk.Ru или NewsGate.

СЕРВЕР КОНФЕРЕНЦИЙ TALK.RU
(http://www.talk.ru)

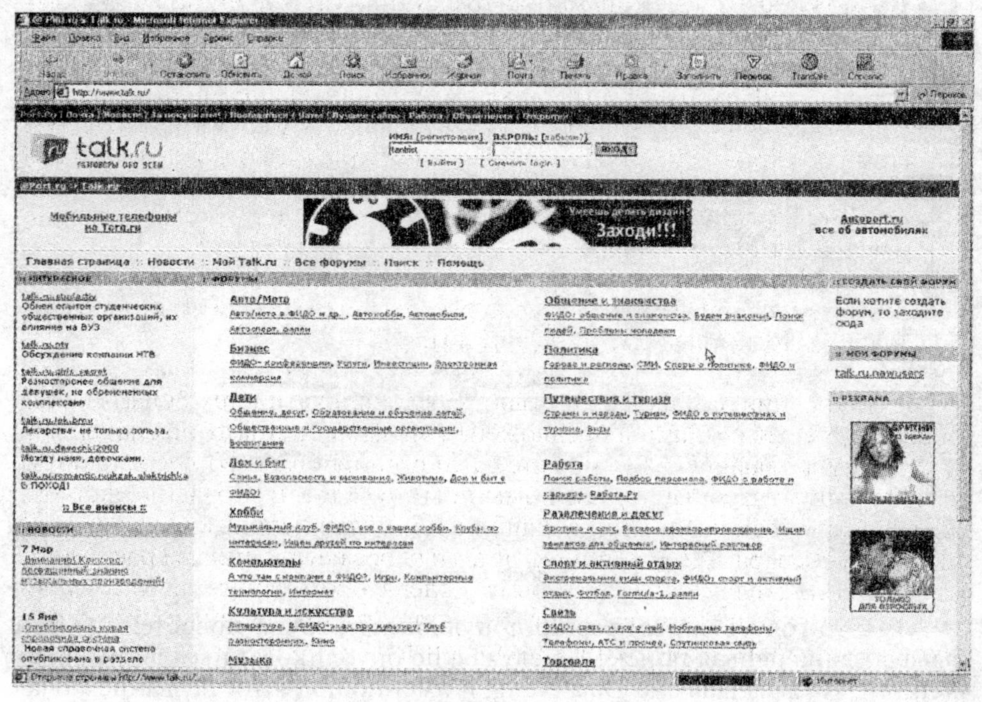

Talk.Ru

Один из крупнейших «шлюзов» в мир телеконференций, созданный известной сетевой корпорацией Port.Ru. С его помощью вы можете как читать, так и отправлять сообщения в любую из двух тысяч русскоязычных групп новостей в режиме «доски объявлений».

Основные возможности Talk.Ru:

- Свободный доступ ко всем русскоязычным интернет-конференциям: relcom, FIDO, medlux и собственным конференциям Talk.Ru.
- Все статьи хранятся на Talk.Ru в течение нескольких месяцев, в отличие от 1—2 недель на обычных news-серверах. Заполнение архива статей начато примерно с середины ноября 1999 года.
- Различные варианты доступа к форумам, в зависимости от желания пользователя: Web-интерфейс (через браузер), News-сервер (через программу чтения новостей, для зарегистрированных пользователей), Почтовые списки рассылки (через почтового клиента). Для доступа через список рассылки надо подписаться на форум или дискуссию.
- Удобный поиск по статьям всех форумов с учетом правил словообразования русского языка и подсветкой результатов. Есть также возможность поиска по автору статьи, дате, форуму и рубрике.
- Специально разработанный рубрикатор форумов, для того чтобы быстро найти все форумы на интересующую вас тему.
- Подборка ссылок на тематические ресурсы в Интернете у каждого форума. Интересную ссылку может добавить любой посетитель Talk.Ru.
- Возможность отслеживания интересующих Вас форумов и дискуссий по электронной почте и через Web-интерфейс.
- У каждого зарегистрированного пользователя появляется Личная страница. Личная страница предназначена для упрощения навигации по серверу и управления персональными настройками. Через Личную страницу можно: управлять подпиской на форумы, управлять отслеживанием дискуссий, отслеживать свои собственные сообщения и ответы на них, редактировать свои регистрационные данные и менять пароль.
- При регистрации на Talk.Ru пользователь автоматически регистрируется на шлюзе FIDO и может отправлять сообщения в форумы fido7.* (Подробнее см. www.fido7.ru).

Все сообщения на Talk.Ru проходят через мощную систему спам-фильтров. Навязчивая реклама и предложения «make money fast» исключены.

И — **самое главное** — Вы можете сами организовать форум на любую интересующую вас и ваших единомышленников тему. Создание форума займет всего несколько минут. Ваш форум будет использовать все возможности сервера Talk.Ru (поиск, доступ через news и списки рассылки, и т. д.).Вы по желанию можете быть модератором форума или пустить его в «свободное плавание». Форум может быть проиндексирован в поисковых машинах, помещен в каталоги и т. п.

СЕРВЕР КОНФЕРЕНЦИЙ NEWSGATE

(http://www.newsgate.ru)

Один из первых и известнейших «шлюзов» в российской Сети, к сожалению, постоянно находящийся в режиме Under Construction. Главное достоинство сервера — полнота охвата «новостного» пространства:

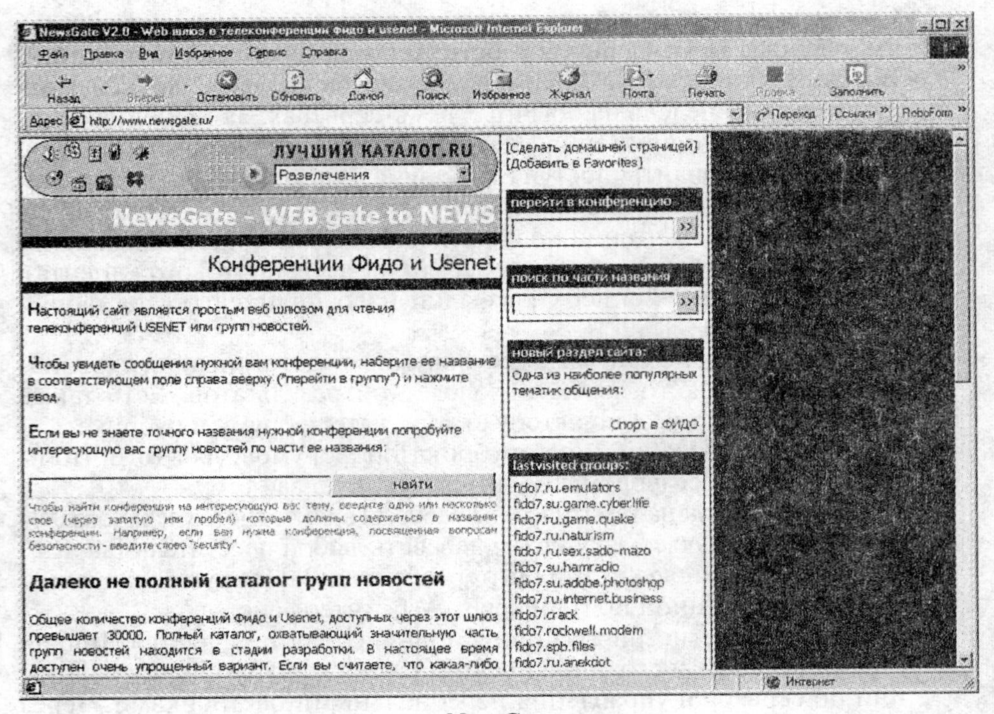

NewsGate

через сервер можно получить доступ к полному (!) архиву сообщений, опубликованных в любой из 30 000 (!) групп новостей за все время их существования. Разумеется, здесь вы найдете не только российские, но и большинство популярных англоязычных ньюсгрупп.

Это — в теории, на практике же сервер имеет множество недостатков. Получить реальный доступ можно далеко не ко всем группам. Невозможен пока и постинг сообщений, хотя эту возможность разработчики обещают воплотить в жизнь уже в ближайшее время. Поисковый механизм позволяет найти, по ключевому слову, только группу, но не отдельные сообщения в ней. Наконец, до сих пор не готов и более-менее внятный каталог конференций, довести который до ума собирались еще два года назад...

С другой стороны, база сообщений по популярным русскоязычным группам Фидо и Интернет у NewsGate значительно больше, чем у его главного конкурента и коллеги Talk.Ru — и возможностью «покопаться в архивах» иногда грех не воспользоваться.

ФОРУМЫ (FORUMS)

Даже обзаведясь «шлюзом» во Всемирную Паутину, группы новостей все равно остаются в ней чужаками, пришельцами из иного мира. А что будет, если некий аналог группы новостей возникнет непосредственно в Паутине?

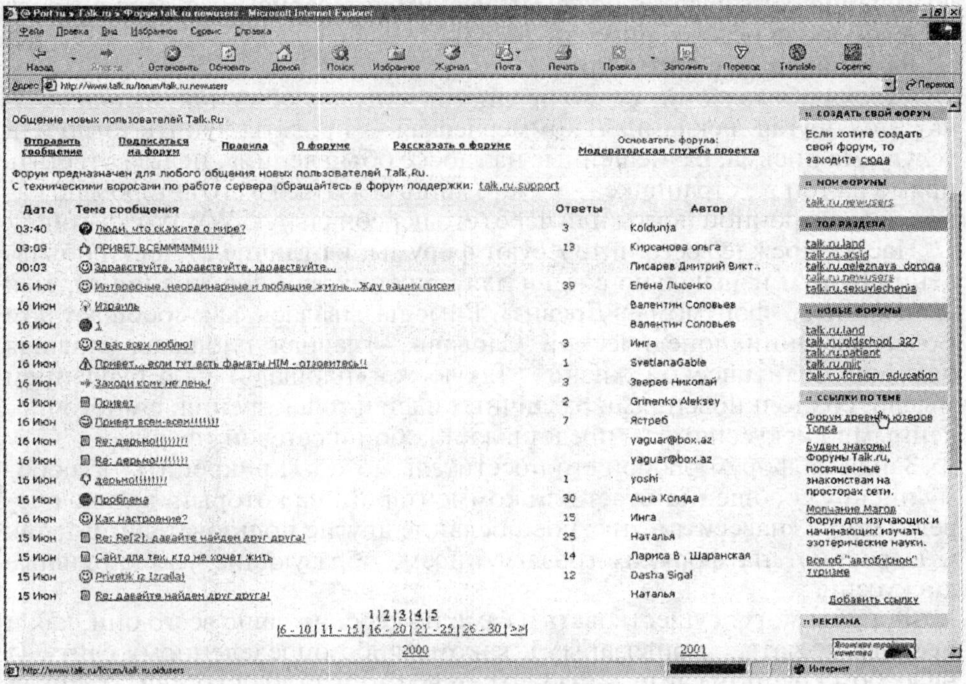

Форум

Получится совершенно новый способ общения пользователей Сети — форум или электронная доска объявлений.

Хотя — почему новый? Ведь именно из таких вот «форумов» и выросли, собственно, все остальные виды сетевого общения.

Когда-то давно, на заре эпохи сетей и коммуникаций, когда Интернет еще была не всемирной универсальной сетью, а всего лишь экзотической игрушкой для ученых... Так вот, именно тогда и возникли первые «электронные доски объявлений» (BBS — Bulletin Board System). Находились они на отдельных, не связанных друг с другом компьютерах, к каждому из которых нужно было подключаться индивидуально, дозваниваясь до него по одной-единственной телефонной линии. Позднее эти станции объединились в бесплатную некоммерческую сеть Фидонет, которая существует и сегодня: автору приходилось работать с этой сетью еще сравнительно недавно, в начале 90-х годов.

Но разговор в этой главе пойдет не о «Фидо», а об Интернет, который, едва родившись на свет, не замедлил прибрать перспективную идею к рукам. И сегодня «доски объявлений», расположенные на страницах Всемирной Паутины, продолжают оставаться одним из самых популярных видов сетевых услуг. Правда, теперь этот некогда единый сервис разделился на собственно «доски объявлений» и «форумы».

«Доски объявлений» и «форумы» устроены практически одинаково. И в том и в другом случае пользователь может, зайдя на специализированную страничку, оставить на ней короткое текстовое сообщение, которое затем могут прочесть все остальные посетители. Для удобства все сообщения сортируются по тематическим категориям — в зависимости от темы доски объявлений или форума.

Разница лишь в идеологии.

«Доски объявлений» редко предназначены для общения, цель и задача у них другая. Рекламная, коммерческая — продать, купить товар или услугу. На письма, размещенные на «доске объявлений», нельзя ответить прямо на той же страничке — можно лишь связаться с его автором по каналам электронной почты или через его персональную WWW-страничку.

Нас же прежде всего интересуют форумы; в отличие от доски объявлений форум изначально создан для общения, обмена мнениями. Как вы помните, «форумом» в Древнем Риме называлась, как сообщает нам Большой Энциклопедический Словарь, «главная площадь, ставшая центром политической жизни». Такую же «площадь» — с бурлением мысли, со столкновениями различных идей и точек зрения, с многочисленными дискуссиями — представляет собой и сетевой «форум».

Зайдя на форум, любой его посетитель может «прикрепить» к любому письму сообщение-ответ или комментарий, на который, в свою очередь, могут «навесить» ответное послание другие пользователи. Вот так и вырастают на форумах гроздья писем, образующие увлекательные дискуссии.

Форумы могут существовать и сами по себе, но чаще всего они, как и небольшие чаты, «привязаны» к какому-либо определенному сайту. И на любом крупном сайте — будь то сетевое агентство новостей, крупный сервер по «железу» или страничка фэн-клуба какой-нибудь Бритни Спирз, — обязательно отыщется кнопочка с названием «Форум» или «Гостиная».

Неудивительно, что в отличие от групп новостей, которые могут читать все желающие, основной костяк аудитории форумов образуют посетители того или иного сайта. Случайной публики здесь сравнительно немного, а постоянные «писатели» быстро становятся хорошими знакомыми. А часто — и друзьями. И если чаты предпочитает, в основном, горячая и нетерпеливая молодежь, то форумами пользуется гораздо более степенная публика. Те, кому не лень подождать денек-другой, но получить в итоге дельный и подробный ответ.

Форумов существует гораздо больше, чем групп новостей, и составить их полный каталог попросту невозможно. Так что нужный вам форум придется искать самостоятельно — через знакомый вам механизм запросов на поисковых системах, каталоги, группы новостей...

Впрочем, в Сети существует ряд серверов, благодаря которым можно получить доступ к тысячам (!) отдельных форумов....

СЕРВЕР ФОРУМОВ WEBFORUM.RU
(http://www.webforum.ru)

Крупные сайты обычно предпочитают разрабатывать форумы самостоятельно и держать их у себя «под бочком», на том же самом сервере. Вот владельцы небольших сайтов и домашних страничек такую роскошь

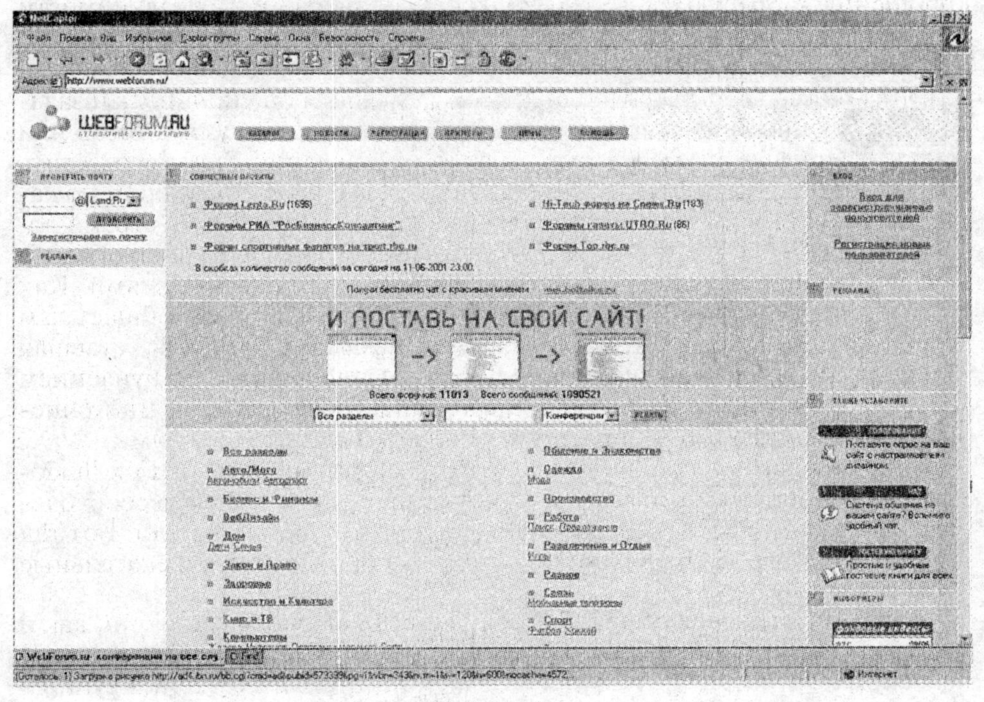

WebForum.Ru

себе позволить не могут, а потому вынуждены прибегать к услугам специальных «форумных» серверов. Один из них — Talk.Ru с его системой форумов-конференций уже знаком нам по главе «Группы новостей». А потому нашим сегодняшним героем станет совсем другой сайт — WebForum.Ru, сдающий собственное «форумное пространство» всем желающим абсолютно бесплатно! Немудрено, что со временем в копилке сервера накопилось ни много ни мало — более 10 000 форумов всех возможных направлений! Конечно, не все они одинаково интересны — на большинстве проходит, дай бог, пара сообщений в неделю. Но существуют и настоящие гиганты, на которые заходят сотни и даже тысячи посетителей ежедневно.

Найти нужный форум можно как через удобный каталог со множеством категорий, так и через поисковую систему (по ключевому слову). Кроме того, существует на сервере и «хит-парад» самых популярных форумов.

СЕРВЕР ФОРУМОВ EZBOARD
(http://www.ezboard.com)

Если необходимость общаться исключительно на языке Шекспира и Джона Леннона вас не смущает — добро пожаловать в гости к одной из самых популярных на Западе «копилок» форумов — серверу EzBoard. Уж где-где, а здесь вы без общения явно не останетесь — к вашим услу-

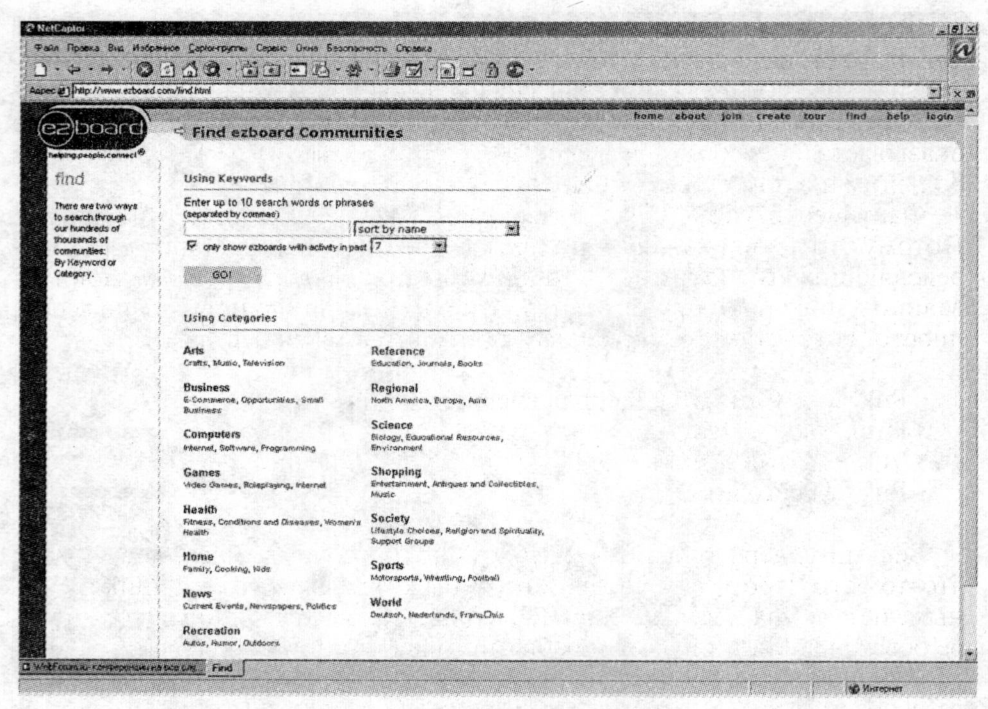

EzBoard

гам будет не менее 60 000 форумов и 4 миллиона (!) ваших потенциальных коллег по интересам.

Кстати говоря, система EzBoard — один из самых «продвинутых» и удобных ресурсов, предоставляющих бесплатные форумы создателям «домашних страничек». И можно только пожалеть, что аналогичных по функциональности серверов-конкурентов пока что не появилось в России... Однако подробнее об этом аспекте проблемы мы поговорим позднее — в главе, посвященной Web-дизайну.

INTERNET RELAY CHAT (IRC)

...Представьте себе большую комнату, до отказа заполненную людьми со всех концов света и общающихся друг с другом на выбранную тему. Боже мой, ну и шум! А главное, никакого толку...

Именно это и представляет из себя еще один сервис Интернет — каналы IRC, Internet Relay Chat. Живая болтовня в Интернет. Правда, общение происходит не в привычном нам голосовом режиме, а в текстовом... Но это не группы новостей: строчки, которые вы набиваете в IRC-программе, сразу же становятся видны другим участникам беседы, а их на некоторых каналах в особенно горячее время набирается больше сотни. Хотя совершенно не обязательно болтать в общей «комнате»: можно в любой момент уединиться с избранными в Private chat.

IRC — самое плодотворное место для трепа. Похоже, исключительно для этого он и существует. Треп приветствуется на любую тему — не обязательно на ту, что указана в заголовке. Темы перетекают одна в другую, меняются и мутируют с бешеной скоростью... В итоге на вашем экране оказывается невероятная смесь из флирта, зеваний и междометий с большим числом смайликов и восклицательных знаков.

Фактически указанная в названии «канала» тема ничего не значит. Потому что любой канал — это прежде всего компания старожилов, определяющих его «политику». Как правило, все посетители каналов IRC великолепно знают друг друга и войти в их компанию новичку не всегда просто. И действительно, как вам понравится такая беседа:

<Puk>... А Саня-то перебрал вчера.
<Hruk> Ну!
<Vuk> Ты тоже был хорош!
<Puk> И сегодня буду!

Вельми содержательно и высокоумно! Впрочем... наверное, в этом что-то есть. Ибо и сам автор, хоть и пыжится выглядеть слишком умным, нет-нет да и заходит на IRC, чтобы на час-другой окунуться в море освежающей, ни к чему не обязывающей праздной болтовни.

Однако относится к IRC с уважением стоит хотя бы из-за почтенного возраста этого сервиса. Ведь первые «болталки» появились на свет

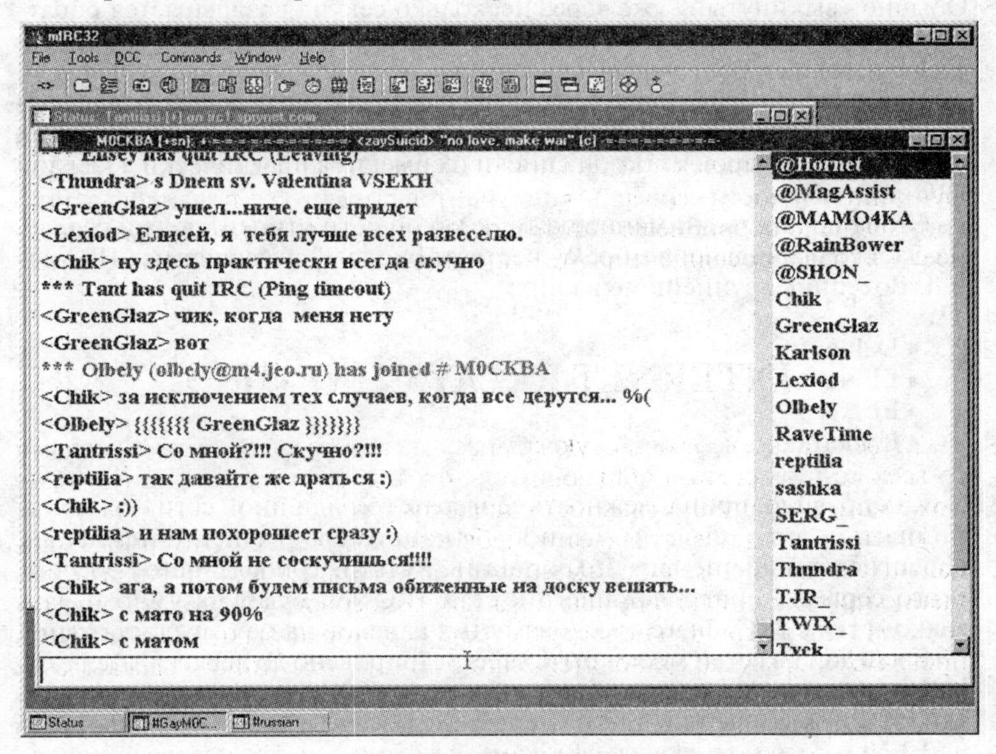

Болтовня на канале IRC

еще в 1988 году, задолго до рождения WWW. История донесла до нас и имя «крестного отца» IRC — им стал финский программист Ярkко Ойкаринен (Jarkko Oikarinen), который первым додумался расширить функции крохотной программы talk, предназначенной для организации беседы пользователей операционной системы UNIX.

Но настоящая популярность пришла к IRC только через три года: историки обычно увязывают это знаменательное происшествие с политическими катаклизмами — война в Персидском заливе, путч в СССР и ряд других пертурбаций всемирного значения породили острую необходимость в средстве быстрого обмена информацией «с мест событий». Как вы помните, именно на этой волне «поднялись» группы новостей, а вместе с ними родились и первые каналы IRC.

Кстати, что такое «каналы»? Это тематические «группы» — конференции, подобные уже известным вам «группам новостей». Название их всегда начинается с символа решетки #. Например #russia, #russkichat, #fidorus. Символ решетки отнюдь не означает, что беседы на IRC как-то зажаты или кем-то цензурируются. Наоборот, здесь царит настоящая анархия. Хотя нет, в любом канале имеются надзиратели, именуемые «*ботами*». Они — такие же участники дискуссии, как и другие. Но среди всех равных они немножечко равнее других, как говаривал старик Оруэлл. Ботам дана власть в любую минуту «выпихнуть» с канала любого особенно зарвавшегося «болтальщика» и сделать так, чтобы он больше никогда не переступил «порог» канала. Однако так происходит редко. Обычно «выкинутый» уже через несколько секунд возвращается обратно со счастливой улыбкой на лице и с бодрым «Hello guys!» вновь бросается с головой в болтологический омут...

Наверное, вы уже поняли, что «местожительством» каналов являются специальные серверы. Пятерка за сообразительность — именно так оно и есть. Серверов много, и списки их имеются практически в каждой IRC-программе.

Стоит обратить внимание на то, к какой сети относится ваш сервер. Да-да, все правильно: в мире существует около 30 независимых IRC-сетей. Вот лишь крупнейшие из них:

- Dalnet
- EFNet
- FENet
- Undernet

Как правило, принадлежность сервера к той или иной сети можно установить по его названию (например, efnet.telstra.net.au, phoenix.az.us.undernet.org, irc.portal.ru). Кстати, с последнего, российского сервера, принадлежащего к сети IRCNet, будет разумно начать знакомство с IRC, благо русскоязычных каналов на нем предостаточно.

В каждой из сетей может быть зарегистрировано до десятка тысяч каналов, всего же их насчитывается более 40 000! И отнюдь не факт, что канал, который вы найдете на сервере, скажем, сети FENet, отыщется на EFNet. Зато подключиться к каналу можно с любого сервера, на котором этот канал имеется. Откуда бы вы ни зашли: с лондонского, московского или американского сервера, — вы всегда встретите одну и ту же жизнерадостную толпу, готовую принять вас в свои объятия. Причем не только фигурально: если вы принадлежите к женскому полу, крепитесь: предложения насчет клубнички посыплются сотнями...

Традиционный язык IRC — английский. Есть, конечно, множество русскоязычных конференций, но и в них участники пишут на так называемом «рунглише» или, проще говоря, пользуются транслитерацией, передавая буквы русской речи соответствующими символами латиницы. Konechno, privyknut k takomu vot pismu trudnovato. Зато тебя гарантированно поймут русскоговорящие участники дискуссии, живущие где-нибудь в Америке или Израиле и не имеющие комплекта русских шрифтов на компьютере... Натуральный русский язык с использованием кириллицы допустим в считанном числе каналов — с других вас могут запросто «выкинуть» за использование запрещенного языка.

У каждого посетителя IRC есть свое «канальное имя», псевдоним, nickname или просто «ник». Можно, конечно, не мудрствуя лукаво, соорудить что-нибудь короткое из собственного имени, Например, Petja, Vaska или Olenka. Однако большинство участников предпочитает награждать свое электронное воплощение особенно «завернутым» ником — Trotilla, Kotjara, KABYSdoh и т. д. И весело, и оригинально. А вместе с новым именем можно запросто сменить и пол: старые IRCшники обожают прикидываться на канале смазливыми и раскрепощенными девушками и с наслаждением «флиртовать» с пускающими слюнки новичками. Вы бы видели, какой разгорается накал страстей!

Кстати, о страстях. Трудно выразить их сухим печатным словом, ох как трудно! Попробуйте вложить в простую двухсловную фразу какую-либо эмоцию. Допустим, реплика: «Ах ты!» может быть ироничной, удивленной, гневной, выражать досаду, восхищение — все, что угодно. Но как дать понять остальным участникам, что именно ты имел в виду?

Шекспир, конечно, мог бы высказать все, что требовалось, в одном лишь слове. Но беда в том, что большинство посетителей IRC отнюдь не шекспиры, а посему свои эмоции они выражают с помощью особых значков — *смайликов*. Вообще смайлики — атрибут не только IRC, но и электронной почты, групп новостей и т. д. Короче, универсальная символика Интернет:

:) — шутка
:)))) —о-очень смешная шутка
:(— грустно, неприятно
>:(— это еще что за новости?!!!
8() — удивление

Если вы еще не поняли, что такое смайлики, попробуйте посмотреть на них, повернув эту страничку на 90 градусов направо. :)

Конечно же, смайликов гораздо больше, чем описано здесь (большую подборку можно найти по адресу http://www.vvsu.ru/lgis/Russian/IRC/smiles.htm). И вы, к слову сказать, можете совершенно спокойно придумать новый! Помимо смайликов, существуют еще и общеупотребительные сокращения — аббревиатуры распространенных выражений и речевых оборотов (краткий «словарик» этих сокращений вы можете найти в конце книги).

Пользоваться аббревиатурами и смайликами, что греха таить, удобно — они придают беседе выразительность и лаконичность. И все-таки постарайтесь не забывать о том, что существует на свете и НОРМАЛЬНЫЙ русский язык. Экономить время при беседе за счет культуры, на мой взгляд, все-таки не следует.

Вот такой он — удивительный и непонятный мир электронной болтовни. Окунуться в него значит обречь свой телефон на многочасовую занятость, глаза — на припухшую красноту... И очень легко забыть за электронным общением своих реальных друзей, ведь болтать «вживую» — кажется — уже не так увлекательно...

Поиск каналов и серверов IRC

РУССКИЙ IRC-КАТАЛОГ

http://irc.hotmail.ru
http://undernet.da.ru
http://pirch.da.ru
http://mirc.da.ru)

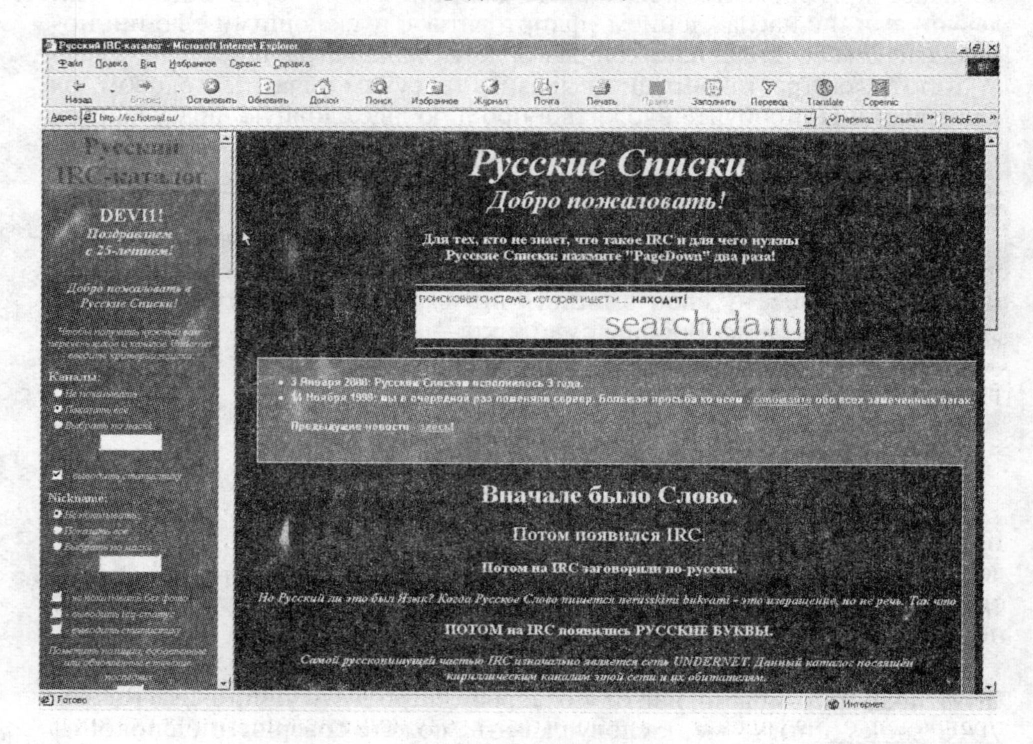

Русский IRC-каталог

Первая — и, как мне кажется, весьма удачная попытка создать поисковую систему по русским IRC-каналам, проживающим в крупнейших IRC-сетях. Хотя надо заметить, что до звания «полного и объективного» каталогу еще далеко, пока что на его страницах представлены в основном каналы, относящиеся к сети UnderNet.

Помимо подробных описаний каналов на сервере представлена «фотогалерея» особо активных русскоязычных «чатлан», подробная русская документация по IRC и «торжественный комплект» программ для чата.

Программы для работы с IRC

MICROSOFT CHAT (MICROSOFT): КЛИЕНТ IRC

Microsoft Chat

В состав Internet Explorer входит очень забавная программка для Internet Relay Chat (общения в текстовом режиме с большим количеством виртуальных собеседников) под названием **Microsoft Chat**. Ранее она называлась несколько по-другому — Comic Chat, и это название, по-моему, ей подходило чуть больше.

Дело в том, что Microsoft Chat, в отличие от большинства других программ для IRC, значительно оживляет текстовый процесс общения, превращая его в увлекательный комикс, создающийся на ваших глазах и при вашем участии.

При запуске Microsoft Chat (ярлык к этой программе расположен, как вы могли догадаться, в папке ***Пуск/Программы/Internet Explorer*** на панели задач Windows 95/98) вам будет предложено выбрать свой личный псевдоним (nickname), под которым вы будете известны другим участникам болтовни, и своеобразную «маску» — комического персонажа, который может быть в чем-то отождествлен с вами. Например, сексапильную девицу, добродушного толстяка или даже инопланетянина. В составе Microsoft Chat имеется около десятка таких «масок», а на WWW-сервере Microsoft вы можете найти еще несколько дополнительных.

Теперь вы подключаетесь к серверу, поддерживающему режим Comic Chat (обычно это один из чат-серверов самой Microsoft, на которые и настроена программа), входите в нужную вам «комнату» (так в переводе Microsoft именуются знакомые нам каналы).

Получить список комнат вы можете через меню «Комнаты»/«Список комнат», а отобрать нужные вам — с помощью приема, который мы использовали при поиске групп новостей. Вы можете заказать на сервере полный список комнат, а можете задать в строке поиска часть интересующей вас темы. Например, если вас привлекает исключительно общение на русском языке, ищите каналы, содержащие в названии rus. Например, #Russia, #Russian, #Russkichat, #Russiancyrillic, #Rus_club и т. д.

После этого с помощью Контекстного Меню входите в комнату и начинаете общение. Каждая комната населена неимоверным количеством виртуальных персонажей — можете встретиться с такой же, как у вас, маской.

Теперь можете подключаться к диалогу. Текст вашего сообщения вводите в адресной строке внизу, а после ввода нажмите одну из кнопок справа от строки. Эти кнопки определяют характер каждой произносимой вами фразы: «Сказал», «Подумал», «Прошептал». С помощью «эмоционального круга» в правом углу экрана вы можете придать любую эмоцию вашему рисованному «двойнику».

Несмотря на всю привлекательность «комиксового» режима общения, большинство IRC-шников предпочитает старый добрый текстовый метод. Дело в том, что при большом числе участников дискуссии обилие картинок очень утомляет и проследить за ходом мысли удается не всегда. Текстовый режим доступен, конечно же, и в Microsoft Chat (для входа в него нужно выбрать строку «Текст» в меню «Вид»).

Не забудьте: даже в большинстве русскоязычных комнат-каналов текст пишется не русскими буквами, а с помощью так называемой транслитерации, буквами латинского алфавита:

- а — a
- б — b
- в — v
- г — g
- ж — zh
- з — z
- х — h

- ц — ts
- ш — sh
- ч — ch
- ы — y
- ю — ju
- я — ja

ЧАТ-ПРОГРАММА MIRC (MIRC)

Без этой программы не обходится ни один компьютер, хозяин которого хоть раз в своей жизни заглядывал в IRC. И вот уже в течение добрых пяти лет маленькая, компактная и практически бесплатная программа mIRC (http://www.mirc.com) с уверенностью соперничает по популярности с большими и серьезными пакетами. Словно веселый и нахальный воробей, ухитряющийся утащить лакомый кусок прямо из-под носа важных индюков...

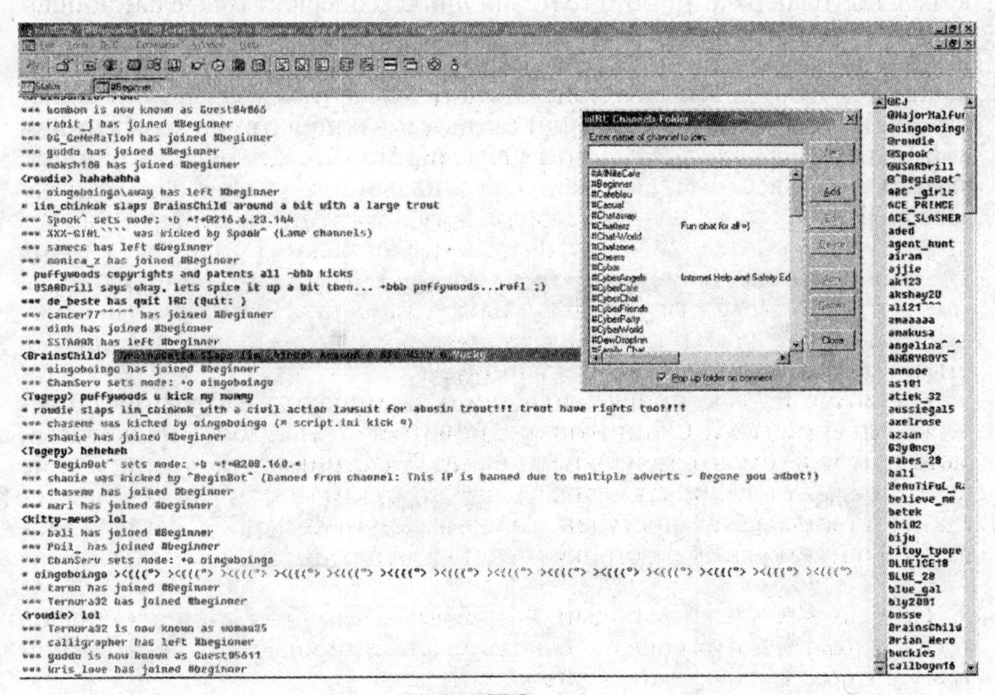

mIRC

Интерфейс mIRC несколько менее нагляден, чем Microsoft Chat, о которой мы говорили в одной из предыдущих глав, однако достоинства этой программы искупают этот недостаток с лихвой. А может, это и не недостаток вовсе? Во всяком случае, именно простота и функциональность mIRC превратили mIRC в лидера IRC-программ, и даже всемогущий Microsoft не смог столкнуть творение программиста Халеда Мардам-Бея с лидерского пьедестала.

В mIRC встроена большая база данных IRC-серверов крупнейших IRC-сетей практически во всех странах мира, так что пользователь сразу после установки программы может удовлетворить свою жажду общения. Каждая сеть представлена в базе mIRC добрым десятком серверов, что очень кстати: далеко не все серверы IRC будут работать в момент вашего подключения, а некоторые не пустят вас к себе из-за большого числа уже подключенных пользователей.

При первом запуске mIRC войдите в меню ***File/Setup*** или нажмите кнопку Setup Info (вторая кнопка слева). Во вкладке IRC-servers выберите имя сервера и сети IRC, к которой вы хотите подключиться (для начала попробуйте один из серверов сетей DALNet и EFNet). Внесите в программу данные о себе — точнее, те из них, которые вы считаете нужным сообщить. Обязательно выберите себе псевдоним (nickname), под которым вы будете известны на сервере, причем написан он должен быть латинскими буквами.

Сохраните установочную информацию кнопкой OK и попробуйте подключиться к серверу, нажав кнопку с изображением молнии. Не получилось? Выберите другой, третий — mIRC содержит в себе сведения о доброй сотне серверов.

Теперь вам нужно получить полный список каналов и выбрать те из них, которые вас интересуют. Для этого нажмите кнопку List Channels (пятая слева на панели кнопок) и запросите список командой Get List!. Как и в Microsoft Chat, вы можете осуществить поиск канала по известной вам части его названия, указав ее в строке Match Text.

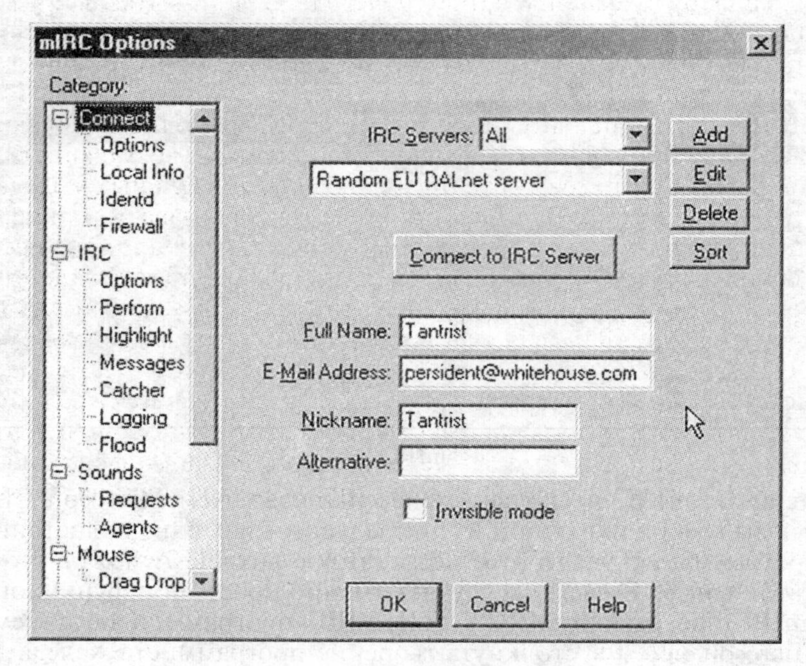

Настройка mIRC

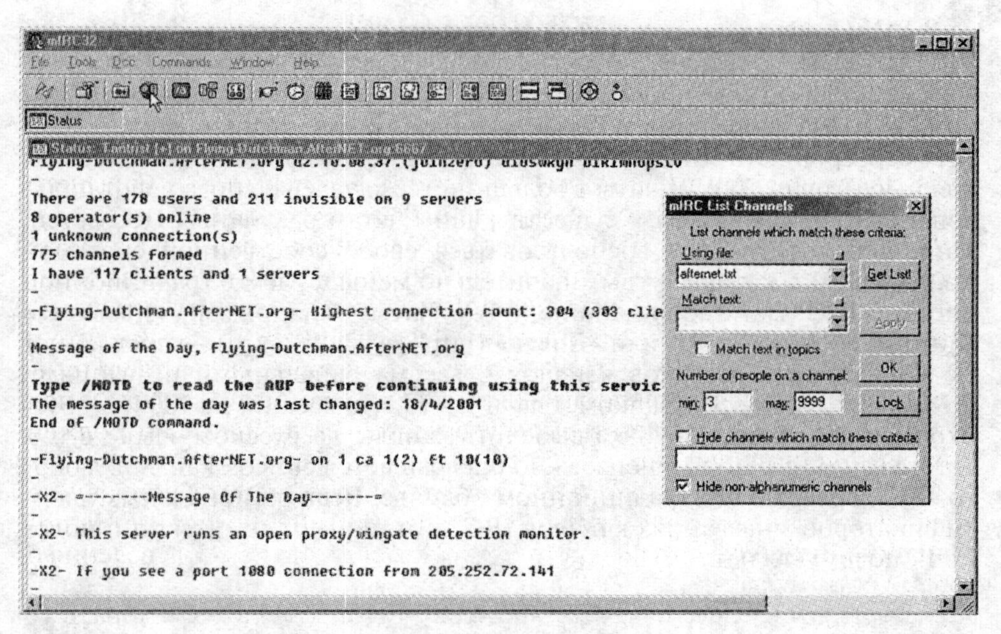

Получение списка каналов

После того как список каналов доставлен, щелкните по имени каждого, выбранного вами, левой кнопкой мышки, призвав на помощь Контекстное Меню, и добавьте выбранные вами каналы в папку избранных каналов с помощью команды Add to Channels Folder.

В следующий раз при входе на сервер вызовите папку каналов, щелкнув по четвертому слева значку на панели кнопок, и двойным щелчком войдите в выбранный вами канал.

Стоит отметить еще одну особенность mIRC, выгодно отличающую эту программу от большинства других IRC-клиентов: возможность расширения функций программы с помощью дополнительных модулей — скриптов. С их помощью, в частности, можно создавать в окне чата красочные разноцветные и даже «анимированные» надписи, псевдографические картинки, выводить (или наоборот, прятать) дополнительные сведения о вас и ваших собеседниках. Увы — эта полезность является в то же время и «ахиллесовой пятой» программы: среди скриптов mIRC можно найти немало программ, способных нанести вред вашей системе. И даже — настоящие, полноценные вирусы. Поэтому, прежде чем пускаться в эксперименты, обзаведитесь хорошей антивирусной программой, а в идеале — еще и «персональным фейрволлом». Об этих программах мы будем говорить ниже, в главе «Основы безопасности в Интернет».

Более подробную инструкцию по установке и настройке mIRC вы, в частности, можете найти по следующему адресу:

http://irc.bcs.ru/mirc.html

WWW-чаты

Как в случае с группами новостей, существует и возможность «чатиться» через посредство WWW-страниц (а точнее — специализированных серверов). Хотя полной аналогии тут нет: в отличие от «шлюзов» для ньюс-групп, WWW-чаты в большинстве случаев не позволяют пользователю подключиться к существующим чатам различных IRC-сетей. Они лишь предлагают воспользоваться своей собственной системой конференций, которых, увы, значительно меньше, чем в традиционной системе IRC. Даже крупнейшие WWW-чаты — например, **«Кроватка»** (http://www.krovatka.ru) или **«Диван»** (http://www.divan.ru) — предлагают не больше трех десятков каналов с весьма банальными названиями («Музыка», «Спорт», «Знакомства» и т. д.). Зато все они на 100 % — русскоязычные. А попробуй-ка выделить каналы на русском языке в том «стоге сена», в который неизбежно превращается список каналов любого IRC-сервера в его традиционном обличье! Ведь региональных идентификаторов в названиях каналов IRC, в отличие от тех же групп новостей, почему-то нет...

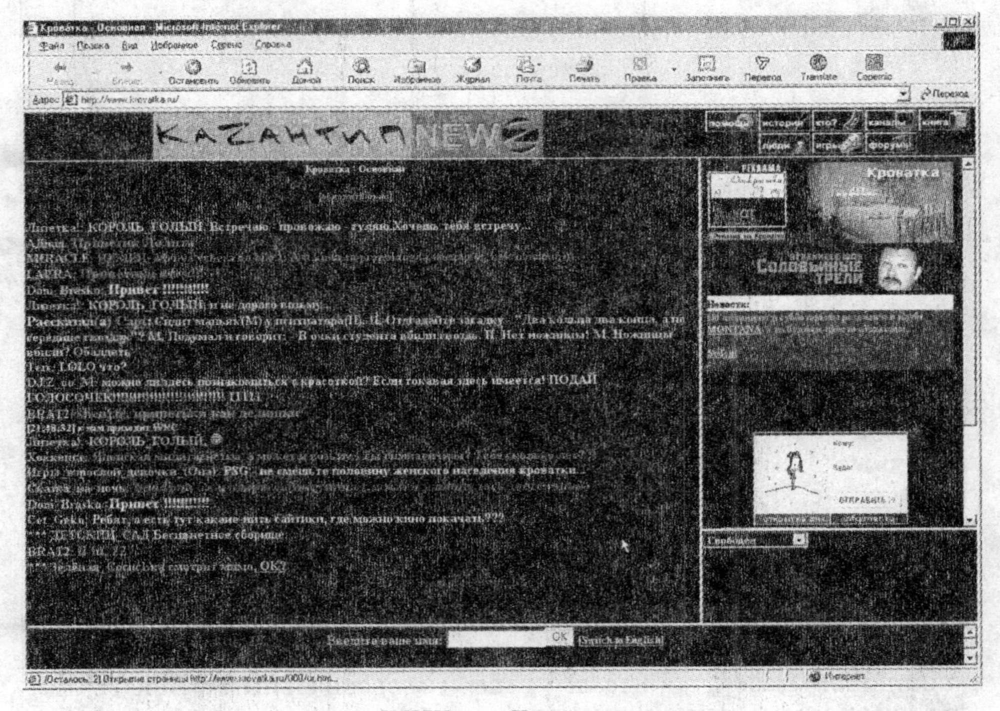

WWW-чат «Кроватка»

Еще одно отличие. WWW-чаты существуют независимо друг от друга, никаких сетей здесь нет, да и «внешность» и средства управления у всех чатов разное... Создать собственный WWW-чат, при помощи соответственного программного обеспечения, может себе позволить владелец любой странички. Другое дело, что вряд ли количество гостей в его «болталке» будет сравнимо с тем же «Диваном», на котором одновременно болтает ногами и языками добрая сотня «чатлан».

Уступая традиционным чатам в количестве каналов, «веб-чаты» наголову разбивают их по количеству самих чат-серверов. Еще бы — собственный локальный чат имеет добрая треть крупных сайтов, включая известные порталы, поисковики и каталоги. Удобно — зашел на интересную страничку и сразу же можешь вступить в дискуссию с коллегами по увлечению! Так что всем любителям общения рекомендую внимательно изучать титульные странички любимых сайтов: а не затесалась ли там заветная кнопочка «Чат»? Конечно, на таких «мини-чатах» можно найти максимум несколько каналов, да и количество пользователей них редко превышает десяток... Однако это не мешает многим из них иметь собственную аудиторию преданных поклонников — вспомните хотя бы чаты телеканалов MTV и СТС, болтовня с которых нередко транслируется в прямом эфире.

Конкурировать с традиционными IRC-каналами WWW-чаты и не собираются. И у тех и у других есть свой круг поклонников. Простые и легковесные WWW-чаты облюбовали самая молодая и самая прекрасная часть аудитории Сети, в то время, на добрые старые IRC-каналы заходят и умудренные пользователи — часто не за пустой болтовней, а за дельным советом.

Каждому свое...

КАТАЛОГ WWW-ЧАТОВ «ВСЕ РУССКИЕ ЧАТЫ»

(http://www.homepage.techno.ru/lot/chats.html)

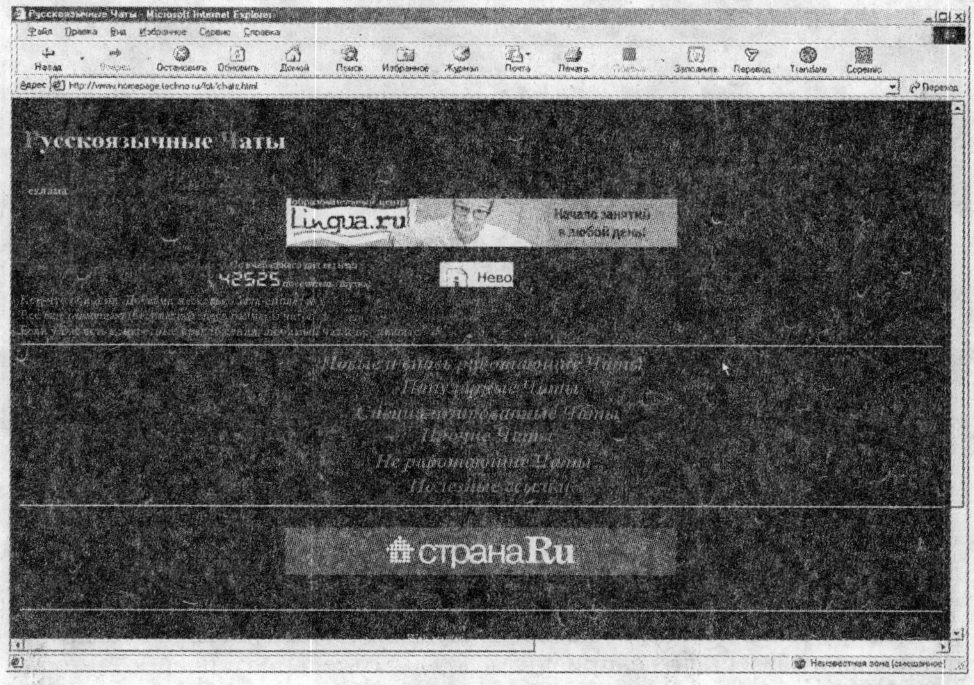

Все русские чаты

Этот каталог чатов — лишь один из многих, которые можно найти на страницах Рунета. Задайте запрос «каталог чатов» или «русские чаты» любому поисковику, и он с готовностью вывалит в ответ добрую сотню ссылок. На любой вкус — вот «хит-парады», вот просто списки, вот полные, вот — лучшие...

Чем же привлек внимание автора именно этот сервер? Возможно — четкой структурой: выделены в отдельные разделы чаты новые, специализированные и «популярные»... До полноты списку далеко — судя по всему, последний раз он обновлялся аж в 2000 году. Однако в качестве «стартового» этого каталог более чем сгодится: скорее всего, для первого раза вы выберете один из раскрученных и модных чатов, а уж они-то в каталоге представлены полностью.

КАТАЛОГ РУССКИХ WWW-ЧАТОВ

(http://www.irnet.ru/olezhka2/wrchats.shtml)

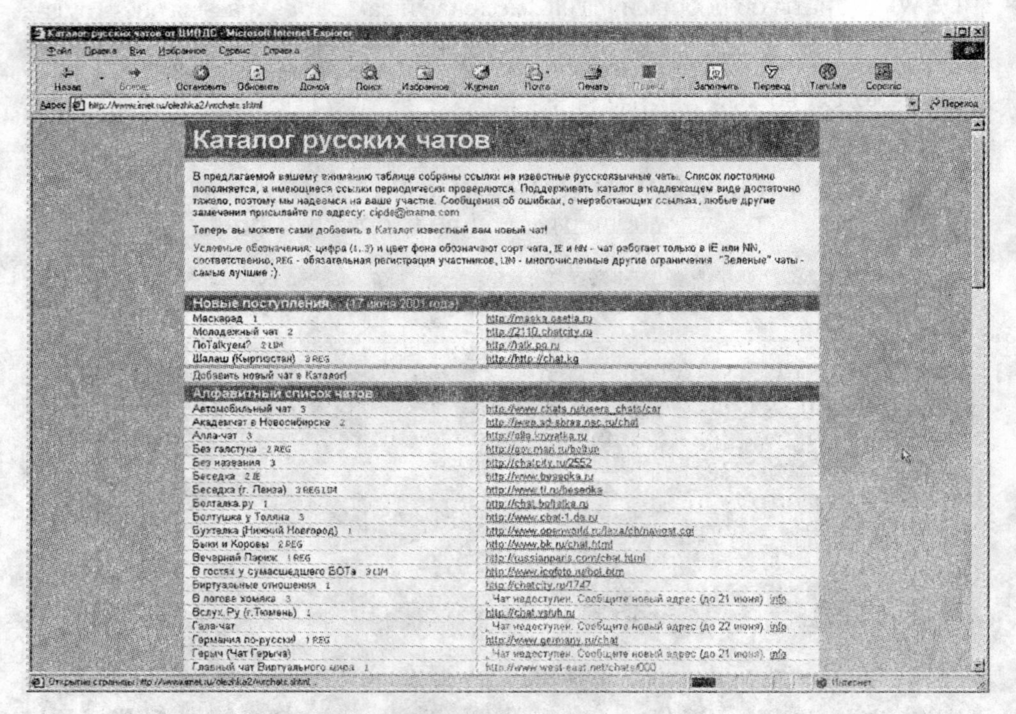

Каталог русских WWW-чатов

Еще один каталог, отличающийся от предыдущего большим охватом материала (представлено около 100 популярных чатов), частотой обновления... И, к сожалению, практически полным отсутствием комментариев. Зато можно устроить нечто вроде бескровной и мирной «русской рулетки», тыкая в ссылки на чаты наугад... Кстати, ссылки на другие чат-каталоги здесь тоже присутствуют — отдельное спасибо авторам страницы за объективность....

RATING CHAT'S TOP-100
(http://chats.top-100.ru)

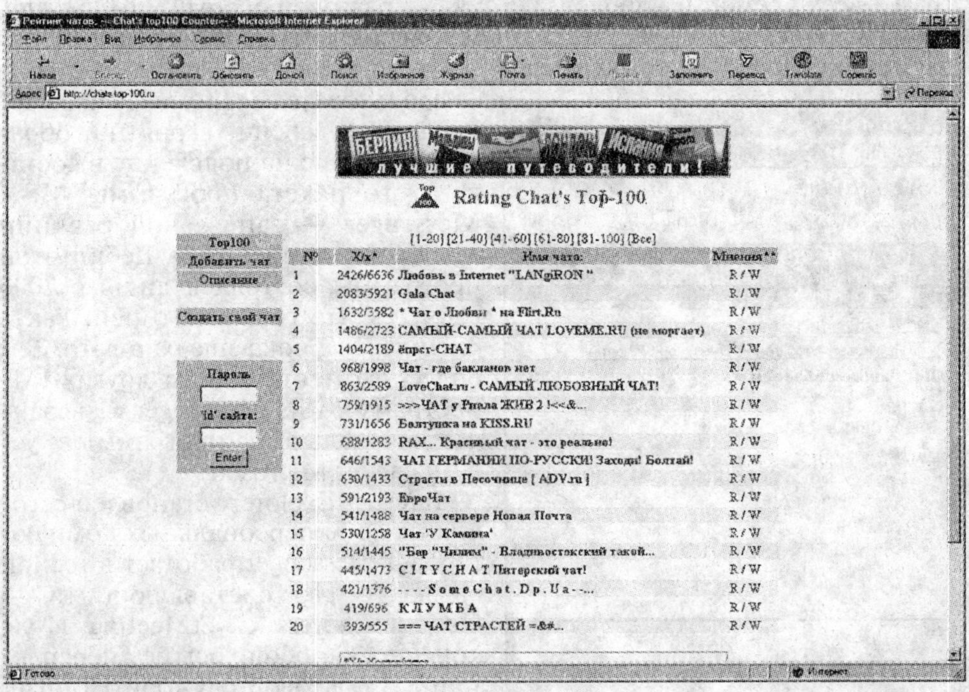

Rating Chat's Top-100

[1-20] [21-40] [41-60] [61-80] [81-100] [Все]

№	X/x*	Имя чата:	Мнения**
1	2426/6636	Любовь в Internet "LANgiRON "	R / W
2	2083/5921	Gala Chat	R / W
3	1632/3582	* Чат о Любви * на Flirt.Ru	R / W
4	1486/2723	САМЫЙ-САМЫЙ ЧАТ LOVEME.RU (не моргает)	R / W
5	1404/2189	ёпрст-CHAT	R / W
6	968/1998	Чат - где бакланов нет	R / W
7	863/2589	LoveChat.ru - САМЫЙ ЛЮБОВНЫЙ ЧАТ!	R / W
8	759/1915	>>>ЧАТ у Риала ЖИВ 2 !<<&...	R / W
9	731/1656	Болтушка на KISS.RU	R / W
10	688/1283	RAX... Красивый чат - это реально!	R / W
11	646/1543	ЧАТ ГЕРМАНИИ ПО-РУССКИ! Заходи! Болтай!	R / W
12	630/1433	Страсти в Песочнице [ADV.ru]	R / W
13	591/2193	ЕвроЧат	R / W
14	541/1488	Чат на сервере Новая Почта	R / W
15	530/1258	Чат 'У Камина'	R / W
16	514/1445	"Бар "Чилим" - Владивостокский такой...	R / W
17	445/1473	C I T Y C H A T Питерский чат!	R / W
18	421/1376	- - - - S o m e C h a t . D p . U a - -...	R / W
19	419/696	К Л У М Б А	R / W
20	393/555	=== ЧАТ СТРАСТЕЙ =&#...	R / W

Рейтинг Chat's Top 100

Отличное дополнение к двум упомянутым выше серверам!

Лаконичный, но информативный рейтинг, включающий 100 самых популярных российских чатов. Информация здесь никогда не устаревает, и на первых местах вы видите именно те чаты, которые и являются лидерами по популярности в данную минуту. Жаль только, что излишней (но такой желанной для посетителей) полнотой этот рейтинг не страдает: мне так и не удалось отыскать в нем многие популярные чаты...

«МГНОВЕННАЯ ПОЧТА» (INSTANT MESSAGING)

Этот вид сетевого общения появился на свет одним из последних. Но ждали его давно и долго — ждали услугу, которая поможет пользователям Сети мгновенно обмениваться сообщениями, передавать друг другу файлы в интерактивном режиме. Instant Messaging возник, как некий гибрид e-mail и IRC. От первого новый сервис унаследовал неназойливость (нет нужды двадцать четыре часа в сутки пялиться в экран, ловя каждую реплику своего визави), а от второго — интерактивность (в любой момент вы видите, присутствует ли в сети ваш собеседник).

Ничего нового здесь не было: с давних пор такие программы верно служат пользователям локальных сетей. Однако появление первых программ для быстрого обмена сообщениями произвело эффект разорвавшейся бомбы — недаром ICQ стала одной из самых популярных программ всех времен и народов. Об ICQ — разговор особый. Но прежде, чем знакомиться с этим безусловным лидером группы IM-программ, отдадим должное и его конкурентам.

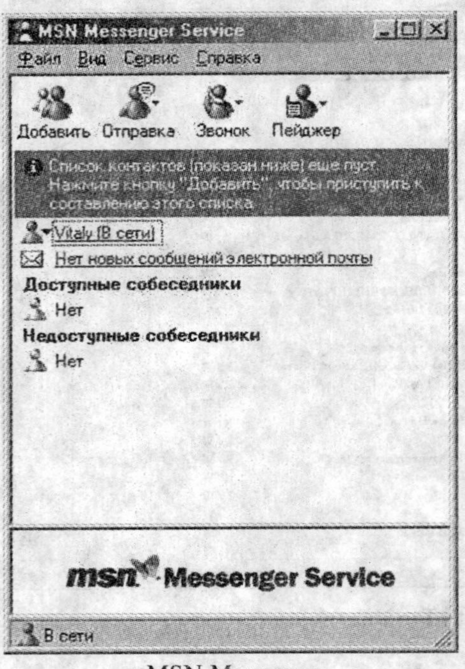

MSN Messenger

Пользователи Internet Explorer последних версий, вероятно, обратят внимание на появление в составе этого пакета программы **MSN Messenger** — запоздалой реакции Microsoft на успех ICQ. Дебют этой программы состоялся лишь в 2000 году, так что говорить о ней, как о «стандарте», пока еще рановато. Тем более, что в отличие от других IM-программ MSN Messenger «завязан» исключительно на программы и услуги самой Microsoft.

Internet Explorer установлен сегодня на 80 % персональных компьютеров и Messenger работает в тесной связке с его составляющими — Outlook Express и NetMeeting. И уж конечно, не обошлось без переплетения с почтовой службой Hotmail, о которой мы уже упоминали в разделе, посвященном электронной почте. При первом запуске Messenger пользователь должен зарегистрироваться в Hotmail, получив при этом новый почтовый ящик и электронный адрес, а заодно и так называемый «сетевой паспорт», который может использоваться и рядом других программ.

Функции самой программы достаточно стандартны — вы можете отправить сообщение пользователю, внесенному в ваш контакт-лист, или пригласить его на сеанс голосовой связи (с помощью NetMeeting), проверить наличие новых сообщений в вашем почтовом ящике Hotmail. В качестве «довеска» рекламируется возможность бесплатного звонка на любой телефон на территории 50 штатов США — для этого, правда, Messenger вынужден прибегать к услугам сторонней программы — уже знакомой нам системы Net2Phone.

Несмотря на то, что MSN Messenger обладает полностью русифицированным интерфейсом, его популярность в России пока что невелика, по функциональности программа явно проигрывает ICQ, к тому же не позволяет общаться с пользователями этого популярнейшего «виртуального пейджера».

Еще менее известен в нашем отечестве сверхпопулярный в США AOL Instant Messenger (AIM), по той простой причине, что программа эта ориентирована исключительно на пользователей сети America

Online. И уж совсем неизвестен новичок от популярного поисковика Yahoo (http://www.yahoo.com) — Yahoo Messenger...

Единственным конкурентом ICQ, более-менее прижившимся в России, остается программа **Odigo** (http://www.odigo.com). Отличилась эта программа тем, что впервые сумела объединить под своей крышей пользователей практически всех крупнейших IM-сетей! То есть, работая с Odigo, вы получите возможность общаться с не только со своими коллегами по сети, но также и с обладателями ICQ, AIM и Yahoo Messenger! Естественно, после появления Odigo авторы этих программ были, мягко говоря, не слишком довольны — нахальный новичок бесцеремонно получал доступ к их базам данных, «подрезая» популярность оригинальных «пейджеров». Тяжбу с America Online Odigo ведет до сих пор...

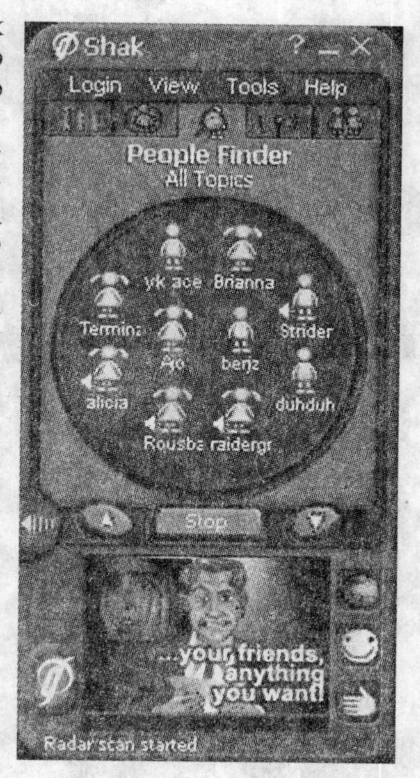

Odigo

Отличается Odigo и своеобразным, «игривым» интерфейсом, несколько непривычным для пользователей другхм IM-программ, и рядом уникальных возможностей. А самое главное — в природе существует русская версия программы, скачать которую можно как с «родного» сайта Odigo, так и с его бесчисленных «зеркал» на просторах Рунета.

Но несмотря на все неоспоримые достоинства Odigo, число ее поклонников до сих пор в сотни раз меньше, чем у «королевы» ICQ, которая и станет героиней нашей следующей главы.

«Интернет-пейджер» ICQ

В любой момент в Интернете находятся миллионы людей. И, возможно, в их числе — те несколько человек, которые очень нужны вам именно сейчас, с кем вам срочно нужно обсудить те или иные проблемы, назначить встречу или задать вопрос....

В пространстве Интернет так легко заблудиться. Затеряться. Не найти друг друга. Не помогают ни письма по электронной почте, ни звонки. И вот так бывает — сидишь ты, кручинясь, на каком-нибудь канале IRC и тщетно ждешь своего приятеля, который просто обязан быть в Сети прямо сейчас! Но его все нет и нет. А у приятеля в это самое время «отказала» IRC-программа или еще что...

Вот так и расходились, как корабли в море...

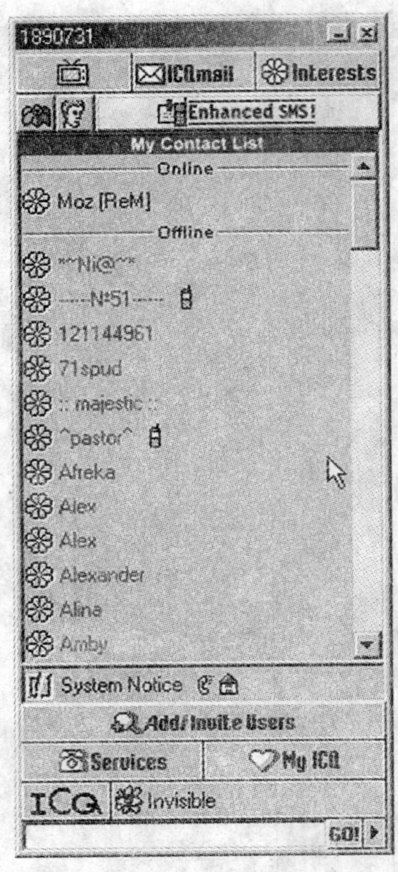

ICQ - для друзей просто «Аська»

Эпоха требовала связи — быстрого, надежного способа найти в Сети нужного тебе человека. И неудивительно, что дебютный продукт никому не известной израильской фирмы Mirabilis (в 1998 году приобретенной America-On-Line), появившийся на свет пять лет назад, вдруг превратился в сенсацию мирового масштаба. Сервер Mirabilis трещал и разве что не разваливался под напором желающих немедленно скачать эту замечательную программу. В итоге к началу 1999 года эта программа была установлена уже на 30 миллионах компьютеров, а в марте 2001 года число ее пользователей достигло стомиллионной отметки!

Имя сенсации было — ICQ. По-английски — производное от I Seek You, Ищу Тебя. В России за программкой закрепилось ласковое имя — Аська...

Идея ICQ проста, как апельсин. При установке программки (кстати говоря, бесплатной) вам присваивается уникальный идентификационный номер (UIN) — что-то вроде номера телефона, которым вы можете делиться со своими друзьями и знакомыми. Пока вы работаете, не подключаясь к Интернет, «Аська» тихо дремлет в дальнем уголке памяти вашего компьютера. Но стоит вам войти в Сеть, как ICQ пробуждается и посылает на свой сервер сигнал — «Объект номер такой-то вошел в сеть». И в тот же самый момент сервер пересылает этот сигнал вашим знакомым (если, конечно, у них имеется собственный экземпляр ICQ и они заблаговременно внесли ваш номер в специальный «контакт-лист»). В результате спустя секунду после вашего входа в Интернет ваши знакомые узнают об этом радостном событии.

Если бы даже «Аська» умела делать только то, что написано выше, то этого бы хватило для написания восторженнейшей оды ее создателям. Но ICQ умеет намного, в неизмеримое количество раз больше!

Работая с ICQ, вы можете отправить через ее собственный сервер электронное письмо (и даже ярко раскрашенную поздравительную открытку) любому человеку из вашего «контакт-листа», причем получено оно будет сразу же после входа вашего абонента в Сеть. Через ICQ можно передать вашему собеседнику файл или голосовое сообщение — правда, сделать это можно, в отличие от писем, только в «онлайн» режиме, т. е. когда оба собеседника подключены в этот момент к Сети.

Неудивительно, что «Аську» за глаза прозвали «интернет-пейджером».

Но ICQ — это больше, чем пейджер. Скорее — универсальный коммуникатор.

Если ваш визави, как и вы, находится в Интернет, можно тут же пригласить его поболтать в текстовом режиме. У умницы ICQ на этот случай припасена собственная программка для чата. Более того, «Аська» соединит друг с другом ваши программы для голосовой связи и вам не надо будет искать друг друга по разным серверам. Если вы хотите найти новых друзей по интересам, вы можете зарегистрироваться на сервере ICQ и внести свое имя и координаты в один из многочисленных списков «по интересам», например, в список людей, интересующихся электронной музыкой или обитающих в Волгограде. В довершение всего ICQ снабдит вас собственной домашней страничкой — на ней ваши знакомые смогут найти только самые краткие сведения о вашей персоне и номер вашей «Аськи»...

Словом, тысяча и один талант у этой удивительной — к тому же пока еще бесплатной — программки.

Хорошо, — скажете вы, — но все это великолепие доступно только при знании ICQ-номера нужного вам человека. А как его узнать?

Самое простое — послать электронное письмо с просьбой сообщить искомый номер, а еще проще — воспользоваться специальной поисковой системой ICQ, которая определяет номер нужного вам человека по его имени. Если же искомая персона еще не вкусила прелестей ICQ, вы можете легко подтолкнуть ее на этот порочный путь: по данной вами команде «Аська» сама отошлет на нужный вам адрес электронное пись-

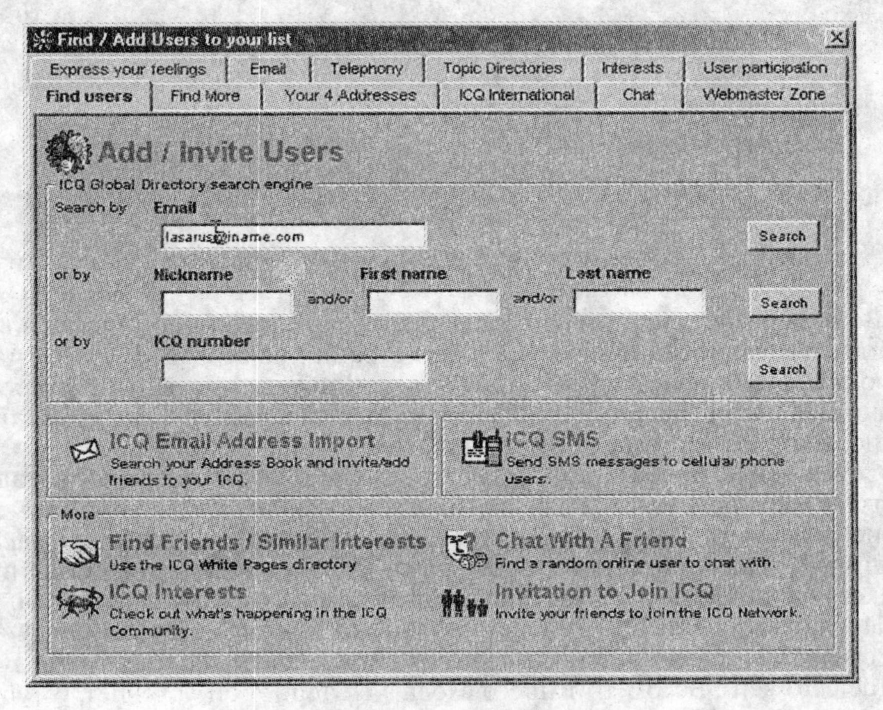

Добавление пользователей в контакт-лист

мо с откровенной саморекламой, в которой будет рассказано все: и что именно умеет программка, и где ее получить, и кто именно хочет вступить с вами в ICQ-контакт. А имя этого человека окажется в специальной «папке» Очень Ожидаемых Персон — Future Users Watch.

Как же работает «Аська»?

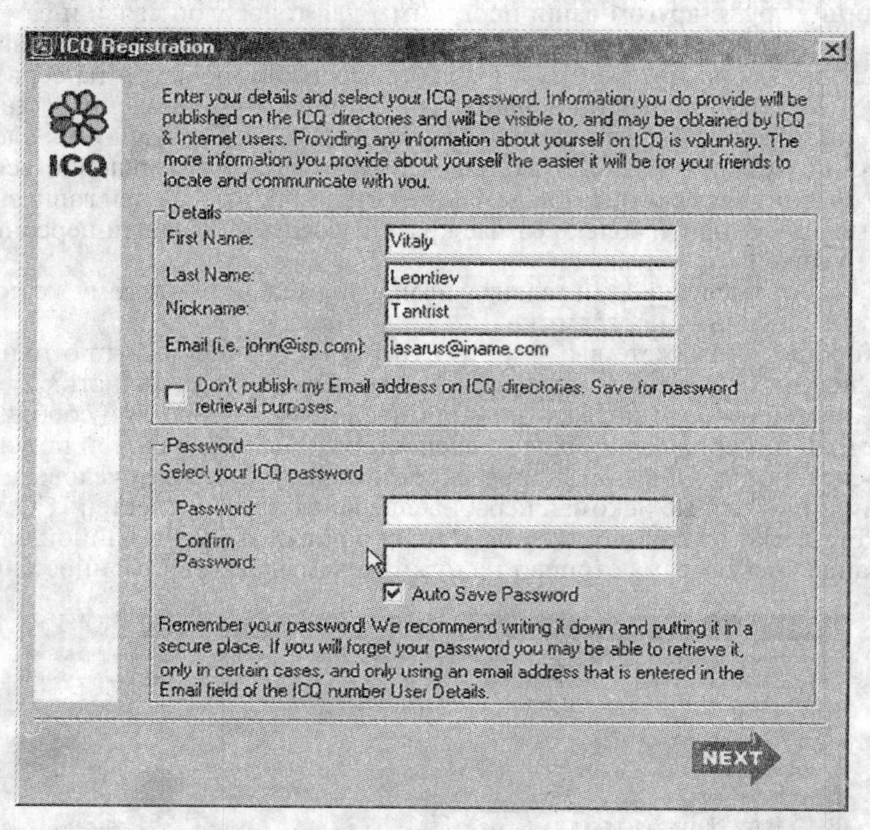

Регистрация нового пользователя в ICQ

Во время инсталляции от вас потребуется только одно — ввести выбранный вами логин и пароль для регистрации на сервере ICQ. Логин и пароль следует обязательно записать где-нибудь, они вам пригодятся для изменения странички с информацией о вас. Заполнение этой странички и станет вашим следующим шагом.

Совершенно необязательно заполнять все пункты «электронной анкеты», в частности, ваш домашний адрес и номер телефона лучше все-таки не указывать. А вот о возрасте, городе, в котором вы живете, а также ваших увлечениях лучше не умалчивать — чем подробнее вы заполните «анкету», тем лучше вас будет представлять ваш потенциальный друг.

После установки ICQ и перезагрузки компьютера в правом углу вашей панели задач появится скромный квадратный значок — ICQ Netdetect Agent. В момент вашего входа в Интернет он исчезнет, уступив место «цветку» ICQ.

Если лепестки «цветка» зеленого цвета, значит, соединение с сервером ICQ прошло успешно. Если красного — попробуйте повторить попытку через какое-то время. Щелкните по «цветку» правой кнопкой мыши и в открывшемся Контекстном Меню выберите пункт Status/Available/Connect.

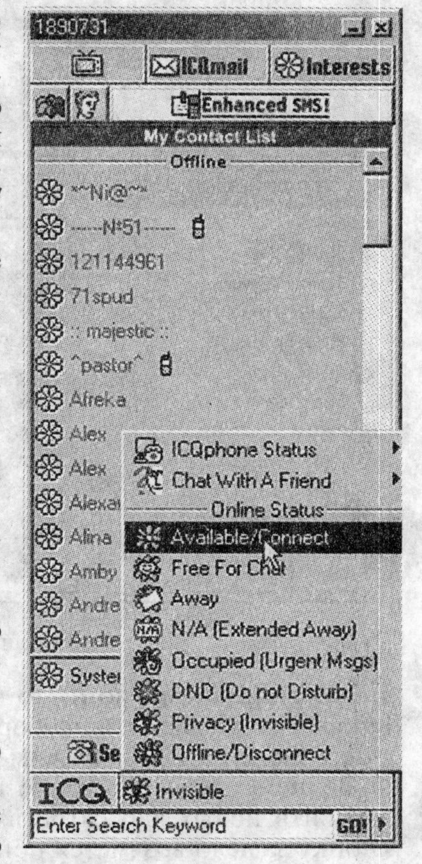

Установка статуса

С помощью этого же меню вы можете установить другие значения вашего «статуса»:

- **Free For Chat** — Пользователь доступен для приглашения на беседу в режиме «чата».
- **Away** — Пользователь временно недоступен.
- **DND** (Do Not Disturb) — Не беспокоить.
- **Privacy (Invisible)** — «Приватный» режим (пользователь доступен только для некоторых лиц, внесенных в соответствующий список).

Для открытия основного окна ICQ щелкните по «цветку» левой кнопкой. Пока что в нем пусто — ведь вы еще не внесли в ваш «контакт-лист» ни одного человека. Не расстраивайтесь, за этим дело не станет. А пока что можно заняться настройкой программы.

Основное меню свойств программы вы можете вызвать, щелкнув по кнопке ICQ Menu в левом нижнем углу окна и выбрав пункт Preferences.

Успокою вас — настраивать придется не слишком долго. Главное — не забудьте настроить вкладку Check E-Mail, внеся в нее адрес вашей электронной почты, имя почтового сервера и пароль на доступ. Теперь ICQ будет периодически, с заданной вами частотой, проверять ваш почтовый ящик, и в случае, если обнаружатся новые сообщения, просигнализирует об этом с помощью мигающего восклицательного знака на вашей панели задач.

Заодно навестите и другие вкладки Preferences — теперь вы уже обладаете достаточным опытом и вполне сможете самостоятельно разобраться, что к чему.

Меню Security&Privacy поможет вам настроить ваши «черные» и «белые» списки — Ignore List, Invisible List, Visible List. Если кто-то очень сильно достает вас своими посланиями, занесите его имя в Invisible List — в этом случае даже после вашего входа в Сеть вы будете «невидимы» для ICQ-клиента-надоедалы. Правда, письма от него будут прихо-

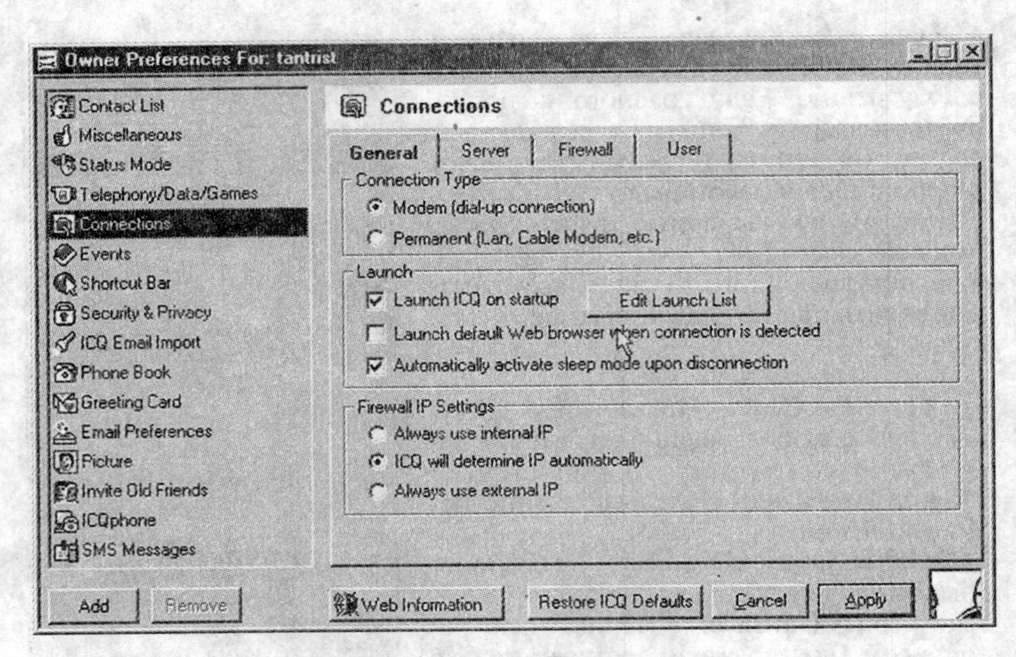

Установка параметров ICQ

дить по-прежнему, но и это можно исправить, отправив настырного в Ignore List. Visible List, наоборот, сделает вас доступным для занесенных в него людей в любом режиме.

Вернемся в главное окно ICQ. Кнопка Add/Find Users поможет вам добавить новых адресатов в свой контакт-лист. При нажатии на эту кнопку за дело возьмется поисковый Мастер, который способен найти нужного вам человека как по его адресу e-mail, так и по номеру ICQ. Если же адресат в базе данных «Аськиного» сервера не найден, программа предложит вам послать в его адрес приглашение присоединиться к системе ICQ, а пока что добавит его имя в раздел контакт-листа Future Users.

Кстати, о контакт-листе. Вот он, в самом верху окна ICQ. Пока что ваш контакт-лист пуст, но не огорчайтесь: со временем он заполнится... и может быть, станет даже больше, чем вам хочется. Я лично знаю нескольких общительных граждан, контакт-лист которых включает больше сотни имен.

Находясь в Интернет, вы увидите, что имена из вашего контакт-листа разделились на две группы. В разделе Online вы увидите тех, кто в данный момент так же, как и вы, рыщет по просторам Сети (их имена помещаются в самом верху окна ICQ и написаны синим цветом). Щелкнув правой (или левой — в ICQ можно настроить любой режим работы) кнопкой мышки на любом имени, вы откроете Контекстное Меню, через которое можете выбрать нужный вам вид контакта с этим человеком: послать ему сообщение, отправить файл, вызвать на «чат» или на разговор по интернет-телефону. Можно послать ему и красивую «виртуальную открытку» к празднику, SMS-сообщение на мобильный телефон и даже обычное электронное письмо... Список возможностей ICQ постоянно растет, хотя до сих пор большинство из нас использует этот универсальный коммуникатор лишь для отправки простых текстовых сообщений.

Чуть ниже, в разделе Offline, вы увидите написанные красным имена «оффлайнщиков», не подключенных в эту минуту к Интернет. Этим людям вы можете послать письмо, воспользовавшись тем же Контекстным Меню... Но и только. С остальными прелестями ICQ придется подождать.

Чу! Вы видите, что рядом с именем из числа «синих», т. е. подключенных к Интернет, замигал какой-то значок. Не раздумывая, щелкните по нему, а ICQ сделает все остальное, в зависимости от характера вызова. Примет послание или файл, запустит чат-программу или программу для голосовой связи и т. д.

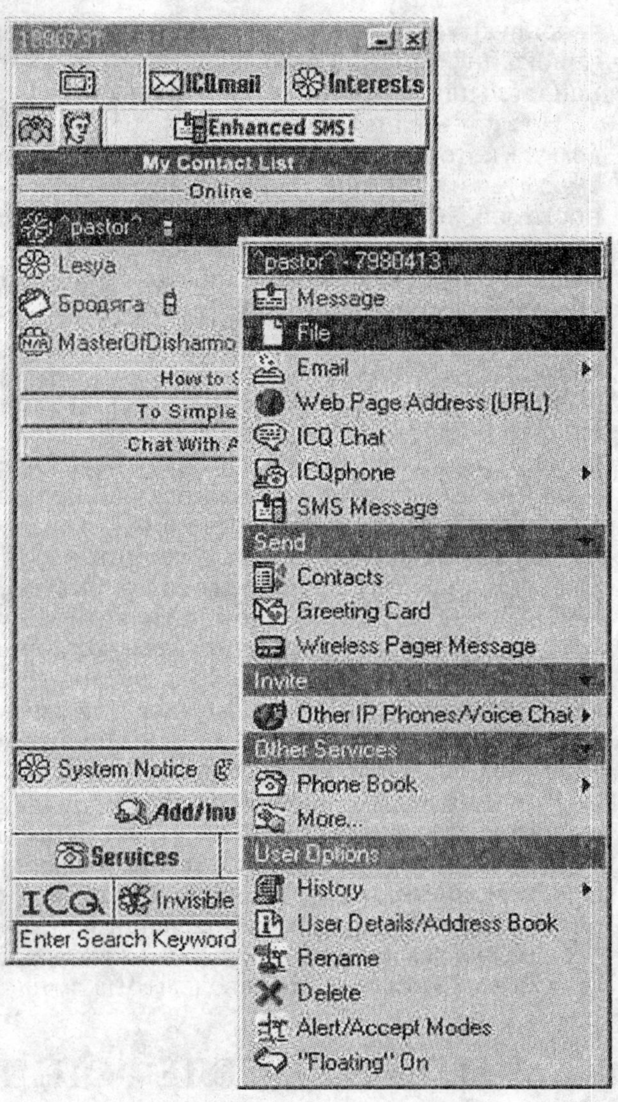

Отправка сообщения адресату

Программа ICQ обновляется довольно часто — примерно раз в месяц. Но, к сожалению, далеко не всегда информацию об обновлениях можно найти на официальном сайте Mirabilis. Поэтому мой совет: следите за сообщениями специализированных «новостных» сайтов, посвященных программному обеспечению (их адреса вы найдете в конце книги). Появляются новые версии «Аськи» и на российских ICQ-сайтах, а их уже развелось несколько десятков.

Стоит ли гоняться за обновлениями программы? Пожалуй, стоит. Новшества, которые добавляют в «Аську» авторы, весьма и весьма полезны, например, последние ее версии умеют автоматически напоминать о днях рождения ваших знакомых, позволяя при этом отправить и красивую «виртуальную открытку», снабжены собственной системой поиска информации в Сети... Словом — в «Аськином» загашнике всегда найдется для вас немало сюрпризов.

Не забудьте про то, что помимо основных функций ICQ (большинством из которых вы все равно вряд ли воспользуетесь) вы с легкостью сможете заиметь еще с десяток-другой дополнительных. Новые возможности для ICQ воплощены в виде дополнительных программ-модулей (plug-ins), которые вы можете скачать на сайте разработчика. Так, система ICQ Surf поможет вам общаться с пользователями «Аськи», оказавшимися на каком-либо сайте одновременно с вами. Другой плагин позволит сохранять ваш контакт-лист в Интернет, на специальном сервере, с которого его можно в любой момент восстановить...

И последнее. Официальный русский вариант «Аськи» если и увидит свет, то очень нескоро, а потому у отечественных пользователей, привыкших к русскоязычному интерфейсу, остается только два выхода:

- Скачать созданную российскими программистами «присадку», русифицирующую интерфейс ICQ, а заодно и добавляющую в программу некоторые новые возможности. В частности, вместе с новой «Аськой» вы получите и полностью русифицированную систему поиска ICQ It, с помощью которой можно обшаривать просторы Рунета, вооружившись десятком русских поисковиков! Скачать эту полезность можно на русском сервере «Аськи» — http://www.icqrus.ru. Учтите только, что для каждой версии программы необходим свой собственный вариант русификатора.
- Воспользоваться услугами внешней программы перевода Lingoware (http://www.lingoware.com/russian/index.html), которая в отличие от изделия отечественных кудесников, рекомендована самими разработчиками ICQ. Заодно программа снабдит русским интерфейсом еще некоторое количество системных утилит (например, популярный архиватор WinZip или менеджер докачки Go!Zilla). Хотя, на мой далеко не объективный взгляд, отечественные программисты справились с переводом куда лучше...

ИНТЕРНЕТ-ТЕЛЕФОНИЯ (IP-PHONE) И ГОЛОСОВОЙ ЧАТ

Достоинств у Интернет много. И одно из них — стоимость. Дело даже не в том, дешев ли Интернет или дорог. Просто куда бы вы ни отправились верхом на своем коне-браузере: в Америку, Австралию или в соседний дом — вы платите одинаковую цену. Для Интернет не существует ни границ, ни стран, ни континентов, есть лишь Единое Информационное Пространство. И вашему провайдеру вообще все равно, куда вы пойдете. Он учитывает только время соединения.

Мечта космополита... Жаль, что в реальном мире все не так.

И далеко не так! Возьмите хотя бы телефон — как сильно различаются цены в зависимости от расстояний! Позвонить милой бабушке в деревню Ивантеевку — это одно, а вот поболтать с другом детства в Америке... Не сильно разговоришься!

...Не знаю, кому и когда впервые пришла в голову крамольная мысль: а почему бы не использовать для телефонных переговоров... Интернет?

В принципе, в этом нет ничего сложного. Ваш голос, вводимый в компьютер с микрофона, на лету сжимается и переводится в звуковые файлы. Трудяга-модем эти файлы тут же подхватывает и посылает в Сеть, где их ловит компьютер вашего «визави» и осуществляет аналогичную операцию.

Просто? Просто. Другое дело, что требуется для этого немало. Быстрый компьютер у обоих участников разговора (такой, чтобы успевал работать со звуком в реальном времени), не менее быстрый модем со скоростью от 28 800 бод (чтобы успевал все это передавать) и необходимое программное обеспечение.

И, конечно, доступ в Интернет.

Допустим, что все это у нас с вами есть. Теперь остается выбрать модель общения, по которой мы будем работать. А моделей этих существует аж целых три:

«Компьютер-компьютер». Самая простая и доступная технология голосового общения по Сети. Именно с нее началась в свое время компьютерная телефония как таковая. А сегодня многие уже считают, что подобная схема общения давно устарела — пора, мол, ей отправляться на свалку истории... Впрочем, не будем спешить.

Итак, схема это предполагает полностью компьютерное общение: у каждого участника болтологического процесса имеется:

- Компьютер со звуковой картой, колонками и микрофоном.
- Одинаковые программы «интернет-телефонии» — при изобилии подобного «софта» редкие программы совместимы друг с другом.
- И само собой разумеется, подключение к Сети, которое должно наличествовать у обоих собеседников.

Выбор программ для подобной болтовни, как было мудро замечено выше, весьма велик. Можно воспользоваться, например, уже установленной в вашем компьютере программой NetMeeting, которая позволяет организовать не только общение тет-а-тет, но и «болтушку» с участием нескольких собеседников. Хватило бы мощи вашего модемного канала!

По интерфейсу и принципу действия NetMeeting последних версий очень похож на популярную «болталку» ICQ (о ней речь пойдет несколькими страницами дальше), так что сложности с настройкой программы у вас не возникнет. NetMeeting и ICQ могут работать в тесной связке, находясь в «Аське», вы в любой момент можете перевести ваше общение из текстового режима в голосовое, отправив собеседнику вызов на сеанс связи в NetMeeting.

После инсталляции программы вам потребуется настроить уровень громкости звука с вашего микрофона (кстати, вы не забыли его включить?). Для этого нужно просто наговорить в микрофон несколько слов, а громкость Microsoft NetMeeting подстроит автоматически.

NetMeeting

Выберите сервер, с которым вам предстоит общаться, в списке Microsoft NetMeeting уже заложено около десятка серверов. Кому принадлежит большая их часть, вы уже догадались.

На серверах Microsoft нет системы комнат или конференций, как, например, на IRC. Во многом это связано с тем, что система интернет-телефона предполагает, скорее, разговор один на один, чем групповые дискуссии.

Однако существует возможность сортировки списка ваших потенциальных собеседников с помощью меню «Раздел». Хотите — отберете себе партнеров по болтовне по национальному признаку («В моей стране») или же только тех, с которыми можно потрепаться в режиме видеоконференции («С видеокамерами»). Для деловых разговоров соответственно выберите режим «Деловые», дабы не приставали к вам похотливые отроки со всего света с пустой болтовней.

Теперь, если Microsoft NetMeeting успешно соединился с сервером, в окне «Каталог» вы увидите всю «выборку» пользователей, подключенных к серверу в данный момент. Будете там присутствовать и вы.

Что делать дальше? Зависит от вас. Можете просто сидеть и ждать, пока кто-то захочет с вами связаться, или попробуйте сами вызвать кого-нибудь на связь с помощью кнопки «Вызвать»... Если вам действительно есть что сказать.

Если вы назначили встречу на сервере какому-нибудь своему знакомому и не хотите общаться ни с кем другим, поставьте галочку на пункте «Не беспокоить» меню «Вызов» — и можете наслаждаться лицезрением строчек с именами, сколько вашей душе угодно.

«Болталка» от Microsoft отличается, по общему мнению, лучшим качеством связи: голос по «интернет-телефону» передается с минимальными искажениями, почти без «заиканий». К тому же NetMeeting — единственная программа «голосового общения», установленная практически на каждом компьютере (она включена в базовый пакет Internet Explorer). Однако не слишком удобный интерфейс и ограниченные возможности (с помощью этой программы невозможно позвонить на обычный телефон) заставляют многих пользователей прибегать к услугам программ-конкурентов, но о них мы поговорим несколькими абзацами ниже.

В российских условиях оптимальной схемой установки связи по схеме «компьютер-компьютер» является уже знакомый нам «интернет-пейджер» ICQ: в последние версии «Аськи» встроен удобный «интернет-телефон», основанный на программном комплексе Net2Phone. Ксати, внимательно следящая за развитием «Аськи» Microsoft первой поняла всю перспективность такого шага — и не замедлила поступить так же, оснастив функциями «интернет-телефона» (опять-таки на основе Net2Phone!) собственный «интернет-пейджер» Microsoft Messenger.

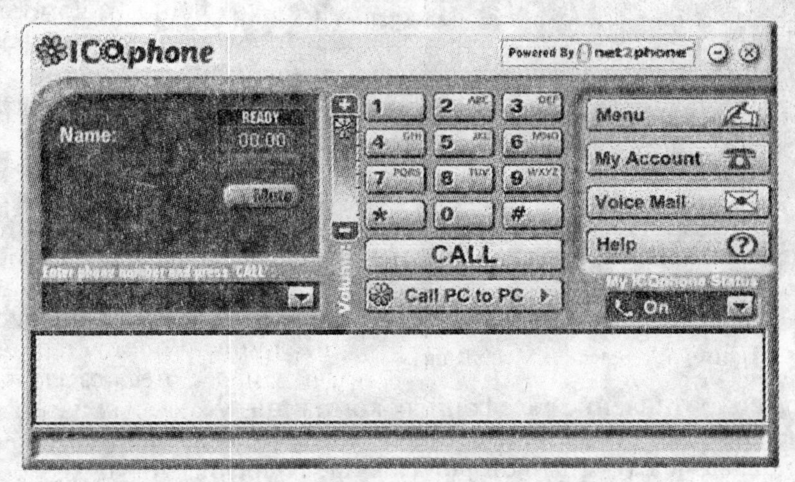

Интернет-телефон в программе ICQ

Существуют и программы, которые позволяют вам искать собеседников в специальных «болтальных комнатах», похожих на каналы IRC. К этой группе относится ветеран интернет-телефонии — программный комплекс Vocaltec Internet Phone (http://www.vocaltec.com)

Достоинство этой схемы — абсолютная бесплатность (если не считать расходов на Интернет). Недостатки — ограниченная аудитория (ведь не у всех же ваших знакомых есть компьютер). Да и качество звука при телефонном разговоре через Интернет будет куда хуже обычного, но ведь не прослушивать же музыкальные диски вы собираетесь? А для обычного «Привет! Как дела?» и такое качество вполне сойдет.

«Компьютер-телефон». А можно ли с помощью Интернет позвонить на обычный телефонный номер? Можно, хотя это несколько сложнее. Для такой операции вам потребуется в первую очередь специализированная программа. Например, невероятно популярная в Штатах и Европе бесплатная «звонилка» Net2Phone от фирмы IDT (http://www.net2phone.com), с которой нам, впрочем, вряд ли придется работать, как с отдельным продуктом, благо ее механизм встроен в ICQ и в Microsoft Messenger.

Ничуть не хуже выполняет свои функции «звонилки» и конкурирующая программа MediaRing (http://www.mediaring.com), которая, на мой взгляд, гораздо удобнее в работе, да и к тому же обеспечивает неплохое качество звука. Однако экспансия Net2Phone сделала свое черное дело: сегодня темпы прироста числа пользователей MediaRing существенно замедлились... Возьмите на заметку: в российском сегменте Сети имеется несколько русскоязычных сайтов, посвященных этой программе, один из них расположен по простому адресу http://mediaring.da.ru.

Интернет-телефон MediaRing

Итак, сама программа бесплатна. Но халява на этом, увы, заканчивается: звонок с компьютера на обычный телефон уже стоит денег. И вам необходимо еще договориться с фирмой-провайдером услуг интернет-телефонии, которая будет «переводить» ваши разговоры из Интернет в обычную телефонную сеть. Такой бизнес уже вовсю процветает на Западе, несмотря на гигантское сопротивление телефонных компаний, у которых из-под носа уводят солидный кусок намазанного маслом хлеба. И, судя по всему, главная битва между этими сторонами еще впереди...

Стоимость звонка с компьютера на телефон в несколько раз ниже обычных телефонных тарифов, что не может не привлекать крупные фирмы, тратящие на телефонные переговоры огромные средства. Средняя стоимость минуты разговора по интернет-телефону не превышает 10—20 центов, при этом стоимость разговора с США не сильно отличается от общения с соседним городом. Что автоматически делает «интернет-телефон» до ужаса выгодным при частом общении с дальним зарубежьем — чего, увы, не скажешь о родных пенатах.

Впрочем, при этой схеме у пользователя еще остается возможность поболтать с удаленным знакомым бесплатно: большинство программ (в том числе, и упоминавшийся нами Net2Phone) милостиво разрешают свободные звонки в некоторые города США и Западной Европы. Из рекламных соображений, разумеется. Существуют и специализированные службы интернет-телефонии, благодаря которым можно бесплатно пообщаться с абонентами практически во всех крупных городах мира, например, HotTelephone (http://www.hottelephone.com). Но не забывайте старую истину насчет сыра и мышеловки: ощутив сполна всю прелесть многочасового «дозвона» и услышав чарующие звуки любимого голоса с задержками и заиканиями, вы вряд ли захотите вновь воспользоваться этой «халявой». Коммерческие компании, что ни говори, работают качественнее.

«Телефон-телефон». Конечно, серьезные пользователи услуг телефонной связи вряд ли будут пользоваться даже такой, упрощенной схемой общения. Представьте себе директора крупной фирмы, общающегося с партнером при помощи наушников и микрофона-трубочки! Представить такой казус трудно, однако возможность сэкономить существенные средства делает «интернет-телефонию» лакомым кусочком и для господ бизнесменов. И именно для них была придумана самая простая схема общения через Сеть. При ней вам уже не понадобится ни компьютера, ни программ, ни даже доступа в Интернет! Достаточно лишь телефона. Все происходит, как при обычном звонке за границу, только разговор идет не через линии телефонной компании, а через Интернет с помощью фирмы-«шлюза».

Стоимость этой услуги лишь ненамного (около 20 %) выше, чем при использовании схемы «компьютер-телефон», а качество связи намного выше. Это и понятно — можно ли сравнить пропускную способность вашего модемного канала и скоростной линии провайдера услуг телефонии! Оплачивать же разговоры можно самым модным и удобным способом — приобретая карточку, которая одновременно станет для вас и пропуском в Интернет.

Единственный, зато очень серьезный минус этого вида связи — длина телефонного номера, который вам придется накручивать на вашем аппарате. Вы только представьте:

- Сначала вы набираете локальный номер вашего провайдера интернет-телефонии — 7 цифр.
- Следуя инструкциям милого женского голоса, переключаетесь в режим тонового набора номера — еще одна кнопка нажата!
- Набираете ключевой номер вашей интернет-карты — должна же фирма знать, с какого счета снимать деньги! Это — еще 8—10 цифр.
- После ободряющего гудка набираете код страны и номера — еще пять цифр!
- Наконец, взмокнув от усердия, отстукиваете телефон нужного вам абонента — еще 6—8 цифр.

Итого нам предстоит набрать от 25 до 30 цифр вместо привычных 10—11. Удовольствие ниже среднего. А если еще и перезванивать потребуется...

Зато — экономия!

Подробный список поставщиков услуг интернет-телефонии вы можете найти здесь:

http://www.comptek.ru/iptelephony/itsp_list/

ПОРТАЛ «ВСЕ ОБ IP-ТЕЛЕФОНИИ»

(http://iptel.al.ru)

Один из самых интересных сайтов Рунета, посвященных IP-телефонии. Как и положено сайту, удостоившемуся столь лестной оценки, он содержит «краткий курс» начинающего пользователя «интернет-телефонии» (предупреждаю ваш вопрос — для вышеопубликованного разде-

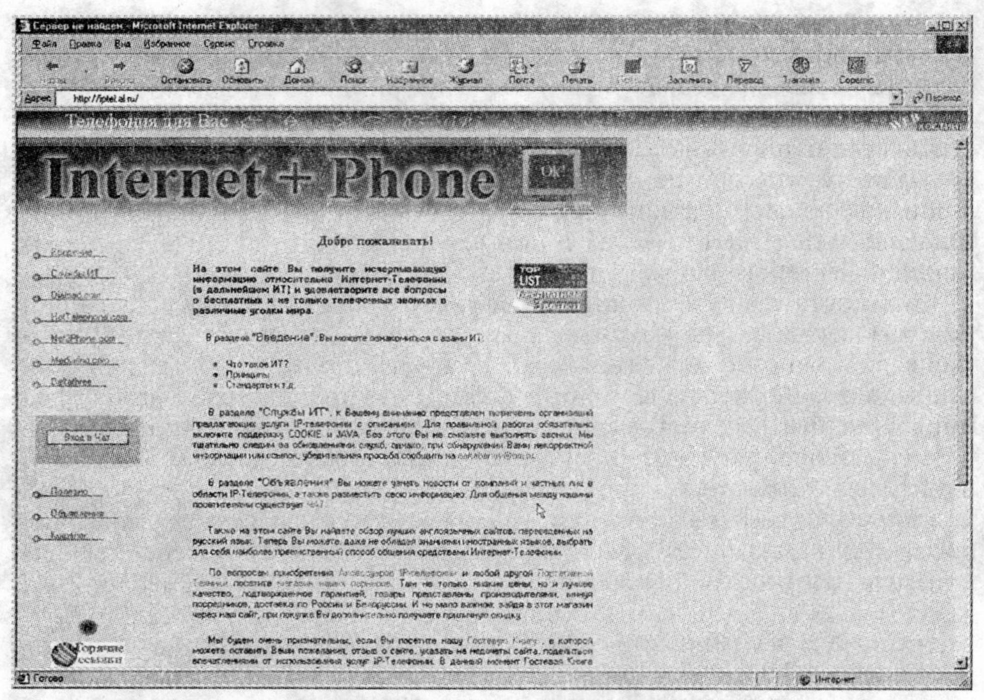

Сайт «Все об интернет-телефонии»

ла оттуда не позаимствовано ни строчки!), массу полезных ссылок. А главное — отдельных, причем полностью русскоязычных разделов удостоились практически все ведущие службы «интернет-телефонии»:

- MediaRing
- Net2Phone
- Dialpad.com
- Hottelephone.com
- Deltatree

С помощью сайта Iptel вы не только можете узнать все о принципах функционирования и возможностях каждой из этих служб, но и скачать клиентские программы для каждой из них. И, конечно же, воспользоваться как платным, так и бесплатным сервисами упомянутых марок «интернет-телефонов».

Не хватает здесь разве что подробного раздела, посвященного «карточному» доступу по схеме «телефон—интернет—телефон», ну да это беда небольшая: такой раздел существует на уже знакомом нам провайдерском сайте Providerz.ru (http://www.providerz.ru).

ВИДЕОКОНФЕРЕНЦИИ

Как часто, общаясь по телефону с приятелем, сокрушаешься о том, что видеотелефоны так и не вошли пока в нашу жизнь, несмотря на все пророчества фантастов. А теперь представьте, каково приходится пользователям Интернет — из числа любителей пообщаться через сеть со знакомыми и незнакомыми со всех континентов. Нет, конечно невозможность лицезреть улыбающуюся физиономию своего собеседника придает сетевой болтовне некую пикантность и интригу. Но, может быть, без интриг обойдемся?

Благо технический прогресс это позволяет — даром что ли десятки производителей день и ночь стараются, заваливая рынок множеством моделей Web-камер, а на безграничных просторах Интернет существует масса видеоконференций!

Видеоконференция — это аналог уже знакомого вам «голосового чата», только теперь, наряду со звуком, вы можете передавать на компьютер вашего визави полноценное видеоизображение.

Еще одна болтушка? Нет, дорогой читатель, на этот раз все гораздо серьезнее. Так уж получилось, что сегодня видеоконференции как раз используются не в повседневном обиходе, а в профессиональной среде, в бизнесе. Используя видеоконференции, руководитель фирмы может организовать совещание со своими подчиненными, даже если они находятся в разных концах России! Да что там — внедрение видеоконференций даже в пределах одного офиса позволяет сэкономить уйму времени: можно в любой момент устроить «летучку», не отрывая сотрудников от насиженных рабочих мест, что, как показывает практика, дает весьма ощутимую практическую пользу. И никакой экзотики в этом нет, благо видеоконференции уже давно поставили себе на службу практически все крупные фирмы и корпорации во всех развитых странах.

Впрочем, мы несколько отвлеклись: все-таки эта книга посвящена не большому бизнесу, а нашему, пользовательскому миру. Интересно, как обстоят дела здесь?

Но прежде чем попытаться ответить на этот вопрос, выясним, что именно необходимо нам для устройства «персонального видеомоста». Тем более, что, пока мы с вами будем это делать, многие вопросы отпадут сами собой.

Разумеется, в рамках этой крохотной главы мы будем говорить лишь о самом простом, «домашнем» типе видеоконференций, в работе которых участвует лишь два пользователя. Этот режим передачи данных «от точки к точке» (peer-to-peer) требует минимальных аппаратных и программных ресурсов, в то время как для серьезных бизнес-конференций необходимо задействовать специальное дорогостоящее оборудование, а также организовывать специальный «видеосервер» — MCU (Multi Conference Unit).

Видеокамера. Из «железных» составляющих, помимо собственно компьютера, нам необходима небольшая приставка для захвата видеоизображения и ввода его в компьютер — Web-камера. Пока что в домашних условиях их встретишь нечасто, однако сегодня уже многие пользователи начинают бросать задумчивые взгляды на эти небольшие коробочки...

Оговоримся сразу — о НАСТОЯЩИХ видеокамерах здесь речи не идет. То есть можете даже и не мечтать о хорошей оптике, о качественной цветопередаче и тому подобной роскоши. Да и сохранять видеоизо-

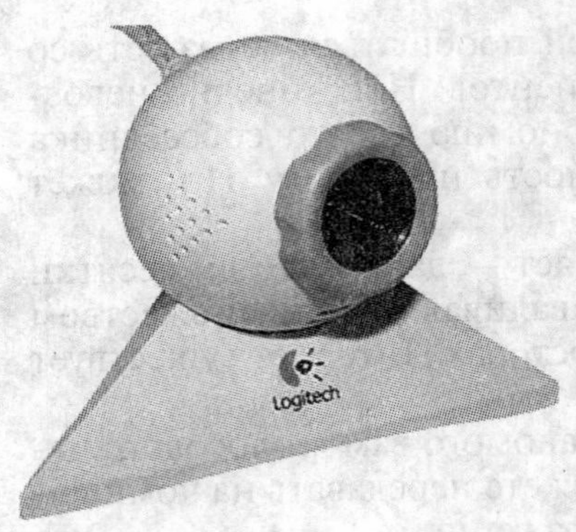

Web-камера

бражение с Web-камеры вам и в голову не придет. Ведь нужен-то этот агрегат совсем для другого — обеспечивать поступление на ваш компьютер видеопотока с качеством и объемом, достаточным для передачи в Интернет.

Выбирая Web-камеру, прежде всего обратите внимание на максимальное разрешение: хотя качество картинки 640×480 точек уже давно стало стандартом, на рынке встречаются модели с куда более низким порогом разрешения (многие камеры стоимостью до 50 долл. обеспечивают разрешение лишь до 352×288 точек).

Стоит учитывать и другие параметры — реакция на различные условия освещения, наличие встроенного или дополнительного микрофона, длина соединительного USB-шнура, способность камеры работать «в связке» с популярными программами для голосового и видеообщения (например, Microsoft NetMeeting).

Кстати, а знаете ли вы, что хорошая Web-камера с успехом может заменить цифровой фотоаппарат? Большинство камер умеет не только передавать на компьютер поток видеоинформации, но и выдергивать из этого потока отдельные кадры-картинки. А вот их будущая судьба зависит от качества камеры: дорогие модели могут сохранять изображения во встроенной памяти, не требуя постоянного подключения к компьютеру, более же дешевые вынуждены сразу сбрасывать весь свой «груз» на жесткий диск.

Хотя, конечно, настоящий цифровой фотоаппарат работает гораздо лучше, и качество дает другое... Тем более что многие цифровые фотоаппараты средней ценовой категории также могут, в случае необходимости, поработать и Web-камерами.

И последнее. Почти все модели камер, выпущенные в 1999—2001 годах, подключаются к компьютеру через разъем USB и не требуют дополнительного источника питания. Приобретать камеры, предназначенные для подключения через LPT-порт, сегодня уже бессмысленно.

Самые дорогие и качественные модели Web-камер выпускают Creative, Kodak, 3COM, Intel и целый ряд других hi-tech компаний. Более дешевые, «народные» модели представлены, как всегда, продукцией Logitech и Genius.

Канал связи. Мы уже поняли, что главным сдерживающим фактором на пути видеоконференция является вовсе не высокая стоимость Web-камер. Как и во многих других случаях узкое место здесь — скорость передачи данных по модемному каналу. Ведь именно его использует сегодня подавляющее большинство российских пользователей, и ждать каких-то революционных перемен в этой области не приходится, по крайней мере, еще в течение двух лет. А ведь практически все Web-камеры рассчитаны на работу отнюдь не в медленном режиме модемного подключения. Подавай им цифровые каналы связи — и вот тогда-то эти устройства покажут себя во всей красе. Качества DVD, конечно, не будет, но вполне приличное разрешение в 640×480 точек гарантировано. Что же касается России, то возможности обеспечить передачу такого потока данных в режиме реального времени, увы, пока нет. Ни у передающих устройств, ни у каналов связи. Поэтому максимум, на что сможет рассчитывать ваш собеседник — это появление вашей личности в крохотном окошке размером чуть поменьше сигаретной пачки (размер изображения — до 300 точек). Если этого вам достаточно, что ж, приобретение Web-камеры сможет чуть скрасить ваши серые компьютерные будни.

Поскольку изображение Web-камера выдает не статичное, нужно учесть и другую важную величину — частоту обновления кадров. Вы, конечно же, помните, что она должна составлять не менее 24 кадров в секунду. Так вот, на обычном, модемном соединении даже при крохотной картинке 150×200 точек искомых 24 кадров вы, скорее всего, не получите (реально — от 10 до 20), а значит, рывки и задержки неизбежны... В самых тяжелых случаях изображение на вашем экране будет сменяться лишь один-два кадра в секунду, а это уже не похоже на видеоконференцию... Не забывайте еще и о том, что наряду с видеоизображением ваш несчастный модем должен перегонять в Сеть и звук. И не стоит удивляться тому факту, что в процессе передачи предпочтение отдается именно звуку. Ведь если рывки изображения еще можно пережить, то постоянные заикания в разговоре уже непростительны.

Однако не огорчайтесь — альтернативные способы соединения с Интернет все упорнее пробивают себе дорогу и, быть может, уже через несколько лет ваши визави смогут наслаждаться приличного качества изображением хотя бы в четверть экрана.

Программное обеспечение. Наконец, разумеется, необходимы специальные программы, которые позволяют не только соединять двух собеседников, но и обеспечивать передачу изображения и звука по Сети, сжимая их с помощью специальных программных модулей — кодеков. Самые современные из них основаны на принципе, схожем с популярным алгоритмом сжатия MPEG: при передаче видеоизображения в Сеть полностью отправляется лишь главные, ключевые кадры — остальную же часть потока занимают сведения об изменении картинки. Этот принцип позволяет существенно уменьшить требования к пропускной способности канала и обеспечить передачу видеопотока с максимально возможным качеством.

Стоит упомянуть также и о протоколах, которые должна поддерживать любая уважающая себя программа видеосвязи. Сегодня при организации видеоконференций используются три протокола, принадлежащие к семейству стандартов H.320:

- H.320 — используется для организации видеоконференций по сетям ISDN;
- H.323 — используется в локальных сетях;
- H.324 — используется при работе с Интернет через модемное соединение.

Разумеется, нам с вами интересен лишь последний из этих протоколов, позволяющий устраивать сеанс видеосвязи при скорости соединения от 28 800 бод. О том же, какое качество вы получите при такой скорости, лучше умолчим... или вновь перечитаем несколько предыдущих абзацев.

Теперь остается только выбрать программу — и тут у нас не должно возникнуть особенных трудностей. Во-первых, все необходимое программное обеспечение обычно можно найти на компакт-диске, который прилагается к любой Web-камере, а во-вторых, одна из программ уж точно имеется на вашем компьютере. Конечно же, мы вновь говорим о программе Microsoft NetMeeting, с которой мы уже работали, осваивая обычный «голосовой чат». Остался прежним, за некоторыми исключениями, и алгоритм действий. Другой популярной программой является для видеоконференций CU-SeeMe, скачать пробную версию которой можно на сервере http://www.wpine.com.

ПОИСК ЛЮДЕЙ В СЕТИ

Сегодняшний пользователь Сети похож на Диогена — как известно, сей муж обожал бродить среди людного майдана, распугивая почтенную публику истошными криками — «Ищу человека!». В Интернет народу значительно больше, чем на любом рынке, — сотни милионов душ наберется в этой виртуальной деревеньке! А стало быть, найти человека — одного-единственного, необходимого тебе в данную секунду — значительно сложнее.

Не будем, подобно Диогену, просто распылять слова в окружающей атмосфере. Абстрактного «человека» пусть ищут философы (которые, кстати, за прошедшие тысячелетия так и не удосужились разобраться, что это такое). Наша же задача предельно конкретна...

Хотя — не задача, а задачи.

Начнем с самого простого — нам известно имя искомого персонажа наряду с неким минимальным набором данных о нем. Допустим, ищете

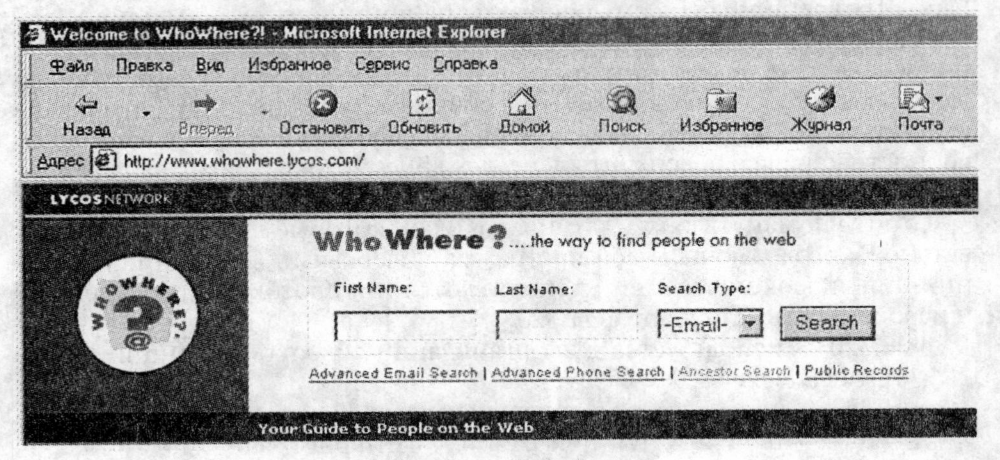

Поисковик Whowhere

вы в Сети своего школьного приятеля, невесть куда пропавшего с вашего горизонта, или бывшего коллегу по работе, или чем-то насолившего вам делового партнера. Неважно. Возьмем за отправную точку два момента: имя искомый не изменил, и в Сети он появляется частенько. А в идеале — и активно участвует в сетевом общении.

Попробуем для начала поискать электронный адрес вашего знакомца с помощью специализированных поисковых систем. Например, поиска **Whowhere** (http://www.whowhere.com), который может отыскать адрес «электронной почты» нужного человека по его имени и фамилии.

Разумеется, имя и фамилию необходимо ввести в латинской транскрипции. И тут-то нас подстерегает первая каверза: вариантов этой самой транскрипции может быть несколько. Например, имя автора этой книги может писаться так:

- Vitali Leontiev
- Vitaliy Leontjev
- Vitalij Leontyev

в зависимости от грамотности и индивидуальных предпочтений его обладателя. Это несколько снижает наши шансы на успешный поиск, хотя они и так не слишком велики. Конечно, вам может повезти с первого же раза, но... попробуйте-ка найти таким образом человека по имени, скажем, Николай Иванов!

Помимо WhoWhere существует еще несколько поисковых систем аналогичной тематики — и все они доступны... через стандартную программу Windows «Поиск людей»! Найти ее можно в разделе «Найти/Людей» меню «Пуск».

Обратите внимание на верхнее выпадающее меню — с его помощью вы можете найти человека как в вашей локальной адресной книге Outlook Express, так и в Сети, используя одну из стандартных поисковых служб. В том числе — и WhoWhere. Жаль только, что опрашивать все поисковики разом программа не умеет...

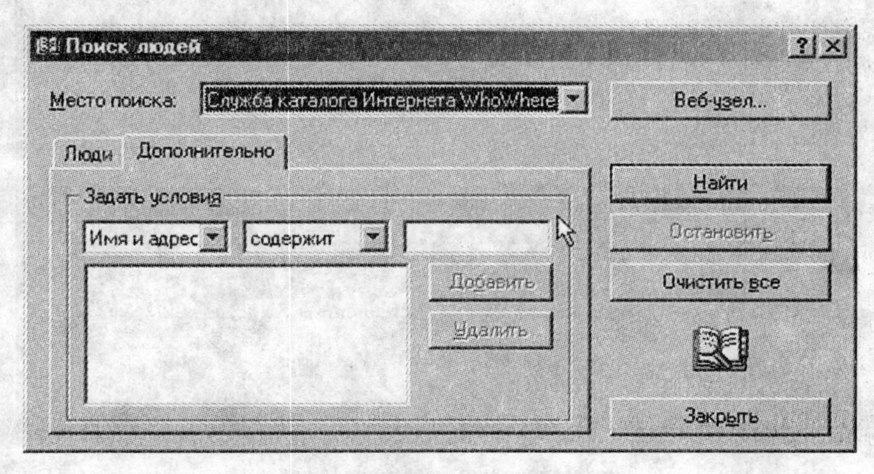

«Поиск людей» в Windows

Впрочем, и это поправимо: такой способностью обладает знакомая (и, надеюсь, уже любимая вами) поисковая программа Copernic, которой была посвящена целая глава в разделе «Поисковые программы на вашем компьютере»).

В поиске по разделу «E-mail addreses» с помощью Copernic задействован добрый десяток специализированных служб:

- WhoWhere (http://www.whowhere.com)
- Internet Address Finder (http://www.iaf.net)
- Mirabilis (http://www.mirabilis.com/emaildir.html)
- NBCI People Finder (http://home.nbci.com/search/people/)
- SwitchBoard (http://www.switchboard.com)
- Yahoo People (http://people.yahoo.com)

Этот перечень приведен лишь для того, чтобы вы могли перебрать, и, в случае необходимости, задать поиск по каждому из этих сайтов самостоятельно, в «ручном» режиме. В самом деле, не у всех же, даже после прочтения этой книги, установлен Copernic! Хотя сравнить результаты из разных баз данных и составить окончательный, суммирующий список вам, боюсь, будет гораздо сложнее, чем этой умелой «искалке».

Кстати, вы обратили внимание, что в числе прочих серверов Copernic обшаривает и базу данных «интернет-пейджера» ICQ? Именно эта программа и станет нашим следующим орудием — точнее, встроенный в нее поисковый механизм, доступный через кнопку Add Users.

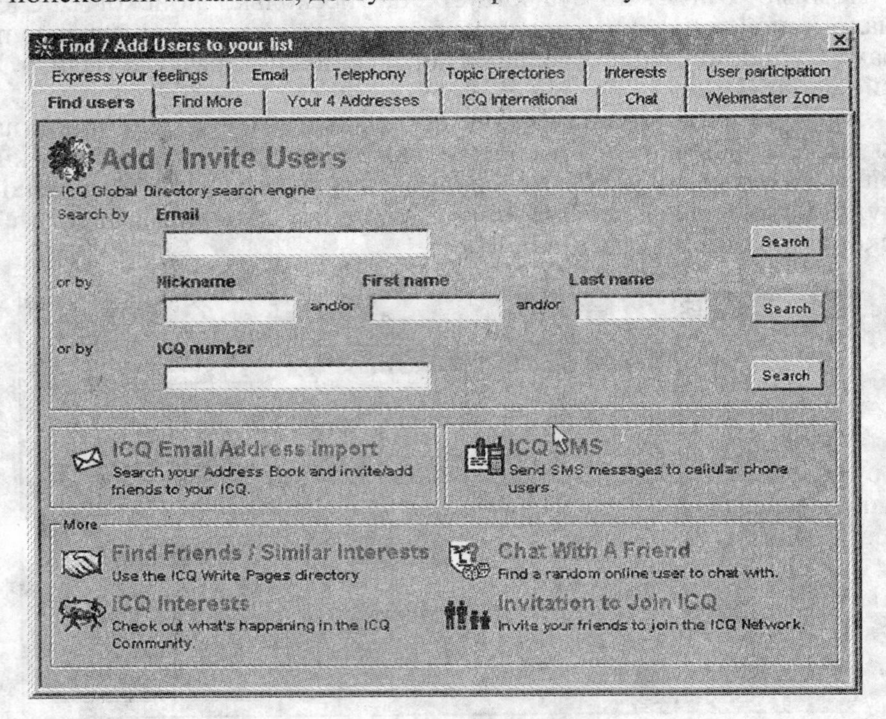

Поисковый механизм ICQ

Пока что мы в наш «контакт-лист» ICQ никого добавлять не собираемся — нам нужно просто проверить, не числится ли в базе данных «Аськиных» пользователей нужный нам человек. Если он родом из России, то велика вероятность, что числится — в нашей стране ICQ использует подавляющее большинство «сетян».

Поисковик ICQ выгодно отличается от всех использованных нами ранее поисковых служб. Хотя бы тем, что не просто радует наш взор длинным перечнем имен и адресов (поди угадай, кто из бесчисленных Николаев Ивановых тебе нужен!), но и позволяет, щелкнув правой кнопкой мышки по любому имени, получить доступ к «персональной ICQ-карте» этого человека. А уж в этой карте можно найти море дополнительных сведений: возраст, местожительство, род занятий человека, адрес его «домашней странички» и сведения об увлечениях и хобби! Конечно, далеко не все пользователи ICQ добросовестно заполняют все пункты этой «анкеты», но в большинстве случаев она может значительно повысить ваши шансы на успешный поиск.

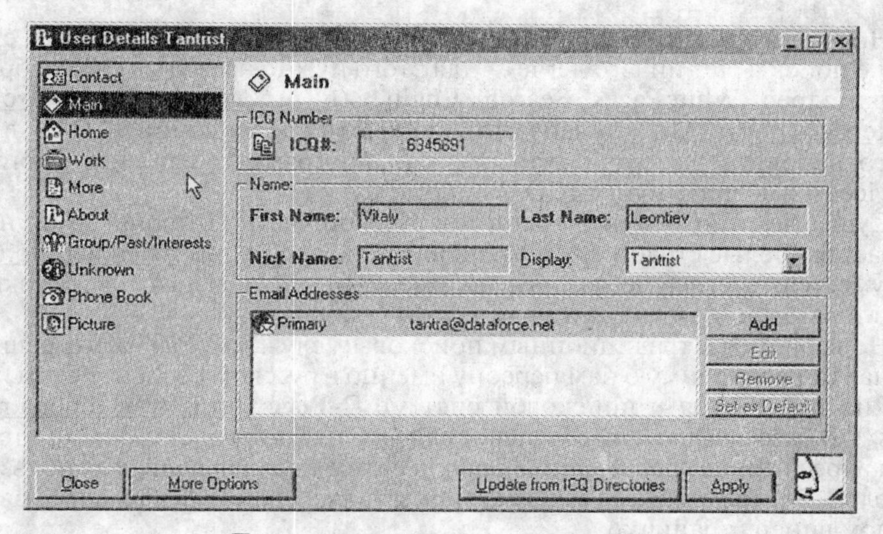

Персональная карта пользователя ICQ

Осуществлять поиск по базе данных ICQ можно и другим способом — через специальный WhitePages Search Engine, способный осуществлять поиск по базе данных пользователей программы. С его помощью вы можете быстренько сотворить подборку пользователей ICQ, отвечающих введенным вами критериям. Можно искать практически по любым пунктам, указанным в пользовательской анкете:

- По стране и даже городу проживания
- По языку
- По возрасту
- По роду занятий
- По увлечениям

А можно и по всем этим параметрам сразу! Например, задать для разминки такой вот запрос: отыскать проживающего в Москве молодого человека лет двадцати восьми, интересующегося музыкой в стилях New Age и Beat и книгами Роберта Хайнлайна.

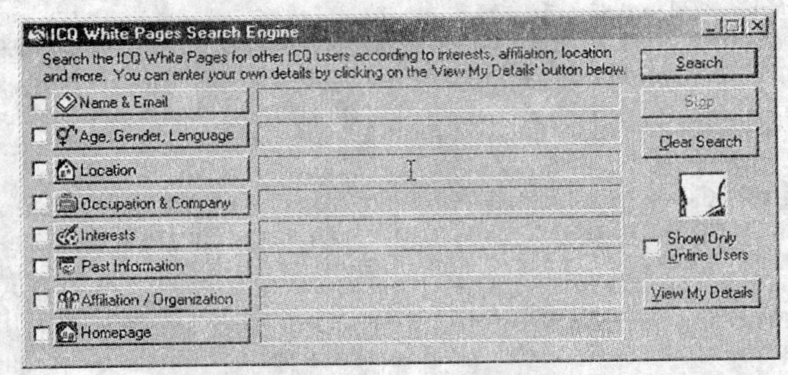

ICQ WhitePages Search Engine

Но мы же еще не узнали, каким образом можно получить доступ к системе поиска! Нет ничего легче — для этого нужно набрать в строке браузера адрес WhitePages Search Engine (http://www.icq.com/search/whitepages.html). Можно запустить поисковик и из самой ICQ — для этого вызовите на экран главное окно программы, нажмите кнопку Services и выберите пункт ICQ Whitepages.

Существует подобный каталог и в русской части Интернет — он называется «Белые страницы» и расположен по адресу http://icq.netinfo.ru. Разумеется, в его базе данных вы сможете найти только российских пользователей, причем далеко не всех...

Но вернемся к традиционным поисковым службам. Раз уж мы решили найти необходимую нам персону именно в русском сегменте Сети, то можно обратиться к поисковой системе **Э-Росс** (http://www.dubna.ru/eros/). В базе данных этого поисковика уже хранятся электронные адреса и адреса домашних страничек около сотни тысяч российских пользователей. Вы тоже можете зарегистрировать там свой E-Mail и адрес своей домашней странички.

Наконец, можно воспользоваться традиционными поисковиками по WWW и группам новостей — это поможет вам изыскать домашнюю страничку требуемого вам человека, либо наткнуться на его письмо в группах новостей.

Наконец, последний момент. Может случиться так, что вы ищете в Сети не конкретного человека, а просто родственную душу. Коллегу по увлечениям, советчика и наставника. Подругу или друга жизни, наконец... И не стоит так скептически улыбаться — в службах знакомств, реальных или виртуальных, нет ничего зазорного или аморального. В конце концов, сотни тысяч людей именно с их помощью встречаются со своей судьбой. В крайнем случае — просто находят хорошего друга.

В принципе, найти подходящую вам службу знакомств вы теперь можете и сами. Однако пару адресов я вам все же присоветую.

Сервер знакомств «Фортуна» (http://www.fortune.ru) еще пару лет назад был одним из популярнейших ресурсов Рунета. Сегодня пик его славы уже позади — в Сети появилось множество молодых, более динамичных и популярных конкурентов. Однако до сих пор «Фортуна» остается самым стильным и респектабельным «местом встреч», свободным от грубости и откровенной порнографии. Здесь встречаются и знакомятся ЛИЧНОСТИ, а это встретишь не так уж часто.

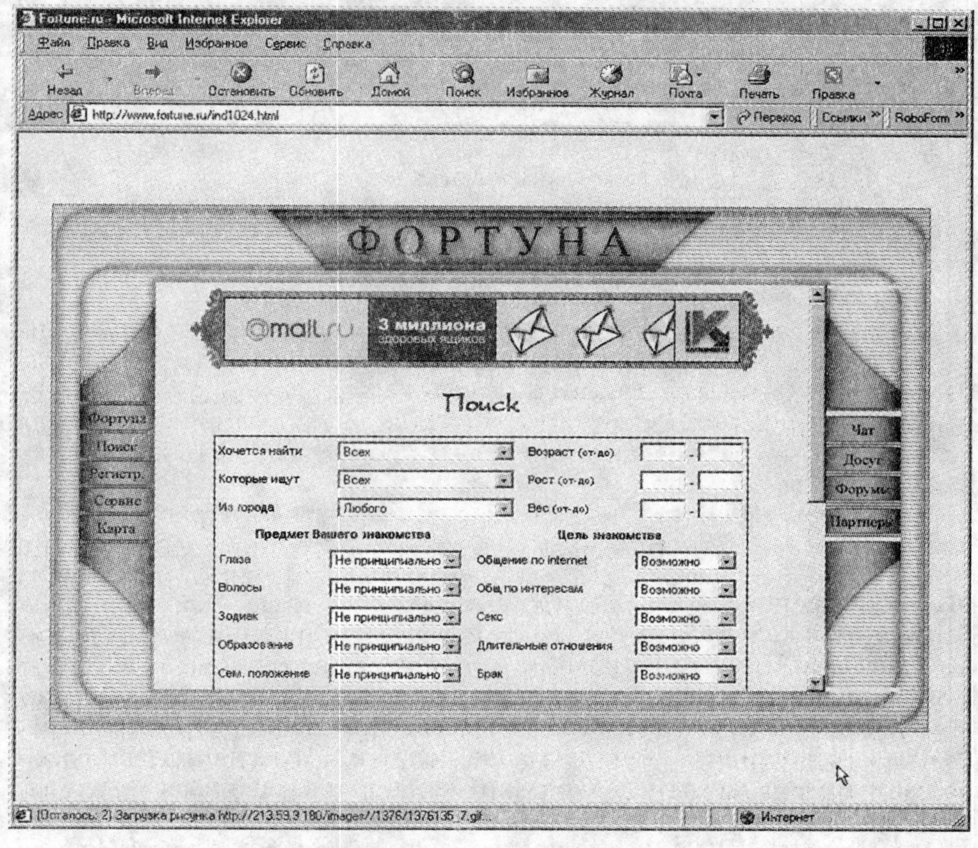

Служба знакомств «Фортуна»

Несколько более экстремальный характер носит служба знакомств сервера «Омен» (http://omen.ru/LOVE.HTM): здесь «тусуется»... скажем так, ОЧЕНЬ разнообразный народ, а большая часть объявлений и вовсе предназначена для СОВСЕМ УЖ специфической аудитории. Однако наряду с «горячими» разделами на Омене работает служба знакомств для детей, представителей определенных национальностей. Богатейшие возможности сортировки объявлений, а также количество оных выгодно отличают «Омен» от «Фортуны», хотя людям со слабыми нервами и несовершеннолетним заходить на эту страничку не рекомендуется.

Наконец, среди международных служб сетевых знакомств выгодно выделяется сервер FriendFinder (http://www.friendfinder.com), хранящий

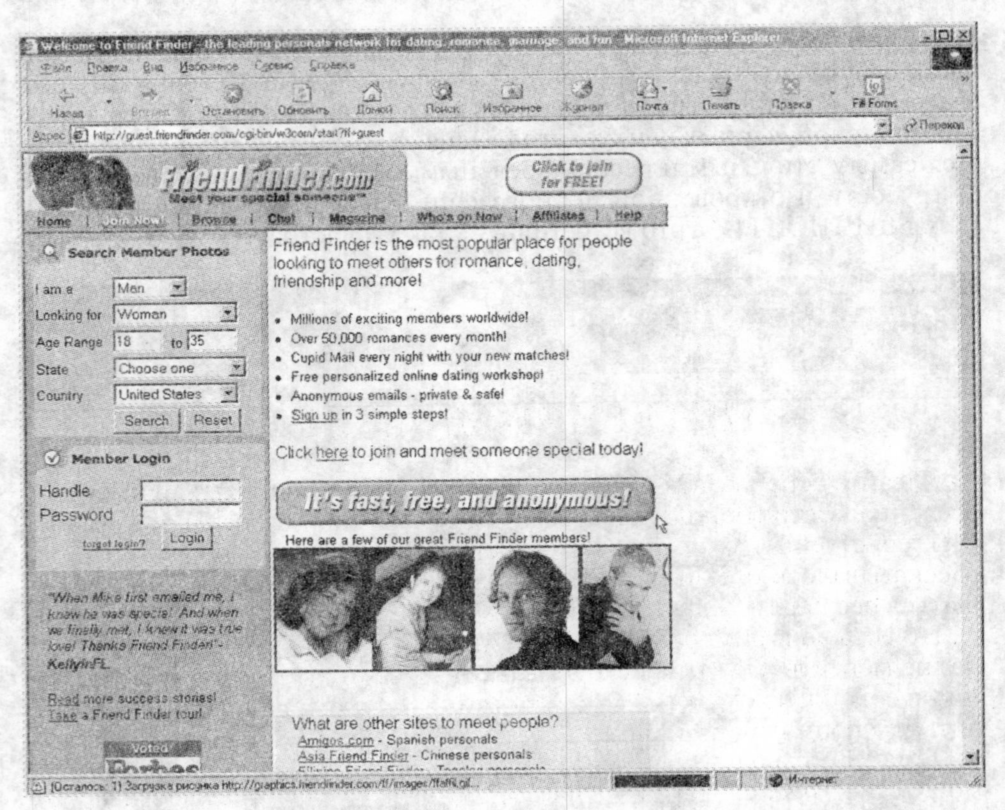

Поиск по серверу FriendFinder

миллионы «криков души» людей со всех концов света. Найдется там и сотня-другая клиентов из России, хотя в этом отношении даже «Фортуна» даст именитому «Дружильнику» сто очков вперед.

Принцип поиска по всем системам одинаков: указываете в специальном «бланке» пол, возраст, рост, место проживания и другие «реквизиты» вашего потенциального друга или подруги... Ну, а дальше добросовестно изучаете «визитные карточки» кандидатов, оценивая их вкусы, слог и требования. Да, не забывайте и о том, что для полного счастья выбранному партнеру должны понравиться вы! Не впадайте в распространенное заблуждение: мол, если человек разместил «заявку» в службе знакомств, значит он явно не страдает излишней разборчивостью и готов откликнуться на любое ваше послание.

Не забывайте и о том, что Сеть — это всего лишь Сеть. Виртуальная, зыбкая среда, в которой знакомства и даже романы вспыхивают моментально... Но столь же быстро и гаснут.

А напоследок — еще раз внимательно перечитайте введение к этой главе, посвященное «сетевому этикету»: так будет лучше и для вас, и для ваших новых друзей.

МИР ШОПИНГА: ПОКУПКИ В ИНТЕРНЕТ

ИНТЕРНЕТ-МАГАЗИНЫ

Давайте отправимся на границу — в то самое место, где виртуальная вселенная Сети соприкасается с реальностью, с привычным нам миром. Мы, собственно, уже заглянули сюда в предыдущих главах — ведь там рассказывалось о том, как виртуальная реальность Сети помогает общаться реальным, живым людям.

Но есть во взаимоотношениях Интернет с реальным миром еще одна, не менее любопытная сторона. И связана она с делами самыми что ни на есть житейскими — с покупками. Или, как сейчас принято говорить, с «шопингом».

Тема «виртуального шопинга» родилась на свет едва ли не раньше самой Сети — редкий фантаст еще в середине века не упоминал о возможности совершать покупки, не слезая с насиженного гнезда на диване. Тогда же возникли первые «телемагазины» — прообразы будущих интернет-лавок. Однако телевидение, даже в его усовершенствованном, интерактивном варианте, далеко не идеальная среда для «шопинга». Ведь покупатель вынужден ограничиваться лишь небольшим количеством... согласен, замечательных, уникальных, неподражаемых... но все же ЕДИНИЧНЫХ товаров. Он лишен выбора, пространства для маневра, а это в наше время весьма серьезный недостаток. Напротив, Интернет ни в коей мере не ограничивает «выбирательские» инстинкты покупателя, предлагая ему уникальные возможности поиска и отбора нужных товаров. Лишенный границ Интернет позволяет совершать покупки в любом уголке планеты — например, заказывать нужный диск из Москвы в крошечной лавочке где-нибудь в Австралии.

Богатейший торговый потенциал Интернет довольно быстро раскусили предприимчивые дельцы: уже в 1997 году начался настоящий бум «виртуальных магазинов». Их количество росло с невероятной скоростью, достигнув к третьему тысячелетию нескольких десятков тысяч. Прогнозируется, что в 2002 году через интернет-магазины будет продано товаров на сумму не менее 15—17 млрд долл., и на эти прогнозы не повлиял даже начавшийся в прошлом году кризис «сетевой торговли».

Торгуют всем — от детских подгузников, лекарств и продуктов питания до недвижимости где-нибудь на Кипре. При этом помимо отдельных виртуальных магазинов (среди которых есть и такие гиганты, как

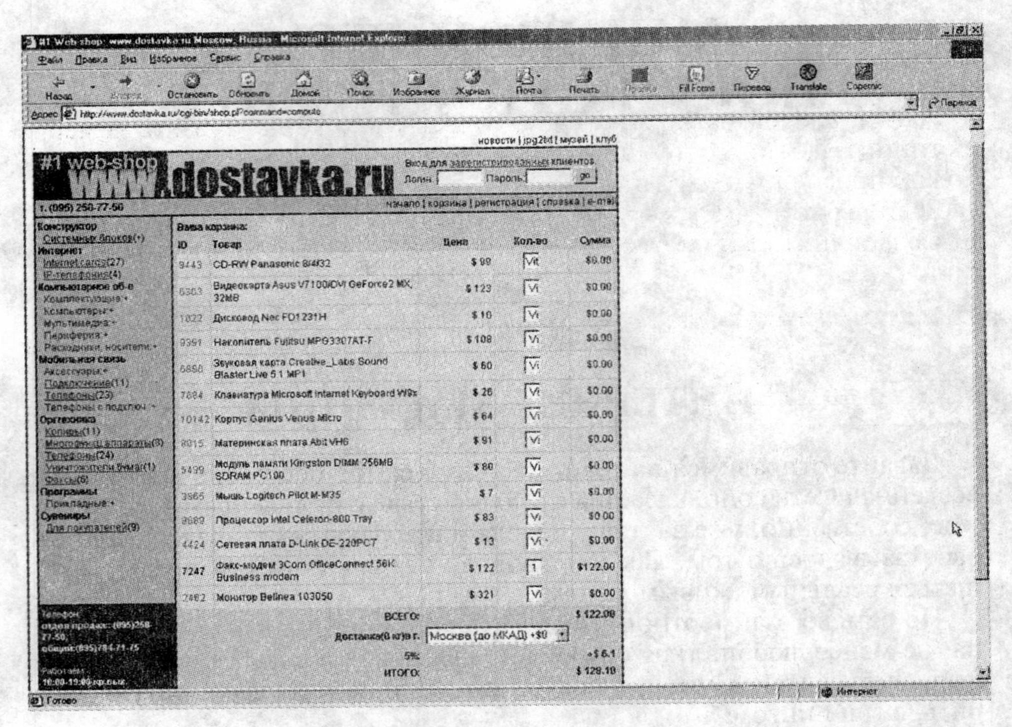

Интернет-магазин «Доставка.Ру»

Amazon.com, и крохотные лавочки с десятком-другим наименований продукции) существуют и специализированные торговые порталы, и поисковые системы, опрашивающие тысячи магазинов в поисках нужного вам товара.

В любом случае, найти подходящий виртуальный магазин нетрудно — было бы желание. А вот о том, что именно стоит в них покупать, стоит поговорить поподробнее.

Программы. Большая часть программного обеспечения, собранного в интернет-коллекциях на специальных программных сайтах, не доступна нигде, кроме Сети. Значит, и покупать понравившуюся программу нужно только там, в режиме online.

Информация. Быть может, вы захотите подписаться на электронный вариант газеты или журнала? Ведь далеко не все издания выложены в бесплатный доступ — большая часть требует оплаты. Возможно, вас также заинтересует один из платных списков рассылки — их в Интернет не меньше, чем бесплатных. Умолчу о вездесущей порнографии — большая часть сайтов с «неприличностями» требует за свои услуги плату, хотя и чисто символическую (10 долл. в месяц или даже в год).

Товары. С помощью Интернет вы можете заказать в одном из тысяч онлайновых магазинов, разбросанных по разным странам и континентам, редкую книгу или компакт-диск, видеофильм или запчасти для вашего автомобиля, букетик цветов для подружки (о, амурные изыски XXI века!) и тысячи, тысячи других товаров. Быть может, многие из них гораздо проще приобрести в ближайшем магазине, а не заказывать откуда-нибудь из Америки, тем паче что и почта наша нетороплива и не слишком бережлива, да и стоит это не так дешево...

Услуги. Забронировать авиабилет в нужную страну, заказать номер в гостинице, доставку цветов ко дню рождения подружки.... Перечень можно продолжать до бесконечности.

Если вы посещаете тот или иной магазин в первый раз, то вам придется заполнить своеобразную «карточку покупателя» примерно такого типа:

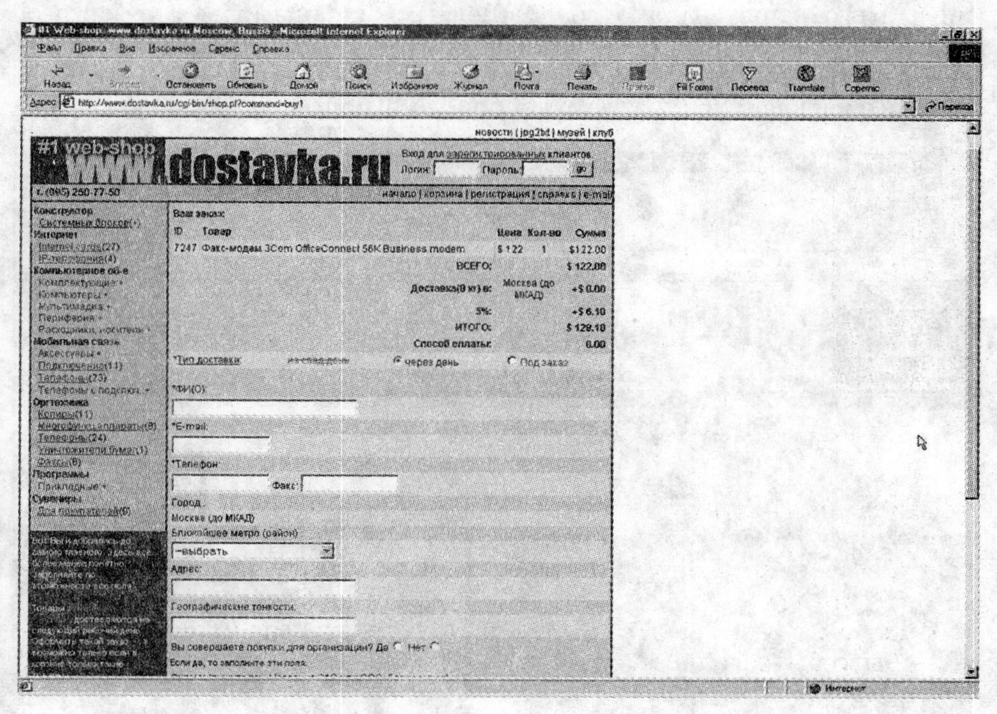

Оформление заказа. Регистрационная форма

С большинством полей все ясно — имя, фамилия, адрес, город, страна... Учтите, что чаще всего в поле «Адрес» нужно писать только название улицы, номер дома и квартиры. Город вы впишите в поле «Город» (City), почтовый индекс — в поле ZIP-code, поле «Штат» (State), рассчитанное на покупателей из США, можно оставить незаполненным. В графе Country укажите, естественно, Russia или Russian Federation.

Кстати, в большинстве форм вы можете указать два адреса: ваш собственный адрес и адрес получателя бандероли. Это необходимо, если вы хотите приобрести тот же компакт-диск не для себя, а для подарка другу.

Наконец, остается последняя операция — ввод номера кредитной карточки или номера счета в системе «онлайновых платежей», с которого и будут впоследствии сняты деньги за совершенную вами покупку... Однако о способах оплаты товаров в Интернет мы поговорим чуть ниже, в специальной главе этого раздела.

Расплачиваясь за покупку в виртуальном магазине, вы можете сэкономить от 10 до 30 % ее стоимости, воспользовавшись специальными «купонами» со скидкой. Конечно, купоны эти не бумажные, как в нашем, реальном мире, а виртуальные, электронные. А представляет собой такой купон адрес-ссылку на специальную страничку магазина, начав с которой, вы автоматически получаете искомую ссылку при расчете. Другой вариант — специальный код, который необходимо внести в бланк заказа.

Как правило, магазин рассылает купоны своим постоянным покупателям или наоборот, предоставляет скидку новичкам, первый раз попавшим в его лапы. Однако воспользоваться купонами может каждый пользователь Сети, зайдя в гости к одному из сайтов, кропотливо собирающих эти полезные «виртуальные бумажки». Один из таких сайтов находится на адресу http://www.couponsworld.com.

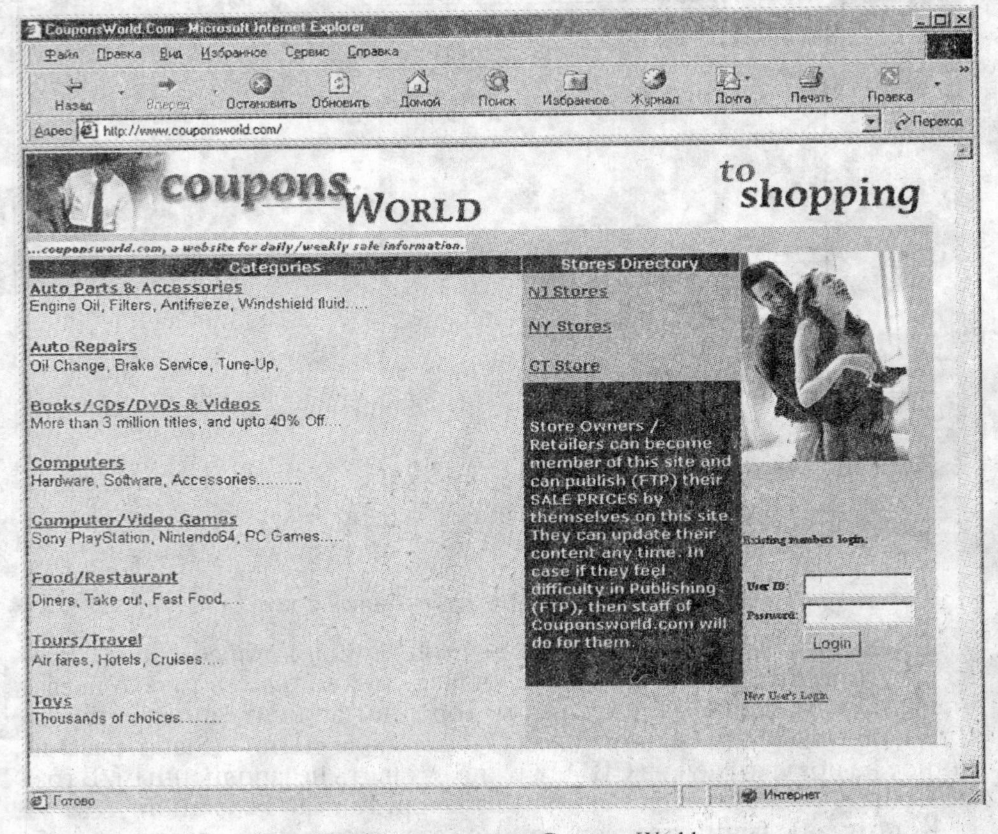

Копилка купонов — Coupons World

И вот покупка совершена! Теперь вам остается только ждать, когда же придет долгожданная бандероль. В зависимости от того, какой вы выбрали способ доставки (поезд, авиапочта, «экспресс-письмо») ждать придется от недели до месяца с небольшим. Причем чтобы достигнуть границ России, бандероли может понадобиться всего несколько дней, а вот прохождение таможни и путь по необъятным просторам нашей страны займет куда больше времени... Бывает, что посылка вообще теряется. В таком случае вам стоит попытаться проследить ее путь. Это можно сделать с помощью реквизитов бандероли, высланных вам ее отправителем — виртуальным магазином.

И последнее. Совершая покупку в Интернет, обращайте внимание не только на стоимость самого товара, но и на стоимость его доставки по Европе. Вероятнее всего, эта сумма еще несколько увеличится за счет таможенных сборов (30 % от стоимости посылки, превышающей 100 долл.), так что тот же компакт-диск, купленный в Штатах за 15 долл., реально будет стоить в полтора раза дороже. Для экономии денег заказывайте товары не по одному, а вместе — комплект из трех-четырех компакт-дисков будет стоить намного дешевле, чем то же количество CD, высланное в разных бандеролях.

Поисковая программа Copernic Shopper (Copernic)

(http://www.copernic.com)

Если вы предпочитаете не бродить по многочисленным сайтам, а обзавестись собственной «ищейкой» на домашнем компьютере, то вам, без сомнения, не обойтись без представителей славного семей-

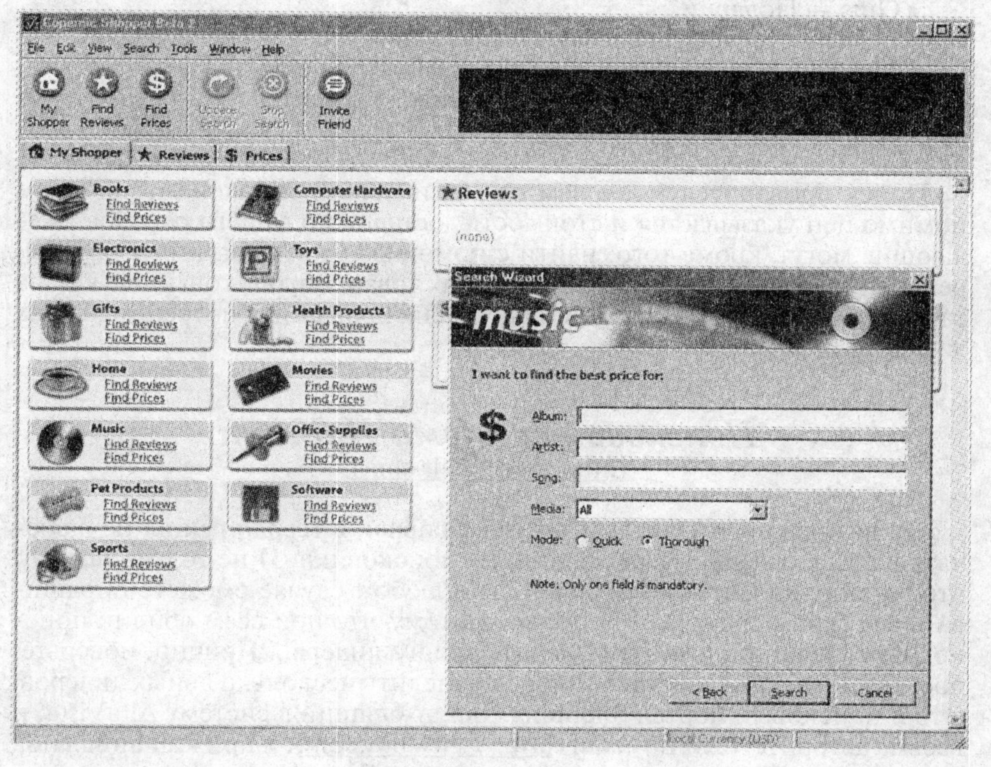

Copernic Shopper

ства Copernic. Вы, должно быть, помните мощную программу для поиска в Сети, о которой мы упоминали в разделе «Мир Информации»? И, конечно же, не забыли, что она умеет отыскивать некоторые нужные вам товары — музыкальные диски, книги, видеофильмы и так далее?

Однако этих возможностей «Коперника» явно не хватало как пользователям программы, так и ее автором — и в результате в дополнение к «большому» Copernic был создан его «младший брат» Copernic Shopper, специализирующийся по поиску в сетевых магазинах. Правда, исключительно западных, что несколько снижает ценность программы для российских пользователей.

Программа способна отыскивать по ключевым словам-запросам товары, относящиеся к одной из следующих категорий:

- Books — Книги
- Electronics — Радиоаппаратура, бытовая техника
- Health Products — Товары для здоровья, лекарства, медицина
- Movies — Фильмы на видеокассетах и DVD
- Office Supplies — Канцелярские товары, офисные принадлежности
- Software — Программное обеспечение
- Toys — Игрушки
- Computer Hardware — Компьютеры и комплектующие
- Gifts — Подарки
- Home — Товары для дома и семьи
- Music — Музыкальные кассеты, компакт-диски
- Pet Products — Товары для домашних животных
- Sports — Спортивные товары

Поиск проводится более чем по 300 интернет-магазинам, при этом помимо цен указывается и стоимость доставки до вашего региона. Желающие могут, кроме того, найти с помощью этой программы обзоры, рецензии и отзывы на интересующий их товар, опубликованные как на сайтах самих магазинов, так и в специализированных потребительских журналах.

Поисковая система Half.com

(http://www.half.com)

Отдав должное талантам Copernic Shopper, я твердо решил не включать в обзор отдельные «магазинные» поисковики. И не только потому, что, установив Copernic Shopper, вы в любом случае сможете опрашивать все сайты скопом, и не только потому, что при всем обилии поисковиков среди них трудно выделить явного лидера... Причин, поверьте, достаточно — так что я могу лишь перчислить несколько явных лидеров. Это и поисковый портал Shopping.com, входящий в систему AltaVista, и весьма авторитетный Buy.com (http://www.buy.com), и прижившийся под крылышком CNet поисковик Shopper.com (http://www.shopper.com) —

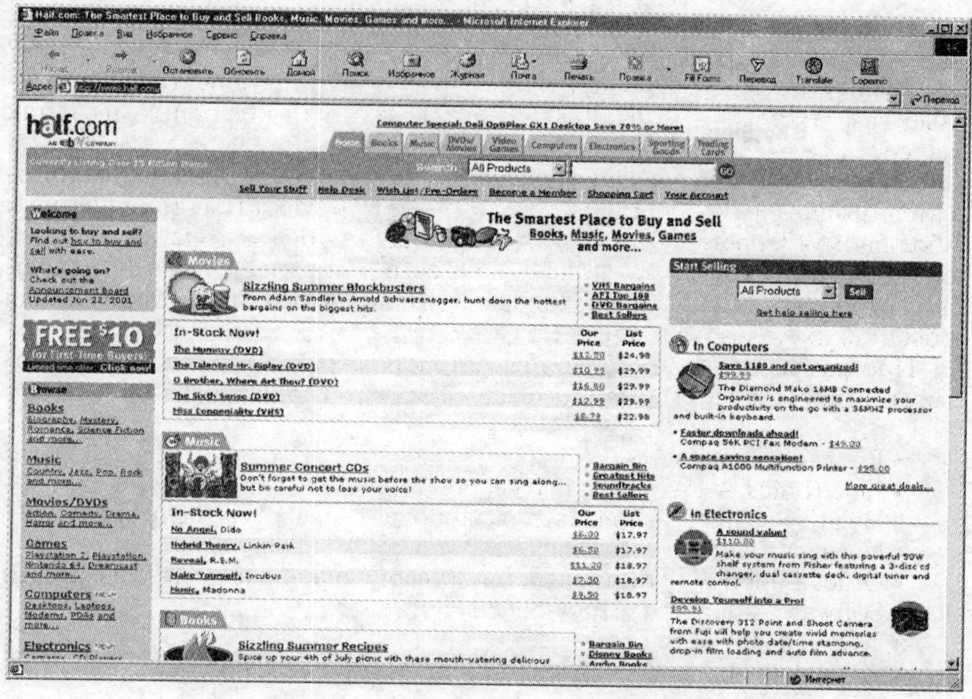

Half.com

продолжать можно до бесконечности... Однако для более подробного рассмотрения я выбрал лишь один поисковик, как наиболее близкий нашему русскому образу мыслей. Речь идет, конечно же, о знаменитом «скидочном» поисковике Half (http://www.half.com), который позволяет приобрести искомый товар со скидкой до 50 %! Дополнительно можно сэкономить от 5 до 10 долл., воспользовавшись купоном-скидкой для Half.com (его, как и другие купоны, вы можете найти на сайте http://www.couponsworld.com).

Конечно, не стоит искать здесь новомодные блокбастеры и бестселлеры, суперновинки из мира бытовой электроники или компьютерных комплектующих. Но если интересующий вас товар появился на прилавках полгода-год назад... Почему бы и не попробовать? Жаль только, что актуален этот сервис исключительно для граждан США. Но, может быть, у вас там есть знакомые?

Поисковая система Shopping.Ru

(http://www.shopping.ru)

Еще один поисковик по электронным магазинам. На этот раз — российский: этот молодой, но многообещающий торговый портал является частью грандиозной портальной системы «Кирилл и Мефодий».

Конечно, количество «виртуальных магазинов» в России пока что относительно невелико, да и поисковых порталов куда меньше, чем на За-

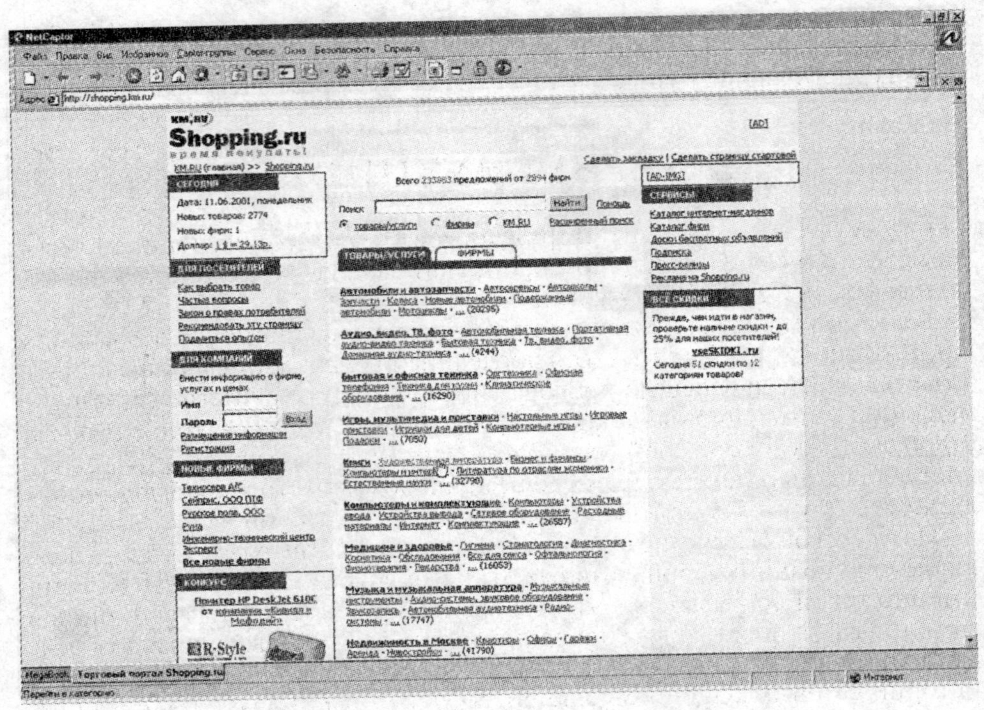

Shopping.ru

паде, однако конкурентов у Shopping.Ru хватает. Назовем лишь несколько — поисковик Подбери.Ру (http://www.podberi.ru), торговый портал Tradeline (http://www.tradeline.ru), система интернет-магазинов Webmarket (http://www.webmarket.ru)... Начав работу значительно позже многих из этих систем, портал Shopping.Ru смог выделиться на общем фоне не только благодаря удачному доменному имени и агрессивной рекламе, но и — самое главное! — своей базе данных, охватывающей более трех тысяч (!) торгующих в Рунете фирм. Впечатляет и общее количество представленных товаров — более 300 000 наименований, что примерно в 10 раз больше, чем, скажем, у конкурирующего с Shopping.Ru торгового портала Rambler.

Shopping.Ru предлагает товары в следующих категориях:

- Автомобили и автозапчасти
- Аудио, видео, ТВ, фото
- Бытовая и офисная техника
- Игры, мультимедиа и приставки
- Книги
- Компьютеры и комплектующие
- Медицина и здоровье
- Музыка и музыкальная аппаратура
- Недвижимость в Москве
- Продукты, напитки, кулинария
- Связь и средства телекоммуникации

- Спортивные товары, услуги, секции
- Строительство и ремонт
- Туристические путевки

ИНТЕРНЕТ-АУКЦИОНЫ

Существует еще одна категория торговых ресурсов Интернет — «сетевые аукционы». И продавцом, и покупателем здесь может стать любой пользователь Сети, в том числе и вы!

Конечно, мы говорим сейчас не о монстрах аукционного дела, таких как «Сотбис» или «Кристи», хотя последние также имеют свои представительства в Сети и успешно проводят интернет-торги. Многие сегодняшние интернет-аукционы, такие, как eBay (http://www.ebay.com), Amazon (http://auctions.amazon.com) или Yahoo! (http://auctions.yahoo.com), вполне способны соперничать с ними если не по доходам, то хотя бы по популярности. А уж по доступности и демократичности они далеко впереди!

На «сетевом аукционе» можно выставить любой товар — от чучела любимой собаки и набора пивных этикеток до статуи Свободы. Кстати, именно такой лот в свое время был выставлен на одном из аукционов и мозолил глаза посетителям довольно долго, пока спохватившаяся администрация не сняла с торгов этот уникальный «товар». Впрочем, были в истории сетевых аукционов еще более курьезные и даже шокирующие лоты: через аукцион eBay пытались продать партию наркотиков, косми-

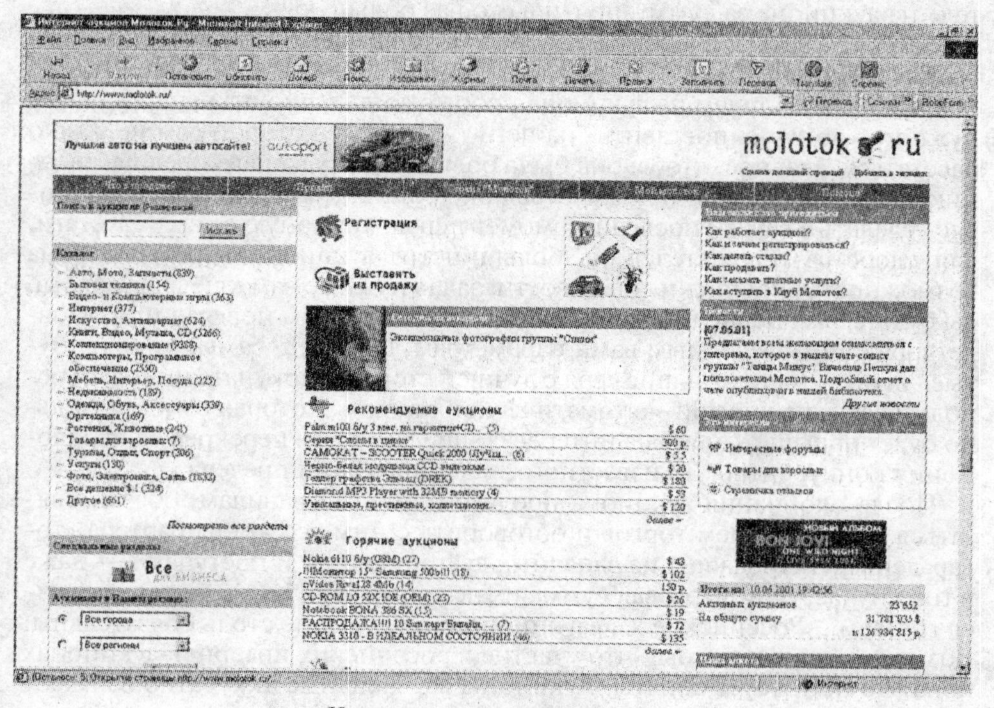

Интернет-аукцион «Молоток»

ческую станцию «Мир», новорожденных детей и даже... собственную душу! Это стало возможным лишь потому, что аукционы в Интернет работают практически в автономном режиме: пользователи выставляют на торги любой товар, сами проводят расчеты... Администрации лишь остается регулярно «прочесывать» аукционы в поисках явного криминала.

Конечно, большинство товаров на сетевых аукционах вполне мирного и законного свойства. Компьютеры и компакт-диски, книги и автографы «звезд», домашняя утварь и услуги, выгодные имена сайтов и адреса электронной почты... Словом — все, что только может пригодиться в вашем обиходе!

Участие в аукционе — это не просто «шопинг», а увлекательная и даже азартная игра. Роясь в куче «барахла», всегда есть вероятность отыскать по низкой цене действительно уникальную и редкую вещь, но можно и переплатить сгоряча, увлекшись «ценовой битвой» с вашими коллегами по интересам. Наконец, это еще и неплохой способ заработка, преимущество которого уже по достоинству оценили и российские пользователи. Ведь вполне может статься, что завалявшийся в вашей фонотеке компакт-диск или старая книга может принести вам значительную сумму, попадись они на глаза настоящему знатоку.

Кстати, еще год назад, когда Россия была буквально погребена под лавиной пиратских компакт-дисков, множество предприимчивых дельцов начали активно «продвигать» этот товар на Запад через посредство все тех же аукционов. И что бы вы думали? Мне памятен случай, когда компакт-диск, продававшийся в московских палатках по 2 долл., «улетел» на аукционе за сумму, почти в сто раз большую!

Словом, участие в аукционе — не только увлекательнейшее, но и выгодное занятие!

Стать покупателем на аукционе просто: достаточно открыть карточку нужного «лота» и «поставить» на него ту сумму, с которой вам не жалко расстаться. Главное, чтобы она была больше, чем у вашего предшественника. А затем спокойно дожидаться окончания аукциона, заранее готовясь сделать в самый последний момент свою козырную ставку... Кстати, для удобства покупателей на большинстве аукционов предусмотрена возможность «подписки» на новости: задав нужные вам ключевые слова, вы будете ежедневно получать бюллетень со списком новых лотов, удовлетворяющих введенным вами параметрам. Наконец, самые «продвинутые» и зарекомендовавшие себя с лучшей стороны покупатели могут воспользоваться системой «автоматической ставки», которая самостоятельно будет повышать цену на интересующие вас лоты, перекрывая предложения конкурентов. До известного, заданного вами предела...

После окончания аукциона продавец, по его правилам, обязан связаться с победителем торгов и обговорить с ним все этапы бартера «товар-деньги». Продавцы на западных аукционах так и поступают — даже в том случае, если итоговая сумма их не устраивает. Как говорят, назвался груздем... Российские же «аукционщики», увы, не столь обязательны. Возможно, еще и потому, что участие в российских интернет-аукционах пока что не требует оплаты. Аукционы же западные аккуратно взимают плату в виде процента как от первоначально заявленной, так и от окончательной суммы торгов. Именно поэтому продавцы, выставляя свой лот на торги западных аукционов, не стремятся завышать его цену, наоборот, делают ее максимально либеральной. В России же, увы, ситуация обратная: посетители крупнейшего аукциона «Молоток» (http://www.molotok.ru) могут месяцами созерцать один и тот же лот, снова и снова выставляемый на продажу по совершенно немыслимой цене.

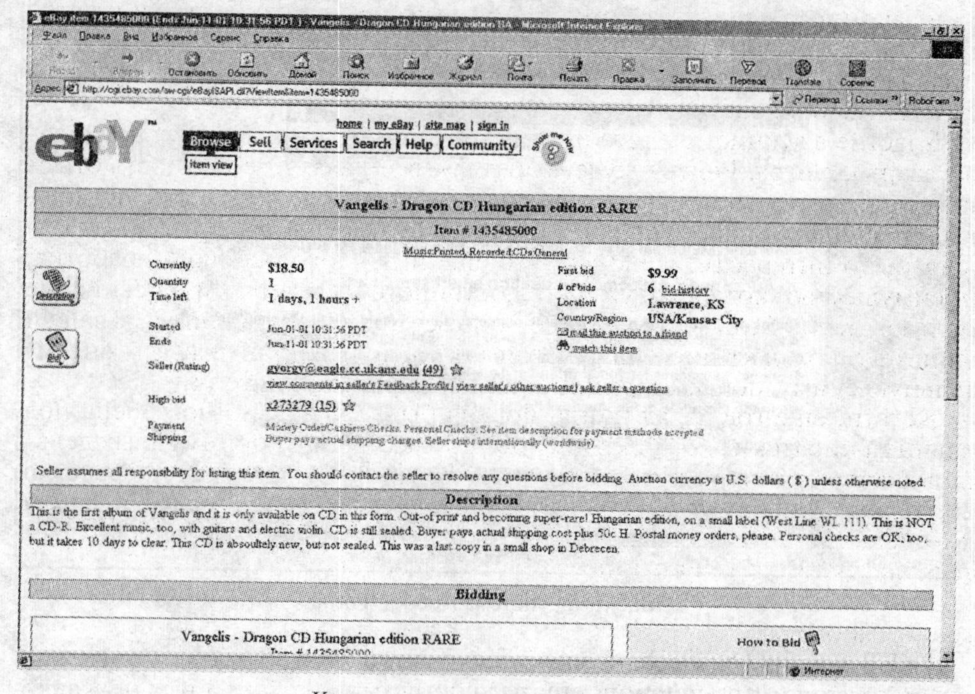

Карточка лота на аукционе eBay

Практически на любом интернет-аукционе существует система рейтингов и отзывов, благодаря которой вы всегда можете получить всю информацию о предшествующих торгах с участием этого продавца или покупателя. И проверить, надежный человек ваш партнер или нет... Продавцы с большим количеством положительных отзывов и отсутствием отрицательных не только улучшают свой имидж в глазах устроителей аукциона и покупателей, но и получают некоторые привилегии при размещении следующих лотов. Разумеется, отзыв о продавце или покупателе может оставить не каждый посетитель сайта-аукциона, а только его партнер по последней сделке.

Поисковая система Auctions Portal
(http://www.auctions-portal.com)

Этот поисковик не может похвастаться большим количеством «подшефных» сайтов: в его активе — «всего лишь» базы данных трех крупнейших интернет-аукционов:

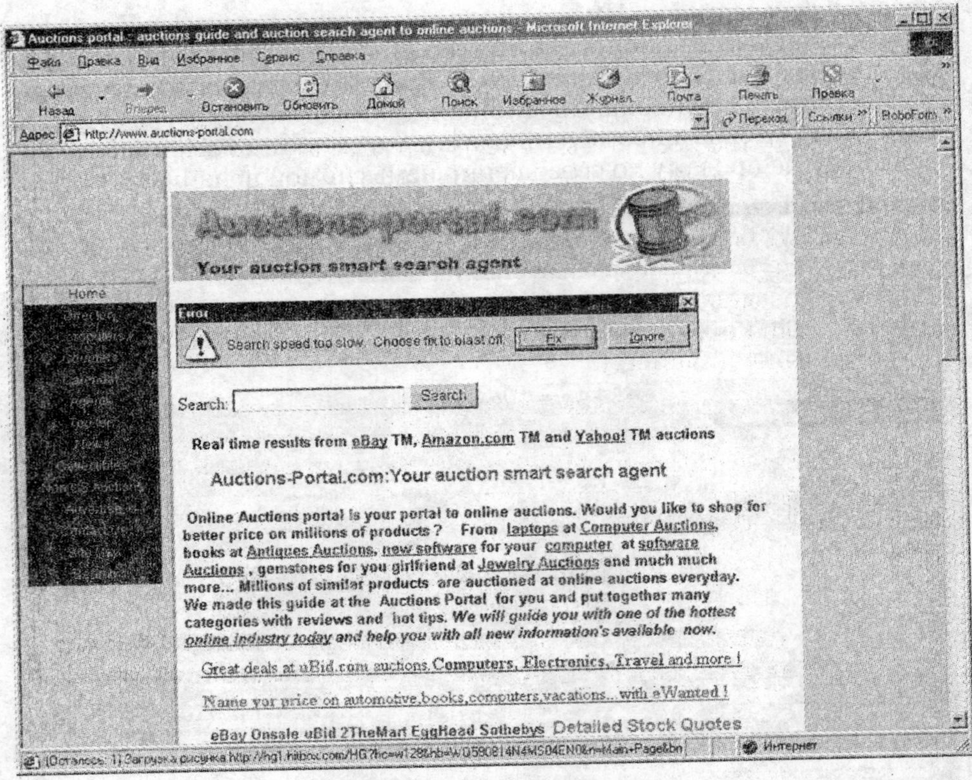

Поисковая система Auction Portal

- EBay (http://www.ebay.com)
- Amazon (http://auctions.amazon.com)
- Yahoo (http://auctions.yahoo.com)

Собственно, большего нам и не требуется. Зато вы разом избавляетесь от излишних хлопот и многократных поисков на разных сайтах. Все просто — ввел в строку нужный запрос и получай развернутую картину «театра боевых действий» на текущий момент.

Кроме того, здесь же вы найдете неплохой каталог популярных аукционов и категорий, а также полезные советы как для продавцов, так и для покупателей.

ЭЛЕКТРОННЫЕ «ДОСКИ ОБЪЯВЛЕНИЙ»

Самый простой и оперативный способ купить нужный товар «с рук» — это «электронные барахолки» и виртуальные доски объявлений. В принципе, с ними мы уже познакомились в главе «Мир Общения», да только в этот раз мы будем прогуливаться по ним не для удовольствия, а по делам.

Доски объявлений Интернет куда удобнее, чем их коллеги на стенах городских домов или даже газеты частных объявлений. Они куда оперативнее, объявления на них живут дольше и прочесть их сможет достаточно большое число пользователей.

Они абсолютно бесплатны — не чета тем же аукционам.

А главное — их больше. Намного больше! Пожалуй, общее количество досок объявлений в Сети просто невозможно подсчитать, хотя попытки создать более-менее внятный каталог предпринимались неоднократно. «Доски» могут быть как специализированными (например, «барахолка», посвященная покупке-продаже компьютерных комплектующих, книг или компакт-дисков), так и общими, предназначенными для торговли всякой всячиной.

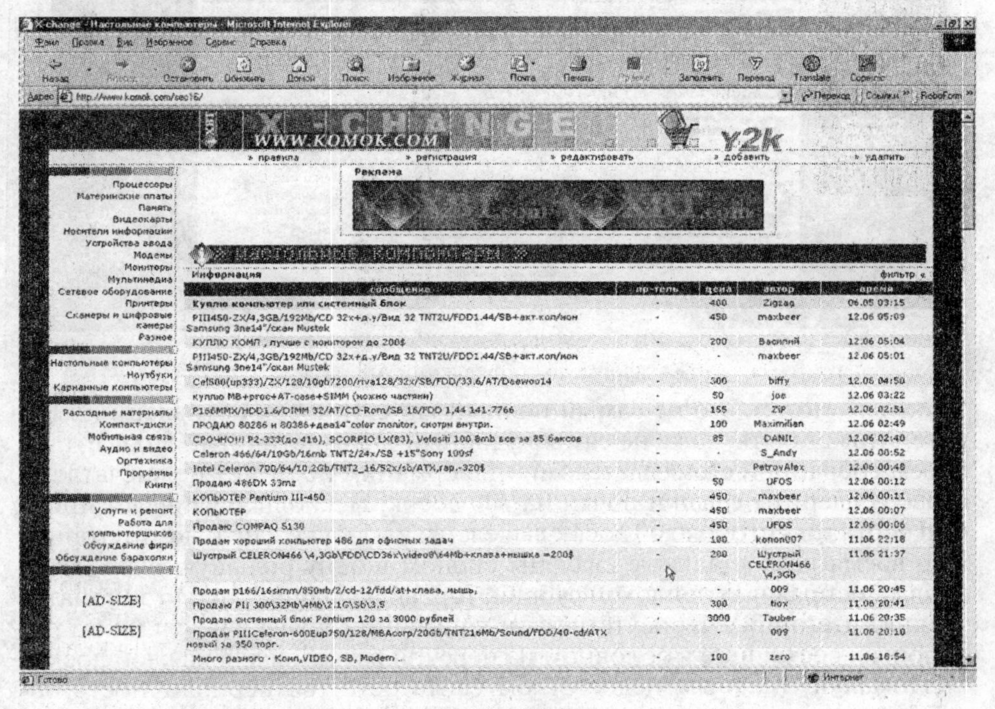

Доска объявлений

Наконец, существуют в Сети и электронные версии газет бесплатных объявлений. Так, с недавних пор читатели газеты «Из рук в руки» могут поработать с базой данных объявлений любимой газеты прямо в Интернет, по адресу http://www.izrukvruki.ru.

К сожалению, общей поисковой системы по доскам объявлений, наподобие «поисковиков» по электронным магазинам и аукционам, пока что не создано, да и локальные «ищейки» имеются далеко не на каждой «виртуальной барахолке». Вот и приходится работать с ней, как с барахолкой настоящей — неспешно прогуливаться по торговым рядам, бросая взгляд то налево, то направо...

Каталог досок бесплатных объявлений «Арсма-Т»

(http://arsma.centro.ru/katalogbbs/index.html)

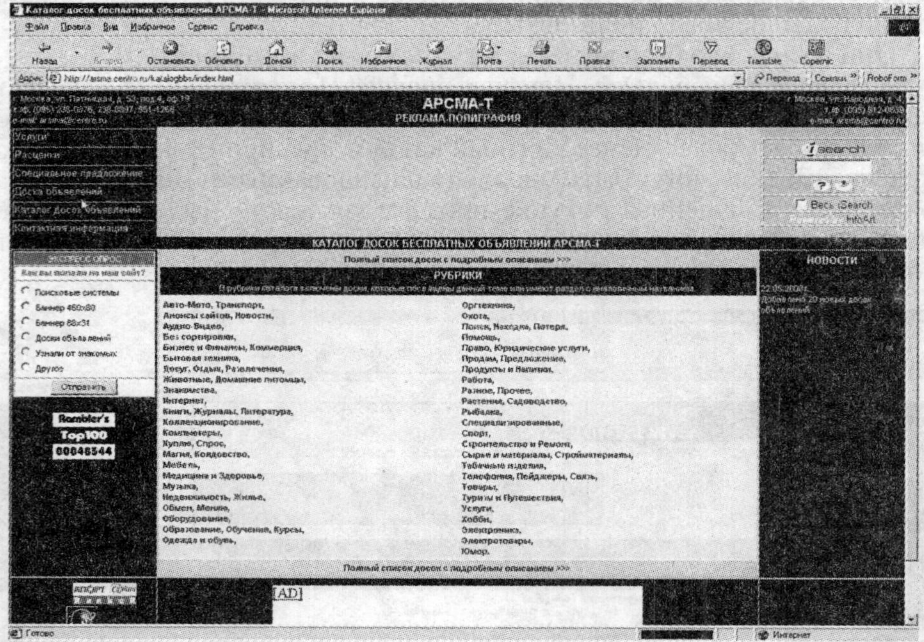

Каталог досок объявлений Арсма-Т

...Быть может, это не самый полный каталог досок объявлений в Рунете. Может быть, даже не самый удобный и симпатичный. Но все-таки объем собранной его создателями информации не может не впечатлять: сервер содержит ссылки почти на 700 досок! Несколько удивляет принцип сортировки: около 40 досок выделены в особую, элитную категорию, в то время как остальные свалены скопом в одну большую кучу. Дело, правда, исправляет неплохой рубрикатор, включающий около 50 тематических категорий... Присутствуют и аннотации, правда, не слишком подробные, состоящие в основном из перечня разделов для каждой доски.

Пожалуй, главным недостатком сайта остается периодичность обновления материала: судя по разделу «Новости», последние добавления в каталог были внесены еще год назад! Однако полнота охвата материала с лихвой искупают и эту, и многие другие погрешности...

Каталог досок бесплатных объявлений «Объявись-ка!»

(http://www.vdonsk.ru/~csi/katalog.htm)

В сравнении с предыдущим каталогом этот любительский сайт выглядит, как юркий мышонок рядом с громадиной-слоном. Но, что интересно, великолепно его дополняет. Смотрите: сам каталог включает не более полусотни ссылок, зато присутствуют все самые главные и инте-

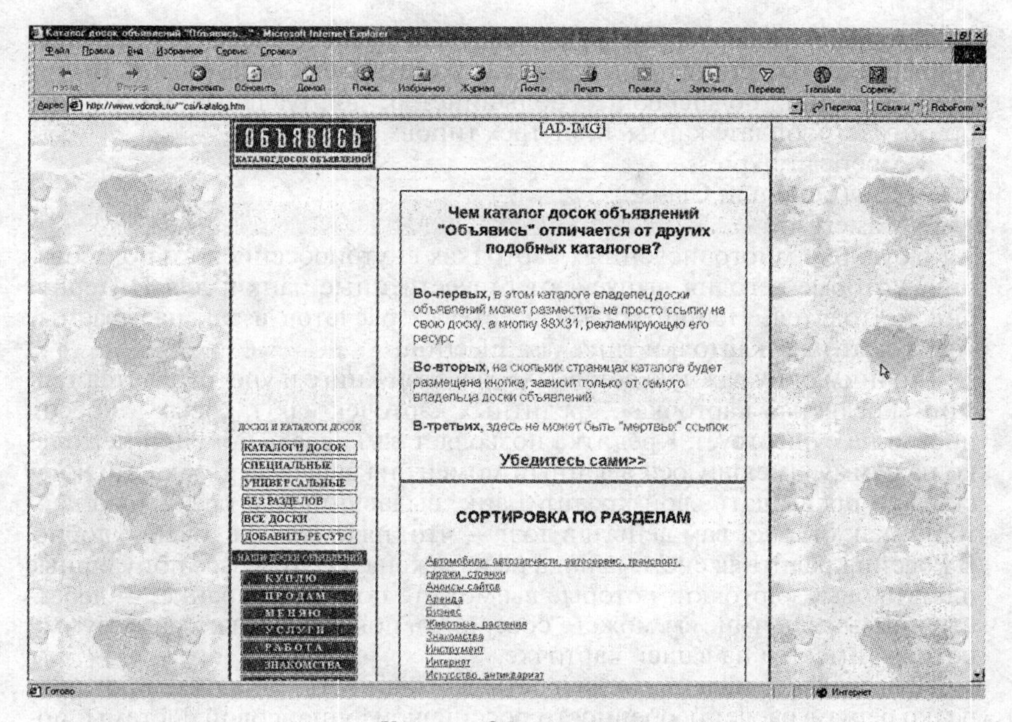

Каталог «Объявись-ка»

ресные доски, а также новинки, не отображенные в Каталоге «Арсмы». А главное — по уверениям создателей сайта, «в этом каталоге нет и не может быть «мертвых» ссылок», только работающие, «живые» ресурсы».

Что особенно симпатично, в каталоге нашлось место и для ссылок на другие каталоги аналогичной тематики — со ссылкой и на «Арсму» в том числе. Что ж, объективность автора достойна уважения...

ФИНАНСОВЫЕ РАСЧЕТЫ И ОПЛАТА ПОКУПОК В ИНТЕРНЕТ

Итак, теперь мы знаем, где и что нам покупать. Остается нерешенным лишь один вопрос: как и чем оплачивать покупки, совершенные в Сети?

К сожалению, единого средства и способа оплаты до сих пор не существует: слишком разнятся формы сделки, слишком разные участвуют в ней стороны... Одно дело, когда вы работаете с крупным виртуальным магазином, и совсем другое — когда заключаете сделку с таким же, как вы, простым пользователем.

Так что придется нам с вами иметь дело не с одним, а сразу с несколькими способами перевода денег. И лишь один из них может быть признан более-менее универсальным.

Кредитные карточки. С их помощью можно оплатить покупку в виртуальных магазинах всего мира, услуги провайдера или платного сайта...

Необходимо лишь, чтобы ваша карточка принадлежала к категории универсальных, стандартных для расчетов в Сети типов карт. Выбор здесь невелик: подавляющее большинство «виртуальных магазинов» принимает к оплате карты лишь трех типов:

- American Express
- Visa (Gold или Classic)
- MasterCard

Забудьте о многочисленных карточках внутрироссийского пользования, которые сегодня выпускают отечественные банки: для Интернет они не годятся. Непригодны для сетевых расчетов и так называемые «банкоматные» карточки типа Visa Electron.

Уточним одну важную деталь. Хотя в этой книге и употребляется термин «кредитная карточка», кредитных карточек как таковых в России просто не существует. Кредитка позволяет вам делать покупки не только на сумму, имеющуюся в данный момент на вашей карточке, но и несколько превышать свой кредит. Банк, выдавший вам кредитную карточку, как бы дает вам деньги в долг — что, надо сказать, очень удобно. В России кредитная система пока не налажена, поэтому все популярные пластиковые карточки, которые вы можете получить в банке, — дебетные: пользуясь ими, вы можете совершить покупку только на ту сумму, которая имеется на вашей карточке.

Правда, одна маленькая хитрость все-таки есть: западные продавцы редко берут в расчет особенности российской финансовой системы, поэтому все карточки для них — кредитные. То есть, имея на карточке 50 долл., вы можете совершить покупку на 100 долл., разницу магазин потом затребует у вашего банка. И вот тут-то у вас начнутся неприятности — наши банки таких шуток не любят...

Получить карту международного образца (обычно это Visa Classic или MasterCard) можно практически в любом крупном российском банке, в том числе и в отделении Сбербанка. Стоит это удовольствие сегодня около 10—30 долл., причем минимальный денежный взнос, необходимый для открытия карточки, может составлять от 100 до 300 долл. Удовольствие для богатых, но если вы собираетесь регулярно совершать покупки по Интернет, эти затраты с лихвой окупятся.

При выборе банка, который выдаст вам пластиковую карточку, обращайте внимание и на такой параметр, как минимальный остаток средств на карточке (сумма, которая должна находиться на карточке постоянно, во избежание ее аннулирования). Сегодня большинство банков не регламентирует минимальный остаток средств на простых карточках типа Visa Classic, однако попадаются и такие, которые требуют, как минимум, стодолларового неснимаемого остатка. За счет этого плата за открытие карточки у них ниже — вплоть до нулевой.

Итак, карта у вас есть. И теперь вам остается последняя, самая ответственная операция: ввести ее номер в специальную графу «анкеты», которую вы заполняете при совершении покупки в сетевом магазине.

И вот тут надо быть очень осторожным. Ведь на самом деле каждая кредитка имеет не один, а сразу два номера!

- Первый написан на самой кредитной карточке — и вот его-то вам и нужно ввести при покупке.
- Второй — секретный, индивидуальный PIN-код, ваш личный регистрационный номер.

Не ищите PIN на вашей карточке — его там нет и быть не может. Ибо карточка неизбежно попадает на глаза посторонним людям, а вот PIN не должен видеть НИКТО! PIN вы получите вместе с карточкой, причем долг работников банка — строжайше предупредить вас о необходимости хранить эти цифирки в секрете.

Запомните: ни при каких условиях не делитесь ни с кем своим PIN-ом! Ибо, попади он в недобросовестные руки, деньги с вашей карточки могут улетучиться без остатка.

Номер, написанный на карточке, тоже секретная информация, и его распространение может также нанести вам немалый ущерб. Правда, в большинстве банков при выдаче кредитки можно оговорить специальный режим авторизации покупок (т. е. без вашего подтверждения и подписи деньги никуда переводиться не будут) с помощью того же PIN-кода. Но все-таки перестраховаться не мешает.

Выкрасть номер у многих нерадивых продавцов проще простого, а благодаря ему злоумышленники смогут легко опустошить до дна ваш банковский счет. Только не надо думать, что подобная судьба может ожидать лишь ротозеев — в начале 2001 года стало известно, что и сам Билл Гейтс ухитрился где-то «засветить» драгоценный номер, выдавленный на принадлежащем ему изящном кусочке пластика...

Поэтому автор настоятельно советует не оплачивать с помощью карточки доступ к сомнительным сайтам, как правило, именно с этих малопочтенных серверов коды и попадают в руки хакеров. Серьезные онлайновые магазины со стажем такого разбазаривания не позволяют — ваши данные и код карточки передаются на сайт в специальном, защищенном виде с помощью безопасного соединения (протокол SSL). Пересылать данные о вашей карточке можно только через этот протокол и уж ни в коем случае не через обычное электронное письмо.

Заполняя «анкету» в большинстве «виртуальных магазинов», вы можете сохранить номер кредитки, в числе прочих данных, на его сервере — в дальнейшем это значительно облегчит вам процесс оформления покупки. Однако и безопасность вашего счета может оказаться под угрозой, поэтому куда надежнее каждый раз вводить номер кредитки вручную, не слишком доверяя базе данных магазина. Хотя, если некоторые «шопы» или аукционы требуют от покупателей обязательного сохранения номера в «виртуальной карте», что ж, с этим ничего не поделаешь...

На этот случай можно вспомнить одлну простую пословицу: не стоит держать все яйца в одной корзине! Имеет смысл завести специально для операций в Сети отдельную пластиковую карту и счет, на котором будет лишь небольшая сумма (30—50 долл.). В конце концов, пополнить счет для крупной покупки никогда не поздно, а в случае «провала» ваш ущерб будет не слишком велик.

Системы «онлайновых платежей» ...Как бы ни были удобны пластиковые карточки, использовать их для оплаты сетевых покупок уместно далеко не всегда. Вы не забыли про ключевое слово «безопасность»? И неужели ваши глаза ни разу не останавливались на многочисленных заметках в прессе: там-то вновь обнаружена «утечка» номеров кредитных карт, такой-то магазин был атакован и «взломан» очередной бандой хакеров?

Увы, до сих пор степень защищенности данных покупателя в сетевых магазинах оставляет желать лучшего. Конечно, работая только с монстрами типа **Amazon** (http://www.amazon.com), вы можете быть (относительно!) спокойны. Но в Сети много и более мелких магазинов, посвящать которые в «святая святых» как-то боязно...

Вот почему все больше и больше покупателей не только в нашей стране, но и во всем мире, предпочитают использовать для оплаты товаров и услуг в Интернет не кредитные карточки, а счета специальных систем электронных платежей — своего рода «виртуальных банков». Переводя на их счета деньги со своих кредиток, вы практически защищены от неприятных «утечек» — уж кто-кто, а создатели этих систем предусмотрели все возможные степени защиты.

Одной из самых популярных в мире систем онлайновых платежей является **PayPal** (http://www.paypal.com), с ее помощью вы можете не толь-

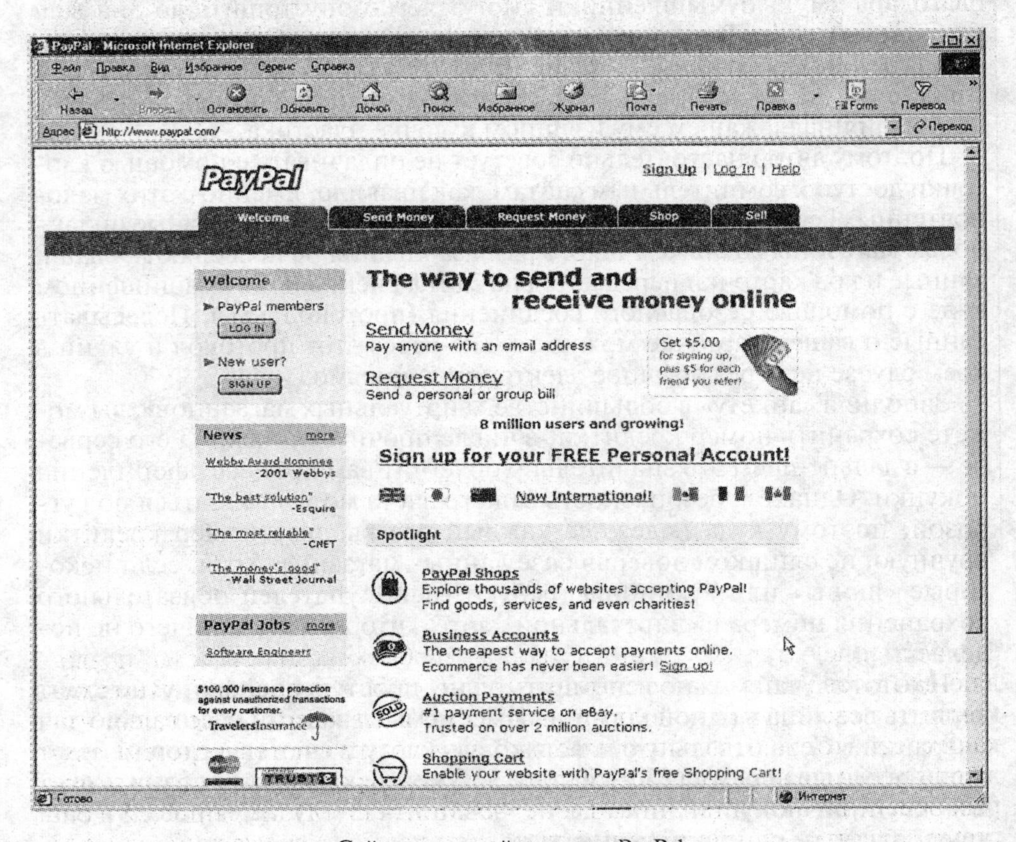

Сайт платежной системы PayPal

ко оплатить товар в одном из сетевых магазинов, но и расплатиться с партнерами по «виртуальным аукционам».

Еще недавно воспользоваться услугами PayPal могли только владельцы пластиковых карт, эмитированных на территории Соединенных Штатов, однако сегодня доступ к системе имеют граждане более 30 стран. Но погодите радоваться — Россия в их число, к великому сожалению, пока что не входит... Возможно, правда, что уже в ближайшее время PayPal несколько смягчит свои требования и доступ к системе получат, наконец, и российские граждане... Ну а до той поры нам придется подыскивать другие способы оплаты или довольствоваться исключительно российским «шопами».

...Для которых, кстати, придуман свой, российский аналог PayPal!

В нашей же стране уже несколько лет функционирует (и весьма успешно) платежная система **WebMoney** (http://www.webmoney.ru). Предоставим слово ее разработчикам:

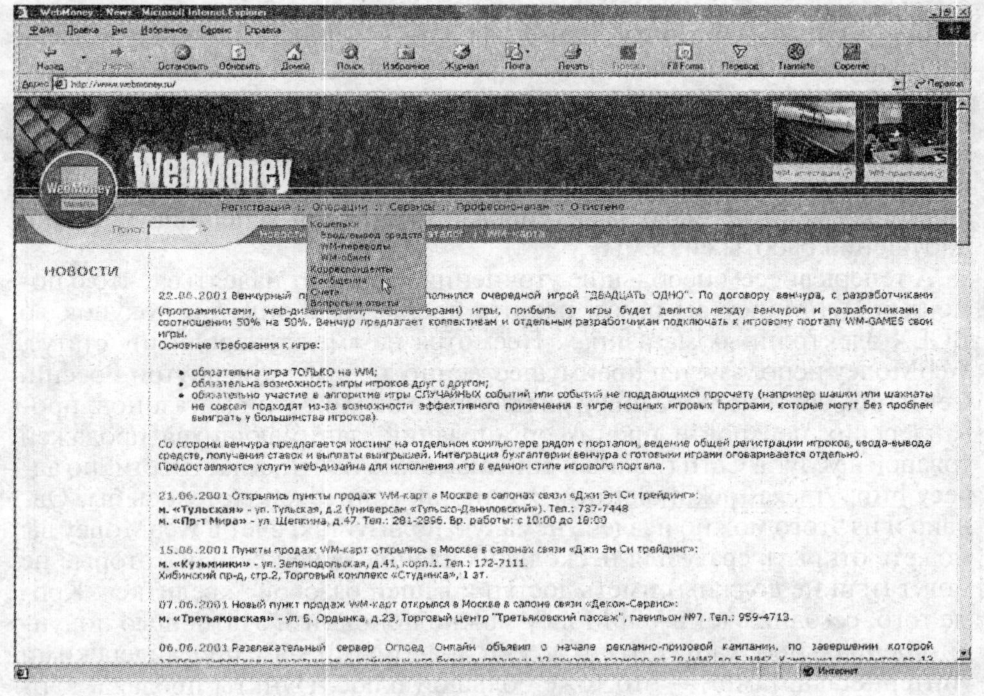

Сайт платежной системы Webmoney

«WebMoney Transfer — универсальная внебанковская система, позволяющая проводить мгновенные расчеты в сети Интернет. Система открыта для свободного использования всеми желающими и не имеет никаких территориальных ограничений. Средством расчетов в системе служат титульные знаки WebMoney, стабильность курса и ликвидность которых обеспечиваются гарантами. Все WebMoney (WM), имеющиеся в системе, хранятся на электронных счетах (кошельках) ее участников (WM типа R — эквивалент RUR — на R-кошельках, WM типа Z — эквивалент USD — на Z-кошельках). При этом финансовые расчеты между участниками осуществляются только с использованием однотипных кошельков.

Хранящиеся на кошельках WebMoney в любой момент могут быть выведены из системы с конвертацией в соответствующий им тип валюты путем безналичного платежа на банковский счет, указанный их владельцем. Получить WM можно:

- У гарантов путем безналичного перевода из любого банка (в том числе Сбербанка РФ), а также почтовым переводом на расчетный счет гаранта с указанием номера пополняемого кошелька (денежные средства будут автоматически конвертированы в WM и зачислены на указанный при переводе кошелек);
- Через предоплаченную WM-карту (пополнение Z-кошельков);
- От кого-либо из участников системы в обмен на товары, услуги или же в обмен на наличные деньги.

С помощью WebMoney Transfer можно совершать покупки в электронных магазинах, создавать собственные магазины, реализующие online-продажи в Интернет, а также производить расчеты с другими участниками системы. WebMoney Transfer имеет высокую степень защиты — вся информация, передаваемая по каналам Интернет, кодирована по алгоритму, эквивалентному RSA с длиной ключа 1040 бит. И к настоящему времени не было зафиксировано ни одной успешной попытки нарушения работы системы».

А теперь внесем небольшие уточнения. Не стоит надеяться, что с помощью WebMoney вы разом решите проблемы с оплатой покупок во ВСЕХ электронных магазинах. Несмотря на «международный» статус, WebMoney используется преимущественно для расчетов внутри России. Сегодня к системе WebMoney подключено около сотни магазинов, провайдерских центров и прочих организаций, занимающихся продажей товаров и услуг в Сети (полный список можно найти, в частности, по адресу http://megastock.molot.ru). Это не так много, как хотелось бы. Однако и из этого можно извлечь немалую пользу: так, счет в WebMoney вы можете открыть сразу для нескольких членов вашей семьи, которые не могут (или не должны) иметь доступ к вашей базовой «кредитке». Кроме того, сегодня счет в WebMoney можно пополнить с помощью покупки специальных карт, схожих с уже знакомыми нам провайдерскими «интернет-картами» — это тоже большой плюс. Пункты продажи карт WebMoney существуют во многих крупных городах России, их адреса вы можете найти на сайте системы.

Наконец, WebMoney может отчасти решить проблему с получением денег из-за рубежа, ведь зачислить средства на «виртуальный счет» можно с любой пластиковой карты трех уже знакомых нам систем! Другое дело, доверит ли ваш партнер по сделке свой «волшебный номер» незнакомой ему российской системе...

Здесь же, в России, вы можете без помех конвертировать WebMoney обратно в доллары или рубли.

Чеки и денежные переводы. Если вам необходимо перевести деньги в адрес физического лица (например, при расчете по сделке на интернет-аукционе), то велика вероятность, что ни один из знакомых вам способов оплаты ваших партнеров не устроит. Большинство западных продавцов, как правило, предпочитают платить и получать деньги за свои лоты в виде персональных чеков, которые можно затем обменять на деньги в любом банке. Для Америки и даже Европы такие расчеты — норма жизни, а вот в России с чеками дело обстоит далеко не так благополучно. Теоретически, получив чек, вы можете сдать его в любой крупный банк... Однако, даже если его там и примут, не рассчитывайте получить свои деньги раньше, чем через месяц! За это время ваш чек совершит обратное путешествие на родину, через океан, где его досконально проверят и лишь потом дадут «добро» на выплату наличных, удержав при этом комиссионные, которые могут составить от 10 долл. до 15 % от суммы, причитающейся вам по чеку.

Подробнее об обналичке чеков и связанных с этим процессом тонкостях вы можете узнать на любом сайте, посвященном заработку в Сети. В частности, в соответствующем разделе уже упоминавшегося на наших страницах сервера «Бесплатный Сыр» (http://www.freecheese.net).

Можно, конечно, получить деньги и по обычной почте, а также через систему Western Union, отделения которой есть во всех крупных городах России... Но если к первому варианту может обратиться, зная повадки наших почтовиков и таможенников, лишь самый заядлый рискач, то для второго варианта желательно, чтобы сумма перевода составляла не меньше 100 долл.

...Вот вы с вами — пожалуй, впервые за все время работы с Сетью — задумались о безопасности. Неудивительно: речь-то идет о деньгах... Однако не стоит думать, что проблема приватности и безопасности в Сети относится лишь к сфере электронной коммерции. Напротив — сегодня она чрезвычайно актуальна практически для всех сервисов (или, как мы их называем на страницах этой книги, Миров) Интернет.

Доказательством этому и станет следующая глава...

МИР БЕЗОПАСНОСТИ: КАК СОХРАНИТЬ ПРИВАТНОСТЬ В ИНТЕРНЕТ

До чего же парадоксальна человеческая натура! Ведь каждый божий день мы слышим о все новых и новых кознях хакеров, меланхолично фиксируем появление новых вирусов, сокрушаемся о нестабильности и уязвимости существующих информационных систем... И в то же время не делаем ничего, чтобы хоть как-то обезопасить свой собственный компьютер! Более того, даже не знаем, какие именно опасности могут нам встретиться на информационной магистрали.

А их не так уж мало. При всей своей внешней дружелюбности дорога Интернет отнюдь не вымощена желтым кирпичом, на ней и ухабы не редкость, да и замаскированные ямы с кольями на дне попадаются. Другое дело, что для многих «хищников» наш брат пользователь — слишком мелкая дичь. И потому на ваш компьютер, подключенный к Сети в сеансовом режиме, через слабенький модемный канал, вряд ли станут покушаться серьезные хакеры. Из тех, которых хлебом не корми, а дай «завалить» серьезный сервер какого-нибудь Пентагона. И содержимое вашего винчестера не улетит за считанные секунды в бездну Интернета (этот потрясающий пассаж автор вычитал в опусе одного из мэтров отечественной фантастики), «вытянутое» тем же загадочным «взломщиком».

Все это — опять-таки, для нас, пользователей, — не страшнее бумажного тигра. Однако и настоящих тигров не так уж мало, и встреча с ними вам в большинстве случаев никаких приятных эмоций не доставит.

Так что о защите подумать не помешает. Но прежде все-таки надо узнать, от чего именно мы будем защищаться. Так что пересчитаем и поименуем имеющуюся полосатую нечисть.

ВИРУСЫ

Вот этот враг вполне реален и грозен, и именно вирусные козни становятся причиной доброй половины неприятностей у активных «сетевиков». Даром что способы их распространения и любимые пакости уже давно вызубрены наизусть, благодаря той же прессе. И все-таки то один, то другой пользователь клюет на заброшенную ими удочку, несмотря на нагло торчащий крючок.

Мы помним, что переносчиками вирусов в большинстве случаев являются сообщения электронной почты, содержащие вложенные файлы. Помним и то, что зараза может проникнуть в компьютер либо через программы (то есть исполняемые файлы с расширением *.exe или *.com), либо через документы Microsoft Office, которые могут содержать вредоносные участки кода. Помним и то, что со стороны картинок или звуковых файлов нам никакая неприятность грозить вроде бы не может. А потому, раскопав нежданно-негаданно в почтовом ящике письмо с прикрепленной к нему, (судя по имени файла и расширению) картинкой, тут же радостно ее запускаем... И обнаруживаем, что под личиной картинки скрывался вредоносный вирусный «скрипт». Хорошо еще, если обнаруживаем сразу, а не после того, как вирус успел полностью уничтожить все ваши данные.

Хитрость создателей вируса проста — файл, который показался нам картинкой, имел двойное расширение! Например,

AnnaCournikova.jpg.vbs

Вот именно второе расширение и является истинным типом файла, в то время как первое является просто частью его имени. А поскольку расширение vbs Windows хорошо знакомо, она, не долго думая, прячет его от глаз пользователей, оставляя на экране лишь имя

AnnaCournikova.jpg

По опыту работы с Проводником вы помните, что именно так Windows поступает со всеми зарегистрированными типами файлов: расширение отбрасывается, а о типе файла должен свидетельствовать его значок. На который, увы, мы редко обращаем внимание.

Хороша ловушка?

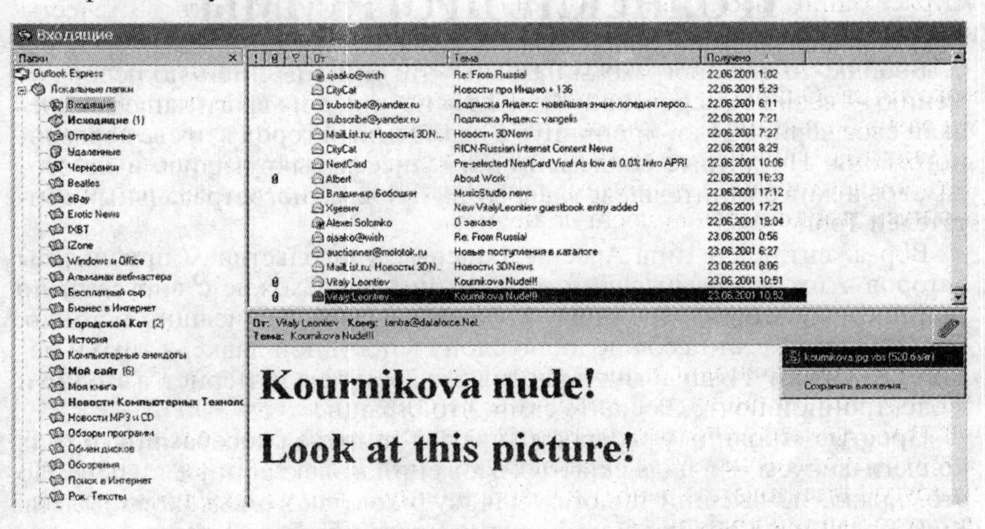

В этом письме может содержаться вирус

Кстати, в качестве примера взят совершенно реальный вирус «Анна Курникова», атаковавший Россию в феврале 2001 года. А за год до этого точно так же «наколол» весь мир уже легендарный вирус ILoveYou, замаскированный под простой текстовый файл. Итог — от 30 до 80 (!) % (в зависимости от страны) пораженных и выведенных из строя персональных компьютеров.

Впрочем, совершенно необязательно, что вирусы сочтут нужным маскироваться. Иногда exe-файлы «вложены» в письмо совершенно открыто. И, казалось бы, тут уже и дураку понятно, что речь идет о вирусной атаке (в особенности если письмо пришло от незнакомого вам человека). Однако и эти программы с охотой запускаются пользователями — одним из них коварные вирусописатели обещают продемонстрировать неизъяснимой красоты картинки (что, кстати, и делают), другим сулят программу для «взлома» Интернет, третьим представляются обновлением к популярной программе. Способов запудрить пользователю мозги немало. А ведь бывает и так, что зараженный файл со спокойной совестью посылает вам друг или знакомый... Наконец, вирусы вы можете заполучить вместе с самими программами, особенно в том случае, если вы скачиваете их с неизвестных вам серверов.

Последствия от работы вируса могут быть разными — от полного уничтожения содержимого винчестера до порчи определенных типов файлов. В любом случае, удовольствия от общения с ними вы не получите.

Способ же справиться с этой напастью только один, и он вам прекрасно известен: хорошая антивирусная программа. Со свежими, обновляемыми не реже раза в неделю, антивирусными базами. И даже в этом случае особо подозрительные письма стоит удалять, не пытаясь попробовать на вкус их таинственную «начинку».

«ТРОЯНСКИЕ ПРОГРАММЫ»

Вообще-то эти программы названы «троянцами» лишь по недоразумению — ведь в гомеровской «Одиссее» не они, а их враги данайцы сделали свое черное дело, проникнув в осажденный город в чреве деревянного коня. Но хитрые соплеменники Одиссея выкрутились и на этот раз, возложив сомнительные «лавры» на головы многострадальных обитателей Трои.

Вор-джентльмен типа Арсена Люпена с удовольствием признал бы авторов этих программ своими наследниками. Схожие с вирусами по принципу действия, «троянцы» работают куда более изящно и тонко. Они не станут вести себя подобно слону в посудной лавке, а тихо и незаметно умыкнут ваш логин и пароль для доступа в Интернет, а заодно и к электронной почте. Решайте сами, что страшнее.

Простые «троянцы» распространяются теми же способами, что и их коллеги-вирусы — в виде скрытых вложений в электронные письма. Но это, право, не высший пилотаж для жуликов такого высокого полета! Куда более изящно, подобно эдакому программному Хлестакову, втереться в почтенное общество под чужой личиной. Например, в виде услужливой и необычайно полезной программки, позволяющей ускорить передачу данных по вашему каналу в сотню-другую раз, или в виде умелого оптимизатора всей системы. Наконец, в виде того же антивируса, который, кстати, и в этом случае поможет вам обезвредить нахалов, если этот антивирус настоящий и достаточно свежий.

Помните только, что украсть пароль можно не только с вашего компьютера, но и с сервера вашего провайдера — и именно так в большинстве случаев и происходит. Поэтому имеет смысл регулярно (хотя бы раз в месяц) менять пароль, делая бесполезными усилия «троянцев» и их создателей.

Но существуют еще и «троянцы», которые проживают на нашем компьютере вполне легально. Их взяли в союзники производители программного обеспечения, «поселив» их в своих программах категории adware или freeware. Правда, этих «джентльменов удачи» обучили толике хороших манер — теперь они уже не воруют пароли, а работают «подсадными утками», исправно оповещая производителей программ о ваших действиях: куда вы ходите, что ищете, какие сайты предпочитаете. А те в ответ радуют вас хорошей порцией рекламы...

Стоит ли бороться с этими «шпионами»? Пользователи с обостренной совестью считают, что нет у нас на то морального права — за все ведь надо платить. В том числе и за услуги «бесплатных» программ, а потому со вздохом позволяют «троянцам» стучать на себя и добросовестно созерцают всю поступающую рекламу.

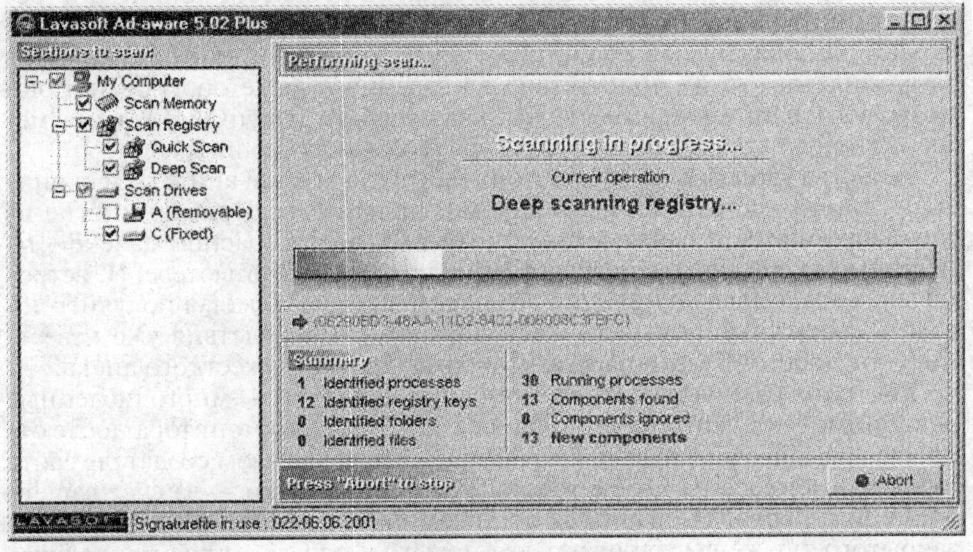

Программа чистки Ad-Aware

Пользователи же с обостренным инстинктом самосохранения не столь покладисты и при первых признаках наличия в программе «троянца», пусть даже и «окультуренного», гонят его с компьютера в шею вместе с программой-носителем. Благо альтернативу любой программе сегодня отыскать нетрудно. А в крайнем случае — прибегают к услугам программы Ad-Aware (http://www.lavasoft.de), которая позволяет вычистить из компьютера всю рекламно-шпионскую нечисть, не нарушая при этом работоспособности программ-носителей. Бывают, конечно, и исключения: так, популярный менеджер докачки Go!Zilla после удаления «троянской» начинки работать отказывается, а вот его коллеги GetRight и FlashGet более покладисты.

Помните только, что Ad-aware умеет бороться только с «легальными» «троянцами», против обычных вирусов и парольных воров она беззащитна. А значит, запускать эту программу нужно не вместо, а вместе с обычным антивирусом.

«СКРИПТЫ-УБИЙЦЫ»

До сих пор мы говорили о программах, которые пакостят изнутри, свивая себе гнездо в уютном и просторном брюхе нашего компьютера. Однако при работе в Интернет вам могут встретиться и враги пострашнее, которые будут проламывать оборону компьютера извне.

Нет, речь идет не о хакерах, а пока что только о созданных ими микропрограммах, которые запускаются вместе с открываемыми нами Web-страницами. Как и в случае с документами Word, само по себе использование микропрограмм (скриптов, Java-апплетов и так далее) не является криминалом — большинство из них вполне мирно трудятся, делая страничку более привлекательной для глаза или более удобной. Чат, гостевая книга, система голосования, счетчик — всем этим удобствам наши странички обязаны микропрограммам-«скриптам». Что же касается Java-апплетов, то их присутствие на страничке тоже обосновано: они позволяют, например, вывести на экран удобное и функциональное меню, которое разворачивается под курсором вашей мышки...

Удобства удобствами, но не стоит забывать, все эти апплеты и скрипты — самые настоящие, полноценные программы. Причем многие из них запускаются и работают не где-то там, в «прекрасном далеко», на неведомом сервере, а непосредственно на вашем компьютере! И, встроив в них вредоносную начинку, создатели страницы смогут получить доступ к содержимому вашего жесткого диска. Последствия уже известны — от простой кражи пароля до форматирования жесткого диска.

Еще одна разновидность вредоносных скриптов — многочисленные рекламные окна, которые заполоняют экран вашего монитора после открытия одной-единственной странички. Таким образом создатель сайта зарабатывает себе на хлеб с толстым слоем икорочки — за счет вашего времени и нервов. Справиться с ливнем окон сложно: на месте одного закрытого тут же выскакивают два новых, и пользователю приходится попотеть, чтобы остановить наконец это рекламное безобразие. Относительно безобидно, но до ужаса неприятно...

Разумеется, со «скриптами-убийцами» вам придется сталкиваться во сто крат реже, чем с обычными вирусами. Кстати, на обычные антивирусы в этом случае надежды мало, однако открытая вместе со страничкой зловредная программа должна будет преодолеть защиту самого браузера, создатели которого прекрасно осведомлены о подобных штучках.

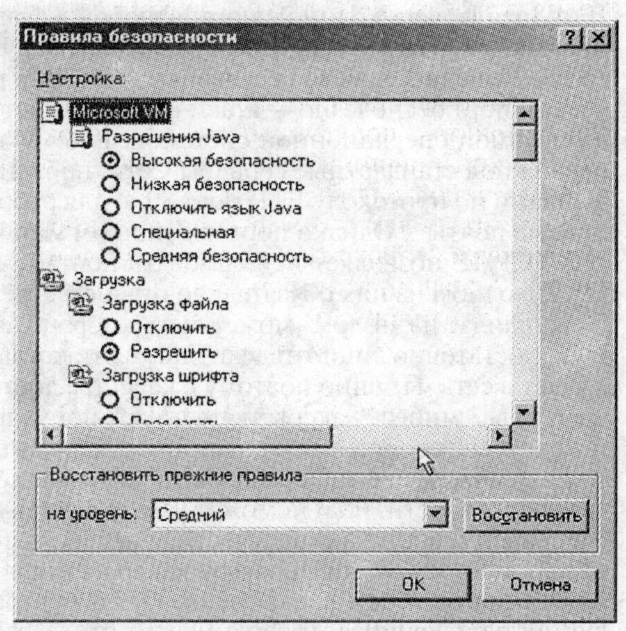

Настройка системы безопасности Internet Explorer

Вернемся на минутку к настройкам Internet Explorer, а именно, в меню ***Сервис/Свойства обозревателя/Безопасность.*** В свое время мы лишь вскользь упомянули о его наличии, почему бы теперь не возобновить знакомство?

Как видим, Internet Explorer предлагает нам несколько уровней безопасности. Помимо стандартного уровня защиты (зона Интернет) мы можем усилить (зона Ограничить) или ослабить свою бдительность (зона Надежные узлы). Нажав кнопку «Другой», мы можем вручную отрегулировать защиту браузера, разрешив или запретив работу различных «активных элементов» страничек.

Хотя в системе безопасности того же Internet Explorer полно «дырок», которыми и могут воспользоваться злоумышленники, при грамотном использовании вы застрахуете себя от большинства неприятных неожиданностей. Скажем, входя на сомнительный «хакерский» сайт, защиту можно и усилить...

АТАКИ ЧЕРЕЗ ПОРТЫ

В этом случае нашими противниками станут не только тупые программы, но и их человеческие придатки в виде тех самых хакеров. И атаковать нас будут уже не через посредство браузера, а напрямую, через специальные каналы доступа — порты. Этот термин нам уже знаком по «железному» разделу, где речь шла о портах аппаратных — разъемах, через которые к компьютеру подключаются различные внешние устройства.

На сей раз речь пойдет о портах программных, через которые и осуществляется взаимодействие вашего компьютера с Интернет. Одни из них открыты только на «вход», другие — на «выход» информации, а третьи допускают и двустороннюю передачу данных. Ведь мы же не только скачиваем информацию из сети, порой нам приходится и отправлять туда информацию в виде команд или данных.

А значит, через один из портов любой желающий теоретически может проникнуть в самое сердце компьютера и получить над ним полный контроль. Конечно, просто так, наобум, ломиться в любой попавшийся логический порт бесполезно — атаки на большинство из них успешно отражаются самой операционной системой. К тому же часть портов зарезервирована под стандартные сервисы Сети: порт 21 предназначен для обмена файлами по протоколу FTP, порт 80 — для работы с HTTP, порт 110 — для приема почты... Однако портов слишком много — десятки тысяч (протокол TCP/IP позволяет использовать порты с номерами от 0 до 65 534)! И уж в одном из них обязательно отыщется желаемая «дырочка»...

Кандидат на «взлом» может быть выбран как случайно, так и намеренно — достаточно лишь отследить момент, когда нужный вам пользователь войдет в сеть. Именно поэтому в качестве дополнительного «орудия производства» многие хакеры используют популярные программы мгновенного обмена сообщениями, например, описанную выше ICQ. Ведь она не только может проинформировать злоумышленника о присутствии его «клиента» в Сети, но и поможет узнать его текущий IP-адрес, а заодно, за счет своей слабой защищенности, и предоставит канал для «взлома». «Сев на хвост» нужному компьютеру, хакер начинает незаметно для вас сканировать порты с помощью специальной программы. И, найдя открытые для доступа, начинает разбойничать в стиле уже знакомых нам вируса или «троянца». Разновидностью этих атак является хорошо известное пользователям IRC «нюканье» (nuke), в процессе которого хитроумный пользователь может легко «подвесить» компьютер излишне нахального или просто неприятного собеседника, послав на него особый пакет данных. Это, конечно, не форматирование диска... Но и перезагрузка компьютера в разгар работы — не самое приятное в жизни событие...

Защититься от подобных атак традиционными способами уже не получится. Антивирус бессилен — это не по его специальности, да и встроенная защита Windows пасует. Значит, нам не обойтись без специальной программы, которая возьмет на себя контроль за всеми портами и сможет оперативно оповестить вас об атаке, а то и просто отразить ее. Легче всего защититься от «нюканья» — для этого создано множество программ типа Nuke Nabber или AntiNuke, которые можно найти на любом сервере с бесплатным программным обеспечением. В качестве же стража портов придется подобрать программу посолиднее, относящуюся к классу фейрволлов (firewall) или брандмауэров. О них, впрочем, речь впереди.

ПРОГРАММЫ ДЛЯ ОБЕСПЕЧЕНИЯ БЕЗОПАСНОСТИ В ИНТЕРНЕТ

Антивирусные программы

Вирус — едва ли не главный враг компьютера. Крохотные зловредные программки могут в одночасье испортить плоды вашего многомесячного труда, уничтожить текстовые файлы и электронные таблицы, а то и вообще испортить файловую систему на жестком диске...

Ведут себя компьютерные вирусы точно так же, как вирусы живые: они прячут свой код в теле «здоровой» программы и при каждом ее запуске активируются и начинают бурно «размножаться», бесконтрольно распространяясь по всему компьютеру.

Это — одна сторона деятельности вируса. Не самая страшная, кстати. Если бы вирус просто размножался, не мешая работе программ, то с ним, наверное, не стоило бы и связываться. Тем более, что значительное число существующих вирусов принадлежит именно к этой, относительно безвредной категории.

Но, помимо размножения, у вируса есть еще и другое «хобби» — разрушать, пакостить. Степень «пакостности» вируса может быть разная — одни ограничиваются тем, что выводят на экран навязчивую картинку, мешающую вашей работе, другие, особо не раздумывая, полностью уничтожают данные на жестком диске.

К счастью, такие «жестокие» вирусы встречаются нечасто. Во всяком случае лично я столкнулся с такой заразой только однажды. Но, может быть, мне просто повезло?

В любом случае, реальный вред от вирусов сегодня куда больше, чем, скажем, от нашумевшей на весь мир «ошибки 2000 года». Жаль только, что в отличие от этого «мыльного пузыря» вирусы не испытывают желания враз покинуть наш грешный мир с приходом нового тысячелетия. И нет надежды справиться с ними окончательно в какие-то обозримые сроки, ибо таланту авторов антивирусных программ противостоит извращенная фантазия компьютерных графоманов.

Ведь написать вирус — задача не шибко сложная. Студенческих мозгов и умения, во всяком случае, на это хватает. А если еще и студент талантливый попадется — будет созданная им «зараза» гулять по миру в течение многих лет.

Вообще-то век вируса недолог. Антивирусные программы, в отличие от него, бедолаги, умнеют не по дням, а по часам. И вирус, еще вчера казавшийся неуловимым, сегодня моментально удаляется и обезвреживается. Потому и трудно найти сегодня вирусы, чей возраст превышает год-два, остальные уже давно сохранились лишь в коллекциях.

Сегодня науке известно около 30 тысяч компьютерных вирусов — маленьких вредоносных программок, следующих в своей жизни только трем заповедям — Плодиться, Прятаться и Портить.

Как и обычные вирусы, вирусы компьютерные — паразиты, для размножения им нужен «носитель»-хозяин, здоровая программа или документ, в тело которой они прячут участки своего программного кода. Сам вирус невелик — его размер редко измеряется килобайтами. Однако натворить эта «кроха» может немало. В тот момент, когда вы, ничего не подозревая, запускаете на своем компьютере зараженную программу или открываете документ, вирус активизируется и заставляет компьютер следовать не вашим, а его, вируса, инструкциям. И — прости-прощай, ваша любимая информация! Быть ей удаленной, причем чаще всего — безвозвратно. Мало того — современные вирусы исхитряются портить не только программы, но и «железо». Например, вчистую уничтожают содержимое BIOS материнской платы или калечат жесткий диск.

А стоит за все этим... простое человеческое тщеславие, глупость и инстинктивная тяга к разрушению. Мы умиляемся, видя ребенка сосредоточенно изничтожающего песчаный замок или старый журнал, — а позднее такие вот подросшие, но так и не выросшие дети калечат наши компьютеры.

...А началась эта история ни много ни мало — тридцать лет назад. Именно тогда, в конце 60-х, когда о «персоналках» можно было прочитать лишь в фантастических романах, в нескольких «больших» компьютерах, располагавшихся в крупных исследовательских центрах США, обнаружились очень необычные программы. В отличие от программ нормальных, послушно ходивших «по струнке» и выполнявших все распоряжения человека, эти гуляли сами по себе, подобно киплинговской кошке. Занимались в недрах компьютера каким-то понятными только им делами, сильно замедляя работу компьютера. Хорошо хоть, что ничего при этом не портили и не размножались.

Однако продлилась это недолго. Уже в 70-х годах были зарегистрированы первые настоящие вирусы, способные к размножению и даже получившие собственные имена: большой компьютер Univac 1108 «заболел» вирусом Pervading Animal, а на компьютерах из славного семейства IBM-360/370 свил гнездо вирус Christmas tree.

К 80-м годам число активных вирусов измерялась уже сотнями. А появление и распространение персональных компьютеров породило настоящую эпидемию — счет вирусов пошел на тысячи. Правда, термин «компьютерный вирус» появился только в 1984 году — впервые его использовал в своем докладе на конференции по информационной безопасности сотрудник Лехайского Университета США Ф. Коэн.

Первые «персоналочные» вирусы были существами простыми и неприхотливыми, особо от пользователей не скрывались, «скрашивали» свое разрушительное действие (удаление файлов, разрушение логической структуры диска) выводимыми на экран картинками и каверзными «шутками» («Назовите точную высоту горы Килиманджаро в миллиметрах! При введении неправильного ответа все данные на вашем винчестере будут уничтожены!!!»). Выявить такие вирусы было нетрудно — они «приклеивались» к исполняемым (*.com или *.exe) файлам, изменяя их оригинальные размеры — чем и пользовались первые антивирусы, успешно выявлявшие нахалов.

Позднее вирусы стали хитрее: они научились маскироваться, запрятывая свой программный код в таких потаенных уголках, до которых, как им казалось, ни один антивирус добраться не мог. Поначалу — действительно, не добирались. Потому и назывались такие вирусы «невидимками» (stealth).

Казалось, фантазия вирусописателей наконец-то истощилась. И когда против stealth-вирусов было наконец-то найдено «противоядие», компьютерный народ вздохнул с облегчением. А все еще только начиналось...

В 90-е годы вирусы стали «мутировать» — постоянно изменять свой программный код, пряча его к тому же в различных участках жесткого диска. Если раньше вирусы «паразитировали» на одном файле, то теперь они разделялись на несколько независимых «кусочков», и лишь соединяясь, они начинали творить свои стандартные безобразия. Такие вирусы-мутанты стали называть «полиморфными». Конечно, бороться с ними научились, но теперь уже ликвидировать одним ударом целый класс вирусов было невозможно, к каждому приходилось искать свой, особый подход.

А компьютеры тем временем портились, информация терялась...

Понятно, что весьма весомую «лепту» в распространение вирусов внес Internet, дебютировавший в качестве массового средства коммуникации аккурат в начале 90-х. Пожалуй, впервые внимание общественности было привлечено к проблеме Internet-вирусов после появления знаменитого «червя Морриса» — безобидного вируса, в результате неосторожности его создателя отправившегося «ползать» по всей мировой Сети.

В 1995 году, после появления операционной системы Windows 95 Microsoft с большой помпой объявила: старым DOS-вирусам конец, Windows защищена от них на 100 %, ну а новых вирусов в ближайшее время не предвидится. Если бы! Уже в том же 1995 году было зарегистрировано несколько мощных вирусных атак и создан первый вирус, работающий под Windows 95.

А меньше чем через полгода человечество было огорошено вирусами нового, совершенно неизвестного типа и принципа действия. В отличие от всех «приличных» вирусов, новички паразитировали не на исполняемых файлах, а на документах, подготовленных в популярных программах из комплекта Microsoft Office.

Ларчик открывался просто: в текстовый редактор Microsoft Word и в табличный редактор Microsoft Excel был встроен свой собственный язык программирования — Visual Basic for Applications (VBA), предназначенный для создания специальных дополнений к редакторам — макросов. Эти макросы сохранялись в теле документов Microsoft Office и легко могли быть заменены вирусами. После открытия зараженного файла вирус активировался и заражал все документы Microsoft Office на вашем диске.

Первоначально макровирусы, а именно так назвали новый класс вирусов, вели себя довольно пристойно. В крайнем случае — портили текстовые документы. Однако уже в скором времени макровирусы перешли к своим обычным обязанностям — уничтожению информации.

К такому повороту дел борцы с вирусами явно не были готовы. И потому буквально через несколько дней после своего появления вирус Concept, поражающий документы Word, распространился по всей планете. Зараженные файлы Word с лакомым содержанием (например, списками паролей к Internet-серверам с коллекциями порнографических картинок) путешествовали от пользователя к пользователю через тот же Internet. Доверчивые пользователи хватали «наживку» не задумываясь — ведь даже самые умные из них с молоком матери впитали тезис: через тексты вирусы не передаются! В итоге за четыре года, прошедших с момента появления первого «макровируса», этот класс вирусов стал самым многочисленным и опасным.

В принципе, предохраниться от макровирусов не так уж сложно. При открытии любого документа, содержащего встроенные макросы, умный Word или Excel обязательно спросит пользователя: а вы уверены, гражданин хороший, что вместо всяческих полезностей вам не подсовывают в документе всяческую бяку? И стоит ли эти макросы загружать? Нажмите кнопку «Нет» — и вирусу будет поставлен надежный заслон.

Просто удивительно, что несмотря на такую простоту защиты, большинство пользователей игнорируют предупреждения программы. И заражаются...

Разумеется, одними макровирусами дело не ограничилось. В 1995—1999 годах на просторах Internet весело резвилась добрая сотня «Windows 98–совместимых» вирусов. Эти милые зверушки, понятно, резвились не просто так...

Итог. Только за период лета 1998 — лета 1999 года мир пережил несколько поистине разрушительных вирусных атак: в результате деятельности «сладкой троицы» вирусов — Melissa, Win95.CIH и Chernobyl — из строя были выведены около миллиона компьютеров во всех странах мира. Вирусы портили жесткий диск, уничтожали BIOS материнской платы...

Нет сомнения, что вирусные атаки буду продолжаться и впредь — ведь не перевелись еще на свете глупцы, жаждущие геростратовой славы. И радует лишь то, что теперь этих «самоделкиных» отлавливают не менее тщательно, чем хакеров и прочих «акул» и «пираний» компьютерного мира.

Путей распространения вируса существует множество. Зловредная программа может «свить гнездо» на дискете, которую передал вам сосед, знакомый или коллега по работе, обосноваться на пиратском компакт-диске или прийти вместе с сообщением электронной почты, содержащим вложенный документ или исполняемую программу.

Полностью «отсечь» вирусы от вашего компьютера вряд ли удастся, разве что вы удалите из системы дисковод, перестанете работать в Интернет и будете пользоваться только легальным программным обеспечением. Но в наших условиях все эти советы, особенно последний, выглядят либо утопией, либо издевательством.

Остается один способ: снабдить вашу ОС надежными сторожами — антивирусными программами, которые смогут вовремя распознать и обезвредить прокравшегося в ваше логово врага.

Windows, к сожалению, не располагает собственными средствами антивирусной защиты, если не брать в расчет антивирус от McAfee, включенный в пакет Microsoft Plus 98. Хорошо, что на свете существует множество независимых программ для отлова программной заразы...

Самые известные антивирусы — уже упоминавшаяся программа VirusScan от McAfee, комплекс Norton Antivirus от Symantec, программа Dr. Solomon... плюс еще добрый десяток названий. Все эти программы просты и удобны в пользовании, способны отлавливать практически все существующие сегодня группы вирусов, а некоторые способны «учиться» по ходу дела и отлавливать даже вирусы, не включенные в базу данных. Практически все антивирусы способны не просто проверять по запросу пользователя диск на наличие вирусов, но и вести незаметную для пользователя проверку всех запускаемых на компьютере файлов. Наконец, большинство антивирусных программ снабжено механизмом автоматического обновления антивирусных баз данных через Интернет. Да и цена антивирусных пакетов примерно одинакова — 50—80 долл...

Какой же пакет предпочесть? Какому антивирусу вверить самое дорогое, что у вас есть, — защиту своего компьютера и хранящейся на нем информации?

Традиционно российские пользователи останавливают выбор лишь на двух пакетах — **Norton Antivirus** от Symantec (http://www.symantec.ru) и **Антивирус Касперского (AVP)** (Лаборатория Касперского, (http://www.kaspersky.ru). Обе эти программы достойны всяческих похвал и у обеих есть достаточное количество сторонников и противников... Хотя, вне всякого сомнения, есть у обеих и минусы.

NORTON ANTIVIRUS (SYMANTEC)

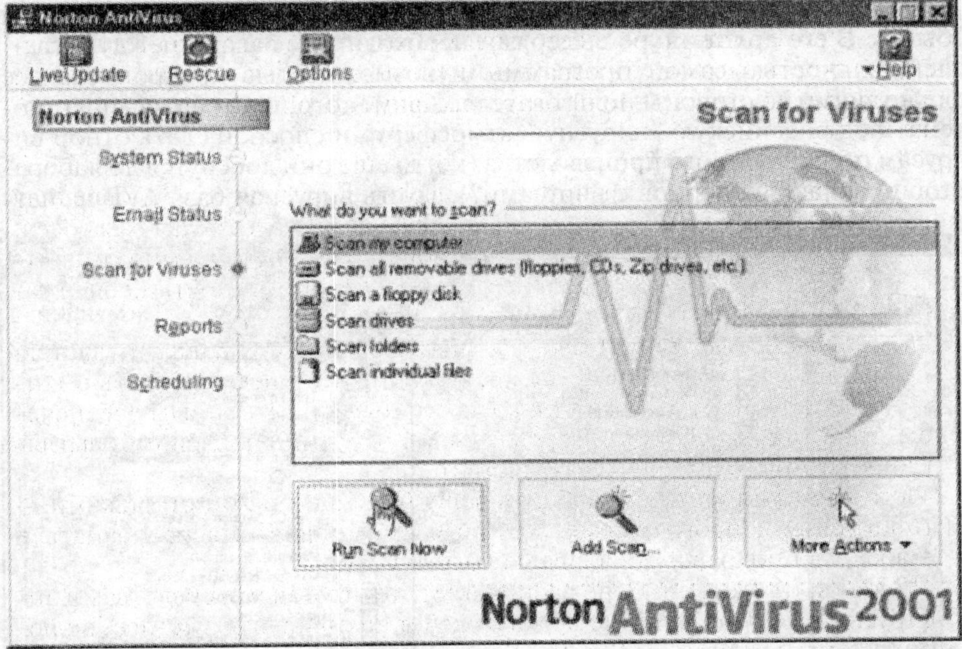

Norton Antivirus

Norton Antivirus — программа необычайно «въедливая»: из-под ее контроля не уйдет ни один запущенный на компьютере процесс. После установки Norton Antivirus (например, в составе комплекта Norton System Works) о ней можно вообще забыть — NAV сама проконтролирует все, что нужно. Ее «сторожа» защитят ваш почтовый ящик, добросовестно сканируя каждое приходящее письмо, встроят защитный механизм в приложения Microsoft Office, не забудут просканировать ваш компьютер после каждой загрузки... Все эти процессы будут протекать для пользователя невидимо, и привлекать ваше внимание программа будет лишь в момент обнаружения нового вируса или при необходимости обновить антивирусные базы через Интернет. Кстати, вирусная база NAV, пожалуй, не имеет конкурентов по числу распознаваемых вирусов — около 50 000!

Однако при всех своих достоинствах NAV — чересчур громоздкая программа для большинства домашних компьютеров, размеры ее установочного комплекта оставляют желать лучшего, да и скорость работы не утешает. Поэтому автор этой книги уже давно сделал выбор в пользу отечественной разработки **Антивирус Касперского (AVP)**, созданной ЗАО «Лаборатория Касперского». И дело тут отнюдь не в чувстве патриотизма (хотя один этот аргумент, по мысли автора, мог бы перевесить все остальные).

АНТИВИРУС КАСПЕРСКОГО (KASPERSKY)

По сравнению со своими конкурентами «Касперский» компактен и быстр. В его архитектуре выдержан необходимый баланс между интеллектуальностью самой программы и возможностью контроля над ее действиями со стороны пользователя. Кроме того, программа «подстроена» под российскую «вирусную атмосферу» и способна дать отпор вирусам отечественного производства (когда еще они доберутся до лабораторий западных борцов с вирусами?). Пусть вирусная база AVP на чет-

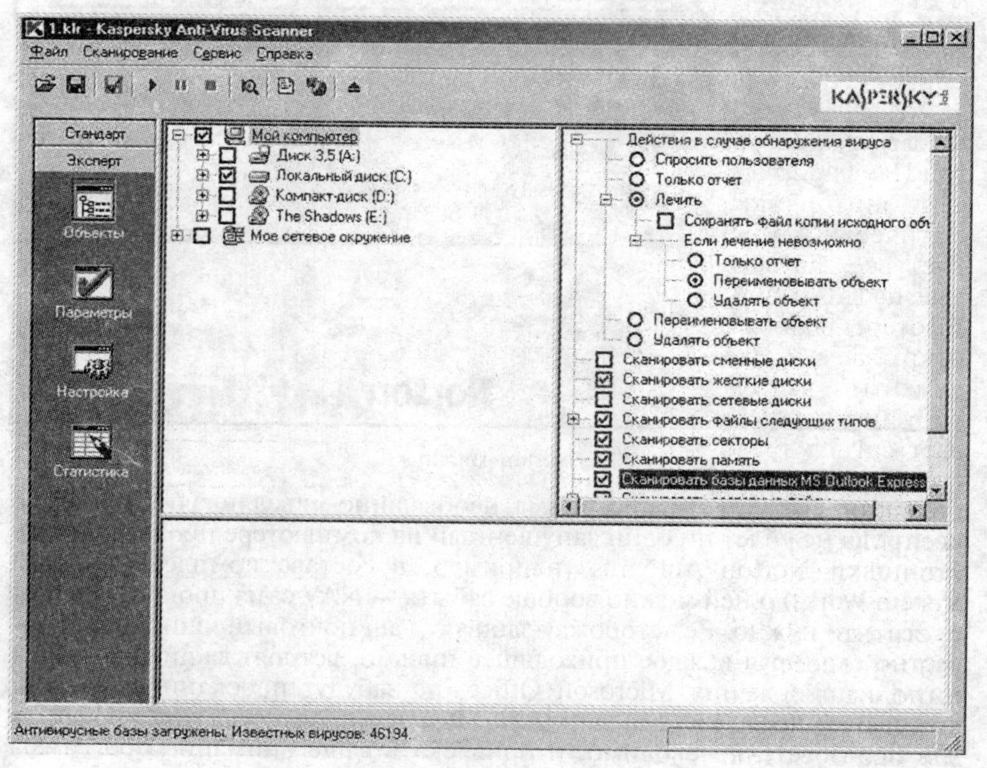

Сканер

верть меньше, чем у ее конкурента от Symantec, однако перевес последнего достигается за счет старых вирусов, большинство из которых либо давно «сошли со сцены», либо вовсе не появлялись в России.

Антивирус Касперского состоит из нескольких важных модулей.

Сканер, проверяющий ваши жесткие диски на предмет зараженности злыми вирусами. Можно задать полный поиск, при котором Kaspersky будет проверять все файлы подряд. Для большей надежности можно включить также режим проверки архивированных файлов. Правда, такая процедура занимает чересчур много времени. Гораздо лучше выбрать более щадящий режим — «Программы по формату», при котором Kaspersky будет проверять не только программы, но и — самое главное! — документы, созданные в формате Microsoft Office. Не забывайте, что борьба с макровирусами — одна из самых сильных сторон «Антивируса Касперского» (автор лично «убил» с помощью этого пакета более 50 вирусов на своем компьютере и это после «прогона» другой антивирусной программой!). Кстати, если вы хотите просканировать на наличие вирусов только определенный тип файлов, то можете воспользоваться еще одним режимом проверки — «По маске» (в качестве «маски» введите типы проверяемых файлов, например, *. doc, *. xls).

Как поступить с вирусами и зараженными файлами после обнаружения? Программа предлагает вам на выбор несколько вариантов: вычистить «заразу» из файлов, удалить сами зараженные файлы или переместить их в специальную папку. Можно также вообще отключить режим лечения — тогда ваш антивирус будет только сигнализировать вам об обнаруженных вирусах.

Вторая составляющая пакета — **Монитор**. Эта программа автоматически загружается при запуске Windows и доступна через иконку в левой части Панели Задач.

Монитор автоматически проверяет все запускаемые на вашем компьютере файлы и открываемые документы и в случае вирусной атаки подает сигнал тревоги. Более того, в большинстве случаев Monitor просто не дает зараженному файлу запуститься, блокируя процесс его выполнения. Эта функция программы очень полезна для тех, кто посто-

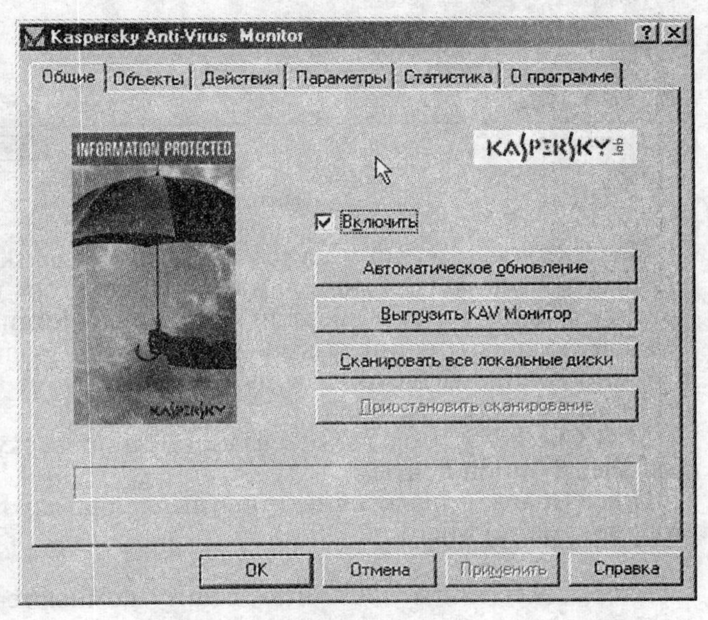

Монитор

янно имеет дело со множеством новых файлов, например, с активными «ходоками» по Интернет. Каждые пять минут запускать Kaspersky для проверки всех скачанных файлов невозможно. В такой ситуации только и остается надеяться на недремлющее око «Монитора»...

Центр Управления — ставший необычайно модным в последнее время «пульт управления» всеми программами комплекса «Антивирус Касперского». Самая важная функция этой программы — встроенный Планировщик Задач, позволяющий осуществлять оперативную проверку (а если понадобится — и лечение системы) в автоматическом режиме, без участия пользователя, но в заданное им время.

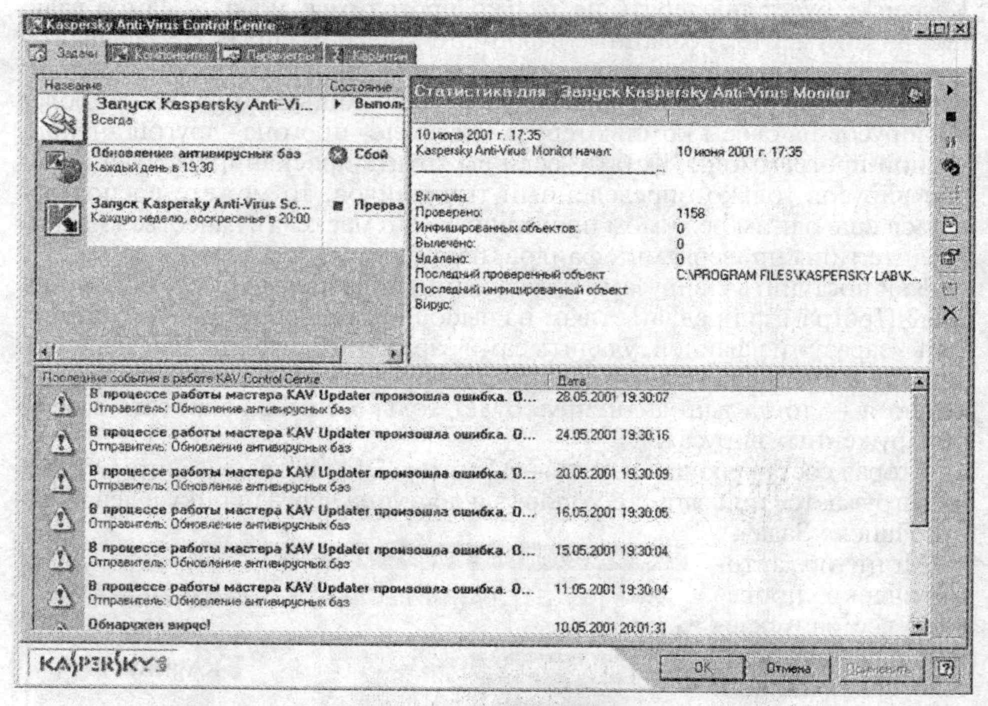

Центр управления

Инспектор — важный модуль комплекса Kaspersky, позволяющий отлавливать даже неизвестные вирусы. «Инспектор» использует в работе совершенно иной метод, нежели «Сканер» и «Монитор», а именно метод контроля изменений размеров файлов. Внедряясь в файл, вирус неизбежно увеличивает его «объем» и вызывает изменение его размера — и тем выдает себя с головой.

Mail Checker — модуль, отвечающий за проверку «на лету» сообщений электронной почты.

Office Guard — аналогичный модуль для проверки каждого загружаемого документа Microsoft Office.

Чтобы обеспечить 100%-ную защиту компьютера от вредоносного проникновения извне, вам придется использовать функции каждого из этих модулей. Другое дело, что большая часть из них будет работать в автоматическом режиме, не требуя от вас никаких действий. Однако два модуля вам придется регулярно запускать вручную: программу автоматического обновления вирусных баз данных через Интернет и Сканер. Обновлять базы, напомним, необходимо не реже, чем раз в три дня, а вот полное сканирование компьютера достаточно запускать (в обычных условиях) всего один-два раза в месяц. Тем более, что процедура эта может занять несколько часов...

Антивирус Касперского поставляется в нескольких вариантах. Базовая версия программы, рассчитанная на домашних пользователей, доступна совершенно бесплатно, а вот за расширенные версии Gold и Platinum, предназначенные для установки на офисных компьютерах, придется заплатить 35—40 долл.

Персональные фейрволлы

В переводе на русский это слово (или его эквивалент — «брандмауэр») значит — «огненная стена». Смысл названия двоякий — во-первых, преодолеть сплошную стену огня невозможно, если только ты не пожарник-профессионал. А во-вторых, название это напоминает о хорошо известном способе тушения лесных и степных пожаров — навстречу надвигающейся огненной лавине пожарники пускали вторую, специально поджигая лес. Две огненные стены встречались — и в мгновение ока уничтожали друг друга.

Точно так же работают и компьютерные фейрволлы, защищая наш компьютер от проникновения заразы извне. Непреодолимой стеной встают они на пути разрушающих программ и скриптов, а атаке через порты противостоят, пользуясь оружием самих нападающих — сканируя порты доступа.

Обнаружив попытку несанкционированного проникновения в ваш компьютер, программа может просто подать сигнал тревоги, а может сразу заблокировать доступ подкапывающемуся под вас «кроту». Такова основная функция всех программ этого класса, к которой, в зависимости от сложности продукта, добавлено еще множество других, более или менее нужных.

ZONEALARM (ZONE LABS)

Знакомство с фейрволлами стоит начать, без сомнения, с самой простой программы — ZoneAlarm (http://www.zonelabs.com). Простота, простота и еще раз простота — вот девиз создателей этого продукта.

При работе с базовой, бесплатной версией программы от вас требуется всего лишь отрегулировать требуемый уровень безопасности — «слабый», «обычный» или «высший». После этой безумно сложной процедуры программа мирно свернется в значок в правом нижнем углу экрана, давая о себе знать лишь в тот момент, когда какая-то программа затре-

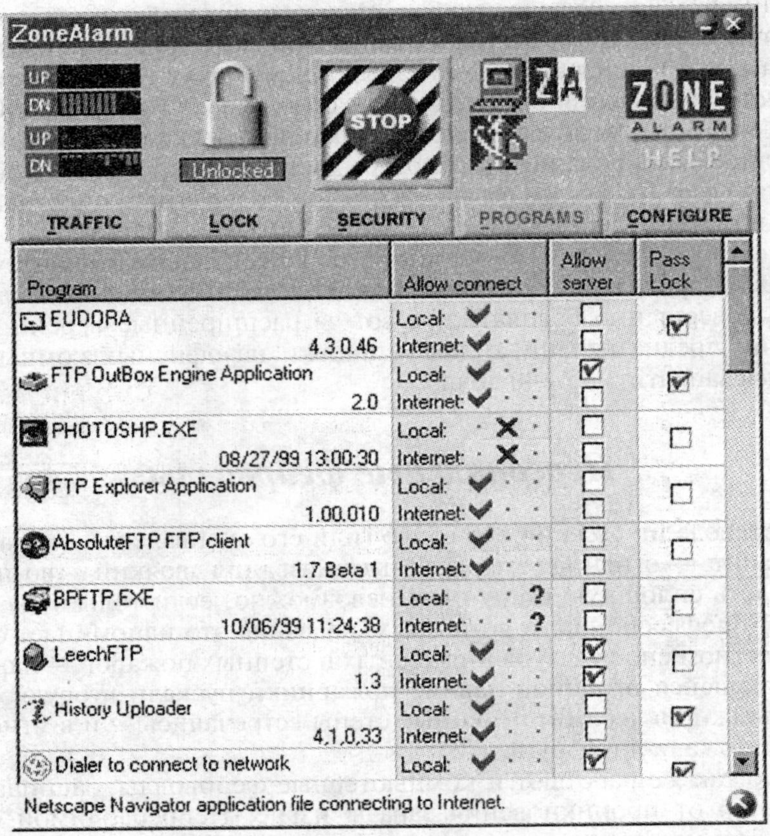

ZoneAlarm

бует разрешить ей доступ в сеть. Если это будет, к примеру, браузер или клиент электронной почты — все в порядке: смело давайте ZoneAlarm команду на разрешение доступа, и в дальнейшем она уже не будет вас беспокоить по столь пустяковому поводу. Но если вы видите, что в сеть рвется совершенно посторонняя программа, возможно, имеет смысл воздвигнуть на ее пути заслон. Кстати, при помощи ZoneAlarm можно не просто «окоротить» отдельную программу, но и мгновенно «заморозить» весь поток данных, льющийся от вашего компьютера в сеть и обратно.

Для тех программ, которым по своей природе можно и даже нужно регулярно лазить в сеть, ZoneAlarm использует уникальный, присущий только ему механизм шифрованной подписи, что позволяет выявить маскирующихся под полезные программы «троянцев». Этим во многом и объясняется высокая эффективность программы при борьбе с этим классом заразы. Заодно ZoneAlarm надежно защитит вас от попыток «нюкнуть» ваш компьютер или просканировать порты.

Но простота и бесплатность, простите за каламбур, не дается даром: ZoneAlarm вряд ли справится с вирусной атакой или «скриптами-убийцами», не спасет он и от рекламных окон. Поэтому, познакомившись на его примере с алгоритмом работы фейрволлов, стоит поискать продукт классом повыше. Часть этих функций (например, антивирусная защита, а также механизм защиты и шифрования системных паролей) реализована в профессиональной, платной версии программы — ZoneAlarm Pro, за пользование которой придется выложить около 40 долл.

NORTON INTERNET SEQURITY (SYMANTEC)

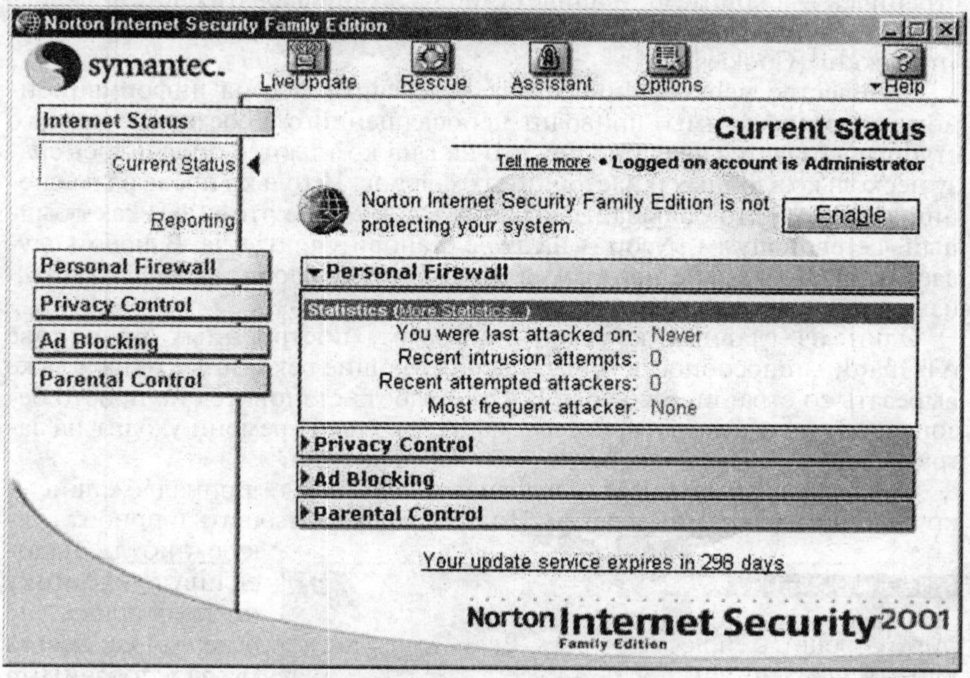

Norton Internet Security

...Одним из событий последнего года, безусловно, стал выход целого семейства программ корпорации Symantec, относящихся к категории «персональных фейрволлов». А именно — Norton Personal Firewall, Norton Internet Security Personal Edition и Norton Internet Security Family Edition.

Сердцем всех эти программ, бьющимся в давящей «оболочке» коммерческого продукта, стала некогда компактная и условно-бесплатная программа ATGuard — бесспорный чемпион рынка фейрволлов годичной давности. Взлет этого продукта был настолько стремительным, что могущественная Symantec поспешила перекупить взрослеющего на глазах конкурента, выпустив его под новым именем почти без изменений.

В отличие от ZoneAlarm продукты Symantec отличаются большими возможностями конфигурации: теперь вы можете не просто установить безликий «уровень защиты», но и попробовать самостоятельно разобраться с несколькими десятками (!) потенциально опасных действий.

Одни из них стоит безусловно запретить, другие — ограничить, третьи — разрешить без всяких оговорок. Безусловно, разбираться с настройками NIS с непривычки затруднительно, однако доступный и удобный интерфейс значительно облегчает эту задачу. Кстати, «семейная» модификация Norton Internet Security позволяет создать, помимо общих «правил», и индивидуальные настройки для всех членов вашей семьи.

Помимо уже знакомых нам «троянцев» и атак на порты продукты Symantec моментально разбираются с опасным содержанием интернет-страничек — скриптами и апплетами. Умеет шифровать системные пароли. Уверенно собирает в свою корзинку все сваливающиеся из Сети «пирожки» (Cookies).

Количество перехваченных атак, высвечиваемое на информационном табло программы, приводит непосвященного в состояние легкого ступора: создается впечатление, что на ваш компьютер ополчилось сразу несколько злобных и настойчивых хакеров. И только после разъяснений знатоков, что большая часть этих «атак» — не что иное, как обычный «сетевой шум», мусор — на душе становится полегче. В любом случае, нападения извне программа отражает бесподобно, хотя с атаками изнутри тот же ZoneAlarm справляется удачнее.

Один из главных козырей программ, построенных на основе ATGuard, — способность убивать всплывающие рекламные окна и даже вырезать со страниц баннеры! В итоге работа становится не просто безопасной, но и быстрой — сами знаете, сколько времени уходит на загрузку из Сети всяческих рекламных «дополнений».

Сама программа умеет распознавать баннеры, принадлежащие к крупнейшим рекламным сетям. Но если вовремя выявить и прибить какую-нибудь надоедливую картинку не получилось, не беда — ее всегда можно добавить в базу данных, перетащив мышкой в специальную «корзинку».

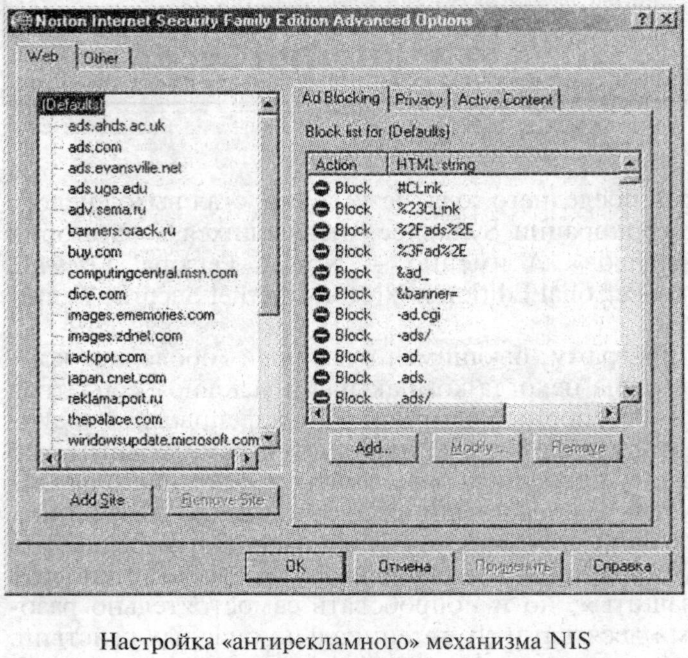

Настройка «антирекламного» механизма NIS

Norton Internet Security может выступить в роли «сетевой няньки», позволяя родителям защитить детей от случайного (или намеренного) визита на страницы, содержащие не подходящую для этого возраста информацию. Впрочем, именно эта функция программы едва ли будет затребована большинством пользователей, поскольку аналогичное (хотя и чуть менее мощное) средство защиты встроено в сам Internet Explorer (меню ***Сервис/Свойства обозревателя/Содержание/Ограничение доступа***).

Наконец, Norton Internet Security умеет бороться с вирусами — не самостоятельно, конечно, а с помощью встроенного пакета Norton Antivirus, который Symantec упорно встраивает едва ли не в каждый свой продукт. Во многом за счет этой «полезной добавки» программа значительно разбухла в размерах (до 40 Мбайт в сравнении с 3 Мбайт старого ATGuard), что не лучшим образом сказалось на ее быстродействии. Не в пользу NIS говорит и высокая цена (около 70 долл.).

Словом, наряду с мощностью, программа от Symantec предлагает начинающему пользователю относительно простой и визуально привлекательный интерфейс — традиционную и безотказно действующую приманку, которая в большинстве случаев и заставляет новичков сделать выбор в пользу этого продукта. Стоит заметить, что ужиться с новыми операционными системами — Windows ME, Windows 2000 и уж тем более Windows XP могут лишь последние версии Norton Internet Security (начиная с NIS 2001). Попытка запустить под указанными операционными системами предыдущие модификации программы, равно как и оригинальную версию ATGuard, неизбежно приводит к «падению» Windows.

OUTPOST (AGNITUM)

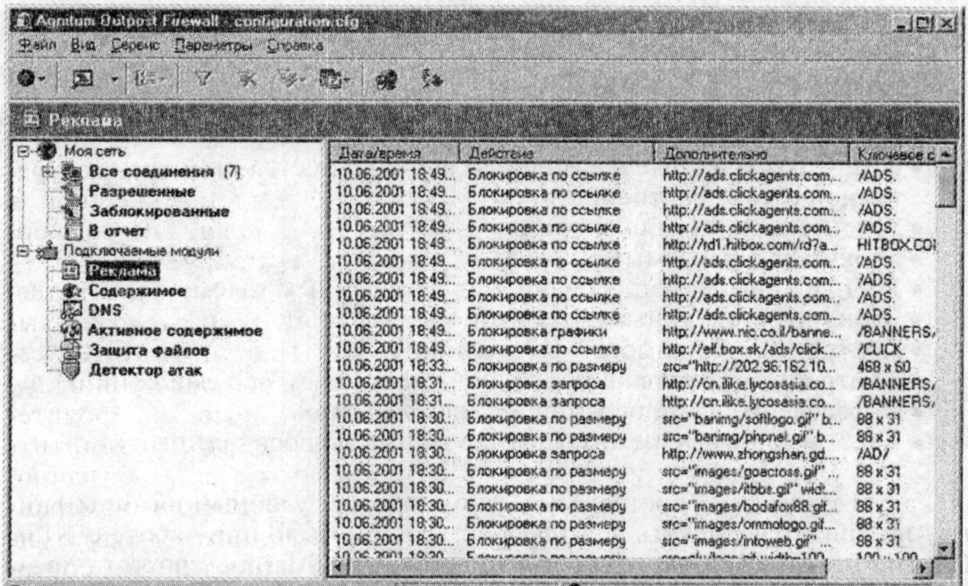

Outpost

А вот теперь, раззадорив читателей описанием «монстра» от Symantec, автор в качестве завершающего аккорда представляет программу, которую он лично считает идеальной для большинства пользователей — фейрволл **Outpost**, созданный российской компанией Agnitum (http://www.outpostfirewall.com).

Установочный комплект Outpost занимает всего полтора мегабайта — в 25 раз меньше, чем NIS! При этом по своим умениям отечественная программа не только не уступает, но и превосходит своего именитого коллегу:

- Блокировка активных элементов в e-mail.
- Блокировка атак и сканирования.
- Поддержка «невидимого» режима.
- Уменьшение времени соединения с удаленным узлом за счет кэширования DNS.

Это лишь несколько функций, отсутствующих в громоздком NIS, но имеющихся в арсенале скромного и юркого Outpost. В остальном же способности этих программ практически идентичны, если не считать отсутствия в Outpost встроенного антивируса, который с успехом может заменить отечественный Kaspersky. А вот русскоязычный интерфейс при обилии настроек придется как нельзя кстати — без него новичкам было бы трудновато разобраться с программой.

Дабы не повторяться, приведем лишь краткий список возможностей Outpost в том виде, в котором его представили сами разработчики:

- Выбор нескольких вариантов политики работы, в том числе «блокировать все» и «самообучающий режим».
- Поддержка нескольких конфигураций / пользователей.
- Защита настроек паролями.
- Возможность скрытой работы без загрузки интерфейса.
- Поддержка локальной сети и доверенных узлов.
- Предустановленные настройки для большинства программ и системной сетевой активности.
- Утилита онлайн-обновления.
- Блокировка рекламы.
- Уменьшение времени соединения с удаленным узлом.
- Блокировка активных элементов Web-страниц.
- Контроль содержимого Web-страниц.
- Контроль за приходящими по почте или через Web файлами.
- Определение сканирования и удаленных атак.
- 100 % невидимый режим (не отвечает на запросы-«пинги»).

Радует интерфейс программы — компактный, удобный и открытый: вам не придется рыскать в его дебрях, как это было при работе с NIS. Однако не наблюдается здесь и «синдрома ZoneAlarm»: простота простотой, но возможности тонкой подстройки любого из инструментов Outpost также присутствует. Таким образом, комфортность общения с Outpost почувствуют не только новички, но и пользователи со стажем.

Как и в случае с другими фейрволлами, оптимальным режимом работы Outpost является «обучающий» — программа будет регулярно спрашивать вас, разрешить или нет доступ к Сети тому или иному приложению. При однозначном ответе «Да» в дальнейшем Outpost не будет мучить вас вопросами, однако можно разрешить лишь однократный допуск приложения к заветному каналу, оставив окончательное решение ее судьбы на потом. Помимо обучающего режима, существует еще три:

- Режим разрешения — соединяться с Интернет разрешено будет любым программам, за исключением специально внесенных в «черный список»).
- Режим запрещения — блокируется доступ к Сети любых программ, за исключением внесенных в «белый список».
- Режим бездействия — приостановка работы фейрволла.

Переключаться между режимами можно, щелкнув правой кнопкой мышки по значку Outpost в правом нижнем углу экрана. Выбирайте и пользуйтесь!

Еще одна интересная особенность Outpost — открытая архитектура: программу можно снабдить новыми интересными функциями за счет подключения внешних модулей, написанных независимыми программистами. Таким образом, пользователи Outpost, владеющие навыками программирования, могут создать для программы интересную «добавку», а заодно и поделиться ею со всеми остальными.

Столь смело рекомендовать Outpost в качестве идеального домашнего фейрволла автору позволяет еще и то, что программа эта абсолютно бесплатна! И это при том, что по своим способностям этот продукт оставляет далеко позади как бесплатный ZoneAlarm, так и большинство своих дорогостоящих конкурентов.

КОНФИДЕНЦИАЛЬНОСТЬ И БЕЗОПАСНОСТЬ ПРИ WEB-СЕРФИНГЕ

Атаки, мелкие и крупные пакости в ваш адрес — все это раздражает и портит настроение. Но порой куда чаще выводит из себя... обычное наблюдение за твоими действиями. Неустанное и неусыпное. Не прерывающееся ни на секунду...

Ученые говорят, что отсутствие хоть толики уединения, приватности способно свести человека с ума в самые короткие сроки. Вспомним страдания героя Джима Керри в фильме «Шоу Трумена» , а ведь с парнем-то и не делали ничего страшного, не пытали и «Маски-шоу» на дому не устраивали. Просто — наблюдали...

Не будем сгущать краски. С ума никто из нас, конечно, сходить не собирается... Но время от времени возникает в сознании навязчивый вопрос: «А не контролируют ли мои путешествия по Сети?» Неважно кто — начальство, коллеги по работе или любимые всеми фибрами тела домашние. Неважно, по какой причине — начальству или службе безопасности на работе это по должности положено, и в большинстве западных компаний такая слежка в порядке вещей. Неважно и то, что ничего противозаконного вы можете и не делать — по неприличным сайтам не шатаетесь, наркотиками в Сети не торгуете...

Словом, несмотря ни на что любой человек хочет обеспечить себе «зону интимности» — и это его законное право. Тем более, что сделать это не так уж и трудно.

Известно, что ваши путешествия по Web-страничкам могут фиксироваться как самим браузером, так и внешними программами — например, «гейтом» или «фейрволлом», через который подключена к Интернет локальная сеть вашего дома или фирмы. В первом случае ваш «маршрут» фиксируется:

- В «Журнале». Эта папка Internet Explorer не раз выручала нас в те моменты, когда мы не могли вспомнить адрес случайно найденной накануне Web-странички, услужливо предлагая нам список сайтов, посещенных аж в течение месяца. Но подобная услужливость может стать и помехой — если свой маршрут можете отследить вы, так же легко это смогут сделать и ваши близкие. И просто любопытствующие.
- В «кэше» браузера на жестком диске, где остаются лежать открытые вами странички. Правда, содержимое кэша активно меняется: при превышении заранее заданного размера сохраненные странички удаляются, освобождая место для следующей порции «отвалов». Однако нередко из кэша можно извлечь информацию о сайте, который вы посещали месяца полтора назад.
- В папке Cookies (C:\Windows\Cookies). Файлы cookies («пирожки») сохраняют на вашем диске многие интернет-страницы. Сохраняют, в общем-то, с благими целями: благодаря «пирожкам» страничка может «узнать» вас при следующем визите и будет каждый раз вежливо приветствовать, называя по имени, а заодно и предлагая вам именно те услуги, которые вы затребовали в прошлый раз. «Пирожками» активно пользуются интернет-магазины, сайты новостей, сайт вашего провайдера. Они сохраняются на диске в тот момент, когда вы заполняете какую-либо форму или бланк... Словом, сложнее было бы перечислить тех, кто ни разу не прибегал бы к их помощи.
- В папке «Избранное». Здесь мы сами оставляем «заметки на память», фиксируя самые интересные для нас адреса страничек.

Получается, что для обеспечения полной приватности вам необходимо периодически очищать все эти четыре папки! Что некоторые параноики и делают едва ли не после каждого сеанса работы. Хотя, конечно, папку «Избранное» можно и не трогать — проще не заносить туда ничего лишнего. С остальными же уликами можно справиться с помощью меню Internet Explorer ***Сервис/Свойства обозревателя/Общие***. Здесь вы можете очистить содержимое кэша (Сохраненные файлы) и журнала, а заодно — и ограничить их память. Так, журнал можно настроить на хранение ссылок только в течение дня-двух — по истечении этого периода они будут удалены автоматически. Точно так же, ограничив объем кэша до 5—7 Мбайт, вы добьетесь быстрого исчезновения компрометирующих «следов» (хотя полной приватности в этом случае все же достичь не удастся).

С «cookies» история будет несколько сложнее. Полностью запретить браузеру сохранять их, конечно, можно, через пункт ***Файлы Cookie*** меню ***Сервис/Свойства обозревателя/Безопасность/Другой***, но в результате этого многие страницы Сети не будут корректно отображаться на вашем компьютере, а некоторые сайты отсутствие «пирожков» будет в буквальном смысле слова сводить с ума. Поэтому специалисты по безопасности рекомендуют «отсекать» нежелательные «пирожки», если уж возникла такая необходимость, при помощи дополнительных утилит типа Anonymous Cookie (http://www.luckman.com) или другой программы этого типа.

Выселить уже угнездившиеся на вашем компьютере Cookies можно, очистив содержимое папки C:\Windows\Cookies с помощью любого файлового менеджера. Впрочем, это грубо и не слишком изящно. Куда удобнее прибегнуть к помощи уже хорошо знакомых нам (разумеется, из «Новейшей Энциклопедии Персонального Компьютера», делать навязчивую рекламу которой автор, к собственному удивлению, ничуть не устал) утилит очистки системы. Norton CleanSweep, System Mechanic — эти и другие программы смогут за несколько секунд вычистить не только «пирожки», но и содержимое кэша и журнала.

У проблемы конфиденциальности во Всемирной Паутине существует и еще одна сторона. Допустим, вам совершенно безразлично, следят или нет за вашими перемещениями домашние, но в то же время вам страшно не хочется, чтобы вас «посчитал» какой-либо из посещенных вами серверов. Мало ли что... Известно ведь, что любой зашедший на страничку пользователь неизбежно оставляет «следы»: IP-адрес его компьютера фиксируется в журнале-«логе» сервера.

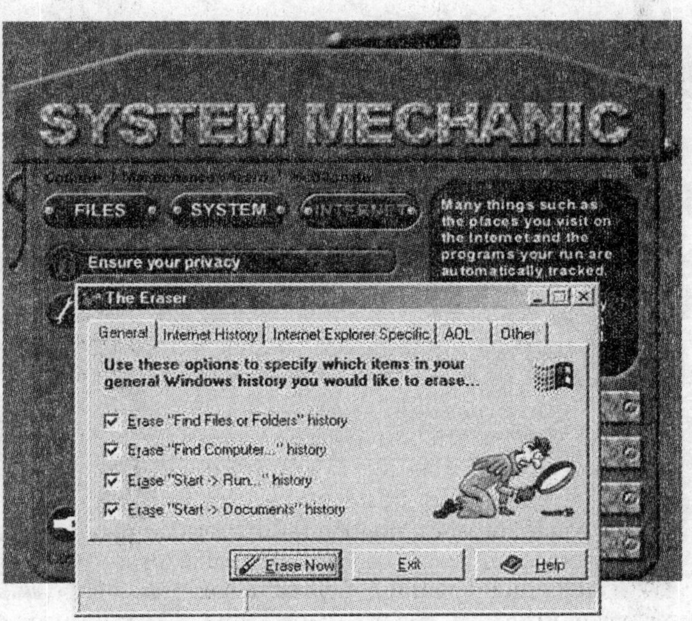

Чистка cookies и кэша с помощью программы System Mechanic

И дело не только в этом. Честному пользователю

бояться этого нет резона — фиксируйте на здоровье! Однако существуют сайты, маскировочным способностям которых позавидуют и хамелеоны: каждому своему гостю они представляют совершенно различную информацию, в зависимости от того, из каких краев тот пожаловал. Частенько этот сервис удобен, но иногда серьезно раздражает. Другие сайты и вовсе не настроены раскрывать свою душу перед посторонними: американцев, к примеру, ждут с распростертыми объятиями, а перед жителями других стран опускают виртуальный шлагбаум. В лучшем случае — интеллигентно выталкивают в шею на свое региональное отделение.

Для преодоления этой напасти можно прибегнуть к услугам Web-«маскировщиков» (anonymizer) или столь же анонимных прокси-серверов.

С прокси-серверами мы уже свели беглое знакомство в разделе, посвященном настройке Интернет. И помним, что так именуется компьютер (или — специальная программа), через который и происходит наше с вами общение с Сетью — именно через него отправляются все наши запросы на получение информации со страничек или файлов. Прокси не просто служит «воротами» в Интернет и «копилкой» для проходящей через него информации: он может защищать ваш компьютер от вредоносных программ или не слишком желательной (с точки зрения провайдера) информации.

Полный адрес прокси-сервера состоит из его имени и порта доступа, например

Имя	**Порт**
proxy.provider.net	8028

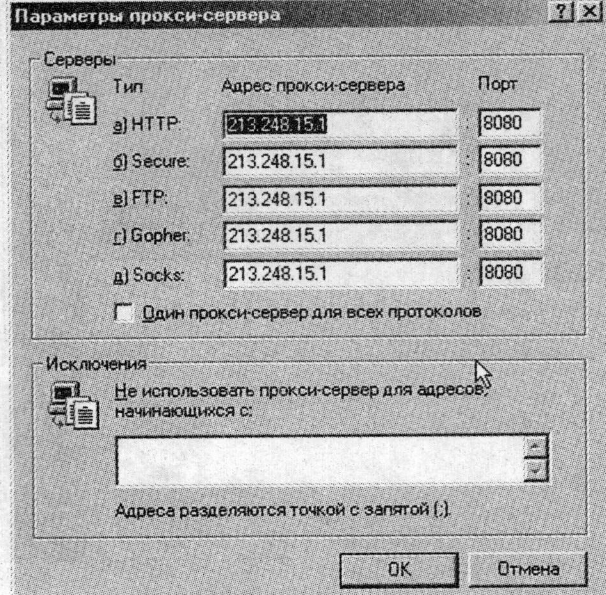

Настройка прокси-сервера в Internet Explorer

Кроме того, стоит выяснить, какие именно протоколы может обслуживать ваш прокси — одни специализируются только на WWW-запросах, другие поддерживают еще и FTP.

Все реквизиты прокси-сервера вводятся, как мы помним, в меню ***Сервис/Свойства обозревателя/Подключение/Настройка*** Internet Explorer.

Как правило, адрес прокси-сервера из собственных запасов предоставляет вам провайдер. Однако в некоторых случаях бывает полезно заменить ваш стандартный прокси-сервер на другой — анонимный. И главное — общедоступный.

Дело в том, что стандартные прокси-серверы обладают, к великому сожалению пользователей, некоторыми задатками порядочности: обращаясь по просьбе пользователя к удаленному компьютеру, они сообщают последнему не только свой собственный сетевой адрес, но и IP-адрес пользователя-«заказчика». Разумеется, последнего в итоге не слишком трудно вычислить... Не надо думать, что теперь хозяин любого посещенного вами сервера может узнать ваше имя, домашний адрес, а заодно и номер счета в банке — такие детали интересуют не слишком многих. Однако и информацию более общего плана (из какой страны «пришел» пользователь, через какого провайдера подключился) в некоторых случаях уместно скрыть, если уж вы так озабочены проблемами анонимности. В этом вам и помогут «анонимные» прокси, которые свой адрес сообщают с удовольствием, а ваш, пользовательский — нет.

Для поиска таких серверов разумно воспользоваться обычной поисковой службой, например, отправив на Google (http://www.google.com) запрос типа:

Free proxy server

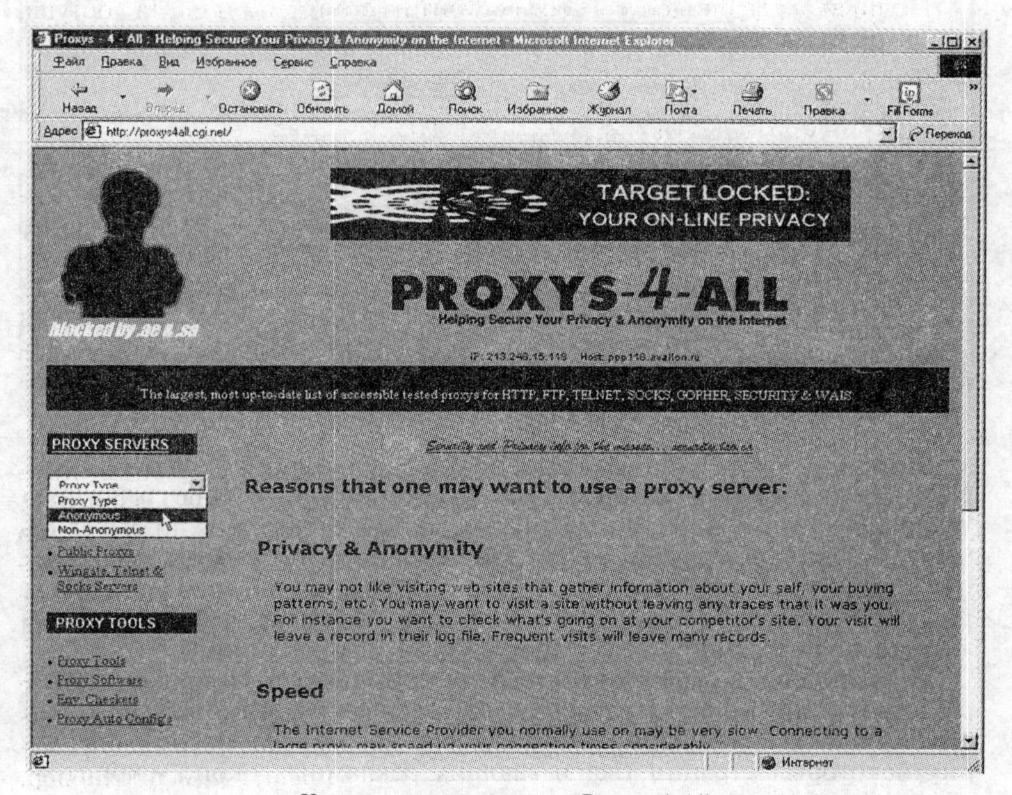

Каталог прокси-серверов Proxys-4-All

Или же, с использованием русских служб поиска (например, Яndex):

Анонимный proxy

Обновленные списки бесплатных прокси-серверов вы всегда можете найти на одной из следующих страничек:

http://baltiysk.lgg.ru/proxylist.php
http://tools.rosinstrument.com/proxy/proxies.htm
http://emoney.al.ru/free/proxy.htm
http://proxys4all.cgi.net/

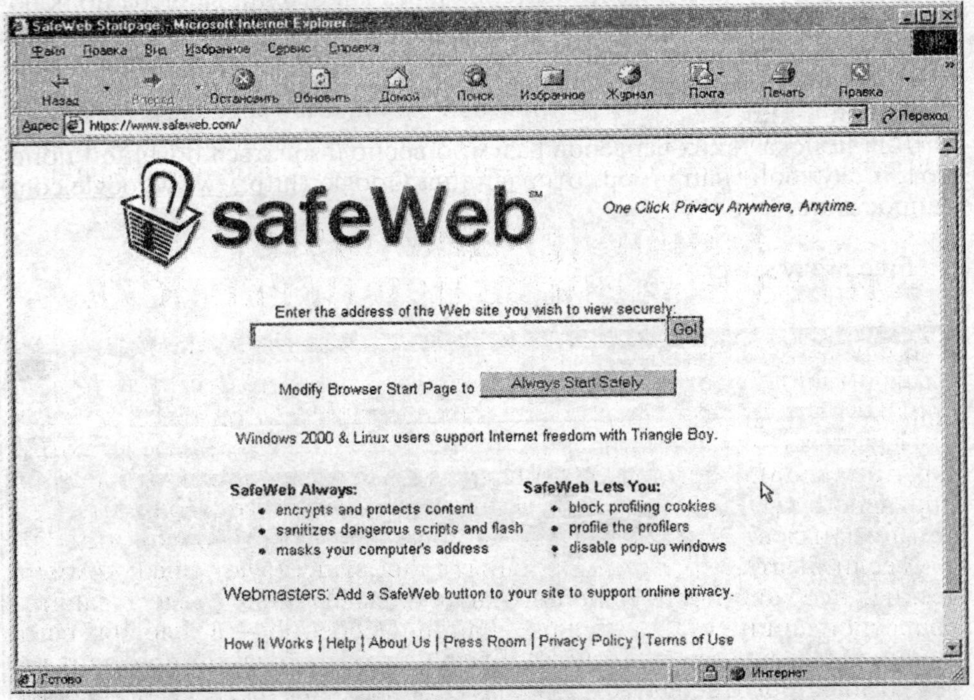

«Маскировщик» SafeWeb

Второй вид «обезличивающих» пользователя служб — Web-«маскировщики», доступ к которым вы можете получить через обычную WWW-страницу. Среди бесплатных служб этого типа можно выделить SafeWeb (http://www.safeweb.com), Rewebber (http://www.rewebber.com/index.php3.en), ProxyWeb (http://www.proxyweb.com) и целый ряд других. Получить доступ к любой из них можно, в частности, через страничку «Анонимный серфинг» (http://apopov.nm.ru/free/ansurf.htm).

Маскировщики работают по тому же принципу, что и прокси-серверы, однако они могут не только обеспечить вам анонимность во время странствий по Сети, но и отчасти защитят вас от вредоносной «начинки» некоторых страниц (всплывающих рекламных окон, «скриптов-убийц» и т. д.).

Для анонимного доступа к любой страничке нужно лишь загрузить «маскировщик» и набрать нужный URL в его адресной строке.

При необходимости страничку «маскировщика» можно сделать «домашней» для вашего браузера, нажав кнопку ***С текущей*** в меню ***Сервис/Свойства обозревателя/Общие*** Internet Explorer.

Теперь вместе с вашим браузером будет загружаться и страничка службы анонимного доступа, а значит, пользуясь ее адресной строкой, вы будете защищены от «слежки» во время всего сеанса работы в Сети.

Для пущей же надежности можно объединить способности «маскировщика» и анонимного прокси-сервера — это даст наилучший результат. Конечно, с точки зрения наших спецслужб столь рьяно ратовать за полную анонимность могут лишь параноики да люди с нечистой совестью... Представьте себе, к примеру, человека, который проходит ежедневный маршрут от дома до метро, нацепив темные очки и петляя по переулкам, дабы сбить с толку мнимых преследователей!

Но есть и другая точка зрения, основанная на гарантируемом Конституцией праве любого человека на неприкосновенность своей частной жизни. К которой, как ни крути, относится и интернет-серфинг...

КОНФИДЕНЦИАЛЬНОСТЬ И БЕЗОПАСНОСТЬ ПРИ ПЕРЕПИСКЕ

В случае с электронной почтой желание сохранить тайну переписки выглядит вполне логичным и обоснованным. В самом деле, нам ведь не приходит в голову отправлять письма в открытых конвертах!

Переписка — дело частное, интимное. И сведения, которые вы хотите скрыть от посторонних глаз, совершенно не обязательно должны быть криминального характера (напротив, автор всячески убеждает своих читателей не заниматься в Сети, да и в реальном мире, ничем противозаконным).

А если учесть, что, помимо личных тайн, существуют еще и коммерческие, необходимость использования определенных средств защиты корреспонденции становится очевидной. Особенно — в условиях сегодняшней России, где практически весь поток сообщений проходит через компьютеры спецслужб... Как вы помните, еще два года назад большинство провайдеров фактически обязали подключить свои каналы к компьютерам системы оперативно-розыскных мероприятий (СОРМ), позволяющей, по мере надобности, перехватить и прочесть любое электронное сообщение.

Нет, мы ни в коей мере не оспариваем права доблестных чекистов охранять (пусть даже таким, противоречащим Конституции, способом) интересы страны. Но существует все же некая вероятность, что схожим образом к вашему электронному ящику сможет получить доступ кто-то другой, не обладающий столь чистыми руками и холодной головой. От простых хакеров до криминальных структур или конкурентов. И вот именно от них мы с вами и будем защищаться в случае необходимости.

Анонимность. Самый простой способ защиты — использование бесплатных анонимных почтовых ящиков, территориально расположенных за пределами России (подробнее об этом читайте в разделе «Мир Общения»). Благодаря этому вы сможете «обезличить» свои письма (что не помешает делать, например, в тех случаях, если вы не хотите до поры до времени сообщать вашему адресату ничего лишнего о собственной персоне). Кроме того, выделение специального ящика, например, для отправки писем в группе новостей позволит вам уберечь свой основной ящик от потока рекламы, а возможно, и вирусов, которые обязательно последуют после того, как ваш e-mail впервые будет опубликован на страничке Интернет или на сервере новостей.

Кроме того, публикуя свой адрес в электронном письме в группу новостей, вы можете дополнительно застраховаться от покушений «спам-роботов», сканирующих ньюс-группы в поисках электронных адресов. Делается это просто — в адрес вставляется дополнительная комбинация букв, которую необходимо убрать при составлении ответа. Так, адрес lasarus@iname.com можно опубликовать в группе новостей в таком виде:

lasarusnospam@iname.com

(Please remove «nospam» from address!)

Человек, конечно, быстро сообразит что к чему, а вот обмануть тупую программу-робота будет нетрудно.

Для большей конфиденциальности можно пропускать свое письмо через сложную систему переадресовки: например, письмо, отправленное на lasarus@iname.com, автоматически пересылается сервером на lasarus@chat.ru, а уже оттуда его можно извлечь в режиме WWW-доступа, прямо с Web-страницы.

Шифрование писем. В том случае, если потребности замаскировать свою личность у вас нет, но есть необходимость обеспечить сохранность тайны вашей переписки, можно воспользоваться средствами шифрования особо важных электронных писем.

Систем шифрования существует много, и одна из них как нельзя кстати оказалась встроенной в Outlook Express. Как и многие другие системы, она основана на трех важных элементах:

Индивидуальная электронная подпись, или цифровой сертификат. Эти сертификаты, выдаваемые рядом независимых центров, свидетельствуют, что данное письмо было отправлено именно вами и никем иным. Используя сертификаты, вы даете вашему партнеру 100%-ную гарантию от «писем-подделок», отправленных злоумышленниками от вашего имени, а в деловой переписке это особенно важно. Вполне вероятно, что уже в ближайшем будущем «цифровая подпись» будет уравнена в правах с подписью обычной. А значит, и электронные послания, снабженные таким сертификатом, будут обладать той же юридической силой, что и бумажные документы. Сама по себе электронная подпись не является элементом системы шифрования, поскольку решает она задачи, прямо скажем, противоположного характера. Однако именно на ос-

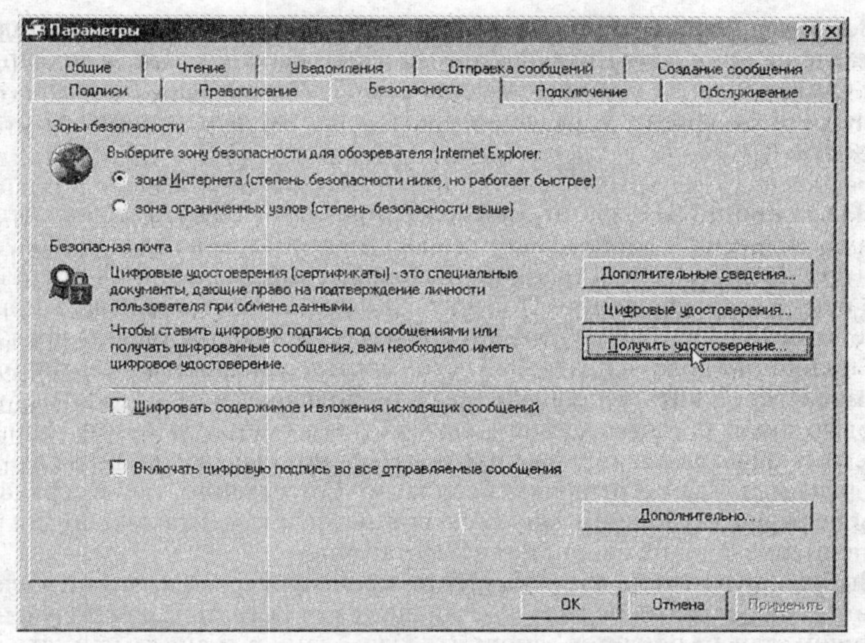

Получение цифрового удостоверения в Outlook Express

нове вашего электронного сертификата будут сгенерированы два «ключа», с помощью которых вы сможете шифровать свои сообщения.

Открытый ключ уже включен, вместе с электронной подписью, в ваш цифровой сертификат. Его не нужно прятать — наоборот, именно этот ключ и стоит рассылать всем своим партнерам по переписке. Что вы, собственно, и делаете, включая в сообщения электронной почты цифровой сертификат. Получив вместе с письмом (пока еще — не зашифрованным) ваш открытый ключ, ваш знакомый или деловой партнер сможет в дальнейшем отправлять вам зашифрованные сообщения, созданные на его основе. Причем прочесть эти сообщения не сможет уже никто, кроме вас, в том числе и их отправитель! Вы же, в свою очередь, получаете вместе с ответом открытый ключ вашего визави, который автоматически будет добавлен в вашу адресную книгу.

Таким образом, для ведения защищенной переписки необходимо, чтобы в адресной книге вашей почтовой программы хранились открытые ключи всех ваших адресатов. При этом создать зашифрованное сообщение каждому из них вы сможете, только используя его собственный открытый ключ.

Закрытый ключ. Им ваша почтовая программа будет пользоваться при расшифровке приходящих сообщений. Без наличия закрытого ключа, встроенного в вашу программу, расшифровка сообщения становится невозможной — даже если ваше письмо и будет перехвачено по дороге, расшифровать его злоумышленник не сможет.

Все эти три элемента системы безопасной переписки будут вам предоставлены при получении цифрового удостоверения. Для этого запустите Outlook Express и зайдите в меню ***Сервис/Параметры/Безопасность***, где находится «центр управления» настройками вашей системы безопасности.

Нажав кнопку «Получить удостоверение», вы отправитесь на специальную страничку сервера Microsoft. Нет-нет, там вам вожделенный сертификат не дадут — на страничке находятся лишь ссылки на крупнейшие центры сертификации. Получить цифровое удостоверение, в принципе, можно на любом из них, вот только услуги большинства учреждений подобного рода — платные. И стоимость «электронного сертификата» может составить несколько десятков долларов в год. Понятно, что деловые люди с удовольствием выложат эту смешную сумму, однако простому пользователю лучше пробежаться по ссылкам и найти службу, которая выдаст вам сертификат бесплатно. Естественно, такие сертификаты не будут полноценными «электронными документами», но для переписки по e-mail их будет вполне достаточно.

Выбрав нужный центр, запустите процедуру регистрации. «Электронные бюрократы» не сильно отличаются от обычных: для получения сертификата вам придется заполнить кучу бланков и анкет, принять несколько тестовых сообщений электронной почты... Однако через 10—15 минут ваши мучения кончатся, и после нажатия бесчисленного количества кнопок Next электронное удостоверение будет автоматически установлено на ваш компьютер вместе с парой ключей.

Кстати, сертификат может быть и не один — Outlook Express предусматривает использование сразу нескольких сертификатов, каждый из которых привязан к конкретному электронному адресу. Поменялся адрес — придется получить новый сертификат.

Получив цифровое удостоверение, вы можете вставлять «электронную подпись» и открытый ключ в каждое почтовое сообщение. Для этого вам необходимо вернуться в меню ***Сервис/Параметры/Безопасность*** и пометить галочкой пункт ***Включать цифровую подпись во все отправляемые сообщения***.

Тут же находится и пункт «Шифровать содержимое и вложение всех отправляемых сообщений», назначение которого, думается мне, объяснять не надо. Впрочем, активировать это меню нет необходимости, ведь отправить зашифрованное письмо вы все равно сможете лишь адресату, заблаговременно снабдившему вас открытым ключом.

Зашифровать сообщение можно непосредственно перед его отправкой. Для этого, находясь в режиме создания сообщения, зайдите в меню Сервис и пометьте галочками пункты «Зашифровать» и «Цифровая подпись». В итоге ваш адресат получит письмо, украшенное сразу двумя значками — «ярлыком» (электронная подпись) и «замком» (шифрованное сообщение).

Система шифрования Outlook Express дает пользователю приемлемый уровень защиты от «взлома» писем третьими лицами. Однако безу-

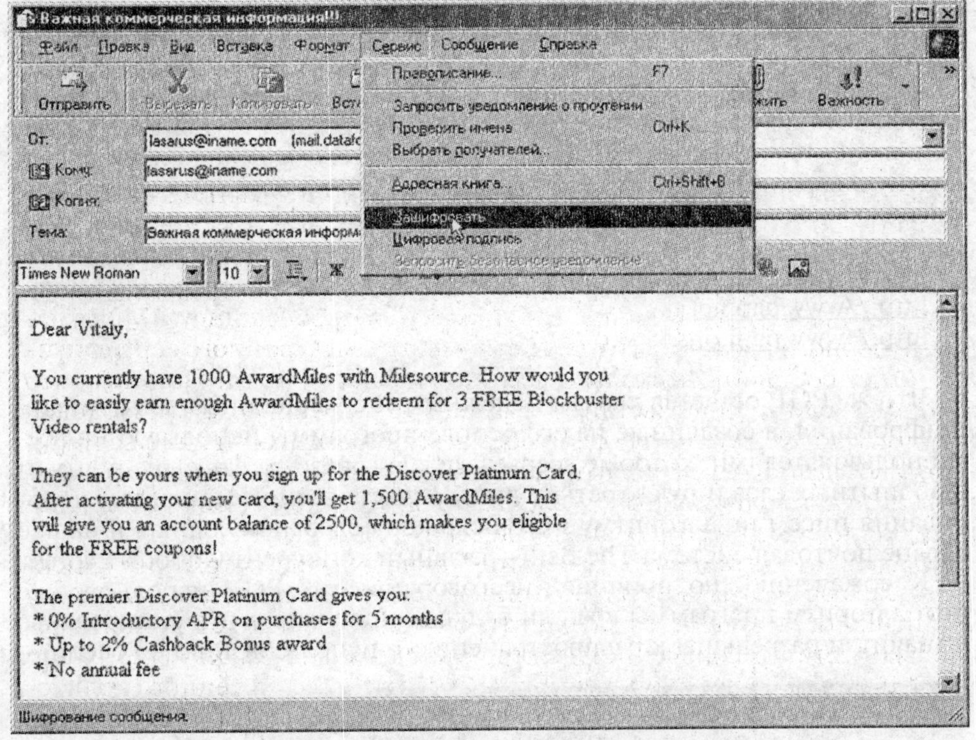

Шифрование сообщения в Outlook Express

пречным и стопроцентно надежным этот алгоритм защиты назвать все-таки нельзя: как и в большинстве «официальных» алгоритмов шифрования, в нем предусмотрены «обходные пути», позволяющие при необходимости спокойно вскрыть ваш «электронный конверт». Естественно, недоросль-хакер в домашних условиях ваш шифр не раскусит, а вот «уполномоченные структуры» с ним справятся без труда. Ибо на каждую систему шифрования, по российскому законодательству, ее создатель и распространитель обязан получать специальный сертификат ФАПСИ, которое, вне всякого сомнения, сумеет позаботиться о собственных интересах. И не надо думать, что варварская Россия является исключением — точно так же обстоят дела с сертификацией систем шифрования во многих развитых странах. Например, в США — стране, ставшей в начале 90-х эпицентром скандала, связанного с созданным Филиппом Циммерманом алгоритмом шифрования Pretty Good Privacy (PGP).

Ужас стражей государственной безопасности был неописуем: скромная программа, бесплатно распространяемая Циммерманом, позволяла создавать сообщения, на расшифровку которых даже самым мощным компьютерам Пентагона пришлось бы затратить несколько столетий! В последующие годы Циммерману пришлось отбить — одну за другой — несколько мощных атак, спасая свое детище от запрета. В итоге алгоритму все-таки дали путевку в жизнь, запретив, однако, экспортировать его за пределы Штатов. Стратегические технологии! К счастью, запрет удалось обойти: энтузиасты распечатали исходный код PGP на бумаге, и вот этот-то толстенный том, объемом более 6000 страниц, удалось вывезти в Европу...

Сегодня многие ограничения на распространение алгоритма уже сняты, хотя до сих пор существуют два его варианта — для США и остальных 9/10 человечества. Любой пользователь может получить бесплатную версию программы для работы с PGP на одном из следующих сайтов:

http://www.pgpi.com
http://www.pgp.net
http://www.pgpi.org

Что ж, PGP остается самым надежным и совершенным алгоритмом шифрования, а созданные на его основе программы используются всеми пользователями, которые всерьез желают обезопасить свою почту от любопытных глаз и рук «третьих лиц». В частности, механизмом шифрования писем по алгоритму PGP оснащена сверхпопулярная в нашей стране почтовая система The Bat! — главный конкурент Outlook Express.

К сожалению, по причине «несговорчивости» PGP использующие этот алгоритм программы вряд ли будут официально сертифицированы, а значит, и разрешены к распространению и использованию в России —

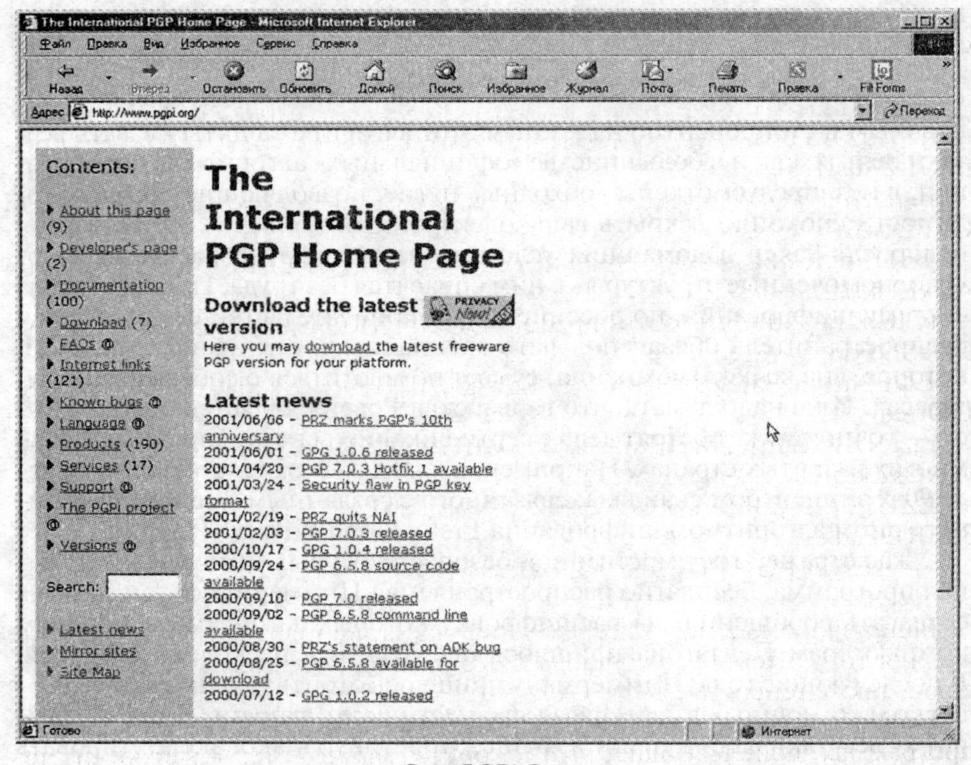

Сайт PGPi.Com

по крайней мере, в ближайшее время. То есть российские пользователи, скачавшие последнюю версию PGP-программы и использующие ее для шифрования собственной почты, а также авторы сайтов с коллекцией PGP-программ, могут быть обвинены в нарушении законов Российской Федерации, а именно Указа Президента РФ от 3 апреля 1995 года (№ 334).

Что ж, законы надо соблюдать, хотя хочется надеяться на то, что «придут другие времена»...

В любом случае, знакомство с алгоритмом PGP законом не возбраняется, а значит, мы можем продолжать нашу экскурсию.

Принцип работы PGP-программ схож с уже описанным выше алгоритмом шифрования, встроенным в Outlook Express: PGP также использует сочетание «открытого» и «закрытого» ключа. Однако есть и отличия: каждый ключ в PGP на деле представляет собой комбинацию двух ключей. Таким образом, всего ключей становится четыре:

- Для шифровки сообщения
- Для расшифровки сообщения
- Для вставки ключа в письмо
- Для чтения ключа из письма

Впрочем, для пользователя режим работы остается прежним.

«Открытый» ключ посылается в письме или публикуется на Web-страничке в виде текстовой сигнатуры — например, такой:

——-BEGIN PGP PUBLIC KEY BLOCK——-Version: 5.0.1i

d2Vid29ya3MuY29tPokAlQMFmQCNAzF1IgwAAAEEANOvroJEWEq6npGLZTqssDSf

iDjUz6U7aQrWk45dIxg0797PFNvPcMRzQZ/6ZF9wcx64jyLH40tE2DOG9FDfwfrf

yUDFpgRmoL3pbxXZx9lO0uuzlkAz+xU6OwGx/EBKYOKPTTtDzSL0AQxLTlklJLJ9

tClCb2IgU3dhbnNvbiA8cmpzd2FuQHNlYXR0bGUtd2Vid29ya3MuY29tPokSDFdd

EDF2lpI4h53aEsqJyQEB6JcD/RPxg6g7tfHFi0Qiaf5yaH0YGEVoxcdFySDDrrea

rgztNXRUi0qU2MDEmh2RoEcDsIfGVZHSRpkCg8iS+35sAz9c2S+q5vQxOsZJzdfD

LZUFJ72fbC3fZZD9X9lMsJH+xxX9CDx92xm1IglMT25S0X2o/uBAd33dERDFadsr

——-END PGP PUBLIC KEY BLOCK——-

Ваши знакомые могут шифровать письма, используя этот ключ, вам же, для того, чтобы расшифровать его, понадобится второй, закрытый ключ, также генерируемый PGP-программой.

Подробнее узнать о PGP, о связанных с ним правовых проблемах и программах, использующих этот алгоритм, вы можете, в частности, по адресу http://tears.nm.ru.

МИР ТВОРЧЕСТВА: КУРС НАЧИНАЮЩЕГО ВЕБМАСТЕРА

В конце 90-х годов Россию сразила новая, неведомая доселе болячка. Зловредный вирус поражал исключительно пользователей Интернет, а главным его симптомом стало неуемное желание немедленно сотворить пару-тройку сайтов.

Называлась эта болезнь — синдром острого вебмастерита ...

Почему-то лишь у немногих из нас в реальной жизни возникает желание сесть за любимый компьютер и самостоятельно сверстать, скажем, собственную газету или журнал. Книгу, на худой конец. И нечего скептически улыбаться — на Западе такое вот «домашнее» издательство давно уже не редкость.

Однако опубликовать в Сети свой собственный сайт считает долгом каждый, в надежде, что всему миру будет необычайно интересно прочитать вдохновенные строки:

«Привет! Меня зовут Володя (или, для людей посолиднее — Владимир Батькович), я живу (учусь, работаю, отсиживаю срок) там-то и люблю (ненавижу, раскручиваю, игнорирую, расстреливаю на месте) тех-то и тех-то»

Именно по такому принципу построено едва ли не большинство домашних страничек, коих в Сети насчитывается, почитай, с десятки миллионов.

В качестве «сетевой визитки» оно, конечно, не так уж и плохо. Но ведь возможности Интернет можно использовать значительно полнее! И удачных проектов, созданных талантливыми одиночками, также не счесть...

Этот раздел, своего рода «азбука будущего вебмастера», появился в книге по заявкам читателей моей «Новейшей энциклопедии персонального компьютера», в первых изданиях которой о создании страничек Интернет не было ни слова. Немедля последовал поток гневных электронных писем — мол, отчего такая дискриминация? Или тема не слишком популярна для уважаемого автора?

О популярности и спорить не приходится. Вышедшая в 1999 году книга Дмитрия Кирсанова «Веб-дизайн» стала лидером продаж в жанре компьютерной литературы, да и сегодня на полках магазинов она неизменно красуется на видном месте. С тех пор появилось масса новых книг по этому вопросу, как западных, так и отечественных авторов, и все они у публике в почете.

Если звезды зажигают — значит, это кому-то нужно?

Согласен — учиться искусству создания сайта необходимо, ведь Интернет предлагает нам уникальную возможность заявить о себе, проявить свой творческий талант и быть услышанным. Сколько великолепных и остроумных авторов открыла нам Сеть, сколько талантливых сетевых изданий родилось!

Возьму лишь один пример — Дмитрий Турецкий, создатель и руководитель проекта ListSoft.Ru. В 1998 году, когда писалось первое издание моей книги, его сайт был уже довольно популярным и посещаемым «складом» условно-бесплатных программ. Популярным, но довольно-таки обыкновенным — в Сети таких немало. Однако благодаря таланту и усилиям Дмитрия ListSoft скоро превратился в мощнейшую структуру, сайт стал первым по популярности в своем классе, а публикации Дмитрия Турецкого появились во всей крупных сетевых изданиях. Сейчас Дмитрий руководит еще несколькими сетевыми проектами и, очень хочу надеяться, сумеет вывести и их на лидирующие позиции.

И таких примеров я мог бы привести десятки. Главное, что и вам никто не мешает сделать такую же успешную карьеру в сетевом мире, получив не только эфемерную известность, но и престижную работу или собственный бизнес.

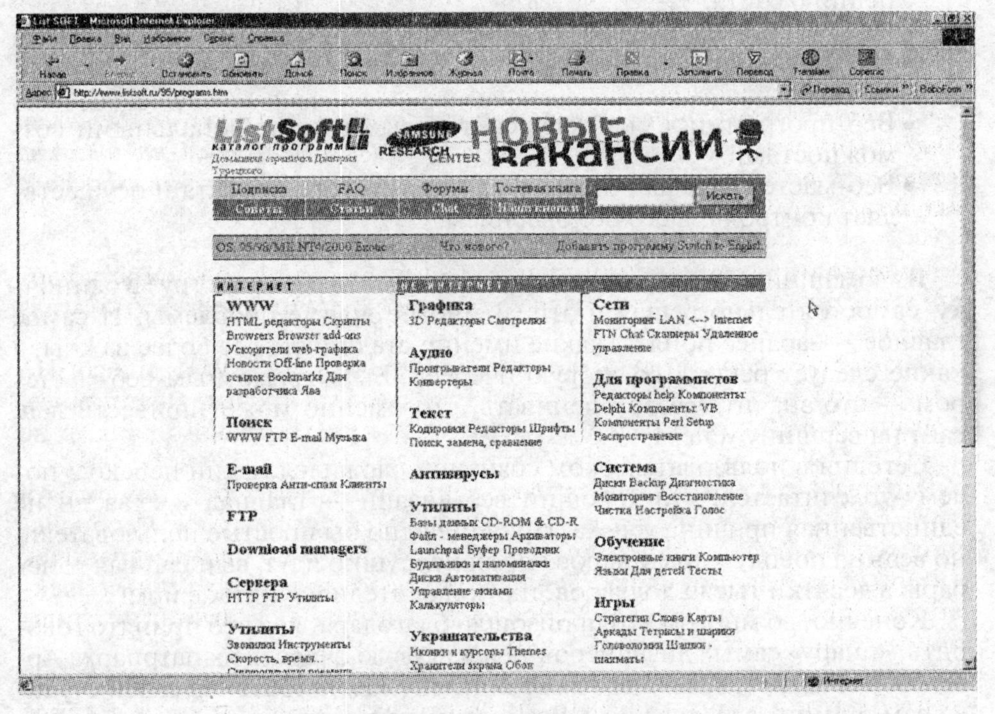

ListSoft — проект Дмитрия Турецкого

Помните одно: вступив на эту дорогу, вам придется отдавать вашему будущему сайту все силы, всю энергию, весь талант. Иначе ваше детище, будь оно хоть трижды неповторимо, так и останется скромной «домашней страничкой».

Процесс создания и продвижения собственного сайта долог, и включает он в себя сразу несколько отдельных видов работ:

- Подготовка содержательной части сайта — контента.
- Создание графического оформления.
- Создание схемы будущего сайта, разбивка материала на отдельные странички.
- Разработка концепции дизайна сайта.
- Выбор места для размещения сайта в Сети (хостинг), перенос готового сайта в Интернет.
- Регистрация доменного имени сайта.
- Регистрация сайта в поисковых системах, первоначальная раскрутка.
- Дальнейшее продвижение, рекламная поддержка сайта.
- Регулярное обновление материала.

Оценили объем работ?

В крупных организациях все эти стадии, как правило, распределяются между несколькими людьми:

- Журналисты и рекламщики создают тексты и разрабатывают концепцию сайта.
- Профессиональные веб-дизайнеры дают идее зримое воплощение.
- HTML-кодировщик отвечает за чистоту и отлаженность кода странички.
- Веб-программист снабжает сайт новыми функциональными возможностями.
- Веб-мастер отвечает за размещение готового проекта и осуществляет контроль за его обновлением.

В «домашних» условиях вам придется тащить весь этот груз в одиночку, самостоятельно решая и эти, и многие другие проблемы. И самое главное — заранее понять, какие именно стадии для вас более важны, а какие следует решать во вторую очередь. Быть грамотным веб-мастером — это значит трезво оценивать, что именно может привести ваш сайт на вершину успеха.

Сегодня в пользовательском сознании сложился некий перекос: почему-то считается, что хороший веб-дизайн — главная и едва ли не единственная причина успеха. Причем ладно бы простые пользователи, но ведь на поводу у дизайнеров порой послушно идут, выплачивая гонорары в десятки тысяч долларов, и руководители крупных фирм!

Конечно, во многом это произошло благодаря, как это принято говорить, «пиару» самых дизайнеров — и в первую очередь их патриарха Артемия Лебедева (сделавшего даже попытку «застолбить» за своей студией сам термин «веб-дизайн»). Во многом популярность веб-дизайна определяет и эпоха — все мы сегодня обращаем куда больше внимания на упаковку товара, чем на его сущность...

Но сайт все-таки отличается от обычного товара: благодаря усиленной рекламе нас еще можно заставить верить в то, что напичканный химией маргарин лучше натурального масла, но вот убогий по содержанию сайт не спасет никакой дизайн. Напротив, талантливому автору и убогое оформление простят: пройдитесь, ради интереса, по верхним строчкам популярных рейтингов!

Примерно то же самое, хотя и в меньшей степени, относится и к рекламе. Безусловно, грамотная раскрутка сайта важна, очень важна. Но и она не поможет, если автору сайта и сказать-то нечего...

Я не собираюсь навязывать никому своих личных приоритетов (сначала — содержание, на втором месте — реклама и уже потом — дизайн) и дискуссий по этому поводу устраивать не намерен. Мое дело — лишь кратко описать все эти стадии.

Учтите еще и вот что: процесс создания сайта включает в себя как технические, так и чисто творческие моменты. И я сознательно ограничил себя описанием лишь «техники», причем самых ее азов. Научить человека талантливо писать невозможно, а о вкусах можно спорить. И когда профессиональные дизайнеры говорят мне о том, что сочетание на одной страничке зеленого и синего — вопиющее нарушение всех возможных законов эстетики, здравого смысла и едва ли не Уголовного Кодекса, я молча киваю головой. Хотя лично меня эта комбинация цветов нисколько не раздражает...

ВИДЫ САЙТОВ И СТРАНИЧЕК

Как я и предупреждал, к дизайну мы приступим не сразу. Перво-наперво определимся, чем именно мы хотим заполнить нашу страничку, какова будет ее структура.

В одной из предыдущих глав мы уже выяснили, что собственно странички (т. е. с отдельными гипертекстовыми документами формата html) в Сети встречаются не часто. Чаще всего мы имеем дело с группами таких документов, связанных друг с другом в соответствии с некоей структурой.

Проще говоря, создавать нам придется не просто отдельные странички, а целые сайты. Ведь даже для простой рекламы себя любимого одной странички маловато...

Кстати, а какие именно бывают сайты? (Для простоты все-таки будем называть их в дальнейшем, как принято, страничками. Хотя ворчун-автор и предупреждал, что неправильно это...) И что именно мы, собственно, хотим создавать?

Четкой классификации WWW-страничек пока что не создал никто. И автор, предлагая вам свой собственный (и довольно несовершенный) вариант классификации, покорнейше просит не воспринимать его, как некую абсолютную истину. Ведь каждый талантливый автор, как известно, создает вместе со своим творением новый жанр...

«Домашняя страничка». Самый простой, доступный всем тип сайта. Девиз ее автора — «Слава мне, любимому!» Вот, дескать, живет в таком-то городе г-н Добчинский, и любит он (помимо своего коллеги Бобчинского) то-то и то-то, росточка такого-то, занимается тем-то и тем-то...

Такой подход заведомо обречен на неудачу в том случае, если вы жаждете с помощью этой странички добиться всепланетной известности. Таких страничек в океане Сети — миллионы. И вероятность того, что на созданный вами мини-сайт тут же повалит куча народу, практически равна нулю.

Однако ж в том случае, ежели вы хотите просто создать свою «визитную карточку», которой можно хвастаться перед друзьями и покорять женские сердца — лучше домашней странички не найти.

Как правило, состоит «домашний сайт» из четырех-пяти отдельных страничек-документов. Заглавная может содержать краткую биографическую справку о вашей особе (в каком именно стиле вы ее напишете — серьезном или юмористическом — решать вам). Вторую страничку разумно отдать под ваши хобби (например, рассказать о своих музыкальных или книжных пристрастиях), на третьей обоснуется коллекция фотографий, четвертую выделите под неизбежную коллекцию ваших любимых ссылок...

Все! Крохотное сетевое досье готово.

Домашняя страничка

«Виртуальное резюме». Еще более простой тип странички — на этот раз действительно странички, поскольку никакой разветвленной структуры в этом случае не нужно. Один-единственный документ, на котором сжато и лаконично изложены все важные данные о вашей особе — год и место рождения, образование, специальность, опыт работы...

Такая страничка — вещь весьма специфическая: держать ее в Сети постоянно нет никакого смысла. Но в тот момент, когда вы отправитесь на поиски работы, она может сослужить вам очень неплохую службу.

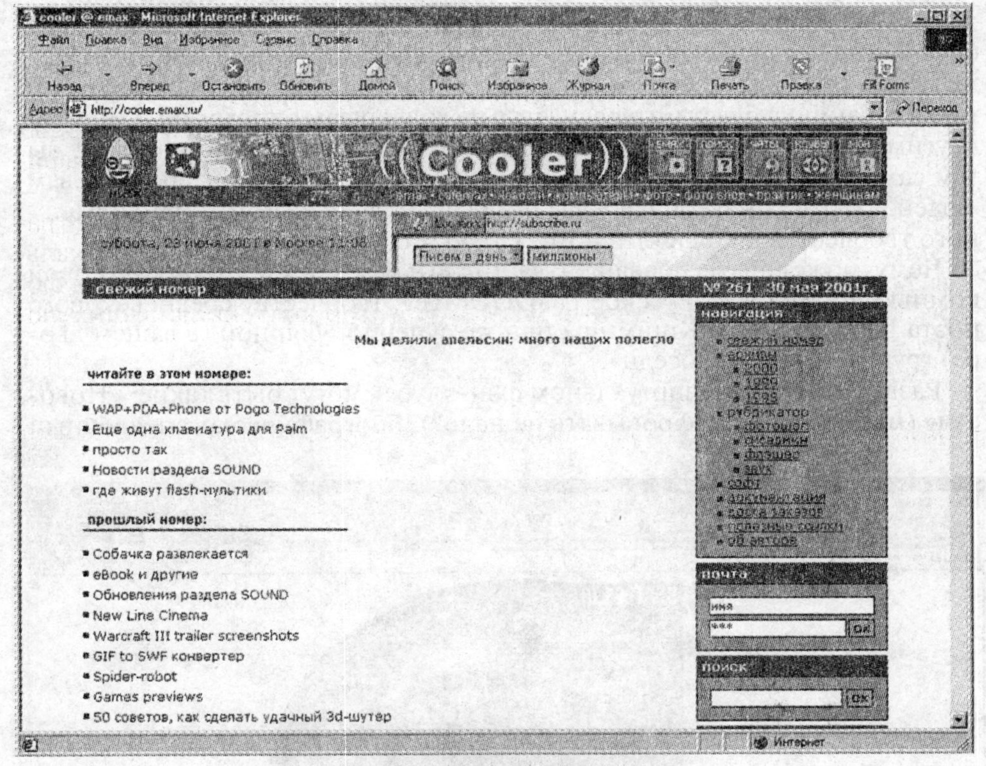

Обозрение «Cooler»

«Интернет-стенгазета». Чаще такую страничку называют WWW-обозрением. По сути дела, это — настоящая сетевая газета, которую делает один человек. Обозрение — это уже не застывшая в своем развитии «домашняя страничка», а живой, постоянно обновляющийся организм, который вам нельзя оставлять без внимания даже на неделю!

Что обозревать? Как это ни смешно — никакой разницы. Ибо центральным элементом любого Web-обозрения остается все же фигура обозревателя, узнаваемый стиль его творений. Сегодня вы можете писать о событиях в Югославии, завтра — о рецепте мясного торта, который сваяла ваша теща в ознаменование 30-й годовщины покупки любимого хомячка. И все равно почитатели вашего таланта будут читать взахлеб... при условии, что оный талант и живой стиль у вас имеется. И если у вас получится — добро пожаловать в число «звезд» русского Интернета, таких как Оля Лялина, Иван Паравозов или Алекс Экслер!.. Замечу, что сам автор в обозреватели никогда не рвался — уж больно хлопотное это дело, и времени на обзоры никогда не остается...

«Виртуальный фэн-клуб». Вторая по численности (после домашних страничек) группа сетевых творений.

Швейцарский психолог и философ Юнг любил говорить об «архетипах» — незыблемых и устоявшихся понятиях, авторитетах, которые служат для нас точками соприкосновения при общении. По-видимому, на каком-то из этих «архетипов» будет базироваться и ваша страничка.

Музыка. Книги. Кино. Живопись. Туризм. Коллекционирование. Работа. Компьютер. Секс, наконец. Перечислять категории, которым может быть посвящен ваш сайт, можно до бесконечности. Главное — что такая страничка будет интересна уже не только вам одному, но и многим другим людям. Создав грамотную, живую и интересную страничку, вы тем самым неизбежно соберете вокруг себя множество интересных вам людей... И тогда наверняка у вас будет стимул перейти от индивидуального творчества к коллективному. Но об этом — чуть позже.

Чему может быть посвящен ваш фэн-клуб? Чему угодно — новой компьютерной игре «Русское РазDOOMье», творчеству средневекового поэта Шашлык-ибн-Кишмиша или же суперпопулярной (в вашем дворе) группе «Саша и Соседи».

Разделы в вашем «виртуальном фэн-клубе» могут быть такие: «Новости» (надеюсь, расшифровывать не надо?), биографическо-справочный

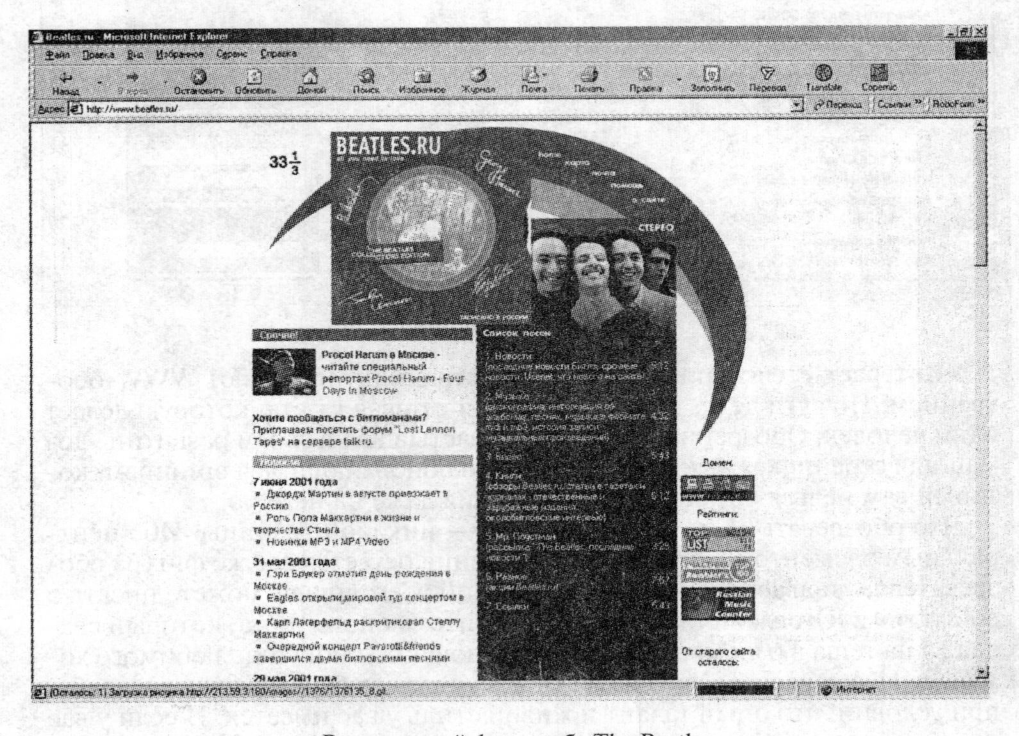

«Виртуальный фэн-клуб» The Beatles

раздел для неофитов, обзоры и рецензии, коллекция фото. Не повредит и «Гостевая книга», в которой ваши читатели будут оставлять собственные заметки на интересующую вас тему...

Уже «виртуальный фэн-клуб» трудно вытянуть в одиночку. Представьте — одному писать и обзоры, и рецензии, и за новостями следить, и почту разбирать.... А ведь мало написать текст — его еще и сверстать надо! Вот почему самые известные странички в Сети создаются все-таки не одним, а несколькими людьми — пусть даже прячутся они за неким групповым псевдонимом-маской.

И если за создание тематического сайта возьмется не один человек, а группа людей (причем, как правило, настоящих профессионалов), то получится в результате уже не простенькая «домашняя страничка» или «фэн-клуб», а настоящий.

«Сетевое издание». Журнал, газета, альманах, агентство новостей — выбор названий велик... Динамичный, часто обновляемый и объемный сайт, вобравший в себя лучшие черты «фэн-клуба» и «обозрения». Такой сайт может состоять уже из сотен и даже тысяч документов — как, например, всемирно известный альманах компьютерных новостей корпорации Зифф-Дэвис (http://www.zdnet.com) или российский «железный» сайт IXBT (http://www.ixbt.com). Кстати, в структуре последнего сайта великолепно сочетаются черты «сетевого журнала» и тестовой лаборатории.

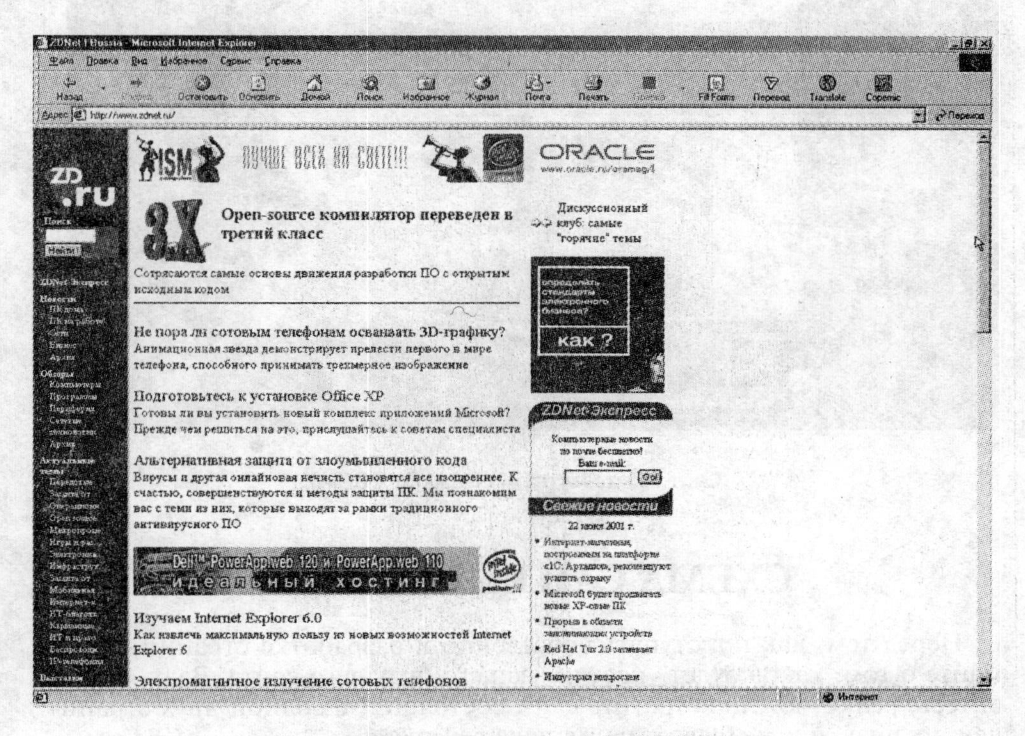

Новостной сайт корпорации «Зифф-Дэвис»

Еще один тип изданий этой группы — «электронные двойники» традиционных печатных изданий, газет и журналов.

«Виртуальные представительства» организаций. Диапазон сайтов в этой группе огромен — от крохотной странички небольшой фирмы-сборщика компьютеров до гигантских «корпоративных сайтов» таких «китов» бизнеса, как Microsoft, а также правительственных структур или общественных объединений.

На самом деле классифицировать можно до бесконечности — и никакой книги не хватит, чтобы перечислить все те типы информационных сетевых структур, к созданию которых вы можете приложить руки...

Кстати, уже пора дать работу и им! Условимся, что на крупные структуры типа корпоративных сайтов мы с вами пока что замахиваться не будем. Начнем с самого простого — с персональных страничек.

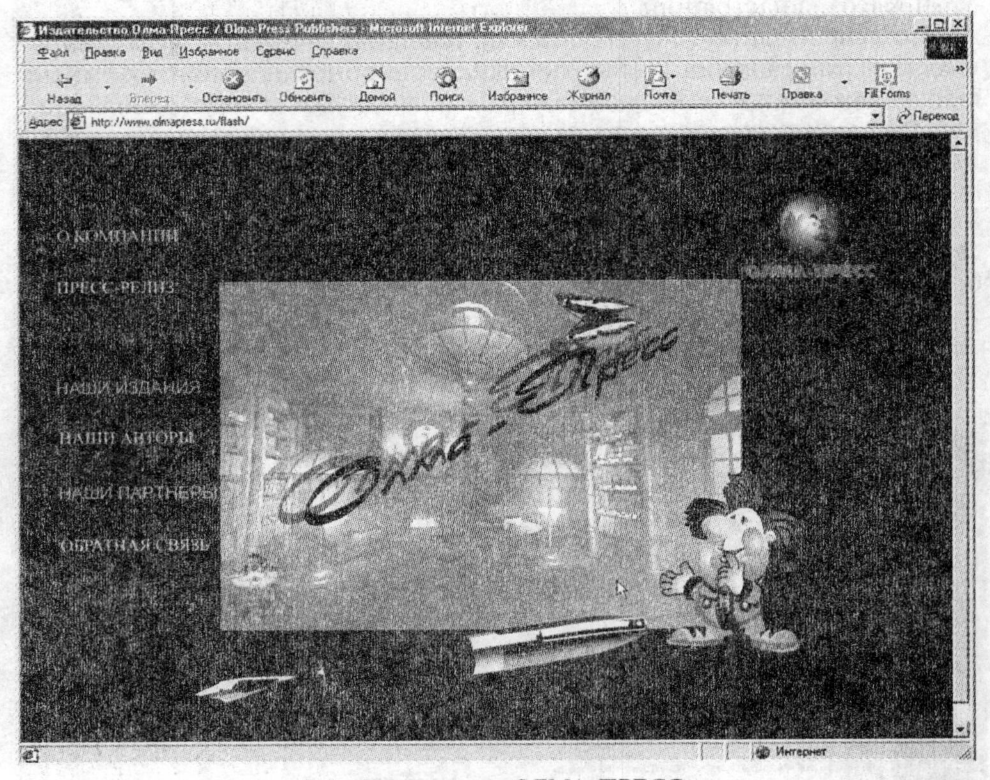

Сайт издательства «ОЛМА-ПРЕСС»

СХЕМА САЙТА. РАЗДЕЛЫ

Перед тем, как приступать собственно к разработке страниц, подумайте о том, каков будет «костяк» вашего будущего сайта. Ведь, согласитесь, редко можно встретить сайт, состоящий из одной-двух страничек, на практике их бывает не меньше десятка.

Скажу сразу — гнаться за большим количеством страниц не следует. Ведь наша с вами задача — не заваливать несчастного пользователя громадным количеством полупустых разделов, а грамотно соблюсти баланс между объемом информации на каждой страничке и количеством оных.

Общеизвестно правило — в идеале вся важная информация на страничке должна находиться в пределах одного экрана. Конечно, редко встретишь пользователей, которые обленились до того, что считают слишком сложным «прокрутить» страничку вверх, так что и два, и три «экрана» не являются криминалом. Но помните о том, что чем больше страничка, тем дольше она «грузится», а каждая лишняя секунда, проведенная пользователем в ожидании ее, родимой, явления — лишнее очко не в вашу пользу. Специалисты напоминают нам о том, что оптимальное время загрузки странички не должно превышать 5—7 секунд, а ее объем, следовательно, желательно ограничить 15—20 кбайт.

Поэтому разбивки материала на разделы не избежать. И главное — сделать это грамотно и толково, заранее разработав грамотную схему для вашего сайта.

Пользователи серьезных WWW-редакторов (например, FrontPage или DreamWeaver) изначально могут создать в них не просто отдельную страничку, а целый сайт с готовой структурой. Особенно преуспели в

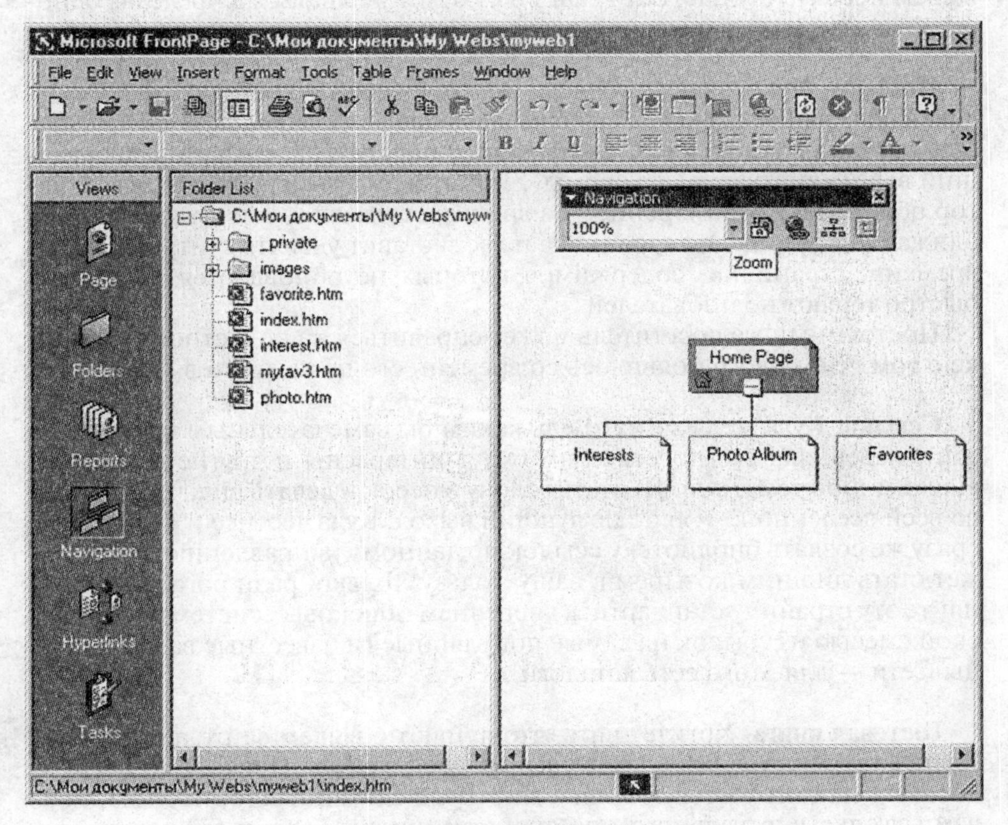

Схема сайта в окне FrontPage

этом отношении создатели FrontPage, оснастившие эту программу обширной библиотекой шаблонов готовых «домашних страничек». Однако надеяться на эти шаблоны не стоит — выглядят они весьма неказисто, да и к тому же рассчитаны на англоязычного пользователя, а потому лучше не полениться и разработать схему сайта самостоятельно.

Каждый сайт, как и его создатель, индивидуален, поэтому было бы наивно с важным видом преподносить мудрые рекомендации на все случаи жизни. Но практика показывает, что без некоторых разделов все же не обойтись.

Титульная страничка. Та самая, на которой пользователь оказывается сразу же при входе на сайт. Именно она — лицо вашего проекта и ваша «визитная карточка», как дизайнера.

К титульной страничке предъявляется несколько простых, но важных требований. Первое: она в любом случае должна быть функциональной — поместив на ней лишь красивую картинку-«визитку» и кнопку «Щелкни, чтобы войти», вы явно не продемонстрируете хорошего вкуса. Второе: страничка обязательно должна содержать полное навигационное меню, то есть список всех страниц вашего сайта. Третье: в качестве информационной начинки она может содержать краткую информацию о вашем проекте (лучше, если ваш текст будет умещаться в пределах одного экрана) или же новости странички. Последнее предпочтительнее.

Новости. Некоторые, впрочем, предпочитают отводить новостям отдельную страничку, но без этого раздела на уважающем себя сайте в любом случае не обойтись. С ее помощью посетитель, случайно посетивший ваши «виртуальные хоромы», может легко выяснить, как часто автор обновляет свое творение — а значит, стоит ли зайти сюда еще раз в ближайшее время. Эта страничка и вас заставит уделять сайту побольше времени: странички, содержимое которых не обновляется месяцами, быстро теряют пользователей.

Постоянный же посетитель может справиться на новостной страничке о том, что нового появилось со времени его последнего визита...

Ссылки. Куда же без них? Ведь каким бы замечательным не был ваш сайт, наверняка его посетителям будут интересны и другие странички аналогичной тематики. Прятать голову в песок и делать вид, что вы один во всей вселенной, — явно не лучший выход. Куда честнее и практичнее сразу же создать библиотеку ссылок по данному направлению — это может стать лишним козырем в вашу пользу. Только, ради бога, не заполняйте эту страницу стандартным перечнем поисковых систем и хаотической смесью из ссылок на самые популярные (и известные вам) страницы Сети — для этого есть каталоги...

Гостевая книга. Хотите знать, что думают о вашем сайте посетители? Хотите познакомиться с коллегами по увлечению? Нет ничего легче — добавьте на сайт гостевую книгу, в которой случайные гости созданного вами уголка виртуального пространства смогут навеки зафиксировать свой бурный восторг... или бурное негодование. Структура гостевой книги крайне проста — просто цепочка отзывов — и не предполагает активного общения. Именно поэтому гостевую книгу используют, в основном, маленькие сайты с небольшим числом посетителей.

Когда же у ваших гостей возникает жажда общения друг с другом, и таких гостей набирается достойное количество, пора переходить от гостевой книги к «форуму», позволяющему создавать «дерева» сообщений, сгруппированных по веткам-темам. В форуме на каждое сообщение можно поместить множество отзывов или комментариев, каждый из которых, в свою очередь, может стать отправной точкой для новой дискуссии.

Чтобы создать форум или гостевую книгу «с нуля», необходимо написать специальную программу-скрипт... Но можно легко обойтись и без этого, благо в Сети существует энное количество «стартовых площадок», позволяющих любому пользователю оснастить свой сайт желаемым довеском. Так, бесплатную гостевую книгу можно получить на сайте http://www.guestbook.ru, а за форумом стоит отправиться... правильно, на http://www.forums.ru или http://www.talk.ru. Можно, наконец, просто набрать запрос free forum guestbook в любом поисковом сервере и получить в ответ сотни ссылок на сайты с искомым «лакомством».

Об авторе. Скромное жизнеописание на пару абзацев, небольшая фотография... Многие считают, что без этого вполне можно обойтись даже на персональной странице. Однако так приятно видеть за строками текста создателя — живого человека! И часто хочется узнать о нем побольше... В принципе, этот раздел может занять и весь сайт целиком — получится неплохой памятник себе, любимому...

Навигационное меню. Оно может занимать отдельную страничку (в случае использования фреймов, о которых мы поговорим в главе о Microsoft FrontPage), а может просто отвоевать для себя уголок на каждой страничке вашего сайта. Как правило, для размещения меню используется левый или нижний край странички.

Никаких особых стандартов на количество разделов, их название и объем, в природе, впрочем, не существует. Помните только об одном: названия всех разделов вашего сайта в обязательном порядке должны быть вынесены в навигационное меню не только на первой, но и, желательно, на каждой отдельной страничке вашего сайта. При этом оно должно помещаться (по горизонтали или вертикали) в размер одного стандартного экрана разрешением 1024×768 точек. А это значит, что:

- Разделов не должно быть слишком много — не больше десятка.
- Их названия не должны быть слишком длинными, чтобы хватило места на кнопках.

Понятно, что в дополнение к этим разделам вы неизбежно создадите еще добрый десяток своих... И лишь потом, устав от организаторской работы, перейдете к воплощению разработанной вами схемы в жизнь.

А именно — к созданию отдельных страничек.

Для начала разложим на нашем виртуальном «рабочем столе» все заготовки для будущего сайта. Текст, будем считать, у нас уже готов, если вы заблаговременно написали все материалы. Сам процесс написания автор целиком и полностью оставляет на ваше усмотрение — ведь в творческие процессы я заранее зарекся вмешиваться.

Текст готов? Прекрасно. Пусть он до поры до времени полежит у вас без дела, мы же займемся выбором и созданием графических «украшений» и прочих необходимых добавок для вашего сайта.

ГРАФИКА В ВЕБ-ДИЗАЙНЕ

Виды графики в Сети

Пора поговорить и о картинках — ведь без них, что греха таить, любой, даже самый завлекательный текст выглядит блекло и скучно. Собственно, именно благодаря появлению графики на страничках и родилась Всемирная Паутина WWW.

Не стоит относиться к картинкам просто как к элементам оформления. Картинки на страничках выполняют не только «украшательские функции.

Они могут служить дополнительными навигационными элементами, поскольку, как и текст, каждая картинка может скрывать в себе гиперссылку. Более того, существует еще более интересная возможность: присвоить отдельным частям картинки специальную ссылку. Вроде картинка как картинка — целая, не разделенная на части. Вот только щелчки на разных ее участках отправляют вас на совершенно разные странички. И как это сделано, непонятно...

Секрет прост: перед тем как поместить картинку на будущую страничку, дизайнер разрезал ее на несколько кусочков с помощью специальной программы. Позднее при верстке эти кусочки на WWW-страничке слились — да так, что ни одного шва увидеть невозможно. Но, с точки зрения самой странички, это уже не один, а несколько объектов, каждый из которых может быть успешно «оссылочен».

Картинки могут иллюстрировать ваши текстовые материалы, уточняя, дополняя или раскрывая их смысл. Ведь не секрет, что графическая информация усваивается нами гораздо лучше, чем текстовая — не зря же дети во всем мире начинают знакомство с миром именно с иллюстрированных книжек и комиксов!

Наконец, графическое оформление может создавать у читателя определенное настроение, формировать стиль странички, а во многом и «программировать» отношение к ней.

Помимо иллюстративной графики на страницах Сети активно используется графика «оформительская» — то есть изображения, работающие в качестве функциональных или декоративных элементов странички.

Навигационные меню и кнопки. Вы помните, что обязательным элементом любой веб-странички является навигационное меню. Его элементами могут быть выстроенные в ряд текстовые заголовки, «помеченные» гиперссылками, либо — что встречается гораздо чаще — маленькие картинки-«кнопки».

Кнопки могут быть крупными и мелкими — в зависимости от потребностей и вкуса дизайнера. Их число может колебаться от двух-трех до десятка. Они могут одноцветными и многоцветными, обладать простой и сложной формой (хотя второй вариант на практике часто свидетельствует лишь об отсутствии у создателя странички вкуса и чувства меры).

Кроме того, многие кнопки могут менять свой внешний вид, когда вы укажете на них мышкой. Как правило, это достигается с помощью так называемых rollover-картинок, которые подменяют оригинальные кнопки после некоего действия.

Заголовки. По шапке встречают, а по тому, что под ней — провожают. И неудивительно, что именно «шапку» своей странички каждый хочет сделать особенно красивой. Простыми текстовыми средствами этого достичь невозможно — известно ведь, что, в отличие от текстов Word, веб-документы не позволяют использовать декоративные шрифты. Приходится изощряться, изготавливая текстовые «шапки» в виде картинок. Зато каких! Благодаря графике вы можете использовать самые экзотические шрифты, даже те, каких в природе и вовсе не существует. Можете крутить-вертеть заголовок, как только вашей душеньке угодно. Можете вовсю играть с цветом и заливками. Можете даже соорудить нечто пузато-трехмерно — пусть посетители дивятся!

Фоновые рисунки. Текстуры. В большинстве случаев для фона странички используется лишь одноцветная «заливка». Для которой никаких картинок вам создавать не придется — достаточно лишь указать цвет заливки при верстке странички в веб-редакторе (например, Macromedia DreamWeaver или Microsoft FrontPage). Но иногда, особенно при создании домашних страничек, хочется сделать свое детище более ярким и выделяющимся — тогда-то начинающие дизайнеры и выбирают для фоновой заливки небольшой графический файл.

Как правило, фоновые рисунки подразделяют на «бэкграунды» (небольшая иллюстрация с повторяющимися элементами, обои) и «текстуры» (картинка, имитирующая поверхность или срез дерева, мрамора, металла и т. д.). Особой разницы между ними, по сути, нет. Для придирчивых буквоедов могу назвать еще фрактальные композиции — бессмысленные, но красивые узоры, смоделированные на основе математических формул. Что-то, отдаленно напоминающее фракталы, мы можем наблюдать в хорошем калейдоскопе.

В любом случае, главное требование к фону — быть по возможности ровным, не раздражающим. Хороший фон должен органично дополнять текст и другие виды графики, а не соперничать с ними в пестроте и крикливости.

Предназначенная на роль фонового элемента картинка, в первую очередь, должна быть небольшой. Не стоит выбирать картинку размером с весь рабочий фон, достаточно будет небольшого прямоугольного кусочка, содержащего основные элементы фона. Чем меньше его размер, тем лучше — все равно при открытии странички браузер размножит этот кусочек, заполнив им весь фон. Как правило, размер элемента фона не должен превышать 200 на 200 точек (для квадратной формы) или 300 на 150 точек (прямоугольник). Размер же такой картинки составит не более 6 кбайт.

Баннеры. Помимо кнопок, меню и фона самыми популярными графическими элементами на страничках, вне всякого сомнения, являются баннеры. Эти яркие прямоугольнички-вывески с громкими надписями и манящими картинками знакомы любому WWW-путешественнику. Баннеры — своеобразные дверцы, ведущие на другой сайт: щелкнув по ним, вы переноситесь... ну уж во всяком случае не туда, куда ожидали. Ибо, как и подобает рекламе, баннеры чаще всего безбожно врут. Они могут обещать вам «БЕСПЛАТНЫЙ КОМПЬЮТЕР — СЕЙЧАС!!!» или «300 000 XXX-картинок!». На деле, конечно, за подобными громкими предложениями скрывается обычная коммерческая реклама... И понятно, что за каждый щелчок по баннеру держатель странички, на который оный баннер размещен, может получить некое вознаграждение (как правило, не больше пары центов — но после первых сотен щелчков сумма вырастает до вполне интересных величин)...

Тут автор несколько слукавил. Конечно, далеко не все баннеры размещаются на коммерческой основе и скрывают «под собой» информационно-коммерческий «мусор». Баннерами обмениваются и дружные между собой сайты — я поставил баннер на сайт Коли, а Коля — на мой. В итоге все довольны, ибо поток посетителей растет... А значит, появляется возможность и для размещения коммерческих баннеров... В любом случае, изготовить парочку баннеров для собственного сайта не помешает — удачный баннер поможет вам существенно увеличить поток ваших посетителей.

Сегодня существует несколько стандартов баннеров, в зависимости от их размера:

MP3 Архив
A|B|C|D|E|F|G|H|I|J|K|L|M|N|O|P|Q|R|S|T|U|V|W|X|Y|Z

Баннер 468×60 точек

468×60 точек — самый распространенный и консервативный стандарт. Баннеры этого типа, как правило, размещаются в верхней или нижней части экрана, реже — непосредственно в «теле» текста странички. Размер такого баннера не должен превышать 12—13 кбайт.

Баннер 100×100 точек

100×100 точек — напротив, один из самых молодых и модных форматов, активно продвигаемых некоторыми рекламными сетями. В отличие от прямоугольных баннеров, они гораздо компактнее — а значит, на одной экранной «строке» их можно разместить до 5—6! Такие баннеры обитают «кучками» либо внизу страницы, либо по бокам экрана. Размер баннера при этом не должен превышать 4—5 кбайт.

Баннер 83×31

88 на 31 точку — простая рекламная кнопка. За счет маленького объема ее можно расположить где угодно — такая реклама и в тексте странички раздражать не будет...

Стоило бы сказать еще и о том, что баннеры могут быть не только графические, но и созданные с использованием Flash-анимации, и даже чисто текстовые! Последний формат сегодня завоевывает все большую популярность у сетевых «Плюшкиных», старательно экономящих каждый килобайт. Оно, может, и правильно — на смену графическому буйству приходит эпоха аскетизма, под требования которой поневоле вынуждены подстраиваться и баннеры.

реклама

Огромный ассортимент товаров для домашних животных!
Карты доступа в интернет от ведущих Московских провайдеров!
Карты МТС, БИ+, а также IP-телефонии!
Все это ЗДЕСЬ!

Текстовый баннер

Кстати, учтите, что графические элементы на вашей страничке могут быть любой формы — хоть круг, хоть многоугольник... Но WWW-страничка «понимает» только прямоугольные графические «включения» Вот почему дизайнеры вынуждены прибегать к хитростям, «дополняя» фигурные картинки прозрачной (для формата GIF) либо совпадающей по цвету с фоном странички «подложкой».

Графические форматы в Интернет

Без картинок, получается, нельзя. Но и переусердствовать с ними — значит обречь вашу страничку на неудачу. Ведь в отличие от текста, картинки — достаточно объемные, «тяжелые» элементы, серьезно влияющие на скорость загрузки вашей странички.

Как мы знаем, скорость загрузки данных из Сети на наших линиях редко превышает 2—2,5 кбит/с. А это значит, что объем вашей странички не должен превышать 15—20 кбайт: больше 10 секунд ни один посетитель ждать загрузки не станет...

Таким образом, выделив 5—10 кбайт под текстовую часть странички, на графику мы можем оставить еще 10—15 кбайт. Не больше. А это — объем 1—2 фотографий размером в $^1/_{16}$ экрана или 5—10 «кнопок». Особенно не подизайничаешь!

Впрочем, кое-где можно и схитрить. Например, чтобы создать фон вашей странички, достаточно самой крохотной картинки объемом 1—2 кбайт. Редактор WWW-страниц, а затем и браузер услужливо размножит ее, заполнив всю страницу. Вот только картинки нужно подбирать с умом — пестрота фона отрицательно влияет на восприятие текста.

С какими же видами графики нам придется работать при создании веб-странички?

В повседневной жизни мы обычно сталкиваемся с двумя типами изображений: рисунками, которые нужно создавать самостоятельно, пользуясь специальными инструментами, и фотографиями — точными образами, копиями реальности, зафиксированными оком фотоаппарата. Точно такая же ситуация наблюдается и в компьютере, только называются эти виды иллюстраций по-другому — ***растровые изображения*** и ***векторная графика***.

Векторная графика (изображения в форматах CDR, AI)— это рисунок, созданный с помощью графических объектов, которые можно описать математическими формулами. Эти картинки, которые пользователь создает (или, проще говоря, рисует) в специализированной программе (например, CorelDraw или Adobe Illustrator), устроены на манер детского конструктора. Каждое векторное изображение состоит из массы объектов: кривых и прямых линий, геометрических фигур и так далее, хотя на глаз выглядит, как единая, цельная картинка. Чтобы убрать или изменить любой объект, достаточно несколько раз щелкнуть мышью.

Только не надо думать, что в этом формате вы можете изваять лишь нечто, напоминающее кубические творения раннего Пикассо. Отнюдь — в грамотных руках векторная графика пригодна не только для оформительских работ, но и для создания вполне реалистичных иллюстраций и картин.

Векторную графику, в отличие от растровой, труднее создавать, зато очень легко редактировать. В любой момент вы можете изменить контур той или иной картинки, сменить цветовую заливку, одним нажатием кнопки разобрать рисунок на составные части и изменить их размеры и пропорции... Например, векторный квадратик можно растянуть и сжать, превратить его в прямоугольник и так далее, причем для достижения желаемого результата этот самый квадратик не обязательно извлекать из картинки! С растровой графикой, или фотографией, такой фокус провернуть не удастся...

В издательском деле векторная графика используется в основном при подготовке рекламных объявлений, требующих красивого текстового оформления — ведь компьютерные шрифты тоже являются векторными объектами... К тому же векторные редакторы позволяют легко управляться со всякими рамочками, звездочками, плашечками и так далее — словом, со всеми элементами хорошего рекламного объявления, подгоняя их под конкретный рекламный блок.

Растровая графика (изображения в форматах JPG, BMP, TIFF, GIF, PNG) — самый популярный формат для хранения уже готовых изображений. Если работа с векторной графикой сравнима с искусством художника, то при работе с растровыми изображениями вам придется овладеть искусством ретушера. Ведь в этом случае, описывая картинку, компьютер вынужден оперировать уже не сложными объектами, а отдельными точками — точно так же, как в обычной фотографии. Растровая графика более реалистична по сравнению с векторной, ее нетрудно создать — достаточно отсканировать любое понравившееся изображение. Однако редактировать, изменять такую картинку не так-то просто. Ведь растровая картинка для компьютера существует как некий единый объект и, скажем, вырезать из фотографии объект сложной формы, и к тому же раскрашенный радугой разнообразных цветов и оттенков, — тяжелый труд, требующий точной руки и глаза.

Кроме того, качество растровой картинки зависит от ее размера — при увеличении сканированного изображения его качество теряется, появляется зернистость. Векторной графике увеличение нипочем — картинка в любом случае будет выглядеть одинаково.

Конечно, при работе над веб-страницей нам придется прибегать к помощи редакторов как растровой, так и векторной графики. «Довести до ума» фотографию удобнее в растровом Adobe Photoshop, но рисовать красивую кнопку или баннер куда проще в векторном CorelDRAW или Adobe Illustrator.

Однако, каким бы редактором и видом графики вы ни пользовались, сохранять готовую картинку нам все равно придется в одном из трех растровых форматов, которые (и только они!) признаны стандартом для сетевой графики.

JPG — этот формат является основным при сохранении изображений относительно высокого качества — разумеется, с точки зрения экранного отображения. Он позволяет отображать практически всю видимую человеком цветовую палитру (более 16 млн цветов) и использовать различные степени сжатия, балансируя на грани между качеством и объемом. Потери в качестве изображения при JPG-сжатии можно оценить при сильном увеличении картинки: вы отчетливо увидите зубчики, которыми «ощетинились» некогда ровные линии, резкие границы, заменившие плавный переход цветов. В профессиональной полиграфии это, конечно же, недопустимо; для просмотра на экране монитора или даже распечатки с принтера качества JPG вполне достаточно.

В Интернет JPG используется для создания и сохранения фотографий и других многоцветных изображений большой площади. Например, вашей коллекции фотографий.

GIF — этот формат был создан специально для Интернет и до сих пор с успехом используется в Сети. Его главное отличие — компактность. В отличие от JPG, формат GIF позволяет пользователю ограничить палитру используемых цветов — взамен сотен тысяч и миллионов остается лишь 64, 128 или 256... Понятно, что хорошей полноцветной фотографии такие эксперименты на пользу не идут — цвета даже при максимальной палитре в GIF становятся грубыми, само изображение — зернистым... Но если вы имеете дело с контрастным (с четкой границей между цветами) изображением или однотонной поверхностью, картина резко меняется: при использовании GIF вы получаете куда большую степень сжатия, нежели при работе с JPG, в то время как качество особо не страдает. Именно поэтому к помощи GIF чаще всего прибегают для хранения компактных рисованных элементов оформления странички, содержащих лишь небольшое количество контрастных цветов: кнопок, баннеров и так далее.

Кроме того, по сравнению с JPG, GIF дарит пользователю несколько очень лакомых возможностей. Например, становится возможным использовать «прозрачный» фон картинки или создавать небольшие «анимации», сохраняя несколько сменяющих друг друга изображений в одном GIF-файле. Вот почему именно в этом формате создается большинство «украшалочек» для страниц Интернет — кнопки, рекламные заставки-баннеры, элементы фона и так далее. Правда, в последние годы некая фирма, разработавшая доброе десятилетие назад этот формат, неожиданно стала требовать с разработчиков графических программ немалый «бакшиш» за лицензирование инструментов для работы с GIF.. Вполне закономерно, что оскорбленные таким подходом пользователи все чаще и чаще призывают использовать вместо GIF аналогичный, но пока что бесплатный стандарт PNG. Кроме того, мощную конкуренцию обоим этим форматам сегодня составляет так называемая Flash-анимация (о ней мы подробнее поговорим в одноименной главе).

PNG — этот формат в сети самый молодой и оттого популярность его не слишком велика. Продвигают PNG преимущественно энтузиасты, возмущенные неожиданно коммерциализацией GIF, простые же пользователи, как правило, относятся к правовым проблемам гораздо спокойнее. Впрочем, PNG обладает и рядом реальных преимуществ перед GIF — в частности, он использует усовершенствованный алгоритм сжатия изображений, за счет чего PNG-картинки несколько становятся компактнее. Кроме того, многоцветные картинки выглядят в PNG несколько естественнее.

Создавать и редактировать графику для веб-страниц нам придется с помощью двух групп программ.

- Первые — обычные графические редакторы, хорошо знакомые каждому художнику или дизайнеру. Как правило, все крупные современные пакеты (такие как Adobe PhotoShop или Paint Shop Pro) содержат в себе дополнительные модули подготовки иллюстраций для размещения в WWW и их предварительной оптимизации.

- Вторая группа — специализированные пакеты для быстрого изготовления специальных видов веб-графики и оптимизации изображений (Xara WebStyle, Xara3D, GIF Animator).

С некоторыми из этих программ мы и познакомимся в следующих главах.

Учтите, что, помещая здесь описания тех или иных программ, я не собираюсь доказывать вам именно их превосходство и незаменимость. Конечно, Adobe Photoshop в сочетании с Adobe ImageReady и Adobe Illustrator способны решить практически все проблемы, с которыми вы сможете столкнуться при создании веб-графики. Однако многие (и не без оснований) предпочтут ImageReady комбинацию программ Ulead — Gif Animator и SmartSaver. Или продукт корпорации Macromedia — Fireworks. Или...

Выбор велик, и ваше дело — подобрать именно те инструменты и программы, которые пригодны именно для вас, для вашего уровня подготовки и круга решаемых задач.

И напоследок — несколько общих рекомендаций.

- Помните о том, что экранное разрешение — 72 точки на дюйм (dpi). Именно на него и стоит рассчитывать, создавая графику исключительно для Интернет.
- Помните о том, что с учетом всех графических элементов ваша страница в большинстве случаев не должна «весить» больше 50—70 кбайт. Иначе многие пользователи просто не дождутся ее загрузки. А потому...
- Используйте графику только там, где она реально необходима! Во всех иных случаях смело заменяйте графические элементы текстовыми, а анимированные рисунки — анимациями на основе Flash.
- Всегда старайтесь подобрать оптимальную цветовую палитру для своих иллюстраций — излишние цвета и оттенки глаз может и не различить, зато на объем картинки они повлияют не лучшим образом.
- Любую подготовленную вами иллюстрацию обязательно оптимизируйте для лучшего сочетания качества и объема с помощью специальных программ — например, Adobe ImageReady.

Популярные графические программы

PAINT SHOP PRO (JASC SOFTWARE)

Paint Shop Pro — яркий пример простого комбинированного редактора, который может работать как с векторной (рисованной), так и растровой (сканированной) графикой. Особенно силен этот редактор именно в обработке сканированных изображений — он вполне успешно конкурирует даже с таким профессиональным продуктом, как Adobe Photoshop. Напомним, что именно эта задача — обработка введенных со сканера фотографий для последующего размещения в печатном изда-

Paint Shop Pro

нии или WWW-странице Интернет — часто встает перед рядовыми сотрудниками офисов, не обладающими навыками профессии дизайнера. Paint Shop Pro поможет таким пользователям достойно выйти из положения, а заодно и получить подготовку для перехода на Adobe Photoshop.

Paint Shop Pro умеет не только обрабатывать фотографии, но и создавать свои собственные рисунки. В этом программа действительно уникальна: существует масса «рисовалок» и редакторов цифровых изображений, но программ, которые могут работать с обоими типами графики — кот наплакал! Да и многим профессиональным редакторам Paint Shop Pro даст сто очков вперед при работе с их родными графическими форматами. Кстати, их Paint Shop Pro поддерживает... около полусотни (рекорд!). Благодаря этому Paint Shop Pro можно успешно использовать не только в качестве редактора или программы просмотра изображений, но и как преобразователь из одного формата в другой.

Обработка фотоизображений. Как мы уже говорили, Paint Shop Pro может с успехом заменить в этой области признанного короля — Adobe Photoshop. И если до выхода в свет пятой версии Paint Shop Pro продукт от Adobe вырывался на полкорпуса вперед за счет работы со слоями (layers), то теперь это преимущество исчезло. Paint Shop Pro 5 тоже умеет работать с картинкой, как со слоеным пирожком, накладывая друг на друга десятки изображений — слоев. Один — на фон, подложку, второй — на основное изображение, третий — на рамочку. И так далее, вплоть до бесконечности. С каждым слоем можно работать как с отдельной картинкой: редактировать, изменять размер, добавлять эффекты и т. д.

Кстати, говорить о том, что Paint Shop Pro поддерживает все основные операции по редактированию фотоизображения — ретушь, калибровку цветов, резкость, наложение теней, вырезание контура и так далее — видимо, нет никакой нужды. Гораздо труднее придумать операцию, которую он выполнить не сможет...

Немаловажное достоинство Paint Shop Pro заключается в том, что эта программа может пользоваться традиционными инструментами того же Photoshop — масками, а также фильтрами и эффектами, реализованными в виде отдельных файлов-дополнений (иначе — plugins, «плагинов»). Плагинов для Photoshop существует больше сотни и найти их нетрудно — в той же сети Интернет. С их помощью вы можете легким нажатием кнопки превратить самую обычную фотографию в...

- Мозаику
- Чеканку
- Картину в стиле Гогена или Дали
- Гравюру
- Тиснение
- Набросок карандашом
- Изображение сквозь волнующуюся поверхность воды
- Смазанное изображение
- «Трехмерное» изображение

И так далее. Перечислить те богатства, которые могут предоставить художнику «плагины» под управлением Paint Shop Pro просто невозможно. Куда там Picture-It! с его жалким десятком эффектов... Кстати, с помощью Paint Shop Pro вы можете даже создать собственные фильтры!

Как известно, все мы иногда совершаем ошибки. Профессионалы — не исключение. А поскольку один неверный шаг в программе редактирования изображений грозит гибелью всему «полотну», обязательно должна быть предусмотрена возможность отмены последних внесенных изменений. Увы — в том же Adobe Photoshop можно отменить только одно, последнее действие, — и эта «особенность» программы, упорно не исправляемая в течение многих лет, изрядно досаждает компьютерным художникам. А теперь — внимание! — радуйтесь и ликуйте: Paint Shop Pro 5 поддерживает многократную отмену! Причем для того, чтобы добраться до ошибочного действия, скрытого «пластами» последующих операций, не надо до умопомрачения жать кнопку «Назад» — достаточно найти нужное действие в Журнале отмены.

Создание изображений. Рисование — процесс, совершенно не схожий с обработкой введенных со сканера изображений. Совсем другая технология и тип картинки. При увеличении/сжатии фотографии изменяются — их качество ухудшается или, наоборот, улучшается. Рисованные изображения или, как говорят спецы, векторная графика — выглядят одинаково при любом увеличении или уменьшении. Их цвета все так же ярки, не возникает режущая глаз зернистость...

Понятно, что для создания и обработки векторной графики применяются совсем другие программы. Например, мощная рисовалка CorelDraw или, на худой конец, стандартная программа Paint! из комплекта Windows.

Но в нашем случае других программ не потребуется. Ибо старина Paint Shop Pro 5 может рисовать не хуже самого CorelDraw, а вдобавок — еще и редактировать созданные последним файлы.

Paint Shop Pro рад предоставит в ваше распоряжение всевозможные инструменты, достойные настоящего художника: десятки кистей, мелков, карандашей, перьев, маркеров, пульверизаторов и т. д. Для каждого инструмента вы можете установить массу всевозможных параметров: толщину следа, степень его прозрачности, величину «шага»... И, конечно же, — цвет, пользуясь «палитрой» из десятков тысяч цветов и оттенков — работа с цветами в Paint Shop Pro поставлена на настоящую профессиональную основу.

Как и в Paint! (стыдно даже сравнивать!) в Paint Shop Pro вы можете как вдохновенно вычерчивать «кистью» линии и мазки, так и вставлять в ваше «полотно» стандартные (и не очень) геометрические фигуры произвольных размеров, а также разнообразные кривые и линии.

Создание анимаций. Да-да, вы не ошиблись. Paint Shop Pro действительно умеет создавать анимации! Не полноценные мультфильмы, а всего лишь модные сегодня «анимированные» картинки в формате Animated GIF. Вот уж точно — настоящее сокровище для Web-мастеров...

Просмотр графических файлов. Обычный просмотр графических файлов в уже упомянутой полусотне форматов я здесь в расчет не беру — это и так ясно. Paint Shop Pro умеет гораздо больше — с помощью специального модуля воспроизводить все файлы в заданном вами каталоге, представляя их в виде «виртуального альбома» или «виртуальной галереи».

Сохранение в файл копии экрана. В Paint Shop Pro есть и такая возможность! «Сбрасывание» в файл картинки с экрана компьютера — необычайно полезная вещь, которой, кстати сказать, неоднократно пользовался и автор этой книги (неужели не заметно?). Правда, для этого мною использовались другие программы — условно бесплатные специализированные утилиты. А покупатель Paint Shop Pro получает эту возможность, так сказать, в придачу...

ADOBE PHOTOSHOP (ADOBE)

Компания Adobe (http://www.adobe.ru) — любимица профессиональных дизайнеров и всех тех, чей род занятий связан с обработкой и созданием изображений. Такие программы от Adobe, как Adobe Photoshop и Adobe Illustrator — одинаково почитают пользователи не только народного PC, но и известного зазнайки Macintosh, а это уже о многом говорит.

Ударный пакет от Adobe — это, конечно же, Adobe Photoshop, непревзойденный редактор оцифрованных изображений, признанный всеми стандарт. Продукту от Adobe трудно даже подобрать достойного конкурен-

Adobe Photoshop

та: единственный серьезный соперник Photoshop — программа Corel PhotoPaint, входящая в комплект CorelDraw, обладает несколько меньшими возможностями. До поры до времени преимущество PhotoPaint заключалось в возможности многократной отмены сделанных изменений (тем же, напомним, хвастал и Paint Shop Pro), однако в пятой версии Photoshop, вышедшей в свет в мае 1998 года, эта возможность уже присутствовала.

Вне всякого сомнения, вы уже знаете кое-что об основных рабочих качествах Photoshop. Рассказывая о других графических редакторах, мы не раз приводили именно его в качестве эталона, на который должны равняться. Однако напомним их еще раз:

- Возможность создания многослойного изображения. При этом каждый элемент иллюстрации может быть сохранен в собственном, отдельном слое, который может редактироваться отдельно, перемещаться относительно других слоев и т. д. Конечное изображение можно сохранить как в оригинальном, «многослойном» виде (формат PSD), так и слить все слои в один, переведя готовую картинку в один из стандартных форматов — JPG, GIF, TIF и т. д.
- Улучшенные инструменты для работы с текстом. Начиная с шестой версии программы, вы можете добавлять текстовые вставки в любой участок изображения, «набивая» текст прямо поверх картинки. В дальнейшем текст можно редактировать, указав на него мышкой.
- Около 100 разнообразных фильтров и спецэффектов, возможность подключения дополнительных plug-ins.

- Несколько десятков инструментов для рисования, вырезания контуров изображения.
- Богатейшие возможности совмещения изображений, работа с текстурами.
- Возможность работы с десятками популярных графических форматов.
- Профессиональные инструменты для выделения и редактирования отдельных участков изображения.
- Формат файлов, общий для платформ PC и Mac.
- Возможность многоступенчатой отмены внесенных изменений.

Внимательные читатели уже заметили, что большинством этих качеств (за исключением, пожалуй, работы с масками), обладают и многие другие графические редакторы, например, уже упоминавшийся выше Paint Shop Pro. Обладают, спору нет. По отдельности. Но чтобы всеми и сразу...

Однако неплохой набор средств редактирования сам по себе не дает Photoshop того преимущества, которое он имеет сегодня. Другое дело, что все эти инструменты реализованы не на любительском уровне (как в Microsoft Picture-It!, к примеру), а на самом что ни на есть профессиональном.

Работа с цветами — вот качество, которое возносит Photoshop на поистине недосягаемую высоту. И которое остается, увы, невостребованным в руках многочисленных нелегальных пользователей — они, в лучшем случае, пользуются грубыми регуляторами тона и контраста...

Совершим небольшой экскурс в область издательского дела. Как известно (впрочем, не всем), компьютерный монитор показывает изображения в режиме RGB, т. е. в формировании картинки участвуют три основных цвета — красный (Red), зеленый (Green) и синий (Blue). Причем каждый монитор имеет свои индивидуальные особенности цветоотображения. Между тем в полиграфии при печати цветных картинок используется совершенно другая схема — четырехцветная CMYK, Cyan-Magenta-Yellow-blacK (Голубой — Пурпурный — Желтый — Черный).

При выводе картинки, подготовленной в RGB, на CMYK устройстве печати (например, на пленочном принтере) вы можете быть неприятно удивлены: цвета на пленке будут значительно отличаться от тех, что вы видели на экране вашего монитора!

Конечно, для домашних пользователей эта проблема неактуальна — ведь максимум, на что претендуют сделанные в домашнем редакторе картинки, это вывод на бытовой струйный принтер. И небольшое расхождение в цветах здесь уже не столь важно.

Другое дело — профессиональная деятельность. Здесь мелочей не бывает. И профессиональный редактор Adobe Photoshop именно тем от любительских программ и отличается, что может спокойно работать с обоими режимами цветоделения! Вы можете просматривать и редактировать картинку как в режиме RGB, так и в CMYK.

Таких удивительных успехов Photoshop достигает с помощью профайлов для устройств печати и мониторов — специальных файлов, содержащих сведения о «повадках» практически любого монитора или принтера. И в полном соответствии с их указаниями Photoshop подстраивается под ваши устройства, выводя на экран цвета с учетом их особенностей.

Adobe Photoshop снабжен инструментами для тончайшей регулировки цветов отсканированного изображения, причем параметры каждого цвета или оттенка в картинке можно отрегулировать отдельно. В частности, Photoshop умеет разбивать редактируемое изображение на «каналы», соответствующие основным цветам.

Модули создания спецэффектов — другой козырь Photoshop. Конечно, эти модули могут использовать и многие более слабые редакторы — тот же Paint Shop Pro, к примеру. Однако только Photoshop дает возможность насладиться предоставляемыми им возможностями сполна. Этих модулей (или «фильтров») существует сотни — от простых, повышающих резкость изображения, до весьма экзотических, позволяющих создавать трехмерные объемные объекты из двухмерных фото, имитировать эффекты взрывов, сигаретного дыма и т. д.

Разумеется, столь мощных инструментов вы не найдете ни в одном «домашнем» графическом редакторе. Это и понятно: для того, чтобы обработать картинку для собственного виртуального фотоальбома или страницы Интернет, вполне хватает мощности самых простых редакторов изображений (для которого верх умения — удаление эффекта «красных глаз» на сделанных «мыльницей» любительских фото). Но подготовить иллюстрацию для качественной печати на профессиональном цветном принтере или вывода на пленке — совсем другое дело. Человеческий глаз может не заметить небольших погрешностей в цветах картинки на экране, но на печатной копии они станут прямо-таки бросаться в глаза.

Панели инструментов. Панелей (или, сказать точнее, их групп) в Photoshop три. В левой части экрана вы увидите панель инструментов, в которые может перевоплотиться курсор вашей мышки — кисть, ластик, «бритва», текстовый курсор, «лассо» и рамки для выделения отдельных участков изображения, лупа, штамп и прочие инструменты. При этом каждый инструмент существует в нескольких модификациях — так, прямоугольную рамку для выделения можно сменить на круглую, простое лассо — на «магнитное», «прилипающее» к контурам изображения и так далее.

В зависимости от выбранного вами инструмента изменит вид и главное меню в верхней части страницы, предлагая вам именно тот набор параметров и регулировок, который требуется в данном конкретном случае. Например, при работе с текстом вы найдете здесь окно смены гарнитуры, кегля и начертания, используя «пульверизатор», ластик или «карандаш», сможете отрегулировать размеры «острия» инструмента.

Наконец, некоторые самые важные и часто используемые функции:

Специальные инструменты для Интернет. Последние версии Adobe Photoshop обзавелись отличной «присадкой» в виде программы ImageReady, позволяющей оптимизировать ваши фотографии для публикации в Интернет. ImageReady поможет вам подобрать грамотную степень сжатия (а в формате GIF — еще и нужную палитру цветов), чтобы изготовленная вами картинка занимала минимально возможный размер при сохранении приемлемого качества.

ADOBE IMAGEREADY (ADOBE)

Может быть, описывать эту программу, как отдельный продукт, и нет смысла. Когда-то ImageReady действительно продавалась отдельно, но с недавних пор функционирует в качестве полноценного... «придатка» к популярнейшему пакету Adobe Photoshop.

Впрочем, и та и другая программы от этого сотрудничества только выиграли. Теперь, отсканировав картинку и обработав ее в Adobe PhotoShop, вам нет нужды сохранять файл и загружать его снова уже в другой программе — достаточно просто выбрать команду меню File/Jump to.../ImageReady. И ваша графическая «заготовка» немедленно окажется на «верстаке» этой отличной программы.

Чем же она именно отлична? В смысле — и от других, и сама по себе. Попробуем расписать хотя бы некоторые из ее достоинств.

Начнем с того, что ImageReady — действительно многофункциональная программа, полностью берущая на себя весь круг работ по подготовке вашей картинки к сетевой публикации. Во-первых, в ней можно не только редактировать, но и создавать картинки — большинство инструментов, хорошо знакомых нам по PhotoShop, присутствует и здесь, включая спецэффекты! Однако сейчас мы лучше остановимся на функциях, присущих именно ImageReady. И убедимся в том, что для дизайнера эта программа — поистине незаменимое оружие!

Оптимизация графики в Adobe ImageReady

Оптимизация. Именно как оптимизатор графики и предпочитает использовать ImageReady большинство пользователей, остающихся в благом неведении относительно других талантов этой программы.

Итак, оптимизация. То есть — разумный подбор цветовой палитры, качества сжатия и прочих параметров изображения с целью сэкономить вам несколько лишних килобайт. Делает это программа следующим образом: открыв в ImageReady любую картинку, вы тут же можете переключиться в режим просмотра сразу трех оптимизированных вариантов.

Продегустировав предложенные «блюда», вы, сообразуясь с ощущениями ваших глаз, можете подобрать идеальный вариант — и уже его сохранить в качестве окончательного с помощью команды File/Save Optimized As...

Анимация. С помощью ImageReady вы можете создавать «живые» картинки — «мини-мультфильмы» в популярном формате Animated GIF. Для рассказа о нем, впрочем, будет выделена специальная глава, а пока что просто отметим, что и это ImageReady умеет.

Создание «изображений-карт». Я как-то бегло упоминал о том, что любая картинка, предназначенная для размещения на веб-странице, может быть предварительно нарезана на кусочки, каждому из которых будет присвоена собственная гиперссылка. Так что новостью это ошеломляющее известие для вас не станет. Теперь мы посмотрим, как именно это можно делать в ImageReady.

Готовая к разделке картинка лежит перед нами, беспомощная и покорная. А издеваться над несчастным животным мы будем с помощью устрашающего инструмента под названием Rectangle Image Map Tool, присутствие которого на скопированной с PhotoShop панели инструментов мы могли с первого раза и не заметить. Теперь же стоит вспомнить про его существование.

Подобно многим другим инструментам PhotoShop, Rectangle Image Map Tool (для простоты наречем его просто Разметчиком) может принимать разные формы: Разметчик прямоугольный, Разметчик круглый и так далее. А это значит, что области, которые мы можем выделить с его помощью, могут быть довольно хитроумной формы. Чем многие дизайнеры с успехом и пользуются — как вам, например, изображение дерева, каждый листок на котором помечен собственной ссылкой?

Еще более забавный эксперимент провели в далеком 1999 году русские вебмастера, создавшие интернет-вариант «Черного квадрата» Казимира Малевича, в котором чудесным образом поместился... весь русский Интернет (http://www.lexa.ru:8101/lexa/black/)!

Сделано это было так: обычная черная плашка размером 155 на 155 точек, была разбита на 27 тысяч участков размером по одному пикселю — и каждый из них был снабжен гиперссылкой на один из российских серверов! Конечно, пользоваться такой «картой» для поиска нужной информации было не слишком удобно, зато как интересно было наугад ткнуть мышкой... и посмотреть, что из этого выйдет!

...Но мы отвлеклись, а дело-то наше так до сих пор не закончено!

Итак, картинку мы разметили. И что теперь? А теперь нам нужно сохранить размеченную картинку в формате.... HTML! Ничего удивительного здесь нет — ведь при использовании «Разметчика» мы не собираемся разделывать картинку на куски в буквальном смысле. Просто по завершении этой операции в пару к оригинальному файлу картинки создается гипертекстовый документ, который как раз и содержит всю созданную нами схему разметки, но пока еще не содержит самих ссылок. Ничего страшного — ссылки любому из созданных нами участков картинки можно присвоить, открыв полученный HTML-файл в любом веб-редакторе (DreamWeaver, FrontPage). А при минимальном знании языка HTML можно внести изменения и самостоятельно, непосредственно в код страницы.

Создание меняющихся кнопок (rollover). И об этом мы с вами уже говорили — помните кнопки, которые меняют свой цвет и даже форму при приближении грозного мышиного курсора? Вот их-то мы и будем создавать в ImageReady.

Конечно, для начала нам нужна оригинальная кнопка. Не будем пока извращаться с фонами и причудливыми формами, а просто создадим здесь же, в ImageReady, новый объект в форме прямоугольника размером 80 на 40 пикселей. Зальем этот прямоугольник черным цветом и белыми буквами напишем на нем слово «Кнопка».

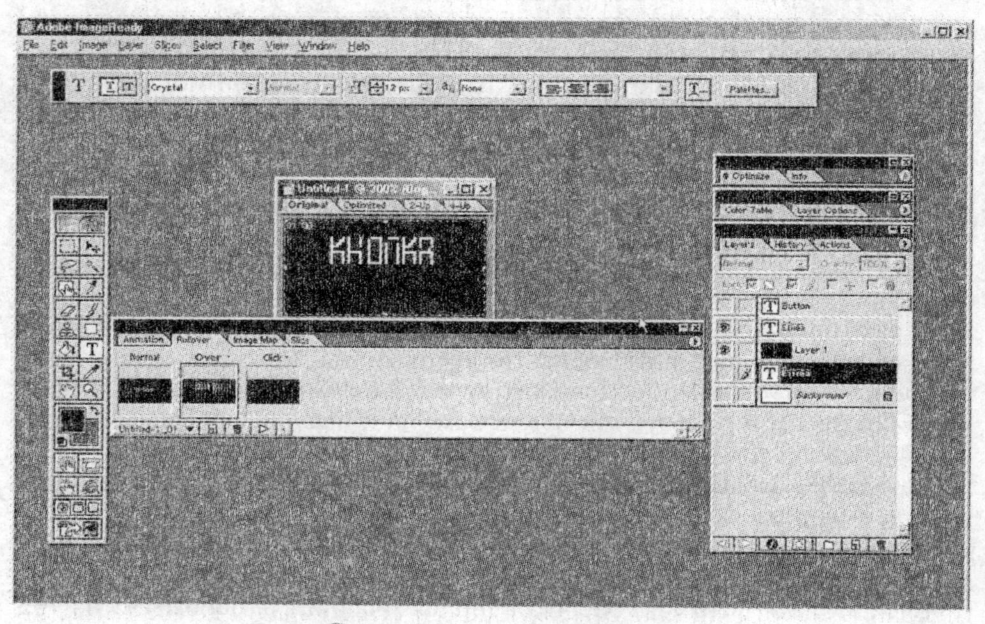

Создаем кнопку в ImageReady

Теперь посмотрим вниз, где и отыщем монтажную панель с несколькими вкладками. Переключимся в режим Rollover. Теперь нажмем на стрелочку в правом верхнем углу монтажной панели и выберем пункт меню New State. И еще раз. И еще. И еще!

В итоге у нас получится несколько копий кнопок, каждая из которой будет соответствовать определенному действию. Выберем на первый раз три состояния нашей будущей кнопки:

- Normal — обычный режим. Кнопка тихо и мирно спит.
- Over — это обличье наша кнопка примет при наведении курсора мышки.
- Click — а так она будет выглядеть в момент щелчка по ней.

Пока что все кнопки одинаковы. А ведь как минимум двум нам придется придать новое обличье! И делаем мы это с помощью хорошо знакомого нам механизма слоев. Мы как будто наложим на оригинальную картинку прозрачную пленку, на которой нанесем новый рисунок, и пленок таких может быть несколько.

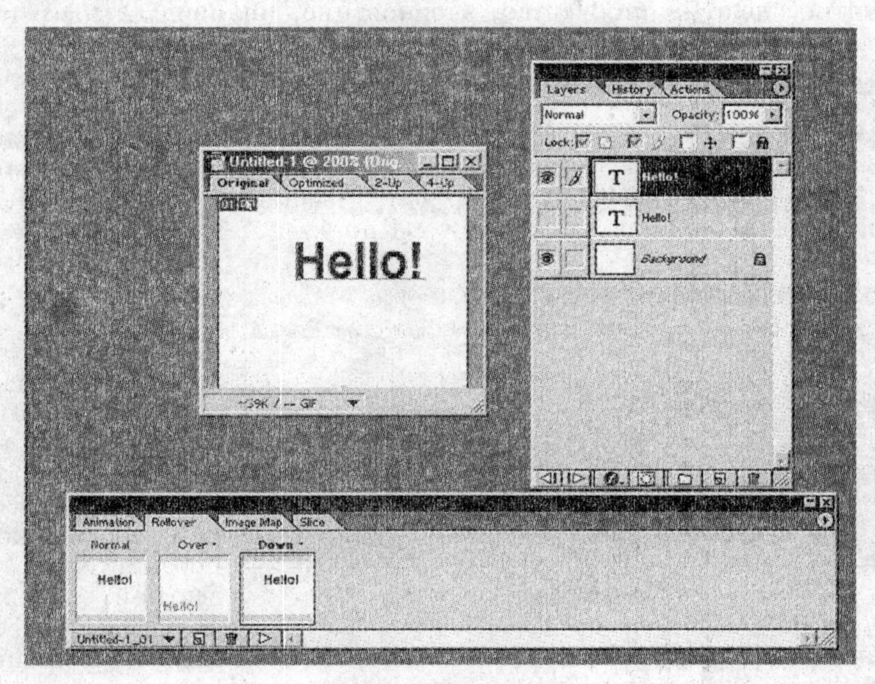

Etype Dialer

Выделим первую картинку и обратимся к панели «Слои» (layers), которая проживает в правой части экрана. Добавим к существующим слоям еще два — по одному для каждой кнопки (меню Layer/New/Layer вверху странички). Сделали? Отлично. Теперь перейдем в режим редактирования нового слоя, щелкнув мышкой по его имени на панели слоев, и... будем обращаться с ним, как с чистым листом бумаги. С новой кнопкой. Зальем заготовку цветом — только на этот раз не черным, а белым. И напишем то же самое слово «Кнопка», но уже черными буквами. Со следующим слоем поступим точно также, но только буквы у нас будут... ну, скажем, красные.

Ну, а теперь нам остается только сделать так, чтобы для каждой кнопки отображались только некоторые слои. Это тоже нетрудно: на той же панели слоев, слева от имени слоя, вы увидите изображение глаза. Это значит, что слой активен и виден. Щелкните по глазу — он пропадет, а с его отсутствием сделается невидимым и слой! Значит, нам остается только, выбирая кнопку за кнопкой, помечать для каждой нужные слои — и дело в шляпе!

Готовая кнопка, как и в случае с изображениями-картами, сохраняется в двух файлах — GIF и сопутствующем ему файле HTML.

XARA WEBSTYLE (XARA)

Возможно, эта программа вызовет лишь снисходительную усмешку у веб-мастеров со стажем, привыкших создавать всю графику для своих сайтов самостоятельно, в программах типа Adobe Illustrator. Понятное дело — творчество, вдохновение, индивидуальный подход...

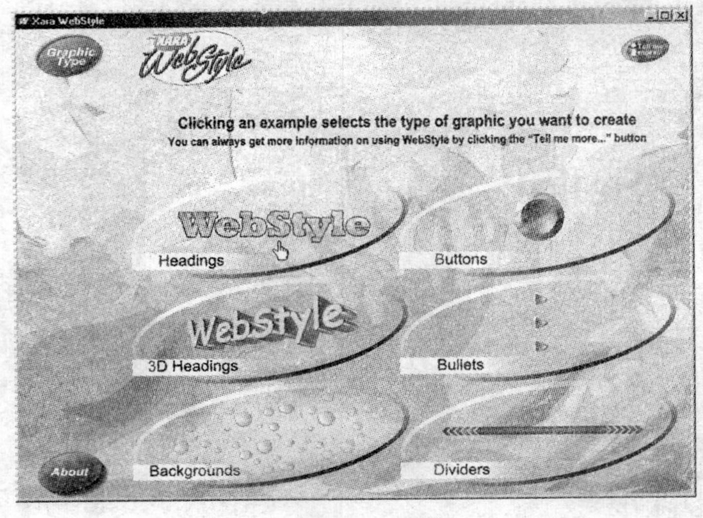

Xara Webstyle

Однако ваш покорный слуга, к примеру, рисовальческим талантом увы, не наделен. И что же прикажете делать в этой ситуации? Ведь, как ни крути, а все эти кнопочки-заголовки необходимы...

И вот тут-то и пригодится небольшая программка от известной многим корпорации Xara. Известной, между прочим, и профессионалам — именно Xara лет пять назад учинила маленькую революцию в дизайнерском мире, выпустив одноименную программу обработки векторной графики. С удивлением обнаружилось, что компактная и недорогая Xara ухитрилась составить нешуточную конкуренцию такому графическому монстру, как CorelDRAW! В итоге перепугавшийся Corel не замедлил купить программу — из соображений «кабы чего не вышло». Однако сама корпорация Xara продолжает выпускать неплохие программы и поныне.

Программа для создания веб-графики WebStyle появилась на свет аж в 1998 году, и с тех пор не подвергалась существенным изменениям. Три года — стаж для программы рекордный, и это лишний раз доказывает, что WebStyle был сработан на совесть.

В этой программе вы не встретите ни рабочего стола, ни многочисленных инструментов — ничего! Только большую библиотеку форм да удобных Мастеров, с помощью которых вы сможете за несколько секунд создать десятки видов

- Баннеров
- Красочных заголовков на плашках
- Трехмерных заголовков
- Кнопок
- Фоновых рисунков

И прочего оформительского добра. Все просто и понятно — выбираете понравившийся шаблон из обширной библиотеки, в случае необходимости добавляете нужный текст, заказываете размер... И готово!

В принципе, на этом разговор о WebStyle можно закончить — подробные разъяснения о способах использования этой программы столь же необходимы вам, как и инструкция к лопате. Но не удержусь, чтобы не сказать пару лестных слов в адрес, на мой взгляд, самого главного достоинства программы — гибкости.

И в самом деле: хоть WebStyle и использует готовые шаблоны и заготовки, однако, когда вы по завершении творческого процесса утрете пот со лба, может оказаться, что от первоначального шаблона не осталось практически ничего! Меняется все: цвет всех элементов шаблона, сама его структура, способ расположения на страничке... Поскольку каждая заготовка состоит из множества более мелких деталей, вы можете безболезненно удалить любые из них, получив в итоге совершенно другой графический элемент. Разумеется, можно пользоваться любыми шрифтами, даже самыми экзотическими — и это в сочетании с вычурностью (или простотой) поможет вам создать свой собственный, индивидуальный стиль оформления. Пусть даже на основе типовых библиотек...

Судя по всему, все свои заготовки WebStyle хранит в векторном формате, хотя на выходе вы, конечно, получаете растровый GIF или JPG файл. Иначе как объяснить тот факт, что шаблоны программы можно безболезненно растягивать практически до любых размеров, не теряя при этом в качестве? А обширные возможности это дилетантского на вид редактора лишний раз доказывает способности Xara изящно сочетать простоту и удобство в любой из своих программ...

Пробную версию Xara Webstyle всегда можно найти на сайте корпорации — http://www.xara.com.

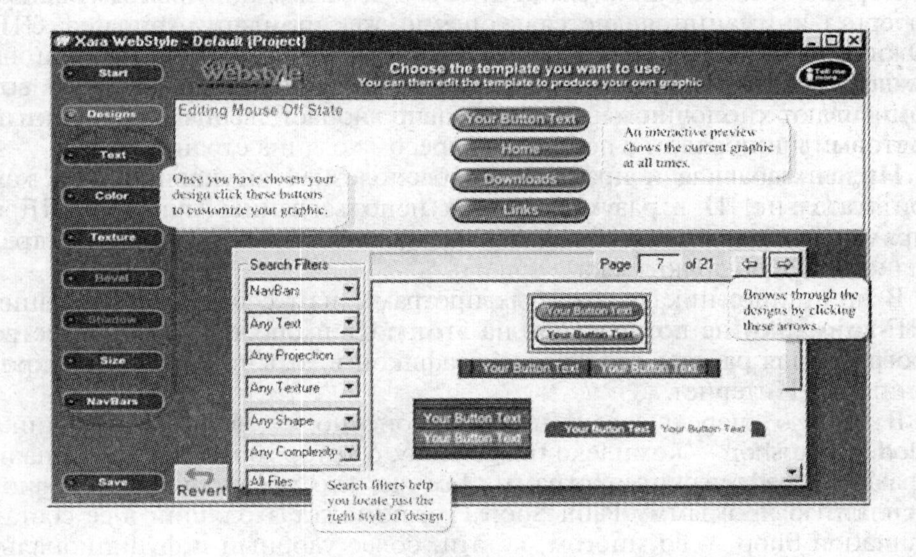

Шаблоны кнопок в Xara Webstyle

АНИМАЦИЯ В ВЕБ-ДИЗАЙНЕ

Прошло совсем немного времени после рождения WWW, и восторги по поводу непривычного графического оформления сайтов успели поутихнуть. Простая графика стала обыденностью, стандартом — и уже никого не удивляли яркие странички с тщательно прорисованными кнопками и менюшками.

Публике захотелось нового. Публике захотелось жизни — чтобы кнопки подмигивали, чтобы меню распахивались вам навстречу. Чтобы страница была не застывшим в бронзе обелиском, а живой, изменяющейся.

Вот так в мир веб-дизайна пришла анимация. Сначала появились робкие и неуклюжие анимированные картинки в формате GIF: выжать из них что-то путное было, конечно, трудно, но необходимую толику движения на странички они добавить сумели. А пару лет назад грянула эпидемия Flash — и странички зашевелились уже по-настоящему, задышали полной грудью. Ожили настолько, что многие уже начали с тоской вспоминать про старые добрые времена...

Сегодня эти два вида анимации пока еще не равноправны. Если Animated GIF пока что незаменим на домашних страничках, то возможности Flash вовсю используют профессионалы при строительстве мощных корпоративных сайтов. Впрочем, никто не мешает вам использовать при работе над своей собственной страничкой оба этих вида — главное, чтобы использовались они разумно. Ведь лучший сайт, как известно, обладает всем необходимым, но не содержит излишеств!

GIF-анимация

Первым и самым простым (а оттого — и самым популярным) видом интернет-анимации является, конечно же, стандарт Animated GIF. «Оживленные» GIF-иллюстрации вы можете найти практически на каждой странице: вот назойливо зазывает гостей нахальный баннер, вот помигивают кнопочки меню, вот забавно хлопает дверцей мультяшный почтовый ящик рядом с почтовым адресом хозяина странички...

Милая, забавная и практически бесполезная штуковина... Но как притягательно! И в разумных дозах использование Animated GIF и впрямь способно помочь начинающему веб-дизайнеру придать страничке должную долю лоска.

В принципе, никаких особых программ нам с вами для создания GIF-анимации не потребуется: на этот подвиг способно большинство программ для работы с растровой графикой и хоть чуточку ориентированных на Интернет.

В первую очередь, стоит назвать, конечно же, верного соратника Adode Photoshop — комплекс ImageReady, о котором мы уже упоминали в разделе графических программ. Тем же, кто предпочитает условно-бесплатную программу Paint Shop Pro, поможет входящий в ее состав Animation Shop — во многом, кстати, более удобный и функциональный, чем программа от Adobe.

Однако знакомиться с принципами создания «живых картинок» мы будем именно на примере ImageReady. И не только по причине сильно могучих умений этой программы, но и из-за ее распространенности. Ведь установить на свой компьютер Adobe PhotoShop ныне считает делом чести любой новичок, а в комплекте, сам того не ведая, получает мощный инструмент для веб-дизайна.

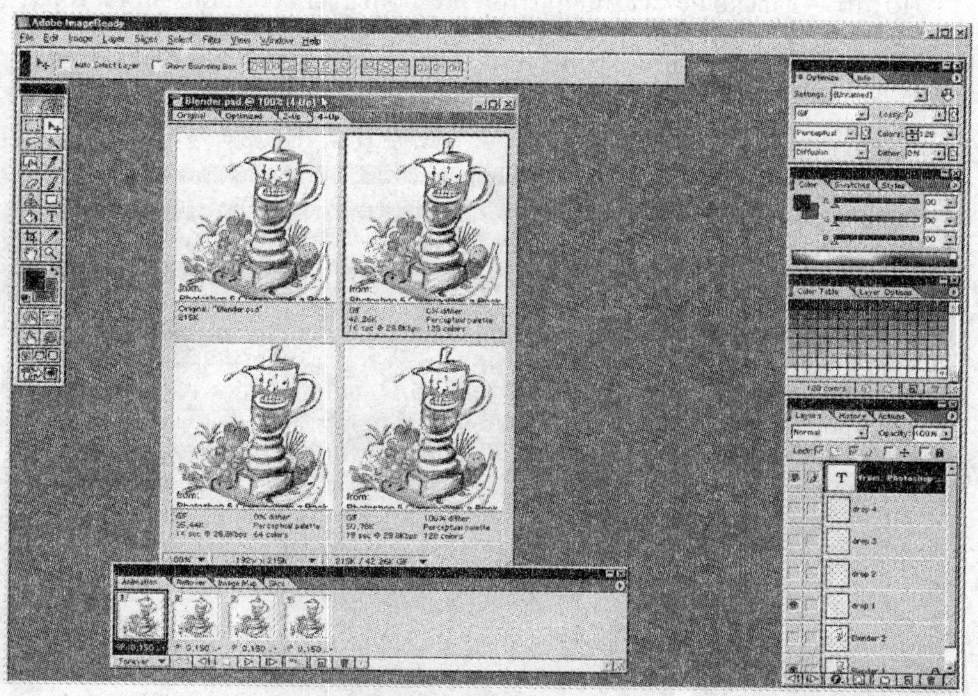

Adobe ImageReady

Итак, создаем исходную картинку нужного размера. Теперь открываем и оптимизируем ее в ImageReady уже знакомым нам, по одной из предыдущих глав, способом. Затем начинается самое интересное — создание анимации. Каждый обрабатываемый вами в ImageReady кадр получает крохотного «двойника» на монтажной линейке. В случае обработки одиночного кадра он так и остается в гордом одиночестве, да и саму линейку мы даже не замечаем! Но теперь самое время это сделать — ибо именно она станет нашим основным рабочим инструментом.

Для начала создадим «чистую» заготовку нужного размера — например, 100 на 100 точек. Теперь напишем в его верхней части нужный нам текст — например, «Жми сюда!». Выберем нужный шрифт и кегль, чтобы надпись выглядела красиво... Сделали?

Теперь, закончив издевательства над первым кадром, создадим его двойника. Для этого щелкнем по стрелочке в правом верхнем углу монтажной линейки (не забыв выбрать вкладку Animation) и выберем строчку New Frame.

У нас образовался новый кадр! Теперь, вернувшись в режим редактирования, чуть-чуть сдвинем мышкой наш текст вниз. Сделали? Теперь повторите эту процедуру еще несколько раз, постепенно сдвигая текст к самому низу экрана.

В итоге у нас получилась «раскадровка», состоящая из 5—7 отдельных картинок. В качестве финального аккорда вы можете нажать кнопку запуска анимации под монтажной линейкой — и ваша надпись бодро поползет вниз!

Но это — далеко не самый простой и удобный способ анимации. Гораздо удобнее создать несколько «ключевых кадров», в нашем случае — два (надпись вверху и надпись внизу). А затем выбрать из меню монтажной линейки команду Tween — и все промежуточные кадры ImageReady прорисует самостоятельно! В итоге движение будет более плавным и ровным.

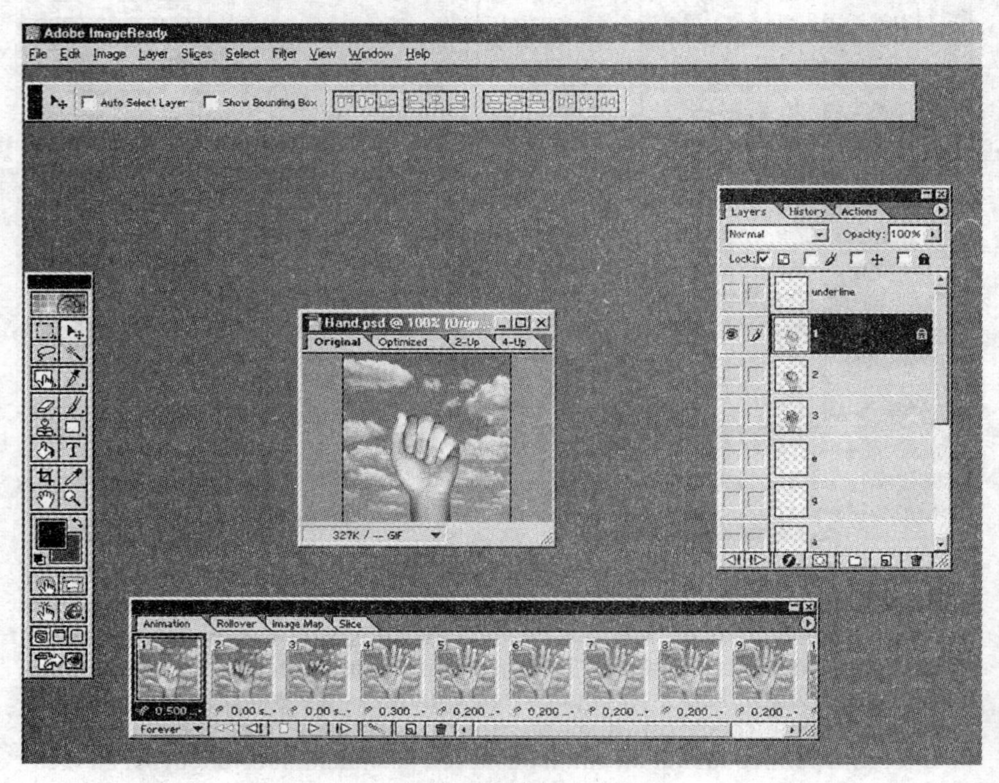

Etype Dialer

К сожалению, вся эта методика пригодна лишь для создания простых анимаций. Да, вы можете двигать текст по экрану, но попробуйте в это же самое время изменить кегль или цвет шрифта! Или картинку на фон добавить.

Тут нам придется действовать похитрее, взяв на вооружение хорошо знакомый нам инструмент из арсенала PhotoShop — слои (layers). Вы помните, что растровая картинка может состоять из множества слоев, каждый из которых будет нести свои элементы изображения. Причем слои эти можно сделать как видимыми, так и скрыть их от любопытных глаз! А это именно то, что нам нужно.

Значит, нам с вами предстоит изготовить именно такую, «слоеную» картинку, каждый слой в которой будет содержать один из нужных нам кадров. Добавить слои вы можете с помощью меню Layers или кнопки меню слоев в правой части экрана.

Естественно, в оригинальном виде она будет выглядеть нелепо: мешанина цветов, изображений, надписей... Не будем обращать на это внимания — просто расставим на линейке нужное количество копий одного и того же «многослойного» рисунка. А затем, обратившись к панели слоев в правой части экрана, для каждого кадра сделаем активным один-единственный нужный нам слой. Дальнейшие действия по «оживлению» этого ряда вам уже хорошо знакомы.

Наконец, можно составить анимированную картинку из из нескольких отдельных файлов-изображений, но эту процедуру вы можете освоить уже самостоятельно.

Готовый результат сохраните с помощью команды File/Save Optimized As... как картинку формата GIF, которую затем вы можете разместить на своей страничке. При этом обращайте внимание на размер получившегося изображения: для кнопки он не должен превышать 2—3 кбайта, а для баннера — 13—15 кбайт.

Теперь — советы для тех, на чьем компьютере по неведомым причинам еще не установлен Adobe PhotoShop или Paint Shop Pro. Не расстраиваетесь — для создания анимированных изображений вовсе нет необходимости прибегать к помощи именно этих монстров. Вполне достаточно более компактных и умелых программ, которых в Сети также немало и стоят они, как правило, недорого. К тому же для разового проекта всегда можно ограничиться «пробной», ограниченной по времени работы, версией программы.

Одной из самых популярных программ для создания GIF-анимации по-прежнему остается GIF Animator корпорации Ulead (http://www.ulead.com). Не стоит забывать и про мощный и умелый пакет Fireworks от корпорации Macromedia. Хотя бы потому, что, с какой бы областью веб-дизайна нам ни пришлось знакомиться в дальнейшем, придется признать превосходство именно ее продукции. Так, «верстальщик» DreamWeaver куда удобнее и мощней, чем его коллега FrontPage от Microsoft, ну а редактор веб-анимаций Macromedia Flash...

Об этом редакторе и формате, впрочем, разговор особый.

Flash-анимация

Не люблю громких слов, но то, что практически в одночасье сотворило с Интернетом детище фирмы Macromedia, сравнимо с настоящей революцией, со взрывом, с полным переворотом всех устоявшихся понятий и подходов. А ведь казалось бы — всего лишь создана новая технология анимации. Забавный и модный оформительский пустячок, баловство, обреченное на быстрое забвение...

Вспомним поучительную историю Java. Одно время эти небольшие программки-«апплеты», позволявшие значительно оживить скучный облик HTML-странички, встречались повсюду. На Java делали меню и забавные, прыгающие по экрану картинки, Java была у всех на устах. И поговаривали, что в недалеком будущем именно программисты на Java станут самыми востребованными и высокооплачиваемыми специалистами в мире. Не сложилось... Век Java оказался короток, восторги быстро поутихли, и сегодня этой вышедшей из модой «специей» все реже приправляют свои «блюда» не только опытные дизайнеры, но и новички, желающие навести на своей доморощенной страничке марафет.

С помощью Flash можно создавать настоящие мультфильмы

Технологии «интерактивной анимации» Flash, похоже, светит совсем иная судьба. И пусть со временем тот нездоровый интерес и фанатизм, который мы наблюдаем сегодня, поутихнет — Flash уже прочно «прописался» в дизайнерском арсенале, и вытеснить его оттуда будет непросто.

От общих слов перейдем к конкретике и попробуем составить краткий «словесный портрет» нашего героя дня.

Итак, Flash — это анимация. Но анимация совершенно другого рода, чем та, с которой мы имели дело прежде (в случае с Animated GIF). Это вам не тупо сменяющиеся на экране кадры, а живые, реагирующие на действия пользователя графические элементы.

То есть — анимация ИНТЕРАКТИВНАЯ!

Вот на экране лежит крохотное семечко. Наводите на него мышку — оно прорастает крохотным зеленым стебельком. Щелкаете по стебельку — и вот уже на его верхушке распускается удивительной красоты цветок!

Конечно, такая анимация в большинстве случаев вам на страничке не пригодится. Роскошь, баловство. А теперь замените семечко-цветок, к примеру, на навигационное меню, каждая кнопка которого при наведении мышки радостно выбрасывает вам навстречу целый перечень дополнительных пунктов! А ведь можно сделать так, что при этом же самом действии, даже без щелчка, будет меняться и все содержание вашей страницы, при этом текст торжественно спустится на экран откуда-то небес...

Чувствуете возможности? С помощью Flash вы можете создавать:

- Яркие анимированные заставки, настоящие мини-мультфильмы
- Баннеры
- «Активные» элементы страниц, навигационные меню, «живые» кнопки
- Отдельные страницы
- Наконец, весь сайт целиком!

Получится что-то вроде интерактивной энциклопедии виртуального мира. И не застывшего, а текучего, изменяющегося. За примером далеко ходить не надо — зайдите хотя бы на сайт создателей Flash по адресу http://www.macromedia.com или на Flash-раздел сайта http://www.olmapress.ru.

Кстати (маленькое отступление от основной темы нашей главы), сегодня с помощью Flash создаются не только сайты, но и настоящие мультфильмы! Зайдите, к примеру, на сайт Joe Cartoon (http://www.joe-cartoon.com), где вы можете найти десятки подобных мультяшек. При этом трехминутный озвученный ролик занимает не более полутора мегабайт, в то время как традиционный мультфильм даже в сжатом сиде занял бы, как минимум, в двадцать раз больше!

Вот мы и дошли до одного из самых значительных преимуществ Flash — невероятной экономичности этого формата. Выигрыш заметен не только на серьезной анимации, но и на небольших по объему «оживленных» картинках. Вспомните ту же GIF-анимацию, описанную в предыдущей главе: разместив в крохотном баннере всего лишь четыре-пять ключевых кадров, вы получите на выходе файл в полтора десятка килобайт! Баннер же, созданный на Flash, в большинстве случаев займет в несколько раз меньше места, при этом показываемая им картинка будет гораздо нагляднее. Не забудьте — подобно любому другому виду векторной графики Flash-картинки не теряют в качестве при масштабировании!

Возможности Flash великолепно проявляются не только при работе с графикой, но и с текстовой начинкой баннеров. На наших глазах каждая буква начинает скручиваться, трансформироваться, менять цвет. Вот надпись начинает растекаться лужицей расплавленного металла. В довершение картины на заднем фоне носится какой-то чокнутый

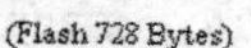

(Flash 728 Bytes) (PNG, 2413 Bytes)

Сравнение растровой и векторной (flash) графики

мультяшный персонаж! Интересно, какой бы объем вся эта красота заняла в Animated GIF?

Ларчик открывается просто: в отличие от других известных нам технологий Flash построен на основе не растровой, а векторной графики! Различие между этими двумя видами изображений вы, должно быть, помните: графика растровая (фото) состоит из отдельных точек, для каждой из которых нужно запомнить определенное количество параметров. В итоге получается реалистичное изображение — зато объемное.

Графика же векторная (рисунки) состоит уже не из точек, а из объектов, которые — целиком! — легко описать математическими формулами. Возьмем круг или квадрат — в векторной графике нет нужды описывать каждую его точку, надо лишь подобрать формулу, определяющую его границы. Да еще потратить пару байт на код цвета заливки... В итоге — тот же круг или квадрат, сохраненный в формате растровой графики, займет, как минимум, несколько килобайт. Во Flash — всего лишь 200—500 байт! Вспомним еще одно ценное свойство векторных картинок — их можно безнаказанно увеличивать без потери качества и увеличения объема исходного файла. Растровые изображения при увеличении становятся все более и более зернистыми, поскольку рассчитаны они на определенное разрешение и размер.

Все, что мы делаем во Flash — текстовые надписи, геометрические фигурки, даже сложные рисованные изображения — представляет собой именно такие, векторные объекты. За счет этого — и нешуточная экономия.

С рисунками понятно. А как же с анимацией? И здесь все просто. Принцип смены кадров, знакомых нам по Animated GIF, остался на месте. При работе с Flash пользователю точно так же нет нужды рисовать все кадры последовательности. Достаточно нескольких ключевых кадров, а промежуточные в простых случаях программа может прорисовать самостоятельно. И даже тогда, когда мы имеем дело со сложной фигурой — к примеру, с движущимся человечком, нам не придется каждый раз рисовать фигурку заново. Вспомним, что границы любых векторных объектов представляют собой кривые, усеянные множеством ключевых точек. Ухватившись мышкой за эти точки, мы можем изменять контур фигур, как нашей душе угодно.

И последнее: во Flash-анимацию можно встроить и звуковое сопровождение. Наиболее предпочтителен для этого популярный «сжатый» формат MP3, минута звучания в котором (с частотой оцифровки 22 кГц и 64 kbps) займет всего лишь около 200 кбайт! Конечно, это для нынешних скоростей Интернет тоже немало, поэтому в большинстве случаев используются куда менее продолжительные отрывки, длительностью в несколько секунд. Тем более, что их, как и анимацию, можно «закольцевать».

После того, как мы потратили столько времени на расхваливание достоинств Flash, стоит подлить капельку дегтя в эту бочку меда... В самом деле, стоит ли нам всем, поголовно, переходить на Flash-технологию?

Пункт первый. Конечно, создавать Flash-анимацию просто — в том случае, если человек обладает минимальными навыками по работе с векторной графикой. Но в целом процедура «флэшизации» сайта целиком может занять немало времени, да и сил на нее вы потратите немало. Может быть, лучше будет не слишком увлекаться и пренебречь некоторыми визуальными красотами в угоду содержательной части сайта? В том случае, если вы не делаете сайт самостоятельно, а заказываете его у профессиональных Веб-дизайнеров, ориентация на Flash может обойтись вам чересчур дорого — и в денежном, и во временном значении.

Вывод — оставьте сайты со стопроцентным содержанием Flash-анимации на долю крупных фирм, для которых имидж — прежде всего. Для своей домашней странички постарайтесь использовать Flash лишь там, где это реально необходимо — в тех же меню или баннерах. Да и то — с оглядкой.

Пункт второй. Для воспроизведения Flash необходима дополнительная программа, лишний модуль для того же браузера. Правда, все последние версии популярных браузеров оснащены поддержкой Flash, но за старые версии, установленные на слабеньких компьютерах (а парк техники пенсионного возраста у нас в стране гораздо больше, чем приличествует), поручиться трудно. А если вся ваша анимация неожиданно «забуксует» и вместо красивого мультика вы увидите анимированную... дырку от бублика?

Пункт третий. Не всегда применение Flash уместно с точки зрения имиджа. Посмотрите на большинство корпоративных сайтов, на ведущие сетевые издания, агентства новостей — большинство предпочитает ориентироваться на традиционные технологии. Flash-сайт — это яркая и наглядная реклама. Но если вам нужен сайт ИНФОРМАТИВНЫЙ, а не безупречный с визуальной точки зрения (эти понятия совместимы далеко не всегда), как минимум, ограничьте долю Flash на своей странице.

Пункт четвертый. Не забывайте о размере! Конечно, Flash-картинки весьма неприхотливы в своих требованиях к объему. Однако часто, увлекшись возможностями интерактивной анимации, пользователи мастерят какие-то особо изощренные «живые» картинки. И с удивлением обнаруживают, что получившийся в итоге файл уже давно превысил запланированный лимит в несколько килобайт... Отягощенная анимацией страница становится неповоротливой — во всяком случае, чистый HTML грузится гораздо быстрее.

Пункт пятый. При всей простоте изготовления Flash требует от пользователя не просто опыта в обращении с векторной графикой (у пользователям CorelDRAW знакомство с Flash займет совсем немного времени), но и некоторого художественного вкуса. Flash-элемент на вашей страничке — это своего рода интерактивный Жириновский, не обратить внимание на него просто невозможно. И будьте уверены — все ваши ляпы и дилетантские ошибки Flash не замедлит выпятить и увеличить. И будет им кормить почтеннейшую публику до тяжелейшего пищевого отравления.

Вышеприведенные пять пунктов не означают, что автор является противником Flash — отнюдь, он всячески радует за использование этого во всех отношениях замечательного формата. Соблюдая при этом, как и в других случаях, несколько простых правил, высказанных неведомым античным мудрецом.

- Во всем знай меру!
- Будь профессионалом, а не любителем! Но при этом...
- Думай не о мнении профессионалов, а об удобствах простых посетителей!
- Помни, что содержание всегда важнее формы.

Вот и все... Если же вам необходима более подробная информация по формату Flash и его возможностям — добро пожаловать на уже упомянутый сайт Macromedia или на русскую страничку Flasher (http://www.flasher.ru).

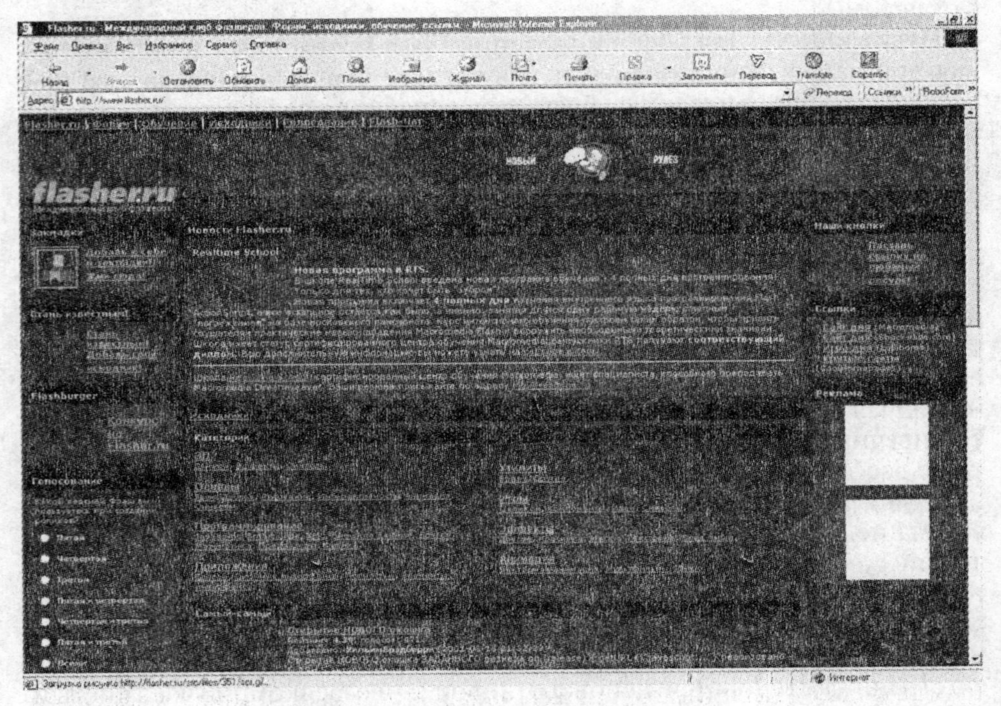

Сайт Flasher.Ru

А как же программы? В чем именно мы будем создавать Flash-файлы и каким образом будем подключать их к страничке?

Выбор здесь невелик, да и нет его, в сущности...

На арену вызывается Flash-редактор от создателя Flash — фирмы Macromedia!

Интерфейс этой программы заставит пользователя испытать приступ острейшего deja vu. Причем, если можно так выразиться, в стереоварианте. Действительно, тот вид, который являет нам рабочий стол программы, напоминает одновременно популярные редакторы как растровой, так и векторной графики.

Вот панель инструментов справа и разворачивающиеся меню слева — не правда ли, похоже на Adobe Photoshop. Ну а большинство приемов создания изображения и его изменения хорошо знакомы пользователям

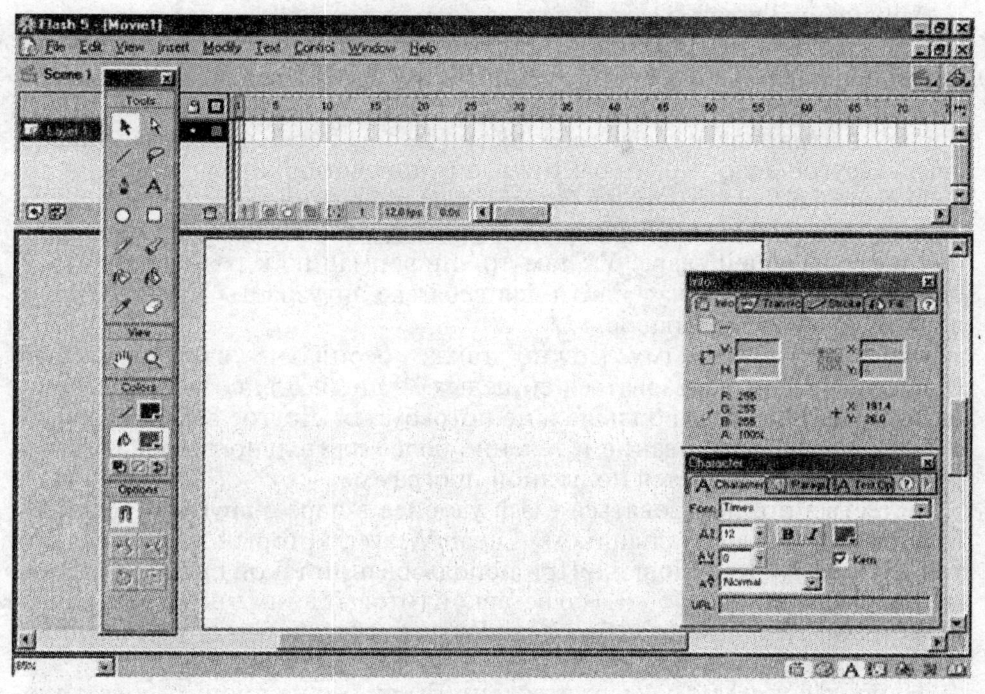

Macromedia Flash

CorelDRAW и других векторных редакторов. Присутствуют здесь и старые знакомые «слои» (layers), благодаря которым ваша картинка может «выпекаться», как слоеный пирожок. Слои накладываются один на другой, каждый может обладать своими собственными свойствами, как в Photoshop. И каждый, как в CorelDRAW, может состоять из множества отдельных объектов, которыми мы и будем управлять при создании анимации.

Впрочем, этим сходством не стоит обманываться: Macromedia Flash — программа совершенно самостоятельная, и в ее загашниках припасено множество оригинальных, незнакомых доныне инструментов.

В верхней части экрана проживает уже знакомая нам монтажная линейка, на которой, как и в случае с анимацией GIF, мы будем размещать нужные нам кадры. Впрочем, в случае Flash нам придется работать уже не с целыми кадрами, а с отдельными объектами, поведение каждого можно легко запрограммировать с помощью «действий» (Actions). Например, отправить буквы в надписи в путешествие по всему Flash-кадру, с помощью меню Create Motion Twin, указав лишь начальную и конечную точку «путешествия» и выбрав вид траектории. Для этого в ImageReady нам потребовалось бы создать несколько отдельных кадров, а если бы вы попробовали, к примеру, запустить текст по спирали... Во Flash же для этого понадобится только одна команда! К тому же каждый созданный нами объект можно запомнить как «символ» и добавить в библиотеку Flash — в дальнейшем вы просто добавляете этот «символ» в новые кадры.

Можно еще долго рассказывать о возможностях Flash и правилах работы с ним. Но не в моих силах и правилах тягаться с толстыми томами, посвященными таким простым, но таким профессиональным и мощным программам. К тому же книжная форма не дает мне возможности продемонстрировать все возможности Flash на нескольких страницах — увы... Другое дело — интерактивные руководства, которые можно совершенно бесплатно найти в Интернет. Одно из них любезно предоставляет всем желающим сайт http://www.flasher.ru, о котором я уже упоминал в предыдущей главе. Уж там-то «информацию к размышлению» и полезные советы смогут найти для себя все энтузиасты Flash — от новичков до профессионалов.

Саму же программу можно также бесплатно взять на сайте Macromedia — и пользоваться ей целых 30 дней! Для создания небольшого проекта во Flash больше и не потребуется. Другое дело — профессиональное использование в течение более длительного срока: тут уж раскошелиться придется по полной программе.

Естественно, пользоваться Flash удобнее в паре с другим продуктом Macromedia — «верстальщиком» DreamWeaver, который можно скачать там же и на тех же условиях. При использовании такой связки у вас никогда не возникнет проблем со вставкой готовых анимаций в тело вашей странички, да и сам по себе DreamWeaver достоин вашего внимания и уважения. Но об этом речь впереди.

Напоследок не могу удержаться, чтобы прямо не процитировать (хотя это и не в моих правилах) несколько полезных советов по работе с Macromedia Flash, взятых с очень полезного дизайнерского сайта по адресу http://denfinity.narod.ru:

- Используйте обозначения для элементов, которые появляются больше одного раза.
- Объединяйте кадры в действия (motion tweens), чтобы сократить число ключевых кадров.
- Сокращайте число разных типов линий (пунктир, точки и т. п.). Линии, нарисованные инструментом «карандаш» требуют меньше памяти, чем мазки кистью.
- Пользуйтесь слоями для разбиения перекрывающихся объектов клипа.
- Используйте Modify > Curves > Optimize для сокращения линий, обрисовывающих фигуры.
- Старайтесь сократить число различных шрифтов и стилей.
- Во время использования текстовых полей выбирайте опцию Only Specified Font Outlines в меню свойств объекта «текстовое поле».
- Отдавайте предпочтение формату mp3, когда включаете звуки.
- Специфические шрифты увеличивают размер клипа. Используйте их ограниченно.
- Избегайте анимирования точечных изображений. Они подходят для статических элементов и фона.
- Уменьшайте количество ключевых кадров с включенными в них скриптами (Actions).

- Чаще группируйте элементы.
- Используйте встроенные инструменты для изменения цветовых эффектов одного и того же объекта.
- Используйте имеющуюся палитру, чтобы избежать расхождений с цветами браузеров.
- Как можно реже используйте перетекание цветов. Заливка фигуры одним цветом требует на 50 байт меньше, чем перетекание.

Помимо Macromedia Flash существует еще несколько более простых программ, позволяющих быстро и без особых проблем создать простенький Flash-элемент на основе текста: «динамическое» меню, простенький баннер... Так, большую помощь начинающим «фэлэшерам» могут оказать программы Swish (http://www.swishzone.com) и KoolMoves (http://www.koolmoves.com). Последние версии этих программ (особенно первой из них) пригодны уже не только для любительских поделок, но и для вполне профессиональных работ с использованием не только текстовых, но и графических и даже звуковых элементов. И, может статься, именно Swish окажется для вас идеальным проводником в мир Flash...

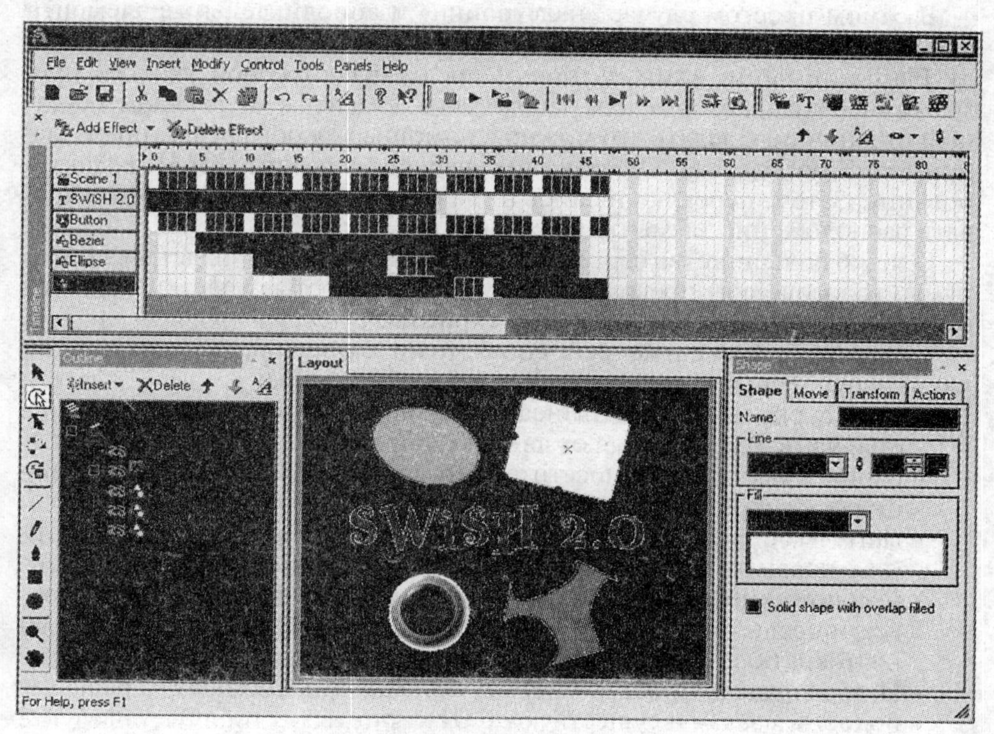

Flash-редактор Swish

ДОПОЛНИТЕЛЬНЫЕ МОДУЛИ. СКРИПТЫ

Спору нет, впечатляющих успехов в дизайне можно добиться, даже работая ТОЛЬКО с текстом. Графика — это уже роскошь, завершающий штрих, который позволяет сделать вашу страничку просто суперэффектной (и суперэффективной).

Можно ли желать большего?

Оказывается, можно. Хитрые мозги и пытливые ручки Web-дизайнеров изобрели массу дополнительных «прибамбасов», которыми можно украсить (а с равным успехом и испортить) вашу страничку.

Все-таки хороший сайт состоит не только из связанных друг с другом страничек с текстом. Для обычной «домашней странички» простая структура, может быть, и подойдет... Однако для более солидного «виртуального издания» — вряд ли.

Существует громадное количество «надстроек» и «украшений», которыми можно оснастить свой сайт: одни из них служат только для украшения, другие служат для усиления интерактивности, позволяя вам общаться с посетителями вашего сайта, а им самим — друг с другом. Наконец, третьи дарят вам и вашим пользователям новые возможности навигации.

В самом простом случае «надстройки» и дополнительные элементы для нашего сайта (например, счетчики или уже знакомые нам по разделу Flash-анимации «живые» меню) представляют собой участки программного кода, которые нам необходимо вставить в «тело» нашей будущей странички. Сделать это можно с помощью любого редактора — например, FrontPage или DreamWeaver, перейдя в режим HTML-редактирования. Затем, переключившись в «визуальный» режим, скорректировать расположение элемента на страничке.

Однако большинство серьезных и функциональных «надстроек» (форумы, голосования) превращаются уже не в простые участки кода, а в отдельные программные модули — скрипты.

Существует несколько основных групп скриптов, различающихся как по кругу решаемых ими задач, так и по структуре:

- CGI-скрипты (для их написания в большинстве случаев используется язык Perl) позволяют автоматизировать многие сложные операции с вводимыми посетителями данными и делают вашу страничку в какой-то степени интерактивной. Хотите создать на своем сайте «гостевую книгу», в которой будут отмечаться ваши гости (как правило, в таких книгах можно найти лишь глубокомысленные послания типа: «Круто!» или «Полный апофигей!»)? Или провести среди оных гостей мини-опрос, дав им возможность заполнить краткую анкету? Или даже создать «виртуальный магазин»? Или соорудить простую систему поиска? Вот именно для решения подобных задач и существуют CGI-скрипты.
- Java-скрипты (язык программирования JavaScript) чаще всего несут ответственность за оформительскую сторону. Именно в сферу их деятельности входят всевозможные «спецэффекты», радующие ваш глаз при открытии странички, на их основе создаются специальные динамические меню.

Такое деление скриптов, конечно, весьма условно, но в нашем случае достаточно и его.

Сам по себе скрипт не является программой. Это — лишь набор инструкций, указаний для «виртуальной машины», который может быть размещен как на сервере, на котором размещен ваш сайт, так и на вашем собственном компьютере. Конечно, для нас с вами желательнее первый вариант — так безопаснее. Мало ли какая вредоносная начинка может содержаться в этих самых скриптах! Не волнуйтесь — большинство популярных скриптов, которые можно найти в Интернет или написать самому, работает именно по этому принципу.

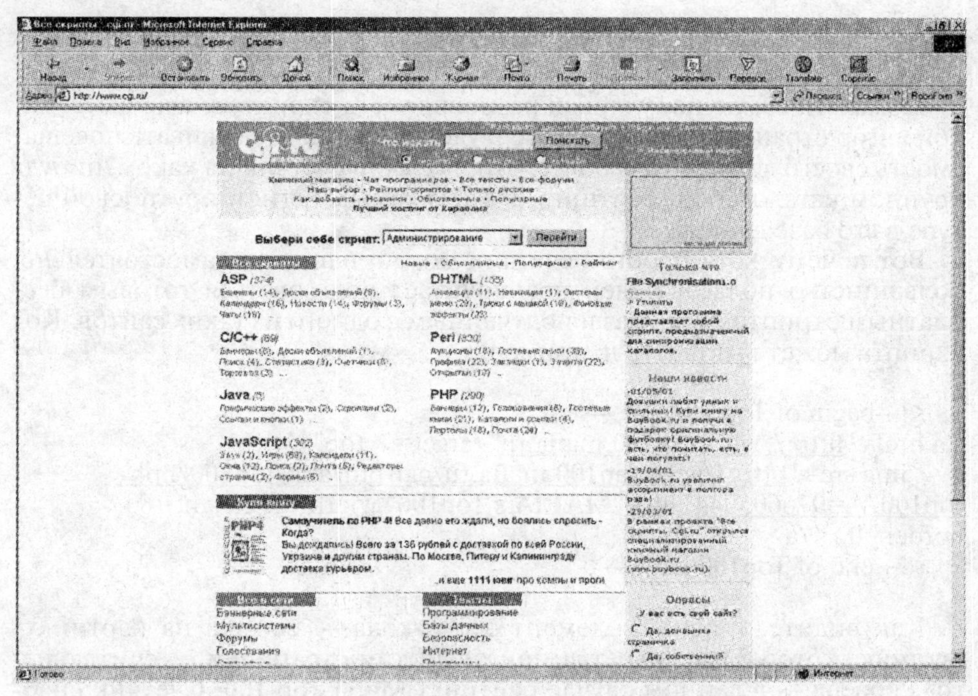

Коллекция CGI-скриптов на сервере CGI.Ru

Разумеется, писать «скрипты» самостоятельно мы пока что не будем. Тем более, что можно без всяких проблем воспользоваться уже готовыми модулями, которые в изобилии можно найти на специализированных сайтах Сети.

Однако тут возникает небольшая проблема: можно, конечно, изыскать в одной из сетевых коллекций нужный «скрипт» и попытаться подключить его к своей странице. Однако даже со столь простым процессом, как установки и настройка скрипта, справится далеко не всякий новичок... К тому же могут возникнуть проблемы с вашим сервером — особенно в том случае, если ваша страничка размещена на одном из «виртуальных городов», предоставляющих услуги бесплатного хостинга. Далеко не все серверы этого класса позволяют пользователям размещать скрипты на своей страничке — мало ли что они могут натворить в неопытных руках!

Существует, однако, и иная возможность — воспользоваться услугами другого бесплатного сервера, предоставляющего вам в пользование ту или иную «надстройку». В этом случае гостевая книга или форум будет физически находиться на его территории, а не во владении вашего сайта — ну да беды в этом нет никакой. Зато нам не придется возиться с программированием, настройкой, установкой скриптов — все сделает для нас сервер-хозяин. Вам же остается только установить правильную гиперссылку (которую также предоставит вам сервер) на соответствующую кнопку или строчку в навигационном меню вашего сайта.

Счетчик

Пожалуй, самая популярная разновидность скриптов: еще бы — какой автор странички откажет себе в удовольствии отслеживать посещаемость своего детища! Тем более, что, получив счетчик на каком-нибудь крупном каталоге или рейтинге, вы тем самым регистрируете свой ресурс в его базе данных.

Вот почему, хотя простой счетчик можно написать самостоятельно, большинство пользователей предпочитает пользоваться готовым бесплатным скриптом, как раз и полученным с одного из таких сайтов. Код скрипта может выглядеть например, так:

```
<!—begin of Top100 code—>
<a href="http://www.top100.mafia.ru" target="_top">
<img src="http://www.top100.mafia.ru/cgi-bin/ank/top100/nph-top100?A=976605044" alt="MAFIA's Top100" width=81 height=63 border=0></a>
<!—end of Top100 code—>
```

Как видите, главный элемент этого кода — ссылка на картинку-счетчик, которая загружается при открытии странички с «считающего» сервера — в данном случае рейтинга Mafia Top 100. Счетчик снабжен гиперссылкой — щелкнув по нему, вы сразу попадете на страницу рейтинга.

...Уже давно прошли те времена, когда за бесплатными счетчиками нужно было охотиться — сегодня только на территории Рунета их раздают десятки серверов. А потому мы с вами можем позволить себе роскошь выбирать.

Можно соблазниться счетчиком, предоставляемым крупными рейтингами типа List.Ru (http://www.list.ru) или Rambler Top 100 (http://counter.rambler.ru/top100). Однако с точки зрения функциональности это далеко не идеал: развернутую статистику по посещениям можно получить лишь на страницах самих рейтингов.

А вот к таким «раздатчикам» счетчиков, как One (http://www.one.ru) и SpyLog (http://www.spylog.ru) стоит присмотреться повнимательнее. Эти два сайта готовы предоставить вам несколько видов «считалок», самые совершенные из которых показывают количество не только хитов (посещений), но и хостов (посетителей), что особенно важно для анализа динамики аудитории вашего сайта.

Не забудьте, что счетчик на вашей странице — это лишь верхушка громадного информационного айсберга, скрывающегося в недрах одарившего вас счетчиком сайта. Зайдя, скажем, на сайт SpyLog, вы сможете получить максимально полную информацию о посещаемости вашего сайта за любой период — вплоть до того, какими браузерами пользуются ваши посетители... И не стоит скептически хмыкать — уж поверьте, что опытному дизайнеру эти сведения скажут о многом.

Hits........ 30089855
60305
Hosts........ 6696553
10627
Rating.............. 25
Visitors 8547831
12607
51
SpyLoG

Счетчик Spylog

Гостевая книга

Эту приятную безделицу, способную сохранять на века все лицеприятные (и не очень) отзывы о вашем сайте, охотно предоставит вам великое множество сайтов. Настолько великое, что перечислять всех поставщиков «гестбуков» в рамках этой книги просто нет возможности.

Впрочем...

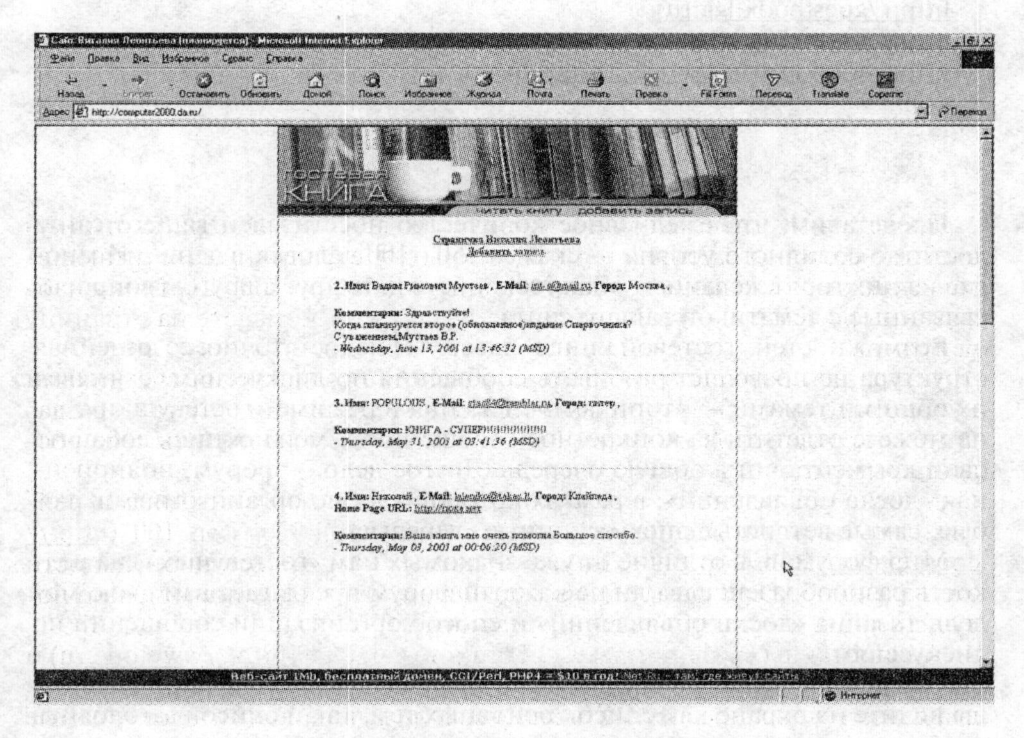

Гостевая книга на сервере GuestBook.Ru

Никаких проблем с получением «гостевушки» не возникнет у владельцев сайтов, расположенных на серверах «бесплатного хостинга» — таких, как Narod.Ru. Любой из таких серверов поможет вам оснастить «домашнюю страничку» не только «гестбуками», но и рядом других полезных дополнений — форумом или даже чатом.

Если же по каким-либо причинам ваш «родной» сервер не в состоянии оказать вам такую услугу... то, никогда не поздно обратиться к независимым поставщикам.

Самое простое — набрать в адресной строке браузера адрес http://www.guestbook.ru, и очутиться на самом популярном «гостевом» сервисе России (как-никак, более 50 тысяч «гостевых книг» в активе).... Хотя популярность эта в первую очередь обусловлена удачным названием, сами же гостевые книги, предоставляемые сервером, никаких особых талантов не демонстрируют. Вы можете запрещать постинг сообщений в книгу особо отличившимся «гостям» (хотя никто не заставляет их указывать свой реальный e-mail, по которому и производится опознание), включать режим «антимата», целомудренно скрывающий под звездочками непечатные слова и выражения, установить максимальное количество сообщений на одной странице... Вот, собственно, и все!

Если же сервис GuestBook.Ru вас не устраивает... Что ж, господам эстетам могу порекомендовать еще несколько страничек на выбор:

http://guestbook.net.ru
http://guestbook.lgg.ru
http://www.xbook.ru
http://www.aparus.com/fs/ru/gbs.htm

Форум

Представим, что ежедневное количество посетителей вашего сайта достигло солидного уровня — скажем, 50—100 человек в день... И многие из них горят желанием общаться, обсуждать друг с другом вопросы, связанные с тематикой вашего сайта.

Возможностей «гостевой книги» здесь уже недостаточно: ее линейная структура не позволяет разбивать сообщения по дискуссиям, связывая их общими темами — «топиками». Работая в режиме «гостевушки», вы не можете ответить на конкретное сообщение — можно лишь добавить свой комментарий в общую очередь. Другое дело — форум, полноценная «доска объявлений», в рамках которой удобно организовывать любые, самые ветвистые дискуссионные «деревья».

Мир форумов, в отличие от уже знакомых нам «гостевушек», на редкость разнообразен: едва ли не каждый форум предлагает вам свою модель дизайна «доски объявлений» и способ организации сообщений по дискуссиям.

Самая простая схема организации форума — «лесенка», при которой вы видите на экране как список основных тем, так и список заголовков сообщений в каждой группе:

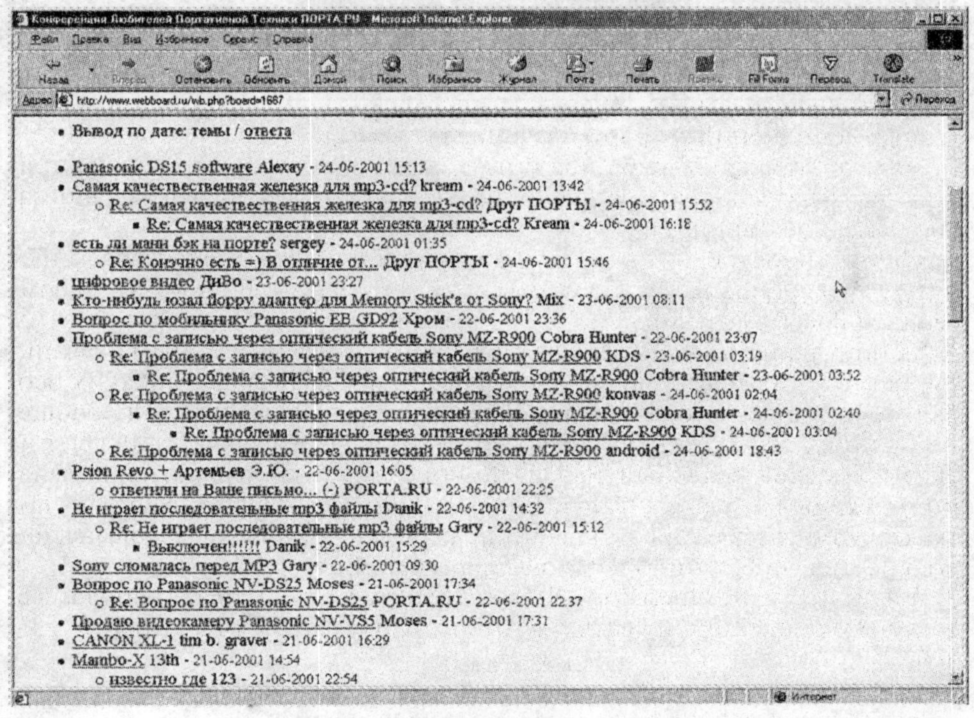

«Форум-лесенка»

Именно такие форумы предоставляет всем желающим абсолютное большинство бесплатных форумных серверов, расположенных в России.

Вторая, более совершенная схема структуры форума — «дерево», применяется, в частности, на уже известном вам сервере конференций Talk.Ru (http://www.talk.ru). По этому же принципу устроены «доски объявлений» крупнейшей форумной «копилки» в России — сервера WebForum.Ru (http://www.webforum.ru), поддерживающего около 12 тысяч независимых форумов.

В этом случае на главном экране вы видите лишь список «топиков», при этом каждой теме соответствует особая «виртуальная папка». Щелкнув по ней, вы можете вывести на экран «дерево» заголовков сообщений в данной дискуссии, ничем не отличающееся от уже знакомой нам «лесенки». Для загрузки текста каждого сообщения необходимо, как и в случае с «лесенкой», щелкнуть по его заголовку.

Наконец, третья схема, которую можно условно назвать «мегафорумом», используется на самых «продвинутых» западных серверах — например, на сервере Ezboard (http://www.ezboard.com) (к великому сожалению, аналогов этой системы в России пока что нет). Применяется она для строительства самых крупных, часто посещаемых форумов.

При такой схеме в рамках вашего главного форума создаются еще несколько дополнительных тематических папок-«форумов». Внутри каждой из них может «расти» уже знакомое нам «дерево». Однако теперь нам нет нужды вызывать на экран сообщения поодиночке: щелкнув по

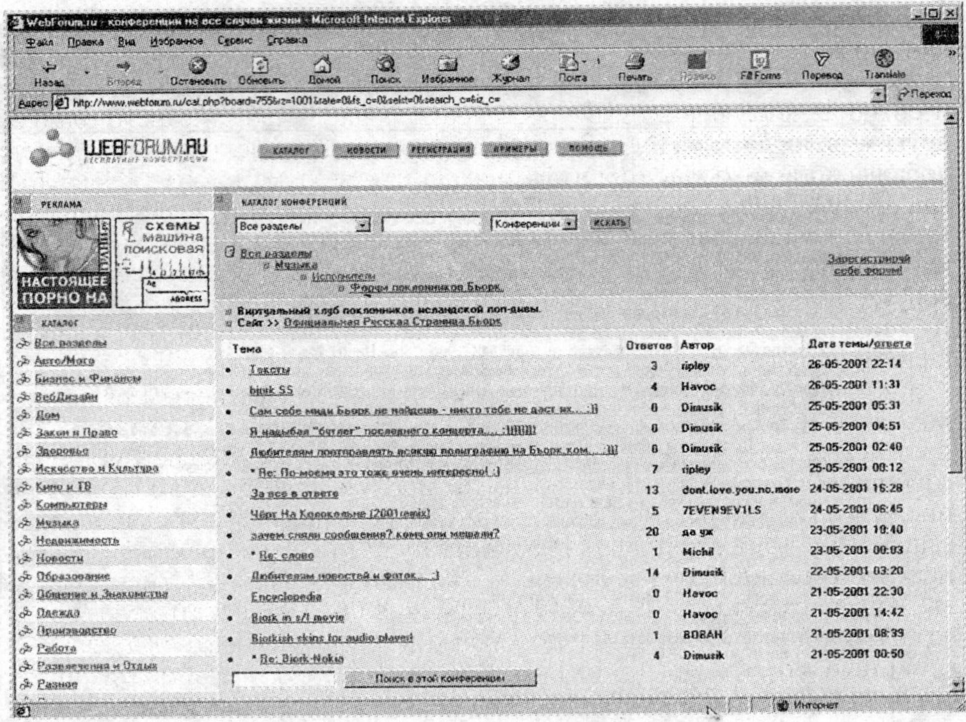

Форум-«дерево» на сервере WebForum.Ru

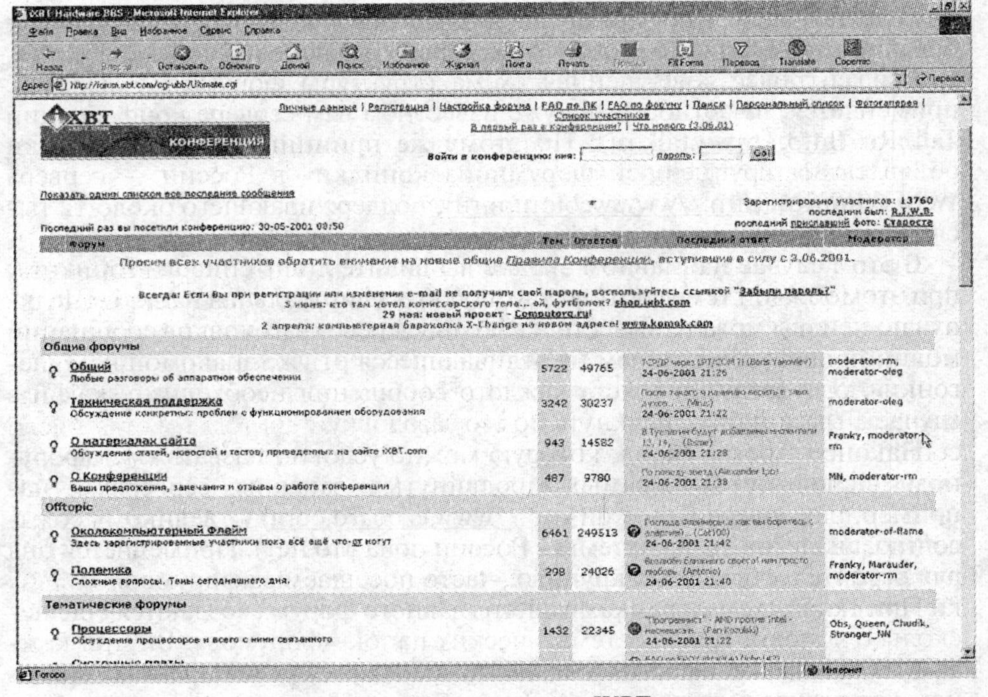

«Мегафорум» на сайте IXBT

заголовку «топика», мы выведем на экран весь массив сообщений по данной теме.

Большинство мегафорумов имеют такую же линейную структуру, как и обычная «гостевая книга»: сообщения располагаются строго одно за другим, в порядке их публикации. Однако в некторые из них вы можете добавлять свои сообщения и комментарии не только в конец «очереди», как это было раньше, но и в любой ее участок! Присмотритесь повнимательнее к сообщениям: в углу каждой «карточки» с письмом вы обнаружите кнопку «Ответить». Нажав ее, вы автоматически разместите ваше сообщение сразу за заинтересовавшим вас письмом. В результате вместо хаотичной, многоуровневой иерархии образуется стройный ряд сообщений, упорядоченная дискуссия.

Отличаются «мегафорумы» от своих собратьев еще целым рядом дополнительных возможностей. Например, улучшенной статистикой — напротив каждой папки-«топика» указывается не только общее количество сообщений в ней, но и количество сообщений, поступивших за последние сутки (или за период, прошедший с момента вашего последнего посещения). Стоит обратить особое внимание и на расширенные возможности управления конференцией — «модерации». При создании форума вы можете разрешить «постинг» сообщений как всем посетителям вашего форума, так и исключительно зарегистрированным пользователям.

Кстати сказать, именно такая схема используется и в большинстве «профессиональных» форумов, созданных на основе «скриптов», размещенных уже не на посторннем, а на вашем собственном сервере. Некоторые из этих форумов вы можете скачать из Сети в виде установочного комплекта «скриптов», которые затем вы сможете настроить по своему вкусу (естественно, при наличии некоторых навыков работы со скриптами и опыта их настройки). Самые известные из этих форумов:

- UBB (Ultimate Bulleten Board) — http://www.infopop.com
- IkonBoard — http://www.ikonboard.com
- WWWWThreads — http://www.wwwthreads.com

Спору нет, «мегафорум» — одна из самых красивых, функциональных и удобных схем организации форума. Однако это совершенно не означает, что каждая домашняя страничка оснащена именно мегафорумом — напротив, в подавляющем большинстве случаев для начинающего пользователя будет вполне достаточно возможностей, предоставляемый самым простым форумом-«лесенкой». И лишь тогда, когда число сообщений в вашем форуме достигнет хотя бы десятка в день, можно подумывать о переходе к форуму более сложного типа.

...По сложившейся традиции эта глава, как и все остальные, должна содержать небольшой перечень ссылок на серверы с бесплатными форумами. Нарушать ее мы не будем, хотя многие крупнейшие поставщики «досок объявлений» нами уже упомянуты выше:

- Бесплатный интернет-сервис (http://ivanyan.h1.ru)
- Бесплатные форумы от Кливера (http://www.cliver.ru)

- Список бесплатных форумов на сервере FreeNet (http://free.msk.ru/freenet/forum.shtml)

Владельцы сайтов, размещенных на сервере Narod.Ru или на аналогичном сервере «бесплатного хостинга», могут воспользоваться одним из стандартных форумов, предоставляемых этим «виртуальным городом» совершенно бесплатно. Каталог уже существующих форумов «Народа» вы можете найти по адресу (http://narod.Yandex.ru/forum/forum.xhtml).

Чат

Представим, что ежедневное количество посетителей вашего сайта достигло солидного уровня... скажем, 100—200 человек в день... и частенько, особенно по вечерам, на нем одновременно толкутся несколько жадущих общения персон. Так почему бы не подарить им возможность пообщаться в собственной «виртуальной гостиной» — то есть, в режиме чата?

Из двух возможных вариантов чат-системы — на базе IRC или «веб-чата» — мы выберем последний, благо в Рунете существует сразу несколько крупных серверов, позволяющих создать собственный чат и подключить его к вашей страничке.

Для начала отправимся на сайт компании Userline (http://www.userline.ru), приютивший около 6 тыс. русскоязычных чатов по всем возможным темам. Этот своеобразный аналог системы конференций Talk.Ru в мире чатов может подирить собственную «болталку» и вам... А зарегистрировать чат можно в одной из следующих категорий:

- Авто/мото
- Бизнес и финансы
- Здоровье
- Компьютеры
- Интернет
- Культура и искусство
- Наука и образование
- Общение
- Путешествия
- Отдых и развлечения
- Справки
- СМИ
- Спорт
- Страны и народы
- Дом и семья
- Духовная жизнь

Не забывайте только, что создать-то чат легко, а вот поддерживать его на плаву гораздо труднее. А делать это необходимо: не посещаемый в течение месяца чат-канал автоматически удаляется из системы.

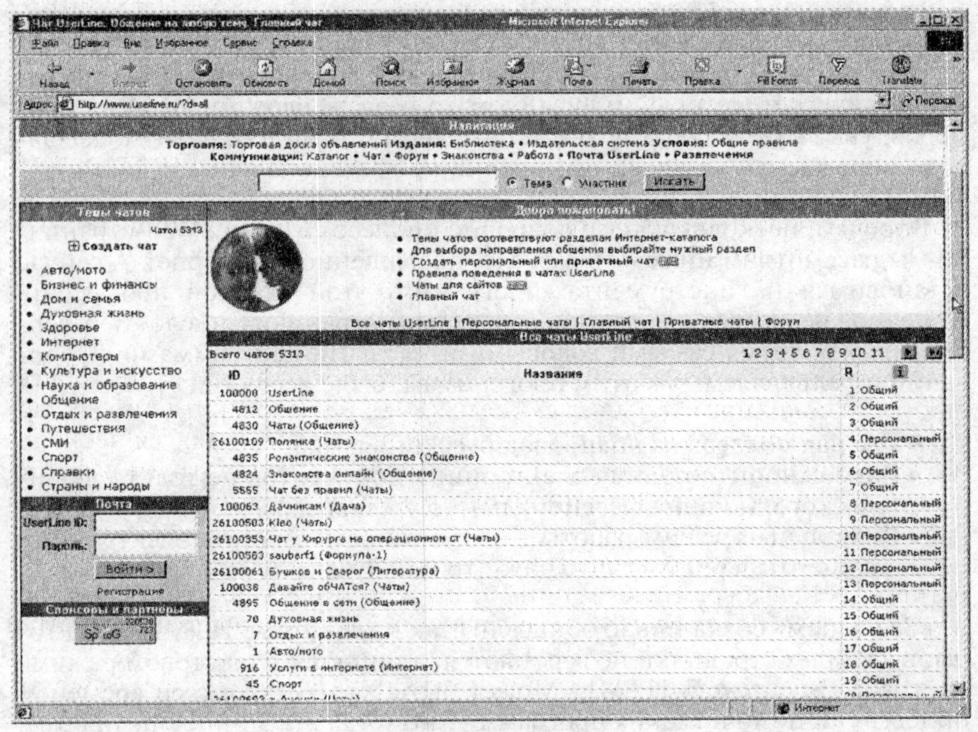

Система чатов Userline

Несколько менее популярна система ЧатСити (http://chatcity.ru) — в ее копилке «всего» две тысячи каналов. Впрочем, это неудивительно — ЧатСити заработал в полную силу лишь в мае 2001 года. Конкурировать с тем же UserLine ему будет трудновато... но кто знает, что будет завтра? Во всяком случае, можно попробовать и этот сервис.

ВЕРСТКА СТРАНИЦ

Гипертекстовые документы — странички сети Интернет сегодня стали, пожалуй, самым популярным типом публикаций. И это неудивительно — каждый документ создается для публикации, ну а в Интернет сделать это проще всего.

Верстать для забавы или саморазвития в домашних условиях газету или журнал нет смысла — пропадет ваш скорбный труд, если, конечно, вы работаете не на заказ. А сделать и — самое главное — опубликовать, открыть для миллионов читателей (которых, правда, надо еще привлечь) собственную Web-страничку может любой.

Что, заметим в скобках, миллионы этих любых и делают. Чем же вы хуже?

Однако Web-дизайн — далеко не забава. Творческому человеку со вкусом он позволяет создать «маленькие шедевры» — ведь изобразительных средств в Web-дизайне используется куда больше, чем в бумажной верстке. Тут тебе и звук, и видео, и анимация, и всевозможные «интерактивные» дополнения...

Но с тем же успехом при отсутствии вкуса можно сотворить и ужасающий винегрет, который и дизайном-то назвать сложно. И таких примеров, увы, в Сети сегодня хватает — даром что многие из этих «кадавров» порождены, казалось бы, вполне профессиональными дизайнерскими студиями...

Впрочем, несколько более подробно процесс создания Web-странички мы рассмотрим ниже — в разделе, посвященном Интернет. А сейчас остановимся на инструментах-программах этой славной профессии. Конечно, не на всех — автор сознательно ограничил число Web-верстальщиков двумя самыми ходовыми и умелыми программами. Требований, предъявляемых к этим программам, было всего три:

- Полная поддержка кодировок русского языка.
- Возможность создания электронных документов не только любительского, но и профессионального уровня.
- Визуальный режим работы — возможность верстать электронные документы в режиме «что вижу, то и получаю».

«За кадром» сознательно оставлены так называемые HTML-редакторы, в которых странички не верстаются, а пишутся в текстовом режиме на языке гипертекста HTML. Может быть, кто-то из вас со временем прибегнет к помощи таких программ — но тогда эта энциклопедия вам, увы, не понадобится...

Microsoft FrontPage (Microsoft)

Эта программа относится к славному семейству Microsoft Office — а значит, FrontPage может получить каждый покупатель этого офисного пакета. Во многом именно этим и объясняется популярность FrontPage среди домашних пользователей.

Как и его коллега DreamWeaver, Microsoft FrontPage относится к семейству так называемых «визуальных редакторов» WWW-страниц, т. е. с его помощью пользователь может создавать странички из готовых элементов по принципу конструктора. Что вижу на экране, то будет и в Интернет. Во FrontPage предусмотрено три режима просмотра, для переключения между которыми служат закладки в нижней части окна программы.

- **Normal** — обычный режим визуального редактирования странички.
- **HTML** — переход в режим работы с кодом HTML.
- **Preview** — с помощью этого режима вы сможете проверить, как будет выглядеть ваша страничка в окне браузера.

Многие профессионалы несколько пренебрежительно относятся к Microsoft FrontPage, называя его «редактором для лентяев»: настоящие

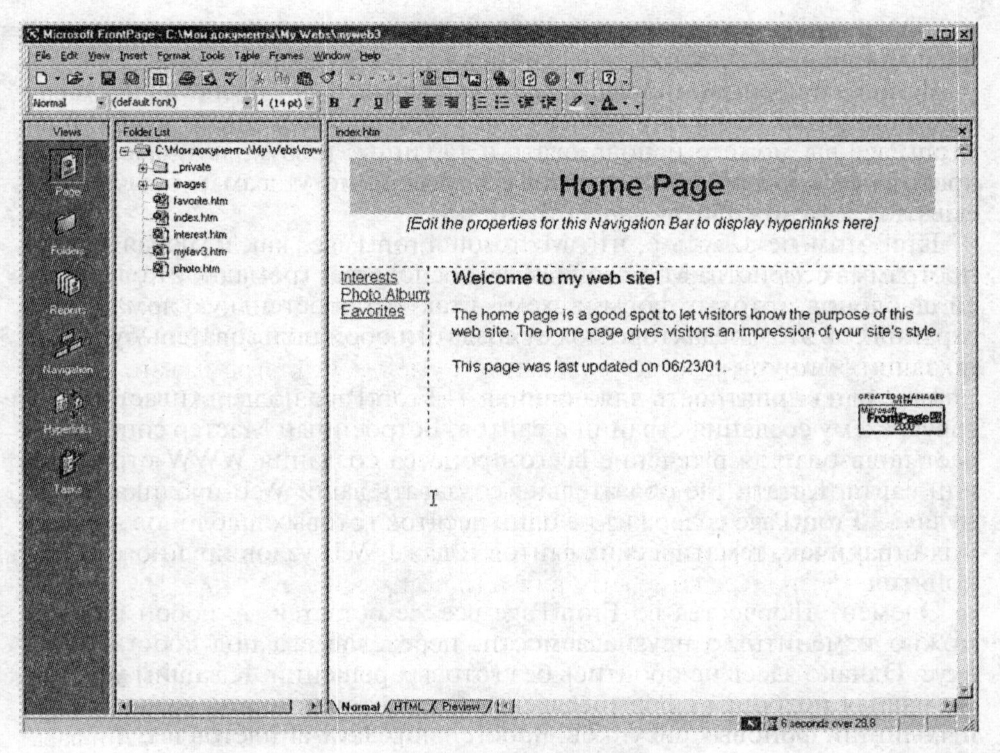

Microsoft FrontPage

спецы, уверяют они, пишут WWW-страницы на специальном языке программирования HTML.

Но мы-то с вами не программисты, а пользователи, поэтому для нас наглядность и простота Microsoft FrontPage — это то, что нужно!

Тем более что, несмотря на свою кажущуюся «легковесность», Microsoft FrontPage — достойное орудие для умелого Web-дизайнера. Эта программа позволяет с легкостью создавать не только отдельные страницы, как ее младший брат FrontPage Express, но и целые системы страничек — сайты, с весьма сложной, разветвленной структурой. Кстати, структуру эту можно в любой момент вывести на экран в виде разлапистого «дерева» — с «веточками» (связями) и листьями (страницами). Весьма удобно и наглядно.

Да и на уровне отдельных страничек FrontPage поможет вам реализовать самые прихотливые фантазии, вы можете пользоваться самыми разнообразными приемами украшения и форматирования текста. Думаете, редактор ограничит вас традиционными цветовыми и шрифтовыми решениями? Если бы это было так... Ваш текст может самым извращенным образом летать по экрану, извиваться спиралью или скакать, как мячик. Если же вы, потеряв терпение, укажите на «шалуна» мышкой, ваш текст моментально «застыдится» и поменяет цвет... Ну, а в какой цвет перекрасится «застыдившийся» текст, зависит только от вашей фантазии. Кстати, с помощью эффектов DHTML такой же фокус можно проделать и с картинкой — она будет меняться под воздействием щелчка или даже просто поднесенного близко курсора мышки.

Вставка и позиционирование в тексте картинок — функция настолько стандартная, что и описывать ее нет смысла. Но помимо графики во FrontPage вы можете использовать и таблицы, и звук, и анимацию, и крохотные программки-апплеты, которые помогут вам в буквальном смысле слова «оживить» вашу страничку.

При этом не забудьте, что Microsoft FrontPage, как и любая другая программа семейства Microsoft Office, располагает громадной коллекцией шаблонов, готовых форм и схем — так что простенькую домашнюю страничку в этом редакторе может создать любой пользователь буквально за пять минут.

Еще одна приятность для новичка — FrontPage поддерживает пошаговую схему создания страниц и сайтов. Встроенный Мастер сопровождает пользователя в течение всего процесса создания WWW-страницы или сайта. Кстати, не обязательно создавать ваши Web-публикации «с нуля» — FrontPage содержит не один десяток готовых шаблонов домашних страничек, тематических сайтов и даже Web-узлов крупного предприятия.

Элемент творчества во FrontPage все же остается — любой шаблон можно изменить до неузнаваемости, переделав его под собственный вкус. Однако здесь не обойтись без готовых решений. К вашим услугам громадная подборка оформительских элементов: кнопок, разделительных линий, фоновых рисунков, простеньких Java-апплетов и т. д.

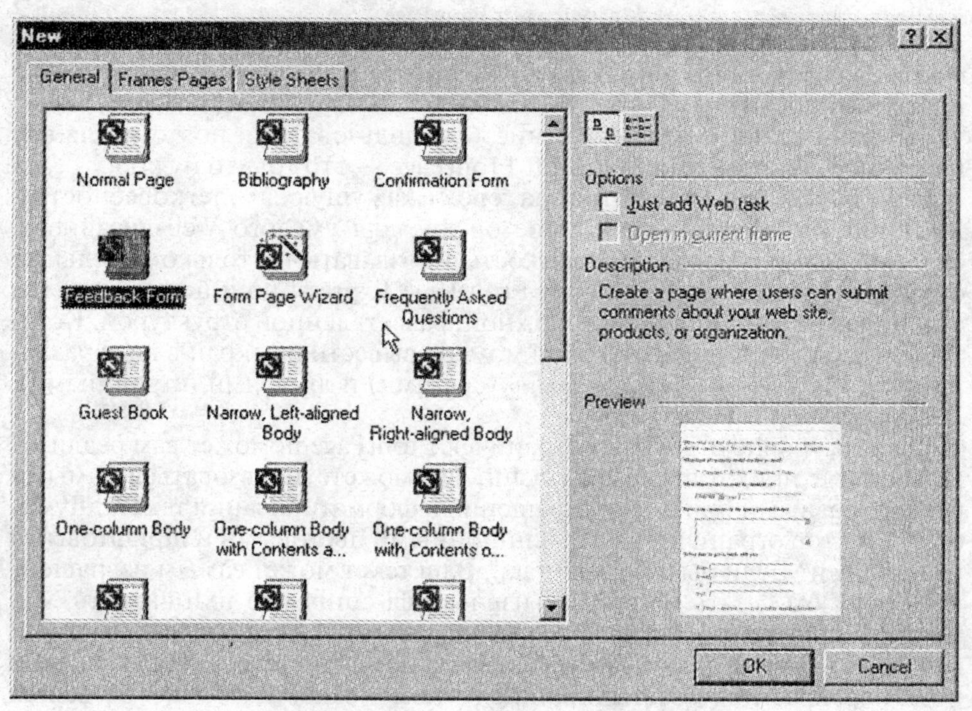

Шаблоны FrontPage

Одной из самых интересных возможностей FrontPage является создание фреймов — страниц, состоящих из нескольких окон. Другое дело, что работа с фреймами — не самая сильная сторона этого редактора, ее можно было бы реализовать в более удобном для пользователя режиме.

FrontPage позволяет пользователю с легкостью переключаться между тремя основными режимами просмотра созданных WWW-страниц: стандартным режимом верстки документа, режимом просмотра в окне браузера и режимом редактора языка HTML. Так что и дизайнеры с программистским уклоном, которые на дух не выносят «визуальных» редакторов, смогут использовать FrontPage без излишних душевных терзаний.

Начинающим пользователям, которым весь спектр возможностей Microsoft FrontPage просто-напросто не нужен, можно порекомендовать несколько упрощенную версию этого редактора — Microsoft FrontPage Express, входящую в состав программного комплекса Internet Explorer (и соответственно в состав Windows 98). Достоинства этой программы не ограничиваются ее простотой: во-первых, Microsoft FrontPage Express вы получаете бесплатно, а во-вторых, что еще более важно для российского пользователя, эта программа полностью русифицирована. Русскую же версию Microsoft FrontPage, к сожалению, Microsoft в ближайшее время выпускать не намерена — хотя и англоязычный вариант оснащен средствами поддержки всех существующих сегодня русскоязычных кодировок.

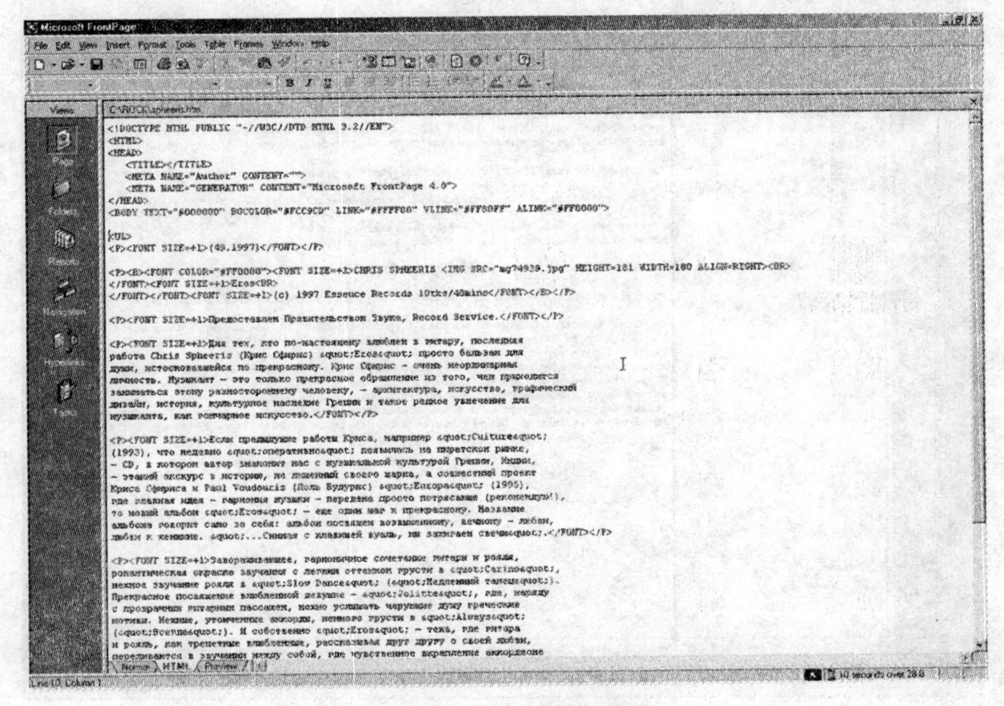

Режим просмотра HTML-кода

Теперь скажем пару слов об интерфейсе программы. Нет, подробного руководства по FrontPage не ждите: на этот случай написано множество специальных толстых книг. Кроме того, по своему интерфейсу FrontPage имеет много общего со своим собратом Microsoft Word — и, если вы уже знакомы с этим редактором (например, по моей «Новейшей Энциклопедии...»), большая часть приемов работы с FrontPage вам уже знакома. Среди них — вставка изображений, таблиц (но о таблицах мы поговорим подробнее), гиперссылок... Разве что названия меню и команд даны на английском языке, но это, надеюсь, для вас не является серьезным препятствием.

Поэтому остановимся лишь на некоторых — основных — особенностях FrontPage, знания которых вам хватит для создания простых страничек.

СОЗДАНИЕ И ВСТАВКА ТЕКСТА

Из чего делается сайт? Из страничек.

Из чего делаются странички? Из сверстанного текста с добавлением в качестве приправы всевозможных графических «украшений».

Значит, наша отправная точка — текст. Пока что — простой, без всякой верстки и дополнительных изысков.

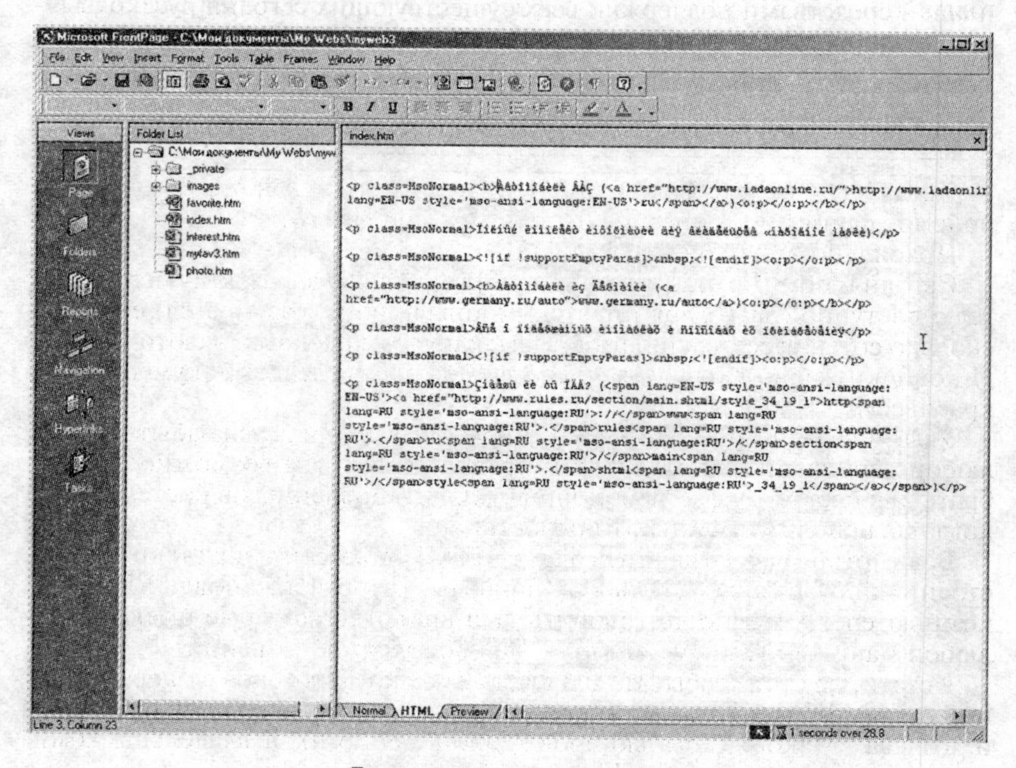

«Грязный» код документа Word

Создайте несколько простых текстовых документов, которые лягут в основу вашей будущей странички. В идеале текст можно писать в той же самой программе, в которой будет происходить верстка — например, в Microsoft FrontPage. Но созданный вами текст можно перенести через Буфер Обмена из любого текстового редактора — например, Microsoft Word. Конечно, создатели Word заявляют, что любые веб-страницы можно создавать и прямо здесь, в текстовом редакторе. Но дизайнеры относятся к этой способности Word с изрядным скепсисом. Ведь помимо текста в формате HTML используются многочисленные служебные команды, отвечающие за оформление текста. Так вот, Word, сохраняя текст в HTML, буквально пичкает текст не только жизненно важными командами, но и откровенным «мусором». В итоге код получается «грязным», страничка «разбухает» — а стало быть, и загружаться она будет дольше. Что нам с вами никак не нужно.

Более того — лишний код может появиться и при переносе текста Microsoft Word в веб-редактор через... буфер обмена! А потому лично я предварительно сбрасываю текст в «легкий» редактор — например, Блокнот Windows. И уже оттуда переношу его в FrontPage. Этот способ позволяет «по дороге» избавиться от излишнего и даже вредного в нашем случае форматирования и на страничку попадет лишь «голый» текст.

Словом, возьмите за правило: писать текст в самом WWW-редакторе, либо сохранять его в Word в виде простого текстового файла, без шрифтовых и прочих оформительских штучек, а оформлять — ТОЛЬКО в WWW-редакторе. Например, в том же FrontPage.

ШРИФТОВОЕ ОФОРМЛЕНИЕ ДОКУМЕНТА

Когда мы с вами создаем какой-то текст в Microsoft Word, какой из приемов форматирования мы используем чаще всего?

Правильно — изменение шрифта.

Сегодня, помимо стандартных шрифтов Windows, каждому пользователю доступно (благодаря пиратским коллекциям, разумеется) еще несколько сотен русских шрифтов. Изысканных, красивых, экзотических. И новички жадно хватаются за эту возможность сделать документ «покрасивее».

Увы, в веб-дизайне про всю эту красоту вам придется забыть. Хотя любой серьезный веб-редактор и предоставляет вам возможность выбрать для своего текста любой шрифт из установленных в системе, никогда не используйте эту возможность!

Ведь, открывая созданный вами HTML-документ, читатель вашей странички будет видеть только те шрифты, которые установлены на его компьютере. А нужно ли говорить, что шрифтов, которые имеются на любой машине, не так уж много — дай бог десяток названий.

Кстати, не стоит забывать и о владельцах компьютеров с операционной системой, отличной от Windows! Ведь с Интернет сегодня работают и хозяева «Маков» (компьютеров Apple Macintosh), и владельцы компьютеров под управлением Linux.

А стало быть, нам с вами придется остановиться только на двух вариантах:

- Либо мы вообще не прикасаемся к меню выбора шрифтов, заставляя браузер использовать шрифт «по умолчанию».
- Либо, если уж очень припечет, «помечаем» каждый логический участок текста не одним шрифтом, а целой группой! Например, если нам потребен шрифт без засечек — ARIAL, VERDANA, HELVETICA, SANS SERIF.

Получив такую инструкцию, браузер вашего читателя получит «пространство для маневра»: какой-нибудь шрифт из набора найдется даже на Macintosh!

Впрочем, и одного шрифта не так уж мало — не забудьте, что у вас остается возможность «играть» с начертанием шрифта (полужирный, курсив), его размером и цветом! Ну, а если вам хочется создать особо изысканную и красивую надпись (например, для пункта меню), сделайте ее в виде небольшой картинки.

Впрочем, и одного шрифта нам с вами вполне хватит. Не забывайте, что кроме собственно гарнитуры шрифта, мы с вами можем оперировать еще и его начертаниями:

- **Полужирным**
- *Курсивным*
- Подчеркнутым
- ***Полужирным курсивным***
- **Полужирным подчеркнутым**
- *Курсивным подчеркнутым*
- ***Полужирным подчеркнутым курсивным***

Неужели мало? Тогда вот вам еще одна возможность — выбор цвета! Ведь страницы Интернет, в отличие от документов Word, полностью цветные — а значит, грех этим не воспользоваться.

Правда, этой, как и многими другими возможностями, пользоваться надо с оглядкой. Ведь цвет текста в обязательном порядке должен согласовываться с цветом фона — это раз.

Не резать глаза, не вызывать неприятных эмоций — это два.

И главное — цвет для основного шрифта и для заголовков может и должен обладать совершенно различными цветовыми характеристиками. Конечно, можно ограничиться более крупным шрифтом и полужирным начертанием — но все-таки большинство дизайнеров предпочитает именно такое, цветовое выделение. И вот здесь-то в ряде случаев и можно нарушить правило — не использовать яркие, кричащие цвета. Ведь ваш заголовок должен привлекать внимание... Однако допустимость «кричащих» цветов напрямую связана с количеством заголовков на странице: если их два-три, то и желтый цвет шрифта на черном фоне — не помеха. Но вот если их десять, то обилие «желтка» скоро начнет раздражать вашего гостя.

В качестве дополнительного и весьма эффектного элемента выделения многие дизайнеры предпочитают сажать заголовки на специальную цветную «плашку», контрастирующую с основным цветом страницы. Делается это весьма просто: для каждой плашки создается мини-таблица с одной ячейкой, для которой задается свой собственный фон. Впрочем, о таблицах и их использовании в веб-дизайне разговор пойдет ниже.

А теперь — несколько примеров. Допустим, выбрали вы для своей странички традиционный белый фон. Значит, текст лучше всего оставить черным или хотя бы серым — но не в коем случае не голубым, желтым или зеленым. Такой текст на белом фоне и не разглядишь! Не подойдет и красный цвет — слишком агрессивно. Синий — возможно, но все-таки синий цвет лучше всего зарезервировать для гиперссылок (они всегда отличаются по цвету от основного текста) и заголовков.

При выборе вами экстремально-черного фона — картина совершенно другая. Основной текст лучше оставить белым, а вот для заголовков подойдет цвет зеленый, голубой, иногда — красный (но очень редко).

Впрочем, сочетаемость цветов — это отдельная, большая и весьма спорная тем. Ведь не секрет, что мнение профессиональных дизайнеров нередко расходится с мнением психологов, придумавших саму науку о совмещаемости цветов.

Не так давно, открыв очередной выпуск интернет-журнала Internet Zone (http://www.izcity.com), я обнаружил в одной из статей следующий список цветовых комбинаций (расположены в порядке ухудшения восприятия).

- синий на белом
- черный на желтом
- зеленый на белом
- черный на белом
- зеленый на красном
- красный на желтом
- красный на белом
- оранжевый на черном
- черный на пурпурном
- оранжевый на белом
- красный на зеленом

А теперь попробуйте заявить знакомому дизайнеру, что для своего текста вы будете использовать исключительно зеленый шрифт на белом фоне, и что такое сочетание, по науке, является оптимальным!

Развивать эту тему дальше я не буду — эдак мы всю книжку одним цветам посвятим. Любопытствующих же в очередной раз отошлю к многочисленным сетевым публикациям, посвященным проблеме сочетаемости цветов и их воздействию на человека. Например, можете зайти по этому адресу: http://www.roga.by.ru/graf-pol/2/2/graf-pol2.shtml

Наконец, не забывайте и про размер кегля шрифта. Тут возможности FrontPage, да и вообще всех визуальных веб-редакторов, гораздо скромнее, чем у того же Word. Дело в том, что на интернет-страничках размер кегля указывается не в пунктах, а в неких «условных единицах» — от 1 до 7. Первый, самый маленький номер, соответствует размеру шрифта в восемь пунктов, а самый большой — седьмой — равен 36 пунктам.

Для «тела» странички, то есть для базового текста, в большинстве случаев вполне хватит 1 и 2 размера кегля. Размеры 3 и 4 используются, в основном, для заголовков, ну а последние три в наше время задействуются лишь для создания «шапок» и заголовков разделов.

РАСПОЛОЖЕНИЕ ТЕКСТА НА СТРАНИЦЕ

Помимо шрифтового оформления, существует возможность изменить внешний вид текста с помощью форматирования отдельных абзацев или всего документа.

Из наших кратких уроков работы в Microsoft Word, опубликованных в «Новейшей энциклопедии персонального компьютера», вы помните, что тот же Word позволяет вам выбрать несколько способов выравнивания границ текста: по левому или правому краю, по обоим краям или по центру. В большинстве случаев для того, чтобы ваш текст выглядел аккуратно и приятно для глаз, лучше остановиться на выравнивании по обоим краям. Выравнивание по центру применяется в том случае, когда нужно составить изысканный текст, расположенный своеобразной «елочкой». Этот стиль редко применяется в официальных документах, но для объявления, письма или списка может вполне подойти. А уж

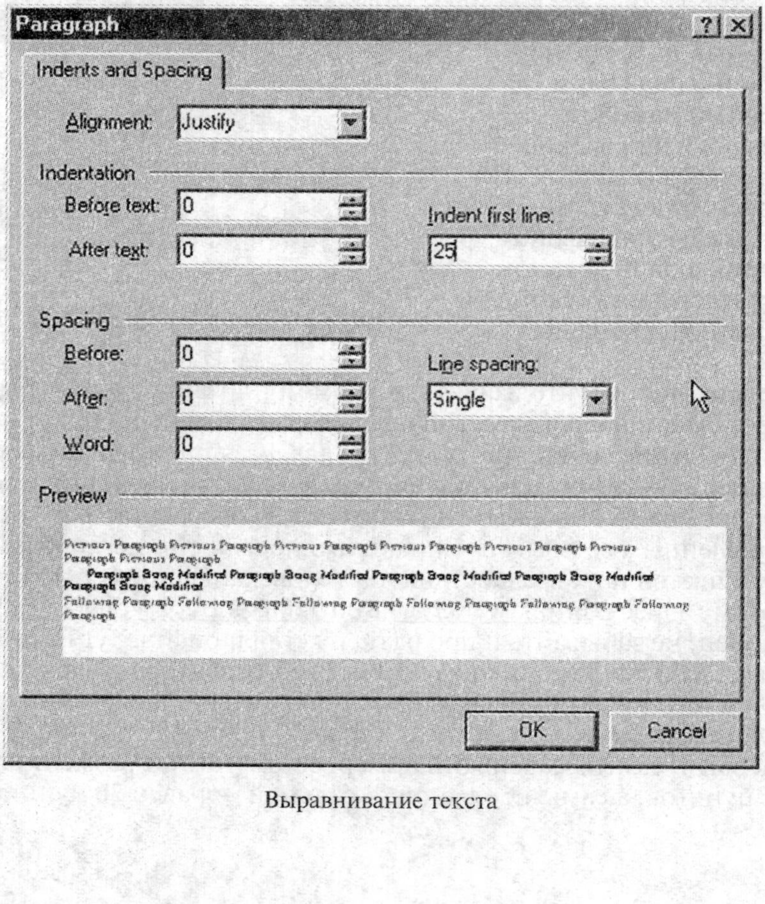

Выравнивание текста

применять выравнивание по центру к заголовкам — сам бог велел!

Что же мы наблюдаем во FrontPage? Увы — ничего утешительного: из четырех кнопок на панели форматирования, соответствующих различным режимам расположения текста, осталось только три! Мы почему-то лишились возможности выравнивать текст по обоим краям....

Причина этого вполне понятна: в ранних модификациях языка HTML в качестве базового было выбрано форматирование с выравниванием только по левому краю. А «полного» выравнивания по обоим краям, к которому мы так привыкли, не было предусмотрено вообще!

Не огорчайтесь — во FrontPage есть возможность легко обойти это ограничение. Выделите участок текста, который вы хотите выровнять по обоим краям, вызовите контекстное меню абзаца (Paragraph) и установите в строке «Alignments» значение Justify.

В этом же меню вы сможете, кстати, легко отрегулировать другие параметры абзаца. Например, величину отступа перед и после текста (Indentation) или величину абзацного отступа (Indent First Line), а заодно и расстояние между строчками (Spacing).

ИСПОЛЬЗОВАНИЕ ЭФФЕКТОВ DHTML

Существует еще одна возможность оживления текста — правда, профессиональные дизайнеры к ней прибегают редко — спецэффекты DHTML (Dynamic HTML).

DHTML — это расширение обычного языка разметки HTML, созданное Microsoft. С его помощью вы можете подключить к своей страничке крохотные программные модули (обычно созданные с помощью языка Java), которые будут вытворять с вашим текстом самые невероятные вещи.

Он может «сыпаться» с верха окна, подобно снегу, бежать змейкой справа налево или даже закручиваться спиралью! Особенно богат возможностями такого «анимационного форматирования» редактор Microsoft FrontPage — правда, внедренные им в текст странички «спецэффекты» в ряде случаев могут быть корректно отображены только браузером Internet Explorer (начиная с четвертой версии), но не его коллегой-конкурентом от Netscape. А это не есть хорошо — даром что подавляющее большинство российских пользователей Интернет Netscape Navigator не жалует...

Эффекты DHTML

Если вы все-таки решили оснастить текст парой-тройкой спецэффектов, выделите нужное слово или фразу, затем зайдите в меню Format и выберите пункт Dynamic HTML Effect.

Перед вами откроется панель с тремя окнами, в которых вы можете установить:

В момент какого действия запустится эффект (Choose An Event):

- Click — при одинарном щелчке мышью
- Double Click — при двойном щелчке мышью
- Mouse Over — при наведении курсора мыши
- Page Load — в момент загрузки страницы

Вид Эффекта (Choose Effect):

- Drop In By Word — Падение фразы по отдельному слову
- Elastic — Фраза «прилетает» справа или снизу
- Hop — Фраза делает полукруг почета над страничкой и приземляется по слову
- Spiral — Спиральная траектория
- Wave — Траектория «волны»
- Wipe — Эффект «змейки»
- Zoom — Надпись «вырастает» на ваших глазах из пустоты

Третье окошко устанавливает дополнительные параметры каждого выбранного вами эффекта.

После сохранения странички, созданной с применением DHTML-эффектов, в этой же папке образуется новый файл — animate.js. Это и есть та самая программа анимации в формате JavaScript. В дальнейшем, при размещении странички в Сети, не забудьте поместить этот файл вместе с файлами страничек и графики — иначе столь любимые вами эффекты просто не смогут сработать! И помните, что файлик этот утяжелит вашу страничку на полтора десятка килобайт, а значит, время ее загрузки увеличится на 5 и более секунд.

РАБОТА С ГИПЕРССЫЛКАМИ

Сделать любой элемент странички «активным», «прицепив» к нему гиперссылку, во FrontPage довольно просто. Выделите отведенный под ссылку текст или щелкните по картинке, затем вызовите Контекстное меню нужного элемента и выберите пункт ***Hyperlink***.

Теперь вам необходимо указать в адресной строке открывшегося окна адрес той странички, на который будет указывать ссылка. Вообще-то нам необходим интернет-адрес, начинающийся с http://. Но, поскольку мы «творим» еще не в Интернет, а в отдельной папке нашего жесткого диска, то вы можете указать «дисковый» адрес одной из созданных вами страничек, начинающийся с file://. Например, слово «СТАТЬЯ» будет указывать на страничку, располагающуюся по адресу file://C:\MYPAGE\statia.html.

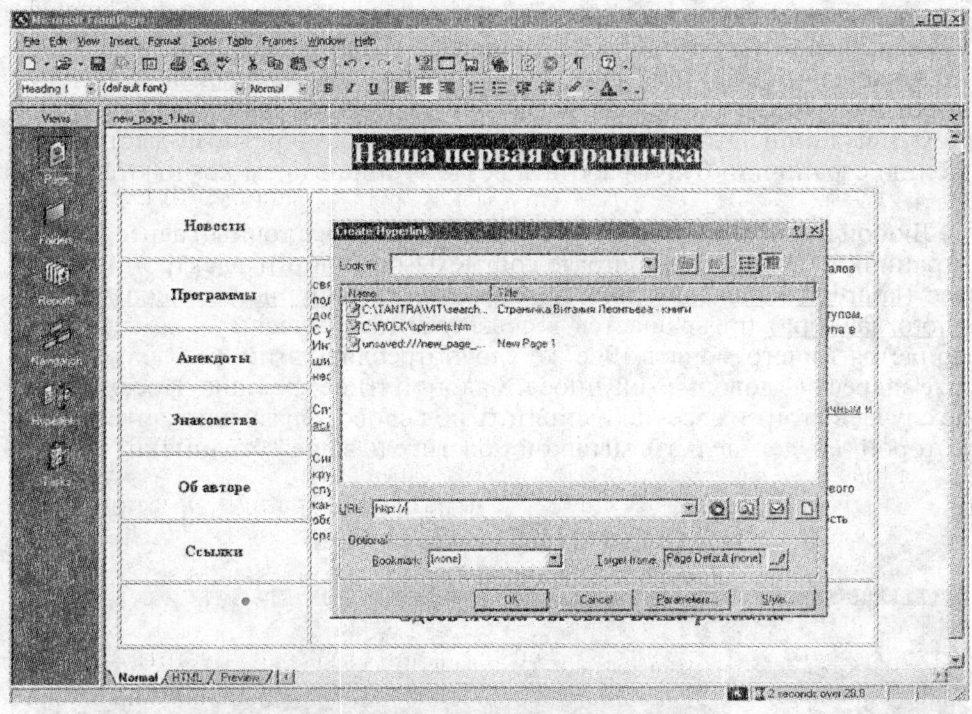

Вставка гиперссылки

Лучше всего сделать по-другому: если все странички и картинки лежат у вас в одной папке, то в качестве ссылки можно добавить только имя нужной странички, например, statia.htm. Ведь мы не собираемся оставлять всю эту сложную инженерную конструкцию на нашем жестком диске навечно, а стало быть, ни к чему связывать себя адресом конкретной папки. Пока все файлы лежат в одном месте — ссылка будет работать безукоризненно.

Если же вы рассортировали файлы по папкам, то адрес странички, естественно, должен включать и имя папки. Например, если вам нужна страничка statya.html, лежащая в папке TEXT, то ее адрес будет выглядеть как /text/statya.html.

Кстати — надеюсь, вы заметили, что косые черточки, разделяющие имена папок и файлов — слэши — выглядят не так, как привычные нам слэши в Windows: они наклонены в другую сторону. Действительно, адрес файла на диске пишется так: C:\text\statya.html, а в Интернет — http://www.yourpage.com/text/statya.html.

Еще одна тонкость, которую необходимо учитывать при вставке адресов ссылок. Внешне это выглядит, конечно, просто — при выборе ссылки указать редактору нужную страничку на вашем жестком диске... Стоп-стоп! Ведь страничка ваша недолго заживется на домашнем компьютере — она вскорости перекочует на сервер Интернет! И потому ссылки, содержащие точные адрес странички на вашем компьютере — например, C:\text\statya.html — просто перестанут работать и «путешествовать» по сайту вы не сможете. Поэтому в качестве ссылок нужно указывать либо точные адреса страничек в Интернет (если вы их, конечно, знаете) — например, http://www.yourpage.com/text/statya.html, либо короткие адреса, содержащие только называния папок и файлов — /text/statya.html. Эти адреса, не привязанные к конкретному местоположению странички, будут работать везде — и на вашем компьютере, и в Сети.

Любой написанный вами на странице FrontPage точный адрес WWW-странички (http://www.yourpage.com/text/statya.html), электронный адрес (lasarus@iname.com) или ftp-сервера (ftp://ftp.microsoft.com/public/photo/gates.jpg) превращается в ссылку автоматически — вам даже не придется ничего менять. Все же злоупотреблять этим не следует: «голые» адреса — довольно скучное и малопонятное зрелище. Посему в ряде случаев стоит их все-таки спрятать под слово, фразу или картинку, по которой и будет щелкать мышкой посетитель вашей странички.

СОЗДАНИЕ «ЗАКЛАДОК»

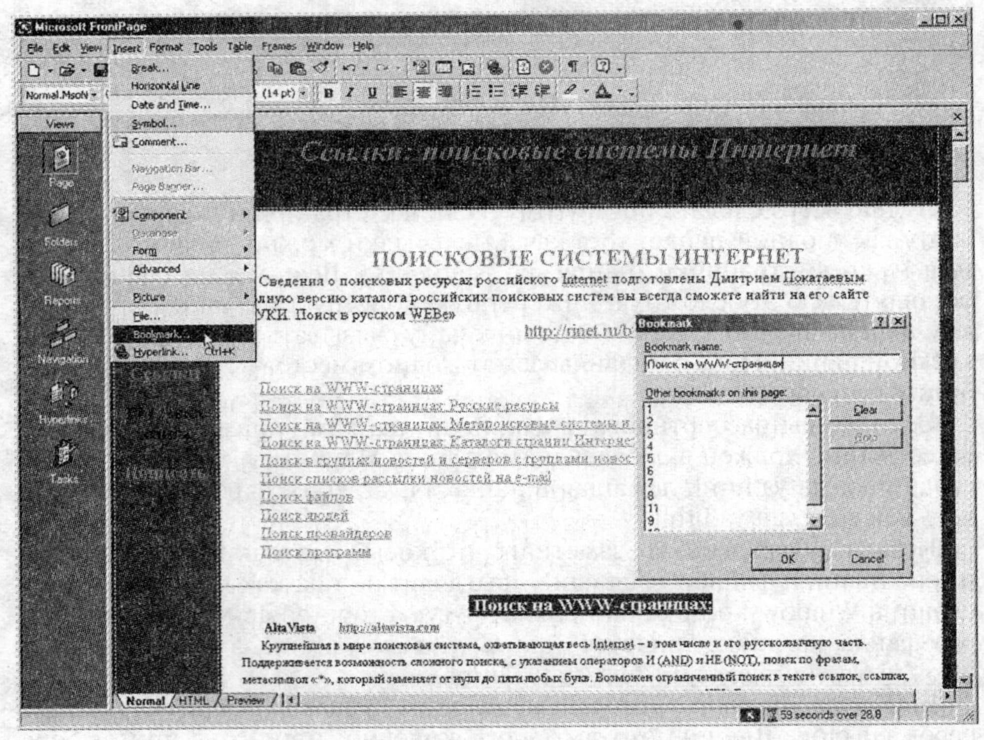

Установка «закладок»

Гиперссылки могут указывать не только на странички целиком, но и на отдельные ее участки! Правда, для этого нам с вами придется предварительно «разметить» страничку с помощью особых пометок — закладок.

Вот перед нами страница новостей — множество мелких заметочек с датой-заголовком. И вы хотите сделать так, чтобы посетитель мог в любую минуту перейти на нужную ему заметку. Конечно, можно разместить каждую на отдельной страничке, однако куда проще решить проблему с помощью закладок.

Выделите заголовок нашей заметки, затем выберите в меню FrontPage пункт Insert/Bookmark. От вас потребуется дать вашей закладке имя — желательно, не слишком длинное. Имя может совпадать с названием нашей заметки, но можно просто пронумеровать все закладки на страничке по порядку.

Теперь, когда закладки расставлены, мы можем смело составлять указатель заметок. Адрес странички в гиперссылке указывается один и тот же — например, http://www.mypage.com/news.htm. А для каждой отдельной закладки к адресу добавляется еще и ее имя, отделенное от имени странички знаком «решетки»:

http://www.mypage.com/news.htm#1
http://www.mypage.com/news.htm#2
http://www.mypage.com/news.htm#3

В уже знакомом нам меню вставки гиперссылки как раз для таких случаев предусмотрено дополнительное меню Bookmarks.

ИСПОЛЬЗОВАНИЕ ТАБЛИЦ

Нет-нет, не думайте, что автор нарушил свое обещание не дублировать информацию из руководства пользователя Microsoft Word. Конечно, при работе с таблицами и тут и там используются одинаковые приемы. Но вот роль таблицы в обоих случаях играют совершенно разную.

Что такое таблица в Word? Она всего лишь дополняет текст, «иллюстрирует» или разъясняет смысл отдельных абзацев или предложений.

Что такое таблица в веб-дизайне? Это — настоящий скелет вашей веб-странички, позволяющий красиво расположить все его элементы.

Вспомним, что в профессиональных системах верстки (например, Adobe PageMaker) вы можете строить вашу страничку, манипулируя каждым объектом в отдельности. Надо перетянуть картинку вбок или вниз — вы просто перетаскиваете ее мышкой. Точно так же можно поступать и с отдельными абзацами текста. Хотите моментально переверстать страничку из режима трех колонок в четыре? Тоже нет проблем.... В текстовых редакторах, увы, дело обстоит совершенно иначе. Текст «спекается» в монолитный массив, управлять его отдельными элементами трудно, а вставка изображений сопряжена со значительными трудностями.

Будучи близким родственником Word, FrontPage, тем не менее, нашел элегантный способ обойти препятствие. Теперь вы можете превратить страницу в одну большую невидимую таблицу, в ячейках которой поселятся отдельные элементы вашей странички — маленькие картин-

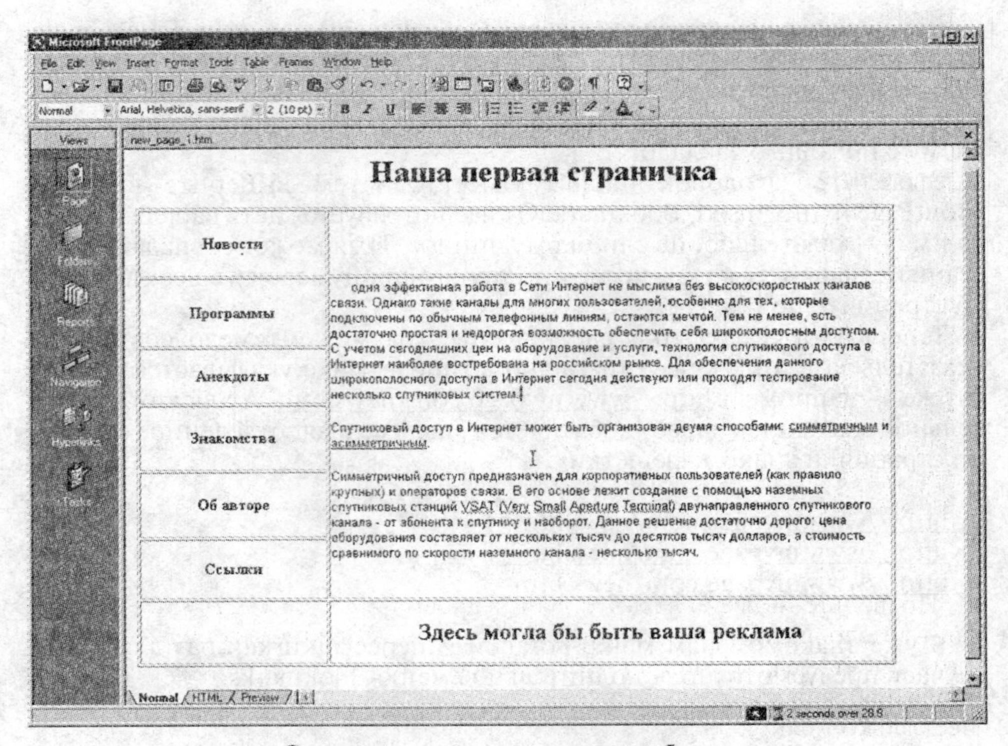

Страничка, созданная на основе таблицы

ки и большие текстовые абзацы, которые превращаются в отдельные, практически независимые друг от друга объекты.

Попробуйте, к примеру, создать простенькую страничку с тремя элементами — шапкой вверху, навигационным меню слева и большим текстовым окном. Представили?

Теперь давайте создадим пустую страницу FrontPage и вставим в нее таблицу. Удобнее всего в нашем случае сделать это в режиме рисования (команда Table/Draw).

В вашем распоряжении окажется симпатичный карандашик, с помощью которого мы для начала нарисуем на страничке рамку будущей таблицы. Поскольку мы решили, что таблица у нас будет занимать все окно целиком, растянем ее на всю видимую площадь экрана.

Теперь будем эту рамку делить — с помощью того же карандашика. Для начала проведем горизонтальную черту и отсечем небольшую площадь в верхней части экрана. Там у нас будет жить шапка-заголовок. Дальше отсечем вертикальной чертой участок слева, выделив область для меню. Этот участок можно, в свою очередь, поделить горизонтальными чертами на несколько мелких, чтобы для каждой кнопки меню у нас образовалась своя, отдельная ячейка. Готово!

В принципе, эту же операцию можно выполнить и другим путем, выбрав в том же меню Table пункт Insert. Благодаря этому вы получите возможность быстро вставить документ таблицу с нужным числом строк и колонок.

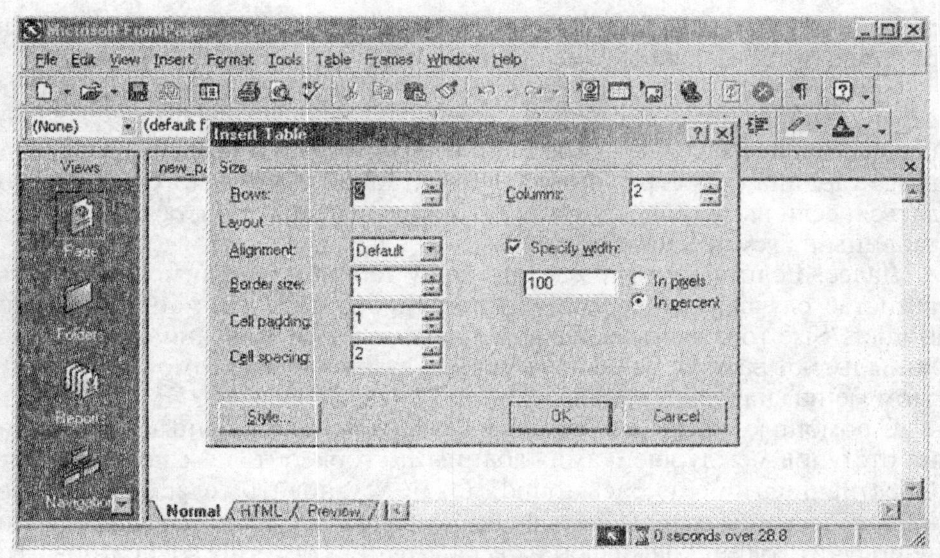

Создание таблицы

Позвольте, но ведь нам нужна не «правильная» симметричная таблица — число ячеек на правой и левой стороне должно быть разным! Да и сами ячейки далеко не равны по объему... Ничего страшного — создав таблицу с большим числом ячеек, вы можете в дальнейшем объединить несколько мелких ячеек в одну, крупную. Для этого нужные ячейки следует выделить, а затем применить к ним команду Merge Cells. Она доступна как через уже знакомое вам меню Table, так и через контекстное меню выделенных ячеек, вызываемое правой кнопкой мыши.

Готово? Отнюдь. Пока что мы имеем в своем распоряжении всего лишь грубую схему, которую нам потребуется доводить до кондиции.

Для начала поработаем со всей таблицей в целом. Щелкнем по ней правой кнопкой мышки и в открывшемся контекстном меню выберем пункт «Свойства таблицы» (Cell Properties).

В первую очередь нам с вами необходимо установить размер нашей таблицы. И вот тут возникает некоторое затруднение: ведь наша страничка будет открываться в окнах различной величины, в различных

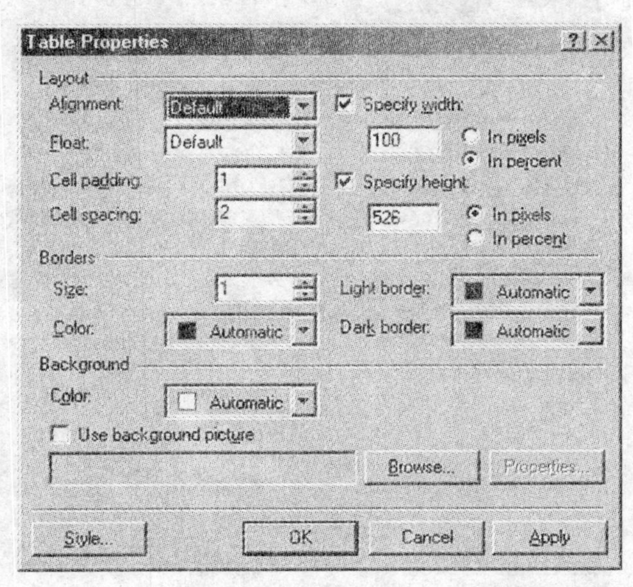

Свойства таблицы

разрешениях экрана. Как же сделать так, чтобы наша таблица каждый раз присутствовала на экране целиком, подстраиваясь под его размер?

Выход прост — установить размеры таблицы по горизонтали и по вертикали не в пикселях, как это предлагается «по умолчанию», а в процентах! В нашем случае — 100 % по горизонтали и по вертикали. Теперь наша таблица стала «резиновой». Точно такой же эффект будет наблюдаться, если вы вообще снимете галочки с этих пунктов, оставив размер таблицы на усмотрение браузера.

Далее. Если вы хотите сделать вашу таблицу невидимой (а в большинстве случаев это и рекомендуется), обратите внимание на пункт Borders/Size того же меню свойств таблицы. По умолчанию рамки таблицы имеют размер, равный единичке, вам же необходимо установить в этом меню значение, равное нулю.

С помощью меню Cell Padding и Cell Spacing устанавливается величина отступов между ячейками таблицы по горизонтали и по вертикали. Обратившись к меню Background, можно установить желаемый цвет фона всей таблицы или выбрать фоновую картинку. Кстати, если вы хотите получить одинаковый фон на всей страничке, лучше воспользоваться другим пунктом контекстного меню — Page Properties/Background.

Наконец, обратимся к меню Layout, которое влияет на расположение таблицы на вашей страничке:

- Alignment — отвечает за расположение таблицы «по горизонтали» (центровка, выравнивание по левому, правому краю, по обоим краям), дублируя кнопки на панели форматирования FrontPage. В нашем случае можно выбрать Center или Justify.
- Float — если ваша таблица будет встроена в текст, с помощью этого меню вы можете выбрать метод обтекания (текст справа, слева от таблицы).

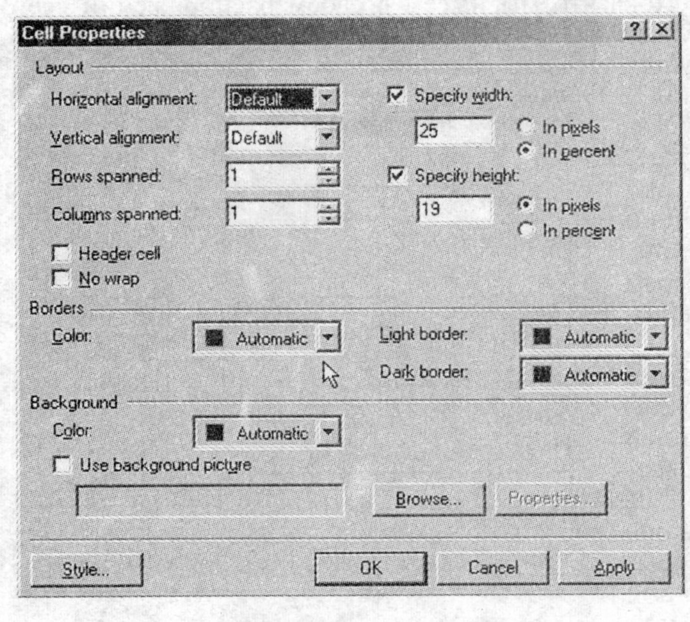

Установка параметров ячеек

Покончим с таблицей в целом, примемся за ее отдельные ячейки (меню Cell Properties). В случае, к примеру, с навигационным меню слева, состоящим из множества отдельных ячеек, рациональнее будет сначала выделить их все, а уж потом вызывать меню свойств.

Каждую ячейку или группу ячеек можно, как и в случае с целой таблицей, сделать «резиновой» или же четко установить ее размер в процентах от общей площади экрана. В тех же случаях, когда в ячейках проживают изображения-кнопки, которые, как известно, обладают фиксированным размером и сжиматься-разжиматься не обучены, размер ячейки также можно зафиксировать, установив точную величину в пикселях.

Наконец, через меню Cell Properties можно изменить и свойства располагающегося в ячейках текста, параметры его форматирования по вертикали и по горизонтали. Сделать это можно с помощью выпадающих меню Vertical и Horizontal Alignment.

На самом деле FrontPage позволяет использовать таблицы куда более рационально и элегантно, чем описано в этом разделе. Достаточно сказать, что в любую ячейку существующей таблицы вы можете встроить новую, со своими свойствами и характеристиками... Но с этим, вероятно, вы можете разобраться уже самостоятельно.

ИСПОЛЬЗОВАНИЕ ФРЕЙМОВ

Создавая не одну страничку, а несколько, да еще связывая их в единый сайт, нам неизбежно придется решать проблему с повторяющимися элементами на них.

Возьмем, например, навигационное меню. Оно ведь должно присутствовать на экране постоянно — так, чтобы с любой странички вашего сайта пользователь мог перейти на все остальные. Верно? Вопрос лишь в том, как это сделать.

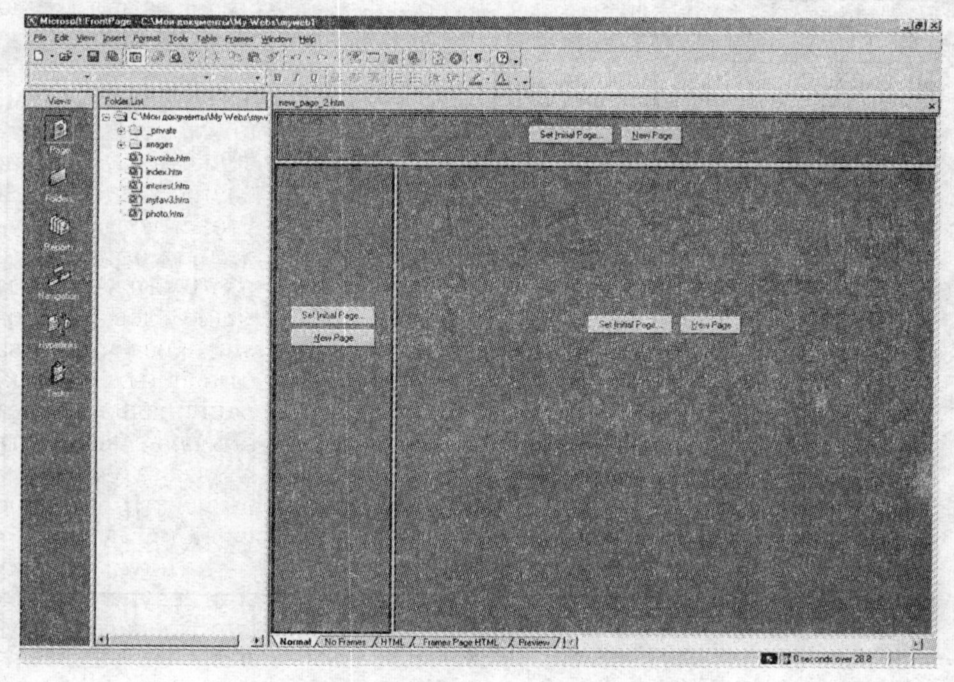

Страница, созданная с использованием фреймов

Можно, конечно, просто взять и продублировать главное навигационное меню на всех страничках, добросовестно разместив на каждой все кнопки и подписи. Но это не слишком удобно: во-первых, работа эта довольно кропотливая, а во-вторых... представьте, что вам нужно добавить на сайт новый раздел — и, соответственно, изменить меню. В этом случае вам придется по-новой, в ручном режиме, редактировать каждую страницу!

Для таких случаев как раз и предусмотрены «фреймы» (форточки) — особый способ построения сайта. При использовании фреймов большое окно вашего браузера разделено на несколько частей, каждая из которых ведет свою, вполне самостоятельную жизнь. «Форточек» может быть несколько, однако чаще всего их две.

- Большая, в которой, собственно, и отображается содержимое странички.
- Маленькая — навигационная панель с оглавлением вашего сайта.

Иногда специальные фреймы выделяют для заголовка и для «подвала каждой странички, однако это в большинстве случаев уже излишество. Для решения простых задач нам с вами хватит и двух.

Как правило, навигационный фрейм расположен справа, однако некоторые дизайнеры помещают его вверху или внизу странички.

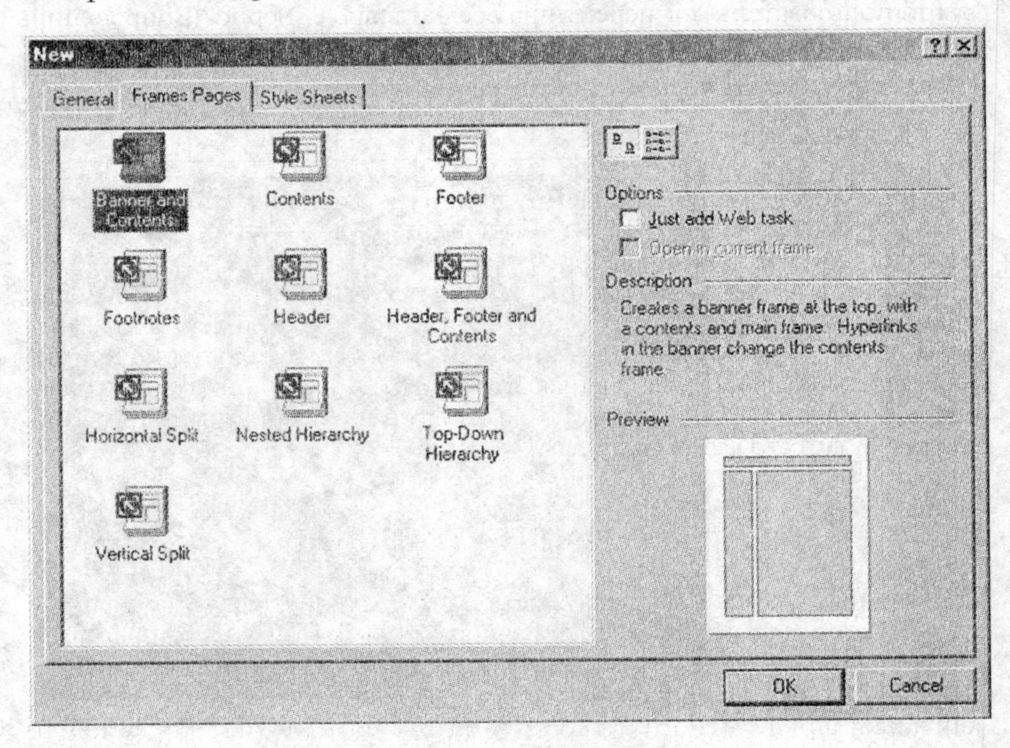

Шаблоны фреймов FrontPage

Большинство серьезных «визуальных» WWW-редакторов умеют создавать фреймовые структуры при помощи одной-единственной команды, либо — из готового шаблона. Не является исключением и FrontPage.

Итак, если вы желаете создать страничку, состоящую из нескольких фреймов, поступите следующим образом.

- Запустите программу и выберите команду File/New/Page.
- В открывшемся меню выберите вкладку Frames Pages.
- Выберите нужный шаблон странички из предложенного вам списка.

Открыв выбранной шаблон, вы увидите «бланк» вашей будущей странички, уже разделенной на окна-фреймы, в каждом из которых есть две кнопки:

- Кнопка Set Initial Page позволит привязать к данному фрейму уже существующий HTML-документ.
- Кнопка New Page позволит вам создать страницу «с чистого листа».

Теперь вы можете редактировать каждый фрейм обычным порядком, как отдельную страницу. Однако сохранять готовый документ вы будете уже как ТРИ отдельных страницы, две из которых хранят «начинку» ваших фреймов, а третья будет служить для них оболочкой: именно ее адрес и нужно будет вызывать при открытии страницы в браузере.

Свойствами фреймов можно управлять через пункт Frame Properties контекстного меню — типовые операции с форматированием фреймов, в принципе, уже знакомы вам по главе «Использование таблиц». Обратите особое внимание на кнопку Frames Page — нажав на нее, вы откроете дополнительное меню базовых характеристик фрейма. Здесь вы сможете присвоить страничке-фрейму имя, дать описание, словом, выполнить все операции, которые мы обычно применяем к страницам, а заодно и сделать границы между фреймами невидимыми.

Учтите только вот что: профессиональные дизайнеры ОЧЕНЬ редко прибегают к помощи фреймов, ибо это страшно затрудняет работу «паукам» — поисковым системам, многие из которых будут упорно принимать каждый фрейм за отдельный документ. Существуют, конечно, способы избавиться от этой напасти, однако гораздо лучше выбрать какой-то другой тип структуры сайта.

ВЫБОР ФОНА СТРАНИЧКИ

В прошлой главе мы затронули проблему фона странички, мельком упомянули о нем и в разделе, посвященном веб-графике. Однако проблема эта нуждается в гораздо более подробном освещении. Ведь фон — один из главных элементов странички, который определяет ее имидж и, как и цвет шрифта, способен сразу же выработать у пользователя то или иное мнение о страничке.

Яркие цвета для фона в любом случае неуместны! Вот первое правило, которое вам стоит запомнить, — говорят специалисты в области веб-дизайна. Никакой ядовитой желтизны, ярко-красного, синего, зеленого цвета — пусть этим грешат новички. Попробуйте-ка почитать страницу на фиолетовом фоне даже при хорошем, контрастном шрифте, хотя бы пять минут!

Это — с одной стороны. А с другой — автор знает множество прекрасных и популярных сайтов, которые как раз и используют эти самые «неприличные» сочетания цветов. Например, новостной сайт НТВ (http://www.ntv.ru) просто режет глаз своим зеленым фоном. Но ведь читают же, смотрят!

Вообще подобрать удачную цветовую гамму для веб-странички — задача не из легких. Смотрите сами: один цвет необходим для базового шрифта, другой — для заголовков, третий — для фона, четвертый — для оформительских элементов (бордюров, плашек)... И ведь все цвета должны хорошо сочетаться друг с другом, не создавая ощущения пестроты.

И именно поэтому большинство пользователей сегодня предпочитает использовать строгие консервативные гаммы, сочетая на страничке всего лишь два-три цвета. Пожалуй, одной из самых популярных комбинаций остается сочетание белого, голубого (синего) и черного цвета. И это резонно: в качестве фонового цвета белый подходит как нельзя лучше. К нему мы привыкли, благодаря бумажным публикациям, он лишен эмоциональной окраски — значит, пригоден для размещения любой информации — и небросок.

Радикально черный фон — также не редкий гость на веб-страничках. Однако, в отличие от белого, он обладает собственным, ярко выраженным характером. На белой страничке уместен любой текст, а вот на черной... Черный — цвет андеграунда, тайны, цвет Космоса и созерцания. А потому для радостной, солнечной странички он мало уместен. Кстати, черный цвет почему-то полюбился многим сайтам, посвященным компьютерам и программному обеспечению.

В дополнение к базовым цветам — черному и белому, дизайнеры иногда используют в качестве фона очень светлые оттенки некоторых цветов (расположены в порядке убывания популярности).

- Светло-голубой
- Светло-серый
- Светло-салатовый
- Светло-фиолетовый
- Песочный
- Светло-кремовый

Использование таких нестандартных цветов поможет вам придать страничке индивидуальность и сделать ее более «теплой». Но выбор того или иного цвета — напомню это еще раз! — в каждом конкретном случае должен зависеть от текста. Как известно, хороший плясун пляшет от печки, ну а грамотный Web-дизайнер — от содержания...

Установить фоновый цвет для всей странички, как мы помним, можно через пункт Page Properties/Background Контекстного меню, выбрав нужный оттенок из цветовой палитры.

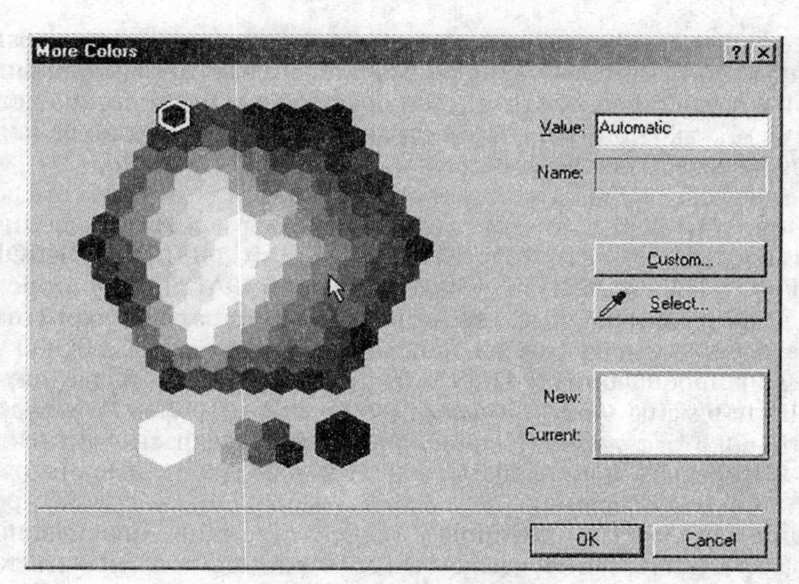

Выбор цвета из палитры

Раз уж мы с вами заговорили о цвете, то надобно напомнить и о том, что цвета в различных браузерах и на различных компьютерах могут отображаться по-разному. И при выборе цвета традиционным способом, на глазок, нет никакой гарантии, что ваш пользователь не увидит в итоге вместо синего цвета, скажем, фиолетовый.

Именно поэтому дизайнеры предпочитают при установке цвета не ориентироваться на показания палитры, а вводить его точный цифровой код (например, код серого цвета — #CCCCCC). Кроме того, при подборе фона желательно сверяться с так называемой «таблицей безопасных цветов». Эти цвета в любом случае будут отображены одинаково, каким бы браузером, операционной системой и компьютером вы ни пользовались. Кстати, с подобными таблицами работают и дизайнеры в полиграфическом производстве — но если они оперируют тысячами цветов, то нам с вами придется ограничить свои аппетиты всего 256 оттенками.

Объем и полиграфическое исполнение этой книги не позволяет мне воспроизвести здесь же эти таблицы с кодами каждого цвета. Однако вы без всякого труда сможете найти их непосредственно в Сети, задав поисковым системам поиск по запросу «безопасная палитра» или «таблица безопасных цветов». В частности, палитры, как и великое множество других дизайнерских полезностей, доступны на сервере http://www.design.ru.

РАБОТА С ТЭГАМИ ДОКУМЕНТА. СОХРАНЕНИЕ СТРАНИЧКИ

Страница готова! Текст правильно отформатирован, корректно расставлены гиперссылки, подобран фон и графическое оформление... Так что же — наш сайт можно публиковать?

Подождите еще немножко: нам предстоит внедрить в тело странички кое-какую дополнительную информацию. Пользователям она видна не будет, а вот для поисковых систем и браузера она будет весьма кстати.

Начнем с главной, титульной странички, а уж потом по ее подобию будем обрабатывать и все остальные.

Прежде всего надо дать вашей страничке имя, которое и высветится в заголовке браузера в момент ее открытия. Имя может быть длинным — например, «ВИРТУАЛЬНЫЙ КЛУБ ЗНАКОМСТВ ДЛЯ ПОКЛОННИКОВ ГРУППЫ PRODIGY». Кстати, к имени ФАЙЛА, в котором хранится ваша страничка, имя, указанное в ее свойствах, никакого отношения не имеет — имена файлов, напомню, должны быть СТРОГО латинскими, по старой формуле DOS [8 букв на имя, 3 (4) — на расширение].

Зайдите в меню ***Файл/Свойства*** (во FrontPage — ***File/Properties***) и заполните поле «***Название***» (Name). Заполнили? Прекрасно! Но не спешите пока закрывать меню параметров, ведь нам еще необходимо выполнить целый ряд операций!

Например, указать кодировку вашей страницы [вкладка «Язык» (Language)]. Естественно, языком вашей страницы должен быть русский (Russian), а кодировка — кириллица (Cyrillic). Речь идет, конечно же, о стандартной кодировке Windows, а не об альтернативной КОИ-8.

Наконец, нам предстоит включить в страничку ее краткое описание и ключевые слова, которые позднее послужат хорошей «наживкой» для поисковых систем. Сделать это можно, добавив в «тело» странички специальные поля-«тэги»:

- Description — описание странички;
- Keywords — ключевые слова.

Вообще-то знакомство с тэгами языка HTML не входит в круг наших интересов, но в данном случае без них не обойтись. Вопрос лишь в том, как эти тэги внести в текст. Сделать это можно двумя способами. Во-первых, классическим, в режиме HTML-программирования. Для этого переключите свой редактор (например, то же FrontPage) в режим работы HTML и быстренько напишите примерно такую «шапку» для вашего документа:

```
<html><head>
<title>Название странички</title>
<meta http-equiv=«Content-Type» content=«text/html; charset=windows-1251»>
<meta http-equiv=«Content-Language» content=«ru»>
<meta name=«description» content=«Описание странички»
<meta name=«keywords» content=«ключевые слова»>
</head>
```

Разумеется, в кавычках следует указывать название именно вашей странички, именно ее описание и нужные вам ключевые слова. Помните лишь о том, что описание лучше ограничить двумя-тремя фразами —

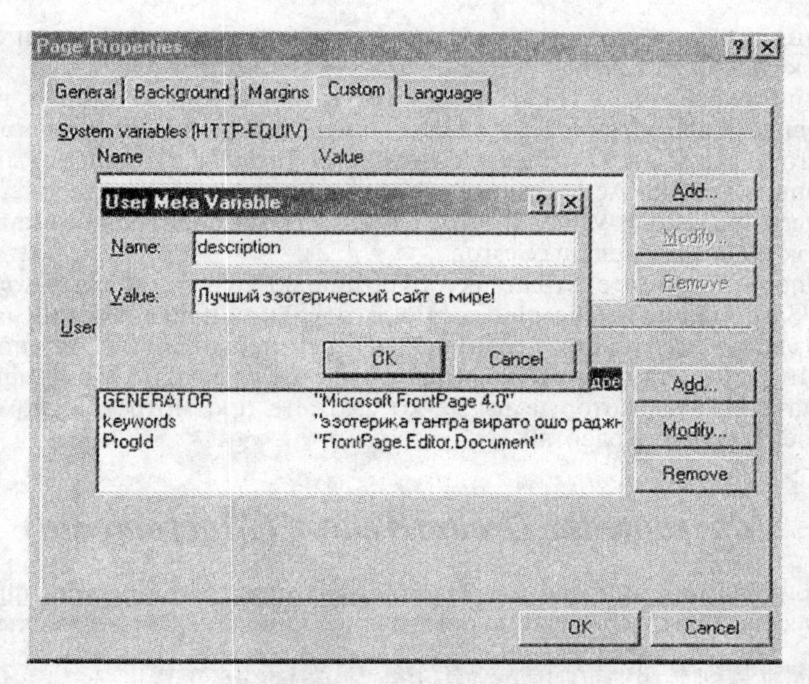

Добавление «тэгов»

а еще лучше одной, в которой было бы коротко и ясно изложено, ЧТО собственно может найти на вашем сайте пользователь.

Что же касается ключевых слов, то писать их можно через пробел, без всяких знаков препинания. Использовать можно как русские, так и английские слова. А вот какие — это вам придется выбирать самому. Допустим, для сайта, посвященного вашему любимому автору Виталию Леонтьеву (о, скромность!) и его бессмертным творениям, вполне подойдут такие:

Справочник пользователя, энциклопедия персонального компьютера, железо, программы, интернет, утилиты, настройка, hardware, software, windows, microsoft office....

Хочется, хочется добавить еще слова — важные, по-настоящему ключевые... Но увлекаться не стоит — лучше, если количество ключевых слов не превысит 15—20. Все остальные поисковый робот сможет найти на самой страничке.

Велик соблазн чуть «смухлевать», заполнив поле keywords до отказа самыми популярными, по статистике поисковых систем, словами — «секс», «знакомства», «работа», «порно», «халява» и им подобными. Многие так и поступают — и в результате оказываются на мели, ибо умные поисковики, как правило, сверяют заданные вами ключевые слова с содержанием самой странички. В случае особо разительных расхождений вместо ожидаемого притока посетителей вы получите дырку от бублика. Не забывайте и о том, что большинство серьезных поисковиков сегодня просто игнорирует сайты с «популярными» ключевыми словами сексуального толка...

Если же работать с HTML напрямую вам не слишком удобно, вы можете внести все перечисленные выше тэги с помощью специального меню FrontPage — ***File/Properties/Custom/User Variables***. Создав новый тэг с помощью кнопки Add, введите его имя в поле Name, а значение, соответственно, в поле Value. В этом случае можно обойтись без кавычек, скобок и дополнительных тэгов.

Теперь сохраните страничку с помощью пункта ***Файл/Сохранить*** (File/Save As) под именем index.html в отдельной папке и принимайтесь за создание следующих страничек. Спустя несколько часов упорного дизайнерского труда у вас на диске образуется несколько документов в формате HTML, которые вы легко сможете просмотреть с помощью Internet Explorer. Красота!

Macromedia DreamWeaver (Macromedia)

При упоминании фирмы Macromedia (http://www.macromedia.com) профессионалы Web-дизайна понимающе кивнут — как же, наслышаны

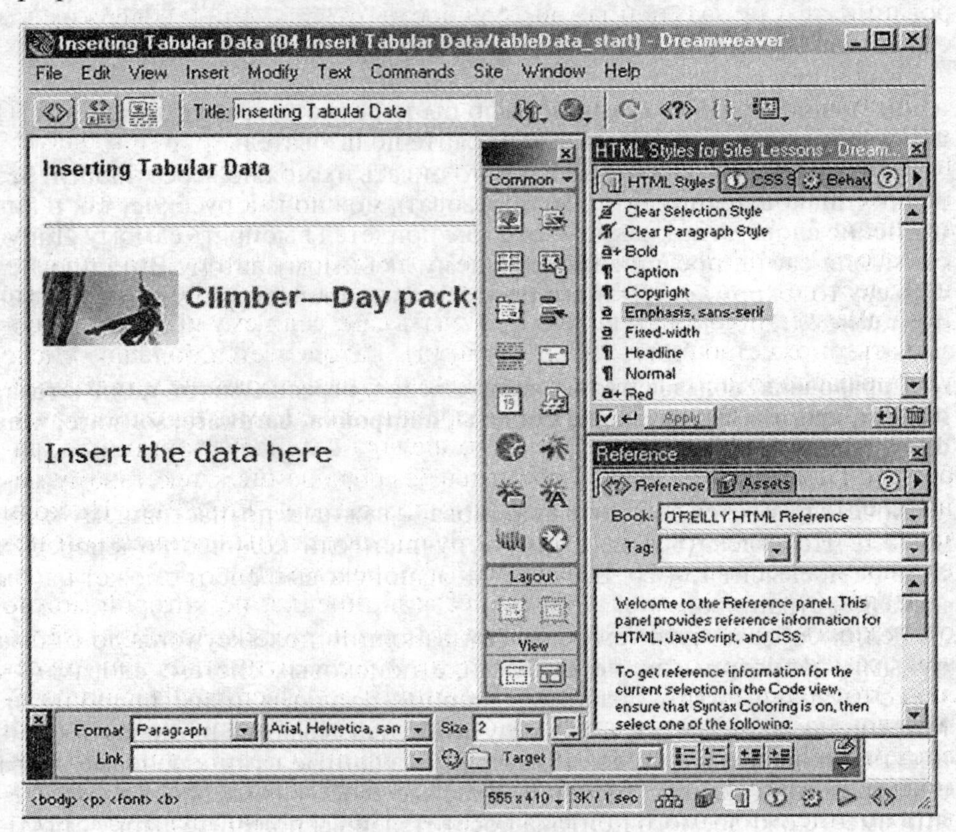

Macromedia DreamWeaver

они о многочисленных ее разработках в области интернет-мультимедиа. Технология музыкальных вставок в WWW-страницы Shockwave и анимационная технология Flash, позволяющая публиковать в Интернет настоящие мультимедийные учебники, используются не только создателями «домашних страничек», но и разработчиками серьезных корпоративных сайтов.

И было бы странно, если бы Macromedia вслед за другими производителями офисного программного обеспечения не выпустила бы заодно и редактора WWW-страниц. Но странности не произошло — в свет вышел Macromedia DreamWeaver. И не просто вышел, но и завоевал множество премий и почетных титулов. И самое главное — уважение разработчиков, пожалуй, впервые убедившихся в том, что и «визуальный» WWW-редактор может стать достойным оружием разработчика-профессионала.

В чем же преимущества DreamWeaver по сравнению с уже знакомым нам Microsoft FrontPage и морем других WWW-редакторов?

На первый взгляд, разница небольшая. Практически все стандартные инструменты Web-дизайна, встречавшиеся нам в FrontPage, реализованы в DreamWeaver — вставка графики, апплетов JAVA, разумеется — объектов Macromedia Flash и Shockwave, тонкие возможности форматирования текста, различные возможности отображения содержимого страницы, встроенный HTML-редактор...

Вопрос только в том, КАК все это реализовано!

FrontPage привлекает начинающего (и отпугивает — профессионального) дизайнера обилием нежданных помощников-мастеров и шаблонов. Без них вся красота этого редактора пропадает, всплывает неудобное расположение меню, доступ ко многим простейшим операциям затруднен...

А вот DreamWeaver поступает иначе. Никаких Мастеров или шаблонов здесь нет — да и зачем (поправка — шаблоны, с помощью того же DreamWeaver, пользователь может создать сам, если ему приходится создавать множество однотипных страниц)? Зато имеется большое число удобно расположенных кнопочных панелей, на которых вы можете найти практически все необходимые операции, даже самая сложная из которых требует одного-единственного щелчка мышью! В принципе, работая с DreamWeaver, можно обойтись без обращения к текстовому меню вверху окна, что просто неизбежно при работе с FrontPage. Но коли такая необходимость возникнет, вы будете поражены количеством новых возможностей, предоставляемых этим редактором.

Например — координационная сетка и линейка, по которой можно отслеживать точные размеры любого объекта на вашей страничке. Причем сразу в трех системах измерения: дюймах, сантиметрах или пикселях. Этот элемент, отсутствующий во FrontPage, Macromedia явно позаимствовала из арсенала профессиональных графических редакторов и систем верстки. Оттуда же (реверанс в сторону Adobe) пришла и возможность работы со «слоями», которые пользователь может редактировать по отдельности, а также перемещать относительно друг друга. Весьма удобно размещать на одном слое, к примеру, текст с графикой, а другой отдать под всевозможные JAVA-анимации и прочие профессиональные художества.

Но довольно о графике. Ведь что самое важное в Web-дизайне? Компактный и правильный HTML-код странички, в который редактор «переводит» все созданные вами визуальные изощрения. Вот по этой части FrontPage явно слабоват — выдаваемый им код грешит тяжеловесными излишествами, запутан и нередко корректно читается исключительно браузером Internet Explorer. Однако ж надо учитывать и то, что далеко не все население земного шара пользуется браузером от Microsoft (к огорчению последней). И Macromedia DreamWeaver это как раз и учитывает, выдавая на-гора чистый, аккуратный и великолепно читающийся в любой программе код. Кстати, редактор снабжен средствами автоматической чистки кода — хотя возлагать слишком большие надежды на эту функцию не следует, но кое-какие откровенные «ляпы» она поможет исправить.

Разумеется, программа великолепно справляется с кодировками русского языка (в противном случае она в эту книжку просто не попала бы). И русскоязычному пользователю, несмотря на отсутствие локализованного варианта редактора, разобраться с DreamWeaver будет просто — настолько все наглядно и... визуально! Но есть и еще одна причина, по которой автор настоятельно рекомендует этот редактор всем начинающим (равно как и продолжающим) дизайнерам: на сайте Macromedia вы всегда можете найти пробную версию программы, которая позволит вам заниматься «ваянием» сайтов в течение 30 дней — совершенно бесплатно! Согласитесь, такой вариант куда более корректен и удобен, чем установка на компьютер однозначно украденного FrontPage ...

РАЗМЕЩАЕМ СТРАНИЧКУ В СЕТИ

Публикация странички на сервере

И вот настал торжественный момент, когда вам нужно дать созданным вами страничкам «путевку в жизнь», «опубликовав» их на подключенном в Интернет сервере. Местом прописки для вашей home-page может стать сервер вашего провайдера — эта услуга, как правило, бесплатная.

Страничка может быть размещена в вашем личном каталоге, причем правами на редактирование, удаление и добавление информации в нем будете обладать только вы. Это обеспечит безопасность вашей странички, ее защиту от посторонних. Точный адрес этого каталога вы можете узнать у провайдера — он вам вскоре понадобится.

В принципе, опубликовать страничку в Сети — т. е. перенести ее на ftp-сервер — может и сам WWW-редактор (например, очень удобно реализован режим публикации в Macromedia DreamWeaver). Для этого при создании странички укажите точный адрес ftp-сервера, где она будет размещена, а также логин и пароль для доступа к нему. Если вы размещаете страничку на сервере вашего провайдера, то логин и пароль совпадут с теми, что вы используете для входа в Интернет, а вместо точного адреса можно указать просто название сервера: например, у моего провайдера — Dataforce — он носит название ftp://ftp.dataforce.net.

Конечно, страничка должна быть сохранена не просто на сервере, а в особой, вашей персональной папке, однако при подключении к ftp-серверу он сам вычислит из вашего логина и пароля, в какую папку «переадресовать» копируемые вами файлы.

Однако публиковать странички в Интернет при помощи WWW—далеко не самое изящное решение проблемы. Ведь в этом случае при каждом сеансе редактирования странички коварная программа стремится залезть в Интернет и сохранить результаты работы именно там! Что не есть хорошо: глупо заниматься редактированием странички в режиме подключения к Сети, тратя драгоценное время.

Куда удобнее создать сайт целиком на вашем жестком диске, «вылизать» его, а уж потом со спокойной совестью переносить плод ваших усилий в Сеть. Сделать это не трудно — правда, вам придется раздобыть еще одну программу, «клиента FTP». Методика работы с такой программой практически не отличается от общения с привычным нам «проводником», да и задача его такая же — перенести или скопировать файлы из одной папки в другую. Отличие лишь в одном — вторая папка находится не на вашем компьютере, а на удаленном сервере FTP.

Настраивается любой FTP-клиент (например, популярная условно-бесплатная программа CuteFTP) всего за несколько минут — от вас требуется только указать, с каким FTP-сервером (а иногда — и с каким разделом-папкой на нем) вы хотите соединиться, ввести в специальную строку пароль и логин... И все! Копируйте содержимое вашей папки с WWW-сайтом в вашу персональную папку на FTP-сервере — и созданная вами страничка будет «опубликована»... Кстати, не мешает проверить, насколько успешно прошел сей процесс. То, что ваша страничка скопирована на FTP-сервер, понятно — но доступна ли она через Интернет, в привычном режиме WWW?

Если вы размещаете страничку на сервере своего провайдера, то чаще всего ее адрес выглядит так:

www.адрес провайдера/~ваш логин

Например,

www.dataforce.net/~tantra

Пользователи Windows 98/ME имеют в своем распоряжении, пожалуй, самый простой и удобный механизм автоматической публикации подготовленных страничек в Сети — Мастер Web-издания (Web Publishing Wizard), который вы можете найти в папке Программы/Стандартные/Средства Интернет/.

Долой специализированные программы! Долой малопонятные FTP-серверы и их клиентов! Мастер публикации сделает все легко и быстро, не требуя от вас никакой особой настройки. Разве что попросит указать

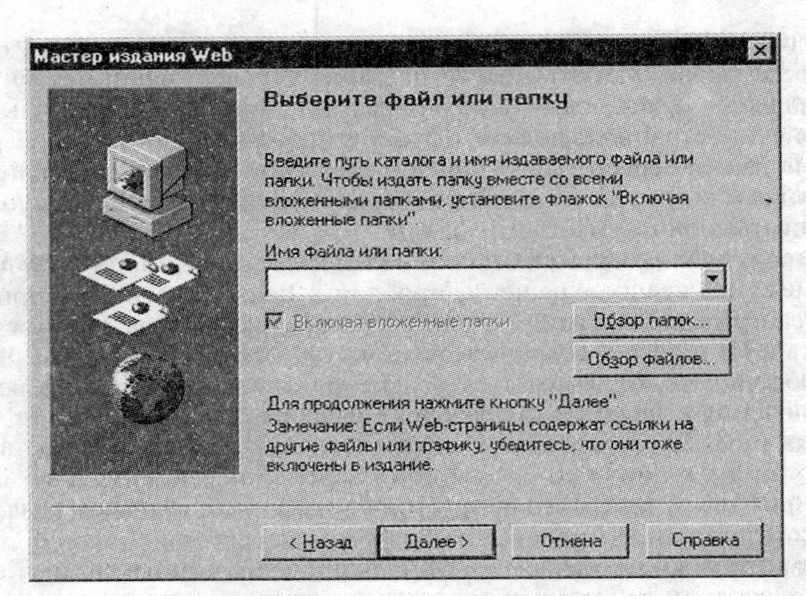

Мастер издания Web

исходную и конечную папку. Первой будет, естественно, локальная папка на вашем жестком диске, в которой лежат подготовленные вами интернет-странички, а второй — WWW-адрес вашего будущего сайта.

Ну и, разумеется, для доступа к страничке необходим ваш логин и пароль. Те самые, с помощью которых вы входите в Сеть. А дальше Мастер все сделает сам — скопирует файлы на FTP-сервер, расставит на страничках корректные ссылки да и заглавие сайту даст.

А как быть в том случае, если вы хотите добавить на уже имеющуюся в Сети страничку несколько новых документов? Это можно легко и быстро сделать через... Проводник Windows 98!

Выделите файлы, которые вы хотите перенести на вашу страничку. Теперь щелчком правой кнопки мышки вызовите их Контекстное Меню, выберите пункт ***Отправить/Мастер издания Web***. Ну а дальше действуйте по уже знакомой схеме.

Хостинг

Если вы по каким-либо причинам не можете (или не хотите) размещать homepage на сервере провайдера, то вы можете прибегнуть к услугам одного из многочисленных «виртуальных городов», бесплатно предоставляющих место (как правило — до 10 Мбайт) под домашние странички. Правда, в этом случае вам будет необходимо уточнить порядок размещения вашей странички на FTP-сервере «города» — описанная мной выше модель публикации может варьироваться.

Учтите, для того чтобы получить полноценную прописку в виртуальном «городе», вам придется соблюдать ряд условий: ваши странички не должны содержать порнографических материалов, пиратских программ и прочей нелегальщины. Отрицательно относятся «мэры» этих «городов» и к коммерческим страничкам. А так — полная свобода! К тому же, как правило, вместе с пространством под домашнюю страничку вам предоставляется и бесплатный адрес электронной почты.

Выбирая сервер для бесплатного хостинга, учитывайте, помимо объема выделяемого для вашей странички дискового пространства, еще несколько факторов:

Возможность размещения на сервере скриптов (CGI, PHP и других). К великому сожалению, лишь немногие из «хостеров» даруют своим «бесплатным» клиентам такую возможность, а она, на определенном этапе, может оказаться весьма полезной. О возможностях и типах скриптов вы можете прочесть в главе «Дополнительные модули — скрипты».

Наличие дополнительных сервисов — форумов, почтовых ящиков, чатов и так далее. Почтовый адрес предоставляют практически все поставщики «бесплатного хостинга», а дополнительные сервисы будут особенно полезны тем, кто не хочет связываться с программированием и настройкой все тех же скриптов.

Возможность получения «короткого адреса» для вашего сайта. Как ни крути, а адрес типа http://tantrist.narod.ru выглядит куда предпочтительнее зубодробительной строчки типа http://www.geocities.com/Paris/1992/

Наличие или отсутствие обязательных рекламных «вставок». Некоторые «хостеры», щедро одарив вас дисковым пространством, требуют

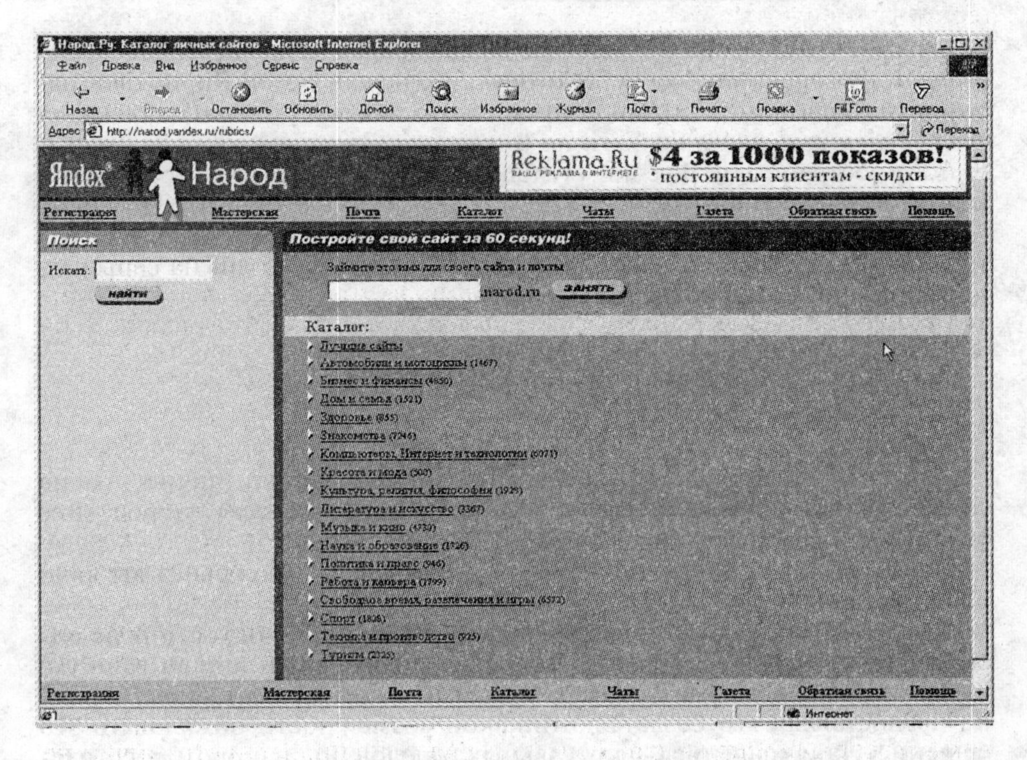

Виртуальное сообщество Narod.Ru

компенсации в виде размещения на страничке рекламных картинок-баннеров или подключения «всплывающих окон» (pop-ups). Честно говоря, с этим можно было бы и смириться, но все-таки лучше, если ваш сайт предстанет перед публикой «чистеньким», не перегруженным рекламой.

Можно назвать еще энное количество моментов, на которые стоит обратить внимание при выборе сервера для бесплатного хостинга. Но, думается мне, теперь вы сможете разобраться в этом вопросе и сами — тем более, что некоторые особенности того или иного «хостера», важные для автора этих строк, вас просто не будут интересовать.

Круг российских поставщиков «бесплатного хостинга» постоянно расширяется — а ведь еще два года назад владельцы «персональных страничек» были вынуждены размещать их на западных серверах типа Geocities.com... В принципе, не следует пренебрегать этой возможностью и сегодня, ибо постепенно контроль над Рунетом все более и более ужесточается. Однако в большинстве случаев можно воспользоваться услугой отечественных «виртуальных сообществ»:

- Narod.Ru (http://www.narod.ru)
- Webservis.Ru (http://www.webservis.ru)
- Chat.Ru (http://www.chat.ru)
- Newmail (http://www.newmail.ru)

Учтите, что российские «виртуальные города» периодически «обшариваются» поисковиками (а некоторые, такие как Narod.Ru, и вовсе работают в тесной интеграции с ними), а это значит, что ваш сайт всегда смогут отыскать ваши коллеги по интересам. Западное же информационное пространство, за редким исключением, остается для русских «искалок» terra incognita.

Подобрать подходящий для вас сервер «бесплатного хостинга» нетрудно: можно воспользоваться подборками информации на серверах, посвященных «сетевой халяве»:

- Халява.Ру (http://www.halyava.ru)
- Бесплатный Сыр (http://www.freecheese.net)
- Часик (http://www.chasik.com)

А можно просто набрать в ближайшем поисковике (лично у меня «ближайшим» почему-то все время оказывается Яndex) запрос «free hosting» или «бесплатный хостинг».

Бьюсь об заклад, без информации и вожделенного сервиса вы явно не останетесь!

Увы, помимо несомненных преимуществ бесплатный хостинг не лишен и известных недостатков. Ваш сайт практически лишен защиты: хозяин приютившего вас сервера может в любой момент «снести» его, не предоставляя его создателю никакой возможности обжаловать это решение. Да и «падение» «виртуальных городов под напором посетителей — не редкость. Кроме того, не стоит забывать и о престиже сайта: по неведомым мне причинам, бесплатные домены пользуются не слишком большим уважением в сетевом мире. Большинство предпочитает «надежные» и солидные доменные имена «второго уровня», а их к бесплатному серверу не привяжешь...

Вот почему на определенном этапе развития вашего сайта может случиться так, что вы захотите пересадить его на более надежную почву. То есть — воспользоваться услугами полноценного, платного хостинга. Сделать это и вовсе нетрудно: часть дискового пространства вам с радостью предоставит любой провайдер — не только на территории нашей страны, но и за рубежом. И вам ничего не стоит разместить свой сайт где-нибудь на Антильских Островах — если, конечно, в этом есть хоть какая-то выгода.

Платный хостинг — удовольствие не из дешевых: аренда каждого мегабайта дискового пространства может обойтись вам до 10 долл. в год, в то время как «средней руки» сайт (не отягощенный гигантскими архивами музыки или программного обеспечения) может «весить» до 10—15 Мбайт. Но это — уже не домашняя страничка, а вполне серьезный (и даже коммерческий) проект, так что затраты на него могут быть вполне обоснованными.

Регистрация адреса

Помимо дискового пространства (чтобы было где приклонить голову), вашему сайту необходимо еще и имя — адрес, по которому ваша страничка будет доступна для всех посетителей Сети.

Что из себя представляет этот адрес (URL), что такое «доменное имя» и каких пород эти звери бывают, мы с вами уже успешно разузнали в самом начале книги. Теперь настала пора применить знания на практике.

Возьмем самый простой вариант — вы размещаете страничку на сервере вашего провайдера. В этом случае вы чаще всего автоматически получите адрес типа:

http://www.dataforce.net/~tantra

Можно, конечно, довольствоваться и таким — со всеми этими «слэшами» и «тильдами». Но попробуйте-ка такой адресок запомнить!

Вот почему сегодня большинство владельцев «домашних страничек» сразу же стремятся получить новый адрес — более короткий и «яркий». Причем адрес этот останется за вами навсегда — даже в том случае, если ваша страничка «поменяет квартиру» и переедет с одного сервера на другой.

Эту услугу предоставляют вам так называемые «серверы-переадресаторы» — своего рода сетевые такси. Ведь когда вы нанимаете машину, чтобы доехать, скажем, до вокзала, вам нет нужды называть его точный адрес. Достаточно коротко бросить — «На Курский». Ну а там... извозчик куда надо довезет...

Самым известным «переадресатором» в России является, конечно, всенародный любимец Da.Ru (http://www.da.ru), предоставивший

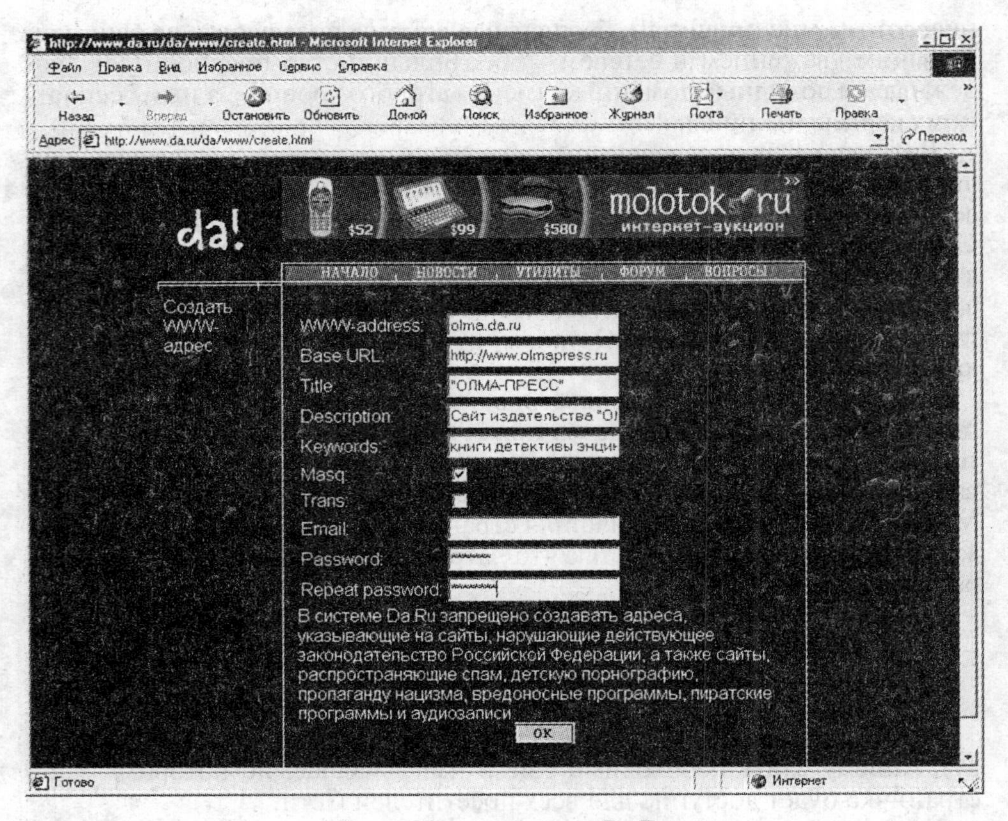

Регистрация на сервере Da.Ru

новые адреса сотням тысяч (!) российских сайтов. Зарегистрировавшись на таком сервере, вы получите вместо старого и громоздкого имени (скажем, в моем случае — www.dataforce.net/~tantra) новое (http:// tantra.da.ru). Такой адрес запомнить несложно. Набрав его, читатель попадет прямиком в объятия переадресатора, который быстренько, в течение пары секунд, перекинет его на реальный адрес вашей странички. Ну, а если вы перенесете страничку с одного сервера на другой, вам будет достаточно внести крохотные изменения в базу данных переадресатора, чтобы сопоставить «виртуальное имя» с вашим новым адресом.

Если вы пользуетесь услугами «бесплатного хостинга», предоставляемыми одним из популярных серверов, то короткое имя (или домен третьего уровня) вы получите в придачу к «кусочку» дискового пространства:

http://tantrist.narod.ru
http://hosting.nm.ru

Однако помните о том, что, в отличие от доменного имени, выданного «переадресатором», это имя крепко-накрепко привязано к серверу «бесплатного хостера», — а значит, переместив сайт на другое место, вы теряете свой красивый и удобный адрес.

Наконец, как и в случае с хостингом, вы можете запросто прикупить для своего проекта удобное имя-домен второго уровня, с полноценным адресом — все, как у «взрослых». Регистрацией адресов в доменах com, net и ru в России занимается организация под названием «Региональный Сетевой Информационный Центр» (RU-CENTER). На ее сервере по адресу http://www.nic.ru вы не только можете заполнить заявку на регистрацию нужного имени, но и проверить, свободен или нет интересующий вас домен. Однако вам совершенно необязательно иметь дело с Центром напрямую — все хлопоты по регистрации имени может взять на себя ваш провайдер.

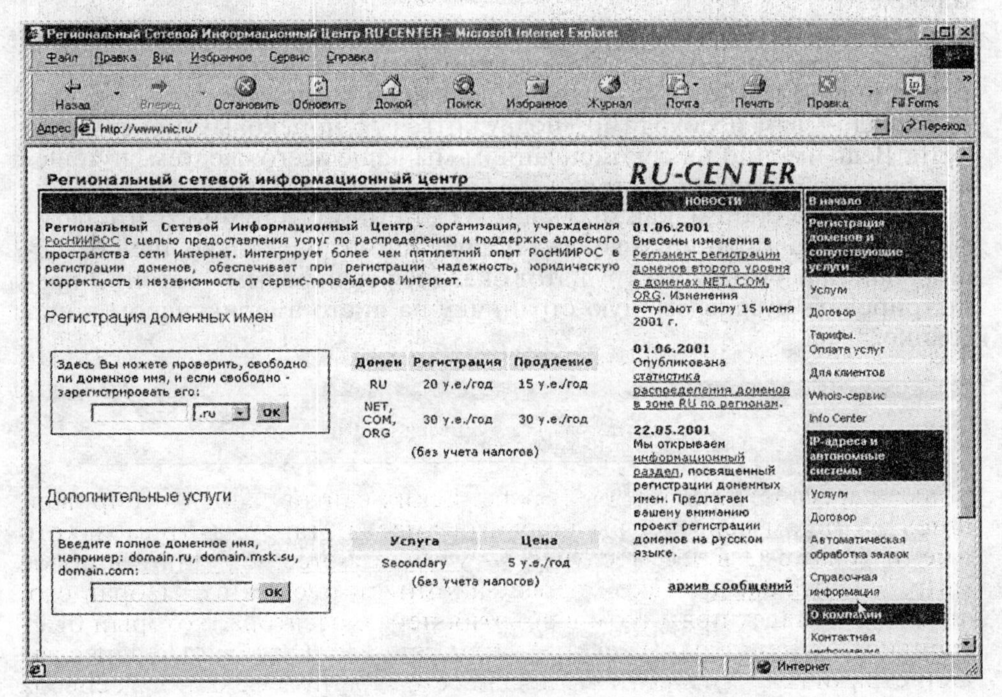

Сервер Ru-Center

Стоимость регистрации домена второго уровня (адреса типа http://www.address.com, http://www.address.net или http://www.address.ru) сегодня составляет 20—30 долл. в год. Впрочем, домены net и com удобнее регистрировать на Западе — там покупка адреса обойдется вам едва ли не вдвое дешевле.

Разумеется, приобретать домен второго уровня стоит лишь в том случае, если ваш сайт обосновался на одном из надежных серверов серьезного, платного хостинга, к которому не стыдно будет «привязать» солидный и простой URL.

ТАИНСТВА «РАСКРУТКИ»

Регистрация в поисковых системах

Что ж, теперь вам осталось выполнить только одну, очень ответственную операцию — оповестить о вашей страничке сетевую общественность. Ведь вы же не хотите, чтобы ее посетителями остались лишь двое-трое ваших друзей? Как и любое другое средство массовой информации, без читателей страничка ваша мертва и у вас быстро пропадет охота ее поддерживать...

Вывод — страничку нужно рекламировать. Преподнести ее вашим будущим читателям, как конфетку в красивой, перевязанной ленточкой коробке.

А лучше всего сделать так, чтобы ваша страничка попадалась на глаза только тем, кому она реально необходима, тем, кто ищет в Сети информацию по той же теме, которой посвящен и ваш сайт.

Вывод — вам необходимо «подружиться» с поисковыми системами Сети. Ведь именно их рекомендациям мы чаще всего следуем, путешествуя по необъятным просторам Интернет.

Поисковых систем, как мы знаем, в Сети много. Так много, что регистрация вашей странички во всех подряд займет несколько дней безостановочной работы. Да и труд этот окажется сизифовым — стоит ли регистрировать русскоязычную страничку на чисто американском поисковике?

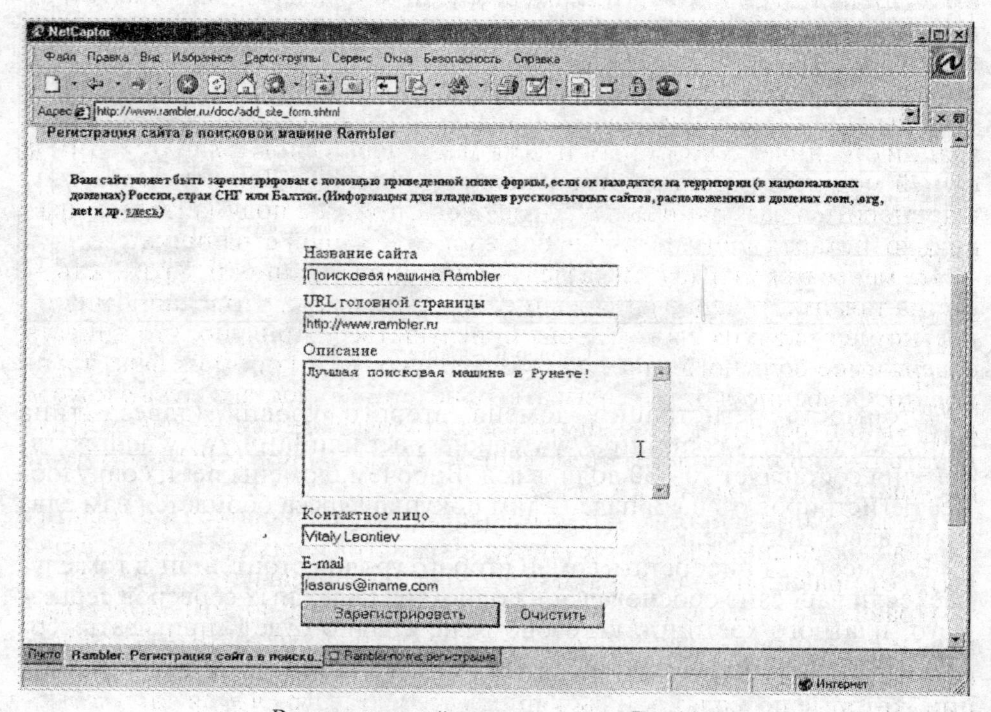

Регистрация сайта в поисковике Rambler

Что ж, ограничимся покамест серверами российскими — и наша задача моментально упростится! В принципе можно остановиться всего на четырех поисковых серверах — каталогах Rambler (www.rambler.ru) и List.Ru (www.list.ru), поисковиках Яndex (www.yandex.ru) и Апорт (www.aport.ru). А для регистрации во всех этих серверах вам понадобится совсем немного времени — не более получаса.

Зайдя на любой поисковый сайт, вы наверняка обнаружите на нем кнопку «Добавить ресурс» («Добавить адрес», «Add URL»). Без колебаний нажимайте на нее — и перед вашими очами откроется небольшая форма-бланк, заполнив которую, вы внесете сведения о своей страничке в базе данных поисковика.

«Подводных камней» здесь не так много. Пожалуй, главная тонкость — невозможность использования так полюбившихся нам коротких адресов-«псевдонимов». Требования поисковика обжалованию не подлежат — в качестве адреса принимается только реальный физический адрес вашей странички, но никак не псевдоним!

Внимательно отнеситесь и к другому разделу формы — «Ключевые слова» (keywords). Здесь стоит указать самые важные (и популярные) ключевые слова, встретив которые в запросах, поисковик выдаст ссылку на вашу страничку. Они могут дублировать уже знакомое нам поле keywords, которое мы заполняли при создании странички, а могут и дополнять его.

Догадываюсь, о каких словах вы подумали. Общеизвестно, что чаще всего к поисковику обращаются с запросами типа «секс порно халява» и им подобными. И, внеся эти слова в список «ключевых» для вашей странички, вы в ряде случаев обеспечите-таки реальное увеличение числа посетителей вашей странички... Хотя еще более вероятно, что за такие штучки вас просто выкинут из базы данных поисковика. Кроме того, уже сегодня многие поисковики и каталоги просто не допускают регистрации страничек с подобным набором ключевых слов. Славится этим и самый мощный российский поисковик — Rambler. Так что перед тем, как вносить в базу данных заветные слова, трижды подумайте — а правильно ли характеризует этот набор слов суть вашей странички?

Не менее важен и другой раздел — Описание странички. Краткость — сестра таланта, говоривали древние. И кажется мне, что в данном конкретном случае к их словам стоит прислушаться. Понятно, что описать содержимое большого сайта с помощью двух-трех коротких фраз трудновато. Особенно, когда описывать-то нечего. Но постарайтесь вложить в эту «мини-рецензию» максимум своих творческих сил — ведь ее будут видеть тысячи пользователей. И не просто видеть, но и решать, стоит ли посещать вашу страничку или нет...

Не забывайте и про то, что на большинстве поисковиков и каталогов адреса в базе данных распределяются по тематическим группам. А стало быть, от правильного выбора раздела тоже многое зависит...

Правильно зарегистрировать страницу в десятке-другом «поисковиков» и каталогов — дело хлопотное и долгое. Однако часть этого нелегкого труда можно переложить на «плечи» бесплатных систем регистрации, которые позволят вам выполнить эту процедуру в десятки раз быстрее! Вот лишь некоторые из абсолютно бесплатных систем раскрутки, всегда готовых предложить свои услуги начинающему творцу:

- Submitter.ru (http://submitter.ru) — 40 поисковых систем и каталогов.
- Система «Тау» студии Артемия Лебедева (http://www.design.ru/free/addurl/) — 10 крупнейших поисковых систем.
- Регистратура (http://www.registratura.ru) — 15 поисковых систем и каталогов.

Однако самый удобный сервис, равно как и рекордное количество поддерживаемых поисковиков и каталогов, предоставляет пользователю сайт студии 1PS (http://www.1ps.ru). В его активе — свыше 130 сайтов, в базах данных которых может быть зарегистрирована ваша страничка. При этом автоматическая система регистрации позволяет выбрать тематическую категорию, в которую будет занесена ваша страничка, для каждого каталога отдельно! Кроме того, пользователь получает возможность отслеживать процесс регистрации сайта в каждом каталоге, в случае сбоя внося в форму необходимые изменения и поправки. Конечно, искусство требует жертв, и на регистрацию с помощью этого сайта вам придется затратить не менее часа — против 10—15 минут на «Тау». Однако экономите вы значительно больше времени — по утверждению создателей сайта, регистрация на всех внесенных в его базу данных поисковиках в «ручном режиме» заняла бы у вас не менее 50 часов!

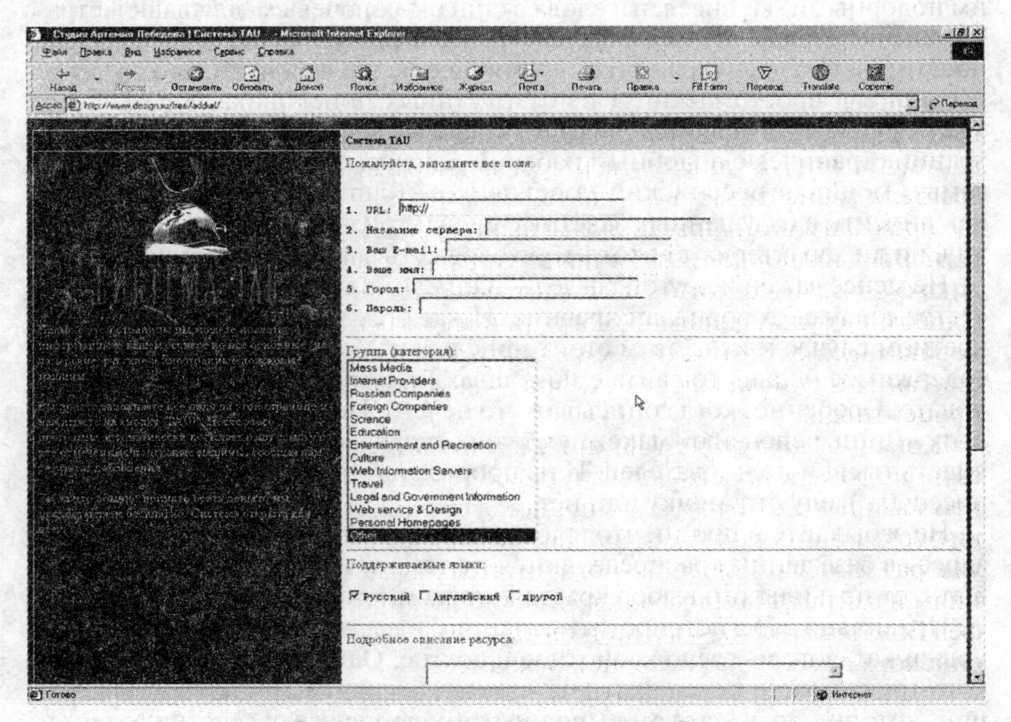

Регистрация с помощью системы «Тау»

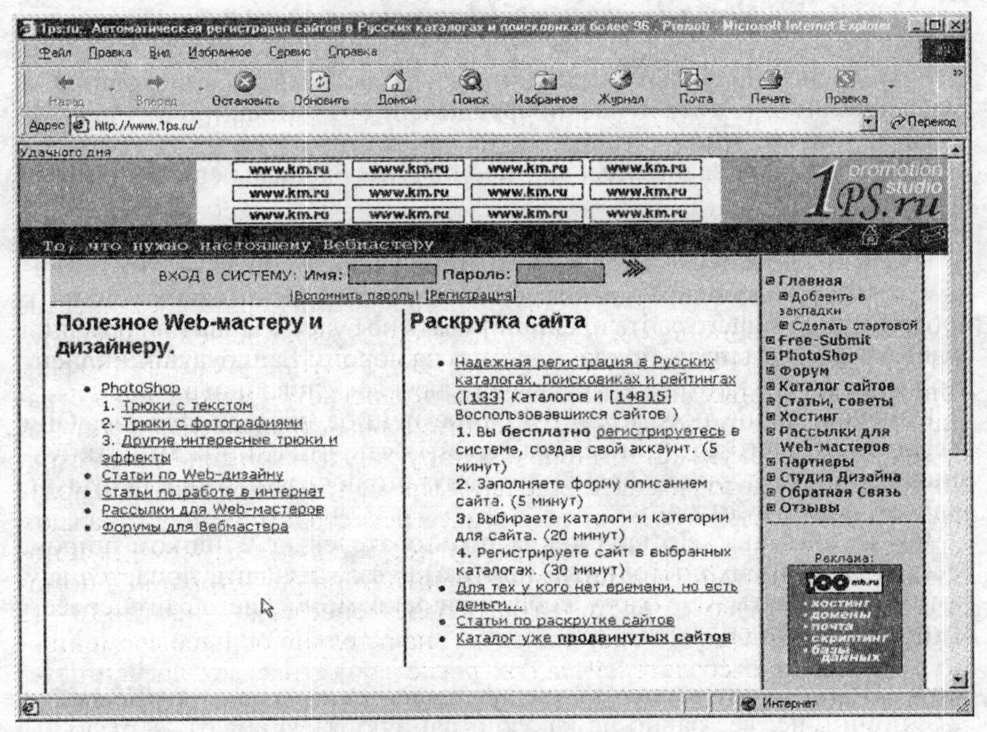

Регистрация с помощью сайта 1ps

Какую систему выбрать? На первый взгляд, ответ очевиден — ту, которая может «прописать» ваш сайт в максимально возможном количестве поисковиков и каталогов. Ой ли? А будет ли вам польза от регистрации в каталоге ссылок какой-нибудь Тьмутаракани? К тому же не забывайте, что многие поисковые ресурсы при регистрации требуют от пользователя разместить на его сайте рекламную картинку-баннер — стоит ли превращать страничку в ухудшенное подобие Третьяковской галереи? Вряд ли пойдет вам на пользу и регистрация в западных «поисковиках» — если, конечно, ваш сайт не имеет англоязычного «зеркала». Словом — будьте скромнее, ограничьтесь самыми популярными поисковиками, а сэкономленные силы пустите на составление грамотного описания и списка ключевых слов — выигрыш в этом случае будет стопроцентный!

Конечно, в рамках этой книги было бы невозможно не то что описать, но даже и просто упомянуть все те хитрости, тонкости и «подводные камни», с которыми вам придется столкнуться в процессе «раскрутки» созданного вами детища. Так что автору остается лишь, в который уже раз, отослать любопытного читателя к специализированным изданиям и сайтам. Например, к «Энциклопедии интернет-Рекламы» Тимофея Бокарева (http://www.promo.ru) — самого грамотного и полного российского пособия по интернет-рекламе.

Рекламная поддержка сайта

Безусловно, правильно зарегистрировав ваш сайт в поисковиках и каталогах, вы заложите неплохой фундамент его успеха.

Но — только фундамент.

В то время как зданию, между прочим, необходимы еще и стены, и крыша...

А вашей страничке — постоянная и активная рекламная поддержка.

Именно «активная». Ведь регистрация в поисковиках — это типичный пример «пассивной» рекламы. Сам поисковик никаких усилий к продвижению вашего сайта предпринимать не будет, а ваша информация будет лежать в его базе, подобно камню на дороге. Ваш будущий клиент должен будет САМ отыскать ее, введя ключевое слово или запрос.

Конечно, такие посетители — самое ценное ваше достояние. Они твердо знают, чего хотят, и велика вероятность, что единожды наткнувшись на ваш сайт, они со временем станут его постоянными клиентами, «ядром» вашей аудитории.

Так-то оно так... Но круг таких пользователей не слишком широк, рассчитывать на их постоянный приток нельзя, а значит, придется вам самим отправляться на охоту, соблазняя рекламой вашего сайта совсем другую категорию посетителей:

- ...Праздношатающихся «веб-путешественников», которым, в принципе, все равно на какую страничку заскакивать — было бы интересно и необычно....
- ...Новичков в Сети, еще не определившихся в своих пристрастиях...
- ...И наоборот — людей, прикипевших сердцем лишь к нескольким любимым сайтам и не подозревающих, что на свете существует еще несколько триллионов страниц по данной тематике. Во главе, разумеется, с вашей.

Этих разнокалиберных господ объединяет одно: сами они информацию о вас искать не будут. По причине ли полного неумения или, наоборот, пресыщенности и нежелания — не суть важно. Главное — то, что вам будет необходимо самостоятельно донести до них радостную весть в надлежащем, правильно оформленном виде.

Можно, например, разослать «взрывное» рекламное объявление по группам новостей и доскам объявлений (недаром же мы с вами посвятили им отдельные главы в этой книге!):

«Свершилось!!! Страничка, которую вы ждали!! Только здесь — впервые — сенсационная информация о самой большой в России коллекции масленок!!!»

Так, собственно, многие и поступают — и не зря: как правило, такие акции дают неплохую отдачу. Главное — не «пересолить» и не превратить простой анонс в надоедливую рекламу или «спам». Кичливые, назойливые сообщения «не по теме» засоряют группы новостей и реакция на них бывает чаще всего прямо противоположной ожидаемой. А потому, рекламируя свою страничку в ньюс-группах, соблюдайте несколько простых правил:

Выбирайте ТОЛЬКО подходящие по теме группы, либо специальные конференции, предназначенные для подобных сообщений — например, fido7.ru.internet.www.news.

Подготовьте заранее несколько сообщений об открытии вашей странички: «рекламную листовку», «новостное» сообщение, наконец, просто личное письмо. Используйте разные формы сообщения для каждого типа конференции, выбирая наиболее уместную в данном случае.

Повторяйте постинг сообщения в группу не раньше, чем через неделю. В некоторых группах, к тому же, допускается лишь однократная публикация подобных объявлений.

Это действенно!

Это действительно работает!

Но — ах, почему нельзя обойтись без этого «но» — лишь в определенных пределах.

Для текстовой рекламы в группе новостей или не доске объявлений необходим определенный информационный повод. Один у вас уже есть — открытие сайта. Но буквально через неделю-две эта новость превратится в «осетрину второй свежести», и от вашего анонса будет ощутимо «попахивать». А еще через неделю ваша реклама превратится в обыкновенных «спам», с которым в Сети принято беспощадно бороться. И уж во всяком случае не ждите от ваших писем отдачи...

Новым поводом для напоминания о вашем сайте в группах новостей или на тематических досках объявлений может быть обновление вашего сайта, появление на нем действительно оригинального и интересного материала. Только умоляю вас, не считайте таковым очередную фотографию вашей кошки Муськи или захватывающий рассказ на тему «Как я провел лето». Материал, который вы рекламируете, должен быть интересен всем, а не только вам одному!

Если новости на вашем сайте появляются часто и в сравнительно больших количествах, можно использовать для оповещения ваших постоянных читателей и привлечения новых еще один канал — собственную рассылку.

В главе «Мир Общения» мы уже довольно подробно изучили основные разновидности рассылок, оставив за кадром лишь один вопрос: а зачем, собственно, они создаются? Теперь ответ получен — конечно же, все дело в рекламе!

Создав собственную рассылку на «Городском Коте» или на сайте Maillist.Ru, мы можем сразу же привлечь к нашему сайту сотни новых читателей — не секрет, что за рассылками следит гораздо больше «сетян», чем за досками объявлений или даже группами новостей.

Создать рассылку не слишком сложно, благо оба известных нам рассылочных сервиса предоставляют авторам максимум удобств. Однако пусть мнимая легкость вас не обманывает: главное — не создать рассылку, а постоянно поддерживать ее в «рабочем» состоянии. И здесь существует масса тонкостей: ваш подписчик должен все время помнить о су-

Сайт рассылок Maillist.Ru

ществовании рассылки — а, следовательно, и сайта. Значит, новости в рассылку должны поступать регулярно... Но в то же время и не слишком часто.

Во-первых, каждый выпуск вашей рассылки должен быть содержательным — пустых, неинтересных писем пользователи не прощают. С другой стороны, частыми «информационными инъекциями» вы можете быстро утомить вашего читателя, который не будет успевать осваивать содержание многочисленных выпусков. По моему мнению, рассылка новостей в виде еженедельного «дайджеста» — самый оптимальный вариант.

Наконец, последнее. Рекламный потенциал рассылки трудно переоценить, однако популярность ваших информационных выпусков может сыграть с вами дурную шутку: на определенном этапе развития рассылки начинают «отбирать» у сайта массу посетителей. И впрямь — зачем трудиться и заходить на сайт, если все новости и так окажутся в вашем почтовом ящике? Отсюда — мораль: рассылка должна привлекать внимание пользователя к сайту, заманивать его на ваши странички, но ни в коем случае не раскрывать все ваши секреты! Со временем полное изложение новостей сайта в рассылке стоит заменить на заголовки со ссылками — щелкните, мол, по ним, если хотите читать дальше.

Удобно читателю — да и вы не остаетесь внакладе...

Баннерная реклама

...Едва не самый продуктивный способ «раскрутки» сайта — обмен ссылками и баннерами с вашими коллегами по увлечению. Конечно, такой обмен практикуют в первую очередь хозяева «малотиражных» сайтов, схожих с вашим детищем по популярности. На «бартер» с крупными, известными сайтами особо надеяться не стоит, разве что их владельцам ваш ресурс покажется особенно симпатичным.

Разместить ссылку в соответствующем разделе своего сайта нетрудно, никаких особых усилий от вас не потребуется. К тому же ссылок этих может быть практически неограниченное количество — и чем их больше, тем авторитетнее будет смотреться ваша коллекция. Однако отдача от ссылок, как правило, невысока: в этот раздел заглядывает от силы процентов пять посетителей сайта, а уж доля «кликнувших» по данной конкретной ссылке и того меньше.

С рекламной точки зрения баннеры куда выгоднее ссылок: яркие картинки привлекают внимание, а значит, и отдача от них гораздо выше. К тому же баннеры не прячутся в отведенной для них «резервации», а нахально занимают самые выгодные места на страничке (как правило, в верхней и нижней части экрана). В этом — сила баннеров, но и их слабость: в отличие от ссылок, баннеров не должно быть много. Перенасыщенная рекламой страничка мгновенно теряет свой стиль и индивидуальность. И будьте уверены — если уж вы не хотите превращать свой сайт в рекламную витрину, то и у других сайтовладельцев такого желания не возникнет... И если уж вы набредете каким-то чудом на сайт, хозяин которого согласится разместить ваш баннер на «первой полосе», не упускайте удачу! Конечно, в том случае, если этот сайт имеет сопоставимое с вами или большее число посетителей в сутки — а ну-ка, быстренько глянули на счетчик! Не забывайте, что устанавливать «ответный» баннер на страничку придется и вам...

Я надеюсь, что вы уже успели обзавестись собственным баннером — в противном случае вернитесь к главам «Графика в веб-дизайне» и «Анимация в веб-дизайне», которые помогут вам правильно подобрать программы для их изготовления. Желательно, чтобы в вашем «загашнике» был не один, а несколько вариантов баннеров, отличающихся как по стилю, так, по размеру и даже типу наполнения (чистый текст, статичная, анимированная графика, flash-анимация). Запомните — баннеры должны быть заготовлены ЗАРАНЕЕ, без них и предлагать сотрудничество другим сайтам просто-напросто неэтично. Ведь вы не можете рассчитывать на то, что баннер для вас изготовит владелец сайта-партнера?

Кстати, знаете ли вы, что изготовить простенький баннер можно без использования каких-либо программ? На помощь вновь приходит Сеть: в Интернет существует целый ряд сайтов-«конструкторов», работающих по принципу уже известной вам программы Xara Webstyle. Зайдя на один из таких сайтов (например, QuickBanner — http://www.quickbanner.com), вы можете за несколько минут «скомбинировать» баннер, пользуясь обширной коллекцией готовых шаблонов.

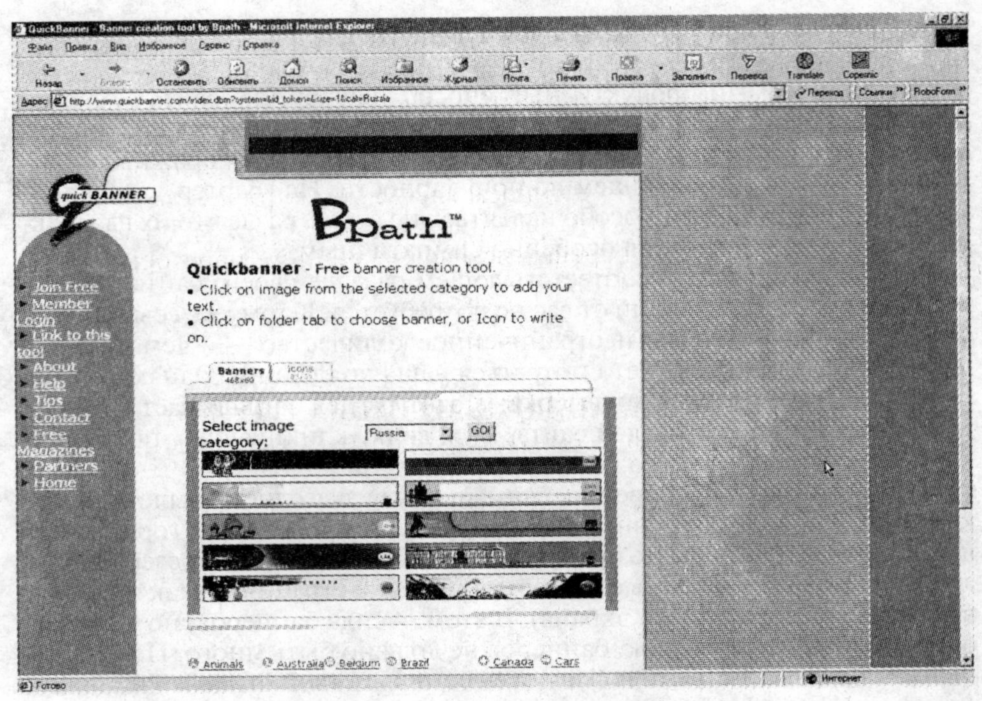

QuickBanner — «онлайновый» конструктор баннеров

Конечно, таким способом изготовления баннеров «ни в жисть» не воспользуется настоящий профессионал веб-дизайна. Но если вас, что называется, припекло, а подходящих программ (или умелых и доброжелательных коллег) «под рукой» не оказалось...

Но вернемся к рекламе. Если вы правильно проведете первичную рекламную «артподготовку» и в дальнейшем будете регулярно пополнять сайт свежей информацией, то через какое-то время вы пожнете заслуженный урожай «хитов» и «хостов». Обычная домашняя страничка или любительский сайт удостаиваются, в лучшем случае, нескольких десятков посетителей в сутки, однако в особо удачных случаях их число может достигнуть нескольких сотен. Если же вы сумели потом и кровью обеспечить тысячу и более гостей в сутки, перед вами открываются новые возможности для рекламы и раскрутки вашей странички — участие в системах «обмена баннерами». Да-да, вновь баннеры! Только теперь работать с ними вам придется на более высоком уровне.

Подключившись к одной из таких систем, вы вновь резервируете вверху вашей странички место для рекламной «вывески» — только теперь реклама в этом окошке будет регулярно меняться. «Трибуной» вашего сайта воспользуются баннеры всех сайтов, входящих в систему, в то время, как ваш баннер будет периодически выскакивать на их страничках. Количество показов ваших баннеров на «чужих» сайтах, как правило, несколько меньше числа показанных вами картинок — за свои услуги баннерообменная сеть взимает небольшую комиссию.

Если же популярность вашего сайта не позволяет вам принять участие в баннерообменной сети, не огорчайтесь: в особо важных случаях показы баннеров в той или иной сети можно купить. Расценки у различных сетей могут отличаться в несколько раз — остается практически неизменным лишь процент отклика (CTR), который, как правило, не превышает 3 %. Это значит, что в лучшем случае лишь три человека из ста, увидевших ваш баннер на том или ином сайте, сочтут за труд просто щелкнуть по нему, дабы перенестись на бескрайние просторы вашей странички...

КАТАЛОГ БАННЕРООБМЕННЫХ СЛУЖБ

(http://www.kbos1.com)

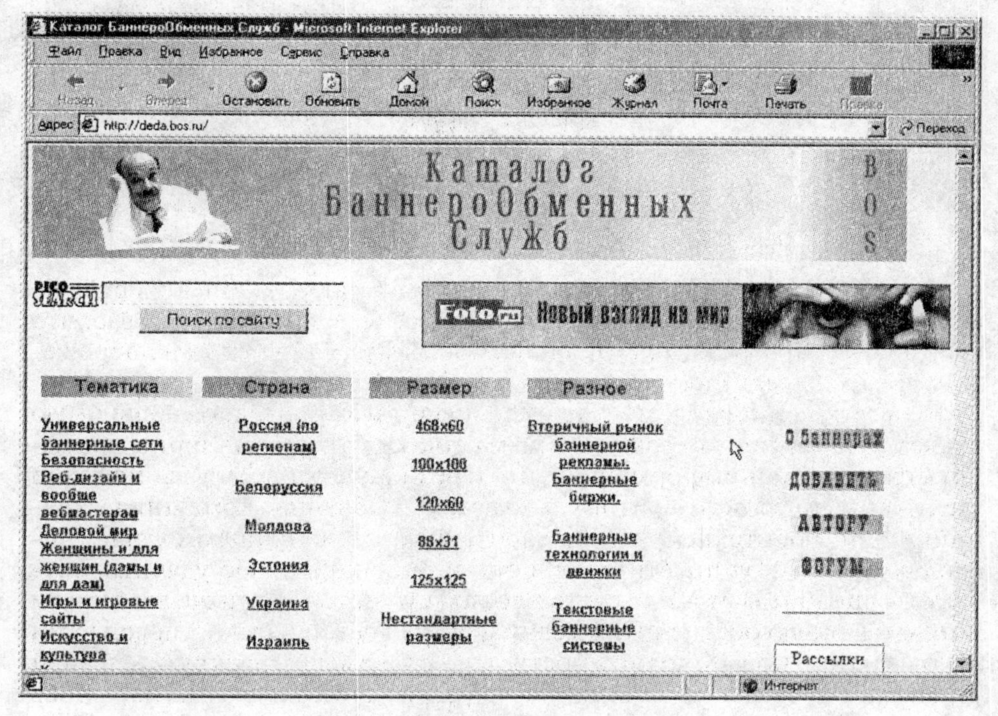

Каталог баннерообменных служб

Не знаю, стоит ли верить рекламным анонсам, которые гласят — «Перед вами — полный каталог баннерных сетей России!». Но что этот каталог, по крайней мере, один из самых полных и самых удобных, нет никакого сомнения.

Воспользовавшись каталогам, вы можете подобрать баннерную службу по следующим критериям:

- Тематический — баннерные сети, объединяющие сайты определенной тематики.

- Региональный — баннерные сети, объединяющие сайты, принадлежащие (и посвященные) тем или иным регионам — вплоть до городов.
- Видовой — баннерные сети, специализирующиеся на баннерах определенного размера.

Помимо готовых категорий, на сайте имеется и полноценный поисковик, хотя для базы данных всего лишь в сотню элементов можно было бы обойтись и без него. А вот четвертый критерий сортировки — по «порогу посещаемости» сайтов в той или иной сети, возможно, не помешал бы...

ОБЩЕДОСТУПНАЯ КОМПЬЮТЕРНАЯ СЕТЬ ФИДОНЕТ

«Бриан — это голова!» — говаривал некий герой «Золотого теленка». Точно таким же тоном сегодня говорят об Интернет.

Уважительно. Солидно. Со значением... И с каждым годом — все с большим.

Да, голова. После столь обширного повествования о достоинствах Интернет, которое помещено в предыдущих главах, с этим утверждением спорить трудно.

Но у каждой головы, как известно, есть рот. И частенько — весьма прожорливый, что сводит все преимущества головы к логическому нулю.

Оплату за свои услуги Интернет взимает щедрую. И в смысле денег (все-таки 40—50 долл. в месяц в наше послекризисное время — сумма весьма значительная), и в смысле времени... По волнам Сети можно скользить часами — что пагубно отражается не только на физическом, но и психологическом здоровье интернет-путешественника. Не забудьте, что и время телефонное сегодня в дефиците, особливо если проживаете вы не в гордом одиночестве, а с детьми, женой-мужем, родителями...

Словом — при всей своей прелести и всемогуществе не лишен Интернет недостатков. Само собой, напрашивается сравнение с Windows 98... Но в мире операционных сетей у Windows, как мы знаем, все-таки есть альтернативы. Например, бесплатная, шустрая и весьма популярная ОС Linux.

А есть ли свой Linux в мире глобальных сетей? Существует ли альтернатива Интернет?

Существует. И называется она — «Фидонет». Или просто — «ФИДО». Общедоступная, бесплатная компьютерная сеть, объединяющая сотни тысяч (!) пользователей практически во всех странах мира.

Знатоки поморщатся: «Фидо? Фи! Это уже неактуально... И делать там нечего. И сеть эта для «чайников», и «чайниками» создана, и таковой вовеки пребудет, пока не загнется...»

Помню, как бурно реагировал на само слово «фидошник» бывший редактор одного уважаемого мной в прошлом компьютерного журнала. Прямо слышать этого слова бедняга не мог — так его крючило. А сотня тысяч людей по всей стране, тем не менее, в этой сети состоит и любит ее. Парадокс? Возможно, но парадокс приятный.

ИСТОРИЯ ФИДОНЕТ

США, середина 80-х годов. Интернет в том виде, в котором мы его знаем сегодня, еще не существует. Та сеть, которая всего через 10 лет охватит весь мир и станет Интернетом, пока что обслуживает весьма узкий круг специалистов.

Но уже появился — и растет с каждым днем! — парк персональных компьютеров. Уже топает по планете красавец IBM PC, и светятся его экраны уже не в домах специалистов, а в скромных жилищах рядовых тружеников... Их, первых «юзеров», пользователей, еще не так много — всего лишь жалкие десятки тысяч. Но они уже осознали себя, как общность, как касту, едва ли не как новую нацию... И им, поверьте, есть о чем поговорить друг с другом.

В те времена общение компьютерщиков и обмен информацией осуществлялись, как правило, через так называемые BBS — Электронные Доски Объявлений. Представляли собой эти BBS обычные компьютеры, открытые для доступа других пользователей через телефонную сеть. Дозвонившись до BBS с помощью обычного модема (а этот процесс занимал иногда часы — ведь работать с BBS в любой момент времени мог только один жаждущий!), пользователь мог, задействовав довольно примитивную программу-оболочку, гулять по внутренностям компьютера, скачивать или, наоборот, закачивать разнообразные файлы (игры — в то время они помещались на одной дискете, а также программы, драйверы). А заодно и оставлять в специальном разделе послания, доступные другим пользователям. Такой тип работы называется «терминальным режимом».

Разработкой программ для BBS занимались десятки энтузиастов. И был в их числе некий Том Дженнингс, работавший над собственной BBS-оболочкой вместе с коллегой-напарником Джоном Мэдиллом. Вполне закономерно, что по ходу дела у друзей часто возникала необходимость пообщаться, обменяться информацией и готовыми модулями программы. Да вот беда — жили они далековато друг от друга, почитай, на разных концах континента.

Использовать BBS? Да, у обоих друзей было по станции. Но, боже, как неудобно — каждый день часами дозваниваться до BBS приятеля, теряя драгоценное время и силы! Конечно, ночью пробиться к BBS было проще, но ночь все-таки существует для более приятных занятий...

И вот в какой-то момент в голову Дженнингсу пришла идея — а почему бы, собственно, не автоматизировать весь процесс? Ведь под рукой — умница компьютер. Вот пусть он и дозванивается самостоятельно на BBS, почту отправляет и файлы забирает, коли хозяин заказал!

Эмблема Фидо

В короткие сроки прототип такой программы — настоящего друга, услужливого и преданного помощника любого BBS-энтузиаста — была создана. И за свои превосходные качества была удостоена имени Fido — так в Штатах обозначают любимых хозяевами собак дворняжьего племени. Оная дворняжка, лопоухая, дружелюбная и донельзя забавная, и стала впоследствии эмблемой новорожденной сети «Фидонет». Кстати, у самого Дженнингса никакой собаки не было, хотя легенды упорно твердят и поныне, что в имени программы и сети автор увековечил своего домашнего любимца.

Первоначально в Фидо, как мы помним, числилось всего две станции. Но уже через считанный месяц друзья и коллеги Дженнингса быстро раскусили достоинства новой сети и присоединились к ней. Каждому новому компьютеру (или узлу) сети был присвоен собственный адрес, что позволяло любому пользователю Фидо отправлять письмо или файл любому другому участнику сети. Уже через шесть лет Фидо состояло из нескольких тысяч узлов, раскиданных по странам американского континента и Европы.

Первый российский узел Фидо (Kremlin BBS) был создан в 1991 году поляком Тадеушем Радеушем и его женой Леной. А сегодня только в одной Москве в Фидо состоят около 15 тыс. человек! Собственные «минисети», входящие в состав Фидо, сегодня имеет практически любой крупный город республик бывшего СССР.

ФИДО ПРОТИВ ИНТЕРНЕТ? ПРЕИМУЩЕСТВА И НЕДОСТАТКИ

Читатель, несомненно, поинтересуется — а чем оправдано существование, в общем-то, архаичной структуры Фидо сегодня, в эпоху господства Интернет? И стоит ли связываться с этой сетью обычному пользователю?

Спросит — и будет прав. А автор сего труда будет в задумчивости почесывать наметившуюся лысину, ибо ответ на этот вопрос отнюдь не очевиден.

Плюсы Фидо:

- *Бесплатность.* Фидо — сеть некоммерческая, держится исключительно на энтузиазме входящих в нее пользователей.
- *Экономия времени* — обмен информацией с узлами Фидо происходит по ночам, в автоматическом режиме и не требует участия пользователя.
- *Информативность* — фактически все русскоязычные группы новостей, знакомые нам по Интернет, заимствованы именно из сети Фидо. И, стало быть, пользователи Фидо имеют куда большие права при участии в группах новостей, чем «заезжие гости» из Интернет. Последних, кстати, в Фидо не слишком любят за вольность речи и в случае малейшего нарушения правил группы новостей изгоняют. Кроме того, многие группы новостей доступны только в Фидо — доступ из Интернет к ним невозможен.
- *Почтовые возможности* — из Фидо можно писать письма не только пользователям Фидо, но и по адресам Интернет!
- *Возможности поиска нужного программного обеспечения* — на станциях, входящих в Фидо, вы сможете найти практически любую нужную программу или драйвер.

Минусы Фидо:

- *Необходимость прямого телефонного соединения с каждым узлом Фидо (BBS).* Соединившись с одним из узлов Фидо, вы не сможете, как в Интернет, с его помощью выйти на другой нужный вам сервер сети. До каждого придется дозваниваться отдельно! Впрочем, этот недостаток искупает тот факт, что набор программ, доступных на каждом узле Фидо, слабо отличается от архива других узлов. В отличие от Интернет, узлы Фидо редко ударяются в специализацию.
- *Отсутствие возможности поиска и просмотра нужной информации в режиме «онлайн».* Фидо — прежде всего почтовая сеть. А стало быть, никакого аналога информационной паутины WWW здесь не предусмотрено...
- *Сравнительно долгий срок прохождения почты.* Если электронное письмо, отправленное через Интернет, дойдет до адресата уже через несколько минут, то в Фидо для этого может понадобиться один-два дня. А если ваш адресат живет в другом городе — и того больше.
- *Трудности с настройкой программного обеспечения.* Хотя эта операция и осуществляется один раз, она требует от вас массы времени и определенных знаний. Ведь для работы с Фидо вам необходимо самостоятельно настроить аж четыре совершенно различные программы! Хорошо, если под рукой окажется доброжелательный друг-фидошник...

Это — сухая констатация фактов. Но главное отличие Фидо от Интернет в другом: в самой атмосфере этой бесшабашной, молодой духом сети. «Фидошник» — это определение способно сказать многое. В Фидо приходят через друзей и знакомых, доступ в эту сеть не купишь в магазине. Фидо — это не просто потребительство, но и активное общение, это новые друзья и новые компании...

Расхожий «стереотип» фидошника — красноглазый (от постоянного сидения за компьютером) молодой человек лет 18—20, имеющий некоторое отношение к компьютерному миру и технике. Фидошник узнается по специфической, непонятной непосвященным речи, неуемной любви к пиву и к атмосфере сигаретного дыма, к говорливым посиделкам на кухне и всевозможным авантюрам. И если Интернет — порождение Запада прагматичных 90-х, то Фидо куда ближе к романтичным семидесятым, к той незабываемой походно-песенной атмосфере. Фидо — это сеть вечных студентов, сеть молодых, в чьих жилах бурлит сдобренная пивом кровь. Сеть тех, кто хочет и может не просто общаться, но и — творить... И потому в Фидо, в отличие от Интернет, так велик процент Личностей — настоящих, нестареющих сетевых легенд.

Пусть этот романтический шаблон во многом расходится с реальностью — но в еще большей степени он верен. И автор, никогда не бывший истым «фидошником» (пиво — не мой любимый напиток, да и времени на сочинение писем все меньше...), все же с легкой грустью вспоминает о своих первых фидошных годах. Пусть все кругом меняется —

давно уже Фидо покинули самые легендарные его участники, в том числе и Том Дженнингс, — автор верит, что дни Фидо отнюдь не сочтены. И воздает ей должное этой главой «Энциклопедии»...

СТРУКТУРА И ПРИНЦИПЫ РАБОТЫ В СЕТИ ФИДОНЕТ

Узлом Фидо может стать практически любой компьютер, оборудованный модемом и соответствующим программным обеспечением. Да вот только узел узлу рознь. Участники Фидо отнюдь не равноправны, и форм членства в сети существует множество.

- **Пойнт** или точка — самый низший уровень в фидошной Иерархии. Низший — это не означает «низкий» в уничижительном смысле слова. Ничего плохого в том, чтобы быть пойнтом, нет. Даже наоборот — быть пойнтом в большинстве случаев выгодно. Ведь обязанностей у этой категории пользователей практически нет — одни права. Права пользоваться почтовой сетью, конференциями (они же — группы новостей), возможность запрашивать нужные файлы с любой станции Фидо...
- **Нода (или нод)** — это более высокий уровень, аналог сервера в Интернет. Для того чтобы стать нодой, надо быть, как минимум, владельцем собственной BBS — т. е. доступного по телефонной линии компьютера с архивом файлов. Ноды участвуют в пересылке почты и сообщений из групп новостей по сети, передавая ее по цепочке — от одной ноды к другой. Этими сообщениями ноды «кормят» группирующихся вокруг них пойнтов, именно их компьютер становится для пойнтов воротами в мир Фидо. Нода, к которой прикреплен данный пойнт, имеет для него свое особое имя — босс. Надеюсь, расшифровывать не надо?
- **Хаб** по отношению к ноде — это все равно, что нода по отношению к пойнту. Хаб — это «компьютер-координатор», курирующий работу большой группы нод и отвечающий за их снабжение нужными группами новостей.
- Наконец, **сетевой координатор** курирует работу уже целой «подсети» Фидо — например, города. Выше него в Иерархии Фидо находятся только региональный и зональный координатор — первый «курирует» Фидо в целом регионе (стране), второй — целую группу стран или континент.

Работа в Фидонет происходит преимущественно в режиме... отключения от сети. Конечно, нам, привыкшим к «онлайновой» работе в Интернет, это кажется немного неудобным — по серверам не полазишь, почту, находясь на линии, не почитаешь. Но зато не тратится даром драгоценное телефонное время.

На деле это выглядит так. Ночью, без вашего малейшего участия, ваш компьютер дозванивается по телефону до компьютера вашей ноды (босса) и сбрасывает на него все написанные вами сообщения. Это могут быть письма в группы новостей, частная почта и т. д. Затем все эти сообщения отправляются дальше по цепи нод, пока не доходят до адресата.

Сетевые адреса и прямые телефоны нод публикуются в особом списке — нодлисте. Этот список — не просто справочник, в котором вы в любой момент можете справиться о координатах нужного узла Фидо, но и важная часть программного обеспечения. Нодлист (как и другой справочник — пойнтлист) необходим для работы программы соединения с Фидо — мейлера.

АДРЕСА ФИДО

Конечно, как и в Интернет, каждый пользователь Фидо оснащен собственным, уникальным сетевым адресом. Только адрес этот — не динамически изменяемый, а фиксированный.

Адрес этот на первый взгляд кажется довольно сложным. Например, адрес автора этой книги, в бытность его «фидошником», выглядел так:

2:5020/1072.26

Непонятно? А между тем этот адрес состоит из таких же простых элементов, как и адрес интернет-почты. И может сказать о его владельце даже несколько больше.

Первая цифра — 2 — обозначает зону, в которой находится данный компьютер в мировой зональной классификации Фидо (Европа).

5020 — еще более уточняет местоположение адресата, обозначая региональную сеть. Первые две цифры указывают на регион (Россия), две последние — на город (Москва).

Два разделенные точкой числа после косой черты указывают, к какой ноде прикреплен автор (1072) и под каким пойнтовым номером он числится в базе данных этой ноды (26).

В быту и разговорах между собой фидошники, как правило, пользуются только этими двумя цифрами. И не удивляйтесь, если однажды на каком-нибудь компьютерном сборище к вам подойдет незнакомый дядя и представится так «Я — 1072 точка 26!» Это и будет автор.

Для пользователей Интернета фидонетовский адрес выглядит иначе — перевернутым с ног на голову.

Имя и фамилия пользователя, разделенные прочерком, пишутся до знака «собачки» (@), а затем пишутся номер пойнта, ноды и т. д. Вот так:

vitaly_leontiev@p26.f1072.n5020.z2.fidonet.org

КАК ПОПАСТЬ В ФИДО?

Несколько страниц назад я уже говорил об одной из главных особенностей Фидо: доступ в эту сеть за деньги не покупается. Никогда. Конечно, возникают в Фидо время от времени сообразительные и коммерчески настроенные субчики, которые, став нодами, начинают «провайдерствовать» на коммерческой основе. Но, уверяю вас, долго в Фидо такие люди не задерживаются.

Раньше путь доступа в Фидо лежал через BBS: вы должны были дозвониться на одну из общедоступных станций, оставить там свой страстный и отчаянный призыв, обращенный к добрым нодам.

Как правило, желающий приютить сироту находился быстро.

Сегодня ситуация иная. Доступных для работы в терминальном режиме BBS уже практически не осталось — большинство станций пускают к себе только членов Фидо. Остается два пути.

Путь первый — найти в своем близком или далеком окружении живого фидошника. Необходимо, чтобы оный фидошник похлопотал за вас перед своим «боссом» и помог настроить программы (что, как я уже говорил, сделать вовсе не так легко). Если вы, дорогой мой читатель, по иронии судьбы принадлежите к женскому полу, вам повезло: девушкам в Фидо рады всегда. Только дурного не думайте: просто женская компания — пусть и виртуальная — приятна и компьютерщику.

Второй путь — всеми правдами и неправдами достать где-нибудь часик работы в Интернет и ознакомиться (с помощью программы чтения групп новостей) с архивом одной из конференций Фидо, в которых идет поиск и предложение пойнт-адресов. Например, для Москвы это группа fido7.n5020.point.

Однако перед тем, как бросаться на поиски «хозяина», стоит внимательно ознакомиться с устройством Фидо, принципами его работы и получить представление о необходимых программах.

РЕСУРСЫ ФИДОНЕТ

Личная почта (Netmail)

Netmail — это сообщения, которые вы можете пересылать другому пользователю Фидо или Интернет в индивидуальном порядке, т. е. личная переписка.

Как и в Интернет, личная почта отправляется в большинстве случаев через вашего «босса». Однако почту можно отправить и напрямую, минуя сложную систему маршрутеризации Фидо. Делать это, однако, целесообразно лишь в нескольких случаях: если между вами и вашим адресатом существует договоренность о прямом обмене почты (компьютеры и программное обеспечение большинства ваших собратьев-пойнтов, как правило, не настроены на автоматический прием почты от другого узла Фидо, помимо «босса»). Другой вариант — к письму прилагается объемный файл (например, картинка или программа). Необходимо учесть, что, в отличие от Интернет, ноды Фидонет очень неодобрительно относятся к письмам со вложенными файлами, и, как правило, отказываются пересылать их «по цепочке». Это и понятно — Фидо не оснащено никакими быстрыми каналами связи (например, волоконно-оптическими кабелями), и весь объем информации передается по медленным и капризным телефонным линиям.

Конференции Фидо (Echomail)

С эхоконференциями (или группами новостей или «эхами») вы уже хорошо знакомы из главы, посвященной Интернет, так что повторять раз сказанное нет нужды. Необходимо разве что несколько уточнений.

Если в Интернет названия русскоязычных Фидо-групп новостей начинается с fido7., то в самой Фидо этот префикс опускается. Например, конференция fido7.pvt.esoteric.club превращается просто в pvt.esoteric.club.

В отличие от Интернет, где царит полная анархия, большинство групп Фидо подчиняются правилам сетевого этикета. Например, практически везде строго запрещена реклама. Нежелательно (и даже очень!) использовать ненормативную лексику, оскорблять собеседников, заниматься «пустым трепом» (флеймом)...

Вполне разумные правила. Жаль, что распространяются они только на группы Фидо. А не, скажем, на заседания Государственной Думы...

Помимо общих для всех групп правил у каждой группы существуют собственные правила поведения, разработанные ее создателем и контролером — модератором. Модератор — царь и бог в группе новостей, его слово — закон, а споры с ним чаще всего караются. Такая вот «демократия». Впрочем, благодаря столь жестким порядкам в группах Фидо куда меньше (чем в Интернет) «мусора», откровенной коммерческой рекламы и прочего ненужного добра.

Группы pvt, как и их аналоги alt в Интернет, меньше других скованы этикетными рамками. Модераторы таких групп имеют полное право несколько отойти от строгих шаблонов поведения в Фидо — например, разрешить ту же рекламу. Или вообще — создать конференцию, посвященную общению исключительно на «матерном» языке.

Кстати, создать конференцию в Фидо может практически любой член Сети — другое дело, что перед этим ему необходимо заручиться согласием «босса» (а последнему — испросить разрешения у «хаба»), чтобы ваша группа новостей не осталась только в пределах вашей ноды, а расходилась бы по всей Фидо.

Практически у каждой ноды или подсети существуют собственные, локальные группы новостей, писать в которые может лишь прикрепленный к данной ноде пойнт. Впрочем, широкую публику вряд ли заинтересует жизнь фидошной публики в каком-нибудь богом забытом Бананово-Кокосовском районе столицы или душещипательные подробности последней нодовской попойки.

Совсем другое дело — более общие, волнующие всех темы. Такие группы, как правило, распространяются по всему фидошному пространству, и читателей у них уже не единицы, а сотни. И даже тысячи —

как, например, в одной из самых популярных фидошных «эх»... да-да, вы правильно угадали — ru.sex.

Общедоступных (в сетевой терминологии — принятых на бэкбон) групп в Фидо существует около тысячи. На любой вкус и цвет, как говорится... Кстати, в приложениях к этой книге читатели найдут список самых популярных групп, разбитых по тематике.

Список эх, доступных на узле вашего «босса». Вы сможете его получить, отправив специальное письмо-запрос на имя «робота» — виртуального «рассыльщика», установленного на компьютере вашего босса.

Запросы файлов (Freq — File Request)

Как в Интернет... Черт, ну почему же автор столь упорно начинает чуть ли не каждую главу именно с этих слов!

Нет, НЕ КАК в Интернет!

Да, в Фидо тоже существует возможность искать, запрашивать и получать нужные файлы — пиратские программы, порнографические картинки и прочую дребедень (вкупе с куда большим количеством нормального, неворованного «софта» и информации). Но если в Интернет вы просто заходите на нужную страничку и походя небрежно щелкаете мышкой по названию нужной программы, то в Фидо механизм получения несколько хитрее.

Первоначально вам необходимо «утянуть» со станции вашего «босса» (или какой-нибудь другой BBS, входящей в сеть Фидо) так называемый «файллист» — полный и чаще всего комментированный список файлов на его станции. Далее надлежит выписать точные имена нужных файлов и сформировать так называемый «фрек» — письмо-запрос на получение файлов. После чего — мирно ложиться спать, дабы наутро найти нужные файлы на собственном компьютере.

Следует отметить, что большинство станций, поддерживающих FREQ, налагают некоторые ограничения на объем и число принимаемых вами файлов. Чаще всего — не больше двух файлов и 4—6 Мбайт за сеанс. Вполне понятно — не забудьте, что в то время, когда вы занимаете линию, никто более пробиться на станцию не сможет.

Понятно, что для выполнения запроса вам придется соединяться непосредственно с той станцией, где проживают искомые файлы. Небольшая проблема, если вы живете в Москве — на десятках общедоступных BBS всегда можно найти нужное. А вот для жителей маленьких городков, где и станций Фидо не так много, это — куда более сложная задача. Не по межгороду же звонить!

В принципе существует в Фидо такая вещь, как дистанционный запрос файлов. В этом случае ваш запрос отправляется на компьютер «босса», который и вытягивает нужный вам файл с нужной станции (или передает запрос дальше). Но поощряется такая форма файловых запросов крайне редко — овес (т. е. телефонное время) нынче дорог, а платить из своего кармана захочет не каждый, даже самый добродушный «босс».

Файлэхи: подписка на файлы

Существует в Фидо и другая форма получения нужных файлов — так называемые «файлэхи». Помните группы новостей и «списки рассылки» Интернет? Так вот это практически то же самое. Только вместо писем по какой-либо теме вам приходят файлы.

Файлэх придумано меньше, чем прочих эхоконференций. Но существует их не так уж мало — до нескольких сотен. Тематика этих рассылок самая разнообразная — по файлэхам рассылаются последние версии драйверов, бесплатных и очень даже платных программ, море музыкальных файлов и картинок. Конечно, обслуживают файлэхи и нужды самой Фидо — именно по ним рассылаются свежий поинт — и нодлисты, файллисты и документация, свежий «фидошный» софт...

Конечно, поддержка файлэх требует от нод немалого самопожертвования — трафик (объем потока информации) некоторых файлэх достигает десятков мегабайт в сутки! Потому найти у «босса» нужную файловую эху не всегда просто: некоторые наотрез отказываются иметь дело с объемными музыкальными файлами, другие — с порнографическими картинками, третьи вообще отключают у себя на узле возможность подписки на файлэхи...

Но будем оптимистами. ВАШ «босс» наверняка существо нежадное и охотно поделится с вами вожделенными файлэхами. Ну, а коли нужной вам на его узле не найдется — всегда есть возможность переадресовать запрос в инстанцию повыше. С согласия «босса», разумеется.

ПРОГРАММНОЕ ОБЕСПЕЧЕНИЕ ДЛЯ ФИДО

Первое и главное, что вам придется сделать, вступая в Фидо — настройка программного обеспечения...

Впрочем, перед тем как настраивать — а я уже миллион раз говорил, что проводить эту процедуру нужно, снабдившись предварительно опытным фидошником и парой бутылок пива для поддержания сил оного... Ну так вот, перед всем этим настраиваемое программное обеспечение нужно еще подобрать.

Слава богу, что программ, которые нам понадобятся, не так уж много — хватит и трех.

Редактор почты. Вы уже поняли, что главное достоинство Фидо — это, конечно же, почта. Личная, адресованная непосредственно нам, и сообщения в интересующих нас группах новостей. Именно поэтому программа для работы с почтой — основной необходимый нам пакет.

К сожалению, привычный нам Outlook Express для этой цели не подходит. Разве что вы читаете сообщения Фидо через Интернет. И потому придется нам устанавливать на компьютер совершенно новую программу.

Чаще всего матерые фидошники используют условно-бесплатный редактор писем GoldED, созданный Одинном Соренсеном. В нем вы

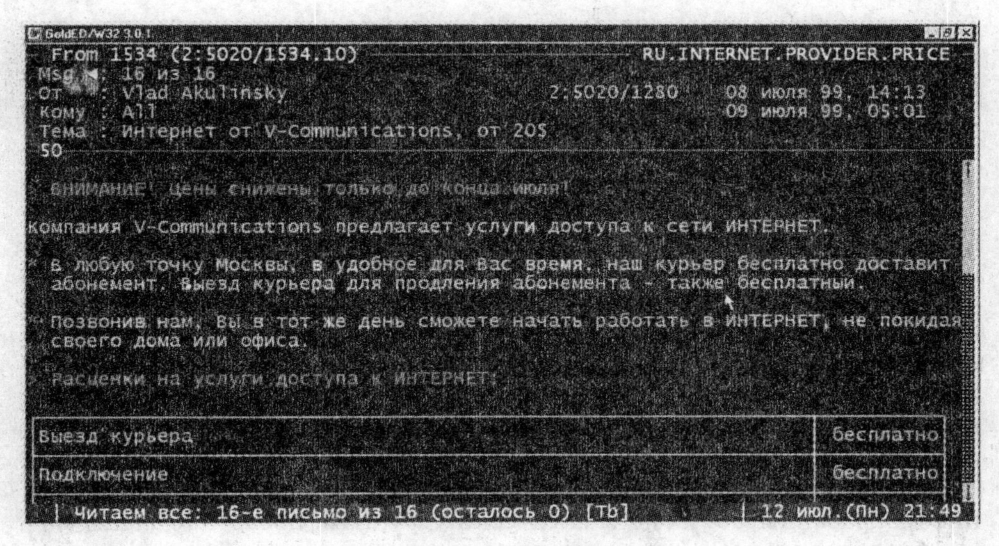

Почтовый редактор GoldED

можете как читать пришедшие в группы новостей сообщения, так и создавать свои — личные сообщения, сообщения в группы новостей, запросы файлов и т. д.

Мейлер. Проще говоря — звонилка. Хотя слово «проще» тут явно не уместно. В отличие от знакомой нам программы для соединения с Интернет, мейлер — куда более интеллектуальное существо. И это неудивительно — ведь ему придется выполнять свою работу без вашего малейшего участия! В заданное вами время (обычно это — глубокая ночь) мейлер дозвонится до всех нужных вам узлов Фидо, отправит и примет почту, «утянет» заказанные вами файлы... Если связь прервалась — не

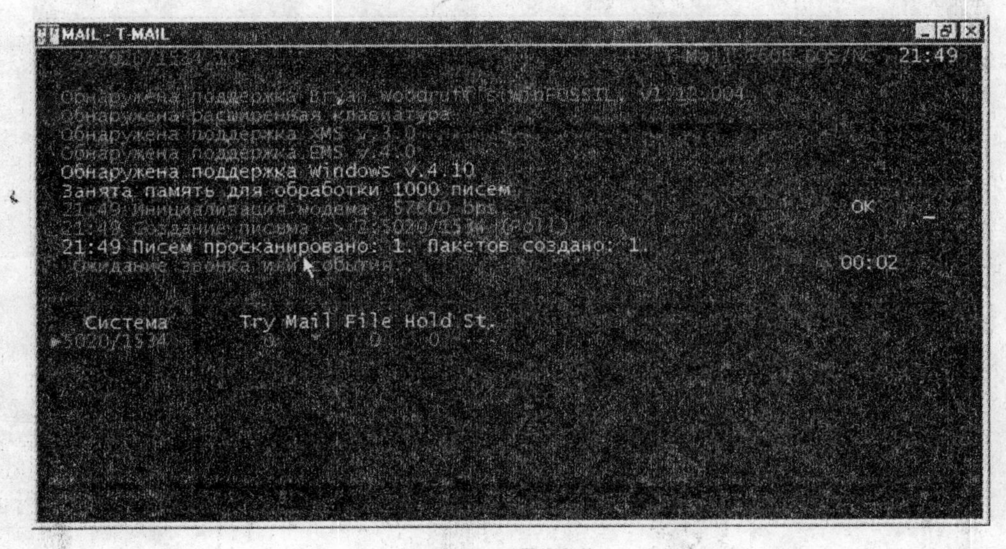

Мейлер T-Mail

беда: мейлер дозвонится на «упавшую» станцию и невозмутимо продолжит скачивать файлы. Причем с того самого места, на котором была прервана передача!

В качестве мейлера на постсоветском пространстве обычно используется программа T-Mail, созданная петербуржцем Андреем Елкиным.

Тоссер. А вот значение этой программы пользователю Интернет понять трудновато. Ну, звонилка, редактор почты — тут все кристально ясно... А тоссер — что это за зверь и с чем его едят?

Ни с чем. Есть, разгрызать — это задача самого тоссера. Дело в том, что вся почта по Фидо приходит чаще всего в виде не отдельных сообщений, а целых «почтовых пакетов». Представьте, что на адрес вашей квартиры пришел пухлый пакет с целой кучей писем — одно для папы, другое — для сестры, а третье — вообще непонятно кому адресованная повестка в военкомат...

Такими вот «пакетами» и занимается тоссер, который сортирует письма, раскидывает их по тематическим группам, после чего за них может браться редактор. После тот же тоссер выполняет и обратную операцию — упаковывает созданные вами сообщения в компактный почтовый пакет и скармливает его мейлеру.

Тоссеров существует много, благо программа это простая и написать ее может практически любой сведущий в программировании пользователь. Самые популярные в России — FastEcho и Squish.

Да уж, картинка получается... Три программы — каждая со своим норовом, со своими настройками. Один только T-Mail имеет добрый десяток отдельных «файлов конфигурации», каждый из которых надо настраивать отдельно.

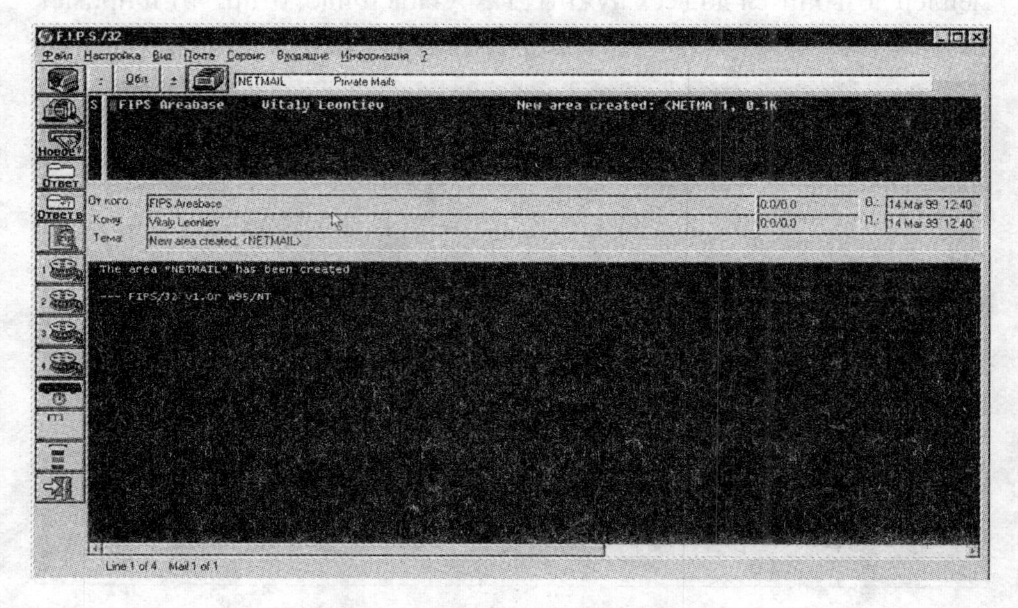

F.I.P.S. — все для Фидо в одном флаконе

Под DOS, понятно, никакой альтернативы и не требовалось. Но сегодня, в эпоху Windows 98 и самонастраивающихся программ, оснащение машины фидошника выглядит совсем убого... Конечно, если у него не установлен F.I.P.S.

F.I.P.S. — это все, что нужно для работы в Фидо в одном флаконе! Точнее — в одной программе. Красивой, удобной в настройке и весьма компактной. Создана эта программа в Германии и первоначально общаться с русскими пользователями не умела, впрочем, столь обескураживающее положение дел продолжалось недолго — отечественные «левши» живо сбили с программы спесь вместе с немецким интерфейсом и надели на нее новую «одежку» — русскую.

Проще всего получить свежую версию русского F.I.P.S. через Интернет — по адресу http://fipsrus.da.ru или http://fips.da.ru. Здесь же будущие фидошники найдут и массу полезных дополнительных программ для F.I.P.S., созданных российскими пользователями.

ПРИЛОЖЕНИЯ

СПРАВОЧНИК ПО «ГОРЯЧИМ КЛАВИШАМ»

Горячие клавиши Internet Explorer

Переход к предыдущей странице	**Alt**+стрелка влево
Переход к предыдущей странице	**Alt+Enter**
Закрыть окно	**Alt+F4**
Пролистать страницу вверх	**Page Up**
Пролистать страницу вниз	**Page Down**
Перейти в начало страницы	**Home**
Перейти в конец страницы	**End**
Переход к предыдущей странице	**BackSpace**
Обновление страницы	**F5**
Переключение между панелью ссылок, панелью адреса и окном	**F6**
Перейти в полноэкранный/обычный режим	**F11**
Прекратить получение страницы	**Esc**
Добавление ссылки на текущую страницу в «Избранное»	**Ctrl**+D
Сохранение страницы в виде файла	**Ctrl**+S
Печать страницы	**Ctrl**+P
Открыть новое окно	**Ctrl** +N
Упорядочить папку «Избранное»	**Ctrl** +B
Открыть новую страницу или папку	**Ctrl** +O
Поиск на странице	**Ctrl** +F
Перемещаться между кадрами вперед	**Ctrl + Tab**
Перемещаться между кадрами назад	**Shift+ Ctrl +Tab**

Горячие клавиши Outlook Express

Отправка и получение почты	**Ctrl**+M
Получение писем из групп новостей	**Ctrl** +**Shift** +M
Открыть письмо для редактирования	**Enter**
Закрыть письмо	**Esc**
Создание нового письма	**Ctrl** +N
Печать выбранного письма	**Ctrl** +P
Выделить все сообщения	**Ctrl** +A
Удаление письма	**Del**
Ответ на выбранное письмо	**Ctrl** +R
Переслать текущее письмо	**Ctrl** +F
Проверка орфографии	**F7**
Вставка подписи	**Ctrl** +**Shift** +S

Отправка письма	**Ctrl** +**Enter**
Адресная книга	**Ctrl** +**Shift** +B
Переключение между списком писем, областью просмотра текста письма и списком папок	**Tab**
Переход к следующему письму	**Ctrl** +**Del**, **Alt** +**Del**
Переход к предыдущему письму	**Ctrl** +стрелка влево, **Alt** + стрелка влево
Перейти к следующему непрочитанному письму	**Ctrl** +U
Перейти к следующему непрочитанному письму из группы новостей	**Ctrl** + **Shift** +U
Пометить все письма как прочитанные (в группах новостей)	**Ctrl** + **Shift** +A
Показать/спрятать список папок	**Ctrl** +L
Быстрый переход в папку «Входящие»	**Ctrl** +I

МИНИ-«ЖЕЛТЫЕ СТРАНИЦЫ»

...На протяжении всей работы над книгой автор безумно боялся превратить ее в обычную коллекцию полезных и бесполезных ссылок: увы, этой участи не избежали многие, в общем-то, полезные и занимательные труды. Заветный пропуск на страницы «Энциклопедии» получили ссылки на разнообразные каталоги, поисковики и порталы — благо с их помощью нетрудно за каких-нибудь пять минут найти все остальное...

Собственно, и цель у этой книги была — научить вас искать все необходимое самостоятельно!

...А тем временем письма от читателей «Новейшей Энциклопедии Персонального Компьютера» с просьбой отыскать что-то в Сети продолжали поступать могучим потоком! И в какой-то момент пришлось капитулировать: выходило, что хотя бы скромный раздел с «полезными ссылками» должен в книге быть.

Готовя эти «мини-странички», я сознательно избегал соперничества как с электронными каталогами и рейтингами, так и с печатными справочниками. Совсем не обязательно, что ссылки, собранные здесь, представляют лучшие, либо самые популярные сайты Сети — это просто небольшая коллекция ресурсов, которыми пользуюсь, в случае необходимости, лично я. Вы же со временем наверняка составите собственную коллекцию ссылок, которая может совершенно не пересекаться со «Страничками». Ведь Сеть так обширна и изменчива...

Поэтому давайте условимся относиться к этим «Страничкам» просто как к крохотной демонстрации того, сколь обширные сферы охватывает Интернет, каким подспорьем он может стать не только в профессиональной деятельности, но и в делах домашних. Как к некой разминке перед настоящим, большим путешествием, к рекламному проспекту — одному из тех, какие в изобилии отягощают столики многочисленных турагентств...

Договорились?

Автомобили

Авто.Ру (http://www.auto.ru)

Об этом сайте принято говорить только в превосходной степени. Самая большая база данных по автомобилям, самая разветвленная система конференций, на которых можно найти ответ на любой вопрос, самые популярные доски объявлений... Пожалуй, найти для себя лакомый кусочек информации в этой обширной кладовой не сможет только владелец модели либо далекого прошлого, либо — очень далекого будущего...

Avtomarket (http://www.avtomarket.ru)

Один из крупнейших «виртуальных автосалонов» в Рунете.

Автомобили ВАЗ (http://www.ladaonline.ru)

Полный комплект информации для владельцев «народной марки).

Автомобили из Германии (www.germany.ru/auto)

Все о подержанных иномарках и способах их приобретения.

Знаешь ли ты ПДД?
(http://www.rules.ru/section/main.shtml/style_34_19_1)

Тест на знание правил дорожного движения. Неплохая разминка перед экзаменом в ГИБДД.

Библиотеки

Библиотеки и книжные магазины Сети (http://mybooka.narod.ru)

Библиофилы и библиоманы начинают знакомиться с Сетью именно с этого каталога!

Библиотека Машкова (http://lib.ru)

Крупнейшая библиотека электронных текстов в России.

Вся русская фантастика (http://www.sf.amc.ru)

Библиотека произведений русских фантастов. Электронные версии книг и произведения, публиковавшиеся только в Сети.

Вся электронная документация (http://www.emanual.ru)

Компьютерная литература, руководства, учебники, документация — в электронном виде.

Энциклопедии online (http://www.encyclopedia.ru/internet1.html)

Библиотека одного из крупнейших энциклопедических порталов.

Русская справочная библиотека
(http://www.openweb.ru/windows/stepanov/library.htm)

Поисковик и каталог ресурсов. Все о библиотеках и для библиотекарей. Ссылки на странички издательств, библиотек и других книжных учреждений.

Библиотека ComplexSystems (http://www.complexsystems.net/dictionaries/)

Интернет-портал английского языка. Электронные версии более 1500 энциклопедий, словарей, тезаурусов.

Дом, семья

Каталог ресурсов для дома и семьи (http://sweethome.spb.ru)

Самый «домашний» каталог российского Интернета.

Мама.Ру (http://www.mama.ru)

Все для будущих и настоящих мам: советы, консультации, рекомендации по выбору товаров, календарь развития ребенка.

Дети.Ру (http://www.deti.ru)

Все о детях — от медицины и педагогики до юридических консультаций!

Девичник (http://devichnik.ru)

Ежедневный сетевой журнал для милых дам.

Интернет — женщинам! (http://iw.owl.ru)

Каталог женских ресурсов — отличная альтернатива уж знакомому нам каталогу WWWoman.

Зооклуб (http://http://www.zooclub.ru)

Неплохой портал о домашних животных.

Питомец.Ру (http://www.pitomets.ru)

Кошачье-собачья зона Рунета.

Кулинар (http://www.cooking.ru)

Российский кулинарный портал — пальчики оближешь!

Мелисса (http://www.melissa.ru)

Искусство быть хозяйкой... Кулинария, домоводство и многое другое.

Домашнее цветоводство (http://web.vrn.ru/irva/)

Уютный сайт для любителей цветов.

Здоровье

Русский медицинский сервер (http://www.rusmedserv.com)

Крупнейший медицинский портал. Онлайн-диагностика, консультации, рейтинг лучших медицинских сайтов России, медицинские новости, товары для здоровья, пресса, новинки медицинской литературы.

MedLinks (http://www.medlinks.ru)
Каталог медицинских ресурсов Интернет.

Корпорация «Медицина для вас» (http://www.medlux.ru)
Обширная медицинская библиотека, справочник по наличию лекарств в аптеках, система конференций и многое другое.

Медицина Москвы (http://www.medmedia.ru)
Вся медицина Москвы: справочная система.

Doctor.Ru (http://www.doktor.ru)
Вся медицина России! Популярный сайт, разделенный на группы «Для специалистов» и «Для народа».

03 (http://03.ru)
Медицинский портал для больных и здоровых!

Меди.Ру (http://www.medi.ru)
Масса полезной информации о лекарствах, все производители России, библиотека медицинских журналов.

Медицинский рынок (http://www.mr.ru)
Единая витрина фирм-производителей. Возможность ознакомиться с интересующими Вас медицинскими препаратами, лечебной косметикой, медицинскими изделиями, техникой и детскими товарами: быстрый поиск, подробные аннотации, фотографии.

Веб-Аптека (http://www.wer.ru)
Все о лекарствах! Онлайн-аптека с возможностью заказа любого препарата с доставкой на дом.

Знакомства

LoveList (http://lovelist.agava.ru)
Справочник начинающего Дон Жуана. Все о знакомствах в Сети: ссылки на крупнейшие службы знакомств, рекомендации по составлению и поиску объявлений.

Знакомства на сервере Omen.Ru (http://omen.ru/LOVE.HTM)

Сервер знакомств Фортуна (http://www.fortune.ru)

Сервер знакомств Kiss.Ru (http://www.kiss.ru)

Знакомства на Dating Shade (http://dating.shade.ru)

Теория и практика флирта (http://www.flirt.ru)

Знакомства у Алены (http://www.love.bk.ru)

Loving.Ru (http://www.loving.ru)

Искусство, культура

Все музеи России (http://www.museum.ru)
Музеи и галереи России, выставки, анонсы.

Галерея Гельмана (http://www.guelman.ru)
«Альтернативное искусство» в Галерее Гельмана.

Арт-Лайф (http://artlife.ru)
Выставка-продажа произведений современного искусства.

Театральная афиша (http://www.teatr.ru)
Репертуар театров Москвы и Петербурга на текущий месяц.

Театр.Ру (http://www.theatre.ru)
Страницы московской театральной жизни.

Fashion Guide (http://www.fashionguide.ru)
Портал об искусстве моды.

Культура-Портал (http://www.kultura-portal.ru)
Все о российской культуре. Портал, созданный одноименной газетой.

Gif.Ru (http://www.gif.ru)
Портал по гео-культурной навигации. Звучит таинственно. Выглядит достойно.

Кино, видео, телевидение

Спутниковое телевидение в России (http://www.sat.ru)
Техническая информации, консультации специалистов, программы спутниковых каналов.

Все телепрограммы на Куличиках! (http://tv.kulichki.net)
Программы всех крупнейших телеканалов России, анонсы интересных передач.

Видео.Ру (http://www.video.ru)
Новинки из мира видео, рецензии, анонсы.

Мир Кино (http://www.mirkino.ru)
Кинопортал. Новости из мира кино — анонсы, рецензии, комментарии.

Киноформум (http://kinoforum.ru)
Общение любителей кино и видео. Новости кино, программы кинотеатров.

Internet Movie DataBase (http://www.imdb.com)
Обширнейшая база данных по мировому кинематографу, в которой вы можете найти подробные сведения о любом фильме и деятеле киноиндустрии — актерах и режиссерах, операторах и сценаристах... Словом — обо всех, кто хоть раз соприкоснулся с великой Вселенной Кино.

Компьютеры, комплектующие

IXBT (http://www.ixbt.com)
Крупнейший русскоязычный сервер, посвященный новостям из мира компьютерного «железа». Эксклюзивные материалы — результаты сравнительного тестирования новейших моделей процессоров, материнских плат, видеокарт, звуковых плат, жестких дисков, дисководов большой емкости и других комплектующих. На сайте имеется доска объявлений (Форум), где вы можете оставить свой вопрос, касающийся «железной» тематики. Кроме того, здесь же вы можете подписаться на список рассылки бесплатного бюллетеня новостей сайта.

Reactor Critical (http://www.reactor.ru)
Сайт, входящий в содружество IXBT, посвящен трехмерной графике. Тестирование новейших трехмерных ускорителей, обзоры, информация о новых драйверах и играх.

Мультимедиа Дайджест (http://www.mpcdigest.ru)
Последние новости из мира мультимедиа-комплектующих. Обзоры и результаты тестирования звуковых карт, видеоплат, джойстиков, MIDI-клавиатур, акустических систем. Новейшие технологии цифрового аудио и видео.

Виртуальный компьютерный музей (http://www.computer-museum.ru)
Иллюстрированная история персональных компьютеров на русском языке.

Новости мира компьютерных технологий (http://www.lgg.ru/~ru-technews)
Занимательная русскоязычная страничка мировых компьютерных новостей. Есть список рассылки.

Компьютерные новости ZDNet (http://www.zdnet.ru/zdreviews/)
Русскоязычная страничка крупнейшего сервера мировых компьютерных новостей.

Компьютерная энциклопедия Кирилла и Мефодия (http://www.km.ru)
Крупнейшая в России электронная компьютерная энциклопедия.

Библиотека технической документации (http://www.iot.dol.ru/support.htm)
Подробные технические описания компьютерных комплектующих.

База данных DZIK (http://dzik.aha.ru)
Поиск комплектующих в компьютерных фирмах Москвы. Полные прайс-листы фирм с ценами.

Компьютерная барахолка (http://www.komok.com)
Поиск, обмен, продажа и покупка комплектующих с рук.

База данных по ценам на комплектующие (http://www.price.ru)
Прайс-листы компьютерных фирм в крупнейших городах России.

Музыка

Русский музыкальный счетчик (http://www.ryzhkov.ru)
Каталог музыкальных ресурсов Рунета.

Библиотека Музыкальных Текстов (http://www.lyrics.ru)
Тексты песен популярных российских и западных исполнителей.

Music.Ru (http://www.music.ru)
Музыкальный портал. Музыкальные новости, рецензии, анонсы, объявления.

MusicLand (http://www.musicland.ru)
Каталог музыкальных ресурсов Сети.

Портал Интеллектуальной Музыки (http://www.pfmusic.com)
Нью-эйдж, электроника, эмбиент, арт-рок и другая серьезная музыка — для серьезных слушателей.

Ultimate Band List (http://www.ubl.com)
Громадная база данных, в которой можно найти краткую инфорацию о любом исполнителе. И что самое ценное — ссылки на посвященные ему сайты и странички!

Наука, техника

Научные ресурсы Интернет (http://www.hayka.ru)
Каталог научных сайтов Рунета.

Пермский центр научно-технической документации (http://www.permcnti.ru)
Полная библиотека ГОСТов, СНИПов и другой нормативно-технической документации.

Наука и техника (http://www.n-t.org)
Библиотека научно-технической литературы.

Недвижимость

Недвижимость в России (http://www.realty.ru)

Крупнейшая база данных, посвященная российской недвижимости. Выбор квартир на вторичном рынке, новостроек, консультации.

Большой Сервер Недвижимости (http://www.bsn.ru)

Аналитика, мониторинг, консультации.

Estate.Ru (http://www.estate.ru)

База данных по квартирам в Москве. Предложения ведущих агентств. Юридический практикум.

Новости

Лента.Ру (http://www.lenta.ru)

Оперативные новости и информация со всего мира.

Страна.Ру (http://www.strana.ru)

Новости о России и для России. Родина, которую мы не выбирали...

Газета.Ру (http://www.gazeta.ru)

Одно из крупнейших электронных СМИ в Рунете.

Вести.Ру (http://www.vesti.ru)

Обзор главных событий дня, новости и комментарии.

Полит.Ру (http://www.polit.ru)

Политический, аналитический, дискуссионный, новостной портал.

Русский журнал (http://www.russ.ru)

Больше, чем просто новости. Информационно-аналитическое издание для тех, кто хочет знать БОЛЬШЕ...

ИТАР-ТАСС (http://www.itar-tass.com)

Ленты новостей крупнейшего информационного агентства России.

Образование

Библиотеки рефератов, дипломов, курсовых (избранное):

http://www.referats.com — Российская Сеть Рефератов.

http://www.referatov.net — Рефератов.Нет, одна из старейших реферdesignatных коллекций.

http://allreferats.narod.ru — Все рефераты России.

http://www.students.ru/referats/ — Рефераты на Сервере Российского Студенчества.

http://allbest.ru/refall.htm — Метапоиск по крупнейшим сетевым коллекциям.

Лучшие помощники ленивых и бестолковых студентов! Коллекции рефератов, курсовых и дипломных работ... добрая половина из которых уже известна вашему преподавателю.

Школьный мир (http://school.holm.ru)
Каталог ссылок о школьном образовании.

Все образование (http://catalog.alledu.ru)
Самый удобный и дельный, на мой взгляд, каталог образовательных ресурсов России.

Союз образовательных сайтов (http://www.allbest.ru/union/)
Небольшой, но очень полезный портал для всех учащихся.

Студенческая библиотека ABC (http://abc.vvsu.ru/)
Электронные версии более 450 учебников по всем возможным предметам!

Сервер Российского Студенчества (http://www.students.ru)
Все о студенческой жизни — для студентов и тех, кто только готовится ими стать!

Экзамен.Ру (http://www.examen.ru)
Экзамены online — ГАИ, TOEFL, GMAT, MCSE, MCP, тесты IQ и многое другое. Бесплатно!

Колледж.Ру (http://www.college.ru)
«Реальное» обучение и образование в Интернет.

Тесты Онлайн (http://tests.specialist.ru)
Тестирование по различным специальностям! Выдается сертификат.

Дистанционное образование через Интернет (http://www.anriintern.com/ind.shtml)
Все виды бесплатного образования в Сети.

PSYCHO: Проверь свои способности (http://www.bitnet.ru/psycho/)
Психологические тесты на любой вкус.

Портал онлайн-тестирования (http://www.students.ru/tests/)
Около 300 тестов на Сервере Российского Студенчества — психологические, образовательные, юмористические...

Отдых, развлечения

Афиша (http://www.afisha.ru)
Все развлечения Москвы! Спектакли, фильмы, концерты, тусовки, великосветские мероприятия, рестораны, выставки, спортивные мероприятия — расписания и анонсы на любой вкус!

Каталог развлечений Loner (http://www.loner.ru)

Полезные ссылки — и не только на развлечения...

ОМЕН (http://omen.ru)

Хаотичный, но безззумно популярный мегапортал развлечений.

Фоменко.Ру (http://fomenko.ru)

Миллион приколов, шуток, анекдотов и игр от Фоменко — лучший способ без толку убить время...

Лучшие развлечения России (http://russiannet.cjb.net)

Один из крупнейших развлекательных порталов.

Anekdotov.Net (http://anekdotov.net)

...А вот и есть — и в больших количествах! Равно как и шутки, приколы, хохмы, розыгрыши и насмешки — на любой вкус!

Exler.Ru (http://www.exler.ru)

Домашняя страничка Алекса Экслера — величайшего сетевого острослова всех времен и народов!

Погода

Зарубежные прогнозы погоды по городам России (http://www.mapmak.orc.ru/weather/wlinks.htm)

Если вы не доверяете отечественным синоптикам, то с помощью этого сайта вы получите возможность проверить их прогнозы! «Горячая десятка» крупнейших погодных служб мира, публикующих прогнозы по городам России.

Погодный сервер Фобос (http://www.mapmak.orc.ru)

Прогноз погоды на 3 и 10 дней по России и зарубежью.

Климат и погода на планете (http://mweb.ctel.msk.ru/btlnf/cneww/weaweb.htm)

Небольшой каталог крупнейших мировых служб.

Пресса

Каталог каталогов прессы в Интернет (http://sh.udm.ru/moneynews/newspapers.html)

Каталог газет и журналов на русском языке (http://kulichki.rambler.ru/~shura/paper-k.htm)

Рейтинг сетевой прессы (http://top.smi.ru)

Публичная Интернет-библиотека (http://www.public.ru)

Архив российской прессы за 1990—2001 годы.

Пресса (компьютерная)

ПОПУЛЯРНЫЕ ИЗДАНИЯ

HARD&SOFT	http://www.hardnsoft.ru
CHIP (Украина)	http://www.chip.com.ua
ПОЛНЫЙ ПК	http://www.osp.ru/fullpc
КОМПЬЮТЕР И МЫ	http://www.familypc.ru
КОМПЬЮТЕР И ЖИЗНЬ	http://www.comlife.ru
КОМПЬЮТЕРРА	http://www.cterra.ru
МАГИЯ ПК	http://www.magicpcspb.ru
МИР ПК	http://www.osp.ru/pcworld
ПОДВОДНАЯ ЛОДКА	http://www.submarine.ru
ХАКЕР	http://www.xakep.ru
МОЙ КОМПЬЮТЕР (УКРАИНА)	http://www.mycomp.com.ua
БЕЛОРУССКИЙ КОМПЬЮТЕРНЫЙ ЖУРНАЛ	http://www.nsys.minsk.by/pcworld
КОМПЬЮЛОЖКА: Детский журнал	http://www.compulog.ru/compulozhka

ПРОФЕССИОНАЛЬНЫЕ И СПЕЦИАЛИЗИРОВАННЫЕ ИЗДАНИЯ

КОМПЬЮТЕР-ПРЕСС	http://www.cpress.ru
PC Week	http://www.pcweek.ru
Computer Week	http://www.infoart.ru/it/press/cwm
ComputerWorld Россия	http://www.osp.ru/cw
ComputerService	http://www.csmagazine.com
ИНФО-БИЗНЕС	http://www.ibo.ru
Компьютерная газета (Белоруссия)	http://www.kv.minsk.by
МУЛЬТИМЕДИА	http://www.multimedia.ru
PUBLISH	http://www.osp.ru/publish
СЕТИ	http://www.osp.ru/nets/
СЕТИ И СИСТЕМЫ СВЯЗИ	http://ccc.ru
LAN Magasine	http://www.osp.ru
Read.Me	http://www.read-me.spb.ru
625: Мультимедиа-журнал	http://www.625-net.ru

ИНТЕРНЕТ

МИР INTERNET	http://www.iworld.ru
ПЛАНЕТА INTERNET	http://www.netplanet.ru
INTERNET	http://inter.net.ru
ZHURNAL.RU	http://www.zhurnal.ru
Дайджест «ПЕРЕКРЕСТОК»	http://www.cross.ru

ИГРЫ

GAME.EXE	http://www.game-exe.ru
СТРАНА ИГР	http://www.gameland.ru

КАТАЛОГИ КОМПЬЮТЕРНОЙ ПРЕССЫ

Каталог компьютерной прессы (Инфоарт)	(http://www.infoart.ru)
Каталог DAKWORD	(http://www.gas.lipetsk.ru/DAK/Press/Press.htm)

Программы

РУССКОЯЗЫЧНЫЕ САЙТЫ

ЛистСофт (http://www.listsoft.ru)

Самый представительный, самый лучший и самый большой русскоязычный сайт по программам для Windows 98/ME. Программы разбиты на категории, число которых периодически увеличивается. Описание программ не очень подробное, однако понять, зачем эта программа нужна и чем она отличается от других, вы сможете. В качестве хобби ведет сайт один человек, поэтому информация о выходе новых версий программ иногда задерживается, но при наличии ссылок на страницу программы это не страшно. Есть поиск. Рейтинг программ как таковой не ведется, но есть раздел «избранное», а «особо отличившиеся» (по мнению автора) программы и сайты выделяются значком «List SOFT рекомендует!» Так же есть раздел с описанием последних поступлений (в среднем добавляется свыше 30 новых программ в неделю).

Помимо программ на этом сайте вы найдете подборку интересных ссылок по категориям, полезные советы и статьи. Свою известность сайт получил благодаря одноименному листу рассылки (бюллетеню) о новинках программного обеспечения, который является, пожалуй, самым популярным изданием в русскоязычном Интернет (на момент написания этого обзора — около 15 000 подписчиков).

Сервер Бесплатных Программ (http://www.freeware.ru)

Главный принцип сайта отражен в его названии. Только не думайте, что бесплатно — это обязательно плохо. Как показывает практика и демонстрирует коллекция программ на данном сайте — скорее наоборот...

Имеется еженедельная рассылка по основным категориям программ.

Download.ru (http://www.download.ru)

Сайт, посвященный shareware программам с «русскими корнями». Основное предназначение — помочь авторам программ представить их на Западе. Программы разбиты на категории, представление информации о программе напоминает http://www.winfiles.com. Система поиска вынесена в отдельный раздел.

Ведется список новых поступлений и рейтинг «наиболее скачиваемых» программ. Есть список рассылки с информацией об обновлениях сайта. Помимо программ, здесь вы найдете интересные статьи на околопрограммные темы и ссылки на полезные ресурсы.

Freeware.ru (http://www.freeware.ru)

Сайт с бесплатными программами для Windows 95. Есть отдельный раздел для программ с русскоязычным интерфейсом. Ведется список новых поступлений (10—15 программ в неделю) и самых популярных программ. Есть рассылка с информацией об обновлениях сайта. Есть поиск.

Neosoft (http://www.neosoft.ru)

Этот популярнейший сервер берет не количеством, но качеством. Попадают на «Неософт» только лучшие в своем классе программы, при этом каждая из них удостаивается весьма подробной и живой авторской рецензии. На фоне многочисленных сайтов с описаниями в одну-две строки не может не радовать...

Microsoft Office: библиотека дополнений (http://www.r-style.ru/offext/ext.htm)

Наверняка у вас дома или на работе установлен MS Office. Компания R-Style организовала и постоянно проводит конкурс различных дополнений к этому популярному пакету программ. Здесь вы сможете найти много всего полезного, например дополнение к Excel, которое пишет цифры словами, или надстройку к Outlook, которая позволяет перекодировать текст между основными русскими кодировками.

ЗАРУБЕЖНЫЕ САЙТЫ

Download.com (http://www.download.com)

Крупнейший сайт, посвященный shareware и freeware программам, настоящая Мекка для охотников за бесплатным «софтом». Великолепная система рейтингов, поисковая система и, как водится, еженедельный бесплатный бюллетень.

SofrtSeek (http://www.softseek.com)

Один из самых больших и удобных сайтов. Помимо удобного двухуровневого меню, есть также два уровня описаний программ — парой строк и так, как это сделано на остальных сайтах. В «подробном» варианте есть также уменьшенный скриншот. Ведутся рейтинги «программа дня», «наиболее скачиваемые» и «редактору понравилось»... Есть страничка с новыми поступлениями. Отличает этот сайт мощная и удобная система поиска, правда, при «неосторожном использовании» вы можете получить пару сотен программ... Здесь же вы можете подписаться на бесплатный бюллетень с информацией о новых программах.

TweakFiles (http://www.winfiles.com)

Специализированный сайт, посвященный утилитам для подстройки всего, чего угодно — от всевозможного «железа» до собственно госпожи Windows. Все программы снабжены грамотными аннотациями и скриншотами. В частности, именно на этом сайте доступны все описанные автором этой книги программы.

CDR-Info (http://www.cdrinfo.com/)

Владельцы записывающих дисководов CD-R и CD-RW найдут здесь максимально полную коллекцию соответствующих программ, а заодно — и ежедневные новости с «записывающего» фронта, обзоры новых моделей CD-RW и многое другое.

WinFiles (http://www.winfiles.com)

Пожалуй, один из самых больших сайтов с программами для Windows. Этот сайт появился после «расширения» известного http://www.windows95.com и теперь занимается программами для всех версий Windows без исключения. Программы на этом сайте довольно удобно разбиты по категориям (несколько уровней). Описания программ довольно краткие, только чтобы понять, что она делает. Поиск вынесен на отдельную страницу. Есть рассылка информации об обновлениях сайта. Ведется список новых поступлений. Особо понравившиеся авторам сайта программы выделяются значком Get it!.

Помимо программ есть полезные советы, заплатки, push-каналы, информация о драйверах, в общем, все, что относится к Windows.

Dave Central (http://www.davecentral.com)

Исключительно полезный сайт для поиска программы для конкретных нужд. Три уровня меню (третий уровень — сравнительно детальное описание программы со скриншотом; на втором уровне вы видите только краткие описания) позволяют довольно точно определить круг интересующих программ — главное при этом не отвлечься на что-то интересненькое... Есть рассылка о новых поступлениях, страничка с ними, страничка наиболее популярных программ и пять наиболее популярных за сегодня файлов. Кроме того, при входе в каждую категорию вы увидите список последних обновлений именно этой категории. Есть поиск.

Tucows (http://www.tucows.com)

По-моему, это самая известная коллекция программ для работы с Интернет. У этого сайта существует несколько «зеркал» — в том числе и в России. Есть программы для Win 3.1, Win98/ME, WinNT, Macintosh и OS/2. Удобное двухуровневое меню, поиск, рейтинг программ, ведется список 10 наиболее скачиваемых программ для каждой ОС и список новых поступлений. Есть рассылка, но, на мой взгляд, неудобно организованная.

Из менее известных функций этого сайта можно назвать несколько досок объявлений (www-board), хорошую систему помощи с набором FAQов и конкурс на лучшую программу месяца.

NoNags (http://www.nonags.com)

В shareware программы часто встраивают разные задержки при загрузке и надоедливые окошки с напоминанием, что было бы неплохо заплатить за программу. По английски они называются nag screen. Сайт nonags отличается тем, что программы, на нем описанные, не делают ничего подобного. Удобная система меню (один уровень), поиск (вынесен на отдельную страницу), ведется рейтинг программ. На главной странице есть список новых поступлений.

Freeware Home (http://www.freewarehome.com)
Очень большой сайт, посвященный бесплатным программам и сервисам. Длинное, но удобное одноуровневое меню, поиск, рассылка, список свежих поступлений. Описания программ довольно сжатые, но понятные. Каждый день добавляется около 10 программ.

Slaughter House (http://www.slaughterhouse.com)
Исключительно приятный сайт. Есть «программа дня» с очень подробным описанием, список последних обновлений, поиск, новости компьютерного мира. Здесь же вы сможете подписаться на одну из лучших рассылок о всяческих обновлениях — Andover Update (выходит только в HTML формате). Программы снабжены достаточно подробными описаниями и удобным двухуровневым меню (верхний уровень состоит всего из четырех разделов: игры, Интернет, медиа и утилиты).

LockerGnome (http://www.lockergnome.com)
Это не совсем shareware-сайт. Его основная специализация — рассылка бюллетеня о новинках в области shareware и freeware Lockergnome — лучшего из всех, которые я встречал. Если вы читаете по английски — обязательно подпишитесь! Выходит бюллетень в среднем раз в две недели и занимает 30—40 кбайт, так что Ваш почтовый ящик не переполнится... А на сайте вы найдете HTML версии выпусков (в которых будут и ссылки на программы).

ScreenShot (http://www.screenshot.com)
На этом сайте вы найдете более 1000 лучших (по мнению автора) программ, разбитых на тематические категории. Программы периодически обновляются, так что этот сайт можно считать неким постоянно действующим соревнованием, где выживают лучшие... Отличительной его чертой можно считать то, что к каждой программе есть несколько скриншотов и более или менее подробное описание.

НОВОСТИ ПРОГРАММНОГО МИРА В ИНТЕРНЕТ

BetaNews (http://www.betanews.com)
Крупнейший англоязычный сервер новостей программного мира. Обновляется несколько раз в день, содержит данные о выходе не только окончательных, но и предварительных (beta) версий популярных программных продуктов.

SoftNews (http://www.fcenter.ru/softnews.htm)
Новости программного мира от московской компании Ф-Центр.

СОВЕТЫ ПО НАСТРОЙКЕ ПРОГРАММ

RusDoc (http://www.rusdoc.ru)
Подборка лучших статей из различных бумажных и Интернет-изданий, документация, советы... словом — все, что может помочь простому пользователю сделать выбор, а затем и совладать с выбранным «софтом».

WinFAQ (http://winfaq.al.ru)

Богатейшая коллекция часто задаваемых вопросов по всем версиям Windows — разумеется, с ответами на них. Рекомендуется как новичкам, так и «матерым» пользователям, желающим узнать все хитрости, которые таит в себе детище Билла Гейтса.

Windows и Office — секреты и советы (http://www.redline.ru./~ipl)

Богатейшая коллекция полезных советов от Игоря Лейко — ведущего одной из самых популярных рассылок сервера «Городской Кот». Тысячи рецептов настройки и оптимизации двух упомянутых программных монстров.

СофтКлуб (http://www.computerra.ru/softnews)

Сайт и одноименная рассылка поддерживается известным компьютерным еженедельником «Компьютерра». Стиль обоих — лаконичность, но в то же время — представительность. Рекомендую посетить...

BIOS И ДРАЙВЕРЫ

Библиотека BIOS (http://www.bios.ru)

Коллекция BIOS для всех видов компьютерного железа.

Drivers.Ru (http://www.drivers.ru)

Поиск драйверов — по производителям, типам оборудования и так далее.

Путешествия

Российская туристическая сеть (http://www.travel-net.ru)

Крупнейший туристический портал в России.

100 дорог (http://www.tours.ru)

Один из лучших туристических порталов. Путевки, визы, билеты, справочная информация.

Туризм.Ру (http://www.tourism.ru)

Все о самодеятельном туризме и путешествиях.

Travel.Ru (http://www.travel.ru)

Магазин путешествий.

Турпоиск (http://www.tourpoisk.ru)

Поисковая система по сайтам туристических компаний, гостиниц, отелей и транспортных компаний.

Система заказов авиабилетов (http://www.e-kassa.ru)

Расписание авиарейсов из аэропортов России, бронирование авиабилетов.

Бронирование авиабилетов (http://www.avantix.ru)
Расписание авиарейсов российских и зарубежных авиакомпаний, выбор оптимальных по цене рейсов, бронирование билетов, мест в гостиницах, аренда автомобилей за рубежом.

Бронирование мест в гостиницах России (http://www.all-hotels.ru)
Каталог гостиниц России с возможностью бронирования номеров.

Отели Западной Европы (http://allhotels.narod.ru)
Бронирование мест в отелях Западной Европы.

Раписания.Ру (http://www.raspisaniya.ru)
Расписания движения пассажирского транспорта по субъектам Российской Федерации.

Железные дороги России (http://www.railways.ru)
Расписание движение железнодорожного транспорта, доступ к системе заказа и бронирования железнодорожных билетов «Экспресс-2» (только для зарегистрированных пользователей).

Работа

Job.Ru (http://www.job.ru)
Самый популярный сервер по поиску работы, база данных International Job Agency.

SuperJob (http://www.superjob.ru)
Горячие вакансии в Москве, России и за рубежом.

1Job.Ru (http://1job.ru)
Поиск работы в вашем городе.

Jobs.Ru (http://www.jobs.ru)
Еще один хороший сайт...

Joblist (http://www.joblist.ru)
...И еще один — от компании «Агава».

RDWeb (http://www.rdw.ru)
База данных газеты «Работа для вас».

Jobs.al.ru (http://www.jobs.al.ru)
Работа за рубежом, работа на дому, «телеработа».

Работа и зарплата (http://www.zarplata.ru)
База данных журнала «Работа и зарплата».

Клуб заработка в Интернет (http://doctorgreen.ru)
Один из многочисленных сайтов, посвященных «сетевым пирамидам», оплате за просмотр рекламы и другим способам заработка (точнее — подработки) в Интернет.

Спорт

Каталог «Спортивные Российские Ресурсы» (http://www.sportru.com)
Около 200 ссылок на лучшие спортивные сервера России.

Спорт-Экспресс (http://www.sport-express.ru)
Популярный спортивный портал.

SportDay.Ru (http://www.sportday.ru)
Портал о спорте и активном отдыхе.

Спорт.Ру (http://www.sport.ru)
Все о спорте. Новости, комментарии, каталог ссылок.

Спорт Сегодня (http://www.sports.ru)
Спортивные новости, аналитические обзоры и комментарии.

Экономика, финансы

Каталог деловых ресурсов (http://catalog.mbt.ru)
Русскоязычные сайты по экономике и бизнесу.

Financial Newsline (http://www.leader.ru/banking/)
Финансовые и экономические ресурсы Рунета. Лучший финансовый портал.

РосБизнесКонсалтинг (http://www.rbc.ru)
Экономический портал №1!

Финмаркет (http://www.finmarket.ru)
Агентство экономических новостей.

AK&M (http://www.akm.ru/rus/)
Информационное агентство. Финансовые и экономические новости.

Библиотека экономической и деловой литературы (http://ek-lit.agava.ru)
Первая и единственная в России... А значит — и самая полная!

Российский Финансовый Рынок (http://www.vestona.ru)
Информация, анализ, управление.

Юриспруденция

Бюро правовой информации (http://www.bpi.ru)

Вопросы и ответы по законодательству. Анализ новых законов, базы данных.

Гарант (http://www.garant.ru)

Все законодательство России. Ежедневный обзор новых законодательных актов, базы данных.

Правополитен (http://www.pravopoliten.ru)

Российская правовая энциклопедия.

РУССКОЯЗЫЧНЫЕ ГРУППЫ НОВОСТЕЙ USENET: КРАТКИЙ СПРАВОЧНИК

Внимание! Названия групп даны в транскрипции сети Интернет. Пользователям, работающим с группами Фидо через Фидонет, необходимо, при подписке на группы новостей, исключить из названия группы префикс fido7. Таким образом, если вы хотите найти в Фидонет группу новостей fido7.mo.sale, ищите ее под названием mo.sale.

Группы новостей иерархий relcom (например relcom.music) и microsoft имеют одинаковые названия в обеих сетях, т. е. префикс к их названию не добавляется.

Данный список не претендует на роль полного перечня русскоязычных групп новостей — в него не включены региональные группы (за исключением некоторых московских групп), а также сугубо специализированные группы, например, «локальные эхи» отдельных узлов Фидонет или специализированные конференции учебных заведений. При составлении списка автор старался включать в него максимальное количество популярных групп, доступных сегодня через сеть Интернет во всех регионах России, а также ближнего и дальнего зарубежья.

Каталог составлен на основе следующих интернет-сайтов:

NewsGate — группы Фидонет и Интернет через WWW (http://www.newsgate.ru)

Talk.Ru — система досок объявлений и групп новостей (http://www.talk.ru)

All Internet World — русскоязычные группы новостей (http://www.dir.ru/internet/newsgroups/russian/index.htm)

АВТОМОБИЛИ И ПРОЧИЙ ТРАНСПОРТ

fido7.mo.bicycle	Велосипеды и велоспорт
fido7.mo.bike	Все о мотоциклах
fido7.mo.cars	Эха московских автомобилистов
fido7.mo.cars.audio	Все об авто-аудиоаппаратуре
fido7.mo.cars.repair	Ремонт автомобилей
fido7.mo.transport	Общественный транспорт
fido7.pvt.car.exch	Покупка/продажа автомобилей и запчастей

fido7.pvt.exch.cars	Продажа автомобилей и запчастей к ним
fido7.ru.aviation	Летающие аппараты и все с ними связанное
fido7.ru.auto.school	Для начинающих водителей
fido7.ru.autopilot	Журнал «Автопилот»
fido7.ru.bus	Все об автобусах
fido7.ru.cars.4x4	Любителям внедорожников
fido7.ru.cars.alarm	Автосигнализации
fido7.ru.cars.chainik	Вопросы начинающих по машинам
fido7.ru.cars.custom	Переделка автомобилей
fido7.ru.cars.daewoo	Автомобили Daewoo
fido7.ru.cars.driving	Искусство вождения
fido7.ru.cars.ford	Автомобили Ford
fido7.ru.cars.foreign	Автомобили иностранного производства
fido7.ru.cars.from.usa	Автомобили из Америки
fido7.ru.cars.gas	Автомобили ГАЗ
fido7.ru.cars.gaz-uaz	Автомобили УАЗ
fido7.ru.cars.japan	Автомобили из Японии
fido7.ru.cars.lada	Автомобили ВАЗ
fido7.ru.cars.mercedes	Автомобили Mersedes
fido7.ru.cars.moscvich	Автомобили АЗЛК
fido7.ru.cars.travel	Путешествия на автомобилях
fido7.ru.moto	Все, связанное с мотоциклами
fido7.ru.railways	Все, связанное с железными дорогами
fido7.ru.road	Все об автомобильных дорогах
fido7.ru.subway	Все вопросы о метрополитене
fido7.su.cars	Все об автомобилях
fido7.su.cars.bmw	Все об автомобилях BMW
fido7.su.cars.opel	Все об автомобилях Опель
relcom.auto	Автомобили (Релком)
relcom.railways	Железные дороги (Релком)
relcom.wheels	Авто/мототранспорт: общие вопросы

БЕЗОПАСНОСТЬ

fido7.help!	Информация о спасении жизни человека
fido7.ru.anti-ment	Законные методы борьбы с милицией
fido7.ru.anti-nalogi	Защита от фискальных органов
fido7.su.spasatel	О спасателях и спасательском деле
fido7.survival.guide	Личная безопасность и выживание
fido7.ru.security	Вопросы безопасности

БИЗНЕС, ЭКОНОМИКА, ФИНАНСЫ

fido7.mo.economics	Экономика и экономисты
fido7.pvt.commerce	Коммерция — общие вопросы
fido7.pvt.forex	Все о валютном рынке Forex
fido7.ru.accounting	Проблемы бухгалтерского учета в РФ
fido7.ru.arbitrage	Защита прав предпринимателей
fido7.ru.banks	Банки и банковское дело
fido7.ru.bank-support	Решение проблем в банковском деле
fido7.ru.bank-technolog	Банковские технологии

fido7.ru.business	Бизнес — общие вопросы
fido7.ru.career	Как сделать карьеру
fido7.ru.consulting	Консалтинг
fido7.ru.customs	Таможня и таможенное законодательство
fido7.ru.expo	Выставки в России
fido7.ru.manager	Обсуждение проблем управления
fido7.ru.mis	Информационные технологии в организациях
fido7.ru.money	Финасы, деньги
fido7.ru.plastic.cards	Пластиковые карты
fido7.ru.tradesoft	Системы автоматизации торговли
fido7.ru.venture	Предпринимательство и сопутствующие проблемы
fido7.su.business	Все о бизнесе
fido7.su.pd&co	Предпринимательство и коммерция
relcom.banktech	Банковские технологии (Релком)
relcom.currency	Свежие курсы валют (Релком)
relcom.expo	Выставки и ярмарки: объявления и обзоры (Релком)

БЫТОВАЯ ТЕХНИКА, АУДИО, ВИДЕО, ТЕЛЕВИДЕНИЕ

fido7.mo.hi-fi	Все, связанное с Hi-End & Hi-Fi звуком
fido7.pvt.exch.audiovideo	Обмен-продажа аудио- и видеотехники
fido7.pvt.sound.pro	Проблемы студийной звукозаписи
fido7.ru.audio.specification	Техническая информация
fido7.ru.camcorder	Любительская видеосъемка
fido7.ru.hi-fi.chainik	Hi-Fi аппаратура
fido7.ru.home cinema	Системы «Домашний кинотеатр»
fido7.ru.minidisc	Минидисковая аппаратура
fido7.ru.sat	Спутниковое телевидение
fido7.ru.sat.chainik	Спутниковое телевидение для начинающих
fido7.ru.sat.tv.guide	Анонсы спутникового телевидения
fido7.ru.satellite.tv.crypt	Кодированные спутниковые каналы
fido7.ru.video	Обсуждение всего, связанного с видео
fido7.ru.video.laserdisc	Аппаратура высококачественного воспроизведения фильмов
fido7.su.hardw.microwave	СВЧ устройства
fido7.su.hardw.tv.video	Телевизоры и видеомагнитофоны
relcom.radio	Радио (Релком)
relcom.video	Видеотехника (Релком)

ВОЕННОЕ ДЕЛО, СПЕЦСЛУЖБЫ, ВОЕННАЯ И СПЕЦТЕХНИКА

fido7.ru.anti.army	Пацифистские разговоры
fido7.ru.anti.nato	Конференция противников НАТО
fido7.ru.army	Вопросы, связанные с армией
fido7.ru.army.phrases	Высказывания офицеров Армии
fido7.ru.fido&fsb	ФСБ в компьютерных сетях
fido7.ru.military	Войны и военная история
fido7.ru.military.navy	О морских битвах и боевых кораблях
fido7.ru.militia	Все о и про милицию
fido7.ru.ninja	Искусство ниньзя

fido7.ru.missile	Обсуждение современной ракетной техники
fido7.ru.special.technics	Обсуждение спецтехники
fido7.ru.weapon	Оружие: свойства и возможности
fido7.su.spy	Тонкости шпионской работы
fido7.su.philosophy	Философия

ГУМАНИТАРНЫЕ НАУКИ

fido7.ru.geek	Передача неязыковой информации в письме
fido7.ru.lingvo	Лингвистика, словарное дело
fido7.ru.linguist	Языки/языкознание/переводчики
fido7.ru.mythology	Мифология, предания, сказания
fido7.ru.spelling	Язык и правописание
fido7.su.philosophy	Философия

ЕСТЕСТВЕННЫЕ НАУКИ, ТЕХНОЛОГИЯ

fido7.mo.msu.phys	Разговоры московских физиков
fido7.mo.physics	Все о физике
fido7.pvt.moon	Все о Луне
?ido7.ru.ai	Искусственный интеллект
fido7.ru.biology	Биология и палеонтология
fido7.ru.biomech	Биомеханика и смежные с ней области
fido7.ru.biotech	Новейшие биотехнологии
fido7.ru.cyborg	Достижения киборгизации
fido7.ru.geology	Все о геологии
fido7.ru.geosystem	Геоинформационные системы и технологии
fido7.ru.math	Математическая
fido7.ru.math.software	ПО для математиков
fido7.ru.metallurgy	Все о металлургии
fido7.ru.nuclear	Проблемы ядерной физики и энергетики
fido7.ru.physics	Физика
fido7.ru.space	Космическое пространство
fido7.ru.space.news	Новости астрономии и космонавтики
fido7.su.archaeology	Обсуждение проблем археологии
fido7.su.astronomy	Профессиональная и любительская астрономия
fido7.su.energetic	Проблемы энергетики
fido7.su.hitech	Высокие технологии
fido7.su.paleontology	Палеонтология и эволюция
fido7.su.science	Наука в целом
fido7.su.science.chemistry	Все о химии
relcom.technology	Технология (Релком)

ЖУРНАЛИСТИКА, РЕКЛАМА

fido7.su.jurnalist	Конференция для журналистов
fido7.ru.advertisement	Рекламная деятельность
relcom.advertising.theory	Теория рекламы (Релком)
fido7.ru.ntv	Телеканал НТВ
fido7.ru.tv.reklama	Реклама на телевидении
fido7.ru.tv6	Телеканал ТВ-6

ЗНАКОМСТВА, ОБЩЕНИЕ, ЛЮБОВЬ

fido7.pvt.flirt	Искусство Флирта
fido7.ru.fido-pickup	Знакомства в Фидо
fido7.ru.freelove	Любить всех и уважать свободу
fido7.ru.love	Все что тебе нужно — это любовь?
fido7.ru.love.freetalk	Просто общение...
fido7.ru.love.troubles	Любовь — обманная страна
fido7.ru.loveland	Лавлэнд. Страна Любви
fido7.ru.odinokoe.serdce	Клуб одиноких сердец
fido7.ru.pickup	Знакомства и соблазнение девушек
fido7.ru.pickup.guru	Мастера знакомств
fido7.ru.romantic	Любовь и романтика
fido7.ru.sex.adv	Объявления о знакомствах
fido7.ru.sex.adv.talk	Обсуждение объявлений из Fido7.Ru.Sex.Adv
fido7.ru.teenagers	Общение молодежи
fido7.ru.virtual.life	Виртуальное общение: добро или зло?
relcom.penpals	Знакомства (Релком)
relcom.pickup	Знакомства (Релком)

ИГРЫ

fido7.mo.d&d.ad&d	Advanced Dungeons & Dragons
fido7.ru.anime.games	Приставочные и компьютерные игры из Японии
fido7.ru.game.action.internet	Игра по сети Интернет
fido7.ru.game.allods	Для фэнов мира Аллодов
fido7.ru.game.blizzard	Blizzard games
fido7.ru.game.bridge	Для любителей игры «Бридж»
fido7.ru.game.cdrom	Игры на CD ROM-ах
fido7.ru.game.diablo	Diablo
fido7.ru.game.doom	Все о DOOM и ему подобном
fido7.ru.game.duke	Обсуждение Duke Nukem3D
fido7.ru.game.fallout	Fallout-like games
fido7.ru.game.flight	Компьютерные «леталки»
fido7.ru.game.flight.dynamix	Симуляторы фирмы Dynamix
fido7.ru.game.fortress	Обсуждение Team Fortress
fido7.ru.game.frozen	Обсуждение/доработка рус 3Daction
fido7.ru.game.half-life	Half-Life и TeamFortress II
fido7.ru.game.heroes	Игра Heroes Of Might & Magic
fido7.ru.game.modem	Игра через модем
fido7.ru.game.mud	Многопользовательские ролевые игры по WAN
fido7.ru.game.mud.galaxy	MUD's игра Galaxy
fido7.ru.game.mud.russian	MUD'ы на русском языке
fido7.ru.game.news	Game News
fido7.ru.game.pbm	Игры по почте (Play By Mail)
fido7.ru.game.quake	Обсуждение Quake
fido7.ru.game.quest	Разговоры о играх стиля квест
fido7.ru.game.rpg	Компьютерные ролевые игры
fido7.ru.game.strategy	Пошаговые стратегии
fido7.ru.game.strategy.rt	Real-Time стратегия
fido7.ru.game.unreal	Обсуждение Unreal

fido7.ru.game.vangers	Обсуждение игры «Vangers»
fido7.ru.game.worms	Обсуждение игры Worms всех версий
fido7.ru.kvn	КВН: Игра и игроки
fido7.ru.magic.the.gathering	Карточная игра Magic.The.Gathering
fido7.ru.playstation	Все о Sony PlayStation
fido7.ru.program.games	Вместе пишем игры
fido7.ru.rpg	Ролевые игры
fido7.ru.rpg.club	Тусовка «ролевиков»
fido7.ru.rpg.seminar	Семинар любителей ролевых игр
fido7.ru.rpg.text	Сценарии ролевых игр, творчество «вокруг»
fido7.ru.rpgt.ad-d	Ролевые игры класса AD&D
fido7.ru.rpgt.cyberpunk	Ролевые игры и киберпанк
fido7.ru.rpgt.masters	Конференция Мастеров ролевых игр
fido7.ru.rpg.bazar	Вокруг ролевых игр
fido7.ru.rpg.combat	Боевая составляющая РИ
fido7.ru.rpg.dune	Ролевая игра Дюна
fido7.ru.rpg.mysterial	Мистериальные LARPG
fido7.ru.rpg.strugatskie	Игры по мотивам творчества Стругацких
fido7.ru.rpg.text	Ролевые игры — тексты и зарисовки
fido7.ru.rpgt.cyberpunk	Игры в стиле dark future
fido7.ru.rpgt.gaming	Играть здесь
fido7.ru.rpgt.gurps	Настольные ролевые игры по GURPS
fido7.ru.rpgt.other	О настольных ролевых играх...
fido7.ru.rpgt.play	Ролевые игры по переписке
fido7.ru.star.wars.games	Звездные войны в играх
fido7.ru.stars!	Обсуждение игры Stars!
fido7.ru.tetris	Тетрисоподобные игры и соревнования
fido7.ru.warhammer.club	Клуб поклонников игры «Warhammer»
fido7.su.game	Компьютерные игры
fido7.su.game.arcade	Аркадные игры
fido7.su.game.auto	Автомобильные игры
fido7.su.game.chainik	Игры для чайников: общие вопросы
fido7.su.game.flight	«Леталки», симуляторы
fido7.su.game.hardw	Игровое «железо»
fido7.su.game.logic	Логические игры
fido7.su.game.magazines	Поддержка журнала «Магазин Игрушек»
fido7.su.game.modem	Игры по модему
fido7.su.game.multiplayer	Многопользовательские игры
fido7.su.game.news	Игровые новости
fido7.su.game.quest.talks	Обсуждение игр стиля квест
fido7.su.game.sol	Игры: подсказки и решения
fido7.su.game.strategy	Обсуждение стратегических игр
fido7.su.game.trade	Поиск/обмен/торговля компьютерными играми
fido7.su.game.video	Игры для приставок и консолей
fido7.su.lottery	Азартные игры в реальном мире
relcom.games	Игры (Релком)
relcom.games.big	Большие игры (Релком)
relcom.games.pbem	Игры: проблемы и их решения (Релком)

ИЗДАТЕЛЬСКИЕ СИСТЕМЫ, ДИЗАЙН

fido7.ru.CorelDraw	CorelDraw и векторная графика
fido7.ru.dtp	Настольные издательские системы

fido7.ru.dtp.fonts	Обсуждение шрифтов
fido7.ru.html.chainik	HTML для начинающих Web-мастеров
fido7.ru.html.profy	HTML для профессионалов
fido7.ru.page.making	Верстка печатных изданий и соотв. ПО
fido7.ru.web.construction	Создание Web-страниц
fido7.su.adobe	Продукция Adobe
fido7.su.adobe.photoshop	О программе Adobe Photoshop
fido7.su.graphics	Компьютерная графика
microsoft.public.ru.russian.frontpage	Microsoft Frontpage: русская группа (Microsoft)
relcom.dtp	Издательские системы (Релком)

ИНОСТРАННЫЕ ЯЗЫКИ, СТРАНОВЕДЕНИЕ

fido7.dr.esperanto	Обучение языку эсперанто
fido7.esperanto.rus	Все о/на языке эсперанто
fido7.ru.celtic	Кельты и кельтская культура
fido7.ru.eastern.europe	Все о Восточной Европе
fido7.ru.egypt	Все о Египте
fido7.ru.english	Английский для всех
fido7.ru.english.translator	Перевод с английского
fido7.ru.espanol	Общение по-испански
fido7.ru.france	Все о Франции и французах
fido7.ru.france	Для любителей французского языка
fido7.ru.italia	Все о bella Italia
fido7.ru.italia	Италия и все итальянское
fido7.ru.japan	О Японии и японцах
fido7.ru.netherlands	Нидерланды
fido7.ru.russia	Экономико-политическое состояние страны
fido7.ru.scandinavian	Страны Северной Европы
fido7.ru.suomi	Все о Финляндии
fido7.ru.talk.deutsch	Разговоры на немецком
fido7.ru.talk.english	Разговоры на английском
fido7.ru.usa	Все-все-все о США
fido7.ru.yugoslavia	Югославия
fido7.russian.zl	Клуб русских в Америке и по всему миру
fido7.su.isr-jews	Евреи и Израиль

ИНТЕРНЕТ

fido7.pvt.internet.url	Интересные страницы Сети
fido7.ru.html.chainik	HTML для начинающих
fido7.ru.html.profy	HTML для профессионалов
fido7.ru.internet	Крупнейшая сеть мира
fido7.ru.internet.business	Бизнес в Интернете
fido7.ru.internet.cafe	Посидим в интернет-кафе
fido7.ru.internet.chainik	Чайникам об Интернете
fido7.ru.internet.connection	Связь с Интернет
fido7.ru.internet.faq	Вопросы и ответы по Интернет
fido7.ru.internet.filtered	Избранное об Интернете
fido7.ru.internet.halyava	Вся халява в Интернете

fido7.ru.internet.halyava.chainik	Халява для чайников
fido7.ru.internet.halyava.html	Бесплатности для WWW-дизайнеров
fido7.ru.internet.halyava.service	Бесплатные услуги в Сети
fido7.ru.internet.halyava.soft	Бесплатные программы в Сети
fido7.ru.internet.halyava.tested	Проверенная «халява»
fido7.ru.internet.icq	Все об ICQ
fido7.ru.internet.irc	Технологии IRC
fido7.ru.internet.law	Право и Интернет
fido7.ru.internet.marketing	Маркетинг и реклама в Интернет
fido7.ru.internet.moscow	Провайдеры и проекты в сети (Москва)
fido7.ru.internet.mp3	Музыка в Сети
fido7.ru.internet.netscape	Броузер Netscape Navigator
fido7.ru.internet.promotion	Реклама и раскрутка в Сети
fido7.ru.internet.provider	Все о провайдерах Интернет
fido7.ru.internet.provider.price	Прайс-листы провайдеров
fido7.ru.internet.search	Как найти в Интернет
fido7.ru.internet.security	Приватность и безопасность в Интернет
fido7.ru.internet.soft	Обсуждение софта для Интернет
fido7.ru.internet.spedia	Заработок в Интернет (Spedia)
fido7.ru.internet.technology	Технологии Интернет
fido7.ru.internet.www	WWW и около
fido7.ru.internet.www.news	Анонсы Web-узлов
fido7.ru.irc.cccp	Сети и сервера IRC
fido7.ru.uucp	UUCP и оффлайновый доступ в Интернет
fido7.ru.web.construction	Создание и поддержка сайтов
fido7.ru.web.design	Веб-дизайн
fido7.ru.web.show-your-site	Реклама и раскрутка сайтов
fido7.ru.webservers	Веб-серверы
fido7.ru.website	Сайты: общие разговоры
fido7.ru.www.favorites	Заслуживающие внимания WWW сайты
relcom.tcpip	TCP/IP технологии (Релком)
relcom.www.news	Новости сети Интернет (Релком)
relcom.www.support	Информация для пользователей Интернет (Релком)
relcom.www.users	Поддержка пользователей Интернет (Релком)

ИСКУССТВО, КУЛЬТУРА

fido7.ru.art	Искусство
fido7.ru.coolture	Культура и молодежь
fido7.ru.culture	Культура и искусство
fido7.ru.theatre	Театры
relcom.arts.photo.img	Искусство фотографии (Релком)
relcom.comp.animation	Компьютерная анимация (Релком)
relcom.culture.ministry	Общие вопросы управления культурой (Moderated)
relcom.culture.ministry.art	Театральное, музыкальное и изобразительное искусство

relcom.culture.ministry.library	Библиотечное дело (Moderated)
relcom.culture.ministry .memorial	Музеи и недвижимые памятники (Moderated)
relcom.culture.ministry.region	Информация регионов и федеральных организаций
relcom.culture.ministry.social	Образовательная, кадровая и правовая политика

ИСТОРИЯ

fido7.ru.world.war.ii	История Второй мировой войны
fido7.su.history	Вопросы истории
fido7.su.history.revisions	Фальсификации истории
fido7.ru.gregory.klimov	Мракобесные сочинения Григория Климова
fido7.su.suvorov	История по Виктору Суворову

КИНО, ВИДЕО, ТЕЛЕФИЛЬМЫ

fido7.mo.porno.video	Эротическое кино
fido7.mo.tv	Телевидение в Москве и других городах России
fido7.mo.videomovies	Все о видеофильмах
fido7.pvt.serials	Все про молодежные сериалы
fido7.ru.alf	Поклонникам телесериала «Альф»
fido7.ru.anime	Эха любителей японской анимации
fido7.ru.anime.chainik	Аниме для начинающих
fido7.ru.anime.eva	«Все о Еве»
fido7.ru.anime.games	Игры и аниме
fido7.ru.anime.pokemon	Все о сериале «Покемон»
fido7.ru.anime.sailor	Сериал «Сэйлор Мун»
fido7.ru.anime.talks	Аниме — общие разговоры
fido7.ru.babylon5	Фэн-клуб телесериала «Вавилон-5»
fido7.ru.babylon5.game	Ролевая игра по «Вавилон-5»
fido7.ru.bruce.willis	Брюс Уиллис
fido7.ru.cinema	Кинематограф в целом
fido7.ru.dicaprio	Леонардо ди Каприо и его роли
fido7.ru.film	Фильм... Фильм?? Фильм!!
fido7.ru.kino-not-for-all	Кино не для всех
fido7.ru.la.femme.nikita	Телесериал «Ее звали Никита»
fido7.ru.monty.python	Клуб любителей Monty Python
fido7.ru.o-s-p	ОСП-Студия
fido7.ru.sailormoon	Сериал «Сейлор Мун»
fido7.ru.simpsons	Семейство Симпсонов
fido7.ru.star.wars	Фэн-клуб сериала «Звездные войны»
fido7.ru.star.wars.bazar	Разговоры о «Звездных войнах»
fido7.ru.star.wars.games	Игры студии «Lukas Art»
fido7.ru.startrek	Сериал «Звездный путь»
fido7.ru.tarantino	Обсуждение творчества Квентина Тарантино
fido7.ru.toon	Все о мультфильмах
fido7.ru.tv6.otchevid	Телепрограмма «Вы — очевидец»
fido7.ru.video	Все о видео и новых фильмах
fido7.ru.video.exch	Обмен/купля/продажа видеофильмов
fido7.ru.video.films	Разговоры о кино и не только

fido7.ru.video.lexx	Фэн-клуб телесериала «LEXX»
fido7.ru.video.series	Беседы о телесериалах
fido7.ru.video.x-files	Сериал «Секретные Материалы»
fido7.ru.zeliboba	Телепередача «Улица Сезам»
fido7.su.movies	Просто кино
relcom.cinema	Кинематограф (Релком)
relcom.cinema.soap	Сериалы, «мыльные оперы» (Релком)

КОММЕРЦИЯ (ЧАСТНЫЕ ОБЪЯВЛЕНИЯ И ПРАЙС-ЛИСТЫ)

fido7.computer.exchange	Обмен-продажа компьютеров
fido7.mo.sale	Обмен и продажа в Москве
fido7.mo.wanted	ГДЕ? ЧТО? ПОЧЕМ?
fido7.pvt.commerce	Коммерция — общие вопросы
fido7.pvt.exch.apartment	Квартиры: обмен, покупка-продажа, аренда
fido7.pvt.exch.audiovideo	Аудио- видеотехника
fido7.pvt.exch.black.log	Информация о «плохих» фирмах/товарах
fido7.pvt.exch.black.log.talk	Защита прав потребителей
fido7.pvt.exch.cars	Автомобили — покупка и продажа
fido7.pvt.exch.cd	Купля-продажа компакт-дисков
fido7.pvt.exch.comm	Купля-продажа средств коммуникации
fido7.pvt.exch.comp	Компьютеры и комплектующие
fido7.pvt.exch.computer	Компьютеры
fido7.pvt.exch.computer	Купля-продажа компьютеров
fido7.pvt.exch.el.parts	Купля-продажа радиодеталей
fido7.pvt.exch.mobile	Мобильные средства связи
fido7.pvt.exch.notebook	Ноутбуки
fido7.pvt.exch.notebooks	Ноутбуки и комплектующие
fido7.pvt.exch.other	Купля-продажа всего остального
fido7.pvt.exch.pc	Купля-продажа компьютеров и ноутбуков
fido7.pvt.exch.pricelist	Прайс-листы
fido7.pvt.exch.pricelist.comp	Прайс-листы — компьютерные фирмы
fido7.pvt.exch.service	Предлагаю услуги
fido7.pvt.exch.talk	Достоинства/недостатки товаров
fido7.ru.sat.pricelist	Системы спутникового телевидения: предложения
relcom.commerce.audio-video	Аудио-видео-киноаппаратура
relcom.commerce.chemical	Химикаты и химикалии, удобрения
relcom.commerce.communications	Средства связи, каналы передачи информации
relcom.commerce.computers	Компьютеры, модемы, др. аппаратное обеспечение
relcom.commerce.construction	Стройматериалы и т. п.
relcom.commerce.consume	Косметика, одежда, обувь, парфюмерия
relcom.commerce.energy	Энергоносители, топливо
relcom.commerce.estate	Недвижимость
relcom.commerce.food	Продукты
relcom.commerce.food.drinks	Напитки, спиртные и безалкогольные
relcom.commerce.food.sweet	Кондитерские изделия, сахар
relcom.commerce.household	Домашняя утварь, бытовая техника

relcom.commerce.infoserv	Информационный сервис
relcom.commerce.jobs	Трудоустройство, вакансии
relcom.commerce.machinery	Станки, оборудование
relcom.commerce.medicine	Медицинские услуги, техника, препараты
relcom.commerce.mega.comp	Бюллетень «Mega Pro et Contra», компьютерная техника
relcom.commerce.mega.tech	Бюллетень «Mega Pro et Contra», прочая техника
relcom.commerce.metals	Металлы
relcom.commerce.money	Кредиты, депозиты, валюта
relcom.commerce.orgtech	Оргтехника
relcom.commerce.other	Все, для чего не нашлось места в других commerce*
relcom.commerce.publishing	Книготорговля, полиграфические и издательские услуги
relcom.commerce. raw-materials	Сырье и полуфабрикаты, не относящиеся к другим разделам
relcom.commerce.reckoning	Бартер, зачеты, товарные кредиты, неплатежи
relcom.commerce.software	Программное обеспечение
relcom.commerce.software. demo	Демонстрационные версии коммерческих программ
relcom.commerce.stocks	Фондовый рынок
relcom.commerce.talk	Обсуждение различных вопросов
relcom.commerce.tobacco	Табачные изделия
relcom.commerce.tour	Туризм, отдых, развлечения.
relcom.commerce.tradeserv	Услуги по обеспечению торговой деятельности
relcom.commerce.transport	Транспортные средства
relcom.commerce.ctrlsystems	Системы управления, контроля, сбора данных

КОМПЬЮТЕРЫ И КОМПЛЕКТУЮЩИЕ, ОРГТЕХНИКА

fido7.1072.compnews	Новости компьютерного мира
fido7.pvt.sound.turtlebeach	Звуковые карты Turtle Beach
fido7.rockwell.modem	Вопросы по Rockwell-модемам
fido7.ru.3dfx	О 3dfx VooDoo
fido7.ru.admin	Компьютеризация государственных учреждений
fido7.ru.cd.record	Вопросы записи CD дисков
fido7.ru.copyer	Копировальные аппараты
fido7.ru.dvd	Аппаратура и носители DVD
fido7.ru.hardw	Все о «железе»
fido7.ru.hardw.check	Тестирование и диагностика железа
fido7.ru.notebooks	Эхоконференция по нотбукам
fido7.ru.palmtop	Все о карманных компьютерах
fido7.ru.rockwell	Модемы и сетевое оборудование Rockwell
fido7.ru.ultrasound	Эха пользователей звуковой платы GUS
fido7.ru.usr	Модемы USRobotics и их upgrade
fido7.ru.usr.chainik	Вопросы начинающих по модемам USR
fido7.ru.usr.firmware	Новые прошивки для BIOS модемов USR (3COM)

fido7.ru.zyxel	Модемы ZyXEL и все о них
fido7.su.hardw	Проблемы и новости hardware + разгон
fido7.su.hardw.audio	Аудио и мультимедиа
fido7.su.hardw.cdrom	CD ROM
fido7.su.hardw.chainik	Для неспециалистов по аппаратуре
fido7.su.hardw.digest	Подборка лучших писем о «железе»
fido7.su.hardw.dvd	DVD и все для его воспроизведения
fido7.su.hardw.game.devices	Джойстики
fido7.su.hardw.hdd.repair	Ремонт компьютеров и комплектующих
fido7.su.hardw.hsmodem	Высокоскоростные модемы
fido7.su.hardw.notebook	Нотбуки
fido7.su.hardw.other	Конференция аппаратчиков
fido7.su.hardw.pc.cpu	IBM PC CPU's
fido7.su.hardw.pc.media	IBM PC носители информации
fido7.su.hardw.pc.media	Мультимеда-оборудование и комплектующие
fido7.su.hardw.pc.motherboard	Материнские платы
fido7.su.hardw.pc.net	Сетевые устройства
fido7.su.hardw.pc.notebook	Портативные компьютеры
fido7.su.hardw.pc.peripheral	Периферийные устройства
fido7.su.hardw.pc.printer	Принтеры, плоттеры
fido7.su.hardw.pc.sound	Звуковые карты и прочее звуковое «железо»
fido7.su.hardw.pc.video	Видеокарты и мониторы
fido7.su.hardw.pc.video.card	Видеокарты
fido7.su.hardw.pc.video.f3dfx	Видеокарты 3DFx
fido7.su.hardw.pc.video.monitor	Мониторы
fido7.su.hardw.pc.video.riva	Видеокарты NVidia
fido7.su.hardw.pc.videoblaster	TV-тюнеры, видеобластеры
fido7.su.hardw.photo.digital	Цифровая фотография
fido7.su.hardw.schemes	Схемные решения
fido7.su.hardw.technology	Общие вопросы по технологии
fido7.su.inpro	Поддержка пользователей модемов IDC Inpro
fido7.su.modem.all	О всех марках модемов

КУЛИНАРИЯ, ЕДА, НАПИТКИ

fido7.mo.pelmeni	Пельмени и все с ними связанное
fido7.pepsi	О безалкогольных напитках
fido7.ru.anti.beer	Клуб пивоненавистников
fido7.ru.antialcohol	Для всех противников спиртного
fido7.ru.beer	Пейте пиво пенное...
fido7.ru.coca-cola	Разговоры о COCA-COLA
fido7.ru.coffee.club	За чашечкой кофе...
fido7.ru.good.drink	Достоинства алкогольных напитков
fido7.ru.mixed.alcohol	Алкогольные коктели/байки/разговоры
fido7.ru.portwein	Портвейн
fido7.ru.pyanka	Виртуальная пьянка
fido7.ru.team.kefir	Клуб любителей кефира
fido7.ru.vegetarian	Вегетарианство
fido7.ru.wine	Алкогольные напитки
fido7.su.alko	Спиртные напитки
fido7.su.kitchen	Кухня и все к ней относящееся

ЛИТЕРАТУРА, КНИГИ

fido7.mo.books.wanted	Поиск и продажа книг
fido7.obec.filtered	Фильтрованные литературные произведения
fido7.obec.pactet	Литературное творчество и юмор
fido7.pvt.exo	Обсуждение творчества Макса Фрая
fido7.ru.books.computing	О компьютерной литературе
fido7.ru.books.talk	Обсуждение книг и авторов
fido7.ru.bulgakov	О Мастере
fido7.ru.chastooshka	Частушки
fido7.ru.computer.life	ЭВМ в литературном творчестве
fido7.ru.conan.the.barbarian	Конан-варвар и героическая фэнтези
fido7.ru.erofeev	О книгах В. Ерофеева
fido7.ru.fantasy	Литература в жанре фэнтези
fido7.ru.fantasy.alt	Литература в жанре фэнтэзи
fido7.ru.jordan	Р. Джордан и фэнтези в целом
fido7.ru.krapivin	Книги В. Крапивина
fido7.ru.krapivin.club	Общение любителей книг Крапивина
fido7.ru.ludeny	Исследование творчества Стругацких
fido7.ru.lukianenko	Для поклонников книг Сергея Лукьяненко
fido7.ru.nice.and.funny.rhyme	Остроумные стихи
fido7.ru.parnas	Гнездилище поэзии и поэтов
fido7.ru.pelevin	Творчество Виктора Пелевина
fido7.ru.poet	Стихи и их обсуждение
fido7.ru.satire	Сатира
fido7.ru.sf.bibliography	Библиография фантастики
fido7.ru.sf.news	Фантастика: книги/события/мнения
fido7.ru.sf.seminar	Фантастические семинары
fido7.ru.stephenking	Разговоры о С. Кинге
fido7.skazki.forever	О сказках и сказочниках
fido7.su.absolute.text	Совместное литературное творчество
fido7.su.alt.tolkien	Д.Р. Р. Толкиен и Средиземье
fido7.su.amber	Творчество Роджера Желязны
fido7.su.books	Беседы о книгах
fido7.su.books.clever	Литературные разговоры эстетов
fido7.su.books.for.children	Детская литература
fido7.su.dragonlance	Книжный сериал DragonLance
fido7.su.jrrt.club	Толкинисты и их разговоры
fido7.su.niennah	Толкиен: альтернативное видение
fido7.su.pern	Творчество Энн Маккеффри и мир Перна
fido7.su.perumov	О книгах Ника Перумова
fido7.su.sf-f.fandom	Научная фантастика и фэнтези
fido7.su.suvorov	Творчество Виктора Суворова (Резуна)
fido7.su.tolkien	Разговоры вокруг Толкина
fido7.su.tolkien.language	О языке Мира Толкиена
fido7.su.tolkien.texts	Тексты вокруг Толкина
relcom.fantasy	Разговоры о фантастике (Релком)

МЕДИЦИНА, ЗДОРОВЬЕ

fido7.ru.invalife	Все о жизни инвалидов России и СНГ
fido7.ru.medic	Конференция о медицине и медиках

fido7.ru.medic.baby	Детская медицина
fido7.ru.medic.profy	Вопросы лечения различных заболеваний
fido7.ru.nature.health.harmony	Здоровый образ жизни
fido7.ru.naturism	Натуризм и движение натуристов
fido7.ru.pharmacy	Фармацевтическая наука и практика
fido7.ru.poison	Яды и противоядия и все о них
fido7.ru.tobacco	Курение и все о нем
fido7.su.an&cr.care	Для анестезиологов-реаниматологов
fido7.su.medic	Медицина — проблемы и достижения
medlux.journal.cg	Электронная версия журнала «Клиническая геронтология»
medlux.journal.top	Электронная версия журнала «ТОП-Медицина»
medlux.journal.umo.science	Журнал «Уральское медицинское обозрение (Доктор Лендинг)», наука
medlux.journal.umo.z	Журнал «Уральское медицинское обозрение (Доктор Лендинг)», остальное
medlux.journal.vit	Электронная версия журнала «Вестник интенсивной терапии»
medlux.medsci.anes	Анестезиология и реаниматология. Научные статьи и информация
medlux.medsci.cardiol	Кардиология, ревматология. Научные статьи и информация
medlux.medsci.cardiovascular	Сердечно-сосудистая хирургия. Научные статьи и информация
medlux.medsci.contents	Содержание и анонсы журналов и других публикаций
medlux.medsci.dent	Стоматология. Научные статьи и информация
medlux.medsci.dermatol	Дерматология, венерология. Научные статьи и информация
medlux.medsci.diag	Диагностика. Научные статьи и информация
medlux.medsci.endocrin	Эндокринология. Научные статьи и информация
medlux.medsci.gastroent	Гастроэнтерология. Научные статьи и информация
medlux.medsci.gyn	Акушерство и гинекология. Научные статьи и информация
medlux.medsci.hematol	Гематология. Научные статьи и информация
medlux.medsci.homoeopathy	Гомеопатия и биологическая медицина. Статьи и информация
medlux.medsci.immunol	Иммунология, аллергология. Научные статьи и информация
medlux.medsci.inform	Электронные медицинские информационные ресурсы
medlux.medsci.neurol	Неврология. Научные статьи и информация
medlux.medsci.oncology	Онкология. Научные статьи и информация
medlux.medsci.ophthalm	Офтальмология. Научные статьи и информация
medlux.medsci.orthopaedics	Ортопедия и травматология
medlux.medsci.pediatr	Педиатрия. Научные статьи и информация
medlux.medsci.pharmacol	Фармакология. Научные статьи и информация

medlux.medsci.pulmonol	Пульмонология, фтизиатрия. Научные статьи и информация
medlux.medsci.san-hyg	Санитарно-эпидемиологическое обеспечение
medlux.medsci.surg	Хирургия. Научные статьи и информация
medlux.medsci.talk	Обсуждение медицинских проблем
medlux.medsci.therapy	Терапия. Научные статьи и информация
medlux.medsci.urol	Урология, нефрология, андрология. Научные статьи и информация
medlux.medsci.z	Прочие разделы медицины. Научные статьи и информация
medlux.mfy.exhibitions	Календарь выставок, конференций, симпозиумов
medlux.mfy.expo	Материалы по Международной выставке «Медицина для Вас»
medlux.mfy.public	Информация корпорации «Медицина для Вас»
medlux.newspaper.szs	Электронная версия газеты «Сибирское здоровье сегодня»

МИСТИКА. РЕЛИГИЯ. АНОМАЛЬНЫЕ ЯВЛЕНИЯ

fido7.christianos	Христианская эха для всех
fido7.mo.onegod	Дискуссия монотеистов
fido7.pvt.christmas	Светлый праздник Рождества
fido7.pvt.esoteric.club	Путь к себе: все об эзотерике
fido7.ru.agni	Философия, религия, оккультизм
fido7.ru.agny	Агни-йога и учение Рерихов
fido7.ru.antichrist	О негативной роли христианства
fido7.ru.anti-religion	Атеизм во всех проявлениях
fido7.ru.bible	О чем говорит Библия
fido7.ru.buddhism	Буддизм и его практика
fido7.ru.christianity	Христианство и православие
fido7.ru.death	Смерть
fido7.ru.dharma	Буддизм для всех
fido7.ru.dream	О снах и сновидении
fido7.ru.energetika	Энергетика человека — белая магия
fido7.ru.krsna	Харе Кришна и кришнаиты
fido7.ru.magic	Магия
fido7.ru.metaphysics	Разговоры о метафизике
fido7.ru.mystic.search	Мистические поиски
fido7.ru.new.thought	Духовная Психология
fido7.ru.osho	Ошо Раджниш и его учение
fido7.ru.parapsychology	Парапсихология
fido7.ru.pravoslavie.talk	Разговоры о православии
fido7.ru.religforum	Форум о религии в целом
fido7.ru.tensegrity	Об учении Карлоса Кастанеды
fido7.ru.thelema	Церемониальная магия и йога
fido7.ru.theology.general	Теологические дискуссии
fido7.ru.ufo	НЛО и необъяснимые явления
fido7.ru.ufo.sceptic	НЛО и скептики
fido7.ru.ufo.talks	Разговоры о НЛО и необъяснимом
fido7.ru.ufo.theory	Гипотезы об аномальных явлениях

fido7.ru.ufonews	Новости об НЛО
fido7.ru.zen	Дзэн-буддизм
fido7.su.islam	Ислам
fido7.su.isrjews	Иудаизм и евреи
fido7.su.magic	Разговоры о магии
fido7.su.satanism	Сатанизм
fido7.su.scientologie	Сайентология
fido7.su.soul	Душа. Дух. Сознание
fido7.su.tm	Трансцендентальная Медитация и Веда
fido7.su.yoga	Все о йоге
relcom.extro	Все экстраординарное (аномальные явления)
relcom.religion	Религия (Релком)

МОДА, СТИЛЬ

fido7.ru.pretty.girls	Как стать и быть красивой
fido7.su.piercing	Пирсинг
fido7.ru.style	О моде и вокруг нее
fido7.su.cool.stars	Все о красивых актрисах и певицах
fido7.ru.tattoo	Искусство тату
fido7.ru.tattoo-piersin	Тату и пирсинг

МУЗЫКА

fido7.bong	Depeche Mode и все, с ним связанное
fido7.guitar.songs	Тексты песен с аккордами
fido7.iv.music	Все о музыке
fido7.kwachi.prileteli	Все о группе «Тайм-Аут»
fido7.mo.blusys modtalk	Клуб любителей Дитера Болена
fido7.mo.brakedance	Стиль танцев — BRAKEDANCE
fido7.mo.gorbushka	Все об этом музыкальном рынке
fido7.mo.metallica	Для поклонников Heavy Metal
fido7.mo.music.exchange	Околомузыкальная купля/прод/обмен
fido7.mo.radiostat	Обсуждение музыкальных радиостанций
fido7.pvt.black.metal	Black Metal
fido7.pvt.detsl	Клуб поклонников Децла
fido7.pvt.melodic.metal	Клуб любителей Helloween &Co.
fido7.pvt.metal.club	О металлической культуре
fido7.pvt.the life & real music	О музыке/роке/жизни
fido7.radiomax.all	Для фанатов радио «Maximum»
fido7.rozenbaum.da.ru	Поддержка сайтов о Розенбауме
fido7.ru.anti.spice.girls	Для ненавистников Spice Girls
fido7.ru.beatle.club	Клуб любителей Beatles!
fido7.ru.blacksabbath	Black Sabbath и Оззи Осборн
fido7.ru.blues	Для любителей блюза
fido7.ru.britney.spears	Бритни Спирс — новая Мадонна?
fido7.ru.bulanova	Страдания Тани Булановой
fido7.ru.crematorium	Все о группе «Крематорий»
fido7.ru.david.bowie	Дэвид Боуи
fido7.ru.deep-purple	Deep Purple и хард-рок
fido7.ru.die-krupps	Die Krupps

fido7.ru.duran-duran.fans	Все о группе Duran Duran
fido7.ru.fm.radio	УКВ и FM музыкальные радиостанции
fido7.ru.foreigner	Группа Foreinger
fido7.ru.hip-hop	Все о Hip-Hop культуре
fido7.ru.interlink.essay	Творчество рок-групп
fido7.ru.krasnai.plesen	Группа «Красная Плесень»
fido7.ru.limp-bizkit	Группа Limp-Bizkit
fido7.ru.marilyn.manson	Мэрилин Мэнсон
fido7.ru.metallica	Группа «Metallica»
fido7.ru.minstrel	Менестрели всякие и разные
fido7.ru.mp3.wanted	Поиск файлов в формате MP3
fido7.ru.mtv	MTV-Россия. Музыкальное телевидение
fido7.ru.mtv.vj	О ведущих MTV
fido7.ru.mumiy.troll	Мумий Тролль и Илья Лагутенко
fido7.ru.music.afisha	Афиша музыкальной жизни
fido7.ru.music.agata.kristi	Рок-группа «Агата Кристи»
fido7.ru.music.alisa	Рок-группа «Алиса»
fido7.ru.music.aquarium	«Аквариум» и Б. Г.
fido7.ru.music.aria	Обсуждение рок-группы «Ария»
fido7.ru.music.avariya	Дискотека «Авария»
fido7.ru.music.b-2	Би-2
fido7.ru.music.blind.guardian	Blind Guardian
fido7.ru.music.chanson	Русский шансон
fido7.ru.music.ddt	Обсуждение российской рок-группы — DDT
fido7.ru.music.dolphin	Дельфин
fido7.ru.music.drum-bass	Jungle/Drum'n'Bass и др.
fido7.ru.music.ethnic	Беседы об этнической музыке
fido7.ru.music.grob	Рок-группа «Гражданская оборона»
fido7.ru.music.handsup	Обсуждение группы «Руки вверх»
fido7.ru.music.hendrix	Все о Джими Хендриксе
fido7.ru.music.jarred	Жан-Мишель Жарр и электронная музыка
fido7.ru.music.k&j	Про группу «Король и Шут»
fido7.ru.music.kino	Виктор Цой и «Кино»
fido7.ru.music.korrozia-metal	«Коррозия металла» и панк-металл
fido7.ru.music.lacrimosa	Обсуждение группы Lacrimosa
fido7.ru.music.leningrad	Группа «Ленинград»
fido7.ru.music.mixey-jumangee	Михей и Джуманджи
fido7.ru.music.nirvana	Все о «Нирване» и Курте Кобейне
fido7.ru.music.scooter.talk	Scooter
fido7.ru.music.scorpions	Творчество группы Scorpions
fido7.ru.music.time-machine	Группа «Машина Времени»
fido7.ru.music.wanted	Поиск музыкальных произведений
fido7.ru.muz-tv	Телеканал МузТВ
fido7.ru.mylene.club	Для поклонников Mylene Farmer
fido7.ru.nautilus	Про рок-группу «Наутилус Помпилиус»
fido7.ru.offspring	Группа Offspring
fido7.ru.old-jazz	Джаз — музыка черных и толстых
fido7.ru.pink.floyd	Все о группе Pink Floyd
fido7.ru.progressive	Все о прогрессе в культуре и музыке!
fido7.ru.psychedelic	Все о транс-музыке
fido7.ru.punk.rock	Панк-рок во всей красе

fido7.ru.rammstein	Rammstein
fido7.ru.rock.club	Обсуждение классической рок-музыки
fido7.ru.rockabilly	Обсуждение музыки рокабилли
fido7.ru.sandra	Музыка Энигмы, Сандры и Михаэля Крету
fido7.ru.scherbakov	Творчество Михаила Щербакова
fido7.ru.sector gaza.etc	«Сектор Газа» и им подобные
fido7.ru.spice.girls	О группе SPICE GIRLS
fido7.ru.umka	Умка и Броневичок
fido7.ru.utekay	«Мумий Тролль» и компания
fido7.ru.vysotsky	Творчество Владимира Высоцкого
fido7.ru.zemfira	Музыка Земфиры
fido7.su.bluesys modtalk	Клуб любителей Modern Talking
fido7.su.hanson	Клуб любителей группы HANSON
fido7.su.industrial	Индустриальная музыка
fido7.su.kalinov.most	Группа «Калинов мост»
fido7.su.ksp	Авторская и самодеятельная песня
fido7.su.ksp.tech	Технические аспекты КСП
fido7.su.ksp.texts	Тексты и аккорды песен КСП
fido7.su.maiden	Обсуждение группы IRON MAIDEN
fido7.su.manowar	Обсуждение группы MANOWAR
fido7.su.music	Музыка!
fido7.su.music.alter-punk	Панк-рок и альтернатива
fido7.su.music.art.rock	Арт-рок
fido7.su.music.classic	Обсуждение классической музыки
fido7.su.music.drums	Ударные инструменты, барабанная музыка
fido7.su.music.gothic	GOTHIC ROCK и GOTHIC AMBIENT
fido7.su.music.heavy-death	Тяжелый металл
fido7.su.music.jazz	Джаз
fido7.su.music.legion	Экстремальная музыка
fido7.su.music.lyrics	Поиск/публикация текстов песен
fido7.su.music.metal	Металл и близлежащие стили
fido7.su.music.michael jackson	Все о Джексонах
fido7.su.music.news	Музыкальные новости
fido7.su.music.pictures	Фотографии музыкантов
fido7.su.music.pop	Танцевальная и комерческая музыка
fido7.su.music.prodigy	Творчество группы The Prodigy
fido7.su.music.rap	О рэпе
fido7.su.music.russian	Русская музыка
fido7.su.music.soundtrack	Обсуждение саундтрэков к фильмам
fido7.su.music.techno	Звуки в стиле «техно»
fido7.su.music.theory	Теория музыки
fido7.su.musician.group	Рок-группы
fido7.su.queen	Клуб любителей группы Queen
fido7.su.russian.rock	Обсуждение русского рока

МУЗЫКА: СОЗДАНИЕ И ОБРАБОТКА

fido7.pvt.mp3	Сжатие музыки: формат MP3
fido7.ru.cakewalk	Создание миди-музыки в CakeWalk
fido7.ru.cubase	Поддержка программ CUBASE
fido7.ru.dj	Музыкальный шоу-бизнес

fido7.ru.dj.pc	Эха посвященная Dj-ингу на PC
fido7.ru.guitar	Гитара — игра на ней и все прочее
fido7.ru.midi	Все о музыке в формате Midi
fido7.ru.strack	ScreamTracker и пр. музыкальные эксперименты
fido7.ru.tekcta	Напиши свою песню!
fido7.ru.trackers	Общение трэкеров
fido7.su.music.creation	Как делать музыку
fido7.su.music.drums	Все о ударных инструментах
fido7.su.music.mp3	Компрессия звуковых файлов

НЕДВИЖИМОСТЬ, ДОМ

fido7.mo.construction	Все о строительстве и ремонте
fido7.mo.house	Все связанное с нашим домом
fido7.ru.home	Все о квартире
fido7.ru.hotel	Гостиницы и все, с ними связанное
fido7.su.dacha	Дачные проблемы и радости

НЕФОРМАЛЬНЫЕ ДВИЖЕНИЯ, АНДЕГРАУНД, АЛЬТЕРНАТИВА

fido7.hippy.talks	Хиппи и все с ними связанное
fido7.learning.to.swim	Экстремальное движение
fido7.mo.neformal.club	Жизнь московских неформалов
fido7.ru.digger	«Дети подземелья»
fido7.ru.hippies	Все о хиппи
fido7.ru.jah.rastafari	Растафарианская культура
fido7.ru.mitky	О митьках
fido7.ru.naturism	Натуризм и нудизм
fido7.ru.om	Любимый журнал неформальной тусовки
fido7.ru.psychedelic	Психоделическая культура
fido7.ru.punks.talks	Панки и все с ними связанное
fido7.ru.rastaman	Философия растафари
fido7.su.culture.underground	Андеграундная культура
fido7.su.underground	Андеграунд
relcom.culture.underground	Андеграунд (Релком)

НОВОСТИ

fido7.pvt.newspaper	Информация из и для газет
fido7.ru.news	Свежие новости обо всем
fido7.ru.news.talk	Обсуждение новостей из RU.NEWS
relcom.hot-news	Горячие новости (Релком)
relcom.netnews	Сетевые новости (Релком)
relcom.netnews.big	Сетевые новости подробно (Релком)

ОБЩЕНИЕ И БОЛТОВНЯ

fido7.ctpahhoe.mecto	Здесь можно все — но вежливо
fido7.mo.good.people.talks	Общение хороших людей
fido7.mo.halyava	Обсуждение халявы
fido7.mo.halyava.wanted	Поиск халявы

fido7.mo.party.halyava	Где на халяву оторваться?!
fido7.mo.talk	Московский «эхо-клуб»
fido7.pvt.gentlemen.club	Клуб джентльменов
fido7.pvt.girls	Дамский уголок
fido7.pvt.kam-nh	Огонь камина греет душу...
fido7.pvt.mouse.club	О мышах и людях
fido7.pvt.sova.club	Совы — это кому ночью не спится
fido7.pvt.world.of.dream	Фантазирование и его истоки
fido7.ru.baika	Рассказывание баек и историй
fido7.ru.bardak	Бардак Господ Гусаров
fido7.ru.beavis&butthead	Общение в стиле Beavis&Butt-head
fido7.ru.bomond.rhyme	Светские беседы в стихах
fido7.ru.castle.cm	Исключительно вежливые разговоры
fido7.ru.chudiks	Чудики и околочуд-ие разговоры
fido7.ru.coffee.club	Клуб интеллектуалов
fido7.ru.duel.rhyme	Дуэли в стихах
fido7.su.flame	Словесные баталии
fido7.ru.glum	Всероссийский глум над всем на свете
fido7.ru.illusion	Иллюзия... сплошная иллюзия
fido7.ru.keen	Для личного общения
fido7.ru.real.life	Беседы обо всем, что Вам интересно
fido7.ru.search.people	Поиск людей
fido7.ru.team	Команды поклонников чего-либо (team)
fido7.ru.teen.talk	Тинейджерские разговоры
fido7.ru.teenagers	Территория тинейджеров
fido7.ru.tramway	Не только о трамваях — обо всем!
fido7.ru.zeliboba	Интеллектуальные тормоза
fido7.su.general	Почти обо всем
fido7.su.naezd	Дружеские наезды на окружающих
fido7.su.talks	Разговоры обо всем
fido7.su.tost	Тосты
fido7.tabepha	Беседы за кружкой эля

ОБЩЕСТВЕННЫЕ НАУКИ, ПОЛИТИКА, ЮРИСПРУДЕНЦИЯ

fido7.pvt.freedom	Свободные мнения, комментарии, интервью
fido7.pvt.law	Юридические вопросы
fido7.ru.anarchy	Об анархии и не только
fido7.ru.anti-ment	Защита от представителей правоохранительных органов
fido7.ru.anti.nato	Конференция противников НАТО
fido7.ru.antifascism	Обсуждение фашизма
fido7.ru.gregory.klimov	Проблемы высшей социологии
fido7.ru.migration	Все о миграции
fido7.ru.opinion.poll	Опрос общественного мнения
fido7.ru.putin	Владимир Путин — за и против
fido7.ru.russia	Экономико-политическое состояние страны
fido7.ru.sociology	Социология
fido7.ru.socionic	Соционика и социальные технологии
fido7.ru.white.power	Разговоры о белой расе
fido7.su.civil law	Обсуждение законодательства

fido7.su.crisis.situation	Кризисные ситуации
fido7.su.crisis.situation.talks	Обсуждение кризисов
fido7.su.emigration	Вопросы связанные с эмиграцией
fido7.su.human.rights	Права человека
fido7.su.human.rights	Права человека: общие вопросы
fido7.su.jews	Мы — евреи!
fido7.su.pol	Политика и около
fido7.su.pol.news	Политические новости
fido7.su.pol.theory	Обсуждение политических теорий
fido7.su.social.growth	Продвижение в обществе
relcom.politics	Политика (Релком)

ПЕДАГОГИКА, ОБРАЗОВАНИЕ

fido7.ru.baby.education	Воспитание детей
fido7.ru.educator	Проблемы НЕГОСУДАРСТВЕННОГО образования
fido7.ru.fidoschool	Виртуальная школа
fido7.ru.referat	Поиски рефератов, курсовых, дипломов и т. д.
fido7.ru.school	Обучение и воспитание в школе
fido7.ru.school.shpora	Все о шпаргалках
fido7.ru.student.talks	Студенческие разговоры
fido7.su.komandor	Неформальная педагогика, командорское движение
fido7.su.referat	Обсуждение и поиск рефератов
fido7.su.student	Студенчество и студенческая жизнь
fido7.teach.pro	Профессиональное обучение и педагогика
relcom.education	Проблемы образования (Релком)

ПРИРОДА, ЖИВОТНЫЕ, РАСТЕНИЯ, ЭКОЛОГИЯ

fido7.pvt.cat.club	Разговоры о котах и кошках
fido7.pvt.cat.club.info	Информация о кошках
fido7.pvt.cat.club.talks	Кошачьи разговоры
fido7.pvt.dog.afgan	Афганские борзые
fido7.pvt.horses.club	Клуб любителей лошадей
fido7.ru.dendrofilia	Деревья и их любители
fido7.ru.aquaria	Аквариум и Террариум
fido7.ru.cat&dog	Для тех, кто подобрал домашнее животное
fido7.ru.greenpeace	Россия GREENPEACE Экология
fido7.ru.horse	Все о лошадях
fido7.ru.les	Лес как он есть
fido7.ru.po.gribi.po.yagodi	Грибы-ягоды и походы
fido7.rus.flora	Растительный мир
fido7.rus.pets	О домашних животных
fido7.rus.pets.exotic	Для любителей животных
fido7.su.pchelovodstvo	Пчеловодство от А до Я
relcom.ecology	Экология (Релком)

ПРОГРАММИРОВАНИЕ. БАЗЫ ДАННЫХ

fido7.group	Разговоры разработчиков и пользователей ПО
fido7.hot.bazaar	«Горячее» программирование
fido7.ru.algorithms	Алгоритмы — поиск и обсуждение

fido7.ru.asm.chainik	Ассемблер для начинающих
fido7.ru.borlandc	Программирование на Borland C
fido7.ru.c cpp.market	Обмен программными средствами для «Си»
fido7.ru.c	Программирование на C и C++
fido7.ru.cbuilder	Программирование на C++Builder
fido7.ru.cgi	CGI-программирование
fido7.ru.cgi.c	CGI-программирование на C++
fido7.ru.cgi.perl	CGI-программирование на Perl
fido7.ru.cgi.perl.chainik	CGI-программирование на Perl для новичков
fido7.ru.clarion	Программирование на Clarion
fido7.ru.clipper	Программирование и поддержка СУБД Clipper
fido7.ru.compiler&interp	Компиляторы и интерпретаторы
fido7.ru.cpp	Программирование на C++
fido7.ru.delphi	Работа в среде Delphi
fido7.ru.delphi.chainik	Delphi для новичков
fido7.ru.delphi.db	Работа с БД в Borland Delphi
fido7.ru.delphi.info	Информация о Delphi
fido7.ru.delphi.internet	Delphi: программирование для Интернет
fido7.ru.delphi.master	Клуб мастеров Borland Delphi
fido7.ru.delphi.reports	Программирование на Delphi — отчеты
fido7.ru.devtech	Технологии программирования
fido7.ru.dos.basic	Программирование на BASIC для DOS
fido7.ru.engine.prog	Программирование
fido7.ru.foxpro	Программирование для Fox Pro
fido7.ru.free.pascal	Программирование на Pascal
fido7.ru.java	Язык программирования Java
fido7.ru.java.chainik	Язык программирования Java для новичков
fido7.ru.javascript	Язык программирования JavaScript
fido7.ru.lang.prog.cmp	Сравнение языков программирования
fido7.ru.lisp	Программирование на Lisp
fido7.ru.msaccess	Программирование на MS Access
fido7.ru.os.hard.low. programming	Низкоуровневое программирование и «железо»
fido7.ru.pascal	Программирование на Pascal
fido7.ru.pascal.chainik	Pascal для начинающих
fido7.ru.pascal.sources	Исходные тексты на Pascal
fido7.ru.perl	Язык программирования Perl
fido7.ru.php	Работа PHP
fido7.ru.php.chainik	PHP для начинающих
fido7.ru.powerbuilder	Программирование в Power Builder
fido7.ru.programming. languages	Языки программирования: общие вопросы
fido7.ru.smalltalk	Язык программирования Smalltalk
fido7.ru.soft.protect	Защита программного обеспечения
fido7.ru.tmt	Программирование на TMT Pascal
fido7.ru.vac	Разработка Visual Assembler
fido7.ru.vbscript	Visual Basic Scripts
fido7.ru.visual.basic	Бейсик — простой и visual
fido7.ru.visual.basic	Программирование на Visual Basic
fido7.ru.visual.basic.chainik	Программирование на Visual Basic для начинающих

fido7.ru.visual.basic.faq	Visual Basic — вопросы и ответы
fido7.ru.visual.cpp	Все о VC++ MFC ATL...
fido7.ru.visual.foxpro	Работа с Microsoft Visual FoxPro
fido7.ru.visualage.cpp	IBM VisualAge C++
fido7.ru.vrml	Обсуждение языка VRML
fido7.ru.xyz	Математика и программирование
fido7.su.c cpp	Программирование на C & C++
fido7.su.dbms	СУБД и все, с ними связанное
fido7.su.dbms.borland	Борландовские DBMS-ные продукты
fido7.su.dbms.case	CASE: методологии и средства
fido7.su.dbms.cronos	СУБД «Кронос»
fido7.su.dbms.db2	Обсуждение СУБД DB2
fido7.su.dbms.foxpro	СУБД FoxHro
fido7.su.dbms.hytech	СУБД HyTech
fido7.su.dbms.interbase	Borland Interbase Work-p Server
fido7.su.dbms.sql	SQL: язык и сервера
fido7.su.forth	Язык FORTH
fido7.su.microsoft.talk	Дискуссии вокруг Microsoft
fido7.su.net.prog	Сетевое программирование
fido7.su.object.pascal	Объектное программирование на Pascal
fido7.su.pascal.modula.ada	Паскаль и подобные ему языки
fido7.su.pma.faq	FAQ по Pascal
fido7.su.softw	Разработка программного обеспечения
fido7.su.win32.prog	Программы для Win32
fido7.su.windows.prog	Программирование для MS Windows
fido7.talks.asm	Низкоуровневое программирование
relcom.comp.clarion	Программирование на Clarion (Релком)
relcom.comp.lang.basic	Basic (Релком)
relcom.comp.lang.c-c++	C++ (Релком)
relcom.comp.lang.forth	Forth (Релком)
relcom.comp.lang.pascal	Pascal (Релком)
relcom.comp.lang.pascal.misc	Pascal: разное (Релком)
relcom.comp.lang.perl	Perl (Релком)
relcom.comp.os.windows.prog	Программирование для Windows (Релком)
relcom.lan.prog	Программирование для сетей (Релком)

ПРОГРАММНОЕ ОБЕСПЕЧЕНИЕ: ОПЕРАЦИОННЫЕ СИСТЕМЫ

fido7.ru.dos	DOS и программы для нее
fido7.ru.linux	Операционная система Linux
fido7.ru.linux.chainik	Linux для начинающих
fido7.ru.multios.config	Много ОС — на одном компьютере?
fido7.ru.os.change	Выбор операционной системы
fido7.ru.os.cmp	Сравнение операционных систем
fido7.ru.os.setup	Проблемы установки операционных систем
fido7.ru.qnx	Самая маленькая ОС в мире
fido7.ru.unix	Все о UNIX
fido7.ru.unix.aix	Операционная система IBM AIX
fido7.ru.unix.bsd	BSD-подобные юниксы
fido7.ru.unix.linux	Linux и Unix
fido7.ru.unix.sco	Вопросы и ответы по SCO

fido7.ru.unix.solaris	Операционная система Solaris
fido7.ru.win3x	Вопросы и ответы по Windows 3.x
fido7.ru.win9x-all.faq	Вопросы и ответы по Windows 9x
fido7.ru.windows.me	Операционная система Windows ME
fido7.ru.windows.nt	Использование Windows NT/2000
fido7.ru.windows.nt.admin	Администрирование NT/2000
fido7.ru.windows.nt.backoffice	NT и BackOffice
fido7.ru.windows.nt.beta	Бета-версии Windows NT/2000
fido7.ru.windows.nt.chainik	Вопросы начинающих по NT/2000
fido7.ru.windows.nt.faq	FAQ-лист по Windows NT/2000
fido7.ru.windows.nt.fido	FIDO и NT/2000
fido7.ru.windows.nt.hardware	Аппаратное обеспечение для Windows NT/2000
fido7.ru.windows.nt.hatch	Поддержки файлэх по NT/2000
fido7.ru.windows.nt.internet	NT и работа в сетях
fido7.ru.windows.nt.news	Новости Windows NT/2000
fido7.ru.windows.nt.ug	Российская группа пользователей NT/2000
fido7.ru.windows.nt.wanted	Поиск/обмен по Windows NT/2000
fido7.su.beos	Операционная система BeOS
fido7.su.win95	Общие вопросы по Windows 9x/ME
fido7.su.win95.chainik	Помощь начинающим по Windows 9x/ME
fido7.su.win95.comm	Коммуникации для Windows
fido7.su.win95.exchange	Обмен программами для Windows
fido7.su.win95.faq	Вопросы и ответы по Windows 95/98/ME
fido7.su.win95.games	Игры для/под Windows 9x/ME
fido7.su.win95.hardw	Аппаратное обеспечения Windows 9x/ME
fido7.su.win95.netw	Локальные сети под Windows 9x/ME
fido7.su.win95.news	Новости и анонсы мира Windows 9x/ME
fido7.su.win95.prog	Программирование в ОС Windows 9x/ME
fido7.su.win95.rus team	Эха Russian Team Windows 9x/ME
fido7.su.win95.softw	Программы для Windows 9x/ME
fido7.su.win9x.up.win200x	Обновление Windows 95/98/ME до Windows 2000
fido7.su.windows	Общие вопросы по Windows
fido7.su.windows.wanted	Поиск и обмен для Windows
microsoft.public.ru.russian.windows	Microsoft Windows: русская группа (Microsoft)
relcom.comp.os.unix	ОС UNIX (Релком)
relcom.comp.os.windows	Семейство Windows (Релком)
relcom.comp.os.windows.nt	Windows NT (Релком)

ПРОГРАММНОЕ ОБЕСПЕЧЕНИЕ: ФИДОНЕТ

fido7.ru.allfix	Файлэхопроцессор ALLFIX
fido7.ru.echoprocessors	Эхопроцессоры
fido7.ru.fastecho	Все о мэйлэхопроцессоре Fastecho
fido7.ru.fastfix	Эхопроцессор FastFix
fido7.ru.fileechoproces	Файлэхопроцессоры
fido7.ru.fips	Пойнтовая система FIPS
fido7.ru.ftn.develop	Разработка программ для Фидо
fido7.ru.ftn.winsoft	Программы для Фидо под Windows
fido7.ru.golded	Редактор сообщений GoldED
fido7.ru.squish	Эхопроцессор Squish

fido7.t-mail.chainik	Вопросы начинающих пользователей T-mail
fido7.t-mail.nt.rus	T-Mail для NT
fido7.t-mail.ru	Обсуждение мейлера T-Mail

ПРОГРАММНОЕ ОБЕСПЕЧЕНИЕ

fido7.avp.support	Антивирус Касперского
fido7.far.support	Общение пользователей программы FAR
fido7.mo.legal.soft	Легальная купля и продажа софта
fido7.mo.softexchange	Поиск/предложение софта/информации
fido7.mo.softmarket	Продажа/покупка программ
fido7.rar.support	Общение пользователей RAR
fido7.ru.1csoft	Продукты 1С
fido7.ru.3ds&lw	LightWave и 3D Studio — обсуждение
fido7.ru.acad	Разговоры о работе в Автокад и аналогах
fido7.ru.adobe.photoshop	Все об Adobe Photoshop
fido7.ru.cisco	Все о продукции CISCO Systems
fido7.ru.compress	Сжатие и архивирование данных
fido7.ru.directx	DirectX и его аналоги
fido7.ru.distrib	Дистрибутивы и их распространение
fido7.ru.dsp	Обработка сигналов
fido7.ru.emulators.all	Все об эмуляторах
fido7.ru.foxpro	Все версии FOXPRO и все, связанное с ними
fido7.ru.hacker	Хакерские технологии
fido7.ru.ip.exchange	Поиск программ в Интернет
fido7.ru.lexicon	Текстовый процессор ЛЕКСИКОН
fido7.ru.macromedia	Обсуждение продуктов Macromedia
fido7.ru.matlab&simulink	Обсуждение Matlab и Simulink
fido7.ru.msoffice	Конференция для пользователей Microsoft Office
fido7.ru.multiedit	Все про multiedit
fido7.ru.multimedia	Мультимедийные приложения
fido7.ru.notes	Все о Lotus Notes
fido7.ru.opera	Браузер Opera
fido7.ru.shell	Оболочки
fido7.ru.shell.dn	Поддержка Dos Navigator
fido7.ru.soft.protect	Защита программного обеспечения
fido7.ru.software.choice	Выбор программного обеспечения
fido7.ru.vc	Файловый менеджер Volkov Commander
fido7.ru.winamp	Мультимедиа-проигрыватель Winamp и модули для него
fido7.ru.wrapped.glide	Поддержка эмуляторов Glide to DirectX
fido7.su.3ds.max	3D Studio MAX
fido7.su.cm	Компьютерные вирусы
fido7.su.fileecho	Поиск программ и объявления о новинках
fido7.su.frontpage	Web-редактор FrontPage
fido7.su.owl	Программирование с использованием OWL
fido7.su.ventafax.support	Программа VentaFax
fido7.su.virus	Вирусы и антивирусы — обсуждение и поиск
microsoft.public.ru.russian.inetexplorer	Internet Explorer: русская группа (Microsoft)
microsoft.public.ru.russian.office	Microsoft Office: русская группа (Microsoft)

microsoft.public.ru.russian.outlookexpress	Microsoft Outlook Express: русская группа (Microsoft)

ПСИХОЛОГИЯ

fido7.ru.about.life	Разговоры из жизни и про жизнь
fido7.ru.feelings	Чувства и взаимоотношения
fido7.ru.nlp	НЛП — Программирование душ...
fido7.ru.problem	О любых проблемах
fido7.ru.psychology	Психология
fido7.ru.psychiatry.profy	Для профессиональных психиатров
fido7.ru.psychology.profy	Психологи о психологии
fido7.ru.suicide	Психология самоубийства
fido7.ru.syntone.club	Клуб Психологии «Синтон»
fido7.su.kaschenko.local	Душевное оздоровление

ПУТЕШЕСТВИЯ, ТУРИЗМ, ТРАНСПОРТ

fido7.crazy.travels	Походы выходного дня
fido7.mo.inter.tourism	Для искателей приключений
fido7.mo.tourism	Все про туризм
fido7.ru.autostop	Автостоп — мир для свободных людей
fido7.ru.autostop.filtered	Информационная поддержка автостопа
fido7.ru.raka	Российская Ассоциация Клубов Автостопа
fido7.ru.road	Все об автомобильных дорогах
fido7.ru.subway	Все о метро
fido7.ru.tourclub.talks	Турклубы будут говорить
fido7.ru.tourism	Самодеятельный туризм
fido7.ru.tourism.faq	Вопросы и ответы по туризму
fido7.ru.tourism.texts	Туристские отчеты
fido7.su.emigration	Путешествия в один конец
fido7.su.rus.travels	Путешествия в России и exUSSR
fido7.su.travel	Путешествия и туризм
relcom.rec.tourism	Туризм (Релком)

РАБОТА

fido7.mo.job	Поиск и предложения работы в Москве
fido7.mo.job.haltura	Работа по совместительству
fido7.mo.job.talk	Разговоры на тему работы
fido7.mo.make.money	Как сделать деньги
fido7.su.job.prog	Работа для программистов
relcom.commerce.jobs	Поиск и предложение работы (Релком)

СВЯЗЬ, СЕТЕВЫЕ ТЕХНОЛОГИИ

fido7.mo.connect	Проблемы связи в Москве
fido7.mo.lan.construction	Построение локальных сетей
fido7.mo.povremenka	Fido в условиях повременки
fido7.ru.antenn	Все об антеннах

fido7.ru.anti.ats	Противостояние телефонным компаниям
fido7.ru.aon	Автоматическое определение номера
fido7.ru.aon.rom	Рассылка прошивок и их исходников для АОН
fido7.ru.dx.radio	Разговоры о радиосвязи
fido7.ru.home.lan	Домашние локальные сети
fido7.ru.intranet	Технологии Интранет
fido7.ru.link.alt	Альтернативные системы цифровой связи
fido7.ru.mobile.phones.motorola	Мобильные телефоны от Motorola
fido7.ru.mobile.phones.nokia	Мобильные телефоны от Nokia
fido7.ru.net.hard	Оборудование для WAN/LAN
fido7.ru.net.soft	Сетевой софт
fido7.ru.net.tech	Сетевые технологии
fido7.ru.net.union	Организационные попытки сетевиков
fido7.ru.network	Сетевые технологии
fido7.ru.networks	Сети и гейты: новые технологии
fido7.ru.nms	Network Management Systems
fido7.ru.pagers	Пейджеры и все с ними связанное
fido7.ru.pagers.operator	Обсуждение пейджинговых компаний
fido7.ru.paging	Пейджинговые технологии
fido7.ru.phreaks	Тонкости телефонии
fido7.ru.wireless.net	Беспроводные сети
fido7.su.cellular	Сотовая телефония
fido7.su.hardw.phones	Телефоны и АТС
fido7.su.net	Локальные сети
fido7.su.net.prog	Сетевое программирование
relcom.comp.lan	Сети (Релком)
relcom.comp.lan.wanted	Сети: поиск (Релком)
relcom.lan	Сети (Релком)
relcom.lan.prog	Программирование для сетей (Релком)

СЕКС, ЭРОТИКА

fido7.layder.freedom	Жизнь... секс... юмор!
fido7.pvt.flirt	Искусство Флирта
fido7.pvt.freelove	Теория и практика «свободной любви»
fido7.ru.anti-antisex	Для противников противников секса
fido7.ru.antisex	Для всех противников секса
fido7.ru.anti-gay	Да здравствует правильная ориентация!
fido7.ru.bisexuals	Для представителей сексуальных меньшинств
fido7.ru.gay club	Russian Gay Club
fido7.ru.gay.talk	Разговоры геев
fido7.ru.lesbian	Конференция для «розовых» дам
fido7.ru.lolita	«Лолита» Набокова — нимфетки и поклонники
fido7.ru.loveland	Лавлэнд. Страна Любви
fido7.ru.onanizm	В прямом и переносном смысле
fido7.ru.remont	За мир без гомосексуализма
fido7.ru.sex	Люди и немного секса
fido7.ru.sex.adv	Ищу любимого
fido7.ru.sex.adv.talk	Обсуждение объявлений

fido7.ru.sex.gay	Обсуждение всех сторон однополой любви
fido7.ru.sex.hotel	Дворец развлечений и юмора
fido7.ru.sex.sado-mazo	Садизм и мазохизм
fido7.ru.sex.support	Сексуальное просвещение
fido7.ru.sex.text	Художественные эротические произведения
fido7.ru.sexual.difference	Половое многообразие
relcom.glb	Гомосексуализм (Релком)

СЕМЬЯ

fido7.baby.mail.pvt	Разговоры детей и подростков
fido7.lotsman.local	Разговоры детей и взрослых обо всем
fido7.mistress.rus	Разговоры жен
fido7.pvt.girls	Женский клуб
fido7.pvt.husband.club	Клуб мужей
fido7.ru.baby	Посвящена детям
fido7.ru.baby.mail	Общение детей от 5 до 10 лет
fido7.ru.baby.medic	Здоровье детей
fido7.ru.bachelors	Эха принципиальных холостяков
fido7.ru.family newspaper	Информация для всей семьи
fido7.ru.family	Обсуждение семейных проблем
fido7.ru.genealogy	А ты знаешь свои корни?
fido7.ru.young.family	Клуб «Молодая семья»
relcom.child.special	Дети (Релком)

СПОРТ

fido7.mo.combat.arts	Боевые искусства
fido7.mo.extreme.boards	Про сноуборд и винсерфинг
fido7.mo.fifa	Все о футболе и футбольных играх
fido7.mo.football	Московский футбол
fido7.mo.football.realplay	Фидошный футбол
fido7.mo.pool	Все о бильярде, боулинге и т. п.
fido7.mo.sails	Все о парусах
fido7.mo.ski	Все о горных лыжах
fido7.pvt.formula1	Разговоры об автогонках
fido7.ru.anti.spartak	Разговоры ненавистников «Спартака»
fido7.ru.bodybuilding	Бодибилдинг и силовая подготовка
fido7.ru.crazy rollers	Экстремальное катание на роликовых коньках
fido7.ru.danger.sport	Виды спорта, опасные для жизни
fido7.ru.dynamo	Для поклонников клуба «Динамо»
fido7.ru.football.chainik	Футбол для начинающих
fido7.ru.formula.racing	Автогонки
fido7.ru.jump	Парашюты. Парапланы. Дельтапланы
fido7.ru.martial-arts	Боевые искусства
fido7.ru.nhlhockey	Национальная Хоккейная Лига
fido7.ru.paintball	Спортивная игра PaintBall
fido7.ru.paragliding	Все о парапланеризме
fido7.ru.sambo	Все о борьбе самбо
fido7.ru.scooterclub	Все о скутерах
fido7.ru.scuba	Подводное плавание и снаряжение

fido7.ru.skydiving	Парашютизм
fido7.ru.spartak.moscow	Клуб поклонников «Спартака»
fido7.ru.sport.basketball	Баскетбол
fido7.ru.sport.fans	Фанаты и рассказы о них
fido7.ru.sport.football	Для футбольных болельщиков
fido7.ru.sport.football.news	Футбольные новости
fido7.ru.sport.games	Спортивные компьютерные игры
fido7.ru.sport.hockey	Хоккей
fido7.ru.sport.other	Спорт вообще
fido7.ru.sport.soccer	Мини-футбол
fido7.ru.taekwon-do	Таэквон-до и боевые искусства
fido7.ru.wrestling	Все о рестлинге
fido7.ru.yachting	Яхтинг и все, к нему относящееся
fido7.su.football.flame	Словесные баталии о футболе
fido7.su.football.funs.news	Новости для фанатов
fido7.su.football.prognoz	Эха для Футбол-прогноза
fido7.su.formula1	Все о Formula-1
fido7.su.formula1.around	Formula-1
fido7.su.formula1.info	Formula-1 News
fido7.su.skate	Все, связанное со скейтами и скейтбордингом
fido7.su.tennis	Большой теннис и все о нем
fido7.su.ultras	Разговоры футбольных фанатов
fido7.su.volleyball	Волейбол
relcom.talk.sport	Разговоры о спорте (Релком)

ТЕХНИКА (РАЗНОЕ)

fido7.ru.guard	Охранные системы
fido7.ru.selfmake	Самоделки и самоделкины
fido7.ru.special.technics	Обсуждение спецтехники
fido7.ru.triz	Вопросы решения изобретательских задач и ТРИЗ

УСЛУГИ, СОВЕТЫ

fido7.mo.job.service	Поиск и предложение услуг
fido7.mo.repair	Обсуждение/помощь в ремонте любых вещей
fido7.pvt.exch.service	Поиск/предоставление услуг
fido7.ru.referat	Различные услуги для студентов

ФИДОНЕТ

fido7.fidonet.history	История Фидонет
fido7.mo.party	Организация фидошных тусовок
fido7.mo.party.club	Обсуждение мероприятий в Фидо
fido7.ru.echolist	Списки конференций Фидо
fido7.ru.echo-rules	Правила отдельных конференций
fido7.ru.fido.conflict	Обсуждение сетевых конфликтов
fido7.ru.fidonet.today	Как поживает сегодня Фидо
fido7.ru.fidonews	FidoNews-Russia Echo
fido7.su.chainik	Вопросы начинающих пользователей сети
fido7.su.chainik.faq	FAQ на «околофидошные» темы

fido7.su.chainik.general	Вопросы начинающих на любую тему
fido7.su.ip.point	Пойнтам об IP-технологиях в Fido
n5020.point	Эха для новых пойнтов
n5020.point.talk	Пойнтовые разговоры
spb.fido.press	Публикации о Fido и их обсуждение

ФОТО, ВИДЕОТЕХНИКА

fido7.ru.photo	Фотография
fido7.ru.photo.digital	Цифровая фотография
relcom.arts.photo.img	Искусство фотографии (Релком)
fido7.ru.home-cinema	«Домашние кинотеатры»

ХАКЕРСТВО, ТЕХНОЛОГИИ ВЗЛОМА

fido7.crack	Взлом популярных программ
fido7.crack.talks	Разговоры о взломе
fido7.pvt.hackers	Хакеры
fido7.ru.anti-xakep	Хакерство: осуждение и обсуждение
fido7.ru.hacker	Технологии взлома
fido7.ru.hacker.alt	Технологии взлома: альтернативная группа
fido7.ru.hacker.dummy	Взлом для чайников
fido7.ru.phreaks	Взлом средств связи
fido7.ru.xakep	«Хакер» и хакеры

ХОББИ

fido7.mo.graffiti	Все о Граффити
fido7.mo.znatok	Общение московских знатоков
fido7.ru.ballroom.dance	Для любителей бальных танцев
fido7.ru.break.dance	Танцуем брейк
fido7.ru.casino	Казино и азартные игры
fido7.ru.collectors	Клуб коллекционеров
fido7.ru.crazy-rollers	Только для настоящих роллеров!
fido7.ru.crossword	Отгадывание кроссвордов
fido7.ru.dance	О танцах
fido7.ru.fishing	Рыбалка и все, что с ней связано
fido7.ru.fishing.club	Клуб рыбаков
fido7.ru.golovolomka	Головоломки/шарады/ребусы/etc
fido7.ru.hunter	Все об охоте
fido7.ru.modelism	Все о моделях и моделистах
fido7.ru.numismatics	Конференция для нумизматов
fido7.ru.phocus.pocus	О фокусах
fido7.ru.po.gribi.po.yagodi	Для любителей «даров леса»
fido7.ru.tattoo	Все о татуировке
fido7.ru.tattoo&piersing	Обсуждение тату и пирсинга
fido7.ru.yachting	Яхты и водный спорт
fido7.ru.znatok	Любителям игр «Что? Где? Когда?» и др.
fido7.su.astroclub	Клуб звездочетов-любителей
fido7.su.chess	Все о шахматах
fido7.su.chess.play	Игра в шахматы по переписке

fido7.su.da booge crew	Все о Брейке
relcom.rec.puzzles	Головоломки, интересные задачи, логические игры
relcom.rec.puzzles.aux	Вспомогательные материалы для relcom.rec.puzzles

ЮМОР

fido7.bocharoff.must.die	Радикальный юмор и антиюмор
fido7.humor.filtered	Отфильтрованные шутки
fido7.mo.phrases	Смешные/интересные слова/фразы/изречения
fido7.mo.teachers.phrases	Каламбуры преподавателей
fido7.pvt.anekdot.alt	Только приличные анекдоты
fido7.pvt.club	Шутки/каламбуры/анекдоты/забавные фразы
fido7.pvt.exler	Личная эха великого юмориста Алекса Экслера
fido7.pvt.exler.filtered	Избранные шутки великого Экслера
fido7.pvt.humor	Юмор: приватная конференция
fido7.ru.anecdot	Анекдоты
fido7.ru.anekdot	Анекдоты
fido7.ru.anekdot.digest	Дайджест лучших анекдотов
fido7.ru.anekdot.filtered	Фильтрованные анекдоты
fido7.ru.anekdot.the.best	Самые лучшие анекдоты
fido7.ru.computer.humor	Анекдоты на компьютерные темы
fido7.ru.humor	Все о юморе
fido7.ru.hutor.filtered	Для смешных форвардов
fido7.ru.prikol	Приколы и приколисты
fido7.ru.satire	Законченные литературные формы юмора
fido7.ru.student.talks	Студенческий фольклор
fido7.su.humor	Разные шутки и приколы
fido7.su.humor.digest	Лучшее из su.humor
fido7.su.humor.digest	Избранные шутки и приколы
fido7.su.humor.poetry	Поэтический юмор
relcom.humor	Юмор в сети Релком (Релком)

КРАТКАЯ ИСТОРИЯ ИНТЕРНЕТ

При подготовке хронологии были использованы материалы из следующих источников:

Chronology Of Digital Computer Machines (http://www.best.com/~wilson/faq/chrono.html)

Chronology of Personal Computers (http://www.islandnet.com/~kpolsson/cophist)

Computer History (http://www.tcm.org/html/history/index.html)

История Вычислительной Техники — база данных (http://doleg2000.chat.ru/history.htm)

Хроника компьютерной истории (http://intranet.sch56.udsu.ru/pupils/predm/oivt/en/chapt/chapt7/pag32.htm)

Виртуальный компьютерный музей (http://www.computer-museum.ru)
Журнал «Подводная лодка» (спецвыпуск) (http://www.submarine.ru)
Nerds (http://www.psb.org/opb/)
The History of Internet (http://www.davesite.com/webstation/net-history.shtml)
Hobbes Internet Timeline
(http://info.isoc.org/guest/zakon/internet/history/hit.htm)

1957
В США создано ARPA (Advanced Research Projects Agency) — исследовательское учреждение, занимающееся перспективными разработками в военной области. Одной из таких разработок и станет в будущем сеть Arpanet.

1960
AT разработали первый модем — устройство для передачи данных между компьютерами.

Пол Бэрен разрабатывает методику «пакетной» передачи данных.

1962
Дж. Лайклидер и У. Кларк в книге «On-Line Man computer Communication» выдвигают концепцию «Галактической Сети».

1965
ARPA приступает к разработкам модели совместной работы компьютеров.

1967
Ларри Робертс публикует первый проект сети Arpanet.

1968
Дуглас Энгельбарт демонстрирует в Стэнфордском Институте систему гипертекста.

1969
Кеннет Томпсон и Деннис Ритчи создают операционную систему UNIX.

Осуществлена первая связь между двумя компьютерами, установленными в Калифорнийском университете (Лос-Анджелес). На расстоянии 5 м было передано слово LOGIN (удалось передать всего две буквы).

Первые четыре компьютера крупнейших исследовательских учреждений США соединены между собой в сеть Arpanet — прародителя современной Internet:

Калифорнийский Университет (Лос-Анджелес);
Стэндфордский Исследовательский Институт (Стэндфорд);

Калифорнийский Университет (Санта-Барбара);

Университет Юты (Солт-Лейк Сити).

7 апреля по Arpanet переданы первые биты...

1970
AT&T прокладывает первый в истории канал компьютерной связи между двумя странами.

1971
Рэй Томлинсон разрабатывает первую программу для работы с электронной почтой SENDMSG — рождается e-mail. Через год Томлинсон доводит создан-

ную им программу до ума и изменяет вид адреса — в нем появляется классическая «собака» (@).

К Arpanet подключены уже 15 исследовательских учреждений США.

1972

Боб Мэткэлф изобретает систему связи компьютеров, получившую название Ethernet.

1973

К Arpanet подключается лондонский University College и норвежский Royal Radar Establishment — первые пользователи Сети за пределами США!

Разработана спецификация передачи файлов по Сети — предтеча протокола FTP.

Число пользователей Arpanet достигает 2000.

Начата работа над концепцией новой всемирной сети. Впервые в печати появляется термин «Интернет» (сокращение от Interconnected Networks — соединенные сети).

Винтон Серф и Боб Канн публикуют статью «Межсетевой протокол передачи данных». Рождается концепция будущего сетевого протокола TCP/IP.

1974

Тэд Нельсон публикует книгу «Computer Lib/Dream Machine», в которой впервые высказана идея «фрагментов текста, содержащего ссылки на другие текстовые материалы». Рождается идея гипертекста.

1975

Стив Уолкер создает первую действующую рассылку (Maillist), объединяющую любителей научной фантастики.

Джон Виттал разрабатывает первую программу для электронной почты (MSG), допускавшую создание ответов на письма и их пересылку (forwarding).

Первые попытки воплотить в жизнь систему гипертекста, изобретенную Дугласом Энгельбартом.

1976

AT&T Bell Labs создает UUCP — первую программу для соединения двух компьютеров через обычные телефонные линии.

Компания General Post Office разрабатывает «систему скрытых страниц» — прообраз концепции гипертекста. Правда, по неведомым причинам патент на эту разработку будет получен лишь в 1989 году.

Личный электронный адрес получает королева Великобритании Елизавета II.

Роберт Мэдкалф разрабатывает коаксиальный кабель, предназначенный для передачи данных между компьютерами по локальной сети (LAN).

Передача данных по Сети впервые осуществляется через канал спутниковой связи.

К Arpanet постоянно подключено уже более 100 компьютеров.

1979

Том Траскотт, Джим Эллис и Стив Бэлловин создают первые группы новостей (USENET).

Hayes выпускает первый модем со скоростью 300 бод, предназначенный для нового компьютера Apple.

Ричард Бартл разрабатывает первую текстовую ролевую игру для Сети — MUD. В электронных письмах появляются первые «смайлики»:).

1981
В Швейцарии основан CERN (he European Center for Nuclear Research) — аналог заокеанской ARPA.

1982
На основе идей Винтона Серфа десятилетней давности разработан протокол передачи данных TCP/IP.

1983
С 1 января ARPA переходит на новый протокол передачи данных по Сети — TCP/IP (Transmission Control Protocol / Internet Protocol).

Вследствие резкого увеличения количества пользователей Arpanet руководство ARPA принимает решение о выделении всех ресурсов военного значения, в особую, закрытую сеть MILNet. Собственно Arpanet остается открытой и общедоступной сетью.

Число подключенных к Сети компьютеров превышает 500.

1984
Число постоянно подключенных к Arpanet компьютеров (хостов) достигло 1000.

Дебют системы доменных имен (DNS).

Рождение бесплатной компьютерной сети Фидонет: ее первые узлы были основаны Томом Дженнигсом и Джоном Мэдилом. Вплоть до начала 90-х годов «Фидонет», распространившаяся по всем континентом, оставалась единственной доступной сетью для нескольких сотен тысяч пользователей.

1985
Сеть переходит с медленных каналов связи (56 kbps) на быстрые линии T1 (1,5 Mbps).

Первый модем от U. S. Robotics — Courier 2400 bod.

1986
Сеть насчитывает уже более 2000 постоянно подключенных компьютеров.

Несколько небольших научных сетей, входящих в Arpanet, создают новую сеть NFSNet — прямую предшественницу Интернет.

1987
U. S. Robotics представляет модем Courier HST 9600 (скорость — 9600 бод).

В течение года число серверов Сети увеличивается в 10 раз (до 28 000).

1988
Число серверов Arpanet достигает 50 000.

Первый сетевой вирус — знаменитый «червь» Роберта Морриса, всего за несколько недель поразивший десятки тысяч компьютеров. Вредоносной начинки программа, впрочем, не содержала, ограничиваясь созданием собственных копий и рассылкой их по другим компьютерам.

1990
Число серверов Сети за год увеличивается еще в 6 раз и превышает 300 000!!

19 сентября на «карте» Сети официально появилась новая зона — домен.su, объединявший сайты, расположенные на тогда еще одной шестой части суши. Так родился Рунет...

Летом этого же года в России регистрируется первый узел сети Фидонет.

Федеральный совет по информационным сетям США отменяет правило, запрещавшее подключаться к Сети без рекомендации одного из государственных органов. Интернет становится общедоступным!

1991

Sun Microsystem создает новый язык программирования для Интернет — JAVA.

Рождение «всемирной паутины» — системы гипертекстовых страниц WorldWide Web. Сотрудник CERN (Швейцария) Тим Бернерс-Ли разрабатывает язык гипертекстовой разметки документов — HTML.

Пол Линднер из Миннесотского университета создает предтечу навигационного интерфейса WWW-страниц — систему Gopher.

Филип Циммерман создает систему шифрования PGP (Pretty Good Privacy).

1992

1 января 1992 года официально начинается история Сообщества Интернет.

Джин Полли впервые использует термин «интернет-серфинг».

В Сети Интернет появляется миллионный сервер.

К Интернет подключается Всемирный Банк.

U. S. Robotics выпускает первый модем со скоростью 14 400 бод.

Марк Андрессен и Эрик Бина, сотрудники NCSA (National Center for Supercomputing Application) разрабатывают первый браузер — Mosaic X.

1993

В Интернет появляется пятисотый сайт и миллионный пользователь.

Собственным сайтом обзаводится Белый Дом.

Первые радиотрансляции по Интернет.

1994

U. S. Robotics выпускает первый модем со скоростью 28 800 бод.

Mosaic Communications представляет первую версию браузера страниц Интернета — Netscape Navigator 1.0.

Первые интернет-магазины и виртуальные банки.

В октябре на страницах Интернет впервые появляются баннеры.

1995

Microsoft представляет браузер Internet Explorer.

Дебют новой технологии трансляции аудиоинформации по Сети, разработанной компанией Progressive Network — RealAudio.

AmericaOnline, Compuserve, Prodigy начинают предоставлять пользователям доступ к Интернет.

Луис Монье создает поисковую систему AltaVista.

Регистрация доменных имен становится платной.

В двухкомнатной квартире в Сиэтле начинает работу будущий «король интернет-магазинов» — Amazon.

В середине года число пользователей Интернет увеличивается до 10 миллионов.

1996

Число постоянно подключенных к Сети компьютеров (хостов) превысило 10 млн. В этом же году в сети появился миллионный сайт. Число пользователей Сети увеличивается до 50 млн.

Пропускная способность Сети увеличивается до 622 Mbps.

1997

Зарегистрировано самое длинное доменное имя — http://challenger.med.synapse.uah.ualberta.ca.

К Интернет подключается 100-миллионный пользователь.

1998

20 марта впервые проводится Всемирный День Интернет.

WWW насчитывает уже 300 млн страниц и более 2 млн сайтов. К Сети подключено более 150 млн пользователей.

Compaq приобретает за 3 млн долл. поисковую систему AltaVista.

Первые интернет-аукционы и порталы.

1999

В Сети появляются первые музыкальные файлы в формате MP3.

В мае число серверов Интернет достигает 50 млн, а число пользователей — 300 млн.

2000

Женщины становятся не только прекрасной, но и большей половины пользователей Интернет: в июне их доля составила более 50,4 %!

Запущена первая система обмена MP3-файлами в Сети — Napster.

Самая массовая вирусная атака через Интернет — вирус I Love You поразил около 30 млн компьютеров во всем мире.

6 июня компании Cisco и 20Th Century Fox организовали первую в мире премьеру кинофильма по сети Интернет.

Число серверов Интернет превысило 100 млн, число сайтов — 30 млн, число пользователей — 500 млн.

Объем сделок и торговых операций, совершенных в Интернет, достиг 1 триллиона долларов.

2001

Первый кризис интернет-коммерции. Массовые увольнения в большинстве предприятий «виртуальной торговли» и сетевого бизнеса.

Napster как бесплатная система обмена MP3-файлами прекращает свое существование.

СЛОВАРИ КОМПЬЮТЕРНЫХ ТЕРМИНОВ

Толковый англо-русский словарик пользователя

2D — Привычная нам «плоская» двухмерная картинка

3D — «Трехмерная» (в кавычках, поскольку все равно выводится эта графика на плоский, двухмерный экран монитора), объемная графика или звук. Используется в играх, а также в профессиональной анимации и рекламе

Abort — Команда аварийного прерывания выполнения той или иной операции, программы

About — Стандартный пункт меню Help (Помощь) программ Windows, выводящий на экран краткие сведения о продукте

Acceleration — Ускорение

Accept — Принять, согласиться с выполнением операции

Accessories — В англоязычной версии Windows — аналог программной группы «Стандартные»

Account — Ваш индивидуальный идентификатор — например, пароль и логин, которые выделяет вам провайдер для подключения к Интернет

ACM (Audio Compression Manager) — Программный комплекс для сжатия (компрессии) звуковых файлов

ACPI (Advanced Configuration and Power Interface) — Расширенная система аппаратно-программного управления питанием компьютера. Позволяет, в частности, выключать отдельные устройства компьютера и весь компьютер программным способом

ACPI — (Advanced Configuration and Power Interface) — Система автоматического управления питанием компьютера

Action — Действие. 3D Action — трехмерная игра-«стрелялка»

Adapter — Адаптер, подключенное к системе устройство

Add — Добавить

Adjust — Уточнить, скорректировать параметры

ADPCM (Adaptive Differential Pulse Code Modulation) — Устаревший с появлением MP3 (смотрите MPEG) алгоритм сжатия аудиоинформации

Advanced — Расширенный. Advanced Option — дополнительные свойства программы

Ad-ware — Программа или услуга, пользование которой «оплачивается» за счет просмотра рекламных объявлений

AGP (Advanced Graphic Port) — новый стандарт системной шины (см. Bus) и слота (см. Slot) для видеокарты на материнских платах нового поколения. Отличается повышенной пропускной способностью по сравнению со старой шиной PCI

Alias — Псевдоним

Applet — Маленькая программа-дополнение, встроенное в WWW-страницы сети Internet для улучшения внешнего вида страницы и добавления новых возможностей, например, выпадающих меню, «бегущих строчек» и т. д. Обычно апплеты пишутся на специальном языке программирования Java (см.)

Application — Приложение, программа, работающая под той или иной операционной системой

ARPANET (Advanced Research Projects Agency Network) — Первая компьютерная сеть, созданная военными ведомствами США в 60-х годах. Предтеча Internet (см.)

Arrange — Расположить, упорядочить

ASCII (American Standard Code for Information Interchange) — Международная система кодов, присваивающая определенному байту (см. Byte) значение определенного символа, печатного знака.

ATAPI (Advanced Technology Attachment Packet Interface) — Программный интерфейс для подключения внутренних накопителей IDE (см.) — например, CD-ROM

Attachment — Файл-«вложение» в электронное письмо

ATX — «Форм-фактор», новый тип конструкции материнской платы и корпуса компьютера. Предусматривает более удобное, по сравнению со старым форматом Baby AT, расположение дополнительных плат на материнской плате, а также дополнительное охлаждение внутренней части компьютера

Authentication — Авторизация, идентификация пользователя

Baby AT — Устаревший форм-фактор материнской платы и корпуса компьютера. См. ATX

Back — Вернуться назад (обычно — на одно действие). Стандартная команда многих офисных программ

Background — Буквально — задний план, подложка. Этим термином обозначается работа программы в фоновом режиме во время работы пользователя с другой программой. Также — «обои», рисунок-подложка Рабочего Стола Windows

Backup — Резервное копирование данных

Bad Clusters — Участки жесткого диска с механическими повреждениями. Запись и чтение данных с этих участков становится невозможным. См. также Lost Clusters

Banner — Небольшая рекламная картинка на страницах Интернет, часто — анимированная. Щелчок по баннеру вызовет загрузку рекламируемой странички

BASIC (Beginner's All-purpose Symbolic Instruction Code) — Один из первых и самых популярных до сих пор языков программирования

Baud (Bod) — Единица измерения скорости передачи данных. Соответствует биту в секунду

BBS (Bulletin Board System) — Электронная доска объявлений (в сети Интернет), архив файлов (в сети Фидонет)

Beta — Вторая буква греческого алфавита. А в программном мире — предварительная, тестовая версия программы, в которой могут содержаться ошибки. Кстати, альфа-версия программы старше, а следовательно, «сырее» беты. С альфами и бетами не стоит связываться, если только вы не специалист по тестированию программ — «бета-тестер». Лучше дождаться окончательной версии программы — релиза

BIOS (Basic Input Output System) — Базовая система ввода-вывода. А конкретнее — маленькая микросхема на материнской плате, в которой записаны некоторые сведения о конфигурации компьютера. Параметры BIOS можно изменять, однако делать это неспециалистам не рекомендуется. Название BIOS носит как сама микросхема памяти, так и «прошитое» в нее программное обеспечение (как правило, его можно обновлять: свежие версии BIOS доступны на сайтах производителей материнских плат)

Bit — Бит, наименьшая единица компьютерной информации. Логическое «да» или «нет». В обиходе, впрочем, используется другая, более крупная единица измерения — байт (см.)

Bookmark — «Закладка», сохраненная ссылка на интересный документ

Boot — И совсем это не ботинок, а всего-навсего процесс загрузки компьютера. Этим термином обозначается участок жесткого диска, содержащий необходимую для загрузки (системную) информацию

Break — Прервать выполнение какой-либо операции

Browse — Стандартная команда просмотра во многих офисных программах и Контекстном Меню Windows

Browser — Программа для просмотра страниц Internet

Bug — «Жучок», программная или аппаратная ошибка. Название возникло в 60-х годах, когда застрявший между контактами мотылек стал причиной отказа мощной ЭВМ в одном из университетов США

Bus — Шина — средство коммуникации, по которому осуществляется передача данных между отдельными платами компьютера и центральным процессором. См. PCI, ISA, AGP

Button — Кнопка

Byte — Кто сказал «бит»? Двойка! Бит пишут по-другому — Bit, а слово Byte обозначает более крупную единицу информации — байт, состоящий из 8 бит. Битом много не обозначишь — только логические 0 или 1 (да или нет). А вот байтом (8 бит) можно обозначить любой печатный знак, букву или цифру. Поэтому объем программ и измеряют в байтах, килобайтах (1024 байта), мегабайтах (1024 кбайт) и даже гигабайтах (1024 Мбайт). Вопрос на засыпку — сколько байт в одном гигабайте?

Cable — Соединительный кабель

Cache — Кэш-память. Создается в памяти более быстрого типа для облегчения доступа к медленной памяти. Например, в оперативной памяти отводится специальный участок под кэш для жесткого диска, куда помещаются наиболее часто используемые данные. Обычно компьютер сначала обращается в кэш и лишь потом — к жесткому диску. Аппаратный кэш, в виде особых микросхем, имеет процессор, жесткий диск и CD-ROM. Кэшем называется также участок дискового пространства, используемый Windows при нехватке оперативной памяти (хотя такой «кэш» не ускоряет, а замедляет систему), а также папка, куда складывает скачанные из Internet файлы программа-браузер

Cancel — Отменить операцию

Card — Карта. Игральная, регистрационная или кредитная — в зависимости от контекста

Cartrige — Картридж. Сменный источник чернил (или порошка) в струйном или лазерном принтере

CD-R (Compact Disk-Recordable) — Стандарт компакт-дисков и дисководов, позволяющий осуществлять не только чтение, но и однократную запись данных на CD. Читать диски CD-R может практически любой дисковод CD-ROM, а записывать — только специализированный дисковод CD-R

CD-ROM (Compact Disk Read Only Memory) — Данные типа «только для чтения», хранящиеся на лазерном компакт диске. Этим термином обозначают и сам лазерный диск с данными (емкость до 670 Мбайт), и дисковод для чтения этих дисков.

CD-RW (Compact Disk Re-Writable) — Стандарт компакт-дисков и дисководов, позволяющий осуществлять не только чтение, но и многократную перезапись данных на CD.

Change — Заменить, сменить

Chat — Общение пользователей компьютеров через Internet и другие компьютерные сети. Обычно происходит в текстовом режиме с помощью специальной chat-программы. Может быть как индивидуальным (на уровне двух пользователей), так и групповым. См. IRC

Check — Поиск, обзор или проверка — в зависимости от контекста

Chip — Микросхема

Chipset — Набор микросхем, лежащий в основе той или иной платы

Clear — Очистить. Например, жесткий диск от лишних файлов. Либо — отмена введенных параметров

Click — Щелчок (обычно употребляется применительно к кнопке мыши)

Clipart — Клип-арт, небольшая векторная картинка, которую можно использовать для оформления документа. Библиотеками клип-артов располагает большинство программ верстки, редакторов текста и графики

Clipboard — Буфер обмена, он же Карман. В него можно спрятать (копировать или переместить) некий объект, который затем можно скопировать в другое место. В Буфер обмена Windows можно поместить кусочек текста (который требуется перенести из одной программы в другую) или даже целый файл

Cluster — Кластер, сегмент дискового пространства. См. также Lost Clusters, Bad Clusters

CMOS (Complementary Metal-Oxide Semiconductor) — Микросхема, содержащая сведения о параметрах устройства — например, модема или материнской платы. Эти параметры чаще всего могут быть изменены (см. BIOS)

Codec — Сокращение от «Кодер/Декодер». Программное или аппаратное устройство, отвечающее за обработку цифровых сигналов и преобразование их в аналоговые (например, звук или изображение)

Color — Цвет

Command — Команда

Command Prompt — Режим командной строки DOS

COM-port — Коммуникационный, он же последовательный порт — разъем на задней панели компьютера (обычно их два — 9- и 25-штырьковый, к которым подключается мышь, а также внешний модем)

Compression — Сжатие, компрессия

Computer — Вы до сих пор не поняли, что такое компьютер? Автор в отчаянии! А значит это слово, кстати говоря, всего лишь «вычислитель»

Configuration — Конфигурация, совокупность программных и аппаратных средств компьютера. Впрочем, иногда под конфигурацией понимают только его аппаратную часть, «железо». В прайс-листах компьютерных фирм конфигурация обычно записывается в виде формулы типа PIII-800/128/25Gb/32x/32 Mb GeForce/SB Live!

Connection — Соединение (например, двух компьютеров с помощью модема), а также подключение устройства

Connector — Разъем для подключения дополнительного устройства
Content — Содержание документа, страницы Интернет
Content — Содержание, оглавление
Continue — Команда продолжения прерванной операции
Control Panel — Она же Панель Управления, «контрольный центр» Windows 95/98. Через эту «виртуальную папку» вы можете получить доступ к параметрам системы в целом, а также — некоторых отдельных устройств
Controllers — Контроллеры, устройства, отвечающие за выполнение определенного круга операций, иногда — посредники между системной шиной компьютера и подключенными к контроллеру устройствами
Convert — Команда конвертации, преобразования
Cookie — Буквально «пирожок», «печенье». Метка, которую оставляют на компьютере пользователя некоторые сайты Интернет. Предназначена для идентификации пользователя при повторном заходе и вывода «персонифицированных» страниц.
Copy — Стандартная команда копирования файлов (в Проводнике), выделенного участка текста в Буфер обмена и т. д.
Correct — Как глагол: корректировать, изменять те или иные параметры. В качестве прилагательного: корректный, правильный
Corrupt — Ничего общего со знакомым нам явлением коррупции этот термин не имеет — подкупить компьютер, конечно же, нельзя. Но и в том, и в другом случае употребляется один корень — повреждение, дефект
Counter — Счетчик посещений на Web-страницах
CP/M (Control Program for Microcomputers) — Одна из первых операционных систем, созданная для персональных компьютеров корпорацией Digital Research
CPS — Под этим сокращением понимают скорость передачи/приема данных модемом. Измеряется в битах в секунду
CPU (Central Processor Unit) — Центральный процессор. Сейчас говорят просто — процессор, поскольку все остальные расположенные на материнской плате микросхемы называют «чипами»
Crack — Операция «взлома» программы с целью снятия защиты, либо программа, такую операцию выполняющая
Crash — Крах, неустранимая системная ошибка, приводящая к нарушению работы компьютера или его «зависанию»
Create — Стандартная команда «Создать»
CTR (Click Throw Ration) — В Интернет — процент отклика, количество пользователей, тем или иным образом откликнувшихся на рекламу (обычно учитывается щелчок по рекламному баннеру) по отношению к общему числу посетителей этого сайта.
CTRL (Control) — Одна из управляющих клавиш на клавиатуре. Используется в сочетаниях клавиш («горячие клавиши») (см. Hotkeys)
Currency — Валюта
Custom — При инсталляции программы — режим «выборочной» установки компонентов
Customize — Команда настройки, уточнения параметров
DAC — Цифроаналоговый преобразователь (ЦАП). Основной рабочий элемент звуковых плат и видеокарт

DAE (Digital Audio Extraction) — Процесс копирования аудиоинформации на жесткий диск компьютера

DAO (Disk At Once) — Способ копирования компакт-дисков в CD-R (см.). В этом случае, в отличие от TAO (см.), диск копируется по секторам, а не по дорожкам. Копирование происходит либо прямым способом (с диска на диск), либо на жестком диске создается точная копия первоначального диска, которая затем переносится на CD-R. Позволяет создать практически идентичные копии дисков

Default — Установка «по умолчанию»

Defrag — Дефрагментация, операция сбора воедино разрозненных участков данных на жестком диске с целью улучшения работы системы

Deluxe — Расширенная версия какого-либо программного пакета, включающая дополнительные программы или возможности

Description — Описание

Desktop — Рабочий Стол Windows 95/98, а также одноименная папка в каталоге Windows

Destination — Место назначения, путь для сохранения файла или установки программы

Device — Устройство или программа, подключенные к системе

Dial-Up — Соединение с помощью телефонной линии

Dictionary — Словарь

DIMM (Dual In-Line Memory Module) — Тип модулей оперативной памяти, применяемый в современных компьютерах. В отличие от SIMM (см.) каждый модуль DIMM содержит полный банк памяти, что позволяет устанавливать их в компьютер поодиночке, а не парами

DIP (Dual In-line Pin) — Переключатель штырькового типа, состоящий из нескольких ножек-контактов и замыкающей их съемной «шляпки»

Direct — Прямой, непосредственный

Directory — Папка, директорий, каталог — элемент иерархии логических данных на жестком диске. Папка может содержать в себе другие файлы и папки

DirectX — Программный продукт корпорации Microsoft, система оптимизированных драйверов, через которую осуществляется доступ ряда программ (в частности, компьютерных игр) к управлению «железом». Входит в состав Windows. Совместимость с DirectX сегодня является обязательным требованием для компьютерного «железа» — видеоплат, звуковых карт и т. д.

Disable — Отключение устройства или опции

Disconnect — Разрыв связи

Disk — Физический или логический диск — устройство хранения информации в персональном компьютере

Display — Как глагол: «вывести на экран», показать. Как существительное: сам экран, иногда — монитор в целом

DLL (Dynamic Link Library) — В программах Windows — «динамически подключаемая библиотека». Особый вид программных модулей, которые могут использоваться (в том числе и совместно) большим числом программ

DMA (Direct Memory Access) — Канал прямого доступа к памяти. Используется многими устройствами — в частности, жестким диском, звуковой картой, видеокартой. В устройствах, соответствующих спецификации PnP, подбираются автоматически

Domain — «Субъект» сети Internet, подключенный к Сети компьютер-сервер, обладающий собственным сетевым адресом и доменным именем (например, www.microsoft.com). Часто под словом «домен» понимают само доменное имя

Domain — Область сети Интернет, к которой относится данный сервер, сетевое имя или его часть

DOS (Disk Operating System) — Серия операционных систем для персональных компьютеров. Практически вышла из употребления с приходом Windows

Download — Процесс загрузки («выкачивания») данных с удаленного компьютера. См. также Upload

DPI — Величина, характеризующая разрешающую способность устройств (см. resolution). Обозначает количество точек на дюйм (по горизонтали и вертикали), которое может воспроизвести данное устройство

DPMS (Display Power Management System) — Система контроля за питанием монитора. Позволяет монитору автоматически отключаться, переходить в «спящий» режим при длительном простое компьютера

Drag & Drop — «Тащи и брось» — идеология работы с объектами и файлами в Windows. Копирование, перемещение и другие операции с объектами осуществляются при этом не с помощью команд, а с помощью мышки, которой пользователь перетаскивает файлы из папки в папку или один элемент документа в другой

Drive — Физический диск, а также — дисковод

Driver — Драйвер, особый вид программ-посредников, помогающий операционной системе работать с тем или иным конкретным устройством. Существуют и универсальные драйверы, однако предпочтительнее использовать собственные драйверы устройства, поставляющиеся вместе с ним

DSP — (Digital Signal Processor) — Специализированная микросхема, отвечающая за обработку сигналов. Используются, в частности, для преобразования аналоговых сигналов в цифровые и наоборот.

DTP (Desktop Publishing) — Настольная издательская система. По сути дела — обычный (хотя и достаточно мощный) персональный компьютер, на котором установлено необходимое для издательской деятельности программное обеспечение: редакторы изображений и текста, программы верстки и т. д.

DVD (Digital Video Disk) — Универсальный компакт-диск большой емкости емкостью до 4,7 Гбайт (односторонний однослойный) или до 17 Гбайт (двухсторонний двухслойный). Окончательно стандарт DVD еще не устоялся, однако ожидается, что уже в 2005 году DVD полностью вытеснит традиционные компакт-диски

ECC (Error Checking and Correction или Error Correction Code) — Стандарт микросхем оперативной памяти, снабженных возможностью распознавания и коррекции внутренних ошибок

Edit — Стандартная команда «Редактировать», изменить документ

Editor — Этим словом обозначается программа, с помощью которой и осуществляется редактирование

EDO (Extended Data Out) — Вид микросхем оперативной памяти DRAM (см.). В эпоху процессоров Pentium применялся в качестве основной оперативной памяти компьютера, пока не был вытеснен SDRAM. Сегодня иногда применяется на видеокартах

E-mail — Электронная почта, адрес электронной почты, сообщение электронной почты — зависит от контекста

Enable — Включить, разрешить использование подключенного устройства или системной функции

ENIAC (Electronic Numerical Integrator Analyzer and Computer) — Именно это устройство чаще всего называют «первым компьютером» (см. Приложение «Хронология»)

Enter — Стандартная команда «Ввод», а также клавиша

EPROM — (Erasable Programmable Read Only Memory) — Программируемая микросхема памяти.

Error — Ошибка. Дай вам Бог видеть это слово как можно реже!

Exchange — Обмен данными

Expand — Расширить

Explorer — У этого слова несколько значений. Во-первых, Explorer — это графическая оболочка самой Windows, со всеми своими папками, Рабочим Столом и прочими элементами. Во-вторых, название Explorer носит стандартный менеджер Windows (он же Проводник в русской версии). А в-третьих, существует еще одна программа — браузер WWW-страниц Internet Explorer... Вообще словом Explorer обозначают практически любую программу просмотра

Extension — Расширение, дополнение к той или иной программе. Также — трехбуквенный элемент в имени файла (после точки), обозначающий его тип. Например, command.com, autoexec.bat. В Windows пользователь не видит расширений — их заменяют соответствующие типу файла значки-иконки

Fail — Отсутствие данных

FAQ — Подборка наиболее часто встречающихся вопросов и ответов по какой-либо тематике

FAT (Files Allocation Table) — Файловая система, способ упорядочения и хранения файлов и папок на жестком диске. В Windows 98, например, применяется файловая система FAT32, в DOS — FAT16, в Windows NT — NTFS. Как правило, различные файловые системы несовместимы друг с другом, и каждый раздел жесткого диска должен быть отформатирован (см. Format) только под одну файловую систему

Fault — Сбой в работе системы, ошибка

Favorite — В браузере Internet Explorer — «закладка», сохраненная ссылка на интересную страничку

Favorites — В русской версии «Избранное» стандартная папка Windows, в которой хранятся «закладки», сделанные пользователем на документы и страницы Internet

FDD (Floppy Disk Drive) — Дисковод для гибких дисков. Обычно — логический диск A:\

FEPROM (Flash EPROM) — Вид микросхем памяти, применяемый для CMOS (см.) Допускает перезапись программного содержания памяти

FIDOnet (FIDO) — Бесплатная общедоступная компьютерная сеть. Отличается от Internet тем, что пользователь FIDO может соединяться с входящими в сеть компьютерами только непосредственно, дозваниваясь до каждого в отдельности. Заниматься «серфингом» в ФИДО невозможно — аналога WWW-страниц в ней не существует. Станции FIDO работают только в режиме приема-передачи файлов и почты, кстати, большинство русскоязычных групп новостей (конференций) рождены именно в этой сети. Стать пользователем FIDO — «пойнтом» можно, попросив предоставить сетевой адрес полноправного члена сети — «нода», а также настроив соответствующее программное обеспечение (что требует определенных навыков и умения)

Field — Тестовое или другое «поле» в окне программы

File — Файл, документ, некая автономная единица информации в информатике. Также — стандартное меню прикладных программ Windows, отвечающее за операции с файлами

Find — Найти, обнаружить

Firewall — Программа или компьютер, пропускающий через себя поток поступающей из сети информации с целью обезопасить компьютер или сеть от несанкционированного доступа

Flame — «Виртуальная драка», разжигание конфликта

Flash — В обиходном смысле — молния. В компьютере — особый тип микросхем памяти, способных сохранять информацию даже после отключения питания. Информация «прошивается» во «флэш-память» с помощью специального электрического разряда, и изменить ее может только другой такой же разряд. Флэш-память активно используется в большом количестве устройств — модемах, цифровых камерах и т. д. В Интернет — особый стандарт интерактивной анимации на основе векторной графики, созданный корпорацией Macromedia

FM (Frequency Modulation) — Частотная модуляция. В звуковых картах — устаревший метод воспроизведения синтезированного (MIDI) звука

Folder — Папка, директория. См. Directory

Font — Шрифт

Format — Формат, а также стандартное меню и команда форматирования — дискеты, текста и т. д. Форматирование текста предусматривает простое изменение его внешнего вида, а вот форматирование диска — это процесс его очистки, приведение в исходное состояние с уничтожением всей хранящейся информации

Forward — «Вперед», стандартная команда, противоположная Back (см.). В электронной почте этот термин означает также пересылку полученного вами письма другим адресатам

FPU (Floating Point Unit) — Сопроцессор, микросхема (или часть процессора), отвечающая за операции с плавающей точкой

Frame — «Окно» в рабочем поле программы

Free — Как глагол — «Освободить, очистить». Прилагательное: «свободный». Например, Please, free disk space — «Освободите дисковое пространство»

Freeware — Бесплатное программное обеспечение (но не ворованное — статус Freeware программе может присвоить только ее автор) см. также Warez

FTP (File Transfer Protocol) — Протокол работы с файлами в Internet. Также — префикс в адресе FTP-сервера — библиотеки файлов. Например, ftp://ftp.dataforce.net

Full Screen — Полноэкранный режим просмотра файла или запуска программы

Game — Игра

Gamepad — Один из видов игровых манипуляторов (см. Joystick)

General — «Основной», иногда — «общий». Например, General Options — основные параметры программы

General Protection Fault (GPF) — Общая ошибка защиты, бич всех версий Windows. Визит этой неприятной «дамы» чаще всего приводит к мертвому «зависанию» компьютера

GFLOPS (Billions of FLOating Point Operations Per Second (GigaFlops) — Миллиард операций с плавающей точкой в секунду. Один из показателей скорости обработки информации

Go — Идти, стандартная команда перехода к следующей операции

GUI (Graphical User Interface) — Графический пользовательский интерфейс. Часть ядра многих операционных систем, в том числе и Windows

Hack — Взлом программы или узла сети Internet. См. Crack

Hacker — Ну, о них-то слышали все! Если не слышали — см. Hack и Crack. Однако «хакером» называют не только человека, специализирующегося на «взломах», но и просто опытного пользователя

Hardware — «Аппаратная» составляющая компьютера или просто «железо». См. Software

HDD (Hard Disk Drive) — Жесткий диск, винчестер, устройство для постоянного хранения инфорации, не исчезающей после отключения компьютера, на жестком диске с магнитным слоем

Header — Заголовок, «шапка» документа, сообщения электронной почты и т. д.

Help — Помощь. Стандартный пункт меню всех программ Windows. Получить оперативную подсказку вы всегда можете, нажав клавишу F1

Host — узел сети Интернет

Hosting — Аренда места на сервере сети для размещения страниц и сайтов пользователей

Hotkeys — «Горячие клавиши», сочетания клавиш, расширяющие возможности управления программ. Как правило, заменяют действия, выполняемые с помощью мыши. Например, сочетание клавиш Alt и F4 (пишется Alt + F4) в любой из программ Windows приводит к завершению программы и закрытию текущего окна

HTTP — HyperText Transfer Protocol — Протокол работы с гипертекстовыми документами Internet, страницами WWW. Также — префикс адреса Internet-страниц. Например, http://www.dataforce.net. См. также FTP, News, Mail

Hyperlink — Гиперссылка, указатель, содержащийся в гипертексте, отсылающий пользователя к участку текста или связанному документу, физически расположенному на другом компьютере или в другой папке. В сети Internet щелчок по ссылке (обычно она выделена в тексте отдельным цветом и подчеркнута) приводит к «загрузке» из сети новой страницы или файла

Hypertext — Гипертекст. Вид текстового документа, отдельные части которого могут находиться на различных компьютерах и связываться с помощью гиперссылок (см. Hyperlink). Принцип гипертекста лежит в основе системы страничек всемирной сети Internet (WWW)

I/O (Input / Output) — Устройство ввода-вывода информации

Icon — Иконка, значок. Значок в Windows — очень важный элемент, облегчающий работу пользователя с файлами: значок документа несет информацию о его типе, выполняя функции расширения (см. Extension)

IDE (Imbedded Drive Electronics) — Название устаревшего интерфейса накопителей (жестких дисков CD-ROM) и некоторых внешних устройств для ввода потока данных (например, сканеров). Часто название IDE ошибочно употребляется в отношении жестких дисков новых, более скоростных стандартов, например, EIDE. Всему виной привычка — пользователи привыкли противопоставлять «народный» интерфейс IDE элитарному SCSI (см.)

Idle — Задержка, пауза в работе программы

Ignore — Игнорировать, пропустить выполнение какой-либо операции

Image — Картинка, а также «образ» диска, создаваемый специальными программами для быстрого восстановления содержимого диска в случае сбоя

IMHO (In My Humble Opinion) — По моему скромному суждению, клише, которым в электронной переписке, в частности, в группах новостей Фидо, подчеркивают, что то или иное суждение не претендует на объективность и является личным мнением автора

Incorrect — Некорректная операция, неправильный параметр и т. д.

Index — Индекс, список

Input — Ввод данных в компьютер, вход

Insert — Вставка, стандартный пункт меню программ Windows

Install — Инсталляция — установка программы на жесткий диск и ее «привязка» к операционной системе

Interface — Интерфейс, посредник, стандартизированная система сигналов и способ представления информации, предназначенный для обмена информацией между устройствами, входящими в состав компьютера, а также между компьютером и пользователем

Internet — Всемирная компьютерная сеть

IRC (Internet Relay Chat) — Болтовня в текстовом режиме в сети Internet

IRQ (Interrupt Request) — Прерывание, специальный канал связи для передачи сигналов между подключенным к компьютеру устройством (платой) и центральным процессором

ISA (Industry Standard Architecture) — Устаревший вариант системной шины (см. Bus), а также слота (см. Slot). В современных компьютерах слоты ISA используются для подключения звуковых плат — однако спецификация PC98 предусматривает полный отказ от этого медленного типа шины и переход на слоты PCI

ISDN (Integrated Services Digital Network) — Метод передачи данных по цифровым каналам связи. Используется при организации постоянного подключения к Интернет

ISDN (Integrated Services Digital Network) — Вид соединения с Internet, при котором провайдер и компьютер-клиент соединены высокоскоростным (обычно волоконно-оптическим) кабелем. Альтернатива Dial-Up (см.)

JAVA — Язык программирования, разработанный фирмой Sun. Приложения, написанные на Java, могут выполняться на любых компьютерах, независимо от их типа и установленной операционной системы. Благодаря этим достоинствам Java стал стандартным языком программирования Internet — именно на нем пишутся маленькие программные дополнения к WWW-страничкам — апплеты (см. Applet)

Join — Использовать, задействовать

Joystick — Буквально «палочка-забавлялочка», специальный игровой манипулятор, имитирующий рукоятку управления самолетом. Используется в основном в играх-симуляторах

JPEG (Joint Photographic Experts Group) — Алгоритм сжатия графических изображений и популярный формат их хранения (файлы JPG)

Jumper — Переключатель в виде съемной «шляпки», соединяющей штырьки-контакты на материнской или другой плате. См. DIP

Keep — Держать, сохранять установки

Keyboard — Клавиатура, основное устройство для ввода текстовых и цифровых данных в компьютер

Keyword — Ключевое слово

Lamer — Жаргонное словечко, обозначающее самонадеянного, но абсолютно несведущего пользователя

LAN (Local Area Network) — Локальная компьютерная сеть

Language — Язык (в лингвистическом, а не в анатомическом значении слова)

Layer — Слой. Термин, используемый в графических редакторах и других программах DTP (см.)

Level — Уровень

Link — Ссылка на файл или документ, а также соединение. См. также Hyperlink

Load — Чтение документа, обработка программного файла, загрузка документа или файла из сети Internet

Location — Местонахождение

Lock — Блокировка

Log — Текстовый файл отчета, в который записываются все действия, выполняемые программой, а также их результаты

Login — Псевдоним, имя пользователя, необходимое для входа в сеть или на удаленный компьютер

Lost Clusters — Возникающие на жестком диске в результате сбоев и ошибок «кусочки» данных, не относящиеся ни к одному файлу. Электронный мусор. Для борьбы с «потерянными кластерами» используются специальные программы, такие как Norton Speed Disk или Norton Disk Doctor. Эти же программы «отлавливают» и помечают механически поврежденные участки диска — см. Bad Clusters

LPT-port (Line Printer Port) — Он же «параллельный порт». Разъем на задней панели корпуса компьютера, предназначенный для подключения принтера, сканера, внешнего дисковода большой емкости. См. также COM-port

Mac (Macintosh) — IBM-несовместимый персональный компьютер, созданный фирмой Apple. Применяется в основном в издательском деле (см. DTP)

Macros — Макрокоманда, мини-программа. Макрокоманды активно используются в программах Microsoft Office, в том числе — в редакторах Microsoft Word и Microsoft Excel. Макросы — элементы оформления текста встраиваются в текстовые файлы, созданные в этих редакторах, и нередко содержат особые макровирусы. В виде отдельных макросов распространяются полезные дополнения к Microsoft Office

Mail — послание, переданное по электронной почте

Mail — Существительное: письмо, сообщение, послание. Глагол: послать сообщение

Management — Управление

Manual — Учебник по пользованию программой. Как прилагательное: «ручной»; режим изменений, совершаемых пользователем, а не компьютером

Master — Буквально: «Ведущий», основное устройство. Например, первый (загрузочный) из нескольких установленных в системе жестких дисков

Memory — Память

Menu — Меню команд

Message — Сообщение в группе новостей или по электронной почте

Message — Сообщение, письмо, присланное вам другим пользователем, также — сообщение программы

MFLOPS (Million Floating Point Operations Per Second) — Единица измерения производительности микропроцессоров, обозначающая количество миллионов операций с плавающей точкой в секунду

MHz (Megahertz) — Единица измерения частоты работы различных микропроцессорных устройств

MIDI — Формат синтезированного звука, предусматривающий передачу на воспроизводящее устройство (звуковую карту) не точного цифрового образа звука, а системы команд на воспроизведение звука заданной частоты и длительности заданным инструментом. MIDI-файлы компактны, но качество их воспроизведения сильно зависит от качества синтезатора звуковой карты. Также термин MIDI употребляется в отношении специализированных устройств, предназначенных для создания MIDI-музыки — MIDI-клавиатура, MIDI-порт и т. д.

Minimize — Минимизировать, уменьшить размер

MIPS (Millions of Instructions per Second) — Миллион операций в секунду

MIPSм (Million Instructions Per Second) — Единица измерения производительности микропроцессоров, обозначающая количество миллионов операций в секунду

Mirror — «Зеркало», точная копия Internet-сайта, расположенная на отличном от основного сервере

Mode — Режим

Modem (MOdulator / DEModulator) — Устройство для передачи данных, как правило, преобразующее цифровые сигналы в аналоговые и обратно.

Moderator — Куратор группы новостей, человек, устанавливающий правила поведения в ней и следящий за их исполнением

Motherboard (Mainboard) — Материнская плата, основная плата персонального компьютера, к которой подключаются все остальные устройства

Mouse — Манипулятор «мышь», основное средство управления Windows

Move — Переместить, передвинуть

MPEG (Motion Picture Experts Group) — Группа стандартов сжатия аудио- и видеоданных, позволяющая в ряде случаев уменьшить их объем в десятки раз. Используется в VideoCD и DVD. Для сжатия аудиоинформации сегодня используется MPEG 1 Layer III (MP3)

Multimedia — Комплекс аппаратных средств, позволяющих компьютеру работать не только с текстовой, но и с графической, звуковой и видеоинформацией. Причем мультимедийным считается только такой компьютер, который может работать не с одном из этих видов (например, со звуком), а со всеми сразу. Средствами мультимедиа оснащен сегодня практически любой компьютер: это дисковод для чтения компакт-дисков CD-ROM, звуковая плата, видеокарта. В последнее время к стандартным средствам мультимедиа все чаще относят ускорители 3D-графики и DVD (см.)

Nerd — Когда мы говорим уважительно: «крутой юзер» (см.) или даже «хакер», американцы снисходительно бросают — «nerd». Разница в оценке кардинальная, а суть одна: «ботаник», по уши завязший в компьютере, человек не от мира сего...

Netiquette — Сетевой этикет, правила поведения в Интернет

Network — Компьютерная сеть вообще, группа связанных между собой компьютеров

News — Новости. В Internet — специализированный протокол для работы с серверами новостей и префикс, используемый в их адресах. Например: news://news.dataforce.net

Newsgroup — Группа новостей Internet, она же — «конференция». «Новости» — это письма пользователей, посвященные определенной тематике и адресованные, в отличие от e-mail, всем читателям данной конференции, каждый из которых может ответить на сообщение или прокомментировать его. В Internet существует около 40 000 групп новостей, несколько сотен из них (названия которых начинаются на relcom или fido7) — русскоязычные

Newsreader — Программа для работы с группами новостей, например Microsoft Outlook Express или Forte Agent

Notepad — Записная книжка, блокнот. Это название носит самый простой текстовый редактор, входящий в комплект Windows

Nuke — В сетях IRC — процедура насильственного выбрасывания нежелательного собеседника из сети, «подвешивая» его компьютер с помощью специальной программы. Похожа на «взлом»? Что ж, отчасти это он и есть.

OCR (Optical Character Recognition) — Система автоматического распознавания текста, введенного в компьютер через сканер в виде графического изображения

OEM (Original Equipment Manufacturer) — Способ продажи программного обеспечения вместе с готовыми компьютерами, а также, в некоторых случаях, с отдельными комплектующими. Как правило, цена OEM-вариантов программ гораздо ниже, чем у их коробочных (см. Retail) собратьев. В России существует практика розничной продажи OEM-вариантов комплектующих — в виде «голых» плат, без коробки, документации и программного обеспечения

Offline — Режим, при котором пользователь отключен от сети

Off-topic — Сообщение, письмо в группу новостей, выходящее за рамки тематики данной группы.

Online — Режим работы в сети («На линии»)

Open — Открыть — стандартная команда и меню программ Windows

Options — Опции, дополнительные параметры

OS (Operating System) — Операционная система

OS/2 (Operating System/2) — Операционная система корпорации IBM

Output — Выход, вывод

Overload — Переполнение

Overview — Обзор

Overclocking — «Разгон» процессора и ряда других компьютерных устройств, установка повышенной рабочей частоты с целью увеличения производительности

Page — Страница

Paragraph — Параграф

PASCAL — Один из простых языков программирования, созданный специально для обучения основам программирования студентов. Назван в честь Блеза Паскаля — французского ученого, философа и писателя

Password — Пароль, необходимый для идентификации пользователя, например, при работе в сети

Paste — Вставка. В контекстном меню эта команда используется для вставки содержимого Буфера обмена (Кармана). См. Clipboard

Patch — Программа, исправляющая ошибки в какой-либо программе или добавляющая в нее новые возможности. См. Update. Кроме того, в терминологии мультимедиа патчами называются внешние библиотеки инструментов, загружаемые в память звуковой карты при воспроизведении MIDI-музыки (см. MIDI)

PCI — Тип шины (см. Bus), более быстрый по сравнению с ISA (см.), а также слота (см. Slot)

PCMCIA (Personal Computer Memory Card International Association) — Спецификация дополнительных устройств для портативных компьютеров (см. Notebook), в том числе — модемов, звуковых карт, карт оперативной и постоянной памяти и т. д.

Peak — Пик, верхняя точка, максимальное значение

Performance — Производительность, скорость работы компьютера

PGP (Pretty Good Privacy) — Популярная система шифрования текстов — в особенности частной электронной переписки. Особенно популярна в Internet

Picture — Изображение, рисованная картинка

PIN — Штырьковый контакт в разъемах и кабелях

PIN-code (Personal Identification Number) — Индивидуальный код, присваиваемый, например, владельцам пластиковой карточки

Ping— Программа, с помощью которой можно «прозвонить» компьютер в локальной сети или Интернет, проверить, за какое время доходит до него сигнал и доходит ли вообще

Play — Проиграть, воспроизвести файл или начать игру

Player — Игрок или программа для воспроизведения мультимедиа-файлов

Plotter — Специализированное широкоформатное устройство печати для вывода чертежей, карт и других крупноформатных изображений

Plug & Play — «Включи и работай» — стандарт компьютерных плат, при котором настройка платы производится автоматически самим компьютером

Plug-In — Внешнее дополнение, модуль, подключаемый к какой-либо программе

Policy — Правила, регулирующие поведения пользователей на сайте, в группе новостей или в чат-группе

POP, POP3 — Протокол для получения и отправки почты в Интернет

Port — Порт (программный или аппаратный) — место для подключения к компьютеру каких-либо устройств либо канал доступа в компьютер извне (например, с помощью сети)

Post — Отослать сообщение

Power — Питание компьютера. Power Up — включить устройство (компьютер)

Prefetching — Упреждающая загрузка страничек Интернет. Используется в программах-«ускорителях»

Print — Печать
Printer — Печатающее устройство, принтер
Profile — Профайл. В терминологии DTP (см.) — файл, содержащий параметры конкретного устройства вывода информации (принтера, монитора)
Prompt — Приглашение. См. Command Prompt
Properties — Свойства, параметры
Protection — Защита
Protocol — Протокол, метод передачи данных
Provider — Провайдер — организация, предоставляющая конечным пользователям доступ в Internet
Proxy — Прокси-сервер. Удаленный компьютер, выполняющий роль кэша (см. Cache)
PS/2 — Programming System 2 [IBM]
Purge — Чистить, чистка
Quick — Быстрый
RAM (Random Access Memory) — Тип памяти, допускающий не только чтение, но и запись данных. Оперативная память. См. ROM
RAMDAC — Цифроаналоговый преобразователь на видеокартах, отвечающий за «перевод» цифровых сигналов компьютера в цветовые сигналы, формирующие изображение на мониторе. См. также DAC
RDRAM (Rambus DRAM) — Один из новых видов оперативной памяти, отличающийся большей скоростью доступа, чем популярный сегодня тип SDRAM
Readme — «Прочти меня» — файл, содержащий документацию или дополнительную информацию к какой-либо программе
Reboot — Перезагрузка компьютера
Receive — Принять
Record — Запись (обычно — мультимедиа-информации: звука, видео и т. д.)
Recycle Bin — «Корзина», особая папка в структуре Windows 95/98, куда попадают все удаленные файлы. При этом файл можно в любой момент восстановить из Корзины — вплоть до момента ее очистки
Redirect — Переадресация
Refresh — Частота обновления кадров на экране монитора
Registration — Регистрация
Remove — Удалить из системы, убрать
Repair — Восстановить
Replace — Переместить
Reply — Ответ, отвечать
Request — Запрос
Resolution — Разрешение — параметр качества изображения. Измеряется в точках по горизонтали и вертикали; или в точках на дюйм (dpi). Например, 800×600 точек. Также — разрешающая способность устройств
Restart — Перезапуск программы или системы Windows
Retail — Полный вариант поставки компьютерных комплектующих и программного обеспечения в коробке, с подробной документацией. К комплектующим, кроме того, часто прикладываются компакт-диски с программным обеспечением. См. также OEM
ROM (Read Only Memory) — Тип памяти, предназначенной для постоянного хранения данных и не допускающей возможности перезаписи. См. CD-ROM

Router — Устройство для определения маршрута следования информации в сети, распределитель

Rules — В группах новостей Internet (конференциях) — правила поведения, которые обязаны соблюдать все участники конференции, а также подробная информация о конференции и ее тематике

Rulez — На жаргоне компьютерщиков — восклицание, выражающее крайнюю степень восхищения. См. Suxx

Run — Запустить программу

S/PDIF — Цифровой вход/выход на звуковых картах высшего класса. Позволяет передавать звук с компьютера на внешнее устройство (и наоборот) в цифровом, а не в аналоговом виде, что обеспечивает лучшее качество звука

Sample — Пример, образец. В мультимедиа — исходный звуковой фрагмент, образец звучания того или иного инструмента, используемый при написании музыкальных композиций

Save — Сохранить, запомнить

Save As — Запрос на задание имени, места назначения и формата сохраняемого файла

Scan — Сканировать, а также проверять на наличие чего-либо

Scanner — Устройство для перевода напечатанных изображений в цифровой, компьютерный формат

Scheduler — Планировщик задач. Программа, позволяющая запускать другие программы в заданное пользователем время. Может играть роль будильника, ежедневника, напоминая пользователю о наступлении некоего момента с помощью звукового сигнала

Screen — Экран

Screen Saver — Программа-«хранитель экрана», выводящая во время долгого простоя компьютера на монитор какую-нибудь картинку, ряд анимированных (двигающихся) изображений или даже целый «мультфильм»

Scrollbar — Управляющие горизонтальные и вертикальные линейки с бегунками, располагающиеся вдоль границ экрана в ряде приложений Windows. Задействуются для скроллинга (см. Scrolling)

Scrolling — «Прокрутка» изображения, часть которого уходит за границы экрана

SCSI (Small Computer Systems Interface) — Высокоскоростной интерфейс для подключения накопителей (жестких дисков, CD-ROM, CD-R, MO), а также некоторых внешних устройств, предназначенных для ввода данных в компьютер (например, сканеров). SCSI устройства работают намного быстрее стандартных устройств интерфейса IDE (см), однако требуют наличия в компьютере специального контроллера (см. Controller)

SDRAM (Synchronous DRAM) — В настоящее время — стандартный тип микросхем оперативной памяти, применяемой в современных компьютерах. См. EDO, RDRAM

Search — Поиск

Search Engine — Поисковый механизм сети Интернет

Security — Секретность, защита информации

Select — Выбрать, выделить

Send — Послать

Server — Главный, управляющий компьютер в локальной сети. В Internet — просто постоянно подключенный в сеть компьютер

Set — Установить параметры

Settings — Установки программы

Setup — Процесс установки программы. Иногда аналогичен инсталляции (см. Install), а иногда представляет собой «подгонку», установку основных параметров программы после инсталляции

Shareware — Условно-бесплатное программное обеспечение, с которым пользователь может бесплатно работать в течение определенного срока

Shell — «Оболочка» программы, операционной системы, ее интерфейс

Shortcut — Ярлык, особый вид значка (см. Icon) Windows, указывающий путь к какому-либо файлу. Каждый файл в Windows обозначается единственным значком, и при его перемещении или удалении удаляется и связанный с ними файл. Ярлыки же с файлом никак не связаны, они лишь указывают на него — поэтому их можно создать сколько угодно, безбоязненно перемещать из папки в папку

Show — Показать

Shut Down — Выключить компьютер

SIMM (Single In-line Memory Module) — Устаревший 30- и 72-контактный тип модуля оперативной памяти, используемый в компьютерах с типом процессора и материнской платы, предшествующих Pentium II. Сегодня стандартом модулей оперативной памяти является 168-контактный DIMM (см.), а модули SIMM используются для установки на звуковых платах

Site — Сайт, информационная единица сети Интернет

Size — Размер

Skip — Пропустить какую-либо операцию

Slot — Слот, щелевой разъем на материнской плате, предназначенный для подключения дополнительных плат — видеокарты, звуковой платы, модема и т. д. См. PCI, ISA, AGP

SMART (Self-Monitoring Analysis and Reporting Technology) — Система оперативной самодиагностики, встроенная в жесткие диски последних моделей

Socket — Разъем квадратной формы на материнских платах, предназначенный для установки процессоров. Существует несколько основных модификаций этого разъема, ориентированных на различные модели процессоров от различных производителей (см. также Slot)

Software — Программное обеспечение

SOHO (Small Office Home Office) — «Домашний офис»

Sort — Сортировка

Sound — Звук

Sound Blaster — Первоначально — торговая марка звуковых карт фирмы Creative. В нашей стране этот термин превратился, подобно «ксероксу», в обозначение целого класса устройств — звуковых карт

Spam — Массовая рассылка рекламных сообщений

SPD (Serial Presence Detect) — Микросхема, встроенная в модули оперативной памяти и содержащая информацию об их параметрах

Speed — Скорость

Spelling — Проверка правописания

Spyware — Программное обеспечение, после установки втихую собирающее сведения о компьютере и действиях пользователя. Позднее эта информация может быть получена создателями программы и использована в корыстных целях — например, для рассылки спама (см. Spam)

Start — В Windows — запуск программы

StartUp — Папка в Windows, куда помещаются ярлыки (см. Shortcut) программ, которые система запускает автоматически сразу после загрузки Windows. В русской версии Windows — Автозагрузка

Stretch — Растянуть, вытянуть (например — картинку)

Subject (Subj) — Тема письма

Subscribe — Подпись, подписка на группу новостей Internet

Support — Техническая поддержка

Sux — Антипод Rulez (см.). На компьютерном жаргоне — крайняя степень неодобрения чего-либо, уничижительное определение

SVGA (Super Video Graphic Adapter) — Стандарт графической системы компьютера, тип монитора и видеокарты

Swap — Своп, дисковый кэш Windows, участок диска, который система использует при нехватке оперативной памяти. И при «хватке», впрочем, тоже — это одна из не слишком приятных особенностей Windows

SysOp — (System Operator) — человек, контролирующий работу сервера Интернет, станции Фидо или канала IRC (см. также Moderator)

System — Система. Иногда — весь компьютер в целом

Table — Стол, таблица

TAO (Track At Once) — В дисководах CD-R — метод копирования дисков по дорожкам. При этом копирование отдельной дорожки (в частности, у аудиодисков) дисковод воспринимает, как отдельную операцию

Tag — Тэг, команда языка разметки HTML

Task — Задача. Одна из нескольких запущенных программ в Windows

Taskbar — Панель Задач — элемент интерфейса Windows. Расположена внизу экрана

TCP/IP (Transmission Control Protocol/Internet Protocol) — Протокол для работы в Internet

Template — Шаблон

Temporary — Временный

Test — Тестирование, проверка

Thread — «Цепочка», поток, последовательность команд

Threshold — Порог, нижнее значение

Time — Время

Tip — Совет, подсказка

Toolbar — Панель с управляющими кнопками

Tools — Приспособления, инструменты

Tower — «Башня», тип корпуса

Traceroute — Программа, контролирующая прохождение сигнала по сети, позволяющая отследить его маршрут

Traffic — Объем потока передаваемой по сети информации

Transaction — Транзакция, передача данных, а также перевод денежных средств

Transform — Трансформировать, превратить, сменить что-то на что-то

Trialware — Пробная версия коммерческой программы, работающая в течение небольшого срока после инсталляции (как правило, 14—30 дней)

Troubleshooting — Рекомендации по решению проблем, средства для устранения неисправностей

Tune, tuning — Еще один термин, обозначающий настройку, подстройку системы

TWAIN (Technology Without Any Interesting Name) — Программный интерфейс для подключения ряда внешних устройств ввода (в частности, сканеров)

Tweak — Небольшая утилита для подстройки «скрытых», недокументированных параметров программы или устройства

UltraDMA/33 — Высокоскоростной протокол передачи информации для жестких дисков. Используется в жестких дисках, соответствующих стандарту интерфейса UltraATA (ATA-2). Сегодня на рынке уже появились еще более быстрые жесткие диски, использующие протокол UltraDMA/66

Unable — Невозможно, недоступно

Undo — Отменить действие, операцию

Unit — В стратегических играх — боевая единица: солдат, боевая машина и т. д.

UNIX — Класс совместимых между собой профессиональных операционных систем, предназначенных для работы в сетевой среде, в частности, для поддержки серверов Internet

Update — Обновление, добавление к программе, «заплатка», а также сам процесс обновления. См. также Patch

Upgrade — Модернизация аппаратных средств компьютера, замена комплектующих

UPS — Источник бесперебойного питания

USB — Новейший стандарт шины (см. Bus), а также универсальный разъем на задней панели компьютера, предназначенный для подключения целого ряда внешних устройств — принтеров, сканеров, мониторов, клавиатуры, мыши и т. д. Допускает «горячее» подключение устройств, без отключения и перезагрузки системы, а также «цепное» подключение, при котором первое устройство подключается к USB-разъему компьютера, второе — к USB-разъему первого и т. д. Поддержка USB имеется практически во всех современных платах

User — Пользователь

Utilities — Известный компьютерный журналист Козловский очень метко назвал их «полезняшками». Полезняшки и есть — специализированные программы, предназначенные для обслуживания и оптимизации работы системы, программы-помощники, решающие задачи, с которыми сама оперативная система справиться не в состоянии

VBA (Visual Basic for Application) — Внутренний язык программирования Microsoft Office

Version — Версия, порядковый номер (по времени создания) программного обеспечения или комплектующего

View — Просмотреть

Volume — Громкость

VRML (Virtual Reality Modeling Language) — Модификация языка HTML, предназначенная для создания «виртуальных миров» в Internet

Warez — На хакерском жаргоне — программное обеспечение (обычно — ворованное)

Wave — «Волна» — стандарт «цифрового» звука. В отличие от MIDI (см.) wave-файлы представляют из себя как бы точные фотографии исходного звука, его цифровую копию. Файлы Wave-формата, как правило, отличаются большими размерами (минута звучания может занимать до 10—15 Мбайт), однако на качество их воспроизведения практически не влияет тип установленной в системе звуковой карты (если не учитывать добавляемые картой шумы)

WebMoney — Популярная система «онлайновых платежей» в российском сегменте Интернет, своеобразные «электронные деньги», которыми можно расплачиваться в сетевых магазинах

Window — Окно. Отсюда — Windows, Окна

WWW (World Wide Web) — Всемирная Информационная паутина, состоящая из системы «страниц», связанных между собой с помощью гиперсвязок (см. Hyperlink). Каждая «страница» содержит в себе не только текст, но и элементы мультимедиа: графику, звуки, анимацию, а иногда — даже оцифрованное видео. Самый популярный из сервисов сети Internet

WYSIWYG (What You See Is What You Get) — Что вижу на мониторе, то и получаю на принтере. Принцип, заложенный в большинстве программ — редакторов в Windows

Y2K (Year 2000) — 2000-й год. Чаще всего эта аббревиатура употребляется в связи с так называемой «ошибкой 2000 года» — невозможностью некоторых старых программ и компьютеров правильно интерпретировать смену дат при переходе в новое тысячелетие

ZIP — Популярная программа сжатия файлов (архиватор), а также не менее популярный дисковод большой емкости (100 Мбайт), производимый фирмой Iomega

ZIP-code — Почтовый индекс

Zoom — Увеличение/уменьшение экранного изображения (соответственно — Zoom In и Zoom Out)

Бестолковый русско-английский словарь компьютерной терминологии и жаргона

Автор прекрасно понимает, что включение в книгу этого небольшого (около 100 слов) словарика сыграет скорее против него и вызовет массу критических замечаний. Ревнители чистоты языка не упустят случая обвинить автора в популяризации примитивного жаргона, а также явно «калькированных» с английских терминов «русских» слов — например, процессор, слэш и им подобные. И тем не менее автор счел необходимым, наряду с привычным англо-русским словарем, привести здесь и небольшой справочник по современному «русскому компьютерному» языку (или, если хотите — слэнгу) в надежде, что он поможет облегчить начинающим пользователям тяжкий процесс общения с более развитыми коллегами по увлечению. В справочнике автор постарался зафиксировать и чисто жаргонные слова, и «кальки» с англоязычных терминов, и оригинальную русскоязычную терминологию — что, по его мнению, поможет создать более-менее объективный образ языка пользователей компьютера.

Вместе с тем автор настоятельно советует не засорять повседневную речь откровенными жаргонизмами. Пресса и так уже приобрела вредную привычку представлять пользователя персонального компьютера в виде существа с явно пониженным интеллектом, успешно обходящимся в повседневной жизни лишь тремя словами — «рулез», «сакс» и «мастдай» (см. ниже). Но к вам, уважаемые мои читатели, конечно же, сей образ явно никакого отношения не имеет...

Аккаунт (Account) — запись, содержащая сведения о пользователе компьютерной сети (как правило, Internet). Иногда этим же словом обозначается сама возможность доступа в сеть

Анлимитед (Unlimited) — схема доступа в Internet, при которой пользователь покупает доступ на определенный срок (как правило — месяц). При этом фактическое время, проведенное пользователем на линии, не учитывается

Апгрейд (Upgrade) — модернизация, улучшение компьютера

Апдейт (Update) — процесс обновления программных продуктов, либо программа, содержащая обновленные элементы (см. Патч)

Архиваwия — процесс сжатия информации с целью уменьшения ее объема и удобства хранения и транспортировки. При архивации создается так называемый «архив» — файл, содержащий сжатые файлы и папки

Аська — популярный интернет-пейджер ICQ

Аттач (Attach) — файл, «прикрепленный» к сообщению электронной почты

Байт (Byte) — элемент информации, состоящий из 8 бит. В отличие от бита может обозначать практически любой знак или цифру (общее число знаков, которые может обозначать бит — 256). Именно в байтах (и более крупных величинах — килобайтах, мегабайтах, гигабайтах), как правило, измеряется объем компьютерной информации, а также емкость устройств для ее хранения

Батоны — жаргонное обозначение клавиш

Бит (Bit) — минимальный элемент информации в компьютере, обозначающий 0 или 1 — логическое «да» или «нет»

Бластер (Blaster) — жаргонное название звуковой карты

Бод (Bod) — единица скорости передачи информации, обозначающая количество бит, переданных в секунду

Браузер (Browser) — программа для просмотра гипертекстовых документов (страниц) Internet

Брандмауэр (Brandmayer) — то же, что и фейрволл (см.)

Бэкап (Backup) — сохранение резервных копий информации

Варез (Warez) — жаргонное обозначение нелегально распространяемого (попросту — ворованного) программного обеспечения

Взлом (от Hack) — незаконное снятие защиты с программы, нелегальный доступ к сайту или компьютеру в Интернет

Винды (Windows) — операционная система Windows

Винт, винчестер (HDD) — название первой модели жесткого диска. В дальнейшем стало нарицательным обозначением этого класса устройств

Гейт (Gate) — «ворота», «шлюз» между различными сетями (например, Интернет и Фидо)

Дип (DIP) — на платах — переключатель с несколькими контактами, замыкаемыми головкой-шляпкой. Параметры работы платы изменяются в зависимости от того, какие именно контакты были замкнуты

Документ (Document) — особый тип файла (см.), содержащий информацию, создаваемую и обрабатываемую пользователем с помощью программ — например, текст, изображение или звук

Доска — жаргонное обозначение клавиатуры

Зип (Zip) — название популярной программы для сжатия информации — архиватора, а также — популярного дисковода большой емкости

Иконка (Icon) — значок-картинка на Рабочем Столе Windows, символизирующая ту или иную программу или файл. Щелчок по иконке приводит к запуску программы или открытию файла

Инсталляция (Installation) — процесс установки программных продуктов, «подключающий» их к операционной системе

Интерфейс (Interface) — посредник, стандартизированная система сигналов и способ представления информации; предназначен для обмена информацией между устройствами, входящими в состав компьютера, а также между компьютером и пользователем

Камень (CPU) — процессор (см.)

Квест (Quest) — наименование класса приключенческих игр-«бродилок». Изюминка игр этого класса — логические задачи, которые необходимо решить игроку во время виртуального «путешествия»

Кластер (Cluster) — элемент структуры хранения информации на жестком диске, минимальный по емкости участок жесткого диска. В зависимости от использования файловой системы (см.) содержит от нескольких десятков до нескольких сотен байт

Коннект (Connect) — соединение с удаленным компьютером

Крэкер (Cracker) — программа-«отмычка» для взлома (снятия защиты) с программ, а также человек, специализирующийся на создании подобных программ

Кулер (Cooler) — вентилятор, предназначенный для охлаждения процессора или видеокарты

Курсор (Cursor) — средства управления и запуска программ в виде движущейся по экрану стрелки, копирующей движения вашей руки при работе с мышью

Кэш (Cache) — аппаратный или программный буфер, накопитель, позволяющий ускорить доступ к наиболее часто используемым данным

Ламер (Lamer) — жаргонное словечко, используемое не обремененными интеллектом юзерами (см.) для обозначения неопытного пользователя

Мастдай (Mustdie) — жаргонное словечко, любимое некоторыми примитивно мыслящими компьютерщиками. Обозначает крайнюю степень неодобрения

Мать (Motherboard) — материнская плата

Мейлер (Mailer) — программа для рассылки (в сети Фидонет), а также создания и чтения (в сети Internet) сообщений электронной почты

Модем (Modem) — от английского — «модулятор-демодулятор», устройство для преобразования цифровых сигналов в аналоговые (и обратно) для передачи их по телефонным линиям

Модератор (Moderator) — ведущий группы новостей (см. Newsgroup), устанавливающий правила поведения в ней и следящий за их выполнением

Монитор (Monitor) — устройство визуального отображения (на специальном экране, похожем на телевизионный) компьютерной информации

НЖМД — в отечественной терминологии — устаревшее обозначение жесткого диска (HDD) — Накопитель на Жестком Магнитном Диске

Нотбук (Notebook) — портативный компьютер

Оболочка (Shell) — программа-надстройка над операционной системой, предоставляющая пользователю более удобный и наглядный способ работы с ее функциями (например, Windows)

ОЗУ — устаревшее наименование оперативной памяти

Оперативная память (RAM) — быстрая память, используемая компьютером для загрузки и работы с часто востребованными данными и программами. При отключении питания содержимое этой памяти исчезает

ОС — операционная система

Отладка (Debug) — в программировании — проверка исходного кода программы с целью обнаружения ошибок

Оффтопик (Off Topic) — сообщение, нарушающее правила поведения в группе новостей либо не входящее в ее тематические рамки

Папка (Folder) — элемент логической структуры информации на жестком диске, объединяющий несколько файлов (см.) или вложенных папок более низкого уровня. Синонимы — Фолдер, Директория (директорий)

Патч (Patch) — программа-«заплатка», исправляющая ошибки в работе той или иной программы либо добавляющая в нее новые функции (см. Апгрейд, Апдейт)

Пень — жаргонное обозначение процессоров класса Pentium

Пин (Pin) — контактная металлическая полоска на разъеме для подключения платы

Писюк — жаргонное обозначение IBM PC-совместимых компьютеров

Полуось — жаргонное наименование операционной системы OS/2

Порт (программный или аппаратный) — место для подключения к компьютеру каких-либо устройств либо канал доступа в компьютер извне (например, с помощью сети)

Портал (Portal) — сайт Интернет, предоставляющий пользователю доступ сразу к нескольким сервисам Сети — справочнику, новостям, поисковой системе и т. д., либо несколько тесно интегрированных в одну систему сайтов

Принтер (Printer) — устройство для печати на бумаге информации (текста или графики)

Провайдер (Provider) — фирма, предоставляющая доступ в сеть Internet

Прокси (Proxy) — программа-посредник между вашим компьютером и Интернет. Играет роль кэша (см.), а также позволяет перекрыть доступ пользователю к определенным ресурсам и страничкам Сети

Протокол (Protocol) — метод передачи данных. Различные протоколы отличаются скоростью передачи, стабильностью работы и т. д.

Процессор (CPU) — главное управляющее устройство компьютера, кристалл кремния, содержащий миллионы отдельных вычислительных устройств (транзисторов), соединенных друг с другом

Разгон (Overclocking) — популярный способ ускорения работы компьютера либо его отдельных плат. Обычно достигается с помощью принудительной установки более высокой тактовой частоты (см.) работы устройства, чем это положено по документации

Разрешение (Resolution) — характеристика изображения, либо устройства для его отображения, характеризующееся числом точек на единицу площади изображения. Например 1280x1024 — изображение содержит 1280 точек по горизонтали и 1024 точки по вертикали. Таким образом, данное изображение состоит из 1 310 720 точек

Расширение (Extension) — элемент имени файла, состоящий из трех (реже — четырех) букв, обозначающий его тип. От основной части имени отделяется точкой. Например документ.doc (расширение doc показывает, что мы имеем дело с документом, созданном в текстовом редакторе Word или WordPad)

Рефреш (Refresh) — частота обновления картинки на экране, смены кадров изображения

Рулез (Rulez) — жаргонное словечко, любимое некоторыми примитивно мыслящими компьютерщиками. Обозначает крайнюю степень одобрения

Рулесы (Rules) — правила поведения в группах новостей (см. Модератор)

Сайт (Site) — в сети Internet — единая информационная структура, состоящая из связанных между собой гипертекстовых документов-страничек

Сакс (Sux) — отнюдь не человек саксонской национальности, а жаргонное словечко, любимое некоторыми примитивно мыслящими компьютерщиками. Обозначает крайнюю степень отвращения (см. также Рулез и Мастдай)

Секвенсер (Sequenser) — программа для создания и редактирования синтезированного (MIDI) звука

Сеть — если этот термин пишется с большой буквы — будьте уверены, что речь идет о Всемирной Сети Интернет.

Сидюк — жаргонное наименование дисковода и дисков CD-ROM

Симулятор (Simulator) — компьютерная игра, построенная на имитации управления каким-либо транспортным средством, механизмом (автомобиль, самолет, космический корабль и т. д.)

Сканер (Scanner) — устройство для перевода изображения с бумажного носителя в цифровой, компьютерный формат.

Слэш (Slash) — косая черта (/), разделяющая различные части адреса сети Internet или дискового адреса файла

Стратегии (Strategy) — класс военно-ориентированных или управленческих игр, смысл которых сводится к управлению большим количеством игровых персонажей-юнитов (войска, население города и т. д.) и проведению больших кампаний, направленных на развитие контролируемого вами игрового пространства (строительство города или захват войсками территорий)

Сэмплы (Samples) — звуковые фрагменты, использующиеся в звуковых картах при синтезе звука (см. MIDI), а также в программах конструирования несложных мелодий (сэмплеры, трэкеры)

Тактовая частота — основной параметр, характеризующий скорость обработки информации процессором, а также рядом других микросхем и отдельных плат, входящих в состав компьютера. Измеряется в мегагерцах (МГц)

Тоссер (Tosser) — в сети Фидонет — программа для сортировки сообщений электронной почты по тематическим группам

Трэкбол (Trackball) — устройство управления, похожее на перевернутую мышь. Для управления курсором на экране пользователь должен крутить ладонью установленный вверху трэкбола шар — сам трэкбол при этом остается неподвижным

Трэкер (Tracker) — программа для создания несложных ритмических мелодий, сконструированных из готовых звуковых «кусочков» — сэмплов

Утилиты (Utilities) — небольшие вспомогательные программы, предназначенные для обслуживания и улучшения работы компьютера, реже — для выполнения простейших операций с документами

Файл (File) — от английского «карточка, документ». Минимальный логический элемент информации, с которым работает пользователь персонального компьютера. Может включать документ, программу (или ее отдельный элемент). В отличие от кластеров, файлы могут существовать автономно друг от друга и содержать законченный, самодостаточный объем информации

Файловая система (File System) — структуры упорядочивания хранения информации на жестком диске. Во многих популярных файловых системах (например, используемой в Windows FAT32) информация записывается на диск не в виде целых файлов (см.), а в виде отдельных кластеров (см.) — таким образом файл оказывается разбросанным по всему жесткому диску. При необходимости компьютер вновь собирает файл из отдельных кластеров, пользуясь так называемой таблицей размещения файлов (FAT)

Фейрволл (Firewall) — он же — брандмауэр. Программа или компьютер, пропускающий через себя поток поступающей из сети информации с целью обезопасить компьютер или сеть от несанкционированного доступа.

Фидо (FidoNet) — общедоступная бесплатная компьютерная сеть, предназначенная для обмена сообщениями электронной почты и файлами

Флоп (Floppy) — жаргонное обозначение дисковода для гибких дисков или, реже, самих дисков

Флэш-память (Flash Memory) — перезаписываемая память, содержимое которой не исчезает при отключении питания. Карты и микросхемы флэш-памяти используются для хранения параметров работы различных устройств (например, модемов), а также в качестве носителей информации (цифровые фотокамеры)

Форматирование (Formatting) — процесс упорядочивания структуры текста либо носителя информации (в этом случае информация, хранящаяся на носителе, уничтожается)

Фрек (FREQ, File Request) — в терминологии сети «Фидонет» — запрос файлов с удаленного компьютера

Хакер (Hacker) — первоначально — опытный пользователь. В настоящее время термин употребляется только в отношении специалистов по «взлому» защиты программных продуктов, а также компьютеров, подключенных к компьютерным сетям, с целью незаконного доступа (реже — порчи или изменения) к хранящейся в них информации

Хит (Hit) — не только модная песня. В системах статистики Интернет число «хитов» означает количество посещений того или иного сайта. Смотрите также «Хост»

Хомяк (от Homepage) — почему-то считается, что именно так матерые пользователи (см. Юзер) называют «домашние», персональные странички сети Интернет. Однако лично я встречал этот термин лишь в околосетевой журналистике

Хост (Host) — в Сети (см.) это слово используется для обозначения постоянно подключенного к Интернет компьютера, либо — посетителя сайта с уникальным адресом.

Чат (Chat) — популярный вид «текстового» общения в режиме реального времени в Internet, во время которого пользователи пишут свои сообщения на доступной всем другим пользователям «виртуальной доске»

Чип (Chip) — микросхема, процессор

Чипсет (Chipset) — набор микросхем, центральный элемент компьютерной платы (например, материнская плата, видеокарта и т. д.)

Шутер (Shooter) — трехмерная игра-«стрелялка»

Юзер (User) — пользователь

Юнит (Unit) — в компьютерных играх (преимущественно в стратегических) — виртуальный участник игры, которым вы можете управлять по ходу действия

Словарь «сетеяза»: популярные аббревиатуры

(Составлено Александром Мельниченко (http://fido7.newmail.ru/dict.htm)

2	Too	Тоже
3	Free	Свободный
4	For	Для
4U	For You	Для тебя
AAMOF	As A Matter Of Fact	Как факт,...
ADN	Any Day Now	Теперь в любое время
AFAIK	As Far As I Know	Насколько мне известно
AFAIR	As Far As I Remember	Насколько я помню
AFK	Away From Keyboard	Я далеко от компа...
AKA	Also Known As	Также известный как
AMF	Adios Muthafukka	Прощай, с..ин сын
AS	On Another Subject	По другому вопросу (беседы)
ASAP	As Soon As Possible	Как только так сразу
ATM	At The Moment	Сейчас
ATSL	Along The Same Line	В той же строке
BBIAF	Be Back In A Few [minutes]	Вернусь через несколько минут
BBIAH	Be Back In An Hour	Вернусь через час
BBIAM	Be Back In A Minute	Вернусь через минуту
BBIAS	Be Back In A Second	Вернусь черед секунду
BBS	Be Back Soon	Скоро вернусь
BCNU	Be seeing you...	Еще увидимся
BNF	Big Name Fan	Большой фанат

BTW	By The Way	Между прочим
CU	See You	Увидимся
CUL/CUL8R	See You Later	Увидимся позже
CYA	Cover Your Ass	Прикрой свою задницу
DL	Download	Скачивать информацию
DIIK	Damned If I know	Будь я проклят, если знаю!
EMFBI	Excuse me for butting in	Простите, что вмешиваюсь
FAQ	Frequently Asked Questions	Часто задаваемые вопросы
FITB	Fill In The Blank...	Заполни пробелы
FROPPED	F..king dROPPED	Выброшено на...
FUBAR	Fouled Up Beyond All Repair	Полностью испорчено
FWIW	For What Its Worth	Нафига козе баян?
FYBITS	F.You, Buddy, I'm The Sysop	Отвали, крошка, я тут главный!
FYI	For Your Information	К твоему сведению
GIWIST	Gee I Wish I'd Said That	Боже, это должен был сказать я!
HHTYAY	Happy Holidays to You and Yours	С праздником Тебя и Твоих
IANAL	I Am Not A Lawyer	Я не юрист
IC	I See	Дошло!
IMCO	In My Considered Opinion	По моему взвешенному мнению
IMHO	In My Humble/Honest Opinion	По моему скромному мнению
IMNSHO	In My Not So Humble Opinion	По моему нескромному мнению
IMO	In My Opinion	По моему мнению
IOW	In Other Words	Другими словами
IRL	In Real Life	В реальной жизни
ITSFWI	If The Shoe Fits, Wear It	Куй железо, пока горячо
JK	Just Kidding	Я просто шучу!
JSNM	Just Stark Naked Magic	Просто голое волшебство
KHYF	Know How You Feel	Понимаю твои чувства
L8R	Later...	Позже...
LAB&TYD	Life's A Bitch & Then You Die	Весь мир бардак...
LOL	Laughing Out Loud	Ржание до резей в животе
LTNS	Long Time No See	Сколько лет, сколько зим!
LTNT	Long Time No Type	Столько времени ни строчки
MHO	My Humble Opinion	Мое скромное мнение
MYOB	Mind Your Own Business	Не суй свой нос куда не просят!
NBFD	No Big F..king Deal	Нестоящее занятие
NTYMI	Now that you mention it	Теперь к вашему вопросу
OIC	Oh, I See...	А-а! Понятно
OOTQ	Out of the question	Нет вопросов, разумеется
OTOH	On The Other Hand	С другой стороны
OTTOMH	Off the top of my head	Мне это не по зубам
PFM	Pure F..king Magic	Чистое волшебство, мать его так
PMJI	Pardon my jumping in	Простите, что вмешиваюсь
POV	Point Of View	Точка зрения

RE	Returned	Я вернулся
RL	Real Life	Реальная жизнь
ROFL	Rolling On The Floor Laughing	Кататься по полу от смеха
ROTF	Rolling On The Floor	Катаясь по полу
ROTFL	Rolling On The Floor Laughing	Катаясь по полу от смеха
RSN	Real Soon Now	Теперь по-настоящему скоро
RTFM	Read The Fine/F.ing Manual	Читай документацию
SNAFU	Situation Normal, All Fouled Up	Дела как сажа бела!
SOW	Speaking of which	Говоря о котором
SYSOP	System Operator	Системный Оператор
TANJ	There Ain't No Justice	Нет здесь справедливости
TANSTAAFL	There Ain't No Such Thing As A Free Lunch	Халявы здесь не предвидится!
TANSTASQ	There ain't no such thing as a stupid question	Здесь чайникам не место!
TFTHAOT	Thanx For The Help Ahead of Time	Заранее благодарен
TNX	Thanks	Спасибо
TOBAL	There Oughta Be A Law	Этому бы быть законом
TOBG	This Oughta Be Good	Это [должно быть] хорошо
TPTB	The Powers That Be	Силы, которые есть
TTBOMK	To The Best Of My Knowledge	На пределе моих знаний
TTFN	Ta Ta For Now	Не надо Ля-Ля
TTUL (TTYL)	Talk To You Later	Поговорим позже
UL	Upload	Закачивать информацию
w/	With	С...
w/o	Without	Без
WB	Welcome Back	С возвращеньицем!
WRT	With Respect To [With Regard To]	В отношении
WTF	What the F..k	Что за черт!
WYSIWYG	What You See Is What You Get	Что видишь — то и получишь
YGLT	You're Gonna Love This...	Тебе понравится
YKYARW	You Know You're A Redneck When	Ты же знаешь, это тебя бесит

Содержание

МИР ТВОРЧЕСТВА: КУРС НАЧИНАЮЩЕГО ВЕБМАСТЕРА

ОБЩЕДОСТУПНАЯ КОМПЬЮТЕРНАЯ СЕТЬ ФИДОНЕТ

ПРИЛОЖЕНИЯ

Научно-популярное издание

Леонтьев Виталий Петрович

НОВЕЙШАЯ
ЭНЦИКЛОПЕДИЯ
ИНТЕРНЕТ

Ответственный за выпуск *Е. Н. Авадяева*
Редактор *И. Н. Суслова*
Художественный редактор *С. А. Астраханцев*
Технический редактор *Н. Д. Стерина*
Корректор *А. В. Игумнов*

Лицензия ИД № 05480 от 30.07.01
Подписано в печать 22.02.02.
Формат 70×108 1/16. Бумага офсетная. Гарнитура «Ньютон».
Печать офсетная. Усл. печ. л. 53,20. Уч.-изд. л. 47,17.
Доп. тираж 15 000 экз. Изд. № 01-3681. Заказ № 3382.

Издательство «ОЛМА-ПРЕСС»
129075, Москва, Звездный бульвар, 23

Отпечатано в полном соответствии с качеством предоставленных диапозитивов
в полиграфической фирме «КРАСНЫЙ ПРОЛЕТАРИЙ»
103473, Москва, Краснопролетарская, 16